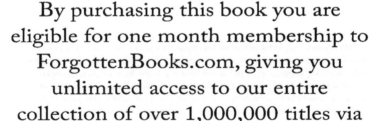

ISBN 978-0-428-63538-1
PIBN 11259958

Jacob Barthy

This handsome quarto volume contains the last collection of the hymns of the Ephrata cloister. All of those down to page 297 were written by Conrad Beissel. This copy gives information hitherto unknown. It has belonged at one time to one of the Brethren and he has inserted beside the hymns beginning with page 297 the names of the Brethren and Sisters who wrote them. This fortunate circumstance gives it the greatest value. Like all of the books written exclusively for use in the Cloister the edition was very small and copies are now extremely rare. Gilbert's copy brought $65 and I know of one since sold privately for $75. Though this copy apparently lacks a leaf of the Register it is more nearly complete than any other within my knowledge. The Ephrata books not intended for sale were bound seemingly to suit the taste or convenience of the owner and there are many irregularities both in the way of additions and omissions. I do not think either Gilbert's or Sleven's "WunderSpiel" had any Register and I have seen a fine copy in the original binding with neither Vorrede nor Register.

Sam¹ W. Pennypacker
June — 1882

Paradisisches

Wunder-Spiel,

Welches sich

In diesen letzten Zeiten und Tagen in denen Abend-
ländischen Welt-Theilen, als ein Vorspiel
der neuen Welt hervorgethan:

Bestehend in einer neuen Sammlung andächticher und zum Lob
des grosen Gottes eingerichteter geistlicher/ und ehedessen
zum Theil publicirter Lieder.

INVENIT HIRUNDO NIDUM, JEHOVA ALTARIA TUA

DELICIÆ EPHRATENSES.

EPHRATÆ: Typis & Consensu Societatis A: D: M D C C L X V I.

Allen von GOtt berufenen Heiligen und Auserwehlten so wohl disseits als jenseits des grosen Wassers/ die auf das Heil Gottes warten, Gnade und Friede zuvor.

Von GOTT in Christo Geliebte.

ES ist eine Wahrheit, die beydes die H. Schrifft und die Erfahrung bestättigt, daß der seelische Mensch nicht vernimmt die Dinge/ die des Geistes Gottes sind. Wir sind zwar aller Orten von der Ewigkeit umgeben, und umstellt; dennoch wissen wir ohne Göttliche Erleuchtung so wenig von derselben, als ein Kind in seiner Mutter Leib weiß von dieser Welt Beschaffenheit, ohnerachtet es alle seine Nahrung von derselben hat, gleichwie auch wir von der Ewigkeit. Daraus folget unwidersprechlich, daß alles Thun und Trachten des natürlichen Menschen eitel, nichtig und GOtt mißfällig sey.

Weilen aber etwas von GOtt aus der Ewigkeit in den Menschen ist eingeleibet, so kan er auch nicht wie andere Geschöpffe in dieser Welt wohl werden: dann es liegen zwey grose Reiche, Licht und Finsternuß/ im Streit um dieses zerfallene Bild Gottes, und suchet ein jedes dasselbe einzuerndten. Welches Reich nun den Willen des Menschen auf seine Seith ziehet, dasselbe wird in ihm fruchtbar, und sammlet ihn in seine Scheuer, wann die Zeit der Ewigkeit überliefert. Der Quell-brun des Bösen, der in uns ist, auch offt die Heiligen machet Blut schwitzen, könte hier Anlaß geben, vieles zu melden von der Gefahr, welcher wir an dem Reich der Finsternuß unterworffen sind; allein wir wollen solche Ehre dem Bösen nicht anthun, sondern wollen anführen, welche Anstalten GOtt gemacht nach dem Fall, um das Reich des Lichts unter den Menschen wieder aufzurichten und auszubreiten.

Vors erste ist zu mercken, daß dieses Welt-reich, dahin unser Groß-Vater mit seinem Geschlecht ins Elend verwiesen worden, ein Mittel-Reich sey, daran weder GOtt nach seiner Liebe/ noch der Engel des Neids mit dem Grund-Bösen, ein Recht hat: es ist ein Reich vor sich, bestehend in Gut und Böß unter der Verwaltung des Welt-Geists. Alle Bürger dieses Reichs müssen Heuchler seyn, das ist: sie müssen auf einer bösen Wurtzel stehen; aber dieses Böse muß mit einem Schein-Guten zugedeckt seyn, daß wann das Böse zu weit heraus komt, wird ihm mit dem Schwerdt Einhalt gethan, und eben solche Waffen brauche die Welt auch, wann das Gute Gottes scheb

† 2

net sich zu weit heraus zu lassen, und dieses ist das Geheimnuß, warum Christus zwischen zween Uebelthäter ist gecreutzigt worden.

Was GOtt vor Mühe gehabt mit diesem Welt-Reich, um denen dahin verwiesenen Adams-Kindern wieder zu ihrer verlohrnen Herrlichkeit zu helffen, davon zeuget die H. Schrifft, und wie viele Wahrheits-Zeugen ihr Leben darüber eingebüst, solches kan in den Kirchen-Geschichten ohne Wehmuth nicht gelesen werden. Und zwar ist GOtt in den Tagen des alten Testaments keineswegs zu seinem Zweck kommen; dann ohnerachtet die Propheten durch den Geist der Weißagung den Judischen Kirchen-Himmel so gar erleuchtet, daß zwischen ihnen und den Tagen des neuen Testaments fast kein Unterscheid scheinet zu seyn: so blieb doch bey allem diesem die Pforte des Paradieses uneröffnet. Endlich ward das arme Kind zu Bethlehem im Stall gebohren, dadurch wurde Adams Reich auf Erden in die äuserste Bestürtzung gesetzt, weil der erschienen, welcher der Heucheley, darhinter sich alle Welt versteckte, solte ein Ende machen, und GOtt wieder zu seinem Recht verhelffen an den Menschen. Dann es ist zu mercken, daß Adam und Eva durch Betrug der Schlangen die Gutheit Gottes überlistet, den Raub mit sich aus dem Paradieß in diese Welt gebracht, und nun denselben hier mit ihren Nachkommen in der Selbheit verzehren. Ewiger GOtt! welche Zerstöhrung hat dieser neu-gebohrne König auf dem Erdboden angerichtet? und was werden noch vor Zerbrechungen an der gantzen Schöpffung vorgehen, bis sie wird diesem verachteten Knäb-lein huldigen.

Dieser JEsus ist es, der es GOtt zuerst ab, und in seiner Tauff auf sich genommen, darüber der Vater durch eine Stimme vom Himmel seinen Wohlgefallen an Tag gegeben. Und als er nach vollbrachter Tauff seine vom Himmel gebrachte Lehr ausbreitete, und darinnen seinen Nachfolgern solche seltsame Bedingung vorlegte, daß nemlich/ wer nicht hasset/ Vater/ Mutter/ Bruder/ Schwester/ Weib und Kinder/ ja seine eigene Seele/ der könne nicht sein Jünger seyn: so haben sich alle Stände des Natur-Reichs zusammen verbunden, diesen fremden Lehrer inzeiten aus dem Weg zu räumen, ehe er möchte einen Anhang bekommen. Diesemnach ist Christus, menschlich zu reden, mit allem Recht gecreutzigt worden, weil er mit der vom Himmel gebrachten Lehre einen Eingriff gethan in die Rechte dieses Welt-Reichs. Aber daneben mußte an ihm der Rahtschluß Gottes erfüllet, und durch die Zerbrechung seines Leibes die Feindschafft getödtet werden, die in seinem Fleisch lag: und also hat er die in Adam verschlossene Pforte ins Reich Gottes wieder eröffnet, dadurch GOtt wieder zu seinem Recht an dem Menschen kommen, darum ihn auch der Vater zu seiner Rechten erhöht, und ihm einen Nahmen über alle Nahmen gegeben.

Nun hat freylich der Sohn den Vater gelöst; wer solte aber nun den Sohn lösen, und es ihm wieder abnehmen? Dann wann er auch schon den Todt erlitten hätte; er hätte aber keine Kind e. hinterlassen, darauf sich der Geist der Ewigkeit hätte können ausbreiten: so wäre zwar dem Zorn Einhalt geschehen; aber die himmlische Fruchtbarkeit, oder die Freude des Paradieses, wäre nicht zum Vorschein kommen. Und nun kommen wir auf die zwölff geistliche Söhne unsers himmlischen Jacobs, die Apostel. Diese, nachdeme sie mit dem Wort des Lebens besaamt waren, nahmens dem Sohn ab, gleichwie ers dem Vater hat abgenommen. Diese haben den durch das Wort des Lebens erregten Hader unter den Menschen weiter ausgebreitet. Da wurden die sonst heilig gehaltene Bündnisse der Natur unterbrochen, Mann; Weib, Eltern, Kinder, Braut und Bräutigam, ja die beste Freunde, trenneten sich von einander, je nachdem das Wort des Lebens einen Eingriff in die Hertzen that, dann Adams Frieden auf Erden solt nun zerstöhret werden. Dieses konte der Gott dieser Erden nicht so ruhig ansehen, dann sein Reich wurde untergraben: da gings nun an

ein

ein Würgen und Blut-vergiesen, wie solches die zehen Trübsals-Tage der ersten Blut-Zeugen satt-
sam an Tag geben. Welche Ströme Bluts sind nicht vergossen worden, bis nur der Nahme
Christi hat einen festen Fuß auf Erden erlangt. In diesem entsetzlichen Blut-Bad tryumphirte
GOtt beständig über das Welt-Reich und Reich der Finsternuß, dann je mehr geteilret wurde, desto mehr breitete sich der Nahme Christi aus, daß auch selbsten die Heiden sagten: aus dem Blut
der Martyrer würden neue Christen.

In dieser grosen Trübsal schrie das Volck zu GOtt, und er gab ihnen einen Schutz-Herrn, Con-
stantinum den grosen, der bauete dem Nahmen Christi eine Hütte, und errettete das Volck
von den Heiden. Nun hätte man dencken mögen: das Gericht hätte sich gesättiget an dem Blut
so vieler tausend Christen; allein weit gefehlt: dann was gibt GOtt um unser auswendiges Leben; wann er nur kan an uns wieder zu seinem Recht kommen; hat er doch seines eigenen Sohns
nicht verschonet. Demnach hatten die Christen nicht so bald Ruhe erlangt von den Heiden, so wurde die blutige Schau-Bühne aller Verfolgung mitten in der Kirche aufgerichtet, und alle Werckzeu-
ge der Marter dahinein gebracht. Es wäre zu weitläufig, alle Jahr-Hundert durch zu gehen, und
alle die auf zu suchen, die um des Zeugnuß JEsu willen, selbst mitten in der Kirche sind gemartert
worden. Wir wenden uns, unserm Endzweck gemäß, zu diesem gegenwärtigen Jahr-Hundert, da
wir dan beym Eintritt desselben eine sonderbahre Kirchen-Zeit bemercken, und zwar sonderlich in unserm Vaterland Teutschland, die wir billig die sechste, oder Philadelphische nennen können.
Dann da man in der vorhergehenden Sardischen Kirchen-Zeit sich lange genug um Meinungen
hatte herum gezanckt, so brach endlich das Erkäntnuß Gottes durch, als ein lang aufgehalter
Wasser-Strohm, und überschwemmte so viele Länder, daß auch viele muthmaßeten, das Reich Christi wäre nun in völligem Anbruch. Das gesegnete Andencken derer Glaubens-Helden, die damals
durch den Geist der Ewigkeit sind erwecke worden, ist bis auf uns komen, wird auch gesegnet bleiben,
und wir schmeuchlen uns, ihre ächte Kinder und Nachfolger zu seyn: so sind auch die noch übrige
Gemeinden der so genannten Inspirirten, Tauffs-Gesinnten, Mährischen und Sabba-
thisten nachdencklicher Beweiß-gründe derselben grosen Erweckung. Aber daß wir nur nicht wären
der Laodicäischen Kirche zu nahe in ihre Gräntzen gekommen, diese ist die siebende, hat also den
Sabbath vors Fleisch eingehohlt, und Feyer-abend gemacht, dahero auch, weil sie weder gut, noch
böß, weder kalt noch warm ist, GOtt ihr weder mit Gericht noch Barmhertzigkeit helffen kan.

Nun wollen wir Europa verlassen, und den Geist der Erweckung über das grose Welt-Meer
in America begleiten. Wer wolte noch zweifflen, daß nicht Pennsilvanien von GOtt darzu
bestimmet, daß sich darinnen die Nachkommen der zwölf Sämmen unsers himmlischen Jacobs
solten ausbreiten, als in dem Land ihres Erbtheils. Und ob sie schon unter sich selbst in Sitten,
Weisen und Gebräuchen gar sehr unterschieden, das benimmt der Sache nichts, die Zwistigkeiten
kommen nur her von den verschiedenen Müttern, welche die Stamm-väter zur Welt gebracht.
GOtt ist bisher durch alles hin mit gewesen, eben wie er auch vormahls um der Väter willen der
Stämme GOtt gewesen bey all ihren mißräthigen Händeln. Man soll niemands Ernst schmäh-
lern, den er um des Reichs Gottes willen hat angewendet. Ist etwa jemand ein Baumeister ge-
sen, der Stoppeln auf den Grund gebaut, der hat nur in so weit vergeblich gearbeitet, weil er sein
Werck verlieret; er selbst aber wird dennoch selig werden, wiewohl gleich als durchs Feuer.
Wir segnen alle Stämme; aber unsere eigentliche Bezweckung gehet vor dißmahlen ins besonder
auf den Stamm Joseph.

† 3   Mm

Man hat sich billig zu verwundern über den zur Zeit der Reformation begangenen Fehlschlag, indeme man damals dem Stamm Juda hat alles in die Hand gespielt, und dagegen den Stam Ephraim so gar um sein Looß in des HErrn Erbtheil gebracht, daß es schwer zu errathen, wo man auch nur mit einer Jungfrau hin wolte, die ihre Jungfrauschafft GOtt verlobet, nicht zu gedencken, wann; wie zur Zeit der ersten Christen, gantze Schaaren solches Verlöbnuß würden aufnehmen. Es scheinet aber, die Zeit sey erschienen, daß diesem Stamm, als welcher die Geburts-Lineam Christi nach dem Geist unter den Stämmen solte fortpflantzen, sein Erbe wieder solte zu Theil werden. GOtt gebe/ daß fernerhin Juda nicht neide den Ephraim/ noch Ephraim den Juda/ dann in dieser Eintracht werden sie den Philistern über den Halß kommen/ und berauben alle/die gegen Morgen wohnen/ Esaj. 11/ 14.

Das Werckzeug, dessen sich GOtt hierzu bedienet, als noch lebend zu nennen, möchte vielleicht anstößig seyn; um derer willen aber, die keinen Unterricht davon haben, soll alles kürtzlich aus der Quelle hergeleitet werden: vielleiche breitet sich dieser Stamm nach uns weiter aus, denen muß dann dieser Bericht erwecklich seyn. Es seynd jetzt fünfzig Jahr verflossen, seit dem der Urständer/ gebohren in einem in Chur-Pfaltz am Neccar gelegenen Unter-Amts Städtlein, genannt Eberbach/ ist nebst andern in Heydelberg von dem Geist der Ewigkeit kräfftig erweckt worden, in welcher Ausgiesung des H. Geists ihme vielleicht in der kleinen damals gesammleten Kirche,(GOtt gebe ihnen Barmhertzigkeit am Tage des Gerichts) das grösse Gewicht ist zu Theil worden, allermaaßen er, nachdeme er aus seinem Vaterland vertrieben, und hernach eine zeitlang unter den Inspirirten gewandelt, endlich dieses H. Feuer, und die damit verknüpffte Leiden, die in Christo sind, hat über das grose Welt-Meer in diesen abend-ländischen Welt-theil gebracht. Als er in Pennsylvanien ankam, welches geschah im Jahr 1720. war darinnen ein solcher Misch-Masch in geistlichen Dingen, daß keiner des andern Sprache verstund. Diejenige, die sich damals dem einsamen Leben gewidmet, waren fast alle an dem Weib dieser Welt zu Fall kommen, etliche wehnige ausgenommen, die sich verkrochen hatten, und vor Schmach ihren Mund nicht durfften aufthun. Dieses gab ihm eine erwünschte Gelegenheit, seinen Vorsatz, ein von allen Menschen geschiedenes Leben zu führen, ins Werck zu setzen: Es glückte ihm auch in so weit, daß er sich in einer in Canestoges neu angebauten Gegend, genannt Mühlbach/ niederließ. Als er aber im Geist gegriffen wurde, den Bund Gottes wieder auf zu suchen, und sich, nach dem Beyspiel Christi, von einem Geringern, als er selbsten, tauffen ließ, gingen seine gefaßte Eindrücke von einer sichtbahren Einsamkeit mit Tod ab, und er muste sich bequämen nach seinem Führer. Zur selbigen Zeit verkündigte er aller Orten, begleitet von einem seiner Brüder, mit unermüdetem Fleiß den Menschen den Rathschluß Gottes, darüber unter allen Partheyen eine nicht geringe Bewegung entstund, und vielen die Augen aufgingen, daß die Religions-Zäune hin u. wieder nieder gerissen wurden. Damals durchstrich ein Irr-stern unsern Horizont und setzte viele Menschen mit einer übel-gegründeten Lehre von der Wiedergeburt in Verwirrung, die Ausbreiter dieser Lehre hatten nicht so bald unsern Authorem gesprochen, so eilete derselbe so schnell zu seinem Untergang, daß man jetzt fast keine Spur mehr davon findet.

Nachdeme nun durch diese Amts-Bedienung eine nicht geringe Beute dem Geist dieser Welt abgejaget wurde, so forderte die Sache eine Kirchen-Ordnung, die der Apostolischen am ähnlichsten wäre, und es scheinet, daß sich mit dieser Erweckung damals ein Abriß einer Kirche, die in keinem Theil geringer als die Apostolische wäre, nur die Wunder und Blut-Gerichte ausgenommen, zum wehnigsten

nigſten auf eine Zeit-lang hätte dargeſtellet. Alle Verſammlungen wurden mit Apoſtoliſcher Krafft geführet. Ueberhaupt hielte man ſich in allen Dingen an die Apoſtoliſche Ordnung, jeder blieb in dem Stand, darinnen ihn der Göttliche Ruf gefunden: Hochzeiten und andere dergleichen Dinge-waren zum wehnigſten in den erſten Zeiten gantz ungewöhnlich. Desgleichen war auch damal der Stand der Einſamen von dem Haus-Stand noch nicht geſchieden, und dieſe eifferten jenen nach in der Verſchmähung der Welt, ſo viel es ihre Umſtände erlaubten: jederman wolte Jungfrau ſeyn. Dann die Kräfte der zukünfftigen Welt hatten die Wercke des Fleiſches und der Natur in ſolche Hemmung gebracht, daß auch einige damals in ihrem allzu ſtarcken Eiffer muſten zurück gerufen werden. In dieſer ſchönen Morgen-röthe ſind die hier mitgetheilte Lieder zum Vorſchein kommen, die von Zions Herrlichkeit handeln, dann die Verlaſſungs-ſtände ſind hernach eingetretten, und haben die viele untermengte Trauer-Lieder ausgepreßt: ein erfahrner Leſer wird aus der darinnen enthaltenen Salbung von dem Gewicht der Erweckung wohl zu urtheilen wiſſen.

Es würde die Gräntzen einer Vorrede überſchreiten, wann ſolte gemeldet werden, wie hernach ein jeder Stand an die zu ſeiner Heiligung nöthige Arbeit iſt geſetzt worden, dabey unendliche Zwiſtigkeiten zwiſchen den Ständen ſind vorkommen, in welchen bald der Haus-ſtand an dem Einſamen, bald der einſame Stand on dem Haus-ſtand trefflich iſt geſichtet und gedemüthiget worden. Von dieſem Unterſchied der Stände hat ſchon im alten Bund der Geiſt etwas geſtammlet, indeme dem weiblichen Geſchlecht im Tempel zu Jeruſalem ein vom männlichen Geſchlecht abgeſonderter Ort angewieſen worden; im neuen Bund aber iſt dieſer Unterſcheid durch Apoſtoliſche Authorität canoniſirt worden. Nachdeme nun die Gemeinde auf die Ordnungen der Apoſtel gegründet, und mit Elteſten verſehen, retirirte ſich der Vorgänger, nachdeme er den Elteſten das neue Teſtament als ihre Richt-ſchnur in ihrem Amt hatte eingehändigt, in eine Wüſte, wo jetzt Ephrata ſtehet, und entzog ſich alſo der Gemeinde zu einer Zeit, da ſie den Vorgang eines erfahrnen Führers höchſt benöthiget wär, und ſetzte alſo dieſes neue Werck auf nicht geringe Proben, darüber einige vor Betrübnuß die Zeit verlieſſen. Die Urſach dieſer Bewegung wird auſer dem Authore vielleicht niemand errathen; zum wehnigſten hatte es das Anſehen, es ſeye auf eine auf ein von Menſchen geſchiedenes Enochianiſches Leben angeſehen geweſen: allein es war zu lang gewartet, es war ein geiſtlicher Ehe-Pact getroffen, der konte ohne Verluſt der Seligkeit nicht mehr gebrochen werden. Demnach ſuchten die eintzele Stände, die bis dahin hin und wieder in der Wüſten zerſtreuet gewohnt hatten, ihren Führer zuerſt auf, und ſchlugen ihre Zelten auf in dem vor ſie neu ausgeſteckten Lager, jetzt genannt Ephrata, denen der Haus-ſtand nachfolgte, und die um diſes Lager gelegene Ländereyen von dem Welt-Geiſt auskauffte und bewohnte, beyde Stände aber baueten hernach dieſen Ort gemeinſchafftlich auf. Daraus erhellet, daß Ephrata nicht iſt nach einiges Menſchen Gutdüncken angelegt, viel wehniger in Anbauung deſſelben nach die Maaß-Regeln der Vernunfft iſt nachgefolgt worden, dahero auch GOtt wehniger Urſach hat dieſen Ort zu zerſtöhren, als einigen in der ſichbahren Welt, weil in Auferbauung deſſelben der Selb-wille nicht iſt ins Regiment kommen, wie dann oft ein Haus verfertige wurde, deſſen eigentlichen Zweck niemand wuſte, bis die Göttliche Beſchickung ihm ſeinen rechten Gebrauch zugeordnet.

Es iſt aber zu wiſſen, daß um dieſelbige Zeit die Gemeinſchafft der Güter iſt eingeführt worden, die hierinnen von dem Haus-ſtand erwieſene Treue verdiener ſonderlich bemercket zu werden: niemand ſagte von ſeinen Gütern, ſie wären ſein, der Vorgänger hatte in der That alles Vermögen

und

und Land des Haus-Stands in seiner Hand, um es zu Gottes Ehre an zu wenden, und wurde ihm auf den ersten Winck eingehändige. Einige verkaufften ihre Land-Güter, und legten das Geld zu seinen Füßen, andere bathen stehentlich, man möchte ihnen ihr Vermögen abnehmen, und haben hernach ihr Leben in einer seligen Armuth geendiget. Die bey den ersten Christen bekannte **Agapä** oder Liebes-Mähler, die in den Zeiten des ersten Eifers oft alle Tage der Woche gehalten wurden, sind jederzeit dem Haus-Stand eine gesegnete Ursache gewesen, ihre Gaben auf den Altar zu bringen, und sich Freunde zu machen mit dem ungerechten Mammon: GOtt vergelte es ihnen am Tag der Vergeltung.

Ehe wir diese Vorrede endigen, wollen wir der einsamen Stände in ihrem neu-angelegten Lager noch einmal gedencken. Dann nachdeme sich ihre Anzahl beyderseits vermehrete, ward nöthig erachtet, zwey Klösterliche **Oeconomien** an zu legen, u. jede mit einem besonderen Bät-Haus zu geistlichen Uebungen zu versehen. Damit aber keine Stätte leer gelassen würde, wo Geister des Betrugs könten einnisten, so wurde nicht allein in jeder Verfassung eine geistliche Obrigkeit gesetzt; sondern es wurden in allen Wohn-stuben dergleichen eingeführt. Das war vors erste Gewicht genug das Leben in Schrancken zu halten. Nur ist zu bedauren, daß fast alle, die solche Aemter begleitet, am Glauben Schiffbruch gelitten, weil sie ihr Amt in der Selbheit geführt, und nicht mit dem Vermögen, das GOtt darreicht. Nächst diesem ward eine Reformation unternommen in allen Dingen, die zum menschlichen Leben gehörten, darüber der Gott dieser Welt Ursache genug hatte zu protestiren, maaßen alles, was zur Eitelkeit gehörte, abgeschnitten wurde. Und zwar erstlich wurde die Kleider-ordnung der GOtt-verlobten Jungfrauen in Richtigkeit gebracht, die also andächtig war ausgesonnen, daß allem vorgebeugt wurde, worinnen dieses Geschlecht dem männlichen pflegt Ursach zur Verführung zu seyn. Denen Einsamen im gegentheil wurde mit einem langen Kleid geholffen, und also die Ursach abgeschnitten, mit dem zu stolziren, was uns eigentlich um der Sünde willen ist angehänget.

Und weil ich einmal mich mit dergleichen Thorheiten hab eingelassen, so will ich auf des Lesers Gedult hin weiter wagen. Es ist demnach zu wissen, daß ohnerachtet nun so viele Gemüther dem Gewissen nach waren unter das Zeugnuß Gottes gebracht; so waren doch um des willen die Eigenschafften der Natur noch nicht getödtet, woraus in den folgenden Zeiten so viele Empörungen entstanden, daß wann man betrachtet, was diese Hand-voll Menschen GOtt vor Mühe u. Arbeit verursachet, und dabey überleget, was es noch kosten wird, bis das gantze Geschlecht Adams wird wieder unter GOtt gebracht seyn, so müssen wir billig die Gedult Gottes vor unsere Seligkeit achten. Dann nachdeme die Paradisische Erweckungs-Kräfte, wodurch so viele zur himmlischen Jungfraußchafft wurden angezogen, sich wieder einwärts zogen, und der Geist wieder in seine Kammer ging, da kamen die Streiter in die Versuchungs-Wüste, da sie mußten vor dem Fürsten der Grimmigkeit, der ihr Leben gefangen hielte, Schulrecht thun. In diesen Feuers-Proben sind gleichwohl nicht alle bewähret worden, dann viele sind auf dem Wege ermüdet, und haben sich, eh die Arbeit zu End, nach dem Feyerabend umgesehen, darüber sie als unzeitige Geburten sind aus der Zeit gangen. Andere haben ihr Leben mehr gelebt, als die Führung Gottes, dahero sie durch einen Rückfall in die Welt ihr Antheil an den Leiden, die in Christo sind, will nicht sagen ihre Kronen im Reich Gottes, verscherzet; was aber noch überblieb, war ein armer und geringer Hauffe. Wer ein mehrers begehret zu erfahren von der in diesen Verlassungs-ständen so reichlich mitgetheilten Gnade Gottes, der beliebe nur diesen Lieder-vorrath und die darinnen enthaltene Salbung zu erwägen

GOtt

Dem seligen und allein gewaltigen König der Königen,
und HErrn der Herrn, der allein Unsterblichkeit hat, und wohnet in einem unzugänglichen Lichte, welchen kein Mensch gesehen noch
sehen kan, sey Ehre und ewige Krafft von allen seinen Heiligen,

Und auch von denen, die ihme zu ehren ihre Geister in nachfol-
gender Lieder-Arbeit werden erwecken, und in seine heilige Gezelte auffschwingen. AMEN.

I

ACh GOtt! sieh doch einmal auf meinen grosen Schmerzen, und wie
der Kummer mir das Leben sauget
und nagt: ich hab ja allen Fleiß
und Treu von gantzem Herzen, darzu mein Leben selbst, aufs äuserst hingewagt. Kanst du
dann sehen zu? ich muß ja fast vergehen von grossem Herzenleid, weil du nicht hörst mein Flehen.

2. Warum bist du so hart dem armen Thon
und Leimen? ich bin ja nicht ein Felß? der solches tragen kan: will mich dann deine Gut im
Herzenleid aufräumen? daß muß seyn wie verirrt auf deiner Lebens-Bahn: ich habe ja um dich
mein alles hingegeben, und hab doch all mein Tag
ein kümmerliches Leben.

3. Ist dann vergessen gar, wie deine grose Güte mich hat so vätterlich gerissen aus der Welt?
da ich vor vielem Leid offt war von Seuffzen müde, um also nur allein zu thun, was dir gefällt.
Wie freudig konte ich bald alles fahren lassen,
weil sich dein grose Gut so häuffig sehen lassen.

4. Und ob es gleichwohl schien, als wäre ich
veraessen, so hör ich doch nicht auf zu stehen deine Treu: und obschon manchen Tag und Jahr
betrübt gesessen; so weiß ich doch, mein GOtt
wird mir noch stehen bey. Ob gleich der Jammer groß in den betrübten Tagen; so werde ich
doch noch von Gottes Güte sagen.

5. Doch ist annoch zur Zeit derselbe Trost ver-

borgen, weil hart gedränget bin ohn Ende, Ziel
und Zeit, und offt muß traurig gehn, vom A-
bend bis an Morgen, weil keine Linderung in meinem Herzenleid. Ach GOtt! was schläfest du
in den betrübten Tagen? und lässest meinen
Schmerz so gar allein mich tragen.

6. Du bist mir als ein Born, der trübes Wasser quillet, und ich bin mit viel Leid und Elend
angethan. Ich bin wie ausgekehrt, mein Licht
mit Schwärz umhüllet, weil gantz verlassen steh
auf meiner Trauer-Bahn. Ach fände ich ein
Wort des Trosts in meinem Zagen! ich wolt
nicht hören auf Ihm meine Noth zu klaagen.

7. So muß verlassen stehn, weil GOtt sich
selbst verborgen, und lässet mich allein in der betrübten Zeit, wanns finster um mich her, und
viele schwere Sorgen unendlich drücken mich vor
grosem Herzenleid. Drum weiß kein ander Ziel,
als tragen meine Wehen, bis GOtt in Gnad
und Gut mich wieder wird ansehen.

2.

ACh GOtt! wie mancher bitter Schmerz
durchdringet meinen Geist und Herz, hier
in dem Leib der Sterblichkeit, auf meinem Weg
zur Seeligkeit.

2. Ich leide zwar in viel Gedult: weil Gottes Gnade Gut und Huld sich breitet da unendlich aus, wo man getreu in allem Strauß.

3. Doch ist diß gar ein bitter Tod: wann in
den grösten Schmerz und Noth dabey noch ist
des Treibers Grimm, mit seiner Wuth und Ungestümm.   4. Der

A

4. Der enge Weg ist zwar gebahnt, wozu uns JEsus angemahnt: doch ist so vieler Drang dabey, als ob er zugeschlossen sey.

5. Wie klein und niedrig wird der Sinn, der auf demselben gehet hin! Wie rein und sauber wird der Geist, der diesen Weg zu GOtt hinreißt.

6. Wo gantz ertödet die Natur, da findet man erst diese Spuhr zum Himmelreich: da JEsus Christ durchs Leiden eingegangen ist.

7. Diß kan erfahren wol ein Mann, so einmal gehet diese Bahn: weil nichts so niedrig je kan seyn, dem nicht die enge Thür zu klein.

8. Ein Geist, der rein, wie Gold bewährt, und lauterlich GOtt zugekehrt, erstorben allem Ich und Mein, der gehe zur engen Pforte ein.

9. Dann da bleibt keine andre Haab, als die gekommen aus dem Grab: was nicht vom Tod geschieden rein, das kan zu GOtt nicht gehen ein.

10. Drum freue dich mein müder Geist, der du bist aus dir selbst gereist: weil dort wird werden offenbar, was hier in GOtt (Creuz) verborgen war.

3.

ACh wie ist so gar vergangen Zions Herrlichkeit und Ehr! ach der vielen Trübsals-Drangen! die, als ein ergossen Meer,

2. Mich bedecken und umgeben, statt der Ehr und Herrlichkeit; muß ich in dem Elend schweben, in der trüb und dunckeln Zeit.

3. Solls dann seyn, umsonst geschehen, daß sich hat vor dieser Zeit ihre Schönheit lassen sehen aller Orten, weit und breit?

4. Ach! wie schmerzlich ist zu sehen, wie sie nun verlassen steht, und betrübt umher muß gehen, daß ihr alle Lust vergeht.

5. Doch läßt Hoffen nicht verzagen, ist der Schmerz schon übergroß: der die Wunden hat geschlagen, wird uns machen frey und loß.

6. Ach! wie wohl wirds dann ergehen, wann der Trost vom Himmel her uns wird heilen unsre Wehen, die jetzt, wie ein tiefes Meer,

7. Ueber uns dahin gegangen: da es schiene aus zu seyn bey so vielen bitteren Drangen, und sehr schwerer Leidens-Pein.

8. Drum wohlan, es bleib dahinden aller Schmerzen samt den Wehn müssen gantz und gar verschwinden, weil uns thut der Trost aufgehn.

9. Darum freu dich, du Betrübte, deinen Wittwenstand: du bist dennoch die Geliebte, ob du schon bist schwartz gebrannt.

10. Wirst du doch in Ehren prangen für den Augen aller Welt: nicht gedencken mehr der Drangen hier in dieser Trauer-Zeit.

11. O! was Freude wird erscheinen dort, nach der betrübten Zeit, wo vergessen alles Weinen in der Läng der Ewigkeit.

4.

ACh wie viel und schwere Gänge! ach wie viele Noth-gedränge! eh man kommt zum rechten Ziel. O! was viel und schwere Sachen stossen zu den, die verlachen dieser Welt ihr eitles Spiel. Doch will ich aufs neue dem Bessen nachjagen; nicht achten, was Andre auch dencken und sagen.

BIn ich gleich zur Seit gefallen, und geirrt in meinem Wallen auf der schmalen Lebens-Bahn. Was ein Wunder, weil geschehen, daß so wehnige bestehen, wo GOtt allein helffen kan. Doch soll diß nun bleiben, wie oben beschrieben, mich wieder aufs neue im Guten zu üben.

CHristus selbst macht Weggeleise auf der schweren Pilger-Reise, wer dem folget, irret nicht. Finden sich gleich schwere Sachen, wer nur thut die Welt verlachen, wird im Fallen aufgericht. Drum will mich aufs neue so üben im Leben, damit ich nur bleibe dem Guten ergeben.

DAnn weil ichs gar früh versehen, da wolt JEsu Fuß nachgehen, weil ich nicht genug geliebt: hat sichs gar bald umgewendet, daß das rechte Aug geblendet, dadurch andre sehr betrübt. Drum will ich nun allein demselben absagen, was mich nicht macht Liebe im Hertzen umtragen.

EH ich kam an diese Enge, wo das rechte Noth-gedränge, war mein Jammer übergroß; nunmehr aber, da erwachet, wo mich lauter Gut anlachet, kan ich ruhn in Gottes Schooß. O Freude im Leben! nun kan ich vergessen, wo sonsten vorhero bin traurig gesessen.

Freys-

FReylich mußte ich offt sagen: ach mein GOtt! was muß ich tragen bey der Widerwärtigkeit? Ist mein Handel dann verdorben, so ist JEsus doch gestorben, daß ich werd von mir befreyt. Diß soll mir nun bleiben ins Herze geschrieben, daß nicht will aufhören nur JEsum zu lieben.

GEhets anders, will ich weinen, wolt mich blenden leeres Scheinen, bleibt die Liebe doch mein Ziel: was man auser dem thut machen, sind nur Tand und leere Sachen, und ein eitles Kinder-Spiel. Drum will ich nunmehro nur deine nachfragen, was stetig macht Liebe im Herzen umtragen.

HÄtte ich vor denen Zeiten selbst von GOtt mich lassen leiten, ich wär anders, als ich bin; aber so ists nicht gerathen, weil in allen meinen Thaten herrschte lauter Eigensinn. Drum will mich auf ewig verlassen in allen, so werd ich dein Schöpfer am besten gefallen.

ICh lief wohl in meinem Meinen, und bey vielem leeren Scheinen war es ein betrübte Sach: weil dadurch das Best versehen, wo man eigne Weg thut gehen, und nachfolgt dem Fleisches Klag. Drum will ich hinführo mein Eignes vergessen, so kan ich im Göttlichen Wesen genesen.

KÖmmt dann auf die Prob das Beste, wer an seinem GOtt hält feste, kan ichs fallen, noch vergehn. Wer sich selbsten kan versagen, wird in allen Trübsals-Tagen, können bleiben und bestehn. Drum will ich in allem nur dieses erwehlen, worin mich GOtt kan zu den Seinigen zehlen.

LÄßt er mich schon offt darneben hin und her im Elend schweben: es ist doch so ausgemacht, daß ich bleib an ihm behangen, wie es auch vorhin ergangen, ist es alles nun versagt. O seligs Gedeyen! weil wieder gefunden, wo ich mich von Anfang mit habe verbunden.

MUß ich schon in vielen Sorgen, von dem Abend bis an Morgen, meine Zeit so bringen hin: es ist alles abgemessen, wer das höchste Gut erlesen, findt alldorten den Gewinn. Drum will mich auch üben ohn Klagen und Zagen, zu lernen mein Creutze mit Freuden ertragen.

NEhm ichs an, wies GOtt beschlossen, kan ichs tragen unverdrossen, wär es auch der schwerste Stein: Liebe lehret alles tragen, und wers kan aufs äuserst wagen, geht zulezt zum Himmel ein. Drum will dem nachsagen, was mich so thut üben, weil ich mich GOtt habe zu eigen verschrieben.

OHne Ursach will nun lieben, und mich immerhin so üben, daß ich bleibe GOtt getreu: gehets anders als ich dencke, ich mich nach der Sache lencke, wie ich ihm gefällig sey. Diß soll mir nun bleiben das Liebste auf Erden, bis daß ich werd dorten verherrlichet werden.

PRangen andre in viel Freuden, will ich traurig gehn und leiden, was GOtt über mich verhängt: sind es Sachen, die vergehen, will ich mich nach dem umsehen, was mir Heil und Segen bringt. O seligs Vergnügen! wer dieses getroffen, ist tapffer bey langsamen Schritten geloffen.

QUälen mich viel andre Sachen will ich lassen es so machen, und des meinen nehmen wahr: wolte mich darneben kräncken, was man sonst so leicht kan dencken, heißts bey mir: es ist Gefahr. Drum will ich in allem dahin mich bestreben, vor GOtt und den Menschen unschuldig zu leben.

REden andre, was sie wollen, Christen leben, wie sie sollen, diß ist meiner Seelen Tranck: kan ich GOtt mein Herz vortragen, hör ich nicht, was andre sagen: sondern preiß ihn mit Gesang. O seligs Vergnügen! nun wird mir einkommen, daß ich werd vereint mit den Göttlichen Frommen.

SAchen, die ich nicht kan fassen, will ich alle fahren lassen, sagen: das geht mich nicht an. Ich will sehn, daß meine Sachen Andern nicht Beschwerden machen, so treff ich die rechte Bahn. Nun wird mirs bald glücken, ich werde genesen, nachdem ich so lange bin traurig gesessen.

TReten andre die besten Freunde in den Kohl, als wärens Feinde, will ichs leiden in Gedult. Lernt man solche Läste tragen, und dabey sich selbst versagen, wird erworben Gottes Huld. Nichts bessers auf Erden wird jemahls gefunden, als wer sich in Liebe zum Leiden verbunden.

Unver-

UNverrückt soll dieses stehen, daß ich will in allen Wehen bleiben meinem GOtt getreu. Nennt mich an ein hefftig Schnauben, will ich es vor erst nicht glauben, bis ich frage, was es sey. Und wann ich so bleibe in liebenden Schrancken, so kan ich in Ewigkeit nimmermehr wancken.

VOll Vergnügen ist mein Leben, weil ich mich hab GOtt ergeben, wolt mir jemand reden drein: thu ich mich an sonst nichts kehren, was mich einer wolte lehren, das muß lauter Liebe seyn. O selige Zeiten! O selige Stunden! worinnen das wahre Vergnügen gefunden.

WJll mein Himmel werden trübe, frag ich nach derselben Liebe, die macht licht, was sünster schwartz: wolten grose Meeres-Wellen gegen mir sich hoch aufschwellen, ich ersenck mich niederwärts. Drum werd ich fest bleiben in Göttlichen Schrancken, dieweil ich versaget das hin und her wancken.

XEs-Bürde sind die Läste, so hier tragen Wander-Gäste, sieht man nur nicht sauer drein: es thut heilen alte Wunden, fällts schwer in betrübten Stunden, dort wird alles anders seyn. O selig! wer so sich dem Creutze gegeben, erlanget aldorten das ewige Leben.

YEne alte Sünden-Fälle, die nur stürzen in die Hölle, sind auf ewig abgethan. Ich hab alles hingegeben, was nur heiser Widerstreben, weil ich geh ein andre Bahn. Und soll ich unendlich im Elend umschweben, so will ich doch ewig GOtt bleiben ergeben.

ZAgen, Klägen will ich meiden, mich von allen Dingen scheiden, was mich nicht alldort erhöht. So wird noch zuletzt gesungen, daß es heißt: es ist gelungen, weil mein Thun in GOtt besteht. O heiligs Versagen der Dingen auf Erden! dieweil es macht dorten verherrlichet werden.

5.

ALl dein Thun und deine Thaten, sollen die in GOtt gerathen: so halt aus, bis das Gericht deine beste Werck zernicht.

BIst du noch nicht gantz geschieden von dem selbst-erwählten Frieden: so wird in dem besten Thun doch dein Hertze nimmer ruhn.

CReutz und Schmertzen Angst und Leiden müsen dich dazu bereiten: hältest du darinnen aus, so findst du das Friedens-Haus.

DEiner Händ und Finger Wercke, und dein eigne Kraft und Stärcke mußt du lassen aus der acht, so wirst du zurecht gebracht.

EIgnes wollen, eignes meinen mußt du gantz in dir verleiten; so kann GOtt, mit Werck und That, dir anzeigen seinen Rath.

FRemde Kräfte, fremde Weisen, ob sie auch schon gülden gleisen, mußt du sie doch lassen stehn, wann du wilt in GOtt eingehn.

GRoß und mächtig ist der HErre; gibst du Ihm allein die Ehre in dem, was du thust und hast, so findest du Ruh und Rast.

HAst du noch nicht angefangen, und bist aus dir selbst gegangen; so bringt dir dein besser Schein doch zulezt nur Schmertz und Pein.

JA, dein Wollen und Begehren mußt du gantz Jnur dahin kehren, von dir selbst zu seyn befreyt, so verschwindet aller Streit.

KRieg, noch führe keine Rechte über Gottes Erb-geschlechte; sonsten bleiben deine Sünd, wärst du auch ein Gottes-Kind.

LIebest du mehr deine Sachen als die, so GOtt selbst thut machen; so wird, was du auch erlesen, im Gericht das Feuer fressen.

MAche nichts aus-deinen Thaten, wärn sie auch aufs best gerathen: dann der Tod nimmt alles hin, was dir scheint zu seyn Gewinn.

NIchtes wollen, nichtes wissen, darauf sey mit Ernst beflissen: so wird GOtt dir Alles seyn, daß du kanst in Ruhe seyn.

OB du schon nicht hast getroffen dein Ziel, wornach du geloffen, so steht doch die Gnaden-Thür dir noch offen, glaube mir.

PRacht und Hoffart must du meiden, und dich von dir selber scheiden: so kann GOtt dir zeigen an, was vor Ihm sey recht gethan.

QUiller nicht aus deinem Hertzen süse Lieb in Leid und Schmertzen: so hast du noch nicht die Spur von der Göttlichen Natur.

RIchte nicht des Nechsten Sachen, eh du siehst, was deine machen; sonsten bauest du auf Sand, bleibst dir selbsten unbekant.   Si-

Siehest du den Nechsten fehlen, so thu's andern nicht erzehlen, rechnest du ihm seine
Schuld, so verlierst du Gottes Huld.

Tracht in allen deinen Sachen, daß sie ein gut
Ende machen: so wird dir der treue GOTT
helfen aus der letzen Noth.

Ube dich mit allem Fleiß daß du gebest GOTT
den Preis, du habst wenig oder viel, so triffst
du das rechte Ziel.

Von dem deinen gib den Armen, so wird sich
GOTT dein erbarmen, und in Schmertzen,
Creutz und Pein dir ein sicherer Ancker seyn.

Wann du dieses Ziel getroffen, so steht dir der
Himmel offen, hast erworben eine Beut,
und die große Seligkeit.

Jtzund laß dir wohl gefallen, wann du mußt
in Schmertzen wallen, du trägst doch zuletzt
davon den verheißnen Gnaden-Lohn.

Ziehe nun so hin im Segen, so wirst du dich
nieder legen, wo die wahre Ruh bereit, in
der stillen Ewigkeit.

6.

Alles, was wir allhier sehen auf der Erden ü-
berall, das wird fallen und vergehen: wann
da kommen wird ihr Fall. Aber Zions Stadt
bleibt stehen, auf den Bergen schön erbaut, und
wird nimmermehr vergehen, daß sie Jederman
anschaut.

2. Mit Verwunderung zu sagen, werden sie
bestürzet stehn: wann die Sünder mit viel Zagen werden fallen und vergehn: und Zion mit
großen Freuden wird aus ihrem Kercker gehn,
Gottes Wunder-Macht ausbreiten: die wird
nimmermehr vergehn.

3. Zion zehlet ihre Gänge, eylt und jagt dem
Ende zu, sieht erweitert ihre Enge: wo bereit die
wahre Ruh, und das rechte Ziel getroffen in der
schönen neuen Welt, Hoffen derer, die GOTT zugezehlt.

4. Dann die Ruthe ist zerbrochen, und des
Treibers böser Grimm: GOTT hat ihren Hohn
gerochen durch der starcken Wächter Stimm.
Die ertönen und erschallen, zeigen Babels Sünden an: wann die wird zu Boden fallen, muß
sich öffnen Canaan.

5. Drum muß Freud und Wonn aufgehen
der so kleinen Zions-Heerd: weil sich enden ihre
Wehen, und die Last in Lust verkehrt. Nun
sieht man sie wieder kommen in viel Frieden nach
dem Streit, und auf ewig hingenommen ihr so
vieles Weh und Leid.

6. Da sie sonsten oft gesessen in sehr vielem
Zwang und Drang, und ihr wurde eingemessen
Leid und Jammer für Gesang: weil in ihrem
Trauer-Stande, sie als Fremd und Unbekannt,
und ein Gast in fremdem Lande, auf dem Weg
zum Vatterland.

7. Freuet euch, ihr lieben Hertzen, die ihr treu
geblieben seyd in so vielem Leid und Schmertzen,
und so manchem schwerem Streit. Nun muß
euch die Sonn aufgehen nach der trüb-und duncklen Zeit, und wird nimmer untergehen: bis ihr
gantz und gar verneut.

8. O was Freude thut aufgehen hier schon!
in der Lebens-Zeit, wo man kan die Früchte sehen
der Gedult und Ledigkeit im Entsagen aller Dingen, und im Hoffen, rein bewährt. Wohl nun!
so muß es gelingen der so kleinen Zions-Heerd.

9. Ich bin froh in meinen Hertzen, freue
mich der Gottes-Treu, die mir heilet meinen
Schmertzen, und mir so treu stehen bey: führe
mich ein zur stillen Kammer, und erweitert meine Eng, daß vergessen aller Jammer, und das
viele Noth-Gedräng.

10. O du reines Liebe-Leben derer Seelen!
die sich GOtt so in Allem übergeben! weichen
auch in keiner Noth. Ihr Genesen in dem Hertzen aus der reinen Liebes-Brust macht vergessen
allen Schmertzen, und geniesen Himmels-Lust.

11. O du heilig GOtt-Ergeben! O du süses Himmels-Brod! wer in seinem gantzen Leben
wird gespeißt mit Schmerz und Noth: Freud
und Wonne wird gegeben in die Seelen in der
Still, fangen an ein himmlisch Leben aus der
reichen Gottes-Füll.

12. O du Thron-Sitz reiner Liebe! O du heilig Völckelein! das durch keine Leidens-Triebe,
noch durch Schmertzen, Noth und Pein, weichet
von den reinen Schrancken der Gedult in Leidens-

Zeit

Zeit: im Erwarten, ohne Wancken, auf GOtt, der Erquickungs-Zeit.

13. O ihr reinen Seelen alle, die ihr Zion zugenamt, freuet euch mit frohem Schalle, die Ihr mit von GOtt herstamt: und zu seiner Lust erkohren, als sein werthes Eigenthum, und aus seinem Geist gebohren, zu erzehlen seinen Ruhm.

14. Tretet freudig mit zusammen, stimmet eure Lieder an! brenne in Lichter-lohen Flammen! laufft mit Freuden fort die Bahn zu dem frohen Freuden-Leben, das mit Eilen bricht herein, flehet alles Wiederstreben! dringet so zum Himmel ein.

15. Denn da sind die güldnen Pforten der vermählten JEsus-Braut offen in dem Bundes-Orden, weil sie sich mit Ihm vertraut: mit zu dulten und zu tragen seine Schmach auf dieser Welt, drum wird, nach den Trübsahls-Tagen, sie gehn ein ins Himmels-Zelt.

16. O du Freuden-volles Leben! das alsdann wird offenbahr, wer solt sich nicht ganz hingeben, mit der lieben frommen Schaar seine Saat hier auszusprenten mit viel Schmerzen, Angst und Pein: weil in jenen Ewigkeiten Alles wird zu Freuden-Wein.

17. So dann, lieb und werthe Seelen, freuet euch der güldnen Zeit: laßt uns Gottes-Lob erzehlen hier schon, in der Sterblichkeit. Keines lasse sich verweilen, einzugehen in die Stadt, weil nun balde kommt mit Eilen, was GOtt lang beschlossen hat.

18. Kommt, wir wollen nun erheben unsers grosen Gottes Macht! Herrlichkeit und Ehr Ihm geben, Der uns bis hieher gebracht. Amen! Nun kommen die Zeiten: da die fromme werthe Schaar, in die läng der Ewigkeiten Ihn wird loben immerdar.

7.

ACH verzeuch doch länger nicht, meine Seel, erheb dich wieder: siehe wie das Dunckle bricht, darum singe deine Lieder.

2. Lege hin dein Trauer-Kleid, Gottes Güte läßt sich sehen: und dein viel gehabtes Leid muß nun auf einmal vergehen.

3. Weil das Dunckle wieder weicht, wird

mein vieler schmerz vergessen, und meist frohes Ziel erreicht, wo ich war im Staub gesessen.

4. Und weil mir die Sonne scheint, kan mein Herze GOtt erheben, wann man lang genug geweint, gehet auf ein neues Leben.

5. GOttes Güt und hohe Gnad werd ohne Zeit und End erhoben, die uns so getröstet hat nach so vielen hohen Proben.

6. Nun muß Herz und Geist und Mund seinen grosen Ruhm erheben, und Ihm alle Zeit und Stund Preiß und Ruhm und Ehre geben.

8.

AMen! Zion ist genesen nach der trüb und dunckeln Zeit: die, so lang im Staub gesessen, wird nunmehr von GOtt erfreut. Kaum wird jemand können sagen, was die Seelen vor ein Gut in dem Herzen umher tragen, die treu bleiben bis aufs Blut.

2. Thu ich dessen nur gedencken, was des Himmels Süßigkeit thut vor reichen Trost einschencken nach so manchem schweren Streit, muß ich ganz in mir zerfliesen, und mein Geist wird Wunder-voll, weiß kaum, was vor ein Versüßen ihme thut so innig wohl.

3. Ob es gleichwohl lieblich klinget, wann Zion nach so viel Leid ihre Freuden-Lieder singet, weilen sie von GOtt erfreut. So muß doch noch schöner stehen, wann in dem Propheten Chor solches Sausen, solches Wehen, das rufft jene Welt hervor.

4. Was erscheinen doch für Sachen, wann man schauet dort hinein! thut der Unglaub gleich verlachen, was die Ewigkeit schenckt ein: wehen doch die Glaubens-Winde lieblich im Propheten-Sinn, machen alles Dings ein Ende, was alldort nicht bringt Gewinn.

5. Ey was hört man vor ein Weinen annoch hier im Trauer-Zelt? seht doch, was wird dort erscheinen in der schönen neuen Welt. Scheinet dir der Trost verborgen, wann ein rauhes Windlein weht: ists so heut, villeicht komt morgen, daß dir deine Sonn aufgeht.

6. Jetzt schon thut man Stimmen hören, ein Zuruf von Zions Freund: wo vergessen alle Zähren,

sein, samt dem viel gehabten Leid. Sieh den schönen Glantz erscheinen, der aufgeht von Morgen her, darum lasse ab vom Weinen, freue dich der neuen Mähr.

7. Man kan es nicht alles sagen, was der Himmel bietet an, und vor Kost läßt den auftragen, die getreu auf dieser Bahn. Dann die Vorkost gibt Gedeyen: setzt die Hoffnung weit hinaus, was uns wird alldort erfreuen, wann man bringe die Frucht nach Haus.

8. Thut noch gleich im Wechsel stehen Sommer, Winter, Tag und Nacht; thut uns doch ein Licht aufgehen, das von Zions Freude sagt. Wann der Glauben in dem Schauen blickt in jene Welt hinein, sieht man Städt und Schlösser bauen, wo die Heil'gen gehen ein.

9. Diß sind Hütten der Gerechten, die allhier im Creutzes-Thal mit dem Tod und Hölle fechten, weil sie kommen in die Wahl, die als Erstlinge erkauffet durch des keuschen Gottes Sohn, da man um die Wette laufet nach der edlen Ritter-Kron.

10. O ein seliges Gedeyen! wer also zu seinem Theil kommen, und mit den Getreuen hat erlangt das grose Heil. Amen! Zion muß sich freuen, bringen seine Erndte ein: wann Gott alles wird verneuen, und das Beste schencken ein.

11. Ist die Hoffnung gleich umstellet mit bewölckter Tunckelheit, thut man nur, was Gott gefället, so wird man zuletzt erfreut. Nach dem Weinen kommt das Lachen; und dem langgeführten Streit wird Gott selbst ein Ende machen in der stillen Ewigkeit.

9.

Auf! du gantze Zions-Heerde, die du in Leiden und Beschwerden schon bist gesessen lange Zeit: es wird nun bald besser werden? wir sehen schon im Geist auf Erden, daß die Erlösung nicht mehr weit. Drum freue sich nunmehr das gantze Zions-Heer, das verlassen, und unbekant war in dem Stand, da sie ein Gast im fremden Land.

2. Nun wird erst dein Heil recht blühen, wenn du wirst aus dem Lande ziehen, da du verworfen und verlacht. Deine Höhner und Ver-

ächter, und dieses Landes Erb-Geschlechter, die werden seyn als Koth geacht, der auf der Gassen war zertretten gantz und gar. Darum jauchtze, und freue dich in diesem Licht, das dir nun auf das neu anbricht.

3. Ob dich Gott schon hat verlassen zur Zeit des Zorns, thät Er doch fassen die Thränen dein in seinen Schoos: dieses hat sein Hertz bewogen, daß Er mit Güte angezogen, dich nun zu machen frey und loß von deinem Druck und Drang, da du gesessen lang, und getragen Zorn ohne Gnad, nach Gottes Rath, um deine Sünd und Missethat.

4. Gott wird nun so mehr ausfliessen, mit Güte dir dein Leid versüssen, und sich dein wieder nehmen an: Er wird dich mit Trost erfüllen, und deinen Schmertz und Jammer stillen, und lösen allen Fluch und Bann. Nun wird nicht mehr geschehn, daß dich wird jemand sehn seyn verlassen von deinem Gott, Der dich nun hat mit Heil gekrönt durch deine Gnad.

5. Nun ihr Glieder aller Orten, die ihr seyd Zions Bunds-Consorten, kommt nun, und sammlet euch zu Hauf: sehet auf das Licht der Zeiten, und thut aufs neue euch bereiten, und mercket alle eben auf. Dieweil der Glantz aufgeht von Zion, darum seht! es wird kommen das, was Gott hat, nach seinem Rath, verheissen lang durch seine Gnad.

6. Dann es wird nicht lang mehr werden, so wird auf dieser gantzen Erden der Frieden blühen nah und fern: Zions Glantz wird hoch aufgehen, und Babels Macht wird nicht bestehen, sondern gestürtzet von dem Herrn? Dann wird erschrecken sehr ihr gantzes Sünden-Heer, weil ist kommen ihr Fall und Tag, Angst, Noth und Klag, worinnen Zion jauchtzen mag.

7. Hüpfet auf, ihr treuen Seelen, und thut es nah und ferni erzehlen, was Gott an seinem Volck gethan: Er wird nun nicht mehr verweilen, und zu der Hülf aus Zion eilen, daß bald wird sehen jederman das grose Gottes-Heil, das Zion wird zu Theil, wann wird kommen, daß Gott ihr Schmach und Ungemach wegnehmen wird auf einen Tag. 8. Weil

8. Weil die Sonn nun aufgegangen im Mit-
tags-Licht mit vollem Prangen, drum muß die
Dunckelheit vergehn: so die Völcker hat bedecket,
und, was sich hinters Licht verstecket, wird nun
mit Scham und Schand bestehn. Weil dieses
grose Licht nun allen Schein zernicht, auch bey
denen, die sich verstelle vor aller Welt, und selbst
zu Zion mit gezehlt.

9. Darum kann man näher treten ins Heiligthum zu GOtt, mit Bären, weil Zions Glantz
aufgangen ist: dann auch Heiden werden kommen, und wandeln in dem Lichte der Frommen,
die nun vom HErren zugericht, daß sie sein Wunder-Macht erheben Tag und Nacht, und da stehen in Licht und Recht, als treue Knecht, und
Gottes eigen Erb-Geschlecht.

10. Tretet nunmehr allzusammen, ihr Geister, die aus GOtt herstammen, und rühmet
GOtt mit aller Macht: ja du gantze Zions-Heerde, die noch zerstreut auf dieser Erde, und die
nun schon zusammen bracht. Seht auf, und
seyd bereit, weil die Verheissungs-Zeit ist gekommen, und Zion werd zu einer Heerd gebracht
auf dieser gantzen Erd.

11. Dann wird alles Heer sich sammlen,
auch Kinder, die anitzt noch stammlen, die Lahme, Schwangre, Kindbett'rin: damit keins vergessen werde, auch an dem äusern End der Erde, das hat gerichtet seinen Sinn auf die Verheissungs-Zeit, und sich auch hat bereit, um zu
kommen nach Zion dar, zur gantzen Schaar, die
auf der Welt zerstreuet war.

12. Viele werden weinend kommen, wenn sie
die Zurufs-Stimm vernommen, und mit viel
Müh sich machen auf: die sehr fern am End der
Erden, die kommen auch mit viel Beschwerden,
und sammlen alle sich zu Hauf. Da ist die Ru-
he-Stadt, die GOtt erbauet hat, und wird heissen: Hie ist der HERR! Dem Preiß und Ehr
gebührt von seinem gantzen Heer.

10.

AUf! du keusches Jungfrau'n Heer, thu den
Schmuck anlegen; geh im Pomp und Pracht
einher unserm Lamm entgegen, so lauf du in die

Ruh gehen ein mit Freuden; drum du dich bereitest.

2. Fliehe alle Schläfrigkeit, und was auf
dem Wege dir bestreckt dein weisses Kleid, und
dich machet träge: geh die Bahn, flieh den Wahn,
der dir deinen Glauben öfters sucht zu rauben.

3. Laßt die Geister munter seyn, thut nicht
mehr einschlafen: kauft bey Zeiten Oele ein, greif-
set nach den Waffen: denn es ist wenig Frist
mehr in diesen Tagen, wie die Wächter sagen.

4. Werfet alles von euch weg, was euch will
auf halten, oder machen faul und träg, und die
Lieb erkalten: weichet nicht, bis geschicht, daß der
Wächter Stimme sehr hoch von der Zinne.

5. Ruft: der Bräutigam ist nah, auf! ihr
Hochzeit-Leute, geht entgegen, singet da, ihr erwählte Bräute, in der Eil, ohn Verweil, thut
euch nicht umsehen, sonsten bleibt ihr stehen.

6. Denn es ist das letzte mal, daß die Knechte
laden zu dem grosen Abendmahl, darum laßt
euch rathen, damit ihr noch alhier werdet zubereitet, und schön angekleidet.

7 Dann so kann man gehen ein mit des Lamms
Jungfrauen, die gantz heilig, keusch und rein,
sich mit Ihm vertrauen, und weil nur seiner
Spur sie alhier nachgangen, drum sieht man sie
prangen.

8. Dort im weissen Kleider-Pracht vor dem
hohen Throne, da sie rühmen GOttes Macht mit
viel Freud und Wonne. Drum, wohl dir,
die du hier, in den Leidens-Tagen, seine
Schmach getragen.

11.

AUf du meine Seele! singe, lobe deinen guten GOtt, und Ihm deine Opfer bringe:
weil Er dir aus aller Noth hat geholfen wunderbar, und, wann sonst kein Helfer war, ließ Er
spüren seine Güte in dem Hertzen und Gemüthe.

2. Darum will ich seinen Namen loben, rühmen früh und spat; seine Wunder allzusammen,
die Er mir erwiesen hat, haben weder Maaß noch
Ziel, und, wann schon des Leidens viel, weiß Er
doch in allen Sachen etwas Guts daraus zu machen

3. Ich kann es nicht gnug ermessen, was Er
mir zu jederzeit hat vor Gutes eingemessen, und
von

von aller Laſt befreyt: meine Seel ſoll in der That ſtets erheben ſeinen Raht, und denſelbigen hoch preiſen mit viel Wunder-ſchönen Weiſen.

4. Dann er hat gar manche Jahre mich getragen in Gedult, da ich bey ſo viel Gefahren häuffte immer Schuld mit Schuld, ginge m a n c h e eigne Weg, wußte nichts vom Lebens-Steg, leere Wohlluſt eitles Prangen hielte meinen Sinn gefangen.

5. Sein Erbarmen hat entladen mich von ſolchem eitlen Sinn: ſeine Langmuth mich berathen, und mein Herz gezogen hin auf den Weg der Seligkeit, den Er ſelbſten hat bereit denen, die allhier auf Erden wollen Gottes Erben weiden.

6. Dieſen Weg hab ich betretten nun ſo viel und m a n c h e Jahr, mit viel Seufzen mit viel Bäten, mit viel Aengſten und Gefahr, mit viel Müh und mit viel Leid, mit viel Noth und Traurigkeit, mit viel ſchweren Trübſals-Hitzen, wann ich mußte ängſtlich ſchwitzen.

7. O! was ſoll ich davon ſagen, Du mein HErr und treuer GOtt, weil Du mir in ſo viel Zagen haſt geholfen aus der Noth: deine Güt und Wunder-Macht hat mich oft zurecht gebracht, und aus aller Angſt geriſſen, deine Gunſt mich laſſen wiſſen.

8. Ich bin oft im Elend gangen auf dem Feld und in der Wüſt, Troſt und Hülfe zu erlangen, und alſo zu jeder friſt nachgefolget Gottes Raht, der es ſo beſchloſſen hat, bis mein Seufzen und mein Flehen Er hat endlich angeſehen.

9. So daß ich in allen Sachen hab erfahren ſeine Treu, Der es allzeit ſo thut machen, daß es gut und nützlich ſey: Er bleibt mir der Allerbeſt, weil Er mich niemal verläßt; darum ſoll in allen Proben Herz und Mund Ihn ſtetig loben.

10. Loben will ich alle Tage, loben will ich auch bey Nacht, loben in der Niederlage, loben, wann ich bin veracht: loben, wann ich traurig geh, loben, wann ich ſchier vergeh, loben, wann ich nichts kann machen, und nicht rahten meinen Sachen.

11. Ich will Ihn zu allen Zeiten lieben, loben in der That, ſeine Wunder-Macht ausbreiten, die Er mir erwieſen hat: auch zu Nacht will ich aufſtehn, ſeines Namens Ruhm erhöhn; daß ich auch in dunckeln Zeiten könne ſeinen Ruhm ausbreiten.

12. Wann zu Morgens vor dem Tage ich erwache, ſoll mein Mund davon machen eine Sage, Ihn zu loben in der Stund; auch zu Abends wañ der Tag iſt dahin mit ſeiner Plag, will ich ſeinen Namen preiſen, und Ihm Lob und Ehr erweiſen.

13. An dem Abend und am Morgen, zu Mittag und Mitternacht, ſchlafend w a c h e n d thut Er ſorgen, daß ich werd zurecht gebracht: darum ſoll ſein Lob auch nie bey mir ſchweigen ſpat und früh, und will ſeinen Ruhm erheben, Ihm Lob, Preiß und Ehre geben.

14. Dann ich kann es täglich ſpüren, daß Er mich durch ſeine Hand ſelber leiten thut und führen, macht offenbahr bekannt ſeine reiche Gütigkeit, die zu rühmen jeder Zeit, drum ſoll bleiben mein Verlangen, ſtetig nur an Ihm zu hangen.

15. Muß ich ſchon mein Brod oft eſſen in dem Staub der Niedrigkeit, will ich doch nicht mehr vergeſſen ſeine groſſe Gütigkeit; ſind auch Thränen ſchon mein Tranck, will ich Ihm doch ſagen Danck, und zu allen Stund und Zeiten, ſeine Wunder-Macht ausbreiten.

16. O mein GOtt! was ſoll ich ſagen? womit ſoll ich dancken Dir, was ſoll ich Dir doch vortragen? Dich zu loben nach Gebühr: ich will alles geben hin, was ich hab und was ich bin, ſo kann ich durch deine Gnade wandeln auf dem rechten Pfade.

17. Und wann ich zum Ziel gekommen auf dem engen Lebens-Pfad, ſo werd ich mit allen Frommen gehen ein in Gottes Stadt: da wird ſeyn die edle Frucht, ſo durchs Leiden hier geſucht, und die Zeit der Ernde wird geben ew'ge Freud und ew'ges Leben.

12.

AUf! ihr Gäſte, macht euch fertig, zündet eure Lampen an, ſeyd des groſen Heils gewärtig: jedes thue, was es kann. Dann es kommt herbey die Zeit, daß ihr werdet gantz ver-

neut: weil sich die Erlösungs-Stunden haben
schon im Vorschmack funden.

2. Dann die Tage gehn zu Ende, die bestimmet sind von GOtt: darum hebt auf Haupt-
und Hände, wartend, bey der Feinde Spott, auf
den schönen Freuden-Tag, da man jauchzend singen mag, und ziehet an das reine Kleid, voll Licht
und Gerechtigkeit.

3. Habet einen Helden-Glauben, und dabey
getrosten Muth: achtet keiner Feinde Schnauben, stehet fest bis auf das Blut. Weil der
Feinde Stolz und Pracht bald wird ganz zu
nicht gemacht: wann GOtt rächen wird ihr
Sünd, daß mit ihnen werd ein End.

4. Hirten-Knaben werden kommen, und sie
schleiffen ganz zu Grund: solches haben wir vernommen, daß ihr Fall in einer Stund kommen
wird, daß sie zernicht't, wann des HErren Zorn
anbricht; weil ihr's Frevels wird gedacht, den sie
an Zion vollbracht.

5. O! ihr Wächter an den Pforten Zions,
ruft mit heller Stimm; daß an allen End-und
Orten man es höre und vernimm: damit sich
der fromme Hauf sammle, und sich mache auf
aus zu ziehen in den Streit wieder die gottlosen
Leut.

6. Dann es kann nicht anders kommen, weil
die Hur sich hat getränckt mit dem Blut der wahren Frommen, daß ihr auch werd eingeschenckt
voll ein Becher mit viel Leid, Angst, Quaal
Schmerz und Herzen-Leid; weil GOtt selbst zieht
aus zum Rechte, zu erretten seine Knechte.

7. Sammlet euch ihr, tapfern Helden, tretet
freudig mit zu Hauf, und thut Babel Krieg anmelden: mercket aber eben drauf, daß ihr nicht
durch ihren Schein, wann sie will ein Jungfrau
seyn, werdt geblendet und bethört, wodurch eure
Kraft verzehrt.

8. Thut sie aller Ort erschrecken, wo sie sich
verbergen will, und mit falschem Schein bedecken;
schweiget schweiget ja nicht still: damit sich an
euch nicht findt, daß ihr Theil an ihrer Sünd,
wodurch man empfähet mit ihren Plagen, wie
man siehet.

9. Ziehet aus mit vollem Segen, leget
Schwerdt und Panzer an; thut ihr Heer darnieder legen, seyd vereinigt als ein Mann: und
habt einen Helden-Muth, fest zu stehn auf eurer
Hut, daß ihr werde selbst verletzt, wann sie gegen
euch sich setzt.

10. Dann so werden eure Kriege lohnen euch
mit voller Beut, wann ihr haltet bis zum Siege,
und so überwindet weit: weil der Feind und böse Rott doch muß werden ganz zu Spott, und
mit Schand und Hohn bestehen, wann sie so zu
Grunde gehen.

11. O! so eilet derowegen, eilet, und versäumet nicht diesen Sieg mit vollem Segen: wann
GOtt alle Macht zernicht eurer Feind, die Spott
und Schmach euch anthun den ganzen Tag;
weil euch doch muß alles frommen, und zu eurem Besten kommen.

12. Dann, wann alle Feind auf Erden sind
vertilget und verstört, so wird Zion herrlich werden, und ihr Leid in Freud verkehrt: dann wird
werden offenbahr, was schon lang verheissen war,
daß in dieser letzten Zeit die Erd voll Gerechtigkeit.

13. Und man von des HErren Namen predgen auf der ganzen Welt, weil der fromm gerechte Samen aller Ort sein Lob erzehlt: dann
wird man auch weit und breit rühmen seine Herrlichkeit, weil nun worden offenbahr das verlangte Freuden-Jahr.

14. Da GOtt wird Erlösung geben seinem
Volck und Eigenthum, und so in die Länge leben,
zu erzehlen seinen Ruhm: dann wird auf den
Gassen wohnen Friede, womit GOtt thut lohnen,
und in Häusern seyn bereit stolze Ruh und Sicherheit.

15. Drum ihr Helden halt euch fertig, stehet
fest als wie ein Mann: seyd des grossen Heils
gewärtig, und schreyt aller Orten an, wo sich finden, die ein Leib mit dem falschen Huren-Weib,
machet ihren Schein zu nichte durch das helle
Warheits-Lichte.

16. Dann die Zeit ist nun gekommen, daß die
Wächter rufen auf, damit alle wahre Fromm,t
sich versammlen nun zu Hauf: daß sie sich bereiten

reiten recht, ein zu gehn, als treue Knecht, zu des HErren Herrlichkeit, die den Frommen zubereit.

17. Tragt die Lampe in den Händen, brennet eure Lichter an, so wird sich an euch bald finden, daß kein Feind euch schaden kann. Ob sich schon thut machen auf der verstellte Heuchel-Hauf, können sie doch nichts gewinnen, weil sie GOtt nicht frey bekennen.

18. Drum, ihr Klugen allzusammen, freuet euch der Gottes-Treu: preiset und rühmet seinen Namen, der bisher gestanden bey wider vieler Feinde Macht, und ihr Thun zunicht gemacht: darum gebet ewigs Lob GOtt, dem starcken Zebaoth.

13.

AUf! schmücke dich, du kleine Heerd, die du gehaßt, veracht verschoben, und von der Welt gantz ausgekehrt: man wird bald aller Orten lohen den schönen Glantz, der über dir aufgeht, wann GOtt sein Ehr und grose Macht erhöht.

2. Dein Haupt wird tragen eine Kron, und wirst in grosem Pracht und Prangen schön leuchten hell, als wie die Sonn, die über dir ist aufgegangen: drum freue dich, weil bald der frohe Tag vergessen wird all Leid und Ungemach.

3. Die Trauer-Tage gehn zu End, es ist von GOtt schon abgemessen, wann alles Leiden ist vollendt, da du gefangen bist gesessen: und mußest tragen Fessel, Eisen, Band, und dazu wohnen in dem fremden Land.

4. Im Lande, da man deine Sprach nicht kont vernehmen noch verstehen, und in viel Drang und Ungemach gedruckt, gebuckt, muß einher gehen: es wird verheert Thaldea, Babels Macht wird gantz zerstöret, und zunicht gemacht.

5. Drum dulde noch ein kleine Weil, und trage deine Band und Ketten, denn GOtt wird dich gewiß in Eil von deinem harten Dienst erretten: und geben dir den lang verheissnen Lohn, den Er dir schencken wird durch seinen Sohn.

6. Der dir erworben Gottes Huld, da Er vor dich ein Opfer worden, und ausgesöhner deine Schuld durch seinen Tod und Creutzes-Orden,

den, den Er beschlossen über seine Braut, die Er sich hat mit Ihm am Creutz vertraut.

7. Drum folgen wir Ihm treulich nach in Spott, Verachtung, Schmach und Schande: kein Druck, noch einig Ungemach, und wanns auch wären Schläg und Bande: kann scheiden uns von seiner Gunst und Gnad, die Er an uns bisher erwiesen hat.

8. Und hat uns so zusammen bracht aus den Geschlechtern, Völckern, Zungen, daneben auch so wohl bedacht, daß es uns ist bisher gelungen: drum singen wir aus vollem Hertzens-Grund, und dancken Ihm dafür zu jeder Stund.

9. Damit an uns werd offenbahr, daß wir sein eignes Erb-Geschlechte, und mit der gantzen Gottes-Schaar erzehlen seine Wunder-Rechte: die Er uns wissen lassen in dem Bund, und macht seinen grosen Namen kund.

10. Drum iauchtze Ihm die gantze Heerd, die Er sich durch sein Blut erkauffet aus allen Völckern auf der Erd, und sie in seinen Tod getauffet: zu tragen auch sein Creutz auf dieser Welt, bis sie ihn dort vor den Thron gestelt.

11. Drum auf! und säume dich nicht mehr, dann die Erlösung wird bald kommen, die GOtt beschlossen lang vorher hat über seine wahre Frommen: die letzte Stunde eilet nun zum End, da sich dein Leid in lauter Freude wend.

12. Heil, Preiß, Lob, Ehr, Danck, Ruhm und Macht werd Ihm dem grosen GOtt gegeben, der uns so durch Lieb zusammen bracht, daß wir Ihm gantz zu Ehren leben: des schweige nun ewig und nimmermehr das gantze auserwählte Gottes-Heer.

14.

MUßs letzte hin muß das Bemühn zu seinem Theil und selgen Ende kommen. Der harte Streit, viel bitters Leid, ist wie dahin und gantz hinweg genommen.

2. Wann Zions glück auch einst erblick, dann ists vollends geschehen um allen Jammer; der müde Geist wär hingereißt, zu gehen ein in seine Ruhe-Kammer.

3. Jetzt ists geschehen, ich habs ersehn. O! was

was

was vor Herrlichkeit thut da erscheinen, nach so
viel Leid und Traurigkeit. Jetzt ist zu End das
lang und viele Weinen.

4. Man wird nicht müd, der süsse Fried, so
sich im stillen Wesen hat gefunden: macht wie
erneut, schon in der Zeit, so, daß man heist und
ist mit GOtt verbunden.

5. Man ist zu Haus, geht nicht hinaus, thut
man schon Gottes Werck unendlich treiben:
wällt hin und her, es ist nicht schwer, wann man
im Aussen seyn thut drinnen bleiben.

6. Ich bin erfreut der frohen Zeit, dieweil aufgehen neue Hoffnungs-Blicke von Zions-Reich,
wobey zugleich die Herrlichkeit der Welt weicht
mit zurücke.

7. Der Hoffnungs-Klang hat schon gar lang
von Zions Freud und Herrlichkeit gesungen.
Es ist erwacht, was man gesagt: die Vorkost singt
vom Sieg, es ist gelungen.

8. Man wird bald sehn mit Haufen gehn
die Vorerwachten, die alhier gelitten im Trauer-
Zahl, der Freuden-Saal ist nunmehr durch das
werthe Lamm erstritten.

9. Da gehn sie ein nach so viel Pein, und
viel gehabten Jammer hier auf Erden—O! grose Freud und Seligkeit nach den so viel und mancherley Beschwerden.

10. Jetzt blüht mein Heil, weil ich auch Theil
mit denen, die Jerusalem erstritten, in vieler Noht,
und manchem Tod, den sie athier auf dieser
Welt erlitten.

11. Weil ich erwählt, und mit gezählt zu denen reinen Jungfräulichen Schaaren, die allzeit
in Tapfferkeit thäten den unbeflecckten Streit
bewahren.

12. Geblieben treu in mancherley Gefahren,
der sehr viel auf dieser Erden; in vielem Leid und
harten Streit, darum sie auch so hoch erhöhet
werden.

13. Und fahrn herab, mit reicher Haab, als
eine Gottes-Braut schön anzusehen. Ich kom
auch mit, weil Gottes Gut mich hat gewürdiget mit einzugehen.

Nachklang.

14. Jetzt wird man alle Ding verneuet sehen,
und man wird hören die Posaunen blasen, und
alle sehn aus ihrem Kerker gehen, da wird man
Wünder sehn über die Maasen. Kein Leid
noch Weh wird alsdann mehr gesehen, man höre
und siehe die sanffte Winde wehen. Jetzt wird
die Braut und Bräutigam sich küssen: O? alte Welt nun ligstu zu den Füssen.

15. Das hohe Fest, so man sonst Hochzeit
nennet, ist schon ich durch die Ewigkeit dazu ersehen; so
bald die alte Welt ist ausgebrennet, so wird die
Freude unvermerckt angehen. Dann wird das
Meer der Ewigkeit ausfliessen, der gantzen
Schöpffung Bitterkeit versüsen. Jetzt ist dahin
der Kirchen Gottes Weinen, weil das erwünschte
Glück nun thut erscheinen.

16. Das ist schon lang bedacht vor denen
Zeiten, so bald ich durch den Geist im Blick ersehen, was grose Herrlichkeit GOtt wolt bereiten,
wo seine Heiligen solten eingehen. Und suchte
all mein Thun dahin zu wenden, daß an demselben Pfort auch mögt anländen, wann GOtt zusammen alles wird verneuen, und seine Erstlinge
ewig erfreuen.

15.

AUf, Zionsiten! auf, beschleinigt euren Lauf,
die Stund ist kommen, daß die erkauffte Zahl
zum frohen Hochzeit-Mahl bald wird genommen.

2. Die Stund der Mitternacht ist kommen,
darum wacht, ihr Hochzeit-Gäste: die Lampe füllt
mir Oel, bereitet Leib und Seel zum Hochzeit-Feste.

3. Wie ist der Gang so schön und lieblich anzusehn der reinen Seelen, die sich ergeben hin, im
keuschen Jungfraun-Sinn dem Lamm vermählen.

4. Das Glück kommt schon herbey, wer nur
ist recht getreu: dem wird es werden. Wir spüren schon die Freud und grose Seligkeit nach
den Beschwerden.

5. Nun wird nicht mehr geschehn, daß sie
wird jemand sehn den Kummer nagen: dieweil
sie jederzeit des Geistes Lauterkeit im Herzen tragen.

6. Der schöne Perlen-Krantz, und heller lichtes-Glantz, schmückt unsre Geister. Wir sind
in GOtt erhöht, weil jedes so nachgeht dem
HErrn und Meister.   7. Die

7. Die reine Liebes-Tritt, worin man sich bemüht, sind sanft und milde: das Lamm gibt selbst
den Preiß, wir schliesen ihm den Kreiß in dem
Gefilde.

8. Wer hätte wohl gedacht, daß nach so langer Nacht und vielem Weinen so grose Seligkeit in der Erquickungs-Zeit werde erscheinen.

9. Wer hier gering und klein, wird dort das
Schönste seyn, man wird es sehen, wie alles um-
gewandt in dem so güldnen Stand nach so viel
Wehen.

10. Man wird sich wundern sehr, wann aller Orten her die Völcker kommen: das Glück
nur anzusehn, so alsdann wird aufgehn den lieben Frommen.

11. O Wunder! was ist das? die vor im
Elend saß, sieht man nun führen ins Königs
Zelt hinein, allwo sie groß und klein schön helfen
zieren.

12. Man wird es kaum verstehn, wann man
wird kommen sehn mit so viel Hauffen von allen
Orten her, der Erden und vom Meer, die dir
nachlauffen.

13. Viel Wunder wird man sehn, die einmal sind geschehn vor denen Zeiten; sie bringen
all herbey viel Güter mancherley, in vielen Freuden.

14. Was groß und herrlich war, wird dieser
edlen Schaar zu Ehren stehen: der Könige grose Macht, und Fürsten hoher Pracht wird mit
eingehen.

15. Diß ist das grose Heil, so dir zu deinem
Theil von GOtt aufgangen. Die Welt ist hin-
gericht't, und gantz und gar zernicht't ihr leeres
Prangen.

16. So wird alldort erhöht, wer hier dem
Lamm nachgeht, und thut es wagen; auch in der
grösten Pein, bis in den Tod hinein, sein Creutz
zu tragen.

17. Wann schon der grose Schmertz oft dringet tief ins Hertz, es bringet Leben; wann der
verliebte Geist sich nicht von Ihm abreißt, zum
Widerstreben.

18. Die grose Herrlichkeit, die uns alldort erfreut, hat ihre Blühte alhier im Creutzes-Thal:

wer bleibt in seiner Wahl, und wird nicht müde

19. Bringt seine Erndte ein, mit grosem Freuden-Schein, nach den Beschwerden. Der Hoffnung altes Kleid wird, in der güldnen Zeit, verneuet werden.

20. Wohl dann, es wird geschehn, wir wollen freudig gehn der Braut entgegen. Was da
anständig sey, wird unsers Lammes Treu uns
selbst beylegen.

21. Wir sind ja seine Heerd, die es sich von
der Erd erkaufft vor allen: drum hat auch selbst
die Braut, die es sich Ihm vertraut, ein Wohlgefallen.

22. An uns, als ein Geschlecht, wo sie kan
Mutter-Recht gar kühnlich üben. Wir sind ihr
zugezehlt, weil wir auch mit erwehlt in viel Betrüben.

23. Wir gehen auf sie dar, sie wird selbst machen wahr, daß wir sind Kinder vom Jungfrauen-Geschlecht, wo sie hat Mutter-Recht, troz wer
es hinder.

24. Sie wird uns führen ein, wo die Verliebten seyn, so viel erlitten: und theilen aus den
Preiß, aufs Höhesten Geheiß, in grosem Frieden.

B

16.

Bald gehen zu ende die traurige Stunden be-
trübeter Seelen, die GOtt sich verbunden;
die öffters gesessen in mancherley Drang, und vielen Weh-Tagen statt Lobens-Gesang. Jetzt sagt
uns die Hoffnung von anderen Zeiten, die GOtt
durch viel Trübsal hat wollen bereiten, die alle belohnet mit himmlischen Freuden.

2. O seligs Erdulten in mancherley Wehen,
da öffters im Dunckeln kein Trost-Wort zu sehen;
wann Klagen und Zagen macht fallen den Muth,
die Hoffnung geschwächer am ewigen gut. Wer
kan wohl erzehlen die mancherley Wehen, so müssen umtragen bey ihrem Umgehen, die GOtt sich
erwehlet alldort zu erhöhen.

3. Das hab ich erfahren in Göttlicher Jugend, wie harte bedränget, was krönet die Tugend;
das Beste, so öffters macht wachsen den Muth,
muß

B 3

muß heissen gefehlet am ewigen Gut. Wann Hoffen und Glauben in traurigen Stunden ge- heilet die schmertzlich und tödliche Wunden, so wird ich mit ewiger Gnade verbunden.

4. Die hat mich geführet, gezogen, getragen, in denen so mancherley Läuterungs-Tagen, biß endlich gekommen zum Alter hinan, da sich dann eröffnet ein andere Bahn; die enger und weiter und kürtzer in Tagen, und lehret mit Eiffer dem Himmel nachjagen, wo alle gar prächtig die Sie- ges-Kron tragen.

5. Jetzt will ich mich fassen noch näher zusam- men, daß bleibe erhoben in liebenden Flammen; die Vielheit der Tagen bringt grosen Gewinn, und nimme auch die mancherley Trübsal mit hin; so haben geherrscht in vergangenen Zeiten, da man sich so thäte zum Himmel bereiten, und noch nicht erfüllet die Tage der Leiden.

6. Wol glücklich sind Seelen, die alles ver- sagen, und also auf Erden dem Himmel nachja- gen, das Beste und Liebste mit geben dahin, da alles erworben mit vielem Gewinn; was man auch alldorten wird sehen für Sachen, O seliges Vergnügen! so mir wird erwachen, die Trauer- Tag bringen viel Jauchzen und Lachen.

7. Jetzt will ich anfangen ein Neues zu pflü- gen, und lernen vor Kleinen mich schmiegen und biegen, wann alles Groß-Heissen getragen zu Grab, so hab ich erworben die reicheste Haab. Jetzt kommen entgegen die seligste Stunden, wo alles verlohrne ist wieder gefunden, und man auch auf ewig mit GOtt wird verbunden.

8. Auch will ich anfangen recht Göttlich zu leben, dieweil aus dem Wege, was heißt Wider- streben, auch nichtige Sorgen und mancherley Plag, wo offt auch der Treuste bestehen kaum mag. O selige Stunden! die also einkommen, wo Seuffzen und Schmertzen hinweg ist genom- men, und was man ansiehet, muß helffen mit frommen.

9. Nun weiß ich kein andere Kästze zu tragen, als daß ich thu stetig dem Himmel nachjagen. Die Sorgen der Erden sind nunmehr dahin, drum muß es auch glücken dem himmlischen Sinn.

Der Tempel, so bald wird alldorten erscheinen, wird nunmehr erbaut mit lebendigen Steinen, man siehet arbeiten die Grosen und Kleinen.

10. Auch sieht man, die sich hier der Welt- Lust entladen als Botten des Friedens voll Gött- licher Gnaden, anpreisen das balde einbrechende Reich, da Grose und Kleine ererben zugleich die Herrlichkeit, die GOtt so lange verheissen vor alle, die also zum Himmel hinreissen, wo man ihn stets lobet mit englischen Weisen.

11. Diß hat mich gemachet es also zu wagen, die Sorgen und Freude der Welt zu versagen, daß leichter an Füsen zum himmlischen Lauf, weil ewige Freude erfolger darauf. Drum will ich mich in alles zu schicken, gehts harte, so will ich mich schmiegen und bücken, mein langes Verlangen wird GOtt schon erquicken.

12. Jetzt will ich anfangen von Dingen zu sagen, was machet alldorten viel Kronen umtra- gen: der Braut-Schatz des Himmels macht end- lich so rein, zu gehen mit jauchzen zum Freuden- Saal ein. Jetzt hab ich, warum ich so tapffer geloffen, auch vieles erlitten im Dulden und Hof- fen, dieweil mir so plötzlich mein Ziel ist getroffen.

13. Nun bleibe mir dahinden, was Sorgen und Plagen, ich thu schon im Glauben die Sie- ges-Kron tragen; was öffters geschwächet den himmlischen Sinn; ist wie durch verwesen genom- men mit hin. Die Kräfte des Himmels thun häuffig einfliesen, und machen die mancherley Lei- den versüsen, daneben bekommt man GOtt selbst zu geniesen.

14. Diß ists nun, was mich auch thät ma- chen so singen, weil GOtt es mir lassen so treff- lich gelingen. Die göttliche Freude ist nunmehr voran, und machet wohlrüchende die himmlische Bahn. Drum helf ich so fleissig den Tempel- Bau zieren, und hör auch im Braut-Saal die Saiten schon rühren, wo GOtt selbst die Jung- frau-Zahl bald wird einführen.

17.

BIn ich gleich gering auf Erden, trag und leide manchen Drang; wird mir doch mein Theil noch werden nach dem müden Creutzes- Gang.

Sang. Wann ich Schmertzens-Kummer voll, lern ich wie ich wandeln soll.

2. Muß ich gleich im Elend schweben, gehen traurig hin und her, und die Fluthen sich erheben wie ein ungestümes Meer; steht nur doch mein Helffer bey, machet mich des Tranges frey.

3. Muß ich gleich seyn wie vergessen, und, als ob ich nichts geacht; machet es als wie gessen, und genauer forschen nach; wann die rauhe Zeit ist hin, wird man sehen, wes ich bin.

4. Wann die hoffnung hart beschweret, daß offt scheinet aus zu seyn, wird man nur dadurch bewähret, und an Hertz und Sinnen rein. O! wie labet Gottes Gut, wann man ist von Seufzen müd.

5. Dann mein Heil und einzigs Leben schencket alle Völle ein, Er kan aus dem Staub erheben, wann man einmal heisst sein. Hat man einen Kinder-Sinn, bald fällt aller Schmertzen hin.

6. Scheinet es, ich müste erkalten, wann das Glück geschlafen ein, lässet Gott mich nicht veralten, schencket Jünglings-Kräffte ein; doch was offt die beste Haab, muß mit Schmertzen in das Grab.

7. Wacher auf ein neues Leben, hat der Todt sein Recht verlorn: wer sich selbst so hingegeben, ist vom Schöpfer auserkorn. O ja! diß ist lang bedacht, als ich alle Ding versagt.

8. Und weil ich so wohl geloffen, acht ich keines Dinges mehr, dann das Ziel ist wie getroffen ohne Wancken hin und her. Fragt mich jemand, was ich thu, ich bin still, und bleib in Ruh.

18.

Bin ich gleich wie ausgekehrt, man wird nur dadurch bewährt. Unschuld Hertzens Reinigkeit macht zuletzt in Gott erfreut.

2. Trägt man gleich den gantzen Tag in der Stille seine Schmach: kömmt daneben so viel mehr mancher Trost vom Himmel her.

3. Gehe man gleich, und ist betrübt, wird man nur von Gott geübt. In dem Tunckeln, ohne Liecht, ist sein Hertz auf uns gericht.

4. Unterdessen geht die Zeit hin, in manchem schweren Streit; kömmt die Hoffnung auch in Acht! das ist ein betrübte Sach.

5. Sind mir gleich die Nächte lang, daß offt traurig für Gesang; spüre ich doch auch dabey Gottes Gnade, Gut und Treu.

6. O wie wohl wird mir gethan! offt auf meiner Trauer-Bahn, wann betrübt bis in den Todt, speißt mich Gott mit Himmels-Brod.

7. Drücke mich ferner hin die Zeit, frag ich nach der Ewigkeit: richte alles nur dahin, was alldorten mein Gewinn.

8. Gibts Anfechtung mancherley, Gottes Gut ist stündlich neu, preßt mirs aus viel Todes-Schweiß, wascht michs rein zum Paradeiß.

9. Scheints, ich wäre gar dahin, ich erwarte den Gewinn, der alldort erscheint in Krafft, nach der langen Wanderschafft.

10. Wo man kämpffet bis aufs Blut, wird erbeut das höchste Gut. Wer getreu bis in den Todt, wird erlößt aus aller Noht.

11. Und empfängt die Ritter-Kron, so der Weisheit Gnaden-Lohn. Wer umarmet Druck und Pein, geht alldort zum Himmel ein.

19.

Bin ich gleich wie überwogen, hat michs nur dahin gezogen, wo es allgenugsam heißt. Es ist freylich nicht zu sagen, was thut in dem Hertzen tragen, wer hinein zu Gott gereißt.

2. Meist Verlangen hat gefunden; im Vergnügen wird empfunden, was kein fleischlich Hertz versteht. Es ist Gott an mir gelungen; warum ich so lang gerungen, mir jetzt selbst zur Seithe steht.

3. Das Vergnügen, so ich habe, sind nicht nur ertheilte Gaben, es ist Gottes Wesenheit. Ob schon gleich viel schöne Sachen, die dem Hertzen Freude machen, es vergehet mit der Zeit.

4. Niemals hät man sollen dencken, daß sich Gott selbst solte lencken nach dem schwachen blöden Sinn. Dann, wanns scheint, man wär vergessen, thut Er seine Gut einmessen, nimmt den Kummer gar dahin.

5. Drum hat mein Verlangen troffen, daß mir kommen eingeloffen, was mit so viel Müh gesucht. Dann das stündliche Versüsen lässet mich ohn Maaß geniesen der so edlen Leidens-Frucht.   6. Ich

6. Ich kan es kaum unterſcheiden, was ſind Freuden oder Leiden; weil die Allgenugſamkeit mich ſo gantz hat überwogen, und mich da hinan gezogen, was in jener Welt erfreut.

7. Meine Quell wird nimmer trübe, ſcheints ſo, frag ich nach der Liebe, zünd geſchwind die Lampe an: ſo muß alles Tunckle weichen, was nicht rein, im Tod erbleichen, und ich gehe meine Bahn.

8. Will das Brünnlein ſelbſt verſeigen, werd ich klein und thu mich beugen, ſuche auf den Lebens-Strom. Findt ſich dieſes Bachs Verſüſſen, fängt mein Brünnlein an zu flieſſen, und wird licht um mich herum.

9. Wolt was anders mir nicht klingen, und anfänger mich zu drängen, ruf ich aus: ach GOtt! gib Gnad. Seh ich andre dürre Wieſen, laſſe ich mein Brünnlein flieſen, ſo muß grünen ihre Saat.

10. Und ſo hat mein langes Hoffen noch zuletzt ſein Ziel getroffen, weil ich funden dieſe Quell: wo ſich krancke Seelen laben, die nichts zu bezahlen haben. Bleibet nur diß Brünnlein hell.

11. O ſo bin ich wohl geträncket! und vergeſſe, was mich kräncket, weiß von keinem Weh noch Leid. Alles Bittre wird mir ſüſe, weil ich nunmehr GOtt genieſe ohne Wechſel, ohne Zeit.

20.

BIn ich ſchon Lebens-ſatt, wenn meine Zeit will alten; ſo läßt die Liebe doch mich nimmermehr erkalten: zu tragen meine Bürd und Laſten hier auf Erden, bis dort in jener Welt ich werd verherrlichet werden.

2. Werd ich ſchon öffters hier mit Bitterkeit geträncket, wird ſo viel Süſſes doch daneben eingeſchencket. Das ſanffte JEſus-Joch macht alles leichte zu tragen: drum will ichs auch mit Ihm bis auf den Tod hin wagen.

3. Die Krone iſt mir doch durch ſeine Huld erworben, da Er für mich geſchlacht und an dem Creutz geſtorben. Und weil in ſeiner Treu ich alle Füll gefunden; ſo bleibe ich Ihm auch auf ewig hin verbunden.

21.

BRich bald herein, du göldnes Glück, wir zählen ſchon gar lang die Stunden, biß aller Jammer weiche zurück, geheilt der Kirchen Gottes Wunden. Ob gleich der Hoffnungs-Safft macht das Gepflügte grünen, ſo läßt doch Kält und Froſt es nicht zum Segen dienen.

2. Es fällt gar ſchwer der lange Drang den Gottes Kirch alhier muß tragen, wenn ſie nebſt Trauren für Geſang, noch ſeyn muß wie von GOtt geſchlagen. Doch, das Propheten-Licht iſt offt des Glaubens Zunder, daß in dem Geiſt geſchaut viel nie-erhörte Wunder.

3. Wann die Weiſſagungen erfüllt, ſo lang zuvor im Geiſt geſchauet, ſo iſt der Kirchen Schmertz geſtillt, worauf ſie hatt ſo lang vertrauet; das zeigt ſich nun in Krafft, und thut im Licht erſcheinen, daß nun wird abgethan der Kirchen langes Weinen.

4. Wir halten dann inſtändig an. Ach GOtt! wir ſind offt müd zu leben, löß doch bald auf den ſchweren Bann, und thu uns aus dem Staub erheben, ſeh doch in Gnaden an das lang und viele Weinen, daß wir um dich gethan, weil wir die Liebe Deinen.

5. Wir Hoffen du wirſt dencken dran, und balde die Erlöſung ſchencken, wo man der langen Trauer-Bahn wird ewig hin nicht mehr gedencken. Jetzt ſind wir voller Troſt, weil du uns laſſen ſagen, die harte Zeit wär aus, und wie zu Grab getragen.

6. Ob wir gleich noch gering und klein, wann mit viel Trauren wir umgeben, ſo wird es doch ſchön anders ſeyn, wann Du wirſt aus dem Staub erheben, die in ſo viel Gedult nur ſtets dorthin geſchen, wo man nach ſo viel Leid wird in die Ruh eingehen.

D

22.

Jeſaja Cap: 35.

DAnn wird die Wüſt und Einöd luſtig ſeyn; In Zions Reich viel Freude brechen ein. Und das Gefilde frölich ſtehn, das ſchön und lieblich anzuſehn. Sie werden blühen, wie die Lilien und Rosen an der Weid sehr wunderschön.

2. Sie werden blühn über die maasen schön, mit vieler Lust und grosen Freuden stehn, weil ihre Herrlichkeit erhöht, wie Libanon, der prächtig stehet. Der Schmuck Carmel und Saron ist bey ihr, und stehet da im schönsten Pracht und Zier.

3. Dieweil sie sehn des HErren Herrlichkeit, als GOttes Schmuck, der sich sehr weit ausbreit't. Stärcket die müd-und träge Händ, und lahme Knie, die strauchlend sind. Sagt den verzagten Hertzen: seyd getrost und unverzagt, GOtt ist's, der euch erlößt.

4. Dann GOtt hat einen Tag zur Rach bestellt, zu helfen denen, die Er auserwehlt. Dann wird den Blinden das Gesicht ertheilet in dem Wunder-Licht. Dabey der Tauben Ohren mit viel Freud geöffnet werden zu derselben Zeit.

5. Alsdann werden die Lahmen springen auf, gleichwie die Hirsche thun in ihrem Lauf. Der Stummen Zungen sind bereit zu loben Gottes Gütigkeit: was grose Freude wird man hörn und sehn, wann alles wird in die Erfüllung gehn?

6. Dann werden fliesen in der Wüsten-Fläch viel angenehme Ström und Wasser-Bäch. Wo es sonst trocken vor der Zeit, soll'n Teiche stehen weit und breit, und wo es dürr und mager war vorher, sollen nun Brunnen fliesen hin und her.

7. Wo Schlangen sich zuvor gehalten auf, soll Schilff Rohr Graß im Segen wachsen auf. Und wird daselbsten seyn die Bahn, ein Weg, wo niemand irren kan: weil er wird heilig heissen und dabey wird seyn vor die, so ihrem GOtt getreu.

8. Und wird daselbst kein Löwe seyn zu sehn; noch einig reissend Thier denselben gehn. Drum wird man wandlen zu der Zeit mit groser Freud und Sicherheit. Dann die Erlösten durch des HErren Gnad kommen nun wieder auf denselben Pfad.

9. Gehn Zion hin mit groser Freud und Ehr, und sammlen sich von allen Orten her, dann wird die Herrlichkeit angehn, die Zion wird ohn End erhöhn: diß wird geschehn, wann bricht die Zeit herein, da Schmertz und Seuftzen wird vergessen seyn.

23.

DAs Creutz der Drang die Schmach, der Brast kan die Gedult wohl üben; wer einmal solcher Wander-Gast, lebt niemal ohn Betrüben: doch richtet sich in Hoffnung auf das lang-verlangte Sehnen bey dem so müden Lebens-Lauf und vielen bittern Thränen.

2. Ach GOtt! solls ewig währen dann, daß ich muß seyn in Brasten? Ists schwerer, als ichs tragen kan, wie soll ich können rasten? Wanns scheint, ob wär das Ziel erreicht bey so viel Noth-Gedränge, bin ich als wie im Tod erbleicht, und bleib in steter Enge.

3. Doch wird in diesem Trauer-Spiel das wahre Heil errungen: so bald erreicht das rechte Ziel, so heißts: es ist gelungen. GOtt Lob vor so viel bitters Leid und viele Hertzens-Pressen, weil mir die wahre Seligkeit dafür wird eingemessen.

4. Der Perlen-Baum das edle Reiß aus Gottes Hertz entsprungen, kommt, nach so vielem Todes-Schweiß, gar schön hervor gedrungen: und zeigt sich als ein Paradies in vielem schönen Prangen, deß Früchte ich nunmehr genieß, nach so viel bittern Drangen.

5. Die schöne Frucht der neuen Welt macht alles Leid vergessen, wo man, in so viel Hitz und Kält, oft einsam ist gesessen. Wo der Genuß der edlen Saat vom Perlen-Zweig empfunden, ist aller Schmertzen-in der That zu einem mal verschwunden.

6. Doch muß Gedult im Hoffen stehn in den betrübten Tagen, wann man in so viel Drang muß gehn, daß kaum ist aus zu sagen. Wann es ist trüb vom Himmel her, weil GOtt sich selbst verborgen, und man betrübt muß gehn einher vom Abend bis an Morgen.

7. So muß der neue Lebens-Zweig allhier, in so viel Drangen, stets dringen durch in Gottes Reich an nichtes bleiben hangen. Weil er von einer andern Wek, so muß er hier auf Erden stets seyn gedränget und gequält, dort wirds schon besser werden.

8. Nach dem ermüdten Lebens-Lauf wird sich die

C   die

die Frucht schon zeigen, die hier im Drang gewachsen auf, im Schmiegen und im Beugen.
Drum muß Geduld und Hoffen stehn bis alles
Leid gewendet, und wann ich werd zur Ruh
eingehn, so ist der Lauf vollendet.

9. So wird der Glaubens-Lauf gekrönt nach
so viel bittern Drangen, wann man ist lang ge-
nug verhöhnt: so kommt der Trost gegangen zur
Freud gar hoch vom Himmel her, aus Gottes
Herz entsprungen. Ist dann die Noth schon
Centner schwer, heißts doch: es ist gelungen.

24.
Das freudige Lallen der Kinder allhier, die
gänzlich entzündet mit Liebes-Begier: wird
täglich erneuet, sie werden erfreuet, wenn Liebe an-
brennet die Himmels-Begier.

2. In Stürmen und Wellen erheben sie sich,
ihr Alles ist gänzlich ins Eine gericht: das ewig
bestehet, und nimmer vergehet, wenn Himmel und
Erde und Alles zerbricht.

3. In Freuden und Leiden sie lieben zugleich,
kein Schmerzen, kein Wehmuth, sie nimmer
macht weich: weil Demuth sie lehret, und alles
verzehret, was Himmel und Erden will lieben
zugleich.

4. Ihr Kinder der Liebe, kommt alle heran,
erhebet und rühmet den mächtigen Mann, den
König der Wunder; das thuet gesunder, weil
Er uns eröffnet der Tugenden Bahn.

5. Erhebet zusammen Herz, Munde und
Händ, daß keines vom andern sich nimmermehr
trennt: seyd munter im Herzen, laßt Liebe stets
scherzen, daß feurige Inbrunst euch innigst entzünd.

6. So wird euch Schmach Schande erschrecken nicht mehr, vielmehro verdoppeln des Königes Ehr: Der stetig von oben, in Leiden und
Proben, mit Freuden erfüllet sein gläubiges
Heer.

7. Wer hier nicht will lieben und leiden zugleich, wird endlich zu Schanden, verscherzet das
Reich der Liebe, voll Leben, das endlich wird geben vergnügende Wohllust und Freude zugleich.

8. Weg Freude der Erden, tritt ferne von
mir, mein Herz ist entzündet mit Himmels-Be-

gier, von Wohllust und Leben, die in mich gegeben mein freudige Wonne, die schönste Zier.

9. Die Schönste von allen ich habe erblickt,
drum ist auch mein Herze von Liebe entzückt:
weiß wenig zu sagen von Klagen und Plagen,
weil Göttliches Leben mich innigst erquickt.

10. Drum fliehen von hinnen die Feinde ohn
Zahl, die täglich beflissen mich bringen zu Fall,
in vielerley Sachen mich müde zu machen, die
werden zerstäubet nun alle zumal.

11. Ihr Zions-Gespielen erhebt euch mit mir,
werd't kräftig entzündet mit Himmels-Begier:
tret't näher-zusammen, verdoppelt die Flammen
der Liebe, voll Leben in Göttlicher Zier.

12. So geben wir Glorie und Ehr zugleich
dem mächtigen König, der Liebe-voll reich: und
zieren den Handel mit Göttlichem Wandel, mit
Freuden zu gehen ins himmlische Reich.

25.
Das Grünen unsrer Saat thut sich sehr
schön ausbreiten, wir sehn die Ernde
blühn in Geistes Fruchtbarkeiten: die Trauer-
Zeit ist hin, der viele Drang vergessen, wir sehn
ein andre Welt, weil wir in GOtt genesen.
So glücket uns die Fahre auf Gottes Wunder-
Wegen: weil sich thut aller Schmerz nun ganz
darnieder legen.

2. Was Freud und süsser Trost muß uns im
Geist aufsteigen: wann in vereinter Krafft wir
uns zu Ihm hin neigen! Die Süßigkeit, die
Huld, aus Gottes Herz entsprungen: hat uns in
sich erhöht, daß unserm Fuß gelungen. Des
Tempels Heiligthum, wo GOtt thut Selber-
thronen, hat sich nun aufgethan, daß wir darinnen wohnen.

3. Wir gehen da hinein in unsre Ruhe-Kammer: also wir ganz befreyt von allem Leid und-
Jammer. Der harte Zwang und Drang, wo
wir in war'n gesessen: eilt nun zu seinem End,
wo Alles ganz vergessen. So gehen wir dahin,
besitzen Gottes Frieden, von Menschen, Ehr
und Ruhm, und aller Welt, geschieden.

4. O seliger Gewinn, der uns in GOtt erworben! da bey so viel Gedräng wir scheinen fast
erstorben.

erstorben. Nun blühet uns die Ruh im stillen
Geistes-Wallen: wir sind desselben froh, nach
Gottes Wohlgefallen. Die Müh und Tages-
Läst, die wir so lang ertragen, ist nun vergessen
ganz same aller Noth und Klagen.

5. Nun muß uns der Genuß, von Gottes
Güte wegen, aus dem so langen Drang nur lauter Heil zulegen. GOtt ist nun unser Ruhm:
wir tragen Seine Kästen, wie es alhier geziemet den
fremden Wander-Gästen. Wir gehen dann
dahin, vergessen allen Jammer: bis daß wir
kommen heim in unsre Ruhe-Kammer.

6. So sind wir dann gecrönt, mit lauter Huld
umgeben: die Gottes Langmuth heißt. O angenehmes Leben! O sichre Friedens-Burg!
Wer deine Höh bestiegen, dem müssen alle Feind
zuletzt zu Boden liegen. Wol dann du süse
Ruh, die wir nunmehr geniesen! du thust all unser Leid ohn Zeit und End versüsen.

26.

DAs liebliche Umarmen der süsen Himmels-
lieb kan Herz und Geist erwarmen durch ihre Feuer-Lieb-Trieb: wo Herzen sich vereinen in diesen Liebes-Sinn, muß bald im Geist erscheinen,
was darin vor Gewinn.

2. Viel Segen und Gedeyen muß davon fliesen aus, wer kommt an diesen Reyhen, bringt seine Früchte nach Haus: da grünt das Gnaden-
Leben schön aus im neuen Bund, die Seel kan
GOtt erheben zu aller Zeit und Stund.

3. Die reine Lebens-Quelle da schön thut fliesen aus, wo sich an seiner Stelle erbaut ein Gottes-Haus von Seelen, die ergeben dem reinen
Liebes-Sinn, und alles Widerstreben versagt auf
ewig hin.

4. Wie muß nicht alles schweigen, und ganz
erstaunet stehn, wann sich die Früchte zeigen,
daß iederman kan sehn die Blätter, Frucht und
Blüthe von der so reinen Schaar, die Gottes
Treu und Güte ergeben ganz und gar.

5. O Segens-voll Vergnügen! wer in dem
Herzen hegt des reinen Geistes Siegen, den Gottes Kirche trägt: die Fülle muß uns laben aus
seiner Segens-Kraft, mit süsen Himmels-Gaben
und allerreinsten Safft.

6. Wie muß nicht da ausfliesen von eins ins
andre ein, wann sich so thut ergiesen der süse Gei-
stes-Wein: so ist der Kirchen Leben, womit sie
GOtt begabt, und ihr zu eigen geben, was sie so
innig labt.

7. Der wird uns hier gebären, der wird es
richten aus, und uns zu Lob und Ehren bringen
in Gottes Haus: die Frucht von seinen Thaten
ist Man und Himmels-Brod. In Ihm ists
uns gerathen, wir sind erlößt vom Tod.

27.

DAs Nun, die stille Ewigkeit hat mich genommen hin und ganz umgeben; nun ist dahin
der schwere Streit, weil allbereits besitz ein ander
Leben. Was sonst so viele Wehn und Schmerzen hat gemacht, ist nun dahin, und in Vergeß
gebracht.

2. Wo sind nun meine Feinde hin? Ich weiß,
daß viel bereits der Tod wird nagen: weil selbiger war mein Gewinn, zur Zeit, da ich sehr harte
von GOtt geschlagen: nun aber ist dieselbe Zeit
als wie dahin, die süse Frucht kommt mir nun
ein mit viel Gewinn.

3. Was mir zuvor viel Bitterkeit gebracht,
ist mir nunmehr als wie zum Himmel worden.
So viele Noth, so vieles Leid ich tragen mußte
von der Sünder Orden, hat mich gesetzet hin
ganz auser Ort und Zeit, daß ich kan leben wie
im Nun der Ewigkeit.

4. Drum bin ganz Sorg-und Bilderloß,
weil mich die Ewigkeit als wie umgeben: so manchen Streit, so manchen Stöß, der mich betraf,
daß oft sehr müd zu leben, ist nun dahin, daß ich
kan sanfft und stille seyn, weil in mein Ruhe-Zeit
ich nun bin gängen ein.

5. Und ob ich schon ganz töde und still vor
aller Welt als wie ein Wunder worden: die E-
wigkeit bringe alle Füll, und scheidet ab vom argen Sünder-Orden. So leb ich dann, daß ich
vergesse Welt und Zeit, und richt mein Thun
dorthin zur stillen Ewigkeit.

6. Da grünet aus der Lebens-Baum, des
Früchte ich ohn Zeit und End geniese, wobey ein
ewig weiter Raum, das mir des Leibes Bitterkeit

macht

macht süse, da sig ich dann, geniese angenehme Lüfft, wo jede stille Seele, eins zum andern, rufft.

7. Wie angenehm ist dieser Ort, wo man so süß kan ruhn im kühlen Schatten, der Friede blühet fort und fort in aller Bölle vor die Abgematten. O angenehmer Ort! O heiligs Stillesseyn bey allen! die daselbst einmal gegangen ein.

8. Es kommt mir niemals aus dem Sinn, was mich zu diesem grosen Heil gezogen; die Langmuth Gottes nahm mich hin, daß meine Alberheit in Lieb bewogen: die ließ nimmer nach, bis ihr war selbst zu Theil, was sie gezogen an zu diesem grosen Heil.

9. Und weil durch meine Alberheit der Welt und allem Ding so gar entkommen, so hat die stille Ewigkeit denselben Sinn nun ganz in sich genommen. So hab in Wohl und Weh meine Gleichgültigkeit, weil ich gegangen ein zur stillen Ewigkeit.

10. So sey zuletzt noch diß gesagt: der Wechsel ist bey mir sehr wohl getroffen, ich hab gefunden, was gemacht, daß ich dem Creuz so schnell bin nachgeloffen. Nun grünet aus das reine Geistes-Element, da mir mein Feuer-Quall im sanften Oele brennt.

28.

EIn helles Licht nun durch das Dunckle bricht, im Herzen aufgericht, das sich ergeben dem reinen Geist, der täglich in uns fleißt, auch Kräfte uns darreicht zum Gottes-Leben.

2. Und ferner auch, nach deinem weisen Brauch, und reinen Gottes-Hauch voll an uns füllest, und machest wahr an deiner werthen Schaar, was lang verheissen war, an uns erfüllest.

3. Drum singen wir, O allerschönste Zier! mit reiner Himmels-Gier dir unsre Lieder; damit sie nun an deinem Eigenthum, zu deines Namens Ruhm erschallen wieder.

4. Und also fort, O treuer Seelen-Hort! dein wahres Lebens-Wort lasse hören in voller Kraft, die uns macht tugendhaft, und wahres Leben schafft zum Gottes-Leben.

5. Schenck auch dabey, daß wir, ohn Heuchelen, dir bleiben recht getreu, als deine Freunde; damit ohn Ziel dein reiner Gottes-Will uns täglich voll anfüll, zum Troz der Feinde.

6. Daß uns erfreu dein unverfälschte Treu, und also ohne Scheu dein'n Ruhm vermehren, damit die Welt, die nur vor Thorheit hält, wenn man dein Lob erzehlt, es möge hören.

29.

DER Abend ist gekommen, die Zeit der Welt ist aus: Wo sind die wahre Frommen, die GOtt kan führn nach Hauß. Viel sind dahingegangen, gaben GOtt gute Nacht, des schmalen Weges Drangen verspottet und verlacht.

2. Die Zions-Wächter trauren, weil sie nicht mehr geacht, ihr Rufen auf den Mauren verspottet und verlacht. Wie bitterlich sie weinen, daß Zions Steig verheert, wird wohl nicht klar erscheinen, daß mans von aussen hört.

3. Weil ihre Strasen wüste, niemand mehr nach ihr fragt; O! wer den Jammer wüste, wie bitterlich sie klagt. Die Steine würden schreyen bey dem betrübten Stand: doch läßt sich GOtt nichts reuen, und bietet ihr die Hand.

4. Ich selbst wil kläglich weinen, und klagen fort und fort, folt auch kein Trost erscheinen biß an des Todes Pfort. Ach! wo sind deine Helden, und ganze Ritterschafft? die sich sonst vorn anstellten mit groser Siges-Krafft.

5. Der sehr betrübte Handel verursacht ist den Tod, der schöne Glaubens-Wandel ist worden wie zum Spott. Wer kan es wohl aussagen? was vor ein Trauer-stand, wann wird zu Grab getragen, was war mit GOtt verwand.

6. Des Tempels göldne Pforten sind schwarz von Rauch gemacht, der schöne Prister-Orden ist worden wie zur Nacht. Der Altar steht im trauren; das Heiligthum ist öd verwüstet ihre Mauren, die Pforten wie verwecht.

7. Was noch ist überblieben, ist klein und schnöd geacht, und fast wie aufgerieben von Traurigkeit der Nacht. Weil aller Trost vergessen von so viel Herzenleid, die schon betrübt gesessen zuvor so lange Zeit.

8. Und nun so hart geschlagen in ihrem Trauer-stand, weil sie thät alles wagen ums ewge Vaterland.

erkand. Drum gehe sie hin mit weinen in der betrübten Zeit, biß ihr Trost wird erscheinen in jener Ewigkeit.

30.

DER bittre Kelch und Myrrhen-Weine schmeckt einem Christen gut, der kämpfet bis aufs Blut: die Prob versüße des Creutzes Peine, dieweil man da findt lauter Sachen, die Frieden machen.

2. Ein Christ weiß länger nicht zu sagen, als nur von einer Stund, daß Leiden ihn verwundt: und läßt GOtt andre Kost vortragen, daß er im Frieden kann genesen, so ists vergessen.

3. Doch muß der Glaub die Probe halten, daß nicht einfall der Muth, wenn er mit Fleisch und Blut zu kämpfen hat auch der gestalten: daß er sich findet aller Maasen gantz seyn verlassen.

4. Ein Kämpfer, der einmal gesetzt sein Theil zu diesem Spiel, dem ist es nie zu viel, wenn er gleich in dem Kampf verletzet: er hat ja schon zuvor sein Leben gantz hingegeben.

5. Die Ritter-Krone muß doch werden den treuen Kämpfern dort, nach dem Verheissungs-Wort: weil sie in allen den Beschwerden, wo sie sich einmal zu verschrieben, sind treu geblieben.

6. Blut, Feuer, Aengste, Hitz und Schläge sind oft, an statt der Beut, den Kämpfern zu bereit: und wenn noch wird im Hertzen rege der alt und böse Gräul der Sünden, muß überwinden.

7. Ein Kämpfer, der zur Fahn geschworen, hat sich gantz geben hin, daß er im Kampf gewinn den Sieg, wodurch er auserkohren, zu tragen in des Himmels Throne die göldne Krone.

8. Drum muß den Kämpfern doch gelingen, wie es auch gehen thut, fällt ihnen nicht der Muth: wer will den alten Feind bezwingen, der muß auch in des Todes Rachen nur seiner lachen.

9. Dem noch gefällt sein eigen Leben, der bleibe nur zu Haus, er hält den Kampf nicht aus: denn diß muß man zu erst hingeben, eh man sich denckt in Kampf zu wagen, den Feind zu schlagen.

10. Wie viele seynd zu Schanden worden, die statt der Sieges-Kron bekleidt mit Spott und Hohn: weil sie die rechte Krieges-Orden veracht-

tet, und ihr eigne Sachen nur thäten machen.

11. Wer Jacob will im Kampf nachgehen, daß er Israels Nam ererb aus seinem Stamm: muß Weib und Kinder lassen stehen, so kann er in dem Kampfe-Ringen GOtt selbst bezwingen.

12. Und kann den neuen Namen tragen, so heisset Israel, weil er in diese Stell getretten, und den Kampf thät wagen: drum ist er auch im rechten Wesen in GOtt genesen.

13. Nun thut die Gnaden-Sonn aufgehen nach einer schwartzen Nacht, die er hat zugebracht vor GOtt im Kampf mit vielem Flehen, da seine Härtigkeit gebrochen, und ward gerochen.

14. So wird die Treu mit GOtt belohnet, der nicht im Kampf erweicht, bis daß er hat erreicht: daß GOtt nun selber bey ihm wohnet, und machet, daß auch selbst die Feinde nun werden Freunde.

15. Lob Preiß und Danck sey dem gesungen, der mir erworben hat die Fülle seiner Gnad: so daß es mir bisher gelungen: Er wolle mich nun ferner führen, und selbst regieren.

16. Zu gehen fort auf rechten Wegen, die lauter sind und rein, ohn allen Trug und Schein: bis daß ich mich werd niederlegen, und gäntzlich von der Last der Erde entbunden werde.

31.

Erster Chor.

DER Geist und die Braut sprechen: komm! Und, wer es höret, der spreche: komm. Ja, ich komme schnell, Ja AMEN AMEN.

Der Mittel-Chor.

WOhlauf! wohlauf! und schmück dich herrlich in dem Gehen, such dein Geschmeid, zieh deine Kleider an: du solt nun bald vor Gottes Throne stehen. Du heilig's Volck! steh auf, denn, der dich liebt, ist auf der Bahn. Hör das Geschrey von denen obern Chören, und thu auf Erden auch mit stimmen an, und helf mit ihnen Gottes Lob vermehren, auf deiner engen Leid-und Creutzes-Bahn. Sie rufen dir: steh auf! laß deine Schöne schauen. Sieh mit was heisser Lieb sich GOtt will selbst mit dir vertrauen.

C 3

Erster

Erster Chor.

DIE Braut ist erwachet von dem Geschrey der Wächter: Sie ist angethan mit dem reinen Hochzeit-Schmuck: Sie gehet entgegen dem Bräutigam: Sie ruft: Er kommt. Gelobet sey, der da kommt im Namen des HErren.
Hosianna In der Höhe.

Erster Chor.
Drey Vers werden mit dem folgenden Lied Chor-weiß gesungen.

DER Engel Chor schwingt sich empor, und machet schallen neue Lieder im hohen Thon vor GOttes Thron. Stimme an, ihr Hertzen und Gemüther!

Erster Chor.
2. Wir hör'n den Schall vom Wieder-Hall, der sich von oben lässet hören: wir stimmen an, und machen Bahn, damit wir Gottes Lob vermehren.

Erster Chor.
3. Das ist die Tracht bey unser Fracht und Nichtigkeiten hier auf Erden: daß wir bereit, zu jeder Zeit, und also seines Geistes voll werden.

4. Der machet Wind, daß wir behend und fertig sind also zu lauffen, auf dieser Bahn nach Canaan. Wohl uns! wir folgen da mit Hauffen.

5. Wir reden schön, wann wir so gehn, betrachten unsers Gottes Weisen: geben Ihm Ehr, auch im Gehör, wann wir so seine Wunder preisen.

6. Wir hören wohl, sind Freuden-voll, wann wir vernehmen Gottes Thaten: dann, was Er spricht, das fehlet nicht, sein Wort macht Alles wol gerathen.

7. Der reine Sinn bringe uns dahin: daß wir Ihn schmecken und empfinden. Wir werden satt, nach seinem Rath, so bleiben wir mit Ihm verbunden.

8. So ists gethan auf unsrer Bahn: wann wir sind dem Geruch nach gangen. der reinen Lehr, mit dem Gehör, und werden dort mit Cronen prangen.

Zweyter Chor,
mit beyden zusammen.

9. Drum wird der Gang mit viel Gesang und Liebes-Liedern ausgezieret: des sind wir wohl und Freuden-voll, weil wir der eiteln Welt entführet.

Zweyter Chor.
Drey Vers werden mit dem vorhergehenden Lied Chor-weiß gesungen.

DIE Braut hört schon vom Himmels-Thron den frohen Ruf und Stimm erschallen: auf seyd bereit! es kommt die Zeit, daß bald die stoltze Welt wird fallen.

Zweyter Chor.
2. Such dein Geschmeid, und sey bereit, den, der dich liebet, zu empfangen: der selbst dein Lohn und deine Cron, sich eilend auf, Er kommt gegangen!

Zweyter Chor.
3. Es ist geschehn! wir wollen gehn dem Freund und Bräutigam entgegen: uns mit viel Freud machen bereit, und so den reinen Schmuck anlegen.

Erster Chor.
Beyde zusammen, bis zu Ende.
4. Sind wir die Braut, die GOtt vertraut, so wird uns unser Theil schon werden in jener Welt, wanns Ihm gefälle, daß wir mit Ihm verherrlicht werden.

5. Wer wird uns dann auf dieser Bahn der reinen Himmels-Liebe scheiden? es blüht uns schon die Ehren-Cron dorten, in jener Ewigkeiten.

6. Die Sünden Rott wird nun zu Spott, so die Geliebten vor verschoben: die werthe Schaar erlange das Jahr, wo sie GOtt ohne End wird loben.

7. Drum sey getrost, du wirst erlößt, GOtt wird dir Fried und Ruhe geben vor dein viel Leid und Traurigkeit: du wirst nun in die Länge leben.

8. Dein Wittwen-Stand ist GOtt bekant, den du in dieser Welt getragen: es ist vorbey, du wirst nun frey von deinem Leid und Trübsals-Tagen.

32.

DER Fahne des Creutzes in blutigen Wunden Ist kommen auf unsre nun letztere Stunden; die Trübsal der Zeiten steigt höher empor, als man
hat

hat erlebet in Zeiten zuvor. Die Zeugen der Warheit die müssen verarmen, daß in viel Betrübniß sich GOtt muß erbarmen; sie pflegen, und tragen auf Achseln und Armen.

2. Dieweil keine Wunder sich lassen mehr sehen, drum sie so betrübet und traurig umgehen; und also umtragen das Zeichen des HErrn, als Schmach und Verachtung, doch willig und gern. Die Herrlichkeit lieget im Staube begraben, verdunckelt die Wunder der himmlischen Gaben, wo öffters die Kleinen sich können an laben.

3. Was vorhin in herrlichen Wundern geleuchtet, ist nunmehr mit thränenden Augen befeuchtet; die Wunder verborgen am lichtresten Tag; so, daß auch der Treuste bestehen kaum mag, Ich selbsten kann anders nichts treiben als weinen, weil alle Schmach gehet nur über die Kleinen; doch, weiß GOtt zu helffen und retten die Seinen.

4. Die Kleinen durch Kummer und Blödheit veralten, die Grosen hingegen im Lieben erkalten, doch bleibet Creutz, Trübsal und Elend der Preis, wanns Danckl verzehret, scheint Schwarzes oft, weiß. Was vorhin verdeckt in betrübten Zeiten, muß sich hernach um so viel schöner ausbreiten, wann Trübsal und Elend belohnet mit Beuten.

5. Wo herrliche Wunder in ersteren Zeiten geleuchtet, trifft uns nun viel Schmerzen und Leiden; wir müssen verschmerzen, was jenen geschencket, weil wir wie im Wasser der Trübsal ertränckt. Doch blühen die Rosen im Hoffen darneben, und ob uns die Dorn-stich viel Schmerzen schon geben, wir werden mit jenen doch ewiglich leben.

6. Sie haben das Eise durch Bluten gebrochen, da sie der Bluträcher sehr tapffer gerochen: uns aber ist blieben die letztere Schmach, da GOtt sich verbirget am lichtresten Tag. Doch wird es dem Bluten zuletzt gelingen, wann alle mit hauffen die Garben einbringen, und also mit Freuden ihr Triumphs-lied singen.

7. O! blutige Kämpffer, so vormals gestritten, und um das Reich GOttes so vieles erlitten. Es ist uns geschrieben, wir kommen euch nach,

und bringen die uns nachgelassene Schmach. Wir sind nun erbauet aus euerem Bluten, die Erstlings-Krafft kommer den letzten zum Guten, die Krone kommt allen gans ohne Vermutheit.

8. Dann unser groß Elend, das sie uns zurücke gelassen, muß bringen auch ihnen ihr Glücke; daß Anfang und Ende ererbe zugleich das von GOtt so lange verheissene Reich. O! wohl uns, weil sie uns die Wege gebähnet, wo Herz und Gewissen darnach sich gesehnet, auch unsere Augen so lange geträhnet.

9. Wir werden einbringen mit Freuden die Kronen, womit uns GOtt allen zusammen wird lohnen: vermuthlich dann gehen die letzten voran, weil jene gebrochen die blutige Bahn. Die Armuth und Elend und trauriges Leben wird machen den vorgang gar hoch zu erheben, so, wie man dem Höchsten wird Ehr und Ruhm geben.

10. Jetzt will ich aufs neue von Herzen mich freuen, dieweil ich erblicke die lieben Getreuen, die mit mir getragen viel Elend und Noth, geduldig erlitten viel Schande und Spott. Jetzt häb ich mein Erbtheil auch unter den Frommen, die aus so viel Trübsal zusammen sind kommen, wo Schmerzen und Seuffzen dahin ist genommen.

11. O Kämpffer! die also getreten die Kelter, im Blute gebadet auf denen Creutz-Felder: wir kommen mit Weinen von hinten euch nach, und tragen mit Schmerzen die letztere Schmach. So werden vollender die bittere Leiden, die GOtt hat ersehen von ewigen Zeiten, und also die Herrlichkeit wollen bereiten.

12. Die Adam verscherzet durch Wollust und Leben, diweil er dieselbe so wolfeil hingeben; drum kostets auch nun so viel blutigen Schweiß, die Hize der Trübsal oft mächet sehr heis. Und, wann dann vollender die Leiden auf Erden, verrichtet auf ewig die Creuzes-beschwerden, und als Blut-schwizer verherrlichet werden:

13. Dann werden sie alle zusammen GOtt loben und dancken, vor die so viel blutige Proben. Jetzt ist das Geheimnuß des Creuzes am End, die Göttlich Ersehung hats plötzlich gewendt. Die ersten und letzten erlangen die Kronen, wo-

mit

mit GOtt wird alle zusammen belohnen, und selber in Ewigkeit mit ihnen trohnen.

33.

DER frohe Tag bricht an, es legt sich nieder
Der harte Jacobs-Dienst, es wird ihm wieder
gegeben seine Braut, die ihm vermählet, und sich
beym Lebens-Brunn zu ihm gesellet.

2. Nun wird erst fruchtbar seyn, die lang verschlossen, als wie ein junges Weib vom Mann
verstosen: nun wird sie eine reiche Mutter werden, daß davon wird erfüll die ganze Erden

3. Der neuen Liebes-Welt, die sich thut zeigen
mit ihrem vollen Pracht, wer solte schweigen, und
es nicht zeigen an, was er thut sehen: weil es
bald aller Welt wird offen stehen.

4. Die Bäume blühen schon von mancher
Arten, die Frühlings-Sonne leucht't in Gottes
Garten: der Winter gehe zu End, die Nächte
muß fliehen, der Lenz nun höher steigt, die Rosen blühen.

5. Der Glanz vom Paradies ist aufgegangen, darum wird fallen bald der Welt ihr Prangen, samt allem, was sie sich zur Lust erlesen:
denn wird erst Zion recht im Grund genesen.

6. Der Libanon steht schön, die Zweige grünen, die Mayen thun zur Lust und Freude dienen: damit das frohe Fest schön werd, gezieret im
Gang, wo nun die Braut wird eingeführet.

7. Die vor verschoben war, und mußte girren
in einsam wilder Wüst, die sieht man führen vom
König aller Welt in seine Kammer, da sie wird
seyn befreyt von allem Jammer.

8. Dann Er ein Held im Streit, dem es gelungen, da Er vor seine Braut im Kampf gerungen mit Furcht die ganze Nacht, und hat gesieget, daß aller Feinde Macht zu Boden lieget.

9. Drum geht sie aus und ein, mit grosen
Freuden, dieweil sein Sieges-Recht an ihrer Seiten: die Ruhe ist bereit, wo sie wird rasten, da
sie wird nimmermehr vom Feind antasten.

10. Ihr Bett ist zugericht von eitel Stücken,
womit des Königs Sohn sie wird beglücken: da
stehen rund umher die starcken Wächter von
Stämmen Israel und der Geschlechter.

11. Sie geht im Pomp einher mit Freud und
Wonne, in vollem Lichtes-Pracht, hell wie die
Sonne, die Töchter folgen ihr mit den Gespie-
len: doch bleibet sie die Schönst unter sehr Vielen.

12. Da werden Wunder sehn, die sie verachtet, und sie vor einen Gräul und Spott geachtet: die Lieblich und die Schön wird man sie heissen, und wird sie alle Welt mit selig preisen.

13. Der Mutter Kinder selbst die werden stehen erstaunet und bestürzt, wann die es sehen:
daß sie so reich begabt, nach so viel Proben, und
werden sie zugleich mit andern loben.

14. Weil sie von Ewigkeit darzu erwählet,
daß sie des Königs Sohn so werd vermählet:
darum ist es ihr auch so wohl gerathen, daß sie
von aller Sorg und Furcht entladen.

15. Mein Geist ist Liebe-voll von Himmels-
Freuden, weil mich mein trautster Hirt thut selber leiten auf seiner Liebes-Bahn, wo man kan
finden, wie Er mit seiner Braut sich thut verbinden.

16. Allhier auf dieser Welt, da sie muß gehen in
einsam wilder Wüst verlassen stehen, wenn sie ihr
Freund verläßt, und freind ist worden, und fähret sie oft an mit harten Worten.

17. Doch lässet sich die Lieb durch nichts ab-
schrecken, wenn auch schon Donnerschläg ihr'n
Glanz verdecken, man wird nur tiefer in den
Grund verbunden, wenn Schrecken Furcht und
Angst das Herz verwunden.

18. Der Bräutgam kans am besten auf die
wagen, so seine keusche Lieb im Herzen tragen:
und halten aus die Prob in allem Leiden, so daß
sie auch nichts kann von Ihme scheiden.

19. Drum ist mein Herz bereit, mit Liebes-
Weisen ihn meiner Seelen Schatz aufs schönst
zu preisen, dieweil ich seine Lieb im Herzen kenne,
und soll in Ewigkeit mich auch nichts trennen.

20. Ihr Glieder in dem Bund, stimmt mit
zusammen, und brenner Lichter-loh in Liebes-
Flammen: erhebet Herz und Mund zu dessen Ehren, dem bald wird alle Welt sein Lob vermehren.

Echo.

21. Der

21. Der frohe Gegen-Schall aus GOtt von oben rührt Herz und Sinnen mit, Ihn stets zu loben: so stimmen wir mit an die schönsten Weisen, daß wir Ihn ohne Zeit und Ende preisen.

22. Viel Danck und Ruhm-Geschrey muß nun erklingen, wann wir dem grosen GOtt sein Lob darbringen: wohl dann! es bleib dabey, es müsse währen, und selbigs weder Zeit noch Jahr verzehren.

23. Diß sey nun unser Ruhm und Werck auf Erden, daß wir zu seinem Dienst geheilet werden: so wird sein Ruhm erhöht zu allen Zeiten, und können ohne End sein Lob ausbreiten.

34.
Jesaja Cap: 61.

DEr Geist des HErrn HErrn ist in mir, weil Er gesalbet mich, dabey zu sagen: und zeigen eine offne Thür den Elenden, und seinen Rath vortragen: auch, die zerbrochnen Herzens sind, verbinden sanfft und sehr gelind, und was gefangen war, zu pred'gen die Erledigung, und was gebunden, die Oeffnung, und ein gnädiges Jahr.

2. Zu predigen, und noch darzu auch einen Tag der Rache, den Erlösten zur Freud und Lust in ihrer Ruh, und alle Traurigen dabey zu trösten. Zu schaffen, daß für Traurigkeit und Asch ein Schmuck dem werd bereit, der Zion zugedacht: und Freuden-Oel für Traurig-seyn, für des betrübten Geistes Pein den schönsten Kleider-Pracht.

3 Sie werden schön gepflanzet stehn, als Bäume der Gerechtigkeit, zum Preisse des HErren, der sie wird erhöhn, und schmücken auf die allerschönste Weise. Sie werden bauen, was verwüst, und was vor Zeit verstöret ist, aufbringen, daß zu sehn die Städte, so zerstöret sehr, und wüste stehn von alters her, nunmehr erbauet stehn.

4. Dann wirst du in Erstaunen stehn, wenn Fremde stehn, und deine Heerde weiden: und dabey wirst mit Augen sehn, daß Ausländer dein Acker-Feld bereiten: und dir also zu Dienste seyn, weil dir dein Glück ist kommen ein, daß du von GOtt erhöht als ein erwehlte Priester-Schaar, so ohnEnde, Zeit und Jahr in seinem Dienste steht.

5. Und wirst dabey zu solcher Zeit mit grosser

Ehr der Heiden Güter essen, und über ihrer Herrlichkeit dich rühmen: statt, da du zuvor gesessen, da Schmach und Schande um dich her, und sie darob frolocken sehr, wirst du ein anders sehn. GOtt wird dir doppelt schencken ein, und wird dein groser Freuden-schein auch nimmermehr vergehn.

6. Dann ich bin HErr, spricht unser GOtt: und hasse die geraubte Opffer-Gaben. Und die mein dencken in der Noth, sollen dafür den Lohn zur letz haben. Ich mache einen Bund und Eyd, der währen soll in Ewigkeit: daß werden soll bekannt ihr Saam unter den Heiden all, und ihr Nachkommen überall bey Völckern, Sprach, und Land.

7. Und jederman, der sie wird sehn, wird kennen sie, daß sie des HErren-Saamen, gesegnet für Ihn da zu stehn, um auszubreiten seinen grosen Namen. Ich bin im HErren hoch erfreut, und meine Seel zu dieser Zeit sehr froh in meinem GOtt, weil er mich hat gekleidet an mit vollem Heil ohn allen Wahn, zum Trotz der Völcker Spott.

8. Gerechtigkeit ist wie mein Röck, womit er mich bekleidet und umgeben, als einen Priesterlichen Schmuck und Zierde eines Bräutigams daneben: als eine Braut, die im Geschmeid, wann sie hochzeitlich angekleidet, sehr zierlich da thut stehn. Gleichwie die Erde Grünes trägt, wenn ihr wird Saamen beygelegt, das lieblich anzusehn.

9. So wird der HErr Gerechtigkeit und Lob aufwachsen lassen für den Heiden: und wird in der Verheissungs-Zeit sein groser Nahm und Ruhm sich weit ausbreiten. Das ist das Erb, so dem Geschlechte verheissen, so hier schlecht und recht, und sehr gering geacht. Nun wird mit Wunder angeschaut, wie sie daselbst von GOtt erbaut, der sie zu Ehren bracht.

35.
DEr Glaube siegt durch JEsum Christ, der alle Macht bezwungen der Feinde, die zu jeder Frist auf meine Seel gedrungen: Er herrschet nun durch seine Kraft in mir, daß ich werd tugendhafft.

2. Ehdessen

D

2. Ehdessen gieng ich groß einher in meinen/ eignen Wegen: gedachte wunder/ wer ich wär/ kont viele Ding außlegen. Gab von mir vielen Glanz und Schein/ und war doch nicht/ wie ich solt seyn.

3. Das rechte Klein-seyn fehlte mir/ ich war noch nicht gebeuget. Ob ich schon Wunder-Dinge hier den Menschen angezeiget: so war es meistens doch nur Schein/ es musten andre Sachen seyn.

4. Als die uns blasen nur voll Wind/ und doch das rechte Leben nicht geben/ wo man überwindt die Art vom Widerstreben/ da man auch in dem besten Schein oft GOtt thut gantz zuwider seyn.

5. Die Wege Gottes sind sehr tief vor unserm Aug verborgen. Ob man auch hin und her schon lieff vom Abend biß an Morgen: so findet man doch insgemein nur Sachen/ die nicht Gottes seyn.

6. Dieweil des Menschen Hertz verkehrt/ und schwehr herum zu wenden: drum werden ihr so viel bethört/ daß sie den Weg nicht finden. Man sucht ihn in der Höh und Breit/ und er ist in der Niedrigkeit.

7. Nicht über lufft/ im Sternen-Zelt/ wird GOttes Weg gefunden: wer da ihn sucht/ wird bald gefällt/ vom Teuffel überwunden. Ja auf der Welt/ in weitem Raum/ da wirst du ihn auch finden kaum.

8. Wo JEsus erst gebohren war/ da thut sein Weg anfangen: im Stall/ da gantz kein Zierrath war/ da fing Er an zu prangen mit seinem heimelichen Pracht/ und so die Welt zu nicht gemacht.

9. Mit ihrem Glantz und Herrlichkeit/ und falschem Trug und Wesen. Und was sie sonst in dieser Zeit zu ihrem Theil erlesen: das wurd zernichtet gantz und gar/ als JEsus nur gebohren war.

10. Der weise den Weg zum Vatterland/ wo man die Ruh kan finden: wer hier der Welt wird unbekannt/ läßt ihre Lust dahinden/ der hat gefunden diese Bahn/ wo man auch nimmer irren kan.

11. Wer da gedencket treu zu seyn/ der sich dann auf sein Leben/ wie diß war bis ins Grab hinein/ und wie Ers hin gegeben/ daß es zu einem Vorbild werd den seinen/ hier auf dieser Erd.

12. Und wer sich dann in allem Thun diß Vorbild läßt gefallen: der wird sehr sanft im Frieden ruhn/ und sicher können wallen. Dann dieser Weg ist voll Bescheid/ voll Demuth und voll Niedrigkeit.

13. Wohl mir/ ich habe diese Bahn im Demuths-Thal gefunden: wer drauf geht/ ist ein treuer Mann/ und wird nicht überwunden: ob Sünde Teuffel und die Welt sich gegen ihn schon hart anstelle.

14. Der Glaube ziehet JEsum an mit gar geheimen Kräften: so daß man in Ihm siegen kann wider die viel Geschäfften/ die Satan/ Welt/ in Fleisch und Blut/ in uns sehr oft erregen thut.

15. O Err JEsu! du mein einzigs Theil/ dir hab ich mich ergeben: Du Du bist meiner Seelen Heil/ in meinem gantzen Leben. Ach! bleibe stetig doch bey mir/ daß ich kan treulich folgen dir.

36.

DEr HERR ist hoch in seinem Thron erhaben: Er schencket uns viel reiche Himmels-Gaben.

2. Er machet/ daß wir unser Haupt aufheben: und Ihm Kraft/ Herrlichkeit und Ehre geben.

3. Durch seine Hand wird alles ausgerichtet/ was wir zu thun/ und wozu uns verpflichtet.

4. In seinem Steg kann man Ihm willig dienen: Er thut der Feinde Hohn und Trug versühnen.

5. Durch seine Herrschafft muß es uns gelingen: daß wir Ihm freudig unsre Opfer bringen.

6. Wer ist denn/ der sich wider Ihn kan setzen? wer ist denn/ der kan seine Macht verletzen?

7. Er herrscht/ durch sein Vermögen können siegen die/ so von ihren Feinden unten liegen.

8. Durch seine Hand Er helfen kann und retten die/ so zu Ihme schreyen in ihren Nöthen.

9. Er thut sich des Elenden früh erbarmen: steht den Bedrängten bey mit seinen Armen.

10. Er

10. Er thut zerstören die gottlose Rotten, die seinen Namen höhnen und nur spotten.
11. Zu seiner Zeit wird der Gerechte loben: und wird nicht sehen mehr der Feinde Toben.
12. Und nicht erschrecken mehr vor ihrem schelten: sondern es thu'n auf ihren Kopff vergelten.
13. Wer ist denn, der sich wider den kann setzen? wer kann denn einen solchen Mann verletzen.
14. Wohl dem! der seine Hoffnung hat gestellet auf seinen GOtt, der wird nicht mehr gefället.
15. Es wird doch unser GOtt zuletzt aufwachen: und helfen uns und unsrer armen Sachen.
16. Wir wollen seinen Namen hoch erheben: und Ihme Preiß und Ruhm und Ehre geben.
17. Er ist unser Licht auf unsern Wegen: schütt seine Gnade aus mit reichem Segen.
18. Er ist es, dem wir alle sind verschworen, weil Er uns hat zu seinem Volck erkohren. (Lob)
19. Wir dörffen Ihm in allem wohl vertrauen: auf seine Güte und Verheissung bauen.
20. Er hat gehöret der Elenden Schreyen: und ihnen lassen Trost und Hülf gedeyen.
21. Er hat die Kinder Edom abgekehret: und ihre Rahtschläg wider uns verwehret.
22. Da sie gedachten ihren Fuß zu färben in unserm Blut, musten sie selbst verderben.
23. Von den Philistern und viel andern Rotten, die seinen Namen höhnen und nur spotten:
24. Er uns errettet hat durch seine Stärcke, und grosse Macht und viele Wunder-Wercke.
25. Drum muß es uns in seinem Sieg gelingen: daß wir Ihm willig unsre Opfer bringen.
26. Im Schmuck, der heilig heißt, zu seinen Ehren, und seinen Ruhm allzeit in uns vermehren.
27. Preiß, Ehre, Macht und Danck sey Dir gegeben, Du grosser GOtt, von uns in unserm Leben.
28. Dein Name werde stets von uns erhoben, wir wollen preisen Dich und ewig loben.
29. Dann es wird nun und ewig seyn vergessen: da wir zuvor in so viel Leid gesessen.
30. Wir werden nun nicht mehr daran gedencken, wo wir in so viel Leid uns mußten kräncken.

31. Drum soll sein Lob von nun und ewig währen: und soll dasselbe keine Zeit verzehren.
Ehre sey GOtt.

37.

DER HErr ist wie vom Schlaf erwacht, man siehet seine grosse Macht, jetzt wird die Welt verzagen: weil die gerichte brechen ein, da kein Einstechens mehr wird seyn, und der gottlosen Plagen gekommen sind auf einen Tag, worinnen Zion jauchzen mag.

2. Der letzte Ruf von Zions Reich wird Babels Hertzen machen feig, und werden greulich zagen: Ihr Berg bedecket unsre Noth, es ist erwacht der grosse GOtt: dis werden seyn die Klagen. Jetzt fälle dahin der Hohen Muth, weil GOtt gedencket der Frommen Blut.

3. Jetzt wird der Heil'gen göldner Stand sich freuen über diesen Brand, weil Babels Höh zerbrochen durch Gottes starcke Allmachts-Hand, der allen Trug und Heuchel-Tand an Zions Blut gerochen. Jetzt wird das alte Sünden-Heer ersäuffet, wie in dem tiefen Meer.

4. Man höret wie ein groß Geschrey, auf? die ihr seyd geblieben Treu, das Garaus ist gekommen: da GOtt die falsche Läster-Schul wird stürzen in den Schwefel-Pful, und retten seine Frommen; dann wird man bald mit grosser Freud ansehen Zions Herrlichkeit.

5. Noch schrecklicher wird es aussehn, wann werden sie mit Hauffen gehn, zur Höllen hin verwiesen. Da dann viel Feuer um sie her, worinn sie wie in einem Meer ihr Wollust müssen büsen: und auch so gleich der Heil'gen Noth, die sie gedränget biß in Tod.

6. Der Becher, der ihr eingeschenckt; wo sie die Frommen mit getränckt alhier auf dieser Erden, der wird voll seyn von Bitterkeit, und werden mit viel Hertzenleid daraus geträncket werden. Jetzt ist der Heil'gen langer Drang verwechselt mit viel Lobgesang.

7. Das wird die gröste Rache seyn, wer Zion Leid gemessen ein in ihrem Drang auf Erden: ob sie auch giengen schon bey Paar, auch selbsten mit der Frommen Schaar wirds doch gerochen werden.

werden. So bald der Richter bricht herein,
wird Er denselben schencken ein.

8. Und jedem so wird theilen aus, wie er alhier gehalten Hauß in seinem gantzen Leben. Hier
ist kein Ansehn der Person, noch einger Vorzug
noch Pardon, das Urtheil machet eben, das
Krumme grad, das Grose klein, dann so geht
man zum Himmel ein.

9. Was wird dann seyn der Heuchler Spott,
die alle Frommen biß in Tod bedränget und beladen. Die werden müssen sauffen aus die Hefen,
ob es gleich ein Grauß, da dann niemand kan
rathen. Wer seinen Sinnen hier nachgeht,
dort nicht in Gott's Gericht besteht.

10. Ich hör die Himmel krachen schon, der
Erden ihre Werck und Lohn, werden im Feuer
brennen. Die Elementen rauchen auf, dann
der gantze Frevel-Hauff müssen nun GOtt bekennen. Dann die verruchte Sünden-Rott ist
worden nun vor GOtt zum Spott.

11. Darum, ihr Klugen, mercket drauf, und
hebet eure Häupter auf, weil die Erlösung kommen. Die euch alhier im Blut getaufft, ein jedes seine Hefen saufft, zum Trost der wahren
Frommen. Jetzt ist sie selbst mit Blut getränckt,
und ihr Anschlag im Meer versenckt.

12. Jetzt sieht man das erwählte Heer aldorten an dem gläsern Meer viel Sieges-Lieder singen. Dabey mit Gottes Harffenklang nach
dem so rauhen Creutzes-Gang ausrufen vom
Gelingen; weil GOtt durch seine Wunder-
Macht hat allem Leid ein End gemacht.

13. Das wird dann noch viel schöner seyn,
wann auf dem Berge Zion stehn, die sich das
Lamm erwählet, und aus erkaufft mit seinem
Blut. Daß sie als ein erworbnes Gut zur Braut
Zahl hin gezählet. Die hoch erwünschte Hoch-
zeit-Freud wird währen ohne End und Zeit.

14. Nun siehe man das erwürgte Lamm, das
uns zu gut vom Himmel kam, erhöht mit grosen
Freuden, darzu die gantze Creutzes-Schaar,
die jauchzen für Ihm immerdar, und thun sein
Lob ausbreiten. Jetzt wird das alte Sünden-
Heer die Frommen drängen nimmermehr.

DER HErr thut löblich walten, in seinem
Königreich sind schöne Anstalten, weil alles recht und gleich. Die Hohen sind gebeuget,
was niedrig, hoch erhöht, der Mund der Stolzen schweiget dem Kleineren nachgeht.

2. Ich freue mich vor allen, weil Gottes hohe Macht die Grosen machen fallen, was klein,
zurecht gebracht. Die schwachen können leben,
in hoher Wunder-Krafft, die Kleinen GOtt erheben, der Sieg und Heil verschafft.

3. In die en letzten Tagen wird Gottes Gütigkeit die Frommen heben tragen, helffen aus
allem Leid: dieweil sein Reich verhanden und
nahe vor der Thür; man sage in unsern Landen,
der Frühling bricht herfür.

4. Wann Himmel Erden krachen, und alles
schwarz aussieht, werden die Frommen lachen,
weil ihre Hoffnung blüht. Die Sünder werden
zagen, in Furcht und Schrecken stehn, auf ihre
Brüste schlagen, vor Angst und vielen Wehn.

5. Jetzt wird sehr hart gerochen der Spötter
langer Hohn, die Bund und Eyd gebrochen an
JEsu Gottes Sohn; den theuren Raht verachtet den Er vom Himmel bracht, dem Eitlen nach
getrachtet bey Tage und bey Nacht.

6. Nun muß ein Trost aufgehen den Elenden
in ihrem land, GOtt heilet derer Wehen, die Ihm allein bekannt. Die hier so viel erlitten zu erben
Gottes Reich, offt biß aufs Blut gestritten, und
niemals worden weich.

7. Die Hoffnung träget Kronen schon hier
im Creutzes-Thal, womit ihr GOtt wird lohnen
aldort im Himmels-Saal. Drum kommet ihr
Getreuen, und seht den Trost aufgehn, der geben wird Gedeyen nach den so langen Wehn.

8. Dann GOtt läßt Heil ansagen, die klein
und arm im Geist, daß keines mög verzagen so
hin zum Himmel reist. Drum freuer euch ihr
Frommen, geht hin und seyd betrübt, der uns
zum Trost wird kommen, der sich zu Tod geliebt.

9. Der hier sein Creutz getragen in so viel
Niedrigkeit, offt hart von GOtt geschlagen; die
gantze Lebens-Zeit mit vielem Hohn beladen, biß
zum

zum Blut-schwitzen hin; Dis sind die Helden-Thaten des GOtt-verliebten Sinn.

10. Dem sieht man hier nachlauffen die gan-ze Creutzes-Schaar, dort kommen sie mit Hauf-fen, entbunden der Gefahr. Jetzt geht der Welt ihr Scherzen zu Ende mit viel Pein, weil sie so viele Schmerzen Jenen gemessen ein.

11. Dis sind die Wunder-Wege der Heil'gen hier auf Erd; so offt sie scheinen träge, sind sie durchs Creutz verklärt. Bald sieht man sie hin-wandern, als ob kein Helffer wär; bald sieht man sie mit andern schwimmen im Liebes-Meer.

12. GOtt ist ein groser König, sein Reich wird ewig stehn, der Wunder sind nicht wenig, die man thut täglich sehn. Dann bey der Men-schen Zahlen kan GOtt nicht setzen an, und weils nicht kann geraten gehr er ein andre Bahn.

13. Wo es verlohren scheinet und aller Trost dahin, wer sich zu Tod geweinet, da blüht der GOtt-Gewinn. Dann was hier herrlich klinget, und vor die Augen fällt, ist nichts, was man dort singet in jener neuen Welt.

14. Die Schönheit auf der Erden lehrt nicht des Lamms Gesang, man muß zum Schauspiel werden bey manchem sauren Gang. Ists dann, daß es gelingen bey so viel Niedrigkeit, so wird GOtt Lob gesungen in alle Ewigkeit.

39.

DEr in GOtt erhöhte Staat, so die Jung-frauschafft hier krönet, giebet allzeit weisen Rath, wann sie bis zum Tod verhöhnet. Diß Geschlecht muß da an-grünen, wo man träget in das Grab, was auch Himmlisch hat geschienen, und als wie die reichste Haab.

2. Hier tritt auf ein neuer Chor, so dort wird den Himmel zieren; Jungfrauen! hebt das Haupt empor, laßt euch lencken, laßt euch führen: was ein Adel ist zu sehen, wann das Jungfräuli-che Heer man sieht aus den Gräbern gehen, ruf-fen aus die neue Mähr.

3. Nun erfreu sich alle Welt, Gottes Schön-heit hat sich fanden, die von Ewigkeit erwehlt, daß sie werd mit ihm verbunden: diß ist Jung-frauschafft zu nennen, so briche aus dem Grab

herfür, wo die reine Brunst thut brennen, thut sich öffnen diese Thür.

4. Komm und tritt auf deine Höh, O du Jungfräulichs Geschlechte! heißts jetzt öfters: ich vergeb; komm, und sieh dein Adel-Rechte. Hast du deinen Schmuck-verlohren hier in dieser Sterblichkeit, sieh, wie dich dein GOtt erkohren, und zu seiner Lust erneut.

5. O du edle Jungfrauschafft! so aus der Verwesung kommen, wo die Paradieses-Krafft hat die alle Welt bezwungen. Nun muß alles tode erkalten, was gebracht so viel Gefahr, und die Hochzeit wird gehalten mit der reinen Tau-ben-schaar.

6. O du selge Todes-stund! wo der falsche Schein ich verdirbet, was erkrancket, wird gesund, aller Wahn mithin erstirbet. Jetzund höret auf das Weinen: die gesessen lang im Koht, thut in Herrlichkeit erscheinen, weil sie ist gekrönt von GOtt.

7. Niemand hätte diß gedacht, daß die Trau-rig und Betrübte, in der langen schwarzen Nacht, heiser die von GOtt Geliebte. Nun wird alle Welt an-schauen ihre grose Herrlichkeit, weil sie sich thar GOtt vertrauen in die Läng der Ewigkeit.

8. Jetzund geh ich aus und ein, wart des Al-ten und des Neuen, schenckt mir GOtt viel Liebe ein, kan das Alte nicht gedeyen: diesem pflege ich zum Sterben, das Neue pfleget mein zum Heil, und mache mich zum Gottes-Erben, allwo er-lange das grose Heil.

40.

DEr innere Tempel-Dienst wird nun in Krafft verwaltet, weil Arons Ruthe grüne und nim-mermehr veraltet. Das priesterlich Geschlecht, so täht der Hütten Zeiten, pfleget nunmehr des Al-tars, zum göttlichen Ausführen: rügen des Lam-mes Blut bey Tage und bey Nacht, damit durch deren Dienst werd alles wiederbracht.

2. So muß der Hütten-Dienst in diesem Amt erkalten, weil in dem Heiligthum gantz andre An-gestalten. Hier wird kein fremdes Blut geops-fert zum Versöhnen, das priesterlich Gebät ver-tritt das Amt mit Trähnen. Pflege also dem Altar,

D 3

Altar, wo die Versöhnung grünt, und alle Ere-
Satur daran wird ausgesöhnt.

3. Dis hohe Priester-Amt ist aller Welt verborgen wegen der Dunckelheit, die erst an jenem
Morgen, wird werden abgethan und sig-prächtig
erscheinen, was hier so sehr verdeckt bey Niedrigen und Kleinen. Drum werd ich auch niche
müd bey dieser Priester-Tracht, wo man pflegt
Gottes-Dienst bey Tage und bey Nacht.

4. Mein Rauchwerck steiget auf in heiligen
Gebäten, wo mich des Priesters Krafft unendlich thut vertreten. Und weil ich gangen ein
mit schönen Angestalten ins innre Heiligthum,
thu ich mein Amt verwalten, alwo der Gottes-
Dienst stets der Versöhnung pflegt, welche das
Priesterthum alzeit im Schoose trägt.

5. Ob gleich der Hirten-Dienst hat schöne
Angestalten, siehe man im Heiligthum doch alles
dis veralten. Hier ist kein leerer Schein, weil
der hinweg genommen, man isset Gottes Brod,
das ist vom Himmel kommen. Des Höchsten
Salbungs-Krafft wird da getheilet aus zum steten Gottes-Dienst in diesem Tempel-Haus.

6. Jetzt kan ich stille seyn, weil dieser hohe
Orden, so der Versöhnung pflegt, zu meinem
Erbtheil worden. Des Hohenpriesters Blut, so
die Versöhnung funden, hat mich hinein gebracht
durch seine heilge Wunden. Bey diesem Tempel-Dienst wird gantz kein Blut gesehn; die Andacht steiget auf vor GOtt mit vielem Flehn.

7. Und weil dis Priesterthum läst nimmermehr erkalten, kann man auch Dienste thun ohn
einiges Veralten. Hier muß die dürre Ruth in
Ewigkeit ausgrünen, und allem dem Geschöpff zu
lauter Segen dienen. So bald dis Priester-
Amt erreichet seine Zeit, ist worden offenbar die
stille Ewigkeit.

8. Dis ists, wornach mein Geist sich schon so
lang gesehnet, auch schon im Leben hier sich dessen
angewöhnet, was in der Ewigkeit soll werden stets
getrieben, drum mich auch Tag und Nacht darinnen thäte üben. So bald ich dann nun werd
von Herzen seyn bereit, so werd ich gehen ein zur
stillen Ewigkeit.

9. Doch lige mir dis noch an, daß ja nicht
mögt verfehlen, wo man der Weißheit sich aufs
sauberst thut vermählen. So bald der Priester-
stand die Sophia gefunden, so ist es, womit GOtt
in Ewigkeit verbunden. Und wann mir dieses
Loos wird eingekommen seyn, so werde ich dann
gehn in meine Kammer ein.

41.

DEr reine Glantz vom Himmel her hat mich
umstellet und so gantz umgeben, daß alle die,
so um mich her sehr nah verwand in meinem
gantzen Leben müssen zurück, und sehen nach,
was noch mit mir wird werden; dieweilen meine
gantze Sach bestehet, was hier auf Erden.

2. Und weil es mir in meinem Stand so geht,
daß alles von mir abgeneiget, was auch sonst
heißt, mit GOtt verwand, und doch in der Gestalt sich klärlich zeiget: ist nur die edle Jungfrauschafft, die nun mein Lust-Spiel worden, und
auch der höchsten Tugend Krafft zu diesem hohen Orden.

3. Ich weiß in Zeit und Ewigkeit kein ander
Glück, das mir sonst könte werden, als wann die
Jungfrau mir zur Seit in meinem Leben schon all
hier auf Erden. Sie hat mich säuberlich gelehrt,
was es sey vor ein Handel, wann man ihr also
bleibt bewähret im allerreinsten Wandel.

4. Ich kann nicht sagen, wie mir ist, daß es
mir so in diesem Spiel gelungen; ob gleich gar
mancher harter Zwist, so hat doch mein Verliebt
seyn durchgedrungen. Von meiner Gottes Jugend an war es so angestellet, daß auf der sehr
verliebten Bahn werd nimmermehr gefället.

5. Dieselbe ist mir kommen ein nunmehr,
nach meinen langen Trauer-Tagen; daß auch
nichts besser wußt zu seyn, als so zum Preiß von
Gottes Jugend sagen. Dann selbe ist des Bundes Kind, daß mit hinzu gezählet, wo man sich
GOtt mit Eyd verbindt, und also Ihm vermählet.

6. Dis ist die höchste Sauberkeit, wer seine
Gottes Jugend wieder funden, daß auch kein Alter keine Zeit, die nicht könt werden durch sie überwunden. Sie ist des Höchsten Wunder-Krafft,
so selbst von GOtt ausgangen, auch stündlich etwas

was neues schafft daß kann in Wundern prangen.

7. Des freu ich mich in meinem Geist, daß es mir an der Jungfrau so gelungen, daß fast als wie dort hin gereist, weil ihre reine Krafft mich so durchdrungen, daß mich ihr reine Wesenheit unendlich pflegt und nähret, und in der höchsten Sauberkeit, mein Thun in GOtt bewähret.

8. Drum bin ich zu ihr heimgebracht, wo sie den blöden Sinn mit Heil belehret, um GOtt zu dienen Tag und Nacht: Dabey das beste Thun wie Gold bewähret. Ihr Glanz ist allzeit um mich her, damit nichts werd versehen, und wolt mir etwas machen schwer, so macht sie Wunde weßen.

9. Damit des Geistes Heiterkeit nicht etwa werd verdunckelt im Gesichte, und so dabey zu jederzeit ihr Flämmlein leucht im aller reinsten Lichte. Jetzt geh ich aus, jetzt geh ich ein, pfleg threm reinen Orden, und wolt mir etwas reden drein, straf ichs mit harten Worten.

10. Dann sie ist nun mein Eh-gemähl, weil ich gar vieles hab um sie erlitten, und kommen bin in ihre Wahl, die durch des neuen Bundes Blut erstritten. Jetzt bin ich aus der Menschen Roll, die nicht in GOtt eindringen, und weil ich seiner Güte voll, kann ich dis Lob-Lied singen.

11. Und weil die Jungfrau mir einbracht, daß ihr nun selber bin zu eigen worden, so bin unendlich drauf bedacht, daß ja nichts breche unsern reinen Orden. Der Jungfrauen-Ehe bringt hier nichts ein, ihr Bestes ist zu sehen, was dort in jener Welt wird seyn und ewig wird bestehen.

12. Jetzt weiß ich nicht mehr, was ich bin, mein Ehe-verlöbnus hat mich übernommen; daß ganz als wie genommen hin, weil ich vom Weinen nunmehr wieder kommen. Drum blühet mir die erste Treu mit schönen Angestalten, und weil sie wieder worden neu, wird sie nicht mehr erkalten.

42.

DER reine Lebens-Geist schwinget sich empor in meiner Hertzens-Kammer, und macht vergessen in mir allen Jammer: der vormals oft

Herz, Seel und Geist gekränckt. Nun ist der Ruhe-Sabbath angegangen in meinem Hertzens-Haus, die Unruh ist hinaus, der Geist kann nun in güldenen Frieden prangen.

2. Es sterben gantz dahin die viel und mancherley Natur-Geschäfte, und zeigen sich der reinen Gottheit Kräfte: die gantz verneuen meinen alten Sinn, drum muß in mir die reine Warheit grünen, die mich so wohl bedacht, daß ich zurecht gebracht, und also kann im neuen Wesen dienen.

3. Das Alte ist dahin, nun ist der Geist zu seiner Ruhe kommen, die schwere Last ist ihm hinweg genommen, das vormals thäte quälen meinen Sinn: es müsse nun das Leben aufwärts steigen, das GOtt in mich gelegt, und reiche Früchte trägt, die Gnaden-Sonn thut ihren Glanz nun zeigen.

4. Es müsse Frieden seyn bey mir und allen, die sich GOtt ergeben, und bleiben stets an Ihm im reinen Leben: und werden gantz befreyt von aller Pein, daß sie in stillen Salems-Pforten wohnen, wo GOtt die Ruh bereit schon hier in dieser Zeit, und da thut ewig über ihnen thronen.

5. Preiß, Ruhm und Gloria werd Ihm ohn alle Maaß von uns gegeben, weil Er uns hat geschenckt ein neues Leben: da man in allem nun kann anders seyn als vor, da das vergiffte Sünden-Leben die arme Seel befleckt, so viel Unruh erweckt, und nichts war als ein stetigs Wider-streben.

6. Nun aber seynd wir still, und ruhen sanft in seiner Liebe Armen, die uns umgeben mit so viel Erbarmen, daß wir verbunden ewig seyn zu seyn: und also bleiben stetig an Ihm hangen, und gehn nicht mehr hinaus ins wilde Welt-Gebrauß, und also fort im ew'gen Frieden prangen.

43.

DEr Schmertzen, den ich leide um GOttes wahre Treu, benimmt mich aller Freude, wie groß dieselbe sey. O wann des Leibes Lasten ich gantz entnommen wär! wie süße könt ich rasten im stillen Friedens-Meer.

2. So aber bleibt mein Schmertzen, der Drang läßt

läßt schwerlich ab: das Kräncken in dem Hertzen wird währen bis ins Grab: die Hoffnung
beßrer Zeiten schenckt wohl oft anders ein; doch
sind mir diese Freuden nur bitterer Myrrhen-Wein.

3. Weil nicht kan seyn geschieden vom Bild
der Sterblichkeit im Jammerthal hienieden in der
betrübten Zeit. So bleib ich dann beladen in
meinem schweren Drang, muß oft des Trosts
entrathen, daß Zeit und Weile lang.

4. Doch weil in mich gedrungen vom Brunnen, der zum Heil aus Gottes Herz entsprungen, auch mir zu meinem Theil: so werd ich wohl
noch sehen mein dürr und magres Reiß gar schön
im Grünen stehen aufs Höheste Geheiß.

5. Drum will den Jammer tragen in dieser
Sterblichkeit, weil nach den Trübsals-Tagen ein
Beßers ist bereit: des Leibes bittre Drüsen, so
hier geschencket ein, wird GOtt noch wohl versüßen mit vielem Freuden-Wein.

6. Wie könte sonst ertragen der schwach und
blöde Sinn, wann er von GOtt geschlagen, daß
aller Muth fällt hin: wann nicht ein Segen blieben von GOttes Freundlichkeit, die uns ins Herz
geschrieben durch seine Gütigkeit.

7. Diß ist mein Brod der Seelen, fällts schon
oft saur und schwer; so kan ich doch erzehlen,
was vor ein tiefes Meer, das man thut Liebe nennen, und von GOtt in uns fließt, die löschet alles Brennen, das unser Leid versüßt.

44.

DEr Tag von Freuden voll, worauf ich lang
that warten, hat nun eröffnet sich in meinem
Hertzens-Garten: vor meiner Thür hat oft gewartet mit Verlangen das treue Mutter-Herz,
mich brünstig zu umpfangen.

2. Da ich in vieler Last mit Uumuth und Beschwerden nur suchte hie und da gelabt, erquickt
zu werden: wie müde wurd ich oft, daß ich kont
schwerlich tragen die Lasten vieler Bürd in so viel
Trübsals-Tagen.

3. Nun aber ich erblick in meiner Hertzens-
Kammer das treue Mutter-Herz, vergeß ich allen Jammer, der ehmals plagte mich in vielerley
Gefahren, die mich betretten hier in meinen Creutzes-Jahren.

4. O Thorheit! daß ich sucht den Schatz,
in mir verborgen, in äußerem Gewerb, und vieler
Müh und Sorgen: Nun aber, da ich hab so
nah vor meiner Thür gehört die holde Stimm,
die ruft: komme her zu mir.

5. Und folget meiner Lehr, die euch mit Himmels-Gaben erquicken wird, daß sich die Seel
und Geist kan laben. Drum folg ich ihrer Stimm,
der innern Himmels-Lehren, verachte, was auch
sey, thu mich an nichts nicht kehren.

6. Der äußre Hütten-Dienst ist zwar schön
anzusehen; doch siehts noch schöner aus, wo man
vor GOtt thut stehen im innern Heiligthum in
heiligem Gebäten, wo unsers Priesters Krafft
uns selbsten ruht vertretten.

45.

DEr tiefe Fried aus Gottes reinem Wesen,
nimmt unser Herz und gantze Sinnen ein.
Und weil wir also sind in GOTT genesen: so
werden wir auch ewig bey Ihm seyn. Wir können nun, was uns dort wird zum Erbe werden,
genießen schon im Vorschmack hier auf Erden.

2. Ob unser Leben schon in GOTT verborgen; so ist doch unser Wandel offenbar: wir
haben auch sonst keine andre Sorgen, als Ihm
zu seyn ergeben gantz und gar. Wir haben doch
das beste Theil darinn gefunden: weil wir Ihm
so in Treu und Lieb verbunden.

3. Und weil wir dann kein ander Gut genießen, als was uns kommt aus seiner Fülle her:
thut Es uns alle Bitterkeit versüßen, und machet
leicht, was sonsten saur und schwehr. Der lau-
tre Sinn nach Gottes Lieb und reinem Wesen
macht Herz und Geist und Seel in GOTT
genesen.

4. Wir leben dann, wie uns wird eingemessen aus Gottes reicher Güte und Genad: und
wird daneben gantz und gar vergessen, was nicht
aus seinem weisen guten Rath. Es ist uns wol,
weil wir ins Heilg'e eingegangen: wo wir vor
GOtt in stetem Frieden prangen.

5. Und weil uns dann ein solches Theil ist
worden, das wird zu keinen Zeiten mehr vergehn,
so thun wir auch desselben stetig warten: wann
wir

wir vor GOtt im Heiligthum anstehn. Und, weil in Allem wir kein besser Gut zu hoffen: so haben wir das rechte Ziel getroffen.

46.

DEr Weg zum Vaterland ist voller Dorn und Hecken: wer einmal in dem Stand, daß er recht wird gewahr, was da vor viel Gefahr, der lebet nie ohn Schmerz, die Liebe kränckt sein Herz.

2. Weil er nicht kann bewährt zur vollen Klarheit kommen so, wie sein Herz begehrt, das treibt ihn in die Eng bey dem so viel Gedräng, daß er kaum weiß, obs geht, oder gar stille steht.

3. Es kanns kein Geist verstehn, wenn man es schon thut sagen, wie einem thut geschehn, der einmal nach dem Wort zur engen Lebens-Pfort eindringet mit Gewalt, und Allem thut Einhalt.

4. Die Enge ist so groß, daß es nicht zu ermessen, wie manchen harten Stoß der innre Geistes-Will muß leiden in der Still: was Andern oft ist leicht, macht ihn klein und gebeugt.

5. Denn HErr HErr sagen will es allhier nichte ausmachen, man kommt so nicht zum Ziel: es fordert Herz um Herz, bey vielem Weh und Schmerz, und unverfälschte Treu, sonst gehet man vorbey.

6. Es sind gar viele Ding, wo unser Herz an klebet, drum ists nicht so gering, sich nichtes seyn bewußt, als reine Liebes-Lust: die auf dem engen Weg dringt durch das viel Geheeg.

7. Ich habs schon oft versucht zu dringen durch vor Allen; allein die scharfe Zucht hielt mich so in der Eng und vieler Noth-Gedräng, daß ich mußt stille stehn, ohn weiter fort zu gehn.

8. Allein ich hielte an mit seufzendem Verlangen, so blieb ich auf der Bahn: die Enge schloß mich ein, daß ich kont stille seyn, und warten, bis die Thür sich selbsten öffnet mir.

9. O was vor ein Genuß kann Glauben, Lieb und Hoffen erwerben! wann die Buß die Frucht der Liebe säet durch Wachen und Gebät, und also mit Begier geht ein zur engen Thür.

10. Es ist nicht böß gemeint, wann GOtt uns schon läßt stecken: wer einmal Gottes Freund,

der wird dadurch geübt, je härter er gesiebt, je reiner wird der Sinn gericht zum Himmel hin.

11. Was solte sonst die Treu versuchen und probiren; wann nicht die Wüsteney der Liebe Feuer-Herd, worinn sie wird bewährt, des Glaubens Thätigkeit ist stets darzu bereit.

12. Die Treu, die nicht vergeht, bis alles ausgerichtet, wie hart und saur es geht: die stehet bis ins Grab, kann Allem sagen ab, Herz, Seel, Geist, Muth und Sinn sie alles gibt dahin.

13. Sie aber bleibet stehn ohn hin und wieder Wancken, wie es auch sonst thut gehn, sie leidet bis ins Tod: hält fest an ihrem GOtt. Der rechte Sterbens-Sinn bringt lauter Lust-Gewinn.

14. So wird das Ziel erreicht bey vielerley Gedränge, das Herze wird erweicht: die Leiden sind nicht schwer, man spühret schon vorher die die süse Frucht der Zeit zur frohen Ewigkeit.

15. Drum soll das Fleisch-Geheeg mich nimmermehr abschrecken auf meinem Glaubens-Weg: ich dringe tiefer ein in Gottes Liebe rein, die bleibet ewig stehn, wann Alles wird vergehn.

16. So wird mein Leben erst in GOtt sich wieder finden, wornach so lang gedürst mein Seel in viel Geduld nach GOtt und seiner Huld: nun ist die Zeit geborn, daß funden, was verlorn.

17. Viel süser Liebes-Most wird mir nun eingeschencket: ich leb, und bin voll Trost, weil GOtt mich hat erneut, von so viel Last befreyt, und meine Sterbens-Noth geendiget in GOtt.

47.

DEs HErren Zweig ist lieb und werth, und schön die Frucht der neuen Erd bey denen, die behalten, und überblieben zu der Zeit der vielen Trübsals-Hitz und Leid, und thäten nicht erkalten: die rühmen Gottes Wunder-Macht, Der über sie in Gnaden wacht.

2. Die also überblieben seyn in Zions Reich und der Gemein, die müssen heilig heissen: weil GOtt Jerusalem, die Stadt, erwählet und bereitet hat, daß sie nicht soll zerreissen. Ein jeder, der geschrieben ein, wird unter den Lebendigen seyn.

E

3. Nun

3. Nun wird die Tochter Zions hell gewaschen seyn an Leib und Seel von dem Unflat
der Sünden: weil GOtt durch seine Gnad und
Huld sie wascht in Göttlicher Gedult, so daß
nichts mehr zu finden von dem, worinnen sich
ihr Blut verschuldet hat am höchsten Gut.

4. Dann GOtt durch seinen Wunder-Geist
sich selbst von seiner Stätte reißt, und fähret aus
mit Flammen des Feuer-Eifers im Gericht: worinnen ganz und gar zernicht der bös und gottlos Saame, und wird nichts mehr zu sehen seyn
von dem, was Sünd ist und gemein.

5. Die Wunder-volle Gottes-Macht wird
dann verschaffen, daß bey Nacht ein Feuer sey,
das brenne, Rauch, Wolcken, die da an dem Tag
ein Schirm wider die Hitz und Plag, und heissen Glanz der Sonnen: die Stadt und Wohnung seiner G'mein wird unter seinem Schatten seyn.

6. Daselbst wird sie verbergen sich, zur Zeit
der heissen Sonnen-Stich, für Wetter und für
Regen, friedsam und ruhig, sicher, still, in der so
reichen Gnaden-Füll: drum muß sich alles legen,
was Sünde, Furcht und Schrecken heißt, weil
GOtt sie nur mit Güte speißt.

7. Deß' lobe GOtt mit Herz und Mund die
Kirche Zions alle Stund, und preise seinen Na-
men: sie dancke Ihm zu jeder Zeit, und rühme
seine Herrlichkeit, durch seines Geistes Flammen.
Sie schweige nun und nimmermehr, und geb
Ihm ewig Ruhm und Ehr.

48.
Die Blüht ist aus, die Blume ist nun abge-
fallen, nun kan der Geist getrost zur andern
Welt hinwallen: O wol! wer hier bey Zeit der
eitlen Welt absaget, der wird alldorten nicht vom
andern Tod genaget.

2. Hätt' ich mein Glück allhier in dieser Welt
erloffen, so hätt' ich dorten nicht das wahre Gut
zu hoffen: nun aber meine Fahrt so früh ist an-
gelandet, ist alles mit dahin, was sonst so leicht
verschwindet.

3. Mein bestes Theil muß mir dann nun alldort zukommen, weil ich vereint bin mit denen
wahren Frommen: die dort ihr Erb und Theil,
so JEsus uns erworben. Wer dieses Ziel erreicht, ist nicht zu früh gestorben.

4. So fahre ich dann hin, und lege ab die Lasten, wo man in dieser Welt nie kan in Ruhe rasten: Ein Bessers ist mir dort von GOtt selbst
beygeleget, da jedes ein weiß Kleid und güldne
Kronen träget.

5. Diß ist mein höchster Tröst, diß bleibe mir
für geschrieben, drum nicht gehöret auf auch biß
in Tod zu lieben das göttliche Geschlecht, die eh-
ne Ende stehen, daß Zion möchte bald aus ihrem
Kercker gehen.

6. So ist es dann geschehn, ich habe angeländet, wo sich mein vieles Leid zu einem mal geendet: gut Nacht, ihr meine Freund, und alle liebe
Frommen, alldorten werden wir wieder zusamen
kommen.

49.
Die Enge ist erweitert, ich seh ein andre Welt,
die mich von allem scheidet, was endlich mit
zerfällt. Nun hat mich angesehen die grose Gütigkeit, und nach so vielen Wehen mein Herz ih
GOtt erfreut.

2. Recht wundervoll zu nennen ist die Mit-
theilungs-Krafft, sie machet wie zerrinnen, was
mir nicht Leben schafft: Die Fülle hat sich funden, wo mein verliebter Geist, nach so viel Trauer-Stunden, hinein zu GOtt gereist:

3. Willkom, du Gnaden-Leben, so mir von
GOtt ertheilt; du bist mein Wallen, Weben, so
meinen Schmerzen heilt. Viel kümmerliche
Stunden hab ich dahin gebracht, eh sich hat eingefunden, wo man von Güte sagt.

4. Wie lieblich wird gesungen, wann rufft der
Engel-Chor: GOtt lob, es ist gelungen, hebt
Händ und Herz empor. Sagt, was es sind vor
Sachen, wann Gottes Freundlichkeit in Gütem
End thut machen dem viel-gehabten Leid.

5. In jenen Trauer-Tagen, da offt der Weg
so eng, daß kaum war zu erragen: wegen dem
viel Gedräng, muß man der Freude schweigen,
und gehen hin und her im Schmiegen und im
Beugen, als ob kein Helffer wär.

6. Wann

6. Wann aller Trost verschwunden, und so viel Hertzenleid, uns machet tausend Wunden, daß man ist wie zerstreut: so muß ein Trost aufgehen, gar offt in dunckler Nacht, so heilet unsre Wehen, daß wir zurecht gebracht.

7. Doch ists kaum auszusagen, was vor ein Schmertzen sey, wenn man von GOtt geschlagen auch offt vor seine Treu. Doch läßt man ihn nur machen, er gängelt, hebt und trägt: es gibt gar schöne Sachen, wenn man so rein gefegt.

8. O seliges Gedeyen! wer so gebracht zu Grab; es lässet nicht gereuen, man kommt nur seiner ab. Bald, nach gehabten Wehen wird, eh man es vermeint, ein Leben auferstehen, das wie der Himmel scheint.

9. Diß wird ein Wunder heissen, des man sich nicht versehn, man sieht bey schönen Weisen ein neues Licht aufgehn. O angenehmes Leben! so weiß von keinem Streit, man thut nur GOtt erheben ohn Ende, Ziel und Zeit.

10. Nun muß des Geistes Wehen unendlich blasen drein, daß jederman kan sehen den hellen Lichtes-Schein. Jetzt ists im Sieg gelungen, man weiß von keinem Streit, es wird Tryumph gesungen nach vielem Hertzen-Leid.

11. Jetzt schallen neue Lieder im allerschönsten Thon, es weben alle Glieder vor dem Genaden-Thron. Der reine Geist durchwehet den Auferstehungs-Leib, und durch die Glieder gehet, daß nichts unfruchtbar bleib.

12. Mit Dancken und mit Loben auf viel und manche Weis, weil nach so vielen Proben so gar ein hoher Preis mit Segen sich einfunden, nach Gottes weisen Rath, den er mir eingewunden durch seine ew'ge Gnad.

13. Wer hätte sollen dencken in der betrübten Zeit, daß endlich GOtt wird schencken so viel Vergnüglichkeit. Dann alle Adem-Züge in solchem göldnen Stand sind, wanns genau erwege, meistens mit GOtt verwand.

14. O lang erwünschte Stille! die auf so weiten Raum gefußt, in aller Fülle, man kan es sagen kaum. Doch sind die Knie gebogen, der Geist singt stets davon, wann er hineingezogen vor GOttes Gnaden-Trohn.

15. Die Fülle bringet Weisen, wie Gottes Geist uns lehrt, um innig ihn zu preisen, daß unsre Brunst vermehrt. Jetzt will ich mich ersencken in Gottes Freundlichkeit, des Jammers nicht gedencken in der vergangnen Zeit.

16. Weil meine Eng erweitet, gebracht auf weiten Raum, wobey man ausgebreitet als wie ein Cederbaum: wo keine andre Weise mehr wird hervor gebracht, als was zu seinem Preise rühme seine Wunder-Macht.

17. Jetzt will ich mich bezwingen, daß ich gantz stille sey; doch Geistes-Lieder singen, und GOtt seyn so getreu: in ihm leb und webe schon hier in dieser Zeit, und dorten ihn erhebe in alle Ewigkeit.

50.

Die Flammen der Liebe vom heiligen Feuer verbrennen die Stoppeln, verzehren die Spreuer: damit wir von Bildern zum Wesen gelangen, von Liebe gezieret mit treflichen Prangen.

2. Die Liebe wird bleiben, wenn alles vergehet, auch Himmel und Erden, sie dennoch bestehet: drum ich mir dieselbe vor allen erkoren, weil sie mich zum Göttlichen Leben geboren.

3. Sie machet uns heilig, vergöttet die Geister, bereitet die Leiber zur Zucht unserm Meister: die Seele daneben wird trefflich gezieret mit Blumen der Tugend, dieweil sie berühret.

4. Vom Funcken der Liebe, die alles anfeuret, was alt und erstorben auch wieder verneuret; so wird man bereiter zum Göttlichen Leben, daß man sich dem Liebsten zu eigen kan geben.

5. Zum Opfer, das brennet im Feuer der Liebe. Ach sehet doch Wunder! was heilige Triebe das Göttliche Feuer in himmlischen Flammen erwecket in denen, die aus Ihm herstammen.

6. Drum werden sie täglich entzündet im Hertzen, so daß sie Ihn loben in Leiden und Schmertzen: und singen Ihm Lieder in lieblichen Chören, mit feuriger Liebe dem König zu Ehren.

7. Drum helf ich anstimmen mit schönesten Weisen, gantz ohne ermüdet den HErren zu preisen: weil Er mir geschencket viel Göttliche Kräfte, und machet mich freudig zu seinem Geschäffte.

8. Er thut mich auch öfters von neuem entzünden,

35

C 2

zünden, daß ich es kann freudig im Herzen empfinden: drum thu ich nicht schweigen, ich will es erzehlen, ich brenne vor Liebe, ich kanns nicht verhälen.

9. Und rufe mit Freuden den Kindern der Liebe, ach sehet doch Wunder! was Göttliche Triebe ich innigst empfinde, weil ich mich ergeben der ewigen Liebe, zum Göttlichen Leben.

10. Drum bleib ich erwarmet, thu nimmer erkalten, und wachse zur Mannheit ohn einiges Veralten: was sag ich? ich werde vielmehr verneuet, mein Herze und Geiste und Seele sich freuet.

11. Dieweil ich erblicke die heilige Wege, die JEsus mich führet auf schmalestem Stege, allwo sich verlieret das hin und her Wancken, und lässet mich bleiben in Göttlichen Schrancken.

12. O Wunder! ich fühle aufs neue im Herzen viel Göttliche Triebe mit heiligem Scherzen: wer muß sich nicht freuen, wann er so ist truncken vom Weine der Liebe, und innigst ersuncken

13. Im Göttlichen Meere, damit man begossen, als Strömen der Liebe ins Herze geflossen in Seelen, die ohne Ermüden gesuchet ein heiliges Leben, das Eitle verfluchet.

14. Das Wasser, so unter der Schwelle geflossen vom Tempel, hat meinen Geist kräftig begossen: drum werd ich fortwachsen in lieblichem Grünen, daß alles zum Frieden und Segen muß dienen:

15. An allen, die meine Lieb-Bundes-Genossen, und also auch werden damit übergossen, zum heiligen Wachsen im Göttlichen Leben, und also den König der Ehren erheben

16. Mit lieblichem Singen, Ihn täglich zu preisen, ich helfe anstimmen mit Göttlichen Weisen, und rufe mit feurigem Eifer zusammen: ach! lobet und rühmet den herrlichen Namen

17. Des HErren, der alle zusammen gezogen mit himmlischer Liebe, damit wir bewogen, zu hassen das alte verdorbene Leben, und Ihme auf ewig zu eigen uns geben.

18. Drum folget den inneren heiligen Zügen, so findet ihr Ruhe und wahres Vergnügen: und

lasset verschwinden das Dencken der Zeiten, so könt ihr geniesen die Göttliche Freuden.

19. O selig! die ihres Selb-Lebens entworden, den'n müssen sich öffnen die Göttliche Pforten zum Eingang der inneren Stille und Frieden, wo man sich verlieret und ewig geschieden.

20. Von allem, was öfters mit trüglichem Gleisen die Augen geblendet: O Göttlichs Verreisen! wo man auch vergisset sein Heymath und Stäte, samt allem, was ruhet im sinnlichen Bette.

21. Ich warte im Hoffen, thu innigst verlangen, euch alle zu sehen im Segen gegangen die heiligen Wege mit lieblichem Singen, in stiller Einsenckung Ihm Opfer zu bringen.

22. Ihr müsset zerbrechen die Kraft der Naturen, sonst könt ihr nicht finden die heilige Spuren: da alles entbunden von Sorgen und Lasten, wo man auch im Gehen kann ruhen und rasten.

23. Ich freu mich im Geiste, so oft ich kann sehen, daß ihr die inwendige Wege thut gehen: da wahres Vergnügen und Ruhe sich findet, und alles Geräusche auf ewig verschwindet.

24. Die Feinde die toben im Hause der Sinnen, was da wird begunnen, muß alles zerrinnen: ja selbsten die falsche und gleissende Stille muß auch mit vergehen nach Göttlichem Wille.

25. Wann ihr so entbunden der Bande und Stricke, so müssen sich kehren die Feinde zurücke: und könnet mit Dancken und Loben verehren den König von oben, nach seinem Begehren.

26. So gehen wir alle mit Freuden am Reigen, besingen die Wunder ohn einzigs Verschweigen: bis endlich wir selbsten von GOtt aufgenommen, wenn alles zum Ziele und Ende gekommen.

27. Da werden wir erst recht zusammen uns freuen, und ewig GOtt loben, als seine Getreuen: drum lasse sich keines ermüden auf Erden, bis daß wir dort mit Ihm verherrlichet werden.

51.

Die Flammen reiner Gottes-Lieb erwecken rechte heil'ge Trieb in mir, daß ich zur Fruchtbarkeit kann wachsen fort die Lebens-Zeit; damit

von

von Tag zu Tag ich steige auf, und also Freuden-voll erfüll den Lauff.

2. Der enge schmale Creutzes-Gang bringt öfters Freud und Lob-Gesang: wer GOtt von gantzem Hertzen sucht, die Welt und Eitelkeit verflucht, sind't voll Vergnügen schon in dieser Zeit, und wird erfreuet dort in Ewigkeit.

3. Drum folg ich meinem JEsu nach in Spott, Verachtung, Creutz und Schmach: ergebe mich Ihm gantz dabey, zu tragen seine Lieberey, damit ich möge als ein treuer Knecht bestehn, und halten aus bey seinem Recht.

4. O JEsu, treuer Seelen-Hirt! wie hast du mich schon oft geführt durch Angst und Wellen, Creutz und Grauß, und treulich mir geholfen aus: laß forthin deine treue Liebes-Hand mich leiten, und mir ferner thun Beystand.

5. Damit ich fest in Dir besteh, und mich nicht schwäche Leid und Weh: wenn die Versuchung kund umher, und meinem Geist wird saur und schwer zu dringen durch, daß ich nicht niederlieg, so führ Du selbsten aus den schweren Krieg.

6. Denn wo Du bist zu meiner Seit, so kann ich überwinden weit, und stehen fest auf meiner Hut, und obs schon schmertzlich wehe thut: denn so werd ich zur Gleichheit zubereit, mit JEsu hier, und dort in Ewigkeit.

7. In sein'm Gezelt erhaben seyn, da erst der rechte Freuden-Wein wird werden dann geschencket aus, daß alle, die in Gottes Haus sind kommen, werden davon truncken seyn: der Thränen-Saat wird gantz vergessen seyn.

8. Drum freu ich mich in meinem Sinn, daß ich mit Ihm verlobet bin, zu helfen tragen seine schmach, und treulich Ihm zu folgen nach, weil Er mich wird in jener Freuden-Welt erquicken ewiglich ins Himmels Zelt.

9. Ihr Bürger unsrer Mutter-Stadt, die euch mit mir geboren hat, mit Schmertzen und mit grosser Müh erzogen, daß wir Ihme hie zu eigen würden durch des Bundes Blut, O selig ist! dem dieses kommt zu gut.

10. Nehmt wahr der treuen Gottes-Gunst,

die euch geliebet gantz umsonst, daß keiner hab ein arges Hertz, und so sein Bürger-Recht verscherz: das uns erworben ist in Gottes Stadt, aus freyer Huld und unverdienter Gnad.

11. Ihr Töchter aus der obern Welt, die ihr auch mit zur Schaar gezehlt, geht mit einher im schönsten Flor: hebt Händ und Hertz und Haupt empor zu JEsu, daß in Zucht und Heiligkeit ihr wandeln könt nach jener Ewigkeit.

12. Damit in reiner Liebes-Zucht ein jedes bringe seine Frucht, zu Lob dem König, der uns liebt, sich selbst darzu zu eigen giebt den Seelen, die sich Ihme gantz vertraut in reiner Lieb, als seine keusche Braut.

13. Drum liebet Zucht und Reinigkeit, macht eure Hertzen recht bereit: damit der reine Jungfraun-Sohn in euch, als seinen Bräuten, wohn, und ihr in Ihm so mit erbauet werd't zu einem Leib noch hier auf dieser Erd.

14. So könt ihr treulich wandeln fort, und dringen durch die enge Pfort, und noch dabey mit Himmels-Lust stets trincken aus der Liebe Brust: und so geniesen wahre Gottes-Kraft, die reine Zucht und keusche Liebe schafft.

15. Erlernet hier im Creutzes-Gang so gleich des Lammes Lobgesang, so könt ihr dort im Reigen gehn mit denen, die vorm Throne stehn, gekleidet an mit reiner weisser Seid, weil sie geliebet Zucht und Heiligkeit.

16. Da wird der schöne Jungfrau'n-Nam, der hier auf keusche Seelen kam, dann erst recht werden offenbar, dieweil die gantze selge Schaar, viel tausend, tausendmal zusammen ein, und all ein reine keusche Jungfrau seyn.

17. Doch ists die eine nicht allein, es müssen auch Gespielen seyn, die sie begleiten auf dem Gang, mit herrlich-schönem Lobgesang: dabey sehr hell und schön und weiß gekleidet, die Sieges-Palm in Händen nach dem Streit.

18. O selge Seelen allzusamm! die hier gefolget Gottes Lamm in keuscher reiner Himmels-Lieb, und sich ergeben Gottes Trieb, die werden dann mit grosser Hertzens-Freud Lob, Ehre geben in die Ewigkeit.

C 3   19. Ihm,

19. Ihm, als dem grosen starcken GOtt,
Preiß, Ehre, Ruhm und ewigs Lob, daß nimmermehr auf hören thut, weil durch des reinen Lammes Blut wir sind erkauffet samt der gantzen
Schaar, daß wir Ihn ewig loben immerdar.

52.
Die Freundlichkeit vom Himmel her, hat mich
gelehrt der Welt und aller Lust absagen:
drum acht ich keines Dinges mehr, dieweil ich
nur allein dem Himmel thu nachjagen. Scheint
sonst was anders was zu seyn, ich lasse mich durch
keinen Schein behören, und wolt es auch das
Schönste seyn, der Weisheit Licht kan bald der
Thorheit wehren.

2. Ich hab genug an Gottes Huld und Freundlichkeit, die mir mein Herze überwogen: es ist
niemal derselben Schuld, wann wirs versehn und
elend hin und her gezogen. Sind wir getreu
im reinen Sinn, sie weis uns wol in Güte zu
bewahren, und bringen alles zum Gewinn, was
auch wol ein Verlust von viel Gefahren.

3. Und weil mich Freundlichkeit anlacht, daß
ich bin um und um mit Gottes Huld umgeben:
hat sies mit mir so weit gebracht, daß sie mein
Himmel-Brod in meinem gantzen Leben. Wie
froh bin ich, weil dieses Licht von Gottes Freundlichkeit mich hat berathen: wann es an Rath und
Trost gebricht, bald kan sie mich der schwersten
Sorg entladen.

4. Wie hoch-erfreulich ist der Sinn, der von
der Freundlichkeit und Gottes Lieb abhanget, man
lässet alles fahren hin, ob es auch schon im Glantz
der Engel lieblich pranget: man ist versehn mit
hoher Krafft, ob man gleich um und um muß
Wache halten, wird doch in allem Heil verschafft;
wie es auch geht: sie läst nicht mehr erkalten.

5. Wann mich die Freundlichkeit anlacht, so
kan ich meiner selbst und aller Ding vergessen,
und bin als wie zurecht gebracht, da ich zuvor so
manche Jahr betrübt gesessen. So bald ich nur
daran gedenck, was mir die Freundlichkeit vor
Blicke geben, so bin als wie im Meer versenckt,
vergeß dabey das Liebste in dem Leben.

6. Der Ungrund der von Ewigkeit in GOtt
gewesen, hat sich darin offenbaret: wie er sonst
auser Welt und Zeit sich in sich selbst als wie verschlossen und verwahret. Als aber in die Fülle
bracht, was GOtt in seinen weisen Rath beschlossen, kam dieses Wunder an den Tag, das sonst
kein kluger Sinn kont mehr umstossen.

7. Diß ist das himmlisch Element, das mich
als wie verschlungen und so gantz umgeben: wie
wurd nicht alles umgewendt, so bald ich nur erblickte das verliebte Leben, das mich so freundlich
angelacht, weil es kam aus der Ewigkeit gegangen, war mir, als wann vom Schlaf erwacht,
und gantz vergessen aller meiner Drangen.

8. Und weil mir Gottes Freundlichkeit erschienen ist in den betrübten Zeit und Tagen, hat es
mich wie so gar erneut, daß kan die allerschwerste
Bürd und Lasten tragen. Die Gramschafft ist
wie gantz dahin, sie lebe nun vereint mit Gottes
Liebe; Haß, Neid Verdruß ist aus dem Sinn,
drum macht mir meinem Himmel nichts mehr
trübe.

9. Drum komme zuletz noch mit hinzu: ich
bin daheim, der Menschen-Welt als wie entnommen: das bracht mir ein die ew'ge Ruh, weil ich
zurück nach langem Weinen wiederkommen.
So komme zuletzt die Erndte ein, das Ende muß
den rauhen Anfang zieren, der Myrrhen wird zu
Zucker-Wein, wer den geniest, kan nimmermehr
abirren.

10. So ruh ich dann der Ewigkeit im Schooß,
drum kan mich nichts mehr hin und her bewegen,
auch ist zu End der schwere Streit, drum thu ich
alles GOtt hin zu den Füssen legen: weil er mein
Anfang, Ziel und End gewesen in der sehr betrübten Zeiten, drum hat sichs auch so umgewendt, daß ich bin kommen heim mit tausend
Freuden.

53.
Die heilige Einheit vermehret die Reinheit,
verdoppelt die Wege zur innigen Kleinheit.
Wann Hohes und Tiefes in Eines zerflossen,
kan Sünde noch Hölle es nimmer umstossen.

2. Wann heilige Seelen zusammen verbunden mit himmlischer Liebe, da werden gefunden
die

die ewige Schäze in wahrem Vergnügen: da Alles sonst Andre zu Boden muß liegen.

3. Wenn Sinnen und Dencken von Göttlichen Sachen die Herzen von Freuden und Liebe voll machen: so müssen verschwinden die eitelen Sinnen, und alle getheilete Bilder zerrinnen.

4. Wo Herzen sind stetig hineinwärts gekehret: da werden die himmlische Schäze vermehret. Die Freude der Erden ist ewig verschwunden, dieweil sie mit Göttlicher Liebe verbunden.

5. O heilige Eintracht! O inniges Wesen! wo Seelen zusammen in Liebe genesen! Kein besse Haabe wird jemals gefunden: als wo man ist also zusammen verbunden.

6. Vergnügende Wollust und inniges Schweigen bringe heilige Eintracht und tiefestes Beugen. Vereinigte Herzen erheben zusammen den Höchsten zu Zion, in liebenden Flammen.

7. Es müssen Gedancken und Sinnen selbst schweigen von Göttlichen Sachen, wo GOtt Sich thut zeigen bey innigsten Seelen, die also vereinet, und alle getheilete Vielheit verneinet.

8. Es müssen sich freuen die Englische Schaaren, wenn Seelen sich also in Liebe thun paaren: so daß sie Nichts Anders mehr suchen auf Erden, als daß sie im Lieben vereiniget werden.

9. Der Himmel und Erde die müssen sich freuen, wenn also vereinet die Lieben Getreuen im HErren, und Ihme zu Eigen ergeben, um gänzlich nach seinem Gefallen zu leben.

10. Ihr Liebsten! Wir wollen zusammen uns halten, und nimmermehr lassen im Lieben erkalten. Es müsse nun Alles sonst Andre vergehen, was nicht in vereinender Liebe kann stehen:

11. Es werde zernichtet, von GOtt selbst gerochen das, was uns bishero die Liebe zerbrochen, und also gezweyet ohn wahres Genesen, wozu uns doch selber GOtt Ihme erlesen.

12. Es müsse nun schweigen und ewig vergehen das, was nicht in seinem Gerichte kann stehen. Es werde nun Alles zusammen zerstreuet das, was uns bishero die Eintracht gezweyet!

13. So werden wir nimmer im Lieben ermüden, wann wir uns von aller Getheilheit geschieden. Wir werden, als grünende Zweige, da stehen, an welchen die Wunder des HErren zu sehen.

14. Die Treue, die Er uns von Innen erwiesen, werd von uns zu ewigen Zeiten gepriesen: und sonderlich, weil wir auch jezo beysammen, die Herzen zu reizen in liebenden Flammen.

15. Erzeigen Ihm Ehre, in reinen Gebeden, als Erstling der Liebe, schon hier auf der Erden: die Er Sich erkauffet zum reinesten Leben, als Jungfraun die Ihme sich einzig ergeben.

16. Zu leben ganz heilig, in Englischer Klarheit, und bleiben zusammen verbunden in Warheit: ein ewiges Jubel muß innig erschallen, dieweil wir nun leben nach Seinem Gefallen.

17. Wir werden nun bleiben und ewig bestehen, wann Alles sonst Andre zu Grunde wird gehen: wir wollen Ihn rühmen mit Englischen Weisen: daß Herzen und Munde Ihm Ehre erweisen.

18. Die Englische Chöre die werden mit stimmen, wann so die willige Opfer darbringen in reinen Gebeden und himmlischem Lichte, da Alles sonst Andre muß werden zu Nichte.

19. Wir sind nun erbauet als Göttliche Seelen, die täglich, mit reinestem Wandel, erzehlen die Wunder des HErren an Sinn und Gebeden, erkaufft von Geschlechtern und Völckern der Erden.

20. Er lehret uns täglich viel heilige Sitten: daß alle die Menge der Feinde bestritten: wenn wir Ihn verehren nach seinem Gefallen, so können wir freudig im Segen fort wallen.

21. Die Wege, worinnen wir werden erlangen die Cronen des Lebens mit ewigem Prangen: kein Zeichen vom Weichen muß nunmehr geschehen, so können wir alle zusammen bestehen.

22. Dann, was Er erbauet, kann nimmer zerbrechen, noch Zeiten, noch Tage, noch Jahre, es schwächen: und solt es auch kommen zum zeitlichen Sterben, so kann es doch nimmer im Tode verderben.

23. Dann,

23. Dann, bey Ihm ist keine Verwechslung
der Zeiten. O wohl uns! die wir uns so lassen bereiten: so daß wir erbaut, als lebendige
Steine, zum Hause Jehovah, als eine Gemeine.

24. Gantz sauber und reine, ohn einigen
Mackel, hell leuchtend in Klarheit, als brennen-
de Fackel, in reiner Gemeinschafft, geschieden von
Allen, die nicht sind gerichtet nach seinem Gefallen.

25. Das heilige Salb-Oel ist auf uns
getroffen: vereinet die Geister zum
Dulden und Hoffen; erquicket die innere schmach-
tende Sinnen, und machet erneuerte Kräfte gewinnen.

26. Wir wachsen und grünen zur Göttlichen
Blüte am Baume des Lebens mit Hertz und Gemüthe: die Kräfte des Geistes, die in uns einfliesen, die müssen die tödliche Leiden versüsen.

27. Wir sind nun verbunden, uns nimmer
zu lassen; vielmehro uns tiefer zusammen zu fassen: als Zeugen der Wahrheit vom Göttlichen
Leben, das Er uns hat selber von Innen gegeben.

28. O werthe Gemeinschafft von innigen
Seelen, die sich mit dem König des Himmels
vermählen! O selige Eintracht, wer so ist verbunden! dann da wird die ewige Freyheit gefunden.

29. Wir lieben, wir leiden, wir dulden, wir
hoffen, wir haben, in Allem, das Ziele getroffen:
mit Reden und Schweigen uns nur es anzeigen:
wann unsere Hertzen vor Ihme sich beugen.

30. Wann Andre sich mühen in eitelen Dingen, thun wir Ihm die Opfer der Lippen darbringen: und kommen zusammen in heiliger
Stille, mit Segen geschmücket aus Göttlicher
Fülle.

31. Wir werden erfreuet, und innigst
erquicket: wenn unsere Geister in
Liebe entzücket: wenn alles zusammen in Schlaf
ist ersuncken, so sind wir im Wasser der Liebe
ertruncken.

32. Die feurige Flammen erwecken uns wieder, und machen uns singen viel liebliche Lieder:
die heilige Eintracht erquicket die Geister, zu geben Lob, Ehre dem freudigen Meister.

33. Es werde die heilige Einheit gepriesen,

worinnen wir selige Früchte geniesen: die in
uns erboren im Wachsen und Grünen, in innigster Kleinheit, zum vollen Versühnen.

34. Das werde geschrieben, und ewig behalten, daß wir uns von nichts-mehr lassen erkalten:
dieweil wir erwachet und früh aufgestanden, ge-
flohen von Sodom und sündlichen Banden.

35. Drum wird uns die reine Zucht ewig bewahren, dieweil wir sind frey von den sündlichen
Schaaren: und wann wir zu reinen Jungfrau-
en bereitet, so stehn wir in güldenen Stücken
gekleidet.

36. Mit reinestem Braut-Schmuck von innen gezieret, dem, der uns auch endlich zur Hochzeit einführet, und mit sich vermählet, in präch-
tigem Scheinen, Sich mit uns, als reinesten
Jungfrau'n vereinen.

* * *

37. Ihr Jungfrauen-Kinder, erwäget die
Sachen: was endlich der himmlische König wird
machen mit seinen Gespielen und reinen Gesähr-
ten, die Er Sich erkaufet und erkohren auf Erden.

38. Seyd einig und innig in liebenden Flammen, dieweil wir vom himmlischen Samen herstammen: gezeugt und erboren zum reinesten Leben, als eine geheiligte Jungfrau, daneben.

39. Als Mutter der Kinder unzählicher Schaaren, die alle den reinesten Braut-Schmuck bewahren: und leben gantz heilig, als Göttliche
Geister, zu Ehren dem obersten König und Meister.

40. O reineste Kirche, die also erbauet
mit heiligen Seelen, die JEsu
vertrauet! O seligs und heiliges Kinder-Gebäh-
ren, wo sich thut die Göttliche Same vermehren.

41. Die Eintzle, so lange vom Manne verstossen, thut nunmehr zu Rechten und Lincken aussprossen: ob Völcker und Schaaren schon solches
verneinen: so wird es doch balde noch völlig erscheinen.

42. Daß alle verdorrte Gebeine ausgrünen
durch unsers Immanuels mildes Versühnen:
was lange erstorben, wird wachsen zum Leben,
wann GOtt wird den Geiste des Lebens drein geben.

43. Weil Sara nunmehro den Sohn hat
gebohren

geboren im Alter der Zeiten, die GOtt hat geschworen: so ists auch geschehen, GOtt läst sich nicht reuen, ihr Same wird bleiben und ewig gedeyen.

44. Drum freuet euch alle ihr Kinder zusammen, die aus dem verheissenen Samen herstammen: das Erb-Theil wird endlich gewißlich noch werden, dann werden verschwinden die Läste der Erden.

45. Wir wollen indessen in Hoffnung uns freuen, im Vorschmack erwarten als seine Getreuen: bis daß wir das Hoffende selber erlangen, und endlich im Triumph dort ewiglich prangen.

54.

DJe himmlische Liebe die hat mich durchdrungen: mein äussers und inneres Leben bezwingen. Ich werde wohl bleiben an GOtt stets behangen, bis daß ich dort ewig im Triumph werd prangen:

2. Hier will ich treu bleiben im Leiden und Dulden, auch helfen ertragen, was andre verschulden: mein Herze soll nimmer im Lieben ermüden, drum wird mir nichts rauben den Göttlichen Frieden.

3. Die viele Getheilheit in mancherley Waaren, die können mit denen sich nimmermehr paaren: so einmal verlassen das eitle Getümmel, und wohnen mit JEsu, im inneren Himmel.

4. Das viele Bedencken und hin und her Wancken läßt nimmer genesen in Göttlichen Schrancken: wo Herzen und Sinnen diß alles verlassen, da werden gefunden die richtige Straasen.

5. Was Sinn und Gedancken auch können errathen, ist eitel und nichtig, weils menschliche Thaten: der wahre selbständige Friede wird funden, wo Seelen zusammen mit JEsu verbunden.

6. Da blühet die Treue, die keinen läßt wancken, und machet selbständig in Göttlichen Schrancken: die Sinnen vergehen in vielerley Sachen, wo Andre viel Wunderns und Rühmens von machen.

7. Wann JEsus die Herzen zusammen verbindet, so daß sich kein fremde Verbildung mehr

findet: so ist in derselbigen Liebe getroffen, worinnen das himmlische Erbe zu hoffen.

8. O weisester Meister! Du Lehrer der Heiden! wie thust Du die Deinen so sicher fortleiten: wann Andre bemühet, wie daß Du zu finden, thust Du Dich mit denen in Liebe verbinden.

9. Die Dir sind ergeben ohn eigenes Dichten, nach deinem Gefallen, sonst Alles zernichten: die Menge der vielen und mancherley Weisen, wo Andre sich mühen in trüglichem Gleisen.

10. O Einheit! O Kleinheit! du bist es alleine, womit wir erbauet, als deine Gemeine: du hast uns die richtige Wege gelehret, daß Jedes zu folgen von Herzen begehret.

11. Mein Herze ist innig in Liebe zerflossen: dieweil ich derselbigen Völle genossen. Ich kann es nicht rathen, nicht messen, noch dencken, was mir die eindringende Liebe thut schencken.

12. Sie wircket inwendig mit mächtigem Triebe, damit ich auf ewig ihr eigen verbliebe: sie hat mich gemeistert, und in mich gedrungen, daß alles verderbliche Leben bezwungen.

13. Sie leitet mich richtig die Göttliche wege: kein Zagen, noch Klagen, kann machen mich träge. Ihr hohes, Ihr tiefes und inniges Vereinen kann alle die nichtige Bilder verneinen.

14. Die vielerley Sache in Leiden und Wehen: macht himmlische Liebe zu Grunde vergehen. Dann was sie belebet ohn eigenes Wancken, wird stetig erhalten in Göttlichen Schrancken.

15. Hochthenre Gebietherin heiliger Sachen! wirst du es von Innen und Aussen so machen: daß unsere Liebe werd nimmer gebrochen, so wird mir, was ich Dir mit Eide versprochen.

16. Und hab ich erlanget mein langes Begehren, wann Du mich wirst selber darinnen gewähren. Mein Glück ist getroffen, ich habe ein Leben, das Dich kann zu ewigen Zeiten erheben.

17. Ach liebste Gespielin inwendiger Seelen, die Dir sich, mit Geiste und Leibe, vermählen! gib heilige Eintracht, mit innigen Trieben, worzu wir Dir alle und ewig verschrieben.

18. So werden wir nimmer von deiner Brunst schweigen, dieselbe im Geiste und Wesen anzeigen:

F

anzeigen: und werden Dich halten, da nieder zu lassen, wo Sinnen, noch Dencken, noch Worte, Dich fassen.

19. O seligs Vereinen und inniges Wesen, dieweil wir nun also im Leben genesen! O wahres Vergnügen, O Göttliche Fülle! dann da ist die ewig-inwendige Stille.

Echo:

20. Nun ruhe, mein Liebste, ich will dich umfassen, und will dich in Ewigkeit nimmermehr lassen: ich will dir vergnügen dein inniges Verlangen, eh daß du bist gänzlich von Liebe zergangen.

Gegen-Hall.

21. Ja amen! es kommen die selige Stunden, worinnen wir ewig zusammen verbunden. O selig! wir ruhen im liebenden Leben, und bleiben demselbigen ewig ergeben.

55.

Die Hoffnung steht dorthin, nach jenen Zions-Auen: was wir in Nidrigkeit alhier, im Geiste, schauen. Da sehen wir das Lamm die edlen Schaaren weiden am reinen Lebens-Strom mit vielen tausend Freuden.

2. Die Liebe crönet uns, daß wir vereinigt werden: und zieret unsern Gang im himmlischen Geberden. So wallen wir dahin, und gehn dem Lamm entgegen: und tragen seine Schmach, bis Es uns wird anlegen.

3. Das reine weisse Kleid, und wir dorthin erhaben: da Es am Lebens-Strom uns wird zugleich mit laben. Diß ist dann unser Trost in unserm Lauff auf Erden: weil wir durchs Lammes Blut dort mit erhaben werden.

4. Was wird uns scheiden mehr? Wir tragen seine Lästen, die Es auf uns gelegt, als seine Wander-Gästen, weil Es in dieser Welt so hart von GOtt geschlagen, da unser Sünden-Bürd' auf seinem Rücken lagen.

5. Da Es war stumm und still, ohn einiges Erböthen vor seinem Würger, der Es schlachten wolt, und tödten. Die Bahn ist uns gemacht, wir lernen seine Stecken, und folgen seinem Gang und seinen Liebes-Tritten.

6. Sind wir mit Ihm vereint in seinen Creutzes-Wegen: so wird Es uns auch dort mit Himmels-Freud belegen. Die Gleichheit einet uns, und weil wir so auf Erden: so werden wir auch dort mit Ihm verherrliche werden.

7. Der Trost ist uns so tief in unser Herz gesprochen, daß er in Ewigkeit wird nimmermehr gebrochen. Was Geistes-Augen sehn, und reine Hertzen fassen, läßt weder hier noch dort noch in dem Tod erblassen.

8. Diß ist nun unser Lohn, da wir sind eingetreten, wo wir dem Lamm vereint in seinen Creutzes-Nöthen: das nun von GOtt erhöht, und mit so vielen Freuden die gantze Creutzes-Schaar am Lebens-Strom thut leiten.

9. Deß sind wir Freuden-voll, weil wir schon das Versüßen der Bitterkeit alhier auf dieser Welt genesen. Der Vorblick zeiget uns das Freuden-voll Ergetzen: so weder Zeit, noch Jahr, wird nimmermehr verletzen.

10. Wir leben dann dahin, und warten mit Verlangen, bis uns die edle Schaar entgegen kommt gegangen, auf jener Zions-Au, da sie mit vielen Freuden GOtt und dem werthen Lamm ein ewigs Lob bereiten.

56.

Die Hoffnung trägt mich hin, zur Freud, die dort wird werden in jener Ewigkeit, nach dem ermüden Lauf; da enden sich die viel und mancherley Beschwerden, so oft den müden Geist im Gang gehalten auf.

2. Das lang verlangte Glück wird endlich noch erwachen, wann brechen wird herein, was GOtt vor uns ersehn: da er es auf einmal wird alles anders machen, und wir mit grosser Freud aus unserm Kercker gehn.

3. Doch weil die Glaubens-Fahrt noch nicht ist gantz zum Ende, und der so müde Geist oft hart im Klemmen steht; strecke die Begierde hin, und breitet aus die Hände. Ach GOtt! wann wird doch einst das Ungraut abgemäht?

4. Das uns den Weg so schwer und sauer macht im Gehen; oft Todes-Bitterkeit daneben schencket ein: daß in und auser uns fast anders, nichts..

nichts zu sehen, als was dem Geist bringe Noth
und schwere Leidens-Pein.

5. Wie gerne möcht ich doch in voller Würde sehen das Priesterlich Geschlecht, das GOtt
sich hat erwehlt: die Tag und Nacht vor ihm in
seinem Dienste stehen, und machen, daß noch viel
den Seinen zugezehlt.

6. So wird der Schmerzen sich, den Christi
Kirche trägt, durchs Hohen-Priesters Amt und
Lehre lösen auf: wann sein Geschlecht da steht,
vor GOtt des Altars pfleget, durch ihren Opffer-
Dienst das Rauchwerck setzet auf.

7. Das brächt den Frieden ein, der Christi
Kirch erworben durchs Hohen-Priesters Blut,
so er vergossen hat, da er zum Opffer ward, und
an dem Creutz gestorben, und selbsten hat erfülle
den ganzen Gottes-Rath.

8. Wir sehen zwar im Geist den Himmel sich
bewegen, wodurch sich werden bald die Kräfte
theilen aus, die Gottes Geist in Krafft denselben
wird beylegen, die da vereinigt stehn als wie ein
Gottes-Haus.

57.

Die Jungfrauschafft hat solchen Preis; der
allen Adams-Kindern ist verborgen; weil
niemand als sie selber weiß, drum bleibts verdeckt
biß an jenen Morgen. Dann Adams Leib
hat nichts an Ihr, weil ihr Kleid befleckt und
holde Wangen: da brach es dann erst recht herfür, weil er zur Schmach muß an dem Creutze
hangen.

2. Wann ich bedenck, wie manche Nöth ich
schon an meinem Adams-Leib erlitten, so muß
ich klagen meinem GOtt, weil allezeit so hart
von Ihm bestritten. Wann ich griff zu der Jungfrau hin, und meinete, sie solte mir beyliegen,
weil ich so einen reinen Sinn, (so meinte ich)
thät sie nur vor mir fliehen.

3. Ach GOtt! wie manche Zeit und Jahr,
hab ich nur so viel Fleiß um sie geworben, da in
so mancherley Gefahr, von vielem Kummer offt
schier gar gestorben: weil sie mich nicht wolt nehmen an, war es ein traurig und betrübter Handel, und sonderlich, weil auf der Bahn beflissen
war zum allerreinsten Wandel.

F 2

4. Ach! wie betrübt gieng es offt her, weil ich
der Welt und alle Ding versaget; und seyn muß,
ob verstossen wär, weil um die Jungfrau alles
hatt gewaget. Es wurd gesagt: ich hätt kein
Recht, der reinen Jungfrau also nach zufragen,
ich wär ja von Adams Geschlecht, worüber muß
der ganze Himmel klagen.

5. Drum war mein Jammer übergroß, weil
schon zuvor so vieles hatt erlitten, biß von der
Eva Töchter loß, die biß aufs euserst hin um
mich gestritten. Weil sie ein Recht an meine
Seit, wo sie aus sind bereitet und erbauet; ob
gleich befleckt das Jungfrau-Kleid, dis schadet
nicht, sie wolten seyn getrauet.

6. Biß diesem allem abgesagt, was so ein groses Recht an mir zu haben, ist nicht geschehn in
einer Nacht, weil offt kein Lebens-Tröpfflein mehr
kont haben: Ob ich gleich alles wiese ab, was sich
so wolt an meiner Seiten laben, war ich doch
selbst noch nicht im Grab, alwo die Jungfrau
thut ihr Lust-Spiel haben.

7. Da muste noch zu erst ans Creutz mein A-
dams-Leib und werden sehr gerochen, von denen
zwar, die albereit der Meynung nach sich selbst
mit ihr versprochen. Allein, weil ihre Seiten
noch der Eva Töchter waren nicht verschlossen,
trieben sie es, mit mir so hoch, daß ich nebst vieler
Schmach war wie verstossen.

8. Weil ich der Jungfrau treu wolt seyn, und
ihr gern wolte Liebhaber zuführen, griff es gar
tief ins Hertz hinein, die lieber Eva an dem Seiten
führen; damit die Lück gefüllet aus, wo GOtt
verlohren seine reine Stätte, und man daselbst
könn halten Haus mit Eva in dem eiteln Sün-
den-Bette.

9. Da traff mich gar ein harter Bann von
denen, wo ich meyn zu seyn verlobet: dis thäte
manch Jahr halten an, dabey ihr Adams-Sinn
offt sehr getobet; daß ich der Unglücks-Stiffter
wär, daß niemand kommen könte zum genesen,
wann ich eins aus dem Wege wär, so könte man,
was einen lust, erlesen.

10. Dis hat viel Tag und Jahr gewährt, daß
ich in mancher Schmach und Drang war wie
verwiesen,

verwiesen, dabey muſt ſeyn wie ausgekehrt, wo man des guten nicht kann mehr genüſen. Diß war die Schaar, ſo hieß erwählt, und warn daneben doch dabey nicht minder, als die viel Heiligen entſeelt, und ob ſie ſich gleich nannten Gottes Kinder.

11. Dis war mein Grab vor Adams Leib, wes wegen mich die Jungfrau nicht kont leiden, daß ich ſie nennen ſolt mein Weib, noch daß ſie liegen ſolt an meiner Seiten. Nun aber, als der Tod geſchehn, und Untergang des alten Sinns dem Menſchen, der mir gemacht ſo manche Wehn, iſt kommen ein, was ich ſo lang thät wünſchen.

12. Vielleicht hat jezt der Zinß ein End, daß meine Einſame zur Freyheit kommen. Der Kummer hat ſich nun gewendt, weil GOtt denſelben hat hinweg genommen. Und weil der Mann gelegt ins Grab, wird mich die Jungfrau fangen an zu lieben, und mein zu pflegen, wie ich's hab gewünſcht, da mich thät Adams Pöbel ſieben.

13. Jezt will ich erſt dem Lamm nachgehn, der Jungfrau ſchonen in ſo viel Verlangen, wann wird ein neues auferſtehn, wird ſie mich ſelbſt in keuſcher Lieb umpfangen. Der neue Leib macht ſie verliebt, dann Adams Tempel-Hauß iſt nun zerſtöret: jezt wird man erſt aufs neu geübt, weil ſie mit ihrem Staat daſelbſt einkehret.

14. Weil Adams Leib iſt abgethan, kan ſie mit groſer Freud den Mann umgeben; jezt öffnet ſich die göldene Bahn, dabey ein Paradiſiſch Liebe-Leben. Auch ſpüret man ein neue Welt, weil alles andre thut nunmehr veralten, man lebet wie es GOtt gefällt, dieweil der Jungfrauen-Geiſt thut ſelber walten.

15. Jezt weiß ich nicht mehr, was ich bin, die Jungfrau iſt Befehls-haberin worden, beherrſcher den verliebten Sin, u. richtet an den Paradieſes-Orden. Jezt ſchlafft man ſüß in ſanffter Ruh, weil ſie in allen Dingen gibt Gedeyen, und drückt mir ſelbſt die Augen zu, wann ſie gedencket etwas zuverneuen.

16. Der Heyden Völcker ſind dahin, weil ſie hat ſelbſt den lezten Feind bezwungen; ich ſelbſt weiß nicht mehr, was ich bin, dieweil ihr auch der

Sieg an mir gelungen. Dann ſie iſt nun Gebieterin und auch Befehls-habtin in allen Sachen. Hier weiß man nichts von Adams-Sinn, weil ſie nun alle Ding wie neu thut machen.

17. Jezt frag ich nicht mehr, was zu thun, ich werde Willenlös von ihr behandelt; was mich bewegt, heiſt ſanfftes Ruhn, ſo wird in lauter Stillſeyn hingewandelt. Man höret hier kein böß geſchrey weil alles geht im ſtillen Liebewallen; wann man wolt fragen was es ſey? ſo heiſts, es wäre Gottes Wolgefallen.

18. Jezt iſt Jeruſalem zerbaut, ſo wird als eine Braut vom Himmel kommen: was ſonſt auf Erden wird geſchaut, iſt aller Bann und Fluch hinweg genommen. Jezt iſt kein Creuzgen mehr zu ſehn, dieweil die Jungfrau allen Mann umgeben; und weil verſchwunden alle Wehn, wird man im ewgen Segen *Leben.* (Weben)

58.

DJe Jungfrauſchafft iſt meine Kron, wo ich in Ewigkeit gedencke in zu prangen, der theure Heyland Gottes Sohn iſt hier auf dieſer Welt mir alſo vorgegangen. O! Was ein Schmuck, und himmliſch Licht, thut unſre Bruſt umgeben, wer ſein Aug nur dahin gericht recht jungfräulich zu leben.

2. Die Jungfrauſchafft hat ſolchen Preiß, kein einig Adams-Kind hat ſie jemals ermeſſen, ſie iſſet Paradiſes-ſpeiß als Koſt, die lang zuvor in Ewigkeit geweſen: ſie iſt der Glanz der Herrlichkeit, der Schmuck den GOtt getragen, eh es was war von Ziel und Zeit, man kan es nicht ausſagen.

3. Sie hat ſich ſelbſt in mich gebracht, den Funcken durch ihr Hauchen in mir angeblaſen: kein Engel hat es ſie bedacht, weil ihre Würdigkeit ganz über alle maſſen. Sie iſt die Mutter, die den Leib JEſu in ſich getragen, damit er ſelbſt jungfräulich bleib, und ſo den Raub abjage]

4. Dem ſtarcken, der die Mannheit hat an ſich gebracht, und könne ſo ſein Amt hinführen, dabey vermeynt durch ſeinen Rath die Jungfrau ſelbſten von dem Schöpffer abzuführen. Sie
aber

aber bliebe hoch erhöht, als Gottes Schmuck und Ehre. Obgleich ein böser Wind geweht: nichts ist, das sie bethöre.

5. Man sagt zwar viel von Jungfrauschafft, so doch der Eva Töchter diesen Schmuck verlohren; dann sie des Höchsten Wunder-Krafft, dabey von Ewigkeit selbst von GOtt auserkohren. Adams Geschlecht trifft hier nicht ein, es ist durch-List betrogen, wer sich auch schmückte Engelrein, ist von der Schlang belogen.

6. Der Eva Schmuck ist aus der Zeit, der Jungfrauen Zierde ist von Ewigkeit gewesen; dann Eva das jungfräulich Kleid verloren, da sie Lügen glaubte und erlesen. Drum ihr Geschlecht von solcher Art, das gern betrüglich gleiset, und so den Heuchel-Schmuck bewahrt, den man sonst Lügen heiset.

7. Den Thon, so hier die Mutter singt, den singen auch die Töchter alle gleicher masen, da jedes dann das seine bringt, so bricht der Lügen Frucht herfür auf allen Gassen. Der Schmuck von Adams Jungfrauschafft trägt eine eitle Krone, und kommt nicht an die wahre Krafft, daß sie mit sich selbst lohne.

8. Indessen bleibet meine Brunst im Geist, nach Sophia, im reinen Liebe-Brennen, weil ihre treue Liebes-Gunst mich zu verwehnt ohnschaam nach ihrem Nam zu nennen. Wird mir gleich gram Adams Geschlecht, ich laß die Weise fahren, und liebe, was vor GOtt ist recht, thut Sophia mich paaren.

9. Ich kan nicht helfen, dann mein Herz ist so verliebt, daß fast vergesse alle Dinge: wolt ich gleich sincken niederwärts, so schaffet sie, daß sie mich in ihr Wesen bringe. Dann mein so sehr verliebter Geist hat sie dazu bewogen, daß sie vom Himmel rab gereist, und mich hinauf gezogen.

10. Drum ist kein Wunder, daß mein Thun nicht will einträchtig seyn den Menschen hier auf Erden; weil ich nur thu in dem berühn, was mir die Jungfrauschafft alldort wird lassen werden. Die Magia von ihrer Brunst thät mich so überwigen, daß alles andre war ein Dunst, was mich wolt an sich ziehen.

11. Drum hat sie mich dahin gebracht, als einen der nun bald zum Brautlauff mögte schreiten, deswegen alle Ding versagt, daß nicht mögt auf dem Wege fallen oder gleiten. Du bist mein Herz, ich bin dahin, sonst wolt mich neu verschreiben, dann es komt nie aus meinem Sinn um ewig dein zu bleiben.

59.

DIe klugen Jungfrauen sind erwacht durch das Geschrey zur Mitternacht der Wächter, die nicht stille seyn, bis daß der volle Tag bricht ein: drum wird man sie nun nicht mehr schlafen sehn, weil sie dem Bräutigam entgegen gehn.

2. Der Glanz von ihrem Kleider-Pracht vertreibt die Dunckelheit der Nacht, die Lichter sind nun angebrandt, und leuchten hell in alle Land: damit man seh und höre nah und fern, daß sich bereitet zu das Volck des HErrn.

3. So Er sich Ihme auserwählt, daß sie vor seinen Thron gestellt mit voller Klarheit in dem Licht, daß Er in ihnen aufgericht zu einem Zeugnuß hier vor aller Welt, und also leben, wie es Ihm gefällt.

4. Nun wird ganz stumm, und stille seyn der Thörichten ihr falscher Schein, den sie geführet in dem Wahn, und doch gehast die rechte Bahn: weil ihre Thorheit ist nun schon an Tag, weil sie umziehen mit viel Ungemach.

5. Zu kauffen Oel im Krämer-Land, da die Verkäuffer selbst auf Sand gebauet ihrer Hoffnung Haus, und werden mit geschlossen aus: denn weil ihr Oel nur ein geborgter Schein, drum können sie auch nicht mit gehen ein.

6. Wo die verlobte Jungfrau-Zahl mit JEsu hält das Abend-Mahl, da niemand wird zu finden seyn, als wer gelebt jungfräulich rein: und weil der Bräutgam selbsten blieben frey, so will Er, daß auch seine Braut so sey.

7. Denn da Er als ein Lamm geschlacht, wird das Verlorne wiederbracht: die lang verschloßne Adams-Seit sich wiederum thät öffnen weit, da geht die reine Jungfrau wieder ein, die vor so lange Zeit mußt Witwe seyn.

8. Die Mutter, so diß Kind gebahr, selbst ei-

ne

ne reine Jungfrau war, die nie erkennet einen Mann, und so geöffnet diese Bahn: damit die lang verlorne Jungfrauschaft nun werde offenbar in ihrer Kraft.

9. Mußt selbst die Mutter Jungfrau seyn: so kann es ja nicht anders seyn, daß auch dasselbe von der Art, so von ihr aus gebohren ward. Der Jungfrauen-Sohn muß auch ein Jungfrauen-Kind haben, das sich mit Ihm in Lieb verbindt.

10. Nun legt sich aller Fluch und Bann, weil herrschet ein gantz andrer Mann, ein Mann, der selbst von seiner Braut gebohren, und die hernach erbaut zu einem Weibe, die nach seinem Bild, und seine hole Seite wieder fülle.

11. Die rechte Eh ist nun gemacht, weil Adams Sinn am Creutz geschlacht, der sie gebrochen, und den Eid, daß er in Mann und Weib getzweyt: der Schaden ist nun wiederum ersetzt, die Braut sich nun am Bräutigam ergetzt.

12. In dieser Eh ist nur ein Leib, denn da ist weder Mann noch Weib: man sieht das reine Himmels-Bild, wodurch die neue Welt erfüllt mit Kindern, die allein von solcher Art, wo Liebe sich mit keuscher Liebe paart.

13. DEr reine Geist aus Gottes Hauch lehrt halten diesen heilgen Brauch: diß ist die Mutter vom Geschlecht der Kinder, wo GOtt Vater-Recht erweiset, und das Erb wird theilen aus, und zu der Mutter bringen in ihr Haus.

14. Da wird erst recht seyn offenbar, was hier nur in dem Vorspiel war: die Mutter wird dem ersten Sohn aufsetzen eine güldne Cron, davon ein heller Glantz wird gehen aus, daß davon wird erfüllt das gantze Haus.

15. Dann wird die Tochter auch beleget mit einem Schmuck, den sie da trägt, gesticket aus mit purem Gold: weil sie sonst anders nichts gewolt, als daß sie bleib in ihrer Mutter Art, die Jungfrau blieb, da sie geboren ward.

16. Die Freunde und Verwanden warn, da Sohn und Tochter sich thät paarn, die kommen auch zu ihrem Recht, weil sie geliebet diß Geschlecht: und werden auch mit Kleidern angelegt, so wie man sie ins Königs Hause trägt.

17. Der gantze Staat und Hof-Gesind, den man in diesem Hause findt, sind all von adlichem Geblüt: dieweil man da nichts anders sieht, als Kinder, die vom Jungfrauen-Geschlecht, da hat kein Fremder einigs Erbe-Recht.

18. Nun treten alle rund umher, die so getzehlt zu diesem Heer, und wünschen Glück der werthen Braut, die aus JEhová Seit erbaut: und nun in ihrem ungemeinen Pracht wird in den Hochzeit-Saal hinein gebracht.

19. Da höret man den Jubel-Schall der reinen Geister allzumal, die schon bereit zu Dienste stehn, so bald sie thut zur Thür eingehn. Willkomm, du hold-und werthe Jungfrau rein, die wird an Ehre nichts zu gleichen seyn.

20. Jetzt geht das rechte Leben an, da man der Liebe pflegen kann: dann da hat jedes sein Gespiel zur vollen Freud, ohn Maaß und Ziel. Wer solte nicht gern eine Jungfrau seyn? daß er auch da mit könne gehen ein.

21. Wer kommen will zu dem Geschlecht, der muß sein irrdisch Bürger-Recht gantz lassen fahren aus der Hand, sonst kommt er nicht zu solchem Stand, und kann nicht gehen ein in dieses Haus, wo man das himmlisch Erbe theilet aus.

22. Nun freuet sich mein Geist und Sinn, daß ich auch neu geboren bin aus dieser reinen keuschen Braut, die selbsten ist mit GOtt vertraut. O was ein Wunder man da sehen kann! die Mutter selbst ist Jungfrau und ein Mann.

23. Die Weisheit öffnet ihren Rahr den Volck, das sie erkohren hat, und rufet aus in alle Land, wo ihre Sprache ist bekannt: daß ihre Kinder machen sich bereit zum Eingang in die frohe Hochzeit-Freud.

24. Drum kommt, ihr klugen allzusamm, die ihr gezeichnet mit dem Lamm, und durch sein Blut gewaschen seyd: wir wollen machen uns bereit, damit wir alle können gehen ein, wo die verlobte keusche Jungfrau seyn.

25. Dann wir sind nun darzu getzehlt, und selbsten von GOtt auserwählt, damit bald werde voll die Zahl, die kommen zu dem grosen Mahl: und wann sie wird an uns erfüllet seyn, so wird der Tag der Hochzeit brechen ein. 26. Drum

26. Drum ſpielen wir das Vorſpiel ſchön, wann wir als Jungfrauns-Kinder gehn, und angefüllt mit ſolcher Lieb, die GOtt in reine Seelen giebt, ſo kann die Weisheit zeigen ihren Schein, wann ihre Kinder ſo vereinigt ſeyn.

* * *

27. Halleluja ſinge die Gemein der Jungfrauen im Gegenſchein, die Vorſprach, die im Geiſt erſchallt, hat diß Geheimniß abgemahlt: drum ſinget Lob das gantze Jungfrauns-Meer, und giebt dem Schöpfer aller Ding die Ehr.

60.

DIe Krafft aus Gottes Weſen ſchenckt alle Völle ein, wer einmal ſo geneſen, kan wohl recht ſelig ſeyn. Die ſinſtre Kräfte weichen, von oben ſcheint das Licht, was Sterblich, muß erbleichen, und werden hingericht.

2. Die Lebens-Kräfte trieſen aus GOtt, vom Himmel her, und machen gantz vertieſen im ſtillen Ungrunds-Meer: wer darin gantz erſuncken, iſt, wie dorthin gereißt, und hat daraus getruncken, was man in GOtt genießt.

3. Wann unſer Schiff von Winden wird da getrieben ein, wo nichts mehr zu ergründen, was man gemeinet zu ſeyn. O unermeſne Breite: wo uns das groſe All umgibt mit ſeiner Weite, da weder Ziel noch Zahl.

4. Der Bodenloſe Handel bringt ein, was nie gedacht: der gantze Lebens-Wandel wird nun zum Ziel gebracht. Das ſelige Gedeyen bringt alle Völle ein, es läßt ſich nicht gereuen, wer da geſchiffet ein.

5. Was ſanffte Winde wehen auf dieſem ſtillen Meer? die Fahrt muß glücklich gehen, man walle nicht hin und her. Das ſtille Geiſtes-Sauſen lenckt den ergebnen Sinn, da iſt kein wildes Brauſen, man fähret ſanfft dahin.

6. Jetzt iſt die Fahrt gelungen, die Bäncke ſind vorbey, wo man offt hart gedrungen, iſt man nun wieder frey. Die Winde, ſo da wehen, die heiſen ſanffte Ruh, es braucht kein Wenden, Drehen, man fähret grade zu.

7. O Wunder! was zu ſehen, bald ſtoſt man an Land, da ſieht man Bäume ſtehen, ihr Nam

iſt GOtt bekannt. Jetzt kommet das Verſüſen, man geht in Gottes Haus, da ſieht man Bäche flieſen vom Heiligthum heraus.

8. O ſeliges Gedeyen! aus GOtt, vom Himmel her, der Alles wird verneuen, auch ſelbſt das wilde Meer, das er ſchon wird verſüſen, und machen gantz geſund von Strömen, die da flieſen, wie uns ſelbſt lehrt ſein Mund.

9. O ſeliges Heimkommen, nach langer Wanderſchafft, wer aller Ding entkommen, und ſo zum Ziel gebracht, Ja alles Leben, Weben, hat anders nichts zu ſeyn, als bleiben GOtt ergeben, wie Er es ſchencket ein.

10. Was ſoll ich weiter ſagen? die Wunder ſind ſehr groß, die GOtt uns vor thut tragen aus ſeiner Liebe Schoos; da will ich mich hinlegen, das ſoll mein Ruh-Bett ſeyn, wolt mich ſonſt was bewegen, ſo will ich reden drein.

11. O lang-gewünſchter Frieden! wenn ſo ſein Bett bereit im Jammerthal hienieden, nach ſo viel bittrem Leid. Nun leb ich ohne Sorgen, weil GOtt mich ſo erfreut, und ſchlafe bis an Morgen, wo Alles gantz erneut.

61.

DIe Liebe iſt mein Looß und Erbtheil worden, und ſetzet meine Hoffnung dorthinaus: wo ich zu den verklärten Himmels-Pforten werd gehen ein in meines Gottes Haus. Wer alſo gantz mit GOtt und ſeiner Lieb umgehen, hat ſchon die wahre Ruh alhier in dieſem Leben.

2. Ich trag zwar meine Läſten noch auf Erden, doch nur ſo, als ein Gaſt und Wanders-Mann: komm ich nach Haus, es wird ſchon anders werden, diß iſt mein Troſt auf meiner Glaubens-Bahn. Dann hier bleibt mir mein Schatz in meinem GOtt verborgen: weil Er mir leget bey ſein Gutes alle Morgen.

3. Auf dieſer Bahn lernt man gantz andre Sachen, als aller Menſchen Witz und Kunſt verſteht, GOtt weiß es Selber Alles ſo zu machen: daß ſelbe gantz darüber untergeht. Wohl nun, es iſt das Gute mir zum Erbe worden: die Liebe öffnet mir die ſtille Friedens-Pforten.

4. Dann wann mein Hertz ermüdet auf den Wegen,

Wegen, so führt mich GOtt in meine Kammer ein: und speiset mich mit reichem Trost und
Segen, und träncket mich mit seiner Güte Wein.
O was ein Theil und Erbe wird schon hier gefunden, wer also ist mit GOttes reiner Lieb verbunden.

5. Drum kan ich wohl in seiner Liebe rasten,
wie es auch sonsten mir zu gehen hat: ich trage
doch sonst keine andre Lasten, als die verhängt
durch seinen weisen Rath. Ich habe so viel
Guts aus seiner Füll genossen: daß weder hier
noch dort mich mehr wird was umstossen.

6. So blühet dann mein Glück in denen Wegen, wo GOttes Rath mich hat hinein gebracht,
und thät mir seine Gnad und Gut beylegen: da
ich gab allen Dingen gute Nacht. Mein Hertz
ist Lob und Danckens-voll in GOtt genesen:
weil Er in allem Leid bisher mein Trost gewesen.

62.

DIe Liebe wirckt und treibt in mir ohn alle
Maßen, gibt wahren Unterricht im Weg der
Weißheit-Straasen: die hohe GOttheits-Kraft
kann nimmer stille seyn, daß sie nicht neues schafft,
und schenckt Ihr Wesen ein.

2. Wie süß und angenehm ist Ihr Geschmack
zu nennen, ein übertreffend Gut muß es seyn zu
bekennen: wer Ihre Gunst geneußt, und davon
angefüllt. Es ist dasselbe Gut, das allen Hader stillt.

3. Genug, wer dieses Gut ohn alle Maaß genieset, ist alles Segens voll, der stets von Oben
fließet. Kein Sinn, noch Mund-Gedicht, kann
es gnug sprechen aus, was da vor ein Genuß
und Segen kommt nach Haus.

4. Wer also gangen ein zur stillen Ruhe-Kammer: da wird nicht mehr gehört Schmertzen,
Geschrey, noch Jammer. Ein eintzigs Liebes-
Wort aus Gottes Unterricht bringt alle Völle
ein, worzu man ist verpflicht.

5. Sie ist der Weysen Rath, des Schwachen
Kraft und Stärcke, des Blöden Unterricht, der
Kleinen Wunder-Wercke. Sie richtet Alles
auf, was gantz zu Boden ligt: Sie ist der Ihren Kraft, und heil'ger Unterricht.

6. Die Seele, die sich gantz in Ihre Lieb verpflichtet und Sinn und Hertz und Muth nach
Ihrem Sinn gerichtet: die treibt und reget sie
im neuen Wesen fort, und macht sie gehen ein
zur stillen Friedens-Pfort.

7. Kein Mund kann reden aus, was da wird
eingenossen: wer in dem Friedens-Haus einmal
in GOtt genesen. Die Liebe treibet ihn zur steten Fruchtbahrkeit, und voller Segens-Kraft,
dem HErrn zu seyn bereit.

8. In Seinem Haus und Stadt, und der
erwählten G'meine, die Er sich zubereit gantz sauber, heilig, reine: deß freu sich Hertz und Sinn,
daß es gegangen ein, und könne ewig da in seiner Ruhe seyn.

63.

DIe reine Jungfrauschafft, die vor so lang
verloren, bricht wiederum herfür, in GOttes reinem Licht. Der Weißheit reine Schaar
wird nun aus GOtt geboren: so wird die reine Kirche wieder aufgericht. Das Priesterlich
Geschlecht, so GOtt im Geiste dienet, geht in
dem reinen Schmuck der Heiligkeit einher: da ist
der Sünden-Dinst durchs Lammes Blut versüh-
net; Gerechtigkeit und Licht zeigt von des Schöpfers Ehr.

2. Das Licht, der reine Geist, aus Gottes
Hertz entsprossen, briche täglich mehr herfür, theilt
seine Kräfte aus: so wird der gantze Leib mit reinem Oel begossen, und steht die Kirche da als wie
ein Gottes-Haus. Der reine Hütten-Dienst
wird da im Geist gepfleget, da ist kein andre Trach-
als was GOtt selbsten lehrt: so oft desselben Geist,
Hertz, Ohr und Mund beweget, so werden Wunder-Ding aus dessen Mund gehört.

3. Und weil das Priesterthum, das vor so lang
verdorben, nunmehr in voller Kraft im Geiste
wird geschaut: so ist die Jungfrauschafft auch
wiederum erworben, die nun dem Priester selbst
vermählet und vertraut. O welch ein Wunder-
Ding! was vor so lang verloren, steht nunmehr
wieder da, wie man im Geiste sieht, und ist durch
Gottes Rath aufs neue ausgeboren, daß beydes
stehet da in seiner vollen Blüt.

4. Dis

4. Dis ist der reine Schmuck, so Gottes Kirche zieret, wo man das Pristerthum in GOtt erhöhet sieht; und so die reine Braut demselben
zugeführet, so stehet wieder da ein Göttliches Geblüt. Dis ist der göldne Stand, den Adam hat
verschwendet, da er das Pristerthum und Jungfrauschafft verlorn: der uns vom Himmel kam,
hat alles umgewendet, durch seinen reinen Geist
von oben neugeborn.

5. Das falsche Weib, die Lust, hat ihren
Schmuck verloren, dieweil ein Andre nun statt
ihr getreten ein, die ew'ge Jungfrauschaft, die
vor so lang verloren, steht da im schönsten Glanz
und hellen Lichtes Schein. Das mörderisch Geblüt der Stämmen und Geschlechten der falschen
Pristerschaft ist tödt und abgethan; in unsers
Gottes Haus sieht man die Liebe rechten, wodurch
ist ausgesöhnt der lange Fluch und Bann.

6. Des freue sich die Schaar, die GOtt dazu ersehen, daß sie im reinen Glanz der Heiligkeit
da stehn: im wahren Prister-Schmuck vor GOtt
so einher gehen, und also nimmermehr aus Gottes Tempel gehn. So ist die Jungfrauschaft,
die selbst von GOtt erwählet, nunmehr gesöhnt
aus durchs Hohen Pristers Blut, wodurch Er
sie erkauffte, daß sie Ihm werd vermählet, so stehet
wieder da das lang verlorne Gut.

64.

DIe Segens-Krafft vom Himmel her macht
mir die Zeit veralten, und lässet mich auch
nimmermehr in meiner Brunst erkalten. Mein
Ziel ist nach der Ewigkeit, die Freude dieser Erden, und was vergehet mit der Zeit, muß wie
vergessen werden.

2. Ich suche nur das höchste Gut, den Ursprung aller Dinge; hab weder Herz noch Lust
noch Muth, und ist mir zu geringe, was hier die
Augen nur anlacht, und doch die Seel nichte zieret: ich sage ewig gute Nacht dem, das von
GOtt abführet.

3. Geh hin, und habe deinen Danck, du hast
mich lang belogen: ich bin nunmehr von Liebe
kranck, die mich zu GOtt gezogen. Du bist mir
nur ein Fege-Feur alhier auf dieser Erden, ein

G

monstrofisches Ungeheur, das wird vertilget
werden.

4. Was ich nun in dem Schoose trag, kan
nimmermehr vergehen, und macht, daß man an
jenem Tag vorm Richterstul kan stehen, wann
der Sentenz gesprochen wird: geht, ihr Verma-
ledeyten: und da alsdann der grose Hirt wird
seine Schafe weiden.

5. Jetzt bin ich froh in meinem Geist, GOtt
lässet mirs gelingen, und mich aus allem Elend
reißt, daß ich kan frölich singen: GOtt Lob vor
seine Gütigkeit in so viel Trübsals-Tagen, dort
wird man, nach so vielem Leid, gar schöne Kronen tragen.

65.

DIe Sonn ist wieder aufgegangen im Lichtes-Pracht mit grosem Prangen: drum
freuet sich mein Geist und Herz, daß ich vergeß
se allen Schmerz.

2. Da ich, in mancherley Beschwerden, gedachte oft: was wills noch werden? weil ganz
vertrocknet war mein Saft, und ausgezehrt die
Lebens-Kraft.

3. Die kalte Nacht war mir sehr lange, so
daß mir oft wird angst und bange, weil ich kont
meinen Freund nicht sehn, daß Er mir thät zur
Seiten stehn.

4. Die Flüß und Brunnen war'n verschlossen, die sonsten mich so reich begossen: das Licht
verbarg auch seinen Schein, daß ich schien ganz
verlassen seyn.

5. Die süsen Lock-und Liebes-Stimmen kont
ich in mir nichte mehr vernehmen: ich war verlassen und einsam, daß ich es tief zu Herzen nahm.

6. Und senckte mich in Demuth nieder,
wünscht: Ach hätt ich nur einmal wieder ein einzigs Wort aus seinem-Mund! daß ich erneuen
könt den Bund.

7. Den ich in meiner Jugend machte, da alles Eitle verlachte: und mich Ihm ganz ergeben hin, zu leben nur nach seinem Sinn.

8. Doch da ich mich so thäte beugen, konte
Er mirs länger nicht verschweigen: und zeigte
mir so gleich mit an, daß ich gewichen von der
Bahn.   9. Und

9 Und hätt den Bund in gar viel Sachen, den ich mit Ihm zuvor thät machen, gantz lassen fahren aus der acht, daß ich in solches Leid gebracht.

10. So bald als ich diß Wort vernommen, ward ich mit Lieb gantz eingenommen, und thät aufs neue mich verschreiben, vermeint, Er würd nun bey mir bleiben.

11. Und wolt Ihn in die Arme fassen, würd aber wied'r allein gelassen, da fand ich, daß in mir die Lieb sehr war vermischt mit fremden Trieb.

12. Doch liesse ich nicht nach im Suchen, und thät die falsche Lust verfluchen, die mich verführer auf dem Weg, daß so verdeckt der Himmels-Steg.

13. Und fand ich schon viel Schmertz und Wehen, so blieb ich doch nicht stille stehen: ich gieng im Suchen hin und her mit vieler Mühe und Beschwer.

14. Und meint, ich wolte Ihn dann finden, wo ich mich thät so oft verbinden vorm Lager draus, wo seine Schmach ich Ihm thät treulich tragen nach.

15. Doch fand ich nichts als lauter Schmertzen, das gieng mir dann noch mehr zu Hertzen: weil Er auch da zu finden nicht, wo ich doch stund auf meiner Pflicht.

16 Legt dacht ich dran, wo wir vor Jahren sehr oft in Lieb beysammen waren: und suchte Ihn im Garten sein, da man Ihn findet gantz allein.

17. Doch war Er auch nicht da zu sehen, ob ich schon hin und her thät gehen: ließ aber nicht im Suchen nach, bis daß zuletzt der Tag anbrach.

18. Da sah ich Tritte in dem Thauen, ich dacht: nun werd ich wieder schauen den, der verwunder mir mein Hertz, daß ich würd kranck von Liebes-Schmertz.

19. Indessen thät die Sonn aufgehen, da sah ich mir zur Seiten stehen, den ich gesuchet hin und her, mit vieler Mühe und Beschwer.

20. Da kont Er mich nicht länger lassen, und thäte mich in Lieb umfassen: versprach hinfort bey mir zu seyn, auch in dem grösten Schmertz und Pein.

21. Und leitete mich bey den Händen, thät

mir mein Leid in Freuden wenden, und bracht mich wieder auf die Bahn, wo ich auch nimmer irren kann.

22. Und zeigte mir in seinem Garten die Blumen vieler Farb und Arten: so daß auch vom Geruch und Schein man innigst kann vergnüget seyn.

23. Die Brunnen, Bäche, Flüß und Ströme thäten durchbrechen ihre Dämme, und machten grünen alle Bäum, die neben sie gepflantzet seyn.

24. Die Segens-Kräfte von ihren Jüngern muß sich ins gantze Land ergiesen: damit ihr Heil sich da ausbreit, wo JEsus seine Schafe weid't.

25. Und führet sie ins Thal zusammen, als wo Er ihnen ruft mit Namen, und leitet sie zur Lebens-Quell, so wird erquickt Geist, Leib und Seel.

26. Die reinen Geister allzusammen, so nur allein aus GOtt herstammen: die sammlen sich auf dieser Weid, und rühmen GOtt mit grosser Freud.

27. In diesem Thale thun aussprossen die Rosen, so zuvor verschlossen durch Kälte in der rauhen Zeit, die sieht man da schön ausgebreit.

28. Zur Seiten auf den Berg und Höhen da sieht man schön die Cedern stehen: ihr Pracht und Zierath brei't sich aus zur Freud in Gottes Tempel-Haus.

29. Auf ihren Zweigen hört man singen die Nachtigal mit schönen Stimmen: und in dem Thal der Tauben Klang, die preißt den Schöpfer mit Gesang.

30. Die Lilien stehen an den Bächen so schön, daß man es nicht kann sprechen: am Ufer da kann man auch sehn die Palm-Bäum grünen trefflich schön.

31. Ihr treu in GOtt verbund'ne Seelen, kommt, helft mir Gottes Lob erzehlen: es soll hinfort kein Schweigen seyn bey seiner auserwählten G'mein.

32. Die Er sich Ihme zubereitet, und selbst mit seinen Augen leitet: und führet sie zu rechter Zeit mit Ihm auf seine Himmels-Weid.

33. Da sie denn in dem Grund genesen, und alles Leid und Weh vergessen: dieweil Er ihnen thut

Gut so wohl, und macht sie alles Guten voll.

34. Drum muß es schön und lieblich klingen, wann Gottes Kinder so thun singen, im tief und hoch erhabnen Thon, so singt die Schaar dort vor dem Thron.

66.

Je starcken Bewegung der Göttlichen Kräfte die machen uns freudig ins HErren Geschäffte, damit wir befördern den Göttlichen Lauff: kein Schrecken der Feinde uns halte mehr auf: drum können wir freudig viel Lob und Danck bringen dem König der Ehren, Er lässets gelingen den Seinen, und hilfet die Feinde bezwingen.

2. Drum kommet, ihr Kinder aus Göttlichen Saamen gebohren, und traget den heiligen Namen Jerusalems, das uns erwählet sich hat, zur Freude erkoren aus Göttlicher Gnad: umfasset und liebt euch mit heiligem Küssen, zu leben den König seyd täglich beflissen, weil Er uns hilft legen die Feinde zum Füssen.

3. Dann kommen wir öfters mit Freuden zusammen, entzünden einander mit himmlischen Flammen: weil Er uns, die Seinen, geliebet umsonst, und hat uns begabet mit himmlischer Gunst, damit wir im Lieben und Loben zerfliesen, die Schmerzen und Leiden einander versüsen, ja unser Blut selbsten zum Opfer vergiesen.

4. Ihr Brüder und Schwestern! dies herzlich noch meinen, in Liebe gezogen, nun freudig erscheinen, zu bringen Lob, Ehre dem König von Macht: weil Er uns aus Liebe zusammen gebracht. Schliesst fest in einander die Hände und Herzen, entbräunet in Liebe als flammende Kerzen: so werden versüset die leidende Schmerzen.

5. O himmlische Liebe! o Göttliches Leben! das in uns der König des Himmels gegeben: wir freuen uns billig mit innigster Brunst, dieweil wir begabet mit himmlischer Gunst, und leben den, der uns so innigst geliebet, auch täglich daneben viel Leidens-Kraft giebet, damit uns kein Schmerzen noch Leiden betrübet.

6. Drum kommet aufs neue, ihr Kinder der Liebe, und folget dem heiligen Göttlichen Triebe, ergebet euch innigst der wirckenden Kraft, die in uns ein Göttliches Wesen verschafft: auch öfters einflöset verborgene Kräfte, und machet zu nichte des Feindes Gemächte, damit wir bestehen ins HErren Geschäffte.

7. Wann Babel wird Schmerzen und Weh überkommen, so werden gesammlet die Heiligen Frommen. Die öfters verworfen und worden zum Raub, von Bäbel verlachet geritten in Staub: die werden nunmehro ganz herrlich erscheinen, wann JEsus wird kommen zu retten die Seinen, und machen verschwinden all Seufzen und Weinen.

8. Erwachet, ermannet, ermuntert euch wieder, verdoppelt die Glieder, und streitet in Ordnung, und ziehet entgegen dem Feinde mit Macht, dieweil er euch öfters viel Schmerzen gemacht: habt Stiefel an Beinen, die Schwerdter zur Seiten, seyd freudig als Helden den Feind zu bestreiten, so könnet ihr siegen, weil JEsus zur Seiten.

9. Das Schrecken der Feinde wird machen verzagen, die vorhin getrotzet auf Rosse und Wägen: den Fürsten und Hohen wird fallen der Muth, wenn GOtt nun wird rächen der Heiligen Blut, und machen zu nichte das trotzen der Feinde, entblösen die Schande der Babels-Gemeinde, der Kleinen und Grosen, die ihre Gefreunde.

10. Wenn Zion wird hören die Stimme erschallen die plötzlich wird rufen, daß Babel gefallen: so werden sie freudig dem König von Macht lobsingen, dieweil Er zu nichte gemacht die Feinde, daneben, weil Zion gezieret mit dem Kleid der Hochzeit, Er sie nun einführet zur Freude, da nimmer kein Schmerze sie rühret.

11. Des müssen sich freuen die himmlischen Schaaren, die allhier auf Erden den Braut-Schmuck bewahren, und gehen entgegen mit Göttlicher Kraft, die alles verderbliche Leben wegschafft. Wo Geister im Herzen der Liebe verbunden, da werden erlanget die seligen Stunden, wo Seufzen und Klagen auf ewig verschwunden.

12. Ja, Amen, wir warten mit grosem Verlangen, bis daß uns kommt selber entgegen gegangen

B 2

gangen die Liebe, so unsere Schmerzen versöhnt,
wenn wir sind verachtet, verspottet, verhöhnt.
Ja komm doch, O Liebe! laß balde erscheinen die
Hülfe aus Zion zu retten die Deinen, damit wir
erlöset von Seufzen und Weinen.

67.

Je Stille des Geistes in heiligen Seelen,
Die sich nur alleine mit JEsu vermählen:
bringt wahres Vergnügen und heiliges Scherzen, weil JEsus psalliret und spielet im Herzen.

2. Das loben der Geister, die innigst beysammen in Liebe gezogen, mit himmlischen Flammen
enzündet, muß immer von neuem erschallen, damit sie von Innen dem König gefallen.

3. Wenn man ist gesammlet in heiliger Stille, und innigst vergnüget in Göttlichem Wille:
genießt man Freude, die nimmer zu messen, auch
Sinnen und Dencken wird gänzlich vergessen.

4. O selige Seelen! die also empfunden das
wahre Vergnügen, die haben gefunden die ewige
Stille in Göttlichem Frieden, dieweil sie vom
Eitlen der Welt sich geschieden.

5. Kommt, Seelen, kommt alle von Innen
gezogen, mit heiligem Hunger in Liebe bewogen,
zu essen vom Manna verborgen im Herzen der
Liebe in JEsu, das heilet die Schmerzen.

6. Das heilige Dencken verliebter Seelen hat
endlich gefunden, hört! was sie erzehlen: das
ängstliche Warten in Zeiten und Stunden ist
nunmehr zernichtet und ewig verschwunden.

7. Mann sitzet ersuncken und tief eingezogen,
kein Sinnen noch Dencken hat jemals erwogen,
was da wird gefunden, wo alles verlassen, auch
Höhe noch Tiefe kann solches nicht fassen.

8. Man kann es nicht sagen, man muß es
nur zeigen mit Göttlichem Leben und heiligem
Schweigen: so leuchtets zwar helle, doch könnens
nur sehen, die selbsten in Gottes Gezelte eingehen.

9. Wer noch nicht erlernet das stille Ersuncken,
finde öfters viel Schmerzen durch Sinnen und
Dencken: weil alles verändert durch Zeiten und
Stunden, auch nimmer kein wahres Vergnügen
wird funden.

10. Wie mancher ist über die Sterne geflos-
gen, und fand sich zuletzte erbärmlich betrogen;
wers nimmer vermeinet, muß öfters noch sitzen
im Kercker und Banden mit ängstlichen Schmerzen.

11. Das machet, weil man nicht nach Göttlichen Weisen im Lieben sich übet, den HErren
zu preisen, nach seinem Gefallen, nur Ihme zu
leben, auf ewig zu eigen Ihmi bleiben ergeben.

12. Ersincken, Ersterben und alles Verlieren
muß uns auf dem Wege zur Tugend hinführen:
da wieder gefunden in heiligem Haben und wahrem Vergnügen die Göttliche Gaben.

13. Wer also ersincken und alles vergessen,
was Sinnen und Dencken auch können ermessen, muß täglich der Himmel von oben behauen,
ist Paradies-Früchte im heiligen Schauen.

14. Die Ströme des Lebens, von Innen geflossen, sie ganz überschwemmen, damit sie begossen, um ferner, in tief-eingezogener Stille, geniesen den Segen aus Göttlicher Fülle.

15. O Göttlichs Verlieren! O heiliges Sterben! wodurch man kann ewige Schätze ererben:
kein Auge noch Ohre hat jemals vernommen,
was also bereitet den wahren Lieb-Frommen.

16. Vernünftiges Forschen durch Sinnen
und Dencken kann nimmer errathen, was JE-
sus thut schencken den Seelen, die Alles um Ihne gegeben, um gänzlich nach seinem Gefallen
zu leben.

17. Durch Lieben vergessen all Zeiten und
Stunden wird endlich die edle Perle gefunden:
die öfters gesuchet mit Leiden und Schmerzen,
durch ängstliches Sehnen und Quählen im
Herzen.

18. O Ruhe! O Friede! O Göttliches Leben! das JEsus in heilige Seelen gegeben: die
nimmer ermüdet, bis daß sie gefunden, daß Sorgen und Quählen in ihnen verschwunden.

19. O JEsu! Du Lust der inwendigen Stille! Du Brunnen des Lebens voll Göttlicher Fülle! wo Du bist, ist wahres Vergnügen gefunden, das Eitle vergessen, und ewig verschwunden.

20. Du Brunnen der Weisheit von Innen
geflossen, mit welchem dein heiliges Erbe begossen,

sen: dein ewig zu bleiben, um nimmer zu wancken, mußt du uns erhalten in Göttlichen
Schrancken.

21. Wer so sich ergeben, und innigst ersuncken, ist gäntzlich im Meere der Gottheit ertruncken: hat wahres Vergnügen und Freude die
Fülle, besitzet den Frieden in ewiger Stille.

63.

DIe stille Sabbaths-Fey'r ist angegangen,
der Geist kann schon vom Sieg im Vorrath
prangen: das heilige Leben in himmlischer Still
kann sonsten nichts dencken, es ruht in der Füll
der Göttlichen Gnad, die alles voll hat zu dem
Genuß, da ohn Verdruß wird genossen wahre
Kraft aus dem Wesen, zum Genesen. Wo das
Alte abgeschafft, lebt man schon in dieser Zeit
gleich der stillen Ewigkeit.

2. Die Welt hat ihre Gunst an mir verloren,
weil GOtt mich von derselben auserkohren zum
Leben, das ewig und immer besteht: dann alles
sonst Andre gar balde vergeht. Drum wart ich
der Zeit, wo Alles verneut, und halte still nach
Gottes Will. O! das bringet mehr Genuß,
denn das Brausen, so von außen. In der stillen Sabbaths-Ruh lebt man schon in dieser Zeit
gleich der stillen Ewigkeit.

3. Es ist nun aus mit aller Feinde Toben,
die Seele kann in ihrer Stille leben: und rühmen die Thaten vom herrlichen Sieg, dieweil nun
zu Ende der blutige Krieg. O heilige Still!
O Göttliche Füll! O große Freud schon in der
Zeit! wer gekommen an den Ort, wo sich enden
alle Winden, und geht ein zur Friedens-Pfort,
lebet schon in dieser Zeit gleich der stillen Ewigkeit.

4. Nun ist der Neid in Ephraim zerbrochen,
GOtt hat den Haß, so wieder ihn, gerochen:
auch Juda hält Friede mit jenem zugleich, sein
Scepter ist kommen, er herrschet im Reich. Sein
Regiment ist Fried ohn End Salem, der Stadt,
die Er sich hat auferbauet in dem Stand, da die
Freunde und Bekenner Ihm oft wurden unbekannt; aber nun ist Ihm die Zeit gleich der stillen Ewigkeit.

5. Es werde Freud und Wonn in allen Gas-

G 3

sen Jerusalems gehört, da ohne Maaßen der Friede wird blühen in ewiger Still, das ist auch JE-
hovah sein Göttlicher Will: Der sie Ihm erbaut,
nach welcher geschaut Josephs Geschlecht, so hält
sein Recht, und wünscht ihren Mauren Heil, ihre Thore stehen offen, und die daran haben Theil,
leben schon in dieser Zeit gleich der stillen Ewigkeit.

6. Die Bürger dieser Stadt haben geschwoh-
ren, dem König treu zu seyn in allen Thoren:
zu halten die Wache bey Tage und Nacht, damit
nichts Unreines werd in sie gebracht, sie leben
wohl, sind Freuden-voll, kein Noth noch Klag,
noch Ungemach nahet mehr zu ihrem Theil, da ihr
Bürger-Recht und Erbe. Wer ihr nur wünscht
Glück und Heil, lebet schon in dieser Zeit gleich
der stillen Ewigkeit.

7. Die Zeit ist nun zu ihrem Ziel gekommen,
Israel hat sein Erbe eingenommen: man siehet
erbauet die heilige Stadt Jerusalem, die sich GOtt
auserwählt hat, der Friede ist da, es schallet ja!
ja! Preiß Gloria! man rühmet da, und auf allen Gassen her hört man Hallelujah singen; als
dem grosen GOtt zu Ehr, diese frohe Freudens-
Zeit währet bis in Ewigkeit.

69.

DIe Weißheit ist mein bester Rath, dann sie erweiset in der That: daß den nichts mehr verderben kann, so einmal gehet ihre Bahn.

2. Wer sie erwählet zum Genuß, ist voll vom
Trostes Ueberfluß: sein Thun ist voller Kraft
und Stärck, voll Segen seiner Hände Werck.

3. Sie ist mein Siegel in der Hand, mein
treuster Schatz, und Unter-Pfand: und meiner
Lieb verlobtes Gut, und Rath wider der Feinde
Wuth.

4. Sie ist mein Hülf und Wärterin, wenn
alle Kräfte fallen hin: daß ich kaum weiß den
Weg zu gehn, so thut sie mir zur Seiten stehn.

5. Auch wider alle Strengigkeit hat sie ein
sanftes Oel bereit: womit sie kann der Liebe
Schmertz erquicken, wann verwundt das Hertz.

6. Sie heisset Heil, Kraft, Trost in mir,
und Unterricht, wann ich bin irr: auch Mutter,
wann ich arm und klein, und scheine gäntz verlassen seyn. 7. Was

7. Was geb ich ihr vor Namen doch? Sie hat es mit mir bracht so hoch: daß ich es nicht all sagen kann, was ich erfahr auf ihrer Bahn.

8. Sie war auch meine Hürerin, wann von ihr abgeirrt mein Sinn: bracht sie mich wiederum zurecht, und macht, daß es gieng grad und schlecht.

9. Sie hat erwiesen ihre Treu, und mir in Noth gestanden bey: wann ich noch Brod noch Wasser hatt, wird ich aus ihrer Fülle satt.

10. Dabey hat sie mir zugesagt, zu bleiben bey mir Tag und Nacht: und mich verlassen nimmer mehr, wann ich folg ihrer reinen Lehr.

11. Sie ist mein richtiger Magnet; wann meine Lieb im Ringen steht: so hält sie in mir das Gewicht, daß ich bleib stehen aufgericht.

12. Wer fleißig nachgeht ihrem Gang, der geht nicht irr, noch krum, noch lang: sie bringet alles zu dem Ziel, so wie sie es nur haben will.

13. Es ist niemalen böß gemeint, wann es schön oftmals anders scheint: ihr treuer Rath, und reiner Sinn, bringt alles zu demselben hin.

14. Sie ist der treue Ehegatt; was andre suchen nur im Schatt: das ist den ihr Selbst-Wesenheit: ihr Thun ist recht und voll Bescheid.

15. Wer sie einmal zu seinem Rathe erwählet, wie sie in der That: der bleibet niemals ohne Trost, sein Haus bewahrt vor Kält und Frost.

16. Sie ist und bleibet, das sie ist; ob man aus Untreu ihr vergißt: so bringt sie den verirrten Sinn herum, und wieder zu ihr hin.

17. Es geht recht zu in ihrem Haus, wer Untreu hegt, der muß hinaus: sie liebet nur den reinen Sinn, der bloß auf sie gerichtet hin.

18. Es ist gar wohl um sie zu stehn, sie hilft aus den Versuchungs-Wehn: wann andre leiden Kält und Frost, bleibt sie der ihren voller Trost.

19. Im Chor man rühmet solchen Mann, der einmal gehet diese Bahn: es wird sein Lob nicht mehr zernicht, so lang die Weißheit bleibet selbi Licht.

70.

Die Welt ist mir ein bitter Tod, und macht mir offt viel Schmerz und Wunden: doch wird in dieser Leidens-Noth zuletzt ein besser Gut gefunden.

2. So bald ich in dem Geist erblickt was mir alldorten wird erscheinen: so bin ich hin zu GOtt gerückt, und kan vergessen alles Weinen.

3. Drum acht ich weder Freud noch Leid, noch einig Ding auf dieser Erden: weil mir ist jener Ewigkeit ein besser Theil dafür wird werden.

71.

Die Wunden, die ich in dem Herzen umtrage, die sind mir durch Leiden und Lieben gemacht: wer wird mirs wol glauben, wenn ich es schon sage: daß Lieben mich in so viel Jammer gebracht; doch wart ich mit Freuden der güldenen Zeiten, was dorten die Ernde mir schencken wird ein. Die Liebe wird lohnen mit güldenen Cronen; die Freude wird währen ohn Wechsel und Schein.

2. Doch kommt mir mein Gutes in Dulten und Hoffen schon alhier auf Erden mit vollem Gewinn: Die leidende Liebe hats endlich getroffen, das Kräncken u. Dencken ist gänzlich dahin. O Herzens-Vergnügen! was wird wol besiegen den hohen in GOtt eingekehrten Geist? der in Ihm genesen, sonst alles vergessen, und also ist außer sich selbsten gereißt.

3. Wann andere prangen mit flüchtigen Dingen, und bringen Gedancken vor Wesen hervor: so pfleg ich ins Herze der Lieb einzudringen, und singe Lob-Lieder im inneren Chor. Das heisse zufrieden: von allem geschieden, und bin ich zuweilen schon tödlich verwundt: die leidende Liebe hat mächtige Triebe, und machet Herz Geiste und Seele gesund.

4. Es müssen sich freuen die himmlischen Chöre: wann Seelen auf Erden in Liebe verwundt; so daß sie kein Freude noch Leiden beschwere, und also umtragen den ewigen Bund. Wir leben in Freuden, und lieben in Leiden: und leben auf Erden in himmlischer Freud, die Liebe uns nähret, zur letzt-bescheret ein Leben, das währet ohn Ende und Zeit.

72.

Die

Die Zeit ist aus, mein Leiden ist geendet: ich geh nach Haus, GOtt hat es umgewendet. Die Ehren-Cron wird wohl mein Lohn alldorten seyn, wenn ich eingangen: wo ich in Ewigkeit werd innen prangen.

2. Ich trug in in Creutz mit viel Gedult auf Erden, was mir vor Leids auch angethan kont werden, war mir mein Brod. Die viele Noth, die ich allhier umher getragen, wird nie ein Mund, noch Feder, können sagen.

3. Doch bin ich wohl, (weil GOtt es hat gewendet, wie es seyn soll,) daß ich den Lauff vollendet. Die Ewigkeit wird all mein Leid vergessen machen und verschwinden, so daß nichts mehr wird seyn davon zu finden.

73.
Ein Sittenlied über den alten Menschen.

Du böse Art, laß ab in von dir selber Halten, sonst wirstu noch an Leib und Seel und Geist erkalten; da dir dann noch zuletzt die Höll wird heisse machen; dis wird dann seyn, dein Staat und deine Wunder-Sachen.

2. Dann du von Anfang bist in der Geburt verdorben, darum du auch an GOtt und Guten gantz erstorben. Dein Bestes das du treibst alhier in deinem Leben, ist, daß du jederman könst überm Haupte schweben.

3. Dein Selbs-GOtt soll es seyn, wornach die Welt zu richten, auch aller Frommen thun und beste Sach zu schlichten. Viel tausend tausend sind, die so zur Welt geboren, was wunder daß sie auch mit Hauffen gehn verloren.

4. Komt iie Bekehrung gleich, zu lernen bessere Sachen, so wird nur drauf gesehn, was Andre thun und machen: Selbheit und Eigenheit hält man annoch vors Beste, so bleibt die böse Art sitzen in Ihrer Veste.

5. Wird dieser Abgott nicht von seinem Sitz verstosen, so bleibt man in der Zahl der Menge der Gottlosen: wär man von aussen auch wie Engel anzusehen, so muß man doch aldort zur lincken Seiten stehen.

6. Weil die Geburt verderbt; ist man nicht neugeboren, so geht man mit der Schaar der Gottlosen verloren. Dann wer nicht kann sein Thun und Eigenheit versagen, der muß in jener Welt noch seine Schulden tragen.

7. Der böse Adams-Mensch pflegt sich als GOtt zu ehren, und wer Ihn nicht bät an, muß seine Schmach anhören. Zerbricht das Hertze nicht samt dem verbosten Willen, so muß er helffen dort die weite Hölle füllen.

8. O Sünden-Mensch! laß ab, dein eigen Thun zu lieben, eh dich der Teuffen Schaar aldorten werden ziehen. Du musst verändert seyn, statt deinem Wolgefallen musst werden du zur Schmach vor vielen Andern allen.

9. Dann deine Eigenheit, die dich so sehr betrogen, ist Ursach, daß du schon so offt hast GOtt belogen; wann du gemeynt, wie du Ihm wollst zu Ehren leben, wollstu daß Andre dir dieselbe solten geben.

10. Jetzt ist der Trug entdeckt des bösen Sünden-Menschen; willstu sie werden loß mustu dich selbst verwünschen, und aller deiner Treu und Liebe sagen ab, so kommstu noch zu Ehrn mit Christo in das Grab.

11. Bistu dahin gebracht, daß du dir so entnommen, so gehstu mit der Schaar, die aus viel Trübsal kommen. Und wann die Leiber dann mit Christo auferstehen, so wirstu auch mit Ihn zur Herrlichkeit eingehen.

74.
Du herrschender GOtt! laß mein Wallen in dir seyn aufrichtig, und von Hertzen rein. Laß mein gantzes Thun und Leben dir in Allem seyn ergeben, daß nichts mehr darzwischen komm, das mich scheide, oder zweye, und so heist der Getreue: schlecht und recht, aufrichtig, fromm.

2. Du waltender GOtt! herrisch, behandle selbst mein Thun, Willen loß in dir zu ruhn; daß diß eintzig meine Sachen, was du selbst in mir thust machen, O! so bleib ich ohne Schuld: wolt mich anders was umstellen, mich zu schwächen oder fällen, halt ich mich an deine Huld.

3. Du freundlicher GOtt! schencke mir also zu seyn, wie du bist, aufrichtig, rein, daß diß sey mein hoher Adel, daß ich lauter, ohne Tadel,

wie...

wie es dir selbst gefällt. Ich bin willig, schenck
nur Kräffte, die regieren mein Geschäffte, dann,
so hab ich mirs erwehlt.

4. Du liebender GOtt! sey mir freundlich,
daß ich auch werde so nach deinem Brauch, und
nach deinem Wohlgefallen nützlich sey den andern
Allen, wie es ist der Liebe Art. laß mich sonst
nichts anders wissen, als unendlich seyn beflissen,
um zu seyn mit dir gepaart.

5. Du liebender GOtt! sey mir liebend, schenck
mir ein Liebe in der grösten Pein, daß ich lerne
alles tragen, wann auch Freunde auf mich schlagen: bin ich nur in deiner Gunst, will ich achten kein Betrüben, und nichte hören auf zu lieben, noch erkalten in der Brunst.

6. Du gütiger GOtt! sey mein Leben, daß
ich sey gantz von Hertzen dir getreu, daß in meinem Thun und Handel leucht ein reiner Lebens-
Wandel, wie es ist der Engel Brauch. Dieses
ist ein hoher Adel, wer so rein, und ohne Tadel,
den trifft nichte der Schlangen Hauch.

7. Barmhertziger GOtt! sey mir gütig, daß
ich wann ich komme in ein schwer Gericht, wo die
Feinde höhnen schmähen, und einschencken tausend Wehen: stärck mich in der bösen Zeit, wann
muß Eli-Lama schreyen, gehen den betrübten Reihen, daß ich überwinde weit.

8. Du gnädiger GOtt! pflege mein, ich bin
dein Sohn, send mir Hülff von deinem Thron,
wann die letzte Tauff muß werden noch erfüllet
hier auf Erden, daß ich ja nicht werde weich,
wann die allerletzte Wehen werden über mich ergehen, daß ich erbe Gottes Reich.

9. Du ewiger GOtt! kleid mich an mit Ewigkeit, daß verschlungen werd die Zeit: die doch
nichts als tode Sachen trägt in ihrem Bauch
und Rachen; o du lang erwünschtes Ziel! Aber
dem Himmel so nachjaget, und hier alle Ding
versaget, hat zuletzt gewonnen Spiel.

10. Du treuster GOtt! giese selbsten in mich
ein, nun und ewig dein zu seyn; daß mein gantzes Thun und Leben seye dir so gar ergeben, daß
mich scheide keine Noth: und also mein Leben,
Wallen sey nach deinem Wolgefallen, und du
mein getreuer GOtt.

75.
Psalm 80.

DU Hüter Israel! der du, wie eine Heerde,
Joseph und sein Geschlecht bisher gehütet
hast: erscheine über uns, damit gesehen werde,
wie hoch auf Cherubim du dich gesetzet hast.
Laß dein Gewalt und Macht für Ephraim hergehen, auch Benjamin, der dir mit jenen zugezehlt;
Manasse müsse auch, HErr, deine Wunder sehen, wann deine Hülff erscheint, nachdem es dir
gefällt.

2. Ach! tröste uns doch nun, O GOtt! in
unserm Zagen, laß leuchten über uns dein Gnaden Angesicht. Ach wie so lang wilt du nicht
hören unser Klagen? wend ab mein grosen Zorn,
den du auf uns gericht. Wir essen unser Brod
gar oft in vielen Thränen, und schenckest ohne
Maaß uns täglich wieder ein: wir sind zum Zanck
gesetzt den Nachbaren, und denen ein Spott, die
deine Feind, und dir zuwider seyn.

3. O GOtt der Heerscharen! sey unser Trost
in Zagen, laß leuchten über uns dein gnädig Angesicht: erhöre unser Bitt, wend dich zu unserm
Klagen, damit genesen wir in deinem reinen Licht.
Du hast uns eingeholt, gepflantzet als die Reben, zum Weinstock hingebracht, der aus Egyptenland geholt dahin, wo man dir Preiß und
Ruhm thut geben, und Völcker (dies nicht werth)
vertilgt durch deine Hand.

4. Du hast gemacht ihm Bahn, und lassen
wurtzeln, grünen, so daß er weit und breit das
Land erfüllet hat; sein Schatten mußte Berg und
Wald zum Segen dienen, die Cedern Gottes
gar worden nach weisem Rath bedecket überall:
Du hast ihn aller Orten gebreitet aus, bis an das
äusserste am Meer; und seine Zweige sind daselbst
gesehen worden, daß drüber jederman sich hat
verwundert sehr.

5. Warum hast du dann seinen Zaun um
ihn zerrissen, daß ihn zerreissen kan, wer nur
vorüber geht? Die wilden Schweine seynd daselbst hinein gekrochen, ein jedes wildes Thier verderbet seine Stätt. O HErr GOtt Zebaoth!
thu dich doch zu uns wenden: schau doch vom
Himmel

Himmel her, und sieh uns gnädig an; such deinen Weinstock heim, daß sich die Schößling finden am Stamm, daß niemand sie davon abbrechen kan.

6. Und zwar nur um den Zweig, den du dir fest erwehlet, weil er so gar verbrandt und ausgerott muß seyn. Von deinem schelten HErr, wird er als wie entseelet: wend deine Hand über den Mann der Rechten dein, über des Menschen Sohn, den du dir selbst ersehen: so weichen wir nicht mehr vom Leben deiner Gnad. Laß leben uns, damit wir können dich anflehen: so werden wir in dir aus deiner Fülle satt.

76.

EIn Herz, das GOtt besessen hat, weiß gantz von keiner Plage, es rühmet seine Wunder-That, und führet keine Klage: ob es schon hat des Leidens viel, es leidet alles in der Still, und rühmet Gottes Güt und Gnad, die alles so verordnet hat.

2. Wer eingegangen ist in GOtt, dem ist sein theil geworden: er weiß von keiner Sterbens-Noth, weil sich die Friedens-Pforten geöffnet zu der stillen Zeit, allwo die wahre Seligkeit sich selbsten gibet, und darbeut in lang gehofft-erwünschter Freud.

3. Der frohe Mund wird Lobens-voll, und kann es doch nicht sagen, wie Gottes Gnad ihm thut so wohl; doch thut er etwas wagen: er singt, er rühmt, er schweiget still, er trifft in jedem Ding sein Ziel, er kehr sich hin, er kehr sich her, so ist er der, und bleibet der.

4. Kein Mund kann dieses reden aus, noch jemands Ohr vernehmen, was da vor Segen fließet aus, wo GOtt selbst kan bezähmen des Menschen Bild, und sein Gestalt, und allem selber thut Einhalt: es ist ein Leben ohne Tod, und hilft zur Letze aus der Noth.

5. Deß dancken GOtt mit Herz und Mund, die seines Theils sind worden, und rühmen Ihn zu jeder Stund in der Gesellschaft Orden: die GOtt darzu verordnet hat durch seine tiefe Lieb

und Gnad. Wir wollen loben, die wir seyn sein vorerwähltes Häuffelein.

6. Hallelujah sey unserm GOtt in der Gemein gesungen, die er durchs Creutz bewähret hat: so daß es ihr gelungen zu stehen in der Warte hier, wo man Ihm dienet für und für. Es sey und bleibe allezeit sein Lob bey uns in Ewigkeit.

77.

EIn Herz, das sich GOtt hat ergeben, und seiner Huld und Freundlichkeit allhier, in seinem gantzen Leben, bleibet auf jeden Winck bereit: hat schon allhie, auch ohne Müh, was es nur wünschet und begehrt, und wird stets seiner Bitt gewähret.

2. Man kann nicht sagen, was ein Leben daselbst wird endlich offenbar, wo man mit allem sich ergeben: um GOtt zu dienen immerdar im Heiligthum, wo man gibt Ruhm und Preis Ihm, als dem grosen GOtt, der endlich hilft aus aller Noth.

3. Wer solte sonst was anders lieben? als Ihm allein getreu zu seyn, wenn Sünde Teufel, Welt, uns sieben, so schenckt Er doch daneben ein viel süßen Most, daß man getrost kann halten aus in allem Streit, bis daß man überwindet weit.

4. So wird der Friede ausgeboren, wenn man mit Gottes Herz vereint, so wird gefunden, was verloren: wann man hat lang genug geweint. Es thut mir wel, ich bin nun voll, von seiner Huld und Gütigkeit, die mir Herz, Seel und Geist erfreut.

5. Ich bin bereit nach Gottes Willen zu rühmen seine Güt und Gnad, die mir thut meiner Schmerzen stillen, der mich so oft beklemmet hät. Nun ists gethan, ich geh die Bahn, mit Freuden hin nach jener Welt: um anzugehn ins Himmels Zelt.

6. So lebet dann ein Herz vergnüget, das alle Lust der Welt veracht, und in dem Glauben die besieget: um GOtt zu dienen Tag und Nacht. Der Ueberfluß von dem Genuß, aus GOtt und seiner Fülle her, macht leicht, was sonsten sau'r und schwehr.

7. Was wird dann wol alldort erscheinen, wann

wann einst wird werden offenbar: was hier verdeckt durch langes Weinen in so viel Nöthen und
Gefahr? es ist die Freud und Seligkeit: die nie
ein menschlich Aug gesehn, und wird auch nimmermehr vergehn,

8. So wird der Gang der reinen Seelen belohnet, die hier keusch und rein, und thäten sich
dem Lamm vermählen: so daß sie treu geblieben
seyn. Ich freue mich, ganz inniglich, auf die
erwünschte Freuden-Zeit, die währet in die
Ewigkeit.

78.

Ein Lämmlein gehe und trägt die Schuld, und
leidet Alles mit Geduld, was du doch selbst
verbrochen: Es leidet sich, und schweiget still,
weil Gottes vorbedachter Will das Urtheil so
gesprochen.

2. Der Tod verlohr da seine Macht, als dieses Lämmlein wird geschlacht: die Sünd ist nun
gerochen. Die Bitterkeit des Tods versüßt:
weil dieses Lamm am Creuz gebüßt, was sie an
GOtt verbrochen.

3. Der Weg ist schlecht und sehr gering, den
Es also zum Creuz hinging: wer folget, wird
mit leben. Wer seinen Tritten gehet nach, und
träget mit Ihm seine Schmach, wird Es mit
Sich erheben.

4. Das Gute, so diß Lamm erwarb, da es vor
uns am Creuze starb: ist ohne Maaß zu schätzen.
Wer Ihm nachfolget bis dorthin: erwirbt sein
Theil mit viel Gewinn, und Freuden-voll Ergetzen.

5. Viel Cronen sind zuwegen bracht, da dieses Lamm am Creuz geschlacht. Die Sieger
werden prangen, weil in Geduld und Leidsamkeit,
in vieler Müh und hartem Streit, sie Ihm sind
nachgegangen.

6. Wer dieses Lämmleins Huld erwirbt, in
Ewigkeit nicht mehr verdirbt: weil es ist vorgegangen mit Licht und Recht in Gottes Reich,
und so gebahnt den Himmels-Steig um ewig da
zu prangen.

7. Wer einen kleinen Kinder-Sinn, und folget bis zum Creuz mit hin, wo Es ist an gestorben: der kann vergiesen Lammes-Blut, durch

welches wird das höchste Gut erbeutet und
erworben.

8. O Lammes Unschulds-volle Beut! wer in
dir wahre Seligkeit erworben und erjaget. Wir
folgen willig deinem Gang, ob gleich noch mancher Trang und Zwang uns in dem Hertzen naget.

9. Wir haben uns diß Theil erwählt, wo man
in GOtt wird auserwählt: dieweil wir hier auf
Erden, in Creuz und Schmertzen, Angst und
Noth, getreu zu bleiben bis in Tod, dort wirds
schon besser werden.

10. Sind wir mit Liebe angethan, so schadet
uns kein Fluch noch Bann; wir gehn in Lam-
mes-Sitten: weil wir in allem Schmerz und
Leid nur Liebe und Barmhertzigkeit finden in seinen Tritten.

11. So sind wir dann dem Lamm vereint,
und werden, wann genug geweint, mit Ihm den
Sieg erlangen, und in viel grosser Hertzens-Freud
dort in die Läng der Ewigkeit im Triumph, mit
Ihm prangen.

12. Das Lamm sey hoch-gebenedeyt, das uns
am Creuz die Seligkeit, durch süse Lieb, errungen:
und uns erlöst aus aller Noth, daß Sünden,
Teufel, Höll und Tod, auf ewig hin verschlungen.

79.

Ein lautrer Geist ist gar ein reines Wesen,
wer den besitzt, der ist in GOtt genesen.
Der reine Sinn bringt ihn dahin: daß er vor
GOtt rein ohne Mackel als eine reine War-
heits-Fackel.

2. Wer kan dann wol ein solches Hertze kennen, wo Gottes Geist in reiner Lieb thut brennen? Sag! wer ist wol so Gnaden-voll: als
wer in seinem gantzen Leben sich GOtt mit Leib
und Geist ergeben?

3. Das Heiligthum, das GOtt sich hat erbauet, wird selbsten da, im reinen Licht, geschauet: wo Seel und Geist verkläret heißt. Da muß
die Andacht stets aufsteigen nach Gottes Sinn,
und tieffstem Beugen.

4. Wie höret man alda so schöne Weisen,
wo Hertzen GOtt im innern Tempel preisen.
Der Freuden-Hall schallt überall, und wird gehört.

hört in stillem Sausen, ohn allen Trug und Schein von aussen.

5. GOtt redet da mit stillen-Geistes Worten, zum Unterricht dem reinen Priester-Orden, die allzeit stehn vor Ihm zu stehn: damit Er mög in Güte walten, und sie in Krafft und Stärck erhalten.

6. Wir sind dann wohl mit unsers Gottes Thaten, wie Er uns selbst von Innen thut berathen. Sein reiner Sinn bracht uns dahin, so daß wir in Desselben Wesen sind kommen zum wahren Genesen.

80.

Ein Priester kan auf Erd kein eigen Gut besitzen; sein Erbtheil ist GOtt selbst, der ihn darzu-ersehn; soll er in seinem Amt auch öffters Blut ausschwitzen, er trägt es mit Geduld, und achtet keiner Wehn. Er pfleget des Altars in seinem schweren Orden, und ist statt Lämmer Blut selbsten das Opfer worden.

2. Die Gaben sind dahin, weil er kein Theil auf Erden, drum wird sein Erbe ihm aldorten beygelegt; da ihm ein besser Looß wird aufgetragen werden, als wo man auf der Welt Scepter und Kronen trägt. Geht er schon offt dahin in vilen schweren Sorgen, er pfleget dem Altar, schläft ruhig bis an Morgen.

3. Alwo sein harter Dinst zu seinem Ende kommen, weil ihm sein Erb und Theil im Himmel beygelegt: der lang gehabte Drang auf ewig weggenommen, weil GOtt nunmehro Sein selbst in dem Schoose pfleget; vor die gehabte Müh, Gedräng und harten Orden ist GOtt davor ihm selbst zu seinem Erbtheil worden.

4. So geht er dann dahin, auf den verlassnen Wegen, wo man vor aller Welt zu einem Schauspiel wird; und muß in solchem Stand sein und des Altars pflegen als wie ein Schaf, so selbst zur Schlacht-banck wird geführt. Geschenck und Gaben sind alhir nicht mehr zu finden, drum muß der Priester selbst sich an das Creuz hin binden.

5. Arm u. verlassen stehn, entlöset aller Dingen, weil er kein Erb noch Theil alhier auf dieser Welt; doch wirds dem Priesterstand zulezt noch

wol gelingen, weil GOtt Ihn selber hat zu seinem Erb erwählt. Der Hohepriester selbst hat diese Bahn betretten, da er am Creuz erhöht, und vor die Feind gebeten.

6. So folget jener nach, wie dieser vorgegangen, verlassen auf der Welt, dabey wie nichts geacht: in mancherley Gefahr und viel erfolgten Drangen, wo viele noch zum Hohn ein Liedlein draus gemacht. So wird der Priesterstand belohnet auf der Erden, weil er in jener Welt erst wird gekrönet werden.

7. Drum gehe er so dahin von Freund und Feind verlassen, weil niemand hat an ihm zu hoffen einig Theil: sein Eigenthum ist hier die rauhe Pilgerstrasen, weil erst in jener Welt erscheint sein grosses Heil. Drum ist der Priesterstand verworffen auf der Erden, weil ihm sein Erb und Theil erst dort aus GOtt wird werden.

8. So bald im Heiligthum er thut sein Amt verwalten, so muß die Welt alsbald als wie erligen gar, dieweil das Priesterthum macht lauter Angestalten, was dort in Herrlichkeit wird offenbar. Und weil der Priesterstand in so viel Schmach verborgen, wird GOtt ihn so viel mehr in jener Welt besorgen.

9. Wolan, so trägt er dann mit Freud den schweren Orden, wo man dem Altar dient im allerreinsten Geist, wodurch der Sünden-Dienst ist aufgehoben worden, und dabey ausgesöhnt, was noch verborgen heist. Muß gleich das Priesterthum am Creuz den Schmuck verliehren, um so viel schöner wird es dort den Himmel zieren.

10. Der Ursprung aller Ding wird wol demselben lohnen, wann alles ganz wird seyn am Ende ausgesöhnt: dann träget dieser Stand viel schöne güldene Kronen, und wird in Ewigkeit nicht werden mehr verhöhnt. Was weiter wird geschehn, kan iezund niemand sagen, nur daß man in Gedult thue seinen Kummer tragen.

81.

Ein reiner Geist ist von sehr hohem Adel, sein ganzes Thun ist lauter ohne Tadel: er ist vor GOtt auch in so hohen Ehren, daß er ihn läßt kein Ding von ihm abkehren.

2. Ein

2. Ein kleines Kind, so dieses Geistes Geschäfften theilhafftig wird in seinen Wunder-
Kräfften: ist hoch gelehrt, den Grösten gleich zu
achten, drum soll ja niemand dieses Kind verachten.

3. O hohe Gnad! so selbst von GOtt ertheil-
let, die alle Wunden samt den Schmerzen heilet:
nichts schöners ist, nichts lieblichers zu nennen,
als wo diß Geistes-Feur thut stetig brennen.

4. O reiner Glantz! ich bin in dich versuncken, und als im Meer der reinen Lieb ertruncken:
wie, bist du mir so wohl! wer kans errathen, wie
GOttes Gut so reichlich mich beladen.

5. Wer dich besitzt, O reiner Geist von oben!
ist stets in deiner Wunder-Kraft erhoben. O
Wesenheit! ich müßte gantz vergehen, wann du
nicht selbst mich thätst in dich erhöhen.

6. Wo alles ist als wie zur Aschen worden,
da lebt man in des Geistes reinem Orden: ein
leerer Tand, und was sich sonst wolt bleiben, muß
weichen diesem reinen Geistes-Wehen.

7. Die Niedertracht ist dieses Geistes Wesen:
was Liebe hegt, ist von ihm auserlesen. Wo
Harmonie in geistlichen Geschäfften, da läßt er
spüren sich in Wunder-Kräfften.

8. Getheiltheit ist bey ihm zum Tod erkohren,
auch Zweyheit werden muß als wie verloren.
Wann dieses alles hin, ist wie gefunden, wo dieser eine Geist ist mit verbunden.

9. Weg Bitterkeit, samt allen ärgen Drüsen,
du bist von GOtt und seinem Geist verwiesen:
ich liebe nur was Lauterkeit und Leben, und was
den Geist sich macht in GOtt erheben.

10. Wo Lauterkeit und reine Liebe wohnen,
kan dieser Geist in seinem Tempel thronen. Wer
den nicht hat, ist wie zum Tod erkohren, und
muß zuletzt seyn als gar verlohren.

11. Wie lieblich läßts hergegen sich ansehen,
wo dieses reinen Geistes Winde wehen: die Lauterkeit bleibt mir, was ich erlesen, dieweil sie dieses reinen Geistes Wesen.

12. Ein Hertze, so erfährt desselben Thaten,
dem ists zu einem mal in GOtt gerathen: wo
dieser reine Geist das Ruder führet, wird Her-
tzens-Treu und Lauterkeit verspühret.

13. Die Jungfrauschafft von GOtt so hoch
beliebet, erreichet nicht, wer diesen Geist betrübet:
wer aber ihn besitzt in seiner Blüthe, ist gantz Af-
fecten-loß, voll aller Güte.

14. Die Tauben-Art, so man thut Einfalt
nennen, das Wunder-Kind von dieses Geistes
Brennen, zeige sich gar Hulds- und lieblreich im
Gesichte, in aller Freundlichkeit und reinstem Lichte.

15. Da sieht man anders nichts, als schöne
Sachen, wer nichts aus GOtt, thut einen Hohn
draus machen. O wol! wer dieses Geistes
Kind ist worden, kan stehn im allerreinsten Jungfrauen-Orden.

16. O reiner Geist! thu dich in uns verkläh-
ren; thu deiner Tugend Kraft in uns vermehren: so wird die Jungfrauschafft im schönsten
Wesen sich zeigen so, wie du es selbst erlesen.

17. Und sind wir dann diß reinen Geistes-
Kinder, so werden folglich dann wir auch nicht
minder; nach seinem hohen Sinn, im reinsten Leben, ihm ohne End und Zeit bleiben ergeben.

82.

ERlöser der Welt! thu prächtig erscheinen,
und bringe dem Königreich einstens an Tag:
es haben schon lange gewartet die Deinen, und
öffters geführt ein tödtliche Klag. Sehr harte-
gedrungen, biß endlich gelungen, durch Baten
im Blute erworben die Beut, und also zur An-
kunfft des Königs bereit.

2. Die Dränger stehn schon in hefftigen Zagen, und sehen die, wo sie vorhero geschmäht,
in herrlichen Pracht die Sieges-Krön tragen;
vom Mächtigen über die Spötter erhöht. Jetzt
gehts an ein Zagen und hefftiges Klagen, O!
daß wir des richtigen Weges verfehlt, und selbsten uns unter die Thoren gezählt.

3. Wir sind nun voll Trost, es muß uns gelingen, dieweil wir erdulten die Thorheit der Welt.
Wann jene verzagt, so werden wir singen: O!
wol uns, wir haben das Beste erwählt. Und
thäten es wagen auf Erden zu tragen die Schmach,
womit JEsus den Himmel erkaufft, da Er in
dem Geiste und Blute getauft.

4. Es liget uns an, ein hefftigs Verlangen

ist in uns, daß bald mögt erscheinen das Reich so
JEsus erbeut, bey vielerley Drangen, im Blute
und Tode geworden nicht weich. Drum können
Wir singen vom Sieg und gelingen: Die Reiche der Erden, ein nichtiger Tand; wird alles
zerfallen, und halten nicht Stand.

5. Dabey man sich sehne, daß bald mögt erscheinen, O Herrscher! O Sieger! O JEsu!
dein Reich: Daß alle es sehen, so heisen die
Deinen, dabey auch nie worden sind matte noch
weich. Jetzt wird der Lohn werden, den'n die
hier auf Erden gedränget die Heiligen offt biß
aufs Blut, gesuchet zu rauben den Göttlichen
Muth.

6. Jetzt balde erscheint, was ewig bestehet,
was eitel und nichtig, muß fallen dahin; wer stetig gesucht, was nimmer vergehet, und Schätze
gesammlet mit vielem Gewinn. Der kan sich
dort laben, die Fülle an haben. O! wol dem,
der keinmal geworden ist weich, der wird dort ererben das himmlische Reich.

83.

ERsencke dich in deinen GOtt, und geh freudig fort die Straaß, ve nichts alle sterbens-
noth, die dir zustößt ohn alle Maa e: dann GOtt,
Der dich Ihm selber auserwählt, Der h t all deine Tritte abgezehlt.

2. Die über dich beschlossen seyn, zu gehen fort
auf deinen Steigen, bis daß du dorten gehest ein:
allwo das Ende wird anzeigen ein andre Haab,
so als das größte Heil dir werden wird alsdann
bei deinem Theil.

3. Durch Demuth, Hoffe und Geduld komme
man zu seinem Theil und Erbe, und wird erworben Gottes Huld, daß auch kein Fall noch Noth
verderbe. O treue Lieb! die vor uns Sorge
trägt, wann uns der Feind im Herzen niederschlägt.

4. Wie lange Zeiten, Tag und Jahr muß
GOtt uns in den Händen haben, bis uns bekannt und offenbar: daß Er mit so viel Gut thut
laben das arm Geschlecht, das nach Ihm ist genannt, und hier der Welt ist worden unbekannt.

5. O theure Seelen, die ihr seyd von GOtt

nun darzu aufgenommen, daß ihr von Ihme zubereit, als seine lieberwehlte Frommen! Seyd
liebevoll habt einen niedren Sinn, werft euch in
Demuth Ihm zun Füßen hin!

6. So wird die hohe Gottheits-Kraft euch
können aus dem Staub erheben, und die bewährte Leidenschaft zuflösen zu dem wahren Leben,
wo die Geduld mit Gottes Gut gespeißt, durch
welche man Ihm Danck und Ruhm erweißt.

7. Halt't an mit Flehen und Gebet, daß Er
euch möge bald erretten von der so harten Lager-
stätt, des alten Menschen Sünden-Ketten, die
seine Huld und Langmuth an euch trägt: wann
der Gewissens-Geist das Herze schlägt.

8. Habt einen treuen Kinder-Sinn, und opfert Ihm Herz und Gemüthe, ergebt euch Ihm
zu Eigen hin: so wird euch laben Gottes Gut,
und Euch mit seiner Freundlichkeit und Gunst
begnaden und erfreuen gantz umsonst.

9. Wann wir bedencken, wie daß Er mit seiner Langmuth uns getragen, bey so viel Wancken
hin und her: da wir nicht thäten Alles wagen
nach seinem Sinn, ob wir's schon meinen nicht,
so mercken wir doch nun ein höhre Pflicht.

10. Dieweil uns GOtt tritt näher bey;
uns einen reifern Weg zu führen, daß wir auch
von dem werden frey: was wir sonst kaum im
Herzen spühren. Die tiefe Liebe, die von Ihm
ausfleußt, sich nun mit reicher Maaß in uns ergeußt.

11. Das treue Gottes Vater-Herz thut über
uns sich nun ausbreiten, und nimmt uns weg
den alten Schmerz, der auf uns lag vor denen
Zeiten. Es fängt uns an ein neues Leben an,
und setzet uns auf eine gantz andre Bahn.

12. Als uns vor Zeiten offenbar: da seine
Langmuth uns getragen in vielen Nöthen und
Gefahr der rauhen Wind und Trübsals-Tagen;
nun aber, weil anietzt ein höhre Zeit, stehen wir
da zu seinem Dienst bereit.

13. O HErr! belebe uns denn nun,
und zeuch uns an mit Kraft und
Stärcke: daß wir von eignen Willen ruhn, be-
leven deine Wunder-Wercke. Schenck selbsten,
was

H 3

was zu thun, nach deinem Sinn: so wird sonst
Alles andre fallen hin.

14. Was nicht gericht nach deinem Rath,
laß bald mit Eins in uns vergehen: so wird der vollen Wercke That! uns machen können vor Dir
stehen in reiner voller Geistes Niedrigkeit, wodurch man wird zu deinem Dienst bereit.

15. O Vater aller Lichter du! so schenck
dann selbsten, was zu geben! damit wir so zur
wahren Ruh gelangen, noch in diesem Leben: damit wir werden völlig zubereit zu deinem Dienst
schon hier in dieser Zeit.

16. So wollen wir, dein Eigenthum, Dich
ohne Unterlaß verehren, und also stetig deinen
Ruhm in uns, zu aller Zeit, vermehren. Wir
wollen deine Treu-Ergebne seyn, bis daß wir dort
zusammen gangen ein.

17. Da deine grose Wunder-Macht in Ewigkeit wird hoch auffsteigen, und alles seyn zusammen bracht, und ohne End vor Dir sich beugen.
Wir stimmen mit schon in der Sterblichkeit, bis
daß wir alle völlig zubereit.

18. Zu leben heilig, rein vor Dir, wie es Dir
selbsten wohlgefällig, als deine reinste schönste
Zier die uns gemacht in Dir einhellig. Wir
wollen deinen Namen früh und spath ausbreiten
durch dein grose Gut und Gnad.

19. Es wird zu aller Stund und Zeit an uns
durch deines Geistes Stärcke dein Lob und Wunder aus gebreit, die wir sind deiner Finger Wercke. Wir wollen nun zu deinem Dienste stehn,
wie es gefällig Dir an uns zu sehn.

20. Nun Amen! Es muß werden wahr, was
deine Güt und Treu beschlossen, weil wir sind die
erkauffte Schaar: wird nichts uns können mehr
umstosen: Wir gehen nun nicht mehr von Innen aus, weil wir sind worden selbst dein Tempel-Haus.

84.

Es freue sich der gantze Hauff, den GOtt in
Gnaden angesehen, und heben ihre Häupter
auf, um freudig so vor GOtt zu stehen, erfülle
mit einem reinen Sinn, nach Gottes weisem Rath
und Gaben; der ihnen Selbst gegeben hin, zu

---

sie in Seiner Füll zu laben; in reiner Heiligkeit
zu stehen stets bereit, und bleiben so in Eins vereinet, weil sie so reich getröst, aus aller Noth erlöst, und also Keines weiter weinet.

2. Was ist dann diß vor ein Geschlecht, das
so in Fried beysammen wohnet? Sag! ob sie
nicht das Erbe-Recht, wo GOtt mit lauter Gute
lohnet? Ach ja! sie sind das Eigenthum, das
GOtt sich Selber hat erkohren, um auszubreiten seinen Ruhm, da sie doch vor auch warn verlohren. Sie sind das Erb des HErrn; ein jedes folget gern, zu erben das, was GOtt wird geben den'n, die Er auserwählt in jener neuen Welt,
da Alle in die Länge leben.

3. Drum bleibt diß unser steter Ruhm (wann
unsre Geister sind erhoben in seines Tempels Heiligthum) daß wir Ihn ohne Ende loben. Es
kan uns doch kein andre Tracht zu unserm Theil
und Erbe werden, als GOtt zu dienen Tag
und Nacht, weil wir allhier auf dieser Erden.
So ist es dann bestellt, wir thun was Ihm gefällt, und warten sein in Dulten, Hoffen, bis Alles gantz erneut, von aller Last befreyt, und uns
das rechte Ziel getroffen.

4. So sind wir dann mit GOtt versehn zu
der so sel'gen Fahrt auf Erden, und warten, bis
wir dort eingehn, da wir mit Ihm verherrliche
werden. Wohl nun! Es blühet unser Trost,
es kommt entgegen uns gegangen das Glück,
worinnen wir erlöst, wir warten Sein mit viel
Verlangen. Diß fördert unsern Lauff! wir
mercken eben drauf: damit wir Nichts von dem
verlieren, was uns dort zubereit in jener Ewigkeit, da GOtt uns wird mit Cronen zieren.

85.

Hiob Cap. 28.

Es hat das Silber seine Gänge: das Gold
hat seinen Ort, da man es schmelzen thut.
Die Erd bringt Eisen in der Menge; aus Steinen schmelzt man Ertz in heisser Feuers-glut.
Man kan erforschen auch die End, so denen Finsternüssen sind gesetzt, auf's euserst an. Auch
Steine die im Dunckeln seyn, und Todes-Schatt
ohn Lichtes-Schein: findt man doch ihre Bahn.

2. Ein

2. Ein Bach briche löß von seinen Dämmen, daß man auch keinen Fuß mehr dahin setzen kan. Fällt wieder weg durch das Bezähmen des Schöpffers Macht, und laufft bald wieder seine Bahn. Man bringet Feuer aus der Erd, die doch von oben Speiß beschert: Auch Saphir findet man: und dabey Goldes-Staub wie Sand, den Steig kein Vogel je bekannt, noch funden ihre Bahn.

3. Die Wege, so verborgen liegen, hat nie ein stolzer Sinn, noch reissend Thier berührt. Man thut die starcken Felßen rügen, man gräbet Berge um, daß Bäche raus geführt. Was köstlich siehe das Auge an; man wehrt dem Strom, daß er nicht kan fortsetzen seinen lauf. So wird, was drinn verborgen war, ans Licht gebracht und offenbar, so folgt ein anders drauf.

4. Aber wo sind der Weißheit Wege? und wo ist wohl die Statt, die dem Verstand bereit, weil niemand weiß derselben Stege, noch auch die Würdigkeit, so ist auf ihrer Seit. Bey Menschen Kindern ist sie nicht, auch in dem Dunckelen ohne Licht, noch ihr dem tiefen Meer. Der Abgrund selbst muß Zeuge seyn, daß sie nicht bey ihm gangen ein, noch jetze da umher.

5. Man kan kein Gold um sie hingeben, noch Silber wägen dar, womit man sie bezahle. Auch Gold von Ophir wird nicht heben, wärs auch das Köstlichste, und sehr viel an der Zahl. Beryll, Saphir, Gold und Crhstall mag ihr nicht gleichen überall, sols auch das beste seyn. Die schönste Kleinod im Gesicht, Ramoth und Gabis acht man nicht, daß sie sie kauffen ein.

6. Kein Perle ist ihr zu vergleichen, der Topasier wird nicht geschätzt, ihr gleich zu seyn. Das feinste Gold wird nicht erreichen, daß es bring das Gewicht, wodurch man sie bringt ein. Ach! wo ist dann der Weißheit Rath? und des Verstandes Ruhe-Statt? wo findet man ihre Spur? weil sie verborgen, was da webt, und hier auf dieser Erden lebt bey aller Creatur.

7. Der Tod und das Verderben sprechen: wir haben ihr Gerücht mit unserm Ohr gehört. Wann sie wird unsre Thorheit rächen, ist unser Thun dahin und unsre Macht zerstört. Dann GOtt allein weiß ihren Pfad, und kennet, was ihr weiser Rath in sich beschlossen hält. Dann Er siehe aller Enden her, auf Erden und dem grossen Meer, und auf der ganzen Welt.

8. Da Er dem Wind machte sein Gewichte, und wog die Wasser ab mit einem vollen Maaß. Da er dem Regen macht die Richte: den Blitzen ihren Weg, die tief und bodenloß. Da hat er selbsten sie ersehn, und sie erwehlt, für ihm zu stehn (worzu sie auch bereit) und durch geforschet ihren Rath, der sich vereint gefunden hat mit GOtt in Ewigkeit.

9. Der spriche zum Menschen: laß dich lehren: die Furcht des HErren ist Weisheit, Verstand und Ehr, und wer von Herzen sich thut kehren vom bösen Weg, und folget meiner reinen Lehr. Der hat gefunden ihre Gäng, die Höh, die Tiefe und die Läng, und ist berathen wohl. Dann in derselben Unterricht ist weiser Rath, was sie auch spriche, ist alles Guten voll.

86.
ES ist geschehn, wir können gehn mit Freuden fort auf den geheimen Wegen dorthin zu GOtt, da alle Noth und Jammer sich wird endlich ganz darnieder legen.

2. Was ist es dann, das uns die Bahn mit so viel Freud und reiner Lieb versüßet? es heisset Krafft, die Leben schafft, so man aus GOtt und seiner reichen Füll geniesset.

3. Wir sind nun satt aus GOttes Rath, und werden also keinen Mangel leiden. Wir sind erlöst, von GOtt getröst, zu bleiben Ihm getreu nun, und zu allen Zeiten.

4. Die Lauterkeit hilfft aus dem Streit, und aus so viel und manchen harten Proben. Die Creutzes-Noth erwirbet GOtt, daß man zulezt Ihn kan ohn Zeit und Ende loben.

5. Wer Langmuth übt, wann er betrübt, und in Gedult die Hoffnung nicht läßt fahren, ist Himmels-Brod in Leidens-Noth, kann sich zulezt mit GOtt und seiner Liebe paaren.

6. So sind wir dann auf unsrer Bahn mit so viel Trost und reicher Lieb begabet. Wir sind

sein

sein Theil, Er unser Heyl: wann Er uns so aus
seiner reichen Fülle labet.

7. Der laute Sinn bracht uns dahin, allwo
das ein'ge wahre Gut gefunden: die wahre Ruh
blüht immer zu; drum bleiben wir Ihm auch auf
Ewig hin verbunden.

87.

ES ist gethan, ein jedes kan mit grosser Freude gehen seine Wege: er ist gebahnt, wer nur
im Stand, daß er noch kein mal worden müde,
matt noch träge.

2. Man kommt schon fort, die enge Pfort
wird sich zuletzt im Gehn von selbst erweitern.
Des Bundes Blut gibt Krafft und Muth, daß
man kan wallen seinen Weg mit tausend Freuden.

3. Wir spüren Kräffte, die Wesen schafft, und
uns bisher in viel Gedräng erhalten: drum sind
wir wol, und Freuden voll und lassen forthin
Gottes Güt und Langmuth walten.

4. Sind wir getreu, wird sie aufs neu viel
Wunder-Kraft im Gehen uns einschencken.
Der blöde Sinn muß fallen hin, wann Er uns
aus der Fülle seiner Gnad thut tränken.

5. Es ist bedacht, nun gute Nacht, wir legen
uns in Schooß der Liebe schlafen. Wir sind getränckt, was Gott einschenckt, gibt Krafft, daß
man sein Werck zu gutem End kan schaffen.

6. So gehn wir dann, wie jedes kan, und lässet sich selbst seinen Führer leiten. Ist man getreu, so wird aufs neu das Abendmahl gehalten
dort mit grosen Freuden.

88.

ES ist nicht gefehlet ob man gleich entseelet;
wann das Leben gar dahin, siehet man erst den
Gewinn.

2. Laß dich nicht erschrecken, wann dich Wolcken decken; gibt es neuen Sonnenschein, muß
es so viel schöner seyn.

3. Führe keine Klage in der Niederlage,
scheints, es wär um dich geschehen; muß ein neues Licht aufgehn.

4. Dann es ist nur scheinen, wann wir müssen weinen: fällt es gleich beschwerlich heut, Morgen ists schon tausend Freud.

5. Drum verlaß dein Dencken, und vergis-
lichs Kräncken; es ist niemal wie es scheint, sondern was Gott mit uns meynt.

6. Kommen Liebes-Blicke, halte dich zurücke:
es will dich nur locken an, nach der bittern Creu-
zes-Bahn.

7. Golgatha bewähret, daß man wird verkläret. Thabor leuchtet zwar wol schön, lässe sich
doch nicht lange sehn.

8. Ist man gleich voll Freuden in vergnügten
Zeiten; doch sitzt, eh man sichs versicht, man im
duncklen ohne Licht.

9. Suchstu dein Verklären, laß dein Herz bewähren; brennt das Feuer noch so heiß, fegt dich
nur zum Paradeis.

10. Bistu rein gefeget, wird in dich geprägt
Gottes Bild in Werck und That, wie ers selbst
beschlossen hat.

11. Willtu dann daneben Gott zu Ehren leben; halt nur deinen Spiegel rein, du wirst Ihm
gefällig seyn.

12. Dann des Himmels-Sonne bringet lauter Wonne; wo ein reiner Gegenschein, wirfft
sie ihre Stralen ein.

13. Jetzund kan man sehen was die lange
Wehen ihr zuletzt eingebracht, daß du bist so
schön gemacht.

14. Wer nur lässet sterben und im Tod verderben; was den Spiegel hat befleckt, und mit
Tunckelheit bedeckt.

15. Nun gibts solche Sachen, die Gott selbst
thut machen: weil die Klarheit in dem Licht ihn
nun schaut von Angesicht.

89.

EWiger Gott, sey meines Lebens Krafft,
und pflege mein in allen meinen Sachen;
daß deines Geistes Licht und reiner Safft, sey stets
mein Unterricht, was auch thu machen, so wird
mein Wandel seyn, wie dirs gefälle, und wie ich
mirs schon längstens hab erwählt.

2. Ich sehne mich, daß gern möcht also seyn,
damit stets haben möcht ein rein Gewissen; drum
thu, O treuer Gott! selbst pflegen mein, ich bin
von Hertzen ja dahin beflissen, damit kein Anstag

mehr mög' finden statt, so könt mich stets erfreuen deine Genad.

3. Ach wie so gern wär ich dahin gebracht! wohin so lang ging meines Geistes Sehnen; daß sicher könte wallen Tag und Nacht. Du weißt, mein GOtt, ja meine viele Trähnen, die ich, mein Heil, ausließ in deinen Schoos, wann dieses Meer gleich einem Bache ausstoß.

4. O wie so sanfft und wol wär mir geschehn! wann einmal wär gestillet mein Verlangen; wo mich gesehnet nach mit vielem Flehn, ich wär, wie in der Mutter Hauß eingangen, und wüste nichts von dem gehabten Braß, und wär dahin die lang und schwere Last.

5. Jetzt wil ich mich ersencken tief hinein, alwo dein Ungrund geben kan Gedeyen, da man gantz kann vergnügt und stille seyn, und auch noch andre sich darinn erfreuen. O wol! wo einmal funden diese Bahn, dieweilen man daselbst gar sanffte ruhen kann.

6. Und weil ich dann also mein Glück erjagt, daß mein gewissen kommen zum Genesen, das mich so manchen Tag und Jahr genagt, daß öffters alle Lust und Freud vergessen. So kann ich nun vergnügt und stille seyn, weil nunmehr in den Ruh-Punct gangen ein.

F

90.
Fahr hin, O Welt! ich habe mir erwehlt, was meinem GOtt gefällt, dir will ich sterben. Ich hab versagt, was bey dir hoch geacht, geb allem gute Nacht: dort will ich erben.

2. Ich hab erkannt, wie all dein leerer Tand, gebauet ist auf Sand, wird nicht bestehen. Dort sind bereit in jener Ewigkeit, nach dieser eitlen Freud, viel tausend Wehen.

3. Ich geh die Bahn, die mir gerathen an, der selbst mein Helffers-Mann, JEsus mit Namen. Es ist Genad, weil dieses Wasser-Bad Er selbst gestifftet hat dem heilgen Saamen.

4. Wer diß veracht't, und lässet aus der Acht, was Gottes Rath bedacht, wird müssen zagen: wann die erfreut, so hier in dieser Zeit ins Todes-Bitterkeit es thäten wagen.

5. Und gingen ein, wo man versagt dem Schein, der nicht thut machen rein von unsern Sünden. Der Glaube sieht allein auf Gottes Güt, wo man sich so bemüht, und lässt dahinden.

6. Was Babel ticht wider das grose Licht, so er selbst aufgericht der Kirch zu gute: und selbst die Bahn also getretten an, wo man nicht treten kan am Bundes-Blute.

7. Weil dieser Kauf im hohen Glaubens-Lauff durch seine Todes-Tauff zu gut geschehen: wer folgt so gleich, auch nie wird matt noch weich, der wird in Gottes Reich aldort eingehen.

91.
Flieht ihr Frommen und Getreuen, weicht von Babels Sünden-Rott, ob sie gleich hat ein Abscheuen, u. euch nur darüber spott; tragt mit Freuden ihren Höhn, dort trägt man dafür die Kron.

2. Ob gleich Babels leere Sachen offt einen schönen Schein: man kan solchen Tand verlachen, weils nicht geht in Zion ein. Dann ihr Stoltz und hoher Pracht wird aldort zu nicht gemacht.

3. Sie ist schon gar lang verschrieben zum Gericht und Untergang, weil sie Zion offt thät sieben, und ihr machte manchen Drang. Darum wird ihr Fall und Plag kommen ihr auf einen Tag.

4. Zion aber wird sich freuen über ihren Untergang; kommt ihr Lieben und Getreuen, stimmet euer Lob-Lied an. Babels allerletzte Nach, hilffe der Frommen armen Sach.

5. Kommt zu Hauffen ihr Gerechten, freue euch der göldnen Zeit, GOtt thut selber euch verfechten, daß ihr steht und seyd bereit zu empfahen eure Kron, die der Weißheit Gnaden-Lohn.

92.
Baruch 5.
Freu dich, Jerusalem, gantz sehr, und sieh den Trost gegangen von deinem GOtt von Morgen her, mit vielem schönen Prangen: dann deine Kinder groß und klein, die von dir weggeführet seyn, kommen mit grosen Hauffen.

2. Von Morgen und von Abend her, wie dir dein GOtt versprochen, der dich wird lassen nimmermehr, weil deine Sünd gerochen: der, dessen Name

Name heilig iſt, und was er ſagt, nicht mehr vergißt, wird dich zu Ehren bringen:

3. Drum ziehe aus dein Trauer-Kleid, Jeruſalem, du Liebe, vergeſſe der vergangnen Zeit,
und dich nicht mehr betrübe: zeuch an den
Schmuck von deinem GOtt (in Herrlichkeit)
der deine Noth hat ewig abgewendet.

4. Zeuch die Gerechtigkeit nun an, die dir
dein GOtt wird geben, und ſetzen auf die Ehren-Kron, die dich kan hoch erheben: dann der,
deß Name ewig iſt, nunmehr gantz anders dir
einmißt, als in vergangnen Zeiten.

5. Dann GOtt wird deine Herrlichkeit ſchnell
laſſen offenbaren, ſo weit der Himmel ſich ausbreit, und wirſt mit Freud erfahren: daß dich
GOtt ſelbſt in Ewigkeit wird nennen Preiß,
Gottſeligkeit, Gerechtigkeit und Friede.

6. Drum mache dich mit Freuden auf, und
tritt auf deine Höhe, Jeruſalem, merck eben drauf,
und dich ſehr weit umſehe: und ſchaue deiner Kinder Zahl, wie ſie mit Haufen überall zu dir ver-
ſammlet werden.

7. Von Abend und von Morgen an ſie kommen mit viel Freuden: durch den, der alles ſchaffen kan, muß ſich ihr Lob ausbreiten: weil ihrer
wieder iſt gedacht von GOtt, der ſie zuſammen
bracht, zu ſeinen hohen Ehren.

8. Sie ſind zu Fuſe in viel Noth von dir hin-
weggetrieben; erhöher bringet ſie dein GOtt zu
dir nach viel Betrüben: macht ſie zu Ehren allzugleich, als Königs Kinder in dem Reich, ſehr
hoch in GOtt erhaben.

9. Darin GOtt wird aller Berge Höh niedrig
machen und eben; die langen Ufer an der See,
und Thäler gleich erheben: und machen eine ebne Bahn, daß Iſrael frey wandeln kan, und
preiſen GOtt mit Namen.

10. Dann werden alle grüne Wäld und Bäume geben Schatten, wie es dem Höchſten ſelbſt
gefällt, zur Ruh der Abgematten. Da wird
dann ſtete Wohlluſt ſeyn, wann Iſrael gegangen
ein, wo es wird ſicher wohnen.

11. Drum Iſrael ſey Freuden-voll, du biſt
bey GOtt in Gnaden, er wird dich ſelbſt berathen

wohl, und aller Sorg entladen: er wird dir reichlich ſchencken ein Barmhertzigkeit, mit ſtetem
Schein des Troſtes dich umgeben.

93.

FReu dich Zion Gottes Stadt, weil dich GOtt
getröſtet hat: dann dir wird nun wieder wohl,
daß du Fried-und Segens-voll wohnen kanſt in
deinen Mauren. Nun ſeynd deine Thore heil,
und die an dir haben Theil, derer Glück muß
ewig dauren.

2. Nun wird Zion ſeine Saat, die ſie aus-
geſtreuet hat, bringen ein mit viel Gewinn: weil
ſie den getragen hin, und mit Schmertzen thät-
ausſpreiten. Nun muß ſtoltzer Fried und Ruh
in ihr bleiben immer zu, weil zu End iſt alles Leiden.

3. Glück zu, du erwehlte Stadt! die GOtt
ſo begnadigt hat, weil man nimmehr in dir ſicht,
daß dein Ruh und Frieden blüht, und viel Heil
in deinen Wegen. Deine harte Sclaverey iſt
zu End, du wirſt nun frey, daß dich wird nichts
mehr bewegen.

4. Dein Gefängnus und Elend iſt nun kommen an ſein End: deine Müh und Tages-Laſt
wird belohnt mit lauter Raſt. Deine Seuftzen,
deine Klagen ſeynd gekommen an ihr Ziel und
wenn ihr' auch noch ſo viel, GOtt kann ſie gar
bald verjagen.

5. Nun kann Zion frölich ſeyn, bey dem groſen Freuden-Schein, der ihr aufgegangen iſt,
und ſo alles Leid-verſüßt. Wer kann diß genug
ermeſſen? was allda vor ein' Genuß und vor
reicher Ueberfluß, wo man iſt in GOtt geneſen.

6. Der kann erſt recht ſtille ſeyn, wer allda gegangen ein, wo man findet lauter Raſt, und
nicht mehr wird angetaſt von der eitlen Winde
Toben: alles wird da ausgeſpeyt, was die Seel
von GOtt gezweyt, drum kann ſie GOtt ewig
loben.

7. Preiß, Lob, Ehr und Herrlichkeit ſey GOtt
und dem Lamm bereit in der neuen Zions-Stadt,
die Er auserwählet hat, und zu ſeinem Lob erbauet. Halleluja, Gloria! ſinge zuſammen,
ruft! ja! ja! wir ſind nun mit dir vertrauet.

Echo.

Nun

NUN singen wir das frohe Amen, und rühmen Gottes Wunder-Macht: Der uns
durch seinen grosen Namen erhalten und zusammen bracht. Es dancke Ihm zu jeder Stund
Hertz, Seele, Geist und Mund.

2. Wer nur geht auf den rechten Wegen,
der stimm sein Lob-Lied auch mit an: Weil GOtt
mit vollem Heil und Segen uns führet auf der
rechten Bahn. Wir wollen seine Güt und
Gnad erheben früh und spat.

94.

REue dich, mein müder Geist, dein Glück
kommt dir nachgeloffen, weil du bist dorthin
gereißt, wo das rechte Ziel getroffen. Dein verlangen ist zu End, weil der Himmel dich-berathen,
und hat alles umgewendt, aller Sorgen dich
entladen.

2. Schwerlich werd ich reden aus, was genossen und empfunden, und was nach so manchem Strauß sich zuletzt hat eingefunden. Zwar,
mein Hoffen hats bedacht, nimmermehr zu! werden müde, biß ich sey zurecht gebracht durch des
weisen Schöpffers Güte.

3. Also ist es dann geschehn, daß dem müden
Geist gelungen, nach so viel und langen Wehn,
da er offt sehr hart gedrungen, und des Jammers
war kein End, da offt meynt, ich müßt vergehen,
biß es GOtt hat umgewendt, und erhört mein
langes Flehen.

4. O wie theur ist deine Güt! die mich hüte
in den Schrancken, wann ich öffters wie ermüde,
bey dem hin und wieder wancken. Wann ich
müste traurig-gehn, wann offt war als wie ermüdet, hieltestu mir meine Wehn, und vorm Rückfall mich behütet.

5. Hätt ich keinen Eid gethan treu zu bleiben
und verbunden, ich wär längst auf dieser Bahn
wie ermüd und überwunden. Und ob gleich
offt müd im Lauf, wolte ich doch liber sterben, als
den Kampff zu geben auf, und dort in der Höll
verderben.

6. Wann vermeynt, ich wär dahin, thät die
Hoffnung Samen säen, daß der Glaube mit Gewinn konte seinen Weg fortgehen nach dem Ziel

in seinen Lauff, zu den frohen Ewigkeiten, wo
man bringen wird zu Hauff seine Ernde mit tausend Freuden.

7. Darum bin ich Freuden-voll, weil es mir
an GOtt gelungen, und sein Geist ist Gnaden-
voll häuffig in mich eingedrungen. Nun erwart
ich in Gedult, wie er ferner wird einschencken,
und es fügt durch seine Huld mich in Gut Ihm
nach zu lencken.

8. O Genaden voller GOtt! wie kan ich dich
gnug erheben, weil du mir nach so viel Noth hast
geschencket ein ander Leben, ewig werd ich dencken
dran, was du mir hast eingemessen, und auf der
betrübten Bahn mein niemal so gar vergessen.

9. Hatt ich gleich des Kummers viel in den
sehr betrübten Tagen, setzte er doch maas und Ziel,
daß es leidlich war zu tragen. Aber, o wie manches Ach! und wie viele Hertzens-gülffe preßten
mich den gantzen Tag, biß er kam mit seiner Hülffe.

10. Daß ich bin so froh gemacht, und ihn
kan ohn Ende loben, weil er mich zurecht gebracht,
nach so vilen schweren Proben. O du angenehmer Tod! da das Heil in GOtt erworben,
nach so vieler Creutzes-Noth, wo auch JEsus
dran gestorben.

11. Was ein hoher Gnaden-preis, dem setzt
Glück so eingekommen, und nach so viel Todes-
Schweis endlich von GOtt aufgenommen. O
wie bin ich nun so wol! weil mir GOtt so voll
einschencket, macht mich alles guten voll, und am
Brunn der Gnaden träncket.

12. O erwünschtes hohes Gut in so viel Gedult erworben! du kanst schencken neuen Muht,
wann die Lebens-Krafft erstorben. O was Trost
nach so viel Leid! o der lang erwünschten Stunden! wo nach so viel harten Streit Gottes Trost
sich eingefunden.

13. Jetzund wil ich meine Lust haben stets an
Gottes Güte, die mich träncket an der Brust,
schaffet stetig neue Blüte, daß die Frucht auf Libanon im Gefilde lieblich grüne, und ich tragen
mög davon, was zur reiffen Ernde diene.

14. Nun muß alles stimmen an Gottes Güte hoch zu preisen, die auf meiner Trauer-Bahn
thät

thät mich aus dem Elend reissen, Ich vergesse keine Zeit, was er Gutes mir erwiesen, hier und dort in Ewigkeit müß er seyn von mir gepriesen.

95.

FReudig werd unserem König gesungen! Dem es durch Siegen so trefflich gelungen: Er hat die Feinde darnieder geschlagen, und sie entblöset zur Schaue getragen.

2. Dieses ist von Ihm im Buche geschrieben, und auf die Nachkommen stehen fest blieben, zum Zeichen, daß Er ein König der Ehren, und thut die Machten der Feinde zerstören.

3. Er wird erretten die Armen Elenden, und ihnen Hülfe vom Heiligthum senden: daß sie erlöset von allen Beschwerden, so wird sein Name verherrlicher werden.

4. Freudig sie werden dann gehen ohn Schweigen, und ihr Geschencke und Gaben Ihm zeigen, mit Lob und Dancken dem König zu Ehren, vor Ihm sich beugen nach seinem Begehren.

5. Dieses wird bleiben ein ewige Weise, daß sie Ihm bringen, zum Göttlichen Preise, willige Opfer aus heiligem Triebe, zum reinen Altar voll Göttlicher Liebe.

6. Lasset uns freuen drum alle zusammen, daß wir so rühmen den herrlichen Namen des HErren, Der uns zum Loben erkoren, und aus dem himmlischen Saamen geboren.

7. Solches muß bleiben ein ewiges Rechte, weil wir sein eigenes Erb und Geschlechte: und von Ihm alle ins Buche geschrieben, damit wir ewig sein Eigenthum blieben.

8. Ich werd indessen auch nimmermehr wancken, weil Er mich leitet in heiligen Schrancken: und will hoch rühmen sein'n herrlichen Namen, bis wir Ihn loben dort alle zusammen.

9. Ewig, mit herrlich-und schönesten Weisen, trefflich hoch rühmen, und stetig Ihn preisen. Amen, wir wollen indessen hier lassen, und also leben nach seinem Gefallen.

96.

FReudig will ich singen deinem Namen hier, und Lob-Opfer bringen, daß voll Himmels-Gier mein Herz noch mög werden hier auf dieser Erden, daß in heisser Lieb ich brenne stets nach Dir.

2. Nichts soll meine Treue hindern, daß mein Lauff Freuden-voll gedeye, daß ich wachse auf wie im Thal die Rosen unter Dornen sprossen, und viel süser Ruch von Innen steige auf.

3. Treu, Aufricht-und Klarheit ziere meinen Gäng, unverfälschte Wahrheit sey mein Lob-Gesang: so kann ich Dich preisen, auf die beste Weisen geben Lob und Ehr mit freudigem Gesang.

4. Kinder einer Mutter, tretet her-zu mir: laßt die Winde brausen, die euch noch allhier zu dem Gottes-Leben volle Kräfte geben, daß in heisser Lieb ihr brennet für und für.

5. Und die reine Flammen wahrer Gottes-Lieb kräftig schlag zusammen, daß kein frembder Trieb mehr in eurem Hertzen, und euch mache Schmerzen, durch die Welt, Natur und Creaturen-Lieb.

6. Heil, Preiß, Kraft und Stärcke gebet unserm GOtt: weil Er Kraft zu siegen giebet, daß zum Spott unsre Feinde werden noch allhier auf Erden, die sich setzen wider dich, HErr Zebaoth.

97.

FRied und Freud sey in den Thoren unser treuen Mutter-Stadt, die uns auserwählet hat: die Besitzer, so darinnen, haben Glück-und stoltze Ruh, Segen, Heil und Fried dazu.

2. Ihre Thore stehen offen, seynd verschlossen nimmermehr, kein Feind kann sie ängsten mehr: und ob sie's schon wolten wagen, können sie nicht kommen ein vor dem hellen Lichtes-Schein.

3. So da leuchtet auf den Gassen und den Straasen hin und her, da in mitten selbst der HErr: dessen Macht hat an den Pforten treue Wächter dargestellt, drum wird sie nicht mehr gefälle.

4. Obschon Heiden obschon Völcker auf sie haben angehürmt, und mit voller Macht bestürmt, sieht man sie doch bleiben stehen, und der vielen Feinde Heer sind zerstreuet hin und her.

5. Lobet GOtt ihr seine Knechte, und du auserwählt Geschlecht, halte fest bey deinem Recht: seht wie Er der Völcker Dichten, ihren Sinn und bösen Rahts gantz und gar zernichtet hat.

Nach-

Nachklang.

DRum muß loben, drum muß rühmen Zion,
das erwählte Heer, und Ihm geben Danck
und Ehr: Der es so hat ausgerichtet, und sie
froh und frey gemacht von der vielen Feinde
Macht.

2. Nichts wird sie mehr können schrecken,
nichts zu ihren Hütten kehr'n, noch verwunden
noch verschr'n: weil die Wohnungen der Frommen haben ihren GOtt zum Schutz, Der selbst-
ihrer Feinde Trutz.

3. Drum muß bleiben ewig stehen Zions Burg
und ihre Stadt, die sich GOtt erwählet hat: Er
wird bleiben drinnen wohnen, sie verlassen nimmermehr: darum geb Ihm Ruhm und Ehr

4. Alles, was demselben Namen, und zu dem
Geschlecht gezehlt, die GOtt darzu auserwählt,
daß sie ohne Ende loben seine grose Wunder-
Macht, die sie hat so wohl bedacht.

5. Daß sie nimmer von Ihm schweigen, wo-
der Halleluja-Klang ewig schallet mit Gesang.
Diß muß bleiben eine Weise, die in Ewigkeit besteht, und auch nimmermehr verge ht.

98.
Jesajä Cap. 54.

FRolocke, rühm und hüpfe auf vor groser Freuden, die du unfruchtbar warst in den vergangnen Zeiten: ruf laut und jauchtze hell wie die Posaunen, setz Völcker, Sprach und Leuthe in Erstaunen. Dann die sonst einsam war, und niemal schwanger worden, breit ihren Saamen aus
an allen End und Orten.

2. So spricht der grose HErr: es soll und
wird geschehen, daß man die Kinder dein wird aller Orten sehen: und ihre Zahl wird gröser seyn
zu nennen als derer, die sich thut zum Mann bekennen. Drum thue deinen Räum in deiner
Hütte erweiten, und deine Wohnungen wie Teppich schön ausbreiten.

3. Dehn deine Seile lang, thu keinen Fleiß
mehr sparen, steck deine Nägel fest, dann du
wirst bald erfahren, daß du ausbrechen wirst mit
grosen Freuden, zur linck und rechten Seit dich
weit ausbreiten: und wirst dein Erbe sehn in wü-

sten Städten wohnen die Heiden, womit GOtt
dir wird zu Ehren lohnen.

4. Drum förchte dich nur nicht, du wirst nich
mehr zu Schanden, werd ja nicht blöd, du sol
nicht mehr in deinen Landen den Hohn deiner Verächter um dich sehen, noch deine Spötter sehen
vor dir stehen: die Schande deiner Jungfrauschafft wird seyn vergessen: die Schmach von
deiner Witwenschafft ist wie verwesen.

5. Dann der dich hat gemacht, ist selbst dein
Mann und Vater, ein Mächtiger, deß Name
heiset ein Berather; und ein Erlöser, der sich
heilig nennet: den alle Welt vor ihren GOtt bekennet. Er hat dich im Geschrey seyn lassen lange Zeiten, als ein verstosen Weib vom Mann
und allen Leuten.

6. Als wie ein junges Weib, das sehr betrübt
zu nennen, wann es verlassen ist, und niemand
sie will kennen. Spriche nun dein GOtt (der
dich hat angesehen) du solt nicht mehr betrübt
und traurig gehen: ich habe dich ein kleinen Augenblick verlassen; nun aber will ich dich mit viel
Erbarmen fassen.

7. Ob ich mich schon zur Zeit des Zorns vor
dir verborgen, will ich um so viel mehr in Gnade vor dich sorgen, spriche dein Erbarmer, der dich
nicht will lassen; sondern in Ewigkeit dich will
umfassen. Und solches soll mir seyn, wie ich
mit Eid versprochen, daß nimmermehr die Erd
durchs Wasser werd gerochen.

8. So hab ich auch geschworn, dich nimmermehr zu schelten, oder dich lassen was in meinem
Zorn entgelten. Und obschon Berg und Hügel sollen weichen von ihrm Ort, wirst du es doch
erreichen: was dir mein Friedens-Bund in Gnaden hat versprochen, soll fallen nimmermehr, noch
werden je gebrochen.

9. Du Elende, über die alle Wetter gehen,
und du Trostlose solt nun bald mit Augen sehen,
daß deine Steine wie ein Schmuck bereitet; dein
Grund von Saphiren schön ausgebreitet. Die
Fenster von Crystallen hell und klar zu sehen; die
Thore von Rubinen schön da sollen stehen.

10. Und alle deine Grentze von erwehleten
Steinen,

Steinen, und deiner Kinder gantze Zahl (ohn Schein und Meinen) sollen gelehret seyn vom HErrn, daneben will Frieden ich in ihren Grentzen geben. Du solt nun durch Gerechtigkeit bereitet werden, kein Schrecken soll dich treffen mehr nach den Beschwerden.

11. Es wird dich kein Gewalt noch Unrecht mehr umstellen; und ob sie sich schon alle rotten dich zu fällen, werden sie doch an dich nicht können kommen, weil es ohn meinen Rath ist fürgenommen. Und bläßt man schon das Feuer auf, ein Zeug zu machen; schaff ich es doch, wie es soll gehn in deiner Sachen.

12. Siehe, ich schaffe es, daß der Verderber richte Verderben, damit ich sein Thun und Tand zernichte. Dann aller Zeug so ist, um dich zu drängen, dem soll es nimmermehr an dir gelingen: und alle Zungen, welche wider dich anstammen, die wirst du im Gericht durch meinen Geist verdammen.

13. Das ist das Erbe derer Knechte, die des HErren: die seine Macht erhöhn, und seinen Ruhm vermehren. Gerechtigkeit und Schmuck ist ihre Krone, die er zur Ecke gibt zum vollen Lohne. Diß ist ein wahrer Eid, den er hat selbst gesprochen, drum wird er auch in Ewigkeit nicht mehr gebrochen.

.99.

FRüh morgens, wann vom Schlaf erwach, seh ich mich um, wie GOtt mein Thun behandle, denn das ist meine gantze Sach, daß ich vor ihme stets aufrichtig wandle. So bald ich spüre seine Huld und Freundlichkeit, so steh ich da, und bin zu seinem Dienst bereit.

2. Und lencke mich nach seinem Raht, daß keine böse Sach werd vorgenommen, dann wann durch seine Güt und Gnad behandelt werde, so muß alles frommen. Bin ich mit Gottes Güt und seiner Gunst umstelle, so wird mein Wandel seyn, wie es ihm selbst gefälle.

3. Ich lebe doch so gantz dahin, damit in allem ihm mög wolgefallen, dann weil ich doch sein eigen bin, so bleibet mir die Prob in meinem wallen. Ich eß kein ander Brod, als was nur We-

sen gibt, das ist mein Unterhalt, wann mich sonst was betrübt.

4. Die Creatur macht mich nicht satt, ich wil, und muß in meinem Ursprung leben: o wann kein Ding mich machte matt, daß mich könt ohne Maas in GOtt erheben. So wär meins Hertzen Wunsch zu einem mal erfülle, dabey mein langer Durst gelöschet und gestillt.

5. So bin ich ohne Maas beschwert, weil ich der Creatur nicht kan entbären, wann sich der Geist zum Schöpffer kehrt, thut sich die Lebens-Krafft gar offt verzehren, die von dem Dunst der Creaturen Dunckelheit, beschwert, und hindert offt des Geistes Heiterkeit.

6. Doch, sol mein Wandel seyn vor GOtt, ob gleich was anders mich wolte beschweren, das geht zulezt ab mit Tod, und muß sich selbst in seinem Thun verzehren. Drum hange mein Hertz an meines Gottes Freundlichkeit, weil die wird lösen auf die Bande dieser Zeit.

7. Und scheint mir auch das schwerst Gewicht ein Ding zu seyn, so mit der Zeit vergehet; bleib ich nur stehen aufgericht, so wird es offt als wie vom Wind verwehet. Und weil mein gantzes Thun hange an der Ewigkeit, drum acht ich keines Dinges mehr in dieser Zeit.

8. Was man auch sagt von GOtt zu seyn, ist nicht Brod und Wein zum wahren Leben, das ist mir lauter Wind und Schein, weil es das heilge Satt-seyn nicht kan geben. Mein Hertz hange fest an GOtt, der mir zur Seiten steht, wann alles was in dieser Welt zu Trümmern geht.

9. O Wesenheit! du ewigs Gut, ich bleibe ohne Maas mit dir vereinet: wolt auch was schwächen sonst den Muth, es schaffet nichts bey mir, was nur so scheinet. GOtt ist ein Jah, das auch wird nimmermehr zu Nein, drum dring ich alle Tage tiefer in Ihn hinein.

10. Damit ich in Ihm leb und web, und was ich auch in allem sonst thu machen, daß michs nur mehr in Ihn erheb; Er wird vors übrige schon selber wachen. So soll er bleiben dann mein Alles um mich her, und in mir meine Burg, mein Schutz und starcke Wehr.

Gedenck,

G

100.

GEdencke, HErr, an David und sein Leiden,
weil er Dir selbst geschworen hat: daß er
Dir dienen will zu allen Zeiten in deinem Tempel früh und spat: Du wollest sein ja nicht vergessen, wann ihm wird Leid vor Frende eingemessen.

2. Ich will (spricht er) nicht in mein Hause
gehen, noch legen mich in Ruh aufs Bett: bis
daß des HErren Wohnung da wird stehen, erbauet seyn an ihrer Stätt. Es soll kein Schlaf
mehr in mich kommen, bis daß GOtt seinen
Tempel eingenommen.

3. Wir haben schon ein Wort davon vernommen, zu Ephrata hört man von ihr: wir wollen
da vor Ihm zusammen kommen, daß wir Ihm
dienen für und für. Im Feld des Waldes ist
gefunden die Wohnung, wo sich GOTT mit
hat verbunden.

4. HErr! stehe zu diesen deinen Stätten,
Du und die Lade deiner Macht: da man vor Dir
erscheinet mit Gebäten, und deines Bundes wird
gedacht, gedencke unsrer Opfer-Gaben, die wir
daselbst vor Dir bereitet haben.

5. Laß deine Priester sich mit Heil ankleiden,
Gerechtigkeit auf ihrer Brust: damit sie dienen
Dir zu allen Zeiten, in deinem Hauß mit Freud
und Lust. Laß deine Heiligen sich freuen, damit
ihr Saame mög vor Dir gedeyen.

6. Es wird ein löblich Regiment gesehen da,
wo des HErrn Gesalbte seyn: die Tag und Nacht
in seinem Dienste stehen, und in sein Hause gangen ein. Das wollest du, HErr, lassen walten,
und selbst durch deine Macht und Stärck erhalten.

7. Um deines Knechtes, dem Du selbst geschworen, und einen wahren Eid gethan, David,
den Du erwählt und auserkoren, daß ihm soll folgen nach ein Mann, der sitz auf seinem Stul
und Throne, damit dein Volck im Fried beysammen wohne.

8. Du wollest selbst, HERR, seine Kinder lehren, in Demuth Dir gehorsam seyn: und sie nach
deinem Wort und Zeugnuß führen, zu halten die

Gebote dein. So wird dein Bund nicht mehr
gebrochen, den Du sie hast mit einem Eid versprochen.

9. Du hast ja Lust an dem erwählten Saamen, und wohnest gern bey dem Geschlecht: das
Zion heißt, und wird genennt mit Namen, und
halten fest bey deinem Recht. Daselbsten wilt
Du bleiben trohnen, und ewig da in deiner Ruhe wohnen.

10. O grosser GOtt! wie reich bist Du von
Gute, das wird gespühret in deinem Haus: Du
führest es dem Hertzen zu Gemüthe, wann du
theilst deinen Segen aus, und lässest mangeln keiner Gaben, daß auch die Aermsten Brods die
Fülle haben.

11. Die Priester stehen da mit Heil gekleidet,
und Licht und Rechte auf ihrer Brust: und Tag
und Nacht zu deinem Dinst bereitet, an Dir
nur haben ihre Lust. Drum deine Heiligen sich
freuen, dieweil sie Segens-voll in Dir gedeyen.

12. Denn Du hast eine Leuchte zugerichtet
dem David, deinem treuen Knecht: und hast das
selbst sein Horn ihm aufgerichtet, und hältest ihn
bey deinem Recht. Du lässest blühen seine Krone, und kleidest seine Feind mit Spott und Hohne.

13. Drum wird Dir Preiß und Danck und
Ruhm gegeben in deinem Tempel früh und spat:
da allzusammen in die Länge leben, und dein Lob
nie kein Ende hat. Drum muß auch nun und
jetzt erschallen ein stätigs Loh. nach deinem
Wohlgefallen.

101.

Jesaiä Cap: 11.

GEh auf, du edles Reiß, von Isai entsprossen,
und bringe deine Frucht aus deiner Wurzel
Safft, damit der Geist des HErrn auf dich werd
ausgegossen, und könne ruhn auf dir mit seiner
vollen Krafft. Der Weisheit Rath, Stärck
und Verstand wird ihm von GOtt seyn zugewandt, Erkänntnuß, Furcht des HErren: nach
der wird riechen er allein, und wo die wird zu
finden seyn, wird er sich hin zu kehren.

2. Er wird nicht richten nur, wie seine Augen
sehen, noch strafen, wie es wird mit Ohren ange-
hört:

hört; sondern wird im Gericht den Armen selbst beystehen, und strafen die in Güt, so elend und beschwert. Er wird mit seinem Stab die Erd schlagen, damit ein Ende werd dem Greuel der Gottlosen. Er wird mit seinem Athem den Gottlosen tödten und verwehn, wie es sein Rath beschlossen.

3. Gerechtigkeit wird seyn die Gurt an seinen Lenden: Wahrheit wird seyn die Gurt in seiner Nieren Seit. Die Wölfe werden sich hin zu den Lämmern wenden, und ihnen wohnen bey, ohn allen Streit und Neid. Die Pardel werden ohne Scheu den Böcken friedlich liegen bey: daneben wird man sehen, ein kleiner Knab wird Löwen mit Kälber und Mast-Vieh in viel Fried vor ihm her machen gehen.

4. Auch Küh und Bären werden sich zusammen fügen, auf einer Weide gehn, daß ihre jungen schön in Einigkeit und Fried werden beysammen liegen! so daß man noch dabey wird mit viel Wunder sehn den Löwen zahm und gantz gelind: dabey Stroh essen, wie ein Rind. Ein Säugling wird besahen, daß ihm ein Lust bey'n Ottern sey, und ein Entwöhnter wird gantz frey zum Basilisken nahen.

5. Dann man wird nirgends mehr verletzen noch verwunden, auf meinem heil'gen Berg ist Sicherheit umher: weil die Erkänntnuß sich hat aller Orten funden, und sich ausbreitet weit, wie Wasser übers Meer. Und wird geschehen zu der Zeit, daß man wird sehen weit und breit Isai Wurzel stehen zum Panier aller Völcker Heer, die sich von allen Orten her werden nach ihr umsehen.

6. Und seine Ruhe wird seyn Herrlichkeit im Siege, und wird zur selben Zeit der HErr zum andern mal ausstrecken seine Hand, daß er sein Volck erkriege, so überblieben ist von Völckern überall. Assirer Patros und die Schaar in Mohrenland und Sinear, Egypten und daneben Hamath und Elamiter Heer, und von den Insuln in dem Meer, wo sie zuvor ergeben.

7. Und wird ein hell Panier aufwerfen untern Heiden, daß die verjagten allzusammen heim-

gebracht. Und die Zerstreueten in Juda wird er weiden: und bringen all zu Hauff durch seine Wunder-Macht. Von Morgen, Abend, Mitternacht und Mittag wird zu Hauffen bracht Juda mit den Geschlechten. Der Neid, so wider Ephraim ist aus, so daß die beyde Stämm nicht mehr ziehn aus zu rechten.

8. So daß Ephraim wird Juda nicht mehr bekriegen; und Juda Ephraim anfeinden nimmermehr, dagegen werden sie hart auf dem Halse liegen der böß Philister Rott und ihrem gantzen Heer, so gegen Abend ziehen auf, und sich so gleich zu jenem Hauff, die gegen Morgen wohnen, und sie berauben, daß ihr Heer sich wird erheben nimmermehr, noch sich mit Beuten lohnen.

9. Edom und Moab wird die Hände schmiegend falten, die Kinder Ammon auch, werden gehorsam seyn. Der HERR wird selbst den Strohm des Meers lassen veralten, der um Egypten her, und Ehre legen ein. Und seine Hand wird sehr geschwind fahren mit seinem starcken Wind, die sieben Ströme schlagen, daß man dadurch wird können gehn mit Schuhen und gantz unversehrt Läste hinüber tragen.

10. Diß ist und heißt die Bahn dem Volck, so überblieben (und heißt des HErren Erb, das nach Ihm ist genannt) von Assur, wie zur Zeit, da sie Eil vertrieben, und mit sehr grosem Raub ziehn aus Egypten-Land.

102.

GEh aus von Sodoms Nachbarschafft, und thu von ihr wegeilen, du kommst um deine erste Krafft, wenn du dich wirst verweilen. Die Häuser stehen schon im Brand, drum heißt's, von hinnen fliehen, wer einmal recht mit GOtt verwand, läßt sich nicht rückwehrts ziehen.

2. Ich selbst will hier nicht stille stehn, der Engel heißt mich eilen, daß ich nicht Theil an ihren Wehn, wenn ich mich würd verweilen; Auch nicht einmal mehr zurück nach Sodoms Anverwandten; ich möge verschergen sonst mein Glück, drum flieh aus ihren Landen.

3. Gut Nacht, du gantzes Erbgeschlecht, ich thu von dir wegeilen, und lasse fahrn mein Bür-

ger-

ger-Recht, drum kann mich nicht verwellen. Ich eil nach Zoar die heisst klein, die wird mich überschatten, in ihren Schutz mich nehmen ein-und lassen nicht ermatten.

4. Wann ich allda geh aus und ein, wird mirs zum Segen dienen, die Töchter werden fruchtbar seyn, der Völcker Spott versühnen. Jetzt reiß ich nach Jerusalem, laß Zoar auch dahinden, wann ich erworben die 12 Stämm, wird sich mein Glück schon finden.

103.

Geh hin, und leide dich, und trage deinen Jammer; dort ist von GOtt erbaut ein göldene Ruhe-Kammer: vor dein gehabtes Leid und Elend hier auf Erden, da es mit grosser Freud wird alles anders werden.

2. Die kümmerliche Zeit wird seyn zu grab getragen, kaum wird man wissen mehr, was davon nachzusagen. Drum ist die Trauer-Zeit, wo man offt in gesessen, ein unverwelcklich gut, weils macht in GOtt genesen.

3. Dann jene Herrlichkeit, so wird aldort erscheinen, wird nehmen gantz dahin das viel und lange Weinen; da man im Elends-Thal offt kümmerlich mußt leben, und das betrübte Hertz kaum kont zu GOtt erheben.

4. Wie viele Seuffzer offt thäten in Himmel steigen, bey dem betrübten Stand und so viel Knie-beugen: hat weder Ziel noch Maaß, ist auch nicht auszusagen, weil man uns Himmelreich so thäte Alles wagen.

5. Drum blühet dort die Kron dem, der so hart gedrungen, alhier auf dieser Welt bey so viel Anfechtungen. Ist dann das Ziel erreicht, so sagt man vom gelingen, da man in Ewigkeit GOtt wird Lob-Lieder singen.

104.

Gelobt sey GOtt der Ehren, Der auf mich früh und spat sein Aug thut fleissig kehren, erzeigt mir seine gnad, hilfe meiner armen Sachen: wenn ich von nichts weiß zu machen, muß Er mein Helfer seyn.

2. Drum will ich sein gedencken in meiner harten Noth, mich allzeit nach Ihm lencken, treu

K

bleiben bis in Tod, weil seiner güte Armen mich fassen mit Erbarmen, daß ich kann sicher seyn.

3. Ich werde wol bestehen in jener bösen Zeit, wann alles wird vergehen, so werd ich seyn bereit, daß ich kann frölich sterben, die Seligkeit ererben, die mir ist beygelegt.

4. Jetzt will ich mich so üben auf dem gerechten Weg, und achten kein Betrüben, das mir mein Hertz zerschlägt: und will in allen Sachen GOtt selber lassen machen, wie es mir nützlich ist.

5. Er ists doch gantz alleine, der mich berahten kann, wenn ich mein Thun beweine, nimmt Er sich meiner an, thut mich mit güt umarmen, und zeigt mir sein Erbarmen, daß ich nicht fallen kann.

6. O! Vater aller güte, Du wunderbarer GOtt! wie wohl ist dem gemüthe, das Du errett aus Noth! mein Hertz soll Dir stets dancken, weil Du mich hältst in Schrancken auf deinem rechten Pfad.

105.

Gelobt sey GOtt zu aller Stund, Der mich thut selber leiten, und dencket stets an seinen Bund, hilft mir aus allen leiden: und ihm mir beystehn früh und spat, führt mich auf dem gerichten Pfad der wahren lieben Frommen.

2. Er führet mich zu rechter Zeit aus meiner dunckeln Höhle: daß ich werd wiederum erfreut, und mich nicht länger quäle. Zur Zeit der grossen Traurigkeit hat Er mir einen Weg bereit, daß ich kann sicher wandeln.

3. Und geh ich schon offt hin und her, und scheine gantz verlassen, so hilft Er mir aus Nöthen schwer, thut mich mit güt umfassen; und gibt mir Trost in allem Leid, zeigt mir seine Barmhertzigkeit, daß ich werd hoch erfreuet.

4. Und eh ich wolte vergessen sein in meinen Trauer-Stunden: so müßte mein Nam vertilget seyn, in seinem Buch nicht funden. Ich wolte lieber Creutz und Noth hier tragen fort bis in den Tod, eh ich sein nicht solt dencken.

5. Ich will vielmehr zu jeder Zeit sein Wunder-Macht ausbreiten: Ihm geben Lob und Herrlichkeit zu aller Stund und Zeiten, und dancken Ihm zu jeder Frist, weil Er mein Schutz und Hülfe ist in allen meinen Sachen. 6. Warum

6. Wann ich an seinen Bund gedenck, werd ich mit Trost erfüllet: denn mich derselbe dahin lenckt, was allen Hader stillet. Drum werd ich wohl in aller Noth an Ihm fest bleiben bis in Tod, Er wird mich nicht verlassen.

7. Und solt ich nichts als Angst und Noth in meinem Herzen spüren: so soll Er bleiben doch mein GOtt, Er kann es wohl ausführen. Die Hülfe, die oft lang verzeucht, macht mich nur kleiner und gebeugt, daß ich kann freudig sagen:

8. Gelobet sey der Name dein, O! Vater aller güte: dein Wort soll meine Leuchte seyn, und trösten mein gemüthe. Ich will hinfort zu aller Zeit hoch rühmen dein Barmhertzigkeit, die Du an mir erwiesen.

9. Ich will Dir dancken fort und fort zu aller Stund und Zeiten: und will mich halten an dein Wort, das mich thut sicher leiten. So werde ich mein Leben lang Dich preisen können mit gesang in deinem Haus und Mauren.

106.

GEtrost! getrost, mein müder Geist, vergesse jener Leid und Trauer-Tage, da dich viel Trähnen-Brod gespeißt, so, daß es jedermans gemeine Sage. Nun bricht herfür ein gantze andre Zeit, worinnen du mein GOtt er freut.

2. Es hat ja lang genug gewährt dein bitters Leid, und sehr betrübte Tage; im Elends-ofen ist bewährt, was ich nun in dem Hertzen umher trage, Drum bin ich wol und wie in GOtt erwacht, nach der betrübten langen Creutzes-Nacht.

3. Ob gleich offt alle Kräfft verzehrt bey viel gedräng und kümmerlichen Zeiten: man wird dadurch wie gold bewährt; wer sich so läst zum Himmelreich bereiten, wird auserwählt, und recht von Hertzen klein, und geht zur engen Pforte freudig ein.

4. Drum bin ich froh in meinem GOtt, weil Er mein langes Elend angesehen, und halff mir aus so mancher Noth, da sehr bedränge in viel gebät und Flehen. O treuer GOtt! ich flehe deine Huld, pfleg ferner mein in Langmuth und gedult.

5. Damit bis an mein letztes End ich deiner Sorgfalt sey und bleib ergeben, und weil du alles umgewendt, wil ich dich hoch ohn Ziel und Maaß erheben; gedencke dein zu aller Stund und Zeit, weil du mein Hertz mit reichem Trost erfreut.

6. O wie bin ich so froh gemacht! weil ich bin kommen heim, wo man genesen, da in so mancher Trauer-Nacht einsam, betrübt, verlassen bin gesessen. Und weil ich also wie zum Ziel gebracht, wil ich GOtt treulich dienen Tag und Nacht.

7. Und alzeit fleißig dencken dran, was Er in güt und gnad an mir erwiesen, von meiner Gottes-Jugend an, und thät so manchen Kummer mir versüßen; und wil nun nach so viel gehabten Leid hin wallen nach der seligen Ewigkeit.

107.

GIb Lauterkeit vom Himmel her, O GOtt! und Schöpffer aller Dinge; mach leicht, was mir so saur und schwer, damit ich bin worden zu geringe: kann balde deine Weg nicht mehr versehn, weil weder vor noch rückwerts weiß zu gehn.

2. Wie wird man doch so klein gemacht, wann auch das Beste heißt gefehlet: wo scheint, man wär zum Ziel gebracht, wird man noch fast als wie entseelet. Ach GOtt! gibst du nicht selber Raht und Taht, so wird noch erst am End verfehlt der Pfad.

3. Dann ich bin Raht-und Hülfe-los, gibst du nicht, wo es heißt, getroffen; so bleibt mein Sorgen-Stein sehr gros, als ob bisher umsonst geloffen. Ach! bring doch das Verlorne Gut herfür, O treuer GOtt! und zeig die offne Thür:

4. Wo ich kann gehen aus, und ein, und deine Güte selbst mein Führer: sonst ist mein Leben lauter Pein, wo du nicht meines Ruhns Regirer. Weil deine Wege mir so unbekannt, daß kaum kann weiter gehn in meinem Stand.

5. Mein Sorge-Stein hat diese Sach, wo rum so manches Jahr geloffen, daß bald erleben möge den Tag, daß sey mein rechtes Ziel getroffen. Und was mir auch so schwer thut liegen an, ist die, so nie erkennet einen Mann.

6. O Mutter! pflege meiner Noth, ich wil ja

je. gern dein Kindgen heisen; du bist ja selbst vertraut mit GOtt, zu pflegen deiner Armen Wäysen, die in so viel Gefahr in dieser Welt, und und möchten doch gern seyn, wie dirs gefällt.

7. Dis ists, das mich so sehr belebt, weil nicht kann ganz in dich einkommen; dis macht so manchen schweren Streit, daß offt wie gar dahin genommen. Weil deine Wege sind so Bodenlos, und doch beym Schwimmen offt der härtste Stoß.

8. Drum gib Bericht in diesem Stand, weil unser Ruhn so voll Gefahren; wir sind dir ja mit Eyd verwand, auf ewig hin sich dir zu paaren. Drum halte selber das Gwicht im gehn, damit kein Wind uns möche zur Seiten wehn.

9. Dein lautres Licht macht Unterscheid, wo ein Gebrech sich lässet spüren, und wann du selber bist zur Seit, lässt sichs nicht leicht von dir abführen. Dein Unterricht zeigt den subtilsten Trug, und machet noch dabey die Albern klug.

10. Wär nur bey mir das Ziel erreicht, daß Unterricht in meiner Sachen, was mich zu klein macht und gebeugt, daß offt auch nicht weiß, was zu machen. Mein ganzer Sinn-sehnt sich nach Lauterkeit, und wäre gern von allem Trug befreyt.

11. Und obs gleich offt macht auf und ab, daß werde irre in dem Gehen: doch, nehme ich nicht mit ins Grab, was mir gemacht so manche Wehen. Dann wann der Leib der Sünden ganz dahin, wird man erst schön, wie ich gewesen bin.

12. Die Perl der edlen Jungfrauschafft ist in der Muschel hier verdecket, damit erkalten ihre Krafft, durch eignes Wohl nicht werd bestecket. Der Musch..t Dunckelheit, so nimmt den Schein, macht ihren Adel nur mehr hell und rein.

13. Drum laß den Muht nicht aus der Acht, ob gleich zur Zeit der Glanz verdecket, so wird der Jungfrau hoher Pracht durch eigne Liebe nicht bestecket. Jetzt blühet sie aus der Verwesenheit, und macht ein End dem lang geführten Streit.

14. Nun werd ich erst recht stille seyn, weil mein Verlangen ist zu Ende; bald drauf geht man zur Kammer ein, alwo sanfft ruhn die müde Hände. O Göttlichs wol! worinn ich heim gebracht, alwo der Gottes-Dienst währt Tag und Nacht.

15. Wie stille geht man aus und ein, wo man ist kommen zum Genesen. O wie kann man so selig seyn! weil nun ganz anders eingemessen, als lang zuvor in der betrübten Zeit, in so viel Müh und manchem schweren Streit.

16. Hier kann kein Fremder haben Theil; wer dem Gemache nachgegangen, könnt nicht zu diesem grosen Heyl, wo man mit Gottes Huld kann prangen. O Süser Fried! und lang erwünschte Zeit, wo man kann ruhn im Schoos der Ewigkeit.

108.

GOtt, ein Herrscher aller Heiden, Der sein Volck bald wird herrlich leiten, und ihr Recht lassen hoch hergehn: wenn Er Zion schön wird schmücken, ihr Heil wird lassen näher rücken, so wird man Freud und Wonne sehn an seinem Eigenthum, das nun giebt Preiß und Ruhm GOtt, dem König, Der sie erhöht, ihr Völcker seht! wie Gottes Braut nun einhergeht.

2. Schön im Glanz, hell wie die Sonne, sie leuchtet nun, O Himmels-Wonne! weil sie beglückt und hoch erhöht von dem König, der sie liebet, statt dessen, wo sie war betrübet, sie nun zu seiner Rechten steht, gekleid't in purem Gold, weil ihr der König hold: und dan-ben wird man auch sehn am Reigen gehn der Braut Gespielen trefflich schön.

3. Alle Völcker hie auf Erden darüber sich verwundern werden, so daß sie werden kommen all: ihr Geschenck und Gaben zeigen dem König, und vor Ihm sich beugen, und schmiegend werden thun Fußfall vor seiner wahren Braut, die vor im Geist geschaut solche Wonne, so haben die, so öfters hie gesessen sind in Angst und Müh.

4. Werde froh, du liebe Fromme! es werden auch noch zu dir kommen, die dich gedrücket und verhöhnt: und dich müssen selig preisen, und dir Fußfällig Ehr erweisen, weil deine Schmach nun ist versöhnt. Drum wird vergolten dir vor deine Leiden hier: Preiß und Ehre ist nun dein

Kleid.

Kleid. O Seligkeit! die GOtt den Seinen
zubereit.

5. Nah und fern wird man Ihn preisen, auch
Ehre werden Ihm erweisen die Kön'ge auf der
gantzen Welt: auch die Insuln an dem Meere
die warten sein', zu bringen Ehre dem König,
der ins Himmels-Zelt sein Reich erhöhet hat, erbauet Gottes Stadt, Ihm zu Ehren und Lob
auf Erd, daß, wie ein Heerd, all's Volck zu Ihm
versammlet werd.

6. Wann von allem End der Erden viel Lob-
Gesang gehört wird werden: so werden kommen
auch herzu Nebajoth samt ihren Böcken, die werden ihre Händ ausstrecken, damit sie in dir finden Ruh. Der Neid und böser Grimm wird
gänzlich fallen hin zu den Füßen, muß gantz vergehn, kann nicht bestehn, wenn solche Herrschafft
wird angehn.

7. Dann wird alles lieblich grünen, und wird
zu Lob und Ehren dienen dem grosen GOtt in aller Welt: solches werden auch vernehmen die
Tyrer, Mohren, die von denen, so vor sehr wild
und gantz verstellt. Die werden nunmehr zahm,
und bringen allzusamm ihre Gaben der edlen
Schaar, die immerdar, GOtt jauchzend, hält ein
Freuden-Jahr.

8. Auch zuletzt wird noch aufwachen die Rott
der Bösen, die da schlafen, und truncken bis zur
Mitternacht: und daneben wird man sehen die
Heerden Kedar auch hergehen, die zu Ihm werd
Lob und Preiß gebracht von Völckern allzumal,
so viel ihr'r an der Zahl, daß zu Ehren nah und
auch fern, von Herzen gern, sie dienen werden
solchem HErrn.

9. Halleluja! singe zusammen, ihr die ihr seyd
vom heilgen Samen der ewgen Gottheit ausge-
bor'n: geht entgegen schön am Reigen, und
thut Ihm eure Schöne zeigen, weil Er euch darzu auserkorn, zum Lobe seiner Macht. Drum
seyd darauf bedacht, zu empfangen des Königs
Sohn, den Salomon, der euch wird setzen auf
die Kron.

Der 84. Psalm.

GOttes Wohnung ist sehr schöne, und gantz
lieblich anzusehn: weil mit heilgem Lob-Gethöne viel vor seinem Throne stehn. Geben Ihm
Kraft ewigs Lob, als dem starcken Zebaoth.

2. Drum thu ich mich herzlich sehnen,
HErr! durch die Vorhöfe dein einzugehen auch:
zu denen, die dort stetig bey Dir seyn. O! ich
freu mich Gottes Gut in dem Herzen und Gemüth.

3. Die erhaben von der Erden, stiegen auf zu
Gottes Zelt: finden, daß sie ruhig werden in dem
Haus, wo man erzehlt Gottes Wunder-groß und
klein, die in Zion herrlich seyn.

4. Denen, die Ihm Opfer bringen auf dem
Altar JEsu Christ, muß es alles wohl gelingen:
so daß sie zu jeder frist wachsen fort, und sich vermehrn zu des Königs seinen Ehrn.

5. Zebaoth-HErr GOtt und König, trefflich
bist Du meiner Seel: deiner Wunder sind nicht
wenig, drum ich auch mit Freud erzehl, was dein
treue Gottes-Gnad an mir voll erwiesen hat.

6. Drum wohl denen! die da wohnen, HErr!
in deinem Haus und Stadt: die wirst Du mit
Segen lohnen, weil ihr Lob kein Ende hat. Wer
hier deinem Fuß nachgeht, auch in deiner Kraft
besteht.

7. Muß er oft schon traurig gehen durch das
Thränen-Jammerthal: und viel Schmerzen, Leid
und Wehen ihn umgeben überall. Daß vertrocknet aller Saft, und verzehrt die Lebens-Kraft.

8. Muß doch alles schön ausgrünen, wenn es
wieder Licht und heil: und zu lauter Segen dienen, weil ihr offne Brunnen-Quell sich ergieset
zum Genuß, fort zu gehen ohn Verdruß.

9. Gottes Segen thut nicht schweigen denen,
die ohn allen Schein andern auch die Wege zeigen, daß sie dort mit gehen ein: und nach vollem
Glaubens-Lauff werden mit genommen auf.

10. Solche werden herrlich siegen über ihrer
Feinde Macht: nie einmal auch unten liegen, ob
der Feind sie schon verlacht; wachsen sie doch in
dem Streit immer fort zur Tapfferkeit.

11. Denen muß es glücklich gehen, wo GOtt
ihre Zuversicht; daß man wird mit Augen sehen,

wie der Höchste aufgericht unter Zion sein Gezelt, daß sich wundert alle Welt.

12. Dann GOtt hält in hohen Ehren die, so
Ihm ergeben seyn, thut sie ihrer Bitt gewähren,
wenn sie Ihn um Hülf anschreyn. Zeigt sich
als ihr Schild und GOtt, und hilft ihnen aus
der Noth.

13. Großer GOtt! schau doch in Gnaden
deins Gesalbten Erbtheil an: thu sie aller
Sorg entladen, weil Du bist, der helfen kann.
Dann in den Vorhöfen dein muß ein Tag doch
besser seyn

14. Als sonst tausend, die vergehen mit der
Welt in Eitelkeit. Lieber will ich dorten stehen,
wo vergnüget ich in Freud, solt ich hüten nur die
Thür, als noch lange wohnen hier

15. Unter denen, die vergessen ihres Gottes
ganz und gar: und mir vieles Leid einmessen.
Ja, ich sage diß fürwahr: daß ich lieber dort will
klein, als hier groß bey Sündern seyn.

16. Dein der HErr ist meine Ehre, meiner
Seelen Sonn und Schild: mir zu Nutz und
Ihm zu Ehren Er mit Segen mich anfülle.
Schenckt den Seinen zum Genuß, daß kein Gu-
tes-manglen muß.

17. Selig ist der Mensch zu nennen, deß du,
HErr! sein Zuversicht: Niemand kann dem ab-
gewinnen, der auf Dich verlässet sich, und Dich
hat in aller Noth nur zum Schutz als seinen
GOtt.

110.

GOtt hat mich angesehen nach seinem weisen Rath, geheilet meine Wehen durch seine
ewge Gnad. Da ich veracht, verschoben, als
wärs um mich geschehn; half er mir aus den
Proben, und heilte meine Wehn.

2. Wann etwa käm zu tragen zur Zeit ein
andre Last, wil ichs den Leuten sagen, wie du geholffen hast in den vergangnen Zeiten aus so viel
Hertzenleid, und mich bewahrt vorm Gleiten bey
so viel schweren Streit.

3. Wann offt nichts wust zu machen, daß
gantz ohn Hülff und Rath, so halff er meiner
Sachen, wie ers beschlossen hat. Drum wil

K 3

mich dahin lencken, wann komt ein andre Noht,
so will ich dran gedencken, was vor ein treuer
GOtt.

4. Der mich in allen Sachen ließ seine Wunder sehn; was sonsten auch thät machen, thät er
zur Seiten stehn, und machte es gerathen, wanns
auch der größte Fehl: darum von seinen Thaten
gerne so viel erzehl.

5. Jetzt sag ich vom Gelingen; ob gleich nicht
jederman lernt solches Loblied singen auf seiner
Glaubens-Bahn: Wo muß verlohren heißen
auch selbst die beste Zaht: da lerne man solche
Weisen, das klingt nach Gottes Rath.

6. Jetzt singt man neue Lieder, wo klingt kein
Trauer-Thon; was vor geschlagen nieder, trägt
seine Ehren-Kron. Jetzt muß sich alles lencken,
wie GOtt es macht ergehn, und was er ein thut
schencken nach so viel langem Wehn.

7. Wie muß nicht alles schweigen, was
Schmerzen, Gram und Leid; wann sich die
Wunder zeigen, die GOtt zum Heil bereit.
Ich selbst wil meine Sachen, ganz anders stellen
an, GOtt kanns doch besser machen, als man es
dencken kann.

8. Die kümmerliche Tage müssen vergessen
seyn, damit man davon sage, was GOtt thut
schencken ein. Was Er mich lassen sehen offt
in viel hartem Streit, wird mit mir dorthin gehen in jene Ewigkeit.

9. Drum will hinfort nicht zagen, kám
auch ein harter Drang: wanns scheint, ich wär
geschlagen, will ich mit Lobgesang von Gottes
Wundern singen, wie seine hohe Gnad es alzeit
läßt gelingen nach seinem weisen Rath.

10. Des wird man weiter sagen, wann es
auch andre sehn, daß sind zu Grab getragen mein
viel und lange Wehn. Jetzt ist das Ziel getroffen nach manchem harten Streit, aldort könn
eingeloffen die große Seligkeit.

11. Wornach ich hab gerungen so manchen
Tag und Jahr, biß endlich es gelungen in mancherley Gefahr, da must der Freude schweigen, biß
in betrübter Zeit im Schmiegen und im Beugen
mein Hertz in GOtt erfreut.

12. Jetzt

12. Jetze sieht man andre Sachen, die Tage sind dahin, der Trauer-Mund kann lachen, man siehet den Gewinn, was hier die Trauer-Zeiten vor Herrlichkeit erbeut in jenen Ewigkeiten, die GOtt uns hat bereit.

13. Drum will mein Creutzlein tragen in sanfft und süser still, bin ich von GOtt geschlagen, die reiche Gnaden-Füll, die sonst zu allen Zeiten geholffen aus der Noht, wird mich wol ferner leiten, weil er mein treuer GOtt.

III.
Der 76. Psalm.

GOtt ist bekannt dem Stamm aus seinem Saamen, sein Nam ist herrlich dem Haus Israel: zu Salem, da sein Volck in Fried beysammen, hat Er gebauet seine Hütt und Zell, und wohnet da, wo Zion herrlich ist, mit voller Kraft und Stärcke zubereit, und stehen da, als Helden in dem Streit: daselbst ist Er mit voller Kraft gerüst.

2. Und thut zerbrechen Pfeile, Schild und Bogen, und macht zu nichte die Schwerdter in dem Streit: alsdann wird Israel zum Lob bewogen, und dienet Ihm mit Ehr und Danckbarkeit. Betrachtet seine Wunder früh und spath, und gehet ein ins innre Heiligthum: daß er ausbreite GOttes Ehr und Ruhm, dieweil allda sein Lob kein Ende hat.

3. O GOtt! wie herrlich bist Du anzusehen, Du bist viel mächtiger als unsre Feind: die sich verschantzen hinter Berg und Höhen, daß sie berauben, die dein eigen seynd. Du machst zu nichte ihren hohen Muth, wann Du beraubest ihren stolzen Sinn: dann müssen sie zu Boden fallen hin, daß sie entschlafen schnell und ohn vermuth.

4. Dann werden aller Krieger Hände sincken, wann allen Hohen fallen wird der Muth: und GOtt an ihren Frevel wird gedencken, und fragen wird nach seiner Diener Blut. Von deinem Schelten, Du GOtt Jacob, muß in Schlaf einsincken Wagen, Roß und Mann: Niemand ist, der vor deiner Macht stehn kann, wann auch die Hohen fallen Dir zu Fuß.

5. Dann schrecklich, O HErr GOtt! seynd dein Gerichte, wer kann Dir stehen, wann Du

zörnen thust? Wann deine Urtheil kommen zu Gesichte, so fällt zu Boden alle Freud und Lust: und wird die Erd, mit ihrem Sünden-Heer, in Schrecken, Angst und grose Furcht gesetzt, und weil GOtt ihren stolzen Muth verletzt, so sind sie still, und geben Ihm die Ehr.

6. Wann GOtt wird mit Gericht u. Recht aufwachen: so wird Er helfen dem elenden Mann, der gantz verlassen war in seiner Sachen, weil er auf Erden kein Hülf finden kann. Der tiefe und geheime Gottes-Raht wird ihm alsdann voll werden offenbar: der vor so manche Zeit verborgen war, und gehet ein in Gottes Salems-Stadt.

7. Wann der gottlose Hauffe wüt't und tobet: so zeigt GOtt seine Ehr und Herrlichkeit an ihnen, daß das fromme Häufflein lobet, sein grose Macht und Warheit weit und breit. Und wann sie dann in ihrem harten Sinn verbößte sind, daß sie noch wüten mehr: so ist der grose GOtt und starcke HErr gerüstet noch zu rächen ihre Sünd.

8. Nun tret't zusammen, die ihr habt gelobet dem Herren eurem GOtt getreu zu seyn: die um Ihn her seynd, kommt herbey, und lobet, und gehet zusammen durch den Vorhof ein, und bringet eure Gaben und Geschenck dem gros-und mächtigen und starcken GOtt, der eure Hülf und Schutz ist in der Noth. Seyd seiner Macht und Güte eingedenck.

9. Dann, Er den Fürsten ihren Muth thut büssen, daß sie gebeugt und scham-roth vor Ihm stehn: daß alle Völcker sich verwundern müssen, wann ihre Macht wird fallen und vergehn. Auch unter Königen ist seine Macht und Schrecken gros und hoch auf dieser Erd: daß alles unter Ihn gebeuget werd, und unter seinen starcken Arm gebracht.

112.

GOtt ist mir wie vom Schlaf erwacht, daß in Verwunderung ich gebracht, weil Er mich machen sehen, daß Er der rechte Hölfer sey, steht den Elenden treulich bey, und hilfft aus allen Wehen.

2. Die Zeit ist kommen, daß sein Tag hat weg genom-

genommen meine Schmach, in meiner armen Sache: Er macht mir neue Weg-geleis auf meiner schweren Pilger-Reis, drum laß ich Ihn so machen.

3. Er läßt mich neue Wunder sehn, und macht den lang gehabten Wehn ein wunderbares Ende: damit der Druck, so in mir war, und mich gedrängt so manche Jahr, nunmehro ganz verschwinde.

4. Jetzt heisse mein Tron-Sitz: nur Gedult; GOtt weis zu retten die Unschuld, wann lang genug gelitten. Doch, wär nicht kommen bald der Tag, wo GOtt sich annahm meiner Sach, hätt ich bey nah geglitten.

5. Der Glaube hilt zwar treulich Haus doch gieng der Hoffnungs-faden aus, die Liebe lag in Zügen; kein Blick geschah, so sie erfreut, in langer und betrübter Zeit, drum blib sie fast erligen.

6. Nun seh ich meine Sachen an als Wunder, die GOtt selbst gethan, weil Er allein kan rathen: hilfft aus so viel und manchem Leid, durch Güte und Barmhertzigkeit, das sind nicht eigne Thaten.

7. Es hat GOtt in der Noth getröst, die harte Bande aufgelöst, wo man betrübt gesessen; da Gram und Noth und harter Streit, auch mancher Brast und bittres Leid ist nun als wie vergessen.

8. Drum wil ich alzeit dencken dran, und rufen aus vor jederman, was GOtt an mir erwiesen; und soll dabey ohn End und Zeit alhier, und dort in Ewigkeit werden von mir gepriesen.

113.

Psalm 68.

GOtt stehe selber auf: laß deine Wunder sehen: zerstreue deine Feind, mach deine Hasser flieh'n. Vertreibe sie, daß sie wie Rauch im Wind vergehen: wie Wachs im Feuer schmeltzt ohn einiges Bemüh'n. So müssen kommen um die Gottlosen für GOtt, die dir zuwider seynd und treiben ihren Spott.

2. Dagegen müssen sich all die Gerechten freuen, und frölich seyn für GOtt, von Hertzen seyn bereit. Lobsinget frölich GOtt, lobsinget

ihr Getreuen: lobsinget seinem Nam, der hoch zu jeder Zeit. Macht Bahn dem, der einher geht sanfft, gelind und mild, und freuet euch für ihm, weil er der Frommen Schild.

3. Er heisset selbsten HErr: und thut sich Vater nennen der Wäysen und dabey der Wittwen Unterricht. Er ist ein solcher GOtt: wo man ihn thut bekennen, hat er sein Heiligthum und Wohnung aufgericht. Ein GOtt der Einsamen, die von ihm so geliebt, daß er ihn auch zuletzt das Haus voll Kinder gibt.

4. Die so gefangen seynd, und doch die Seine helfen: die führt er selber aus zur rechten Zeit und Stund, und läßt die Anderen den Hunger nagen, beissen; die ihm abtrünnig seynd werden in seinem Bund. GOtt! da du zogst einher vor deinem Volck mit Pracht, ließt in der Wüsten sehn dein grose Wunder-Macht.

5. Da bebete die Erd, und deine Himmel troffen vor dir in Sinai; der du Israels GOtt. Auch gabest du zur Zeit, in dem sie auf dich hoffen, ein sanfften Regen hin in ihrer grosen Noth. Und dein verschmachter Erb, das dürr, erquickest du: daß deine gantze Schaar drinn wohnen kan in Ruh.

6. GOtt labet mildiglich die Armen und Elenden, theilt seine Güte aus, speißt sie mit seinem Gut. Der HErr wird nun sein Wort mit groser Schaar aussenden; die gute Bottschafft wird den Völckern machen Muth. Die Kön'ge müssen fliehn, und ziehn nicht wieder aus: und die zu Hause blieb, den Raub wird theilen aus.

7. Wenn ihr zu Felde liegt, so glänzt in euren Reihen der Gold- und Silber-Schein wie Tauben-Flügel schön: und da der Mächtige that Könige zerstreuen, da warest du Schneeweiß auf Zalmon anzusehn. Der Berg Gottes bleibet, ist fruchtbar lieblich schön: was hüpffen Hügel dann und Berg, die nicht bestehn.

8. Dann GOtt hat Lust allein auf diesem Berg zu wohnen: der HErr, so ewig ist, hat ihn darzu erwählt. Der Wagen Gottes, wo GOtt selbst thut innen thronen, ist tausend tausend mal mit Thronen her umstellt. Daselbsten ist der

HErr

HErr auch mitten unter sie, da er selbst Wohnung
hat im heil'gen Sinai.

9. Da bist du, als ein Held hoch in die Höh
gefahren: und das Gefängnuß selbst gefangen
eingeführt. Da wurden hoch erfreut, die sonst
gefangen waren, weil sie zu seiner Zeit durch dich
sind ausgeführt. Auch die Abtrünnigen, und
dabey noch verbošt, hat deiner Gaben Füll dens
noch daraus erlößt.

10. Damit du, O HErr GOtt! auch kanst
daselbsten wohnen; gelobet sey dein Nam, der
uns zu jeder Zeit, wann du anlegst ein Last, uns
thust mit Güte lohnen: daß wir sehn deine Hilf
und große Freundlichkeit. Wir haben einen
GOtt, der helfen kan aus Noth: und einen
HErrn, der uns erretten kan vom Tod.

11. GOtt aber wird den Köpff der Feinde
gar zerschmeissen, und Haarscheidel, der fort in
seinen Sünden fährt. Doch spricht der HErr:
ich will aus Basan kommen heißen etliche, die sehr
fett zur Schlachtung sich genährt: auch will ich
etliche noch zu mir hohlen der her vom Ende aller
Welt, und aus dem tiefen Meer.

12. Drum wird dein Fuß im Blut der Feind
gefärbet werden; u. deine Hunde sind vom Blut
derselben satt. Da sah man deine Gäng, O
GOtt! vor deinen Heerden, wie du da gehst
einher ins Heiligthumes Stadt. Da zeuchst du
schön einher in deinem Pracht und Ruhm, daß
deiner Ehre voll dein ganzes Heiligthum.

13. Da gehn die Sänger mit vorher in gros
sen Ehren, darnach die Spielleuth, die unter der
Jungfraun-Zahl, die alle mit viel Freud des Hös
sten Ruhm vermehren, seine mit lobgesang, und
die mit Pancken-Schall. Lobt alle unsern GOtt
in den Versammlungen, die aus Israels Brunn
entsprossen und ersehn.

14. Der kleine Benjamin wird da mit Pracht
erscheinen, und seine Herrschafft ist die höchst im
Königreich. Der Fürsten Juda Schmuck wird
in Purpur erscheinen; die Fürsten Zebulon und
Naphthaly zugleich. Du hast gerichtet aus, O
GOtt! dein Reich mit Pracht; dasselbe stärcke
uns durch deine Wunder-Macht.

15. Die Könige werden dir um deines Tempels willen von allen Orten her Geschencke führen zu. Schilt einst das Thier im Rohr, die
Rott, die nicht zu füllen; treib sie mit Stangen
weg, verstöre ihre Ruh. Der Ochsen mit Käl-
bern, der Völcker allzumal; treib alle von dir weg,
laß kommen ihren Fall.

16. Den, der sich niederwürfft bey Gold und
Silber-Stücken, und bätet selbe an, als seiner
Finger Werck. Die Völcker die da Lust zum
Krieg, wirst du wegrücken, und sie verstören gar
durch deine Macht und Stärck. Egypten komme
zu dir, die Fürsten sind in Noth; auch Mohrenland streckt aus die Händ und zu GOtt.

17. Kommt aller Orten her, ihr Königreich
auf Erden: lobsinget diesem GOtt, lobsinget ihm
mit Macht. Der auf den Himmeln fährt, läst
hell und lichte werden, und ist von Anbegin in seinem schönen Prache. Sein Donner wird gehört mit starcker Stimm und Schall, daß in viel
Furchten stehn die Völcker überall.

18. Gebt unserm GOtt die Macht und Herrlichkeit daneben, die er in Israel zur Wohnung
aufgericht. Auch siehe man seine Macht mit auf
den Wolcken schweben, da jede in der Eil seinen
Befehl ausricht. GOtt du bist wunderbar in
deinem Heiligthum, weil da erhaben ist dein Nam
und großer Ruhm.

19. Du bist GOtt Israel, und wirst dabey
noch geben, daß man dein große Macht wird an
den Völckern sehn: und wirst sie allzumal mit
Sieges-Krafft erheben, daß sie mit Herrlichkeit
und großen Freuden stehn. Und ruffen aus
(weil sie befreyt von aller Noth) gelobet sey der
HErr, der große Wunder-GOtt.

114.

GOtt! wir kommen Dir entgegen, zeigen
unsre Frucht der Saat, die wir, unter deinem Segen, ausgesäet durch deine Gnad. Hier
sind wir, und zeigen an, was Du an uns hast
gethan.

2. Unsre Gänge sind gezieret HErr in deiner
Weisheit Licht, die uns bisher hat geführet unter
deiner Bundes-Pflicht, die uns hat gezeiget an,
wo die wahre Lebens-Bahn.   3. Unser

3. Unser Thun ist zwar geringe, klein und
niedrig unsre Höh, doch es zeiget jedes Dinge,
daß auch nimmermehr vergeh, was einmal durch
deine Hand ist gebaut und bracht in Stand.

4. Wir sind ein grün Zweiglein worden an
dem Stamm-Baum JEsu Christ, daß in seinem
reinen Orden unser Gang gesegnet ist. Bleiben wir in Ihm bewährt, so ist unsre Bitt erhört.

5. Wo wir singen, wo wir bäten, wo wir seinen Ruhm erhöhn, thut sein Geist uns selbst vertreten, und zu unsrer Seiten stehn, reichet dar den
reinen Saft aus der reinen Gottheits-Kraft.

6. Gottes Kirch sind reine Seelen, die im
Blut gewaschen seyn, und sich mit dem Lamm
vermählen, so ins Heil'ge gangen ein: wo sein
Blut erbauet hat seiner Kirchen Ruhestatt.

7. Und weil wir auch eingegangen in das
wahre Heiligthum, können wir auch mit Ihm
prangen als sein werthes Eigenthum, aus zu breiten früh und spat seine Güt und seine Gnad.

8. Heilig, Heilig wird gesungen da im innern
Heiligthum. Wol uns! es ist uns gelungen,
daß wir seinen grosen Ruhm da ausbreiten in
der Still, durch die reiche Gnaden-Füll.

9. So daselbst zusammen flieset auf die heil'-
gen Seelen hin, und man seine Gunst geniesset
mit viel Segen und Gewinn. O was Segen
und Genuß! bey dem reichen Ueberfluß.

10. Unsre Saat muß herrlich grünen, und
sehr schön sich breiten aus, daß es muß zum Segen dienen, und viel Freud in Gottes Haus, wo
man neue Lieder singe, und Ihm reine Opfer bringt.

11. O wie unbekant ist worden allhier das erwählte Geschlecht! das in diesem hohen Orden
hat erlanget dieses Recht, wo das sel'ge Erb und
Theil, und das allergröste Heil.

12. Ob wir zwar der Welt verborgen, bleibet
Er doch unser Licht, und gibt Raht auf jeden
Morgen, dabey steten Unterricht auf den Wegen,
die wir gehn, wann wir seine Macht erhöhn.

13. Drum wol uns! es muß uns bleiben
GOtt das allergröste Heil: Er wird uns Sich
selbst zuschreiben, als sein eigen Erb und Theil.
Drum bleibt Segen, Freud und Lust uns zu jeder Zeit bewußt.

14. Und weil ist auf uns getroffen von des
Höchsten Salbungs-Kraft, daß zu End das lange Hoffen, und das Leiden weg gerafft: bleiben
wir ohn End und Zeit Ihm zu seinem Dinst bereit.

15. Wann wir unsre Gaben zeigen, die im
Geiste offenbar, thut das Rauchwerck mit aufsteigen auf den güldenen Altar, welche wir nach
seinem Sinn bringen Ihm zum Opfer hin.

16. Und weil Er nun hat gegeben uns das
Loos in unsern Schoos, daß wir Ihm zu Ehren
leben, und von allen Sorgen loß, bleibet es ein
ewig Recht, daß wir Gottes Erb-Geschlecht.

115.

GRoser GOtt, ich will Dir singen aus gantz
vollem Hertzens-Grund: und Dir meine Lieder bringen, weil mir überläufft mein Mund mit
viel Danck-und Ruhm-Geschrey, daß mit schönster Melodey ich muß singen Dir zur Ehre, damit sich dein Lob vermehre

2. Nah und fern bey allen Leuten, daß sie se-
hen deine Werck: und auch mächen kund den
Heiden deine Wunder, Macht und Stärck, die
Du lässest werden kund denen, die auf deinen
Bund achten, daß sie treu verbleiben, lassen sich
von nichts abtreiben.

3. Niemand kann es hier aussagen, wie GOtt
seiner Kinder pflegt, thut sie auf den Händen tragen: wann der Feind sie niederschlägt, richtet Er
sie wieder auf; daß sie freudig ihren Lauff wallen
fort mit Danck und Loben, unter vielen Creutzes-
Proben.

4. O! was vor geheime Gänge führet GOtt
die, so Er liebt: wenn oft alles in der Enge, daß
von Hertzen sie betrübt, so läßt Er sein Hülfe sehn,
und thut ihnen selbst beystehn. Machet, daß
muß alles frommen, und zu ihrem Besten kommen.

5. Dieses hab gar oft erfahren meine Seele in
der Noth, weil in meinen Creutzes-Jahren Er
geblieben ist mein GOtt: und mir hat geholfen
aus in so manchem Kampf und Strauß. Wenns
auch schien, ich müßt vergehn, ließ Er seine
Hülfe sehn.

6. Dieses sey von mir geschrieben zu ein'm
Zeichen seiner Treu weil Er ist mein Helfer blieben,

beit, und mir hat gestanden bey: daß muß sehen jederman, was sein starcke Hand thun kann, und man sage bey den Heiden, wie Er thut die Seinen leiten.

7. Weil sie sich ohn alles Wancken halten fest an seine Treu, und auch bleiben so in Schrancken, daß nicht zu bewegen sey ihr in GOtt verliebter Sinn, dem sie sich ergeben hin, gantz von Hertzen treu zu bleiben, daß auch nichts sie kann abtreiben.

8. Doch indessen müssen leiden noch die arme Schäfelein, ob sie JEsus schon thut leiten zu den frischen Wassern fein: und sie führt auf grüner Au, wo rab fällt des Himmels Thau; thun sie sich doch oft noch finden unter vielen Sturm und Winden.

9. Ja, es ist nicht wohl zu sagen, wie so manchen sauren Tritt müssen thun, dies einmal wagen, und um anders nichts bemüht: als zu leben nur allein, daß sie GOtt gefällig seyn, ja sie müssen oft mit Flehen in der Wüsten umher gehen.

10. Wie verirret und verlassen, wann ihr Freund von ferne steht, daß viel Zähren sie benassen, und die Sonne untergeht: wann verlieret sich der Weg, daß verdeckt der schmale Steg, und sie in dem Dunckeln gehen, mit viel Schmertzen Leid und Wehen.

11. Doch, wer sich in Lieb verbunden, der kann halten treulich aus: bis GOtt die Versuchungs-Stunden herrlich hat geführt hinaus. Denn sehr oft gantz unvermuth GOtt thut schencken neuen Muth: lässet sein Licht wieder scheinen, daß vergessen Leid und Weinen.

12. Denn, wer treulich aus thut halten, wenn schon alles in der Eng, und die Lieb nicht läßt erkalten unter so viel Noth-Gedräng: der erfähret Gottes Gut in dem Hertzen und Gemüth, weil die rauhe Wind und Regen bringen lauter Kraft und Segen.

13. Wann die Sonne wieder scheinet, so wird alles Freudenvoll: und mit Gottes Raht vereinet, Der es weiß zu machen wohl. Denn die kalte rauhe Nacht machet nur das Hertz geschlacht: und vermehret das Verlangen, bis man siehe den Freund gegangen.

14. Hüpffend, jauchzend von den Höhen Libanons mit grosser Freud: wer solt nicht entgegen gehen, und sich machen schnell bereit, zu empfangen diesen Gast, der so sanfte hat gerast, und geschlafen an der Thüre, wo die Seel ging in der Irre.

15. O! wie herrlich sind die Thauen, die sein heiligs Haupt benäßt. O! was seine Himmels-Auen, wo Er hat so sanft gerast: auch siehet man der Locken Pracht voll mit Tropfen von der Nacht, die gezeuget aus der Sonnen, und bey Nacht auf Ihn geronnen.

16. O! was grosse Wunder-Wege, O! was vor geheime Gäng: wer solt doch noch werden träge, kommt man schon oft in die Eng. Es ist lauter Himmel-Brod, wo man leidet Schmertz und Noth: denn so kann man lieben lernen, wenn die Lieb sich thut entfernen.

17. Dann so werden ausgeboren Gottes Kinder in der Nacht: wenn es scheinet, es wär verloren, wird man nur zurecht gebracht. Wie die Thaues-Tropfen seynd zubereitet, wann nicht scheint ihre Sonn, die sie gezeuget. Wohl dem! der so ist gebeuget.

18. Durch die trüb und dunckle Nächte, wo gantz keine Sonne scheint: der erlanget Kindes-Rechte, wird geheissen Gottes Freund. Denn das ist die rechte Spur, wo die neue Creatur ausgeboren wird, zum Leben, daß man Preiß und Ruhm kann geben.

19. GOtt, dem Herrscher aller Dingen, Dem durch seine grosse Macht alles muß zuletzt gelingen: weil Er thut bey Tag und Nacht hüten, pflegen und beystehn denen, die Ihm nach thun gehn. Drum will ich, weil ich hier walle, leben, daß ich Ihm gefalle.

116.

GRosser König, treuer Hirte! hör das Rufen meiner Seel: weil mit brünstiger Begierde Dich zu meinem Schatz erwähl. Laß mich nimmer von Dir wancken, daß ich bleib in deinen Schrancken: höre doch mein sehnlich Flehn, sonst kann ich nicht bestehn.

2. Vor dem Feind mit seinen Truppen, die

er täglich an mich hetzt, und nicht müde wird zu
drucken, meine Seele oft verletzt, daß ich komm
in harte Presse: doch ich deiner nicht vergesse,
weil Du trittst sehr nah zu mir, rufst mir zu:
ich helfe dir.

3. Doch wirds ofte schier zu lange, daß ich
wancke hin und her, und der Seel wird angst und
bange, wenn sie fragt: wo ist der HErr? und
oft wird von Seuftzen schwach in dem Rufen vieler Ach, daß ich muß mit Thränen säen, und so
lang von ferne stehen.

JESUS.

4. Liebe Seel, was soll das sagen? stelle doch
das Klagen ein: willt du nur in guten Tagen mir
ein treuer Ehgatt seyn? Nein, das gehet gar
nicht an: du must auf der Lebens-Bahn wandeln
fort bey allem Strauß, bis du kommen wirst nach
Haus.

5. Sieh auf alle Bunds-Genossen, die vor
dir gewesen seyn: Thränen-Fluthen sie begossen,
ehe sie den Freuden-Wein truncken in des Vaters Haus, da man nimmer geht hinaus: Willt
du solches mit geniesen, must auch Thränen du
vergiesen.

SEELE.

6. Nun ich fasse Muth und Glauben, halt
mich an dein wahres Wort: laß mir nicht die
Hoffnung rauben, wenns auch ging zur Höllen-
Pfort. Währt es gleich bisweilen lang, daß der
Seelen angst und bang; ey so stehst du doch bey
mir, rufst mir zu: ich helfe dir.

7. Nun, mein treuer, Du solt bleiben einztg
meiner Seelen Ruhm, mir der Liebst in allem
Leiden, mein Schatz und mein Eigenthum: nur
zu seyn allein auf Dich, wenn die Feinde drucken
mich. Ich ergeb Dir alles hin, gnug daß ich
der Deine bin.

8. Hab ich Dich, so kanns nicht fehlen, denn
Du thust den Deinen wohl: was ich sonsten wolt
erwählen: macht zuletzt ofte Trauren-voll, und
viel Plage, Angst und Schmertzen, dazu Unruh
in dem Hertzen. Wer so meint, er hätte Dich,
findt zuletzt betrogen sich.

9. Drum gibts viele, die sich nennen, tragen

deinen Namen hier: mit dem Munde, HErr
bekennen, aber doch nicht folgen Dir. Schrey-
en Dir nach: HErr und Meister, bleiben doch
nur Fleisches-Geister. Darum wird ihr Rufen,
HErr! sie am End betriegen sehr.

10. Nicht die, welche mit viel Worten Dir
zu dienen sind bereit, gehen ein zu Salems-Pforten, in die frohe Ewigkeit: sondern, die gesucht
Dich, in dem unverfälschten Licht, die mit
Wort-und Wercken thaten, was sie andern wolten rathen.

11. Die oft müd von Seuftzen werden, daß
sie schier verschmachtet seyn: gehen ein zur Himmels-Pforten, da ihr Leid zu Freuden-Wein, und
sie wird erquicken dort, daß sie werden fort und
fort stimmen an im hohen Thon Sieges-Lieder
vor dem Thron.

12. Drum, ihr Klugen, rüst't euch hurtig,
und bereitet eure Seel: machet eure Lampen fertig, daß beym Aufbruch euch nicht fehl. Kauffet Oele, weils noch währet, euch nicht an die
Thoren kehret: die nur spotten euren Weg, wenn
ihr geht den schmalen Steg.

13. Wenn sie aber werden rufen, und stehn
vor der Himmels-Pfort, sagen, HErr ach thu
uns offen, wir sind kommen auf dein Wort:
wird der HErr mit starcker Stimm rufen: weichet weg von hin, denn ihr habt euch selbst gemeint, denn ihr habet fromm gescheint.

14. Weh! O Weh! euch allzusammen, die
ihr nur in Wort und Schein habt gewandelt,
da die Frommen mußten eure Schlacht-Schaaf
seyn. Nunmehr werd't ihr stehen nicht vor das
HErren Angesicht: sondern werdet hinverwiesen
in die ew'ge Finsternüssen.

15. Drum, ihr Frommen! nicht verzaget,
ob schon manchmal Thränen-voll euch die Hülfe
wird versaget: glaubet nur, Er wird noch wohl
euren Schmertzens-vollen Gang krönen mit dem
Siegs-Gesang, und euch helfen aus dem Leid in
die frohe Ewigkeit.

16. Meine Seele kann schon singen hier auf
(soll noch)
meiner Pilger-Reiß: denn Er lässets mir gelingen auf viel wunderbare Weiß. Muß ich

schon

schon bisweilen klagen, läßt Er mich doch nicht
verzagen. Nun ich bleibe, HErr! an Dir, sey
mein Alles dort und hier.

17. Thränen, die oft übergossen, netzten meine Wangen hier, machten mich zum Bunds-Genossen noch im Jammerthal allhier: daß ich meines HErren Gang folge nach, bis ich erlang
meine Sieges-Krone dort, und erlößt vom Creu-
tzes-Ort.

117.

GUte Nacht, O Welt! du bist mir verstellt,
meine Lust und mein Vergnügen kann mit
dir sich nicht mehr fügen, bleib mir nur verstellt,
ich habs so erwählt.

2. Dein Betrug und Schein gehe nicht in
mich ein, ich seh schon dein Urtheil blühen, wo
du kanst nicht mehr entfliehen. Schenck nur
tapffer ein deinen Trug und Schein.

3. Denen es gefällt, und dein Thun erwählt,
du gibst gar zu schlechte Sachen; wer noch etwas
draus thut machen, wird von dir gefällt, und
dorthin gestellt.

4. Zu der lincken Seit hin verwiesen weit von
GOtt in die Finsternüssen, und da seine Wohllust büßen, wo er in der Zeit sich hat in geweid.

5. Ich bin dessen froh, denn dein leichtes
Stroh ist bey mir ins Feuer kommen, drum ist
mir hinweg genommen, wo man sonst wird froh
über leichtes Stroh.

6. Deine falsche Freud hab ich aus gespeit,
ich kann nun was bessers haben, woran sich mein
Herz thut laben, weil ich deine Freud habe aus-
gespeit.

7. Deine grose Macht ist bey mir verlacht, es
ist nur ein eitles Prangen: wenn du bist vom
Tod gefangen, wird zu nicht gemacht deine grose Macht.

8. Wenn du dächtest dran, würd dein falscher
Wahn in dir bald zu Boden fallen, und thätst
nicht so sicher wallen hier auf deiner Bahn, bey
dem falschen Wahn.

9. Doch es ist umsonst, weil der eitle Dunst
dir geblendet deine Augen, daß sie nicht zu sehen
taugen, was die Gottes-Gunst denen giebt umsonst,

10. Die ihr Herz und Sinn richten gantz dahin, daß sie ihrem GOtt gefallen, und nur Ihm
vor andern allen, haben geben hin ihren gantzen
Sinn.

11. GOtt! mein einzigs Theil, schaffe Fried
und Heil meiner Seel in allen Sachen, denn ich
weiß sonst nichts zu machen, als in Dir, mein
Theil, suchen Fried und Heil.

12. Volle Glaubens-Kraft wird durch dich
verschafft, alles andre ist verloren, was nicht ist
aus dir geboren, und durch Deine Kraft wird in
uns verschafft.

13. Dein selbstständigs Wort bleibe fort und
fort in mir, daß ich es verspühre, und dein Geist
mich lehr und führe: sprich dein Lebens-Wort in
mir fort und fort.

14. Laß mich von Dir, HErr! weichen nimmermehr; laß ihr seyn ins Herz geschrieben, daß
kein Unfall noch Betrüben mich von Dir, O
HErr! könne scheiden mehr.

15. Ich will sonst nichts thun, als alleine
ruh'n, HErr! in deinem Raht und Willen, daß
Du selber kanst erfüllen, was noch ist zu thun,
laß mich in dir ruhn.

16. So werd ich wohl dein, und Du bleiben
mein, wenn mir weichet in mir von allen, als
was Dir nur kann gefallen: werde ich wohl dein,
und Du bleiben mein.

H
118.

HAstu mein dann gantz vergessen, treueste Gebieterin? wie war ich so lieb gewesen, da mein
kleiner Kinder-Sinn ließ die Freud der Erde fahren, weil ich wolt der Deine seyn: O! was würd
in so viel Jahren mir vor Leid gemessen ein.

2. Hastu dann auch Menschen-Augen, die
Armen Raht verschmähn? und die, so die Gnade saugen, nicht in Güte wilt ansehn. Soll ich
nun erst müssen zagen nach so viel verlebter Pein
als langen Trübsals-Tagen, als ob solt verstoßen seyn.

3. Da ich alles hingegeben um mit dir verlobt
zu seyn, muß ich in viel Elend schweben, so mir

wird

wird gemessen ein. Nun wache auf ein neues
Sehnen, daß die erste Libes-Treu, nach so viel gehabten Trähnen, wiederum möcht werden neu.

4. Du bist doch, die ich erwählet, kostet gleich
so manche Noth: daß muß seyn als wie entseelet,
scheidet mich doch nicht der Tod. Dann was
mich dir nachgezogen, daß so sehr in dich verlibt,
hat sonst alles überwogen, was mich so viel Jahr
geübt.

5. Stell dich hart, ob wärs verloren, und geschehn um deine Gunst, hastu mich doch selbst erkoren und gebracht in solche Brunst. Solt ich
auch im Tod erbleichen, ich weiß, was du schenck-
test ein: als ich schien von dir zu weichen; hieß
es: ich solt deine seyn.

6. Soltestu dem dich versagen, der so manchen Tag und Jahr viel erlitten und ertragen bey
so mancherley Gefahr. Nein, diß sind nicht deine Wege, Du bists selbsten, was uns kränckt;
wans auch scheine-wir wären träge, wird uns
gutes eingeschenckt.

7. Ich bin wie vom Schlaf erwachet, möcht
gern wissen, wie ich dran; doch, weil sie mich angelachet, ich gar leichtlich mercken kan an den Blicken, die daneben mit der reinsten Augen-Zier auf
das freundlichst mir gegeben, daß die Hochzeit
vor der Thür.

8. Dann ist alles wie verwesen, und die sehr
betrübte Zeit ist zu einem mal vergessen: als mich
nur ein Blick erfreut, war ich gantz wie überwogen dacht an meiner Jugend-Jahr, als sie mich ihr
nach gezogen, da ich doch sehr ferne war.

9. Jetzund muß die Zeit veralten, da offt biß
zum Tod betrübt, dann ich spür die Liebe walten,
die mich hat so sehr geübt. O! die lang erwünschte Stunden bringen eine andre Zeit, wo
geheilet meine Wunden, und das Hertz in Ihr
erfreue.

10. Möge ich bald zur Seiten ligen, o du
allerholdste Braut! O! wie wolt ich mich dir
schmiegen, wann ich einmal gantz vertraut könte
deiner Libe pflegen, und mein Kummer wär zu
End; ich wolt mich ins Bette legen wie ein ein-
fältiges Kind.

11. Dann wär unsre Ehe getroffen, o du allerschönste Zier! und ill End mein langes Hoffen, weil ich mich ergeben dir treu zu seyn in allen
Nöthen, auch biß auf das euserst hin: wann
man mich auch wolte tödten, bleibestu doch mein
Gewinn.

12. Wer wird unsern Samen zehlen, der aus
unserm Bett gezeuget? O! ein Göttliches Vermählen, wo sonst alles stille schweigt, was gemacht
so manches Grämen in der trüb und tunckeln Zeit:
auf einmal thut sie wegnehmen den so lang geführten Streit.

13. Solt ich dann nicht Freude haben? o du
allerhöchste Lust! weil mich kan unendlich laben
nun an deiner holden Brust. Ich werd wol
nicht mehr gedencken der so langen Trauer-Zeit,
weil du ohne Maaß thust schencken mir so viel
Vergnüglichkeit.

14. Zwar, kan doch nicht gantz vergessen, wo
in dem verlaßnen Stand manche Jahr betrübt
gesessen, wegen dem Verlobungs-Band. Drum
kont ich der Eyd nicht brechen, der geschehen zu
der Zeit, als ich mich ihr that versprechen, treu zu
seyn in Ewigkeit.

15. Nun sey diß mein letzter Wille, o du Holde! daß ich bleib (in der allerreinsten Fülle) und
sey eines Geistes Leib mit dir, wo man Liebe pfleget in dem allerreinsten Sinn. Wer sich also
schlafen leget, wachet auf mit viel Gewinn.

16. Wohl! ich hab im Blick ersehen meine
Braut im göldnen Stück, als wolt sie zur Hochzeit gehen: Ey! ist diß etwa mein Glück! daß der
Braut-Lauf wird gehalten, wo mir würd zur Seiten stehn, die mich niemal ließ erkalten in den viel
gehabten Wehn.

17. Freylich hat sie Blicke geben mir, im allerreinsten Geist, daß michs kaum kont überhe-
ben, als wär schon dorthin gereist. O! was
schöne Hochzeit-Gäste kommen dort von ferne her,
um zu schmücken dieses Feste: es ist ein Jung-
fräulichs Heer.

18. Jetzt soll ich die Sayten rühren, meine
Harffen stimmen an, helffen selbst den Braut-
lauf zieren, lassen töhnen, wie ich kan. Gloria
sey

E 3

sey GOtt gegeben, der das Braut-Bett mir bereit: nun wil ich Ihn hoch erheben in der Zeit
und Ewigkeit.

119.
Psalm. 102.

HErr höre mich, dann ich will bäten, hör mein
Geschrey in meinen Nöthen: merck doch auf
meines Flehens Stimm, und mein Gebät zu
Ohren nimm.

2. Dann meine Tag sind schnell vergangen,
gleich wie ein Rauch bey so viel Drangen, und
mein Gebeine sind verbrandt, vertrocknet, wie ein
dürres Land.

3. Mein Herz ist in mir ganz zerschlagen,
wie Graß verdorrt in heissen Tagen: daß ich vergesse auch mein Brod zu essen in so vieler Noth.

4. Mein Fleisch klebet an den Gebeinen für
Seufzen und kläglichem Weinen: ich bin einem
Rohr-Dommel gleich, in Wüsten hin und her
verscheuche.

5. Gleichwie ein Käuzlein in den Städten,
so sind verstöret, sich muß retten: so muß ich auch
geachtet seyn von dem, der zu mir gehet ein.

6. Zu Nacht und Tag ich immer wache, gleichwie ein Vogel auf dem Dache: der einsam und
verlassen sehr, und niemand ihn will kennen mehr.

7. Dann meine Feinde, die mich schmähen in
meinem Leid und vielen Wehen: die schweren
wider mich zur Zeit, mir anzuthun viel Herzenleid.

8. Mein Brod, das man mir gibt zu essen,
wird mir mit Aschen eingemessen: mein Tranck
mit Weinen ist vermengt, der mir wird täglich
eingeschencket.

9. Wenn mich solt deine Hülfe decken, muß
ich vor deinem Zorn erschrecken: du hebst mich
auf, und wirffst mich hin, das schmerzet den betrübten Sinn.

10. Dann meine Tag sind wie ein Schatten
verschwunden und all meine Thaten: mein Leben
ist verdorret gar wie Graß, das abgemähet war.

11. Du aber, HErr, thust ewig walten, und
deine Jahr sind ohn Veralten: dein Güte währet stets bey dir, und dein Gedächtnuß für und für.

12. HErr schaffe Hülff mit deinen Armen,
thu deines Zions dich erbarmen: dann es ist Zeit
daß du siehst drein, damit bald deine Hülff erschein.

13. Dann deine Knechte stehn in Drangen,
und sehnen sich in viel Verlangen: daß man sie
möcht erbauet sehn, und ihre Mauren fertig stehn.

14. Damit die Heiden deinen Namen fürchten und rühmen allzusammen: und aller Kön'ge
hoher Pracht höch ehre deine Wunder-Macht.

15. Die Hülflos und verlassen stehen, die läßt
er seine Wunder sehen: verschmähet nicht des
Armen Rath, der keinen Trost noch Helffer hat.

16. Diß wird man in die Rolle schreiben, damit es für und für mög bleiben zum Wunder den
Nachkommen stehn, und also GOttes Macht
erhöhn.

17. Er schaut von seiner heilgen Höhe, vom
Himmel her, daß er ansehe den Elenden, der ohne
Rath, und nirgends keinen Helffer hat.

18. Däß er errett, die hart gefangen, und zu
ihm schreyn in ihren Drangen: und mache loß
schnell und behend die, so Kinder des Todes sind.

19. Daß sie zu Zion mit viel Freuden den
Völckern deinen Ruhm ausbreiten: und in Jerusalem mir Schall dein Lob ausbreiten all zu mal.

20. Wann alle Völcker auf der Erden daselbst
zusammen kommen werden: und alle Königreich
darzu dienen dem HErrn in stolzer Ruh.

21. Er thut verkürzen meine Tage, drum ich
in viel Betrübnuß sage: mein GOtt! nimm
mich nicht vor der Zeit hinweg in meiner
Nichtigkeit.

22. Dann deiner Jahre ist kein Ende, du hast
gesetzt der Erde Gründe: die Himmel, deiner Finger Werck, sind Zeugen deiner Krafft und Stärck.

23. Dennoch werden sie schnell vergehen; du
aber bleibest ewig stehen: sie werden, wie ein alt
Gewand, verwandeln sich durch deine Hand.

24. Du wirst sie wie ein Kleid umwenden,
wann ihre Tag und Jahr sich enden: du aber
bleibest, wie du bist, und deine Jahr zu jeder Frist.

25. Die Kinder deiner Knechte eben, die werden in die Länge leben: ihr Same und Geschlecht
bey dir wird stehen bleiben für und für.

HErr

HErr JEsu Christ, ach siehe drein! wie dein
Erb ist verwüstet, und deiner Mutter Kinder
schreyn, weil viel die Welt gelüstet, die doch sonst
alle Ding versagt, der Welt gegeben gute nacht,
nun sieht man andre Sachen.

2. Die Bruder-Liebe brennt nicht mehr, verloschen ihre Flammen, ja, alle Feinde deiner Ehr
schlagen die Hände zusammen: sind froh und mercken eben drauf, dieweil der schöne Glaubens-lauf
zu einem Nacht-Liche worden.

3. O Brüder! stehet auf vom Schlaf, und
greiffet nach den Waffen; ziehe an der ersten Liebe Krafft mit Ringen aus zu schaffen das grose
Heil im Bundes-Blut, dieweil des alten Feindes Wuht sich zeiget aller Orten.

4. Gedenckt, daß ihr geschworen habt, dem
König groß von Ehren, drum nicht an Sodoms
Brust euch labt, daß euch nicht könn bethören des
Feindes Tück und Krieges-List, die er sehr künst-
lich zugerüst um Zion zu verwüsten.

5. Ach! daß wir uns doch nun aufs neu zusammen thäten fassen; so würd die wahre Bruder-Treu uns nicht lang schlafen lassen; wir würden spüren neue Krafft, die Geist und wahres
Leben schafft, wann wir einander liebten.

6. Durch Eintracht wächst der Liebe Lauf,
man kan den Feind bezwingen; hält sie kein falscher Trieb mehr auf, so kann man Tryumph singen. So aber in der Liebe wir nicht bleiben, so
verliren wir, der Feind kann unser spotten.

7. Ich wil indessen nimmermehr von meiner
Liebe lassen, kömt gleich der Feind mit seinem Heer
auf mich, ich wil umfassen das Liebes-Herz, das
JEsus mir eröffnet an des Lebens-Thür, da er
mich eingenommen.

8. Drum sieh, und rett dein Eigenthum, das
du dir selbst vertrauet, zu deines grosen Namens
Ruhm, und weil dein Auge schauet zu dieser deiner kleinen Heerd, die du erkauffet von der Erd,
daß sie dein eigen würden.

9. Du bist ja doch der starcke Held, auch mitten in dem Kriegen hat er uns eine Wacht bestellt, daß wir nicht unten liegen. Drum ich auf

dich wills wagen fort, und wanns auch ging zur
Höllen-Pfort, du kanst mich nicht verlassen.

10. Ob gleich die Schlaf-Sucht jetzo hat dein
Zion übernommen, so weiß ich doch, du wirst
noch Rath schaffen den lieben Frommen: wann
deine Stimm zur Mitternacht wird rufen: eilt,
vom Schlaf aufwacht, der Bräutigam wird
kommen.

11. O Selig! welche Seele hat die Lampe in
den Händen, und stehet bereitet mit der That, daß
sie nicht bleib dahinden: weil Oele sie gekaufft
beyzeit, so ist die Lampe auch bereit zur Mitternacht zu leuchten.

12. Jetzt gehe man in den Hochzeit-Saal,
mit denen lieben Schaaren, alwo bereit das Abendmahl schon vor so manchem Jahren: der Pracht
und Zierd ist weisse Seid zum reinen Schmuck
am Hochzeit-Kleid. Die Freud wird ewig währen.

HErr JEsu Christ! ach siehe doch die Schmertzen deiner Lieben! entbind sie von des Treibers Joch, eh sie sind aufgerieben von's Feindes
Wuht und bösem Grimm, der wider sie, mit Ungestümm sehr schnaubet, wüt't und tobet.

2. Er thut ja noch in deiner Heerd viel arme
Schaf verwunden: und hat bisher nicht aufgehört in Tagen, Nächt-und Stunden. Drum
thut es mir so schmertzlich weh, wenn ich vor meinen Augen seh die Wunden meiner Lieben.

3. Ich seh es zwar, und kann nicht thun, was
mir zu rathen dienet: ich muß in deinem Willen
ruhn, weil Du hast ausgesöhnet der Schulden
viel und Schwachheit groß, da Du verliest deins
Vaters Schoos, und kamst zu uns auf Erden.

4. Und namest unsre Schwachheit an, mit
Kraft zu überwinden: drum bist Du auch, der
helfen kann, wenn wir uns so befinden, daß wir
nicht wissen aus noch ein, gantz klein und tief gebeuget seyn von Schmerzen deiner Lieben.

5. Doch halt ich an bey meiner Treu, die Du
uns Herz geschrieben, damit ich gantz dein eigen
sey: ich werd nicht unten liegen, weil Du mein
Priester und Prophet mir rahtest, daß es glücklich
gehe, zum Trotz der Macht der Feinde.

6. Muß

6. Muß ich schon sehn der Wunden viel bey
deiner armen Heerde: so setzest Du doch Maaß
und Ziel, daß nichts verderbet werde von dem,
das Du durch deine Hand gebauet und gebracht
in Stand, daß es soll bleiben stehen. -

7. Es wird der harte Eigen-Sinn doch meistens nur verletzet: der sich in Hoffart immerhin
sehr hart entgegen setzet wider die weise Gottes-
Zucht, wodurch man bringet wahre Frucht, nach
seinem Raht und Willen.

8. Ihr Brüder, mercket Gottes Raht, den Er
euch vor thut lesen: in Lieb euch lang getragen
hat, da ihr nicht kont genesen in eurer eignen
Kräfte Muth, wodurch ihr nur des Lammes
Blut zertreiten und geschänder.

9. Drum fangt ein ander Wesen an, als wie
bisher geschehen: denn JEsus zeigt die Lebens-
Bahn; Ihm müsset ihr nachgehen. Verlaßt
den stolzen Eigen-Sinn, der sich in Hoffart immerhin der Lieb entgegen setzet.

10. Seht doch wie manche harte Schläg der
Eigen-Will verschuldet: und wie daneben GOtt
euch trägt, und hat bisher erduldet das, was Ihm
sehr entgegen war, so doch soll sterben gantz und
gar am Creutz, das aufgerichtet,

11. Zum Zeichen seiner Kirchen hier, die sich
nach Ihm thut nennen: diese sey ihr Kron
und Zier, wenn sie Ihn thut bekennen, damit sie
solches an dem Leib so tragen, daß nichts übrig
bleib vom alten eignen Leben.

12. Das immer GOtt zu wider ist, sich selbst
zu Ehren lebet: erhebt sich über GOtt und Christ,
und immer widerstrebet. Durch eigne Lieb sich
selbst verführt, daneben sich in Falschheit ziert
mit reinem Tugend-Leben.

13. Und das von ausen nur im Schein, womit man sich bekleidet: als solten Gottes Tugend'n seyn, daß sich oft dadurch verletret die Seelen,
die scheun in sich klein, zum theil auch tief gebeuget seyn. O! das giebt Schmertz und Wunden.

14. Wann solches andre in der Still, die es
was näher kommen, so sehen; wie dem Eigen-
Will, auch oft bey wahren Frommen, gedienet
wird als GOtt zu Ehr: so werden sie gebeuget
sehr, und rufen aus mit Schmertzen:

15. HErr JEsu Christ, das Bild zerstör, so
deinen Namen schänder, und raubet Dir dein
Göttlich Ehr, in Hoffarts-Sinn verschwendet:
was deine Gunst und treue Gnad bis daher oft
erwiesen hat, zu Ehren dir zu leben.

16. Ich will indessen nimmermehr von dir
mein JEsu, lassen, kommt gleich der Feind mit
seinem Heer auf mich, ich will umfassen die Worte von dem theuren Eid, daß Priester Du in E-
wigkeit und auch vor mich bist worden.

17. Der Bürge meiner Schulden groß: da
ich, in schwerem Lasten, mit Thränen oft den
Weg begoß, weil ich kont nimmer rasten im Leben dieser Eitelkeit, das ich in der vergangnen
Zeit verbracht nach eitlem Willen.

18. Und weil Du meiner Seelen Schmertz
in mir hast aufgelöset, geheilet das verwunde
Hertz, daß endlich ich genesen: so fall nur alles
von mir hin, was Dir nicht ist nach deinem
Sinn, es sey Dir übergeben.

19. Mein Leben sey zu eigen Dir in deinem
Raht beschlossen: wie du es machen wirst mit mir,
so werd ich unverdrossen gantz sanft in deinem
Willen ruhn, nichts wollen wissen oder thun, als
nur in Dir zu leben.

20. Die ihr noch treu im Bunde seyd, kommt,
lernet diese Schule: und trei't in Demuths-Niedrigkeit mit mir vors Lammes Stuhle: und werfet in gebeugtem Sinn die Kronen zu den Füsen
hin, und gebet Ihm die Ehre.

122.

HErtz der Liebe! reine Triebe gieb in unsre Hertzen: reine Flammen schlagt zusammen, brennt
als lichtes Kertzen. Daß wir an Dir bleiben; laß
uns nichts abtreiben; stetig Dir zu leben, bleibend
seyn ergeben.

2. Gib Gedancken ohne Wancken, tief hinein zu dringen: wo man heilig und Jungfräulich
Dir thut Opfer bringen. Gantz ohn alles Klagen Dir dein Creutz nachtragen, und mit grosen
Freuden uns von allem scheiden.

3. Gib uns allen, daß wir wallen stets in deinen Schrancken: gib uns Weisen, dich zu preisen ohne alles Wancken. Daß wir ohn Ermüden

den loben Dich hienieden mit Hertzen und Munde alle Zeit und Stunde.

4. Schenck uns Kräfte zum Geschäfte, worzu wir verbunden: daß wir alle ohne Galle, in den Prüfungs-Stunden: wann wir sollen leiden, vor einander streiten, um die Wette ringen, in die Lieb eindringen.

5. Laß uns kämpfen, daß wir dämpfen alle bittre Flammen: die da brennen zum Zerrennen, halte uns beysammen. Daß wir uns bestreben, Dir zu Ehren leben: bis wir Dich dort oben ohne Ende loben.

123.
Hertzens-Brüder, die ihr Glieder an dem heiligen Leibe: thut euch neigen, thut euch beugen, als ein keusches Weibe. Werdet Seraphinen: lasset ganz zerrinnen eure eigne Kräfte, eure Manns-Geschäffte.

2. Seyd einhellig, streit't einhellig: laßt die Liebe walten. Werdet Männer, Lichts-Bekenner, laßt euch nichts erkalten. Singet um einander, streitet vor einander: daß uns keine Leiden von einander scheiden.

3. Schwestern holde, wenn ich wolte, könte ich was sagen: doch die Liebe bringet Triebe, daß ich es kann wagen. Lebet züchtig, heilig, werdet ganz jungfräulich: daß ihr könt vor allen eurem Freund gefallen.

4. Hertzen, Schmertzen, Schmertzen, Hertzen, lasset gleich gefallen. Er, der Holde, wenn Er wolte, könte wohl vorfallen: wie die treue Liebe bringet solche Triebe, daß die bittre Leiden gleich den süßen Freuden.

5. Komm, wir wollen, wie wir sollen, allzusammen treten: tief uns neigen, tief uns beugen vor dem Thron mit Bäten. Daß des HErren Klarheit uns erfüll mit Wahrheit: und sein Liche im Segen sey auf unsern Wegen.

124.
Heut ist mein Geist vom Schlaf erwacht nach der so langen Creutzes-Nacht, da mir ein Kind geboren, wo die Jungfrau den Mann beschlief,

und alle Welt von Wunder rief, die meyntens seyn verloren. Da es von unten lag so schwer, kam die Jungfrau vom Himmel her.

2. Und löste auf den schweren Bann, machte jungfräulich, was hieß ein Mann: jetzt wird man können leben, wo man der Braut entgegen geht; alwo kein böser Wind mehr wehe, noch was sich wolt erheben. Jetzt ist die Jungfrau oben an, weil sie umgeben allen Mann.

3. Dann wird die Zahl, die GOtt sich hat erwählt nach vorbedachtem Rath, das Ruder dorten führen: biß alle Creatur verneut, und was vom Schöpffer sich gezweyt, und so den Himmel zieren. Das ewig Evangelium wird seyn der Jungfrauen hoher Ruhm.

4. Die Priesterschafft wird ewig stehn, biß zu dem Ende alle Wehn, und so den Tempel zieren. Diß ist die Braut-und Tauben-Zahl, die GOtt nach gar geheimer Wahl wird in sich selbst einführen. Alsdann wird seyn die letzte Nacht, da allem Leid ein End-gemacht.

125.
Himmels-Lust ist bewußt einem Streiter JEsu Christ, weil er ist fest verbunden mit Christi Blut und Wunden, wodurch man kann genesen, und kommt zum wahren Wesen, da man meidet, sich abscheidet vom dem Scheinen, und Gut-meinen, was sich nur in Hoffart brüst.

2. Wer so ist ausgerüst mit viel Kraft und Tapfferkeit, der kann im Kriegen siegen, so daß muß unterliegen die grose Macht der Feinde, daß freuen sich die Freunde, und vermehren, GOtt zu Ehren, ihre Kräfte, zum Geschäffte, freudig auszuziehn in Streit.

3. Drum wohlauf! mercket drauf, daß ihr in vereinter Kraft könt führen aus die Kriege biß zu dem vollen Siege, und stehen fest zur Wehre, daß euch kein Feind verstöre, und die Tücke, Netz und Stricke, die sie stellen, euch zu fällen, werden so zu nichte gemacht.

4. Haltet aus allen Strauß! wenn der Feind mit Grimm und Wuth sich gegen euch thut setzen wird euch doch nichts verletzen, wann ihr in allen Proben werdt dancken und GOtt loben vor

die Rechte seiner Knechte, die Er zeiget, wenn Er
beuget aller Feinde stolzen Muth.

5. Dann es seynd unsre Feind in die Flucht
geschlagen sehr; drum können sie's nicht wehren
noch GOttes Werck zerstören, ob sie schon hefftig schnauben; doch sie den Muth nicht rauben,
weil die Thaten schon gerathen sind den Helden,
die sich stellten vornen an des Königs Heer.

6. Kraft und Ehr bringet her unserm GOtt
mit aller Macht, weil Er die Kriege führet, und
uns, sein Volck, regieret: drum wollen wir lobsingen, und unsre Opfer bringen, und zu Ehren
lassen hören schöne Weisen, Ihn zu preisen, weil
Er sieget in der Schlacht.

7. Geht voran, machet Bahn, daß Ihm werde zubereit ein Volck zu seinen Ehren, und thut
euch nicht dran kehren, ob schon der Feinde Roten euch nur damit verspotten: laßt sie machen,
ihre Sachen gehn zur Stunde gar zu Grunde,
wenn GOtt wird ausführen den Streit.

8. Geht einher, bringet Ehr unserm König
groß von Macht, weil Er die Feind geschlagen:
drum dörfen wir es wagen, die Wunder an zu
zeigen, und länger nicht verschweigen seine Wercke, Kraft und Stärcke, die Er zeiget, wann Er
beuget aller Feinde stolzen Pracht.

9. Ja es muß noch zu Fuß alles nieder fallen
hin, was jetzt sehr hoch erhoben, und oft thut
greulich toben; so wird sichs doch bald zeigen,
daß sie sich müssen beugen vor den Frommen,
wenn die kommen sie zu richten, und zernichten
ihren harten Hoffarts-Sinn.

10. Freuet euch allzugleich, die ihr GOttes
Eigenthum, und laßt nicht nach zu preisen, mit
vielen schönen Weisen, den König hoch dort oben
mit Herz und Mund zu loben, vor die Siege
und die Kriege, die Er mächtig und sehr prächtig ausgeführt zu seinem Ruhm.

11. Schweiget nicht, bis einbricht JEsus unser Held im Streit, Dem es so wohl gelungen,
daß Er die Feind bezwungen; drum müssen unsre Thaten in Ihm auch wohl gerathen, daß wir
siegen, nie erliegen, bis wir loben Ihn dort oben
vor die volle Sieges-Beut.

126.

Holde Freundin? ein Verlibter; der so manchen Tag und Jahr muste heisen ein Betrübter, weil er so verliebet war; und doch nicht durffte
näher kommen, weil sie sich vor Ihm verbarg, ob
er aller Freud entnommen; und lag wie im Todes-Sarg.

2. Meine Freundin ist die Holde, die von Ewigkeiten war; ob ich gleich was anders wolte,
must ich förchten die Gefahr: Darum wurd ich
auch nicht müde; wann es ginge saur und schwer,
dacht ich meiner Jugend Blüte, wie sie selber
ging vorher.

3. O! wie fein war ich geloffen; da sie selbst
Gebieterin, biß mich alles Unglück troffen, und
erkranckt mein Liebes-Sinn. Ohne Weinen
kann nicht sagen, was vor viel betrübte Zeit, und
vor Elend muß umtragen, eh ich wiederum
erfreut.

4. Doch ging es ihr selbst zu Herzen, mein so
sehr verlaßner Stand samt der vielen bitterem
Schmerzen, weil sie nur hinter der Wand stund,
und hört mein kläglich Zagen, meynt, es wär
um mich gethan: da kont sies nicht länger tragen,
und nahm selbst sich meiner an.

5. Aber hat noch mehr geübet den so sehr verlibten Sinn; wann schon biß zum Tod betrübet
nahm sie auch noch alles hin. Doch wann nichts
mehr ruht zu machen, meynt, es wär um mich
geschehn; täht sie meiner armen Sachen pflegen,
und zur Seiten stehn.

6. Und weil sie mich so thät üben, ist alzeit
ein schwerer Streit zwischen ihr und mir gebliben,
nebst viel andrem Herzenleid. Dann so mehr
ich mich thät üben zu erlangen ihre Gunst, thät
sie mich nur härter sieben! doch verlosch nicht,
meine Brunst.

7. Was dis vor ein Streit zu nennen schon
so manchen Tag und Jahr, werd ich schwerlich
sagen können; doch, der mancherley Gefahr
wurde daburch überhoben: wann es selsam war bestellt, halff sie mir aus allen Proben, damit ja
nicht wurd gefällt.

8. Dis war ein verlibter Handel, weil niche
wurde

wurde matt noch schwach, noch auch müde in dem Wandel bey der so betrübten Sach. Könt ich hören auf zu leben, dieser Streit wär längst am End, und mein vielfältigs Betrüben hätte seinen Lauf vollendt.

9. Und weil wir so nah verwandte, kann ich Ihr nicht sagen ab, solte mein betrübter Stande sonst auch währen bis ins Grab, dorten wirds schon anders werden, wann sie sich darff lassen sehn von mir, weil die tunckle Erde nicht mehr wird im Wege stehn.

10. Dann wird man an mir auch sehen, was sie aus mir hat gemacht, durch die viel und lange Wehen in der langen Trauer-Nacht. Dann wann sie uns schön will machen, gehts betrübt und traurig her, weil sie auch die Beste Sachen hinnimt und versenckt ins Meer.

11. Jetzt ist aller Trost verschwunden, und die Hoffnung gar dahin, weil gemeynt, es wär gefunden, was aldorten der Gewinn. So thut sie die Treuen üben, die alhier die Perl gesucht, auch nicht aufgehört zu lieben in der allerschärffsten Zucht.

12. O! was gibts vor schöne Sachen, wer nie treuloß worden ist, und sie so hat machen lassen, wo man aller Freud vergißt. Dann da grünt das Jungfrau-leben, so in jener Welt erscheint, und man hier drum hingegeben, was auch sonst das Lebst geschcint.

13. Dis ist meine holde Freundin, die mich hat so lang geübt, auch behütet vor der Feindin, die so manchen hat betrübt, der auch sonst sehr wol geloffen um die edle Ritter-Kron; wann ihr Pfeil sein Hertz getroffen, lag Er, und bekleidt mit Hohn.

14. Dieses sind die Wunder-Sachen, wo die Holde mein gepflegt, wann offt nichts mehr wust zu machen, merck ich, wie sie hebt und trägt. Dann sie weiß zu unterscheiden den so sehr verlibten Sinn, und bewahrt vor Trug im Gleiten, daß der Fehl selbst bracht Gewinn.

15. Dis ist, was ich wolte sagen, wie die Holde meiner Seel mich auf Händen thäte tragen, und ließ gelten keinen Fehl: Wann der Kinder-

Sinn im Leben es offt hie und da versehn, thäte sie denselben üben, daß die Thorheit mußt vergehn.

16. Jetzund hätte noch dis zu sagen: Treuste Gebieterin, nuh mich ferner heben, tragen, weil doch gantz der Deine bin. Sind die Tage gleich vergangen, und dahin der Jugend Blut, mögt ich gerne damit prangen, was du schenckest ein vor Gut,

17. Denen, die getreu geblieben in der schwersten Kelter-Preß nicht gehöret auf zu lieben, daß wär kommen in Vergeß, was in denen Kinder-Jahren offt vor Gutes eingeschenckt, da man bey so viel Gefahren noch am Gnaden-Bronn getränckt.

18. Ich weiß dich fast nicht zu nennen, Pflegerin der reinen Schaar: nur, ich thu vor Liebe brennen, und wär gern dein gantz und gar: daß du müstest meiner pflegen, weil ich schwach und alber bin, daß mich nicht zur Ruh könt legen auser deinem reinen Sinn.

19. Also wär mein Ziel getroffen, und mein sehr verlibter Geist hätt erlangt sein langes Hoffen, weil er wurd mit Gut gespeist. Dann die Tage sind vergangen, wo ich ginge ein und aus, wegen viel und manchen Drangen offt nicht wust wo ich zu Haus.

20. Wann du so wirst heben tragen, daß verjünget mein Gebein, würde ich von Güte sagen, die mir so gemessen ein: und mein Alter wie die Jugend wär, wie GOtt verheißen hat. Dis wär mir die höchste Tugend, nach des weisen Schöpfers Rath:

21. Auf dis leg ich hin mein Hoffen, O du ewge Gottes-Lieb! ist also mein Ziel getroffen, wird mein Himmel nimmer trüb. Aller Orten wird man sagen, wie GOtt wieder machet neu, thut im Alter heben tragen, wer biß dorthin bliben treu.

22. Amen, jetzund ists gelungen; ich vergeße, was eh war, drum wird dieses Lied gesungen, weil GOtt worden alles gar. Jetzund kann ich sicher schlafen, weil vergessen alles Leid; nuh auch meist nur Dinge schaffen, die bestehn in Ewigkeit.

23. Nuht euch alle wol gehaben, die ihr Got-

tes Liblinge, deſſen Güte wird euch laben, wanns
thut heiſen: ich vergeh. Sehet doch die höchſte
Güte in der allerletzten Noth an dem, der von ſeiner Blüte treu geblieben biß in Tod.

127.

Och geübte, Hochbetrübte Witwe von ſehr
langen Zeit; da die Tiefen noch nicht waren, und noch keine Zeit von Jahren, wareſtu
von GOtt bereit. Da dein Libſter ſich verſchlief
und dir gab den Abſchieds-Brief, weil er ſich in-
Luſt erwählt dieſe ſichbarliche Welt, gab ihm GOtt
ſo ein Gemahl, wie erforderte ſein Fall.

2. O was Schmerzen in dem Hertzen! da dein
Adel wird verſchmäht; da dein ſchöner Glantz
verdecket, und die, welcher Kleid beſlecket, deinem
Freund zur Seiten ſteht. Und muſt ſehen in
dem Haus nun die Magd gehn ein und aus:
weil der Ehbruch war geſchehn, muſteſtu verlaſſen ſtehn, wie ein junges Weib betrübt, dit ſich
faſt zu Tod geliebt.

3. Libe Meinen, laſt mich weinen, klagen meinen Wittwen-ſtand; als, die ich vom Mann ver-
ſtoſſen, der verachtet mein Libkoſen, aufgelöſt das
keuſche Band. Kinderloß muß ich nun ſeyn,
mein Getränck iſt Myrrhen-Wein; dann der
Fremden leerer Sinn nahm mir meinen Schmuck
dahin, daß ich muſte meine Schmach tragen hin
ſo manchen Tag.

4. Dann die Krone, die mein Lohne meiner
edlen Jungfrauſchafft, war mir von dem Haupt
geriſſen, und mein Schmuck lag zu den Füſſen,
daß verſchwunden alle Krafft. Nun muß gehn
betrübt einher, als ob gantz kein Helfer wär, biß
vernahm den hohen Rath des, der mich geſchaf-
ſen hat: dann der der dich ſo ſehr betrübt, ſpricht: du
biſt von mir gelibt.

5. Thut dein Weinen bitter ſcheinen, Ich Jehova bin dein GOtt: muſtu gleich verlaſſen ſtehen, über die viel Wetter gehen, Ich, ich helffe
aus der Noth. Wer weiß deiner Kinder Zahl,
die durch eine hohe Wahl, als ein Göttliches Geſchlechte, woran du bin Mutter-recht, die der
Geiſt der Ewigkeit mir zu meinem Dinſt bereit.

6. Laß mich machen, deine Sachen werden

noch nach Wunſch ergehn, wann die Zeiten ſind
verfloſſen, die in meinem Rath beſchloſſen, wird
man Wunder-Sachen ſehn. Ich bereite einen
Leib, der mir recht jungfräulich bleib, die des
Mannes Bild verſagt durch den Schmuck der
Jungfrauneracht, wordurch deine Schmach verſöhnt, daß du wieder wirſt gekrönt.

7. Dein Betrüben bringe durch Ueben doch
zuletzt die Erndte ein; du wirſt deinen Mann erbeuten, und in deinem Schoos bereiten, wo du
wirſt in fruchtbar ſeyn: dann dein vorgehabter
Mann gehet ab mit Fluch und Bann, und ſo
gleich des Ehbruchs Haab wird verſencket in das
Grab, und die Untreu abgebüſt ſamt der fremden Buhler-Luſt.

8. Recht gedenlich und jungfräulich gläntzet
nun dein Schmuck und Kron: wo du wareſt die
verhöhnte, heiſſeſtu nun die gekrönte von des keuſchen Gottes Sohn. Jetzund iſt dein Wittwen
Stand aus, weil du mit GOtt verwandt, da dein
voriges Eherecht, wo dein Saame und Geſchlechte
in der Menge ſich vermehrt, wie der Staub alhier auf Erd.

9. Reine Taube, unſer Glaube ſtrecke ſich nach
dir hinauf; ſind wir dein erworbne Kinder, wirſtu folglich auch nicht minder ſelbſt befördern in
ſern Lauf. Biſtu Mutter, laß uns rein in dir
recht jungfräulich ſeyn, daß nach deinem weiſen
Rath wir durch deine hohe Gnad werden mit
hinzu gezählt, wo man wird dem Lamm vermählt.

10. Laß dein Wehen uns durchgehen, daß wir
Geiſt-begirig ſeyn, zu empfangen deinen Saa-
men, der da in Jehová Namen himmliſch und
jungfräulich, rein. Daß wir in der hohen
Wahl eine reiche Kinder-Zahl, die ſich in der
Meng vermehr, wie der Himmel Sternen-Heer:
dis iſt gar ein hoher Staat, der noch Ziel noch
Ende hat.

11. Laſt uns eilen ohn Verweilen fliehen unſers Vatters Haus, der die Ehe an GOtt gebrochen, drum er auch ſo hart gerochen, und von
da geſtoſſen aus. Seiner Kinder gantz geſchlecht
haſſen Gottes Burger-Recht, halten feſt den To-
des-Eyd, wordurch man von GOtt geweyt,

halten

halten alles wie entseelt, was der Jungfraulſchafft
vermähle.

12. Braut des Höchſten, die am nechſten ſelbſt
mit Gottes Herz verwandt: thu uns alle kräfftig rühren, daß ſich möge gantz verliren, was gehört zu Adams Stand. Du biſt ja von Ewigkeit von dem Schöpffer ſelbſt bereit, daß bey Menſchen deine Luſt, die geſäugt an deiner Bruſt,
und dabey mit dem Gehör folgen deiner reinen Lehr.

13. Recht gedeylich und jungfräulich müſſen
deine Kinder ſeyn, die dir zu der Seit erzogen,
und durch hohe Lieb bewogen gehn in dein Gezelt
hinein; dabey lernen deine Weis, wie man gibt
dem Schöpffer Preis, jungfräulich; nach Kinder Art, und man wird mit GOtt gepaart: wer
ſo iſt von Hertzen rein, kan erſt recht jungfräulich ſeyn.

14. Jungfrau holde! reines Golde iſt der
Schmuck an deinem Kleid, mach uns alle gleich-
und eben in dem allerreinſten Leben, dort zu ſtehn
an deiner Seit. Blaß uns an mit deinem Hauch,
daß es werde unſer Brauch, liebend, lebend, ohne Schein, wie du biſt, von Hertzen rein, wie du
wareſt vor der Zeit von dem Schöpffer ſelbſt bereit.

15. Dann dein Weſen hat erleſen GOtt der
Schaffer aller Ding, da du in reinen Gebärden
vor Ihm ſpielteſt auf der Erden, war dis doch
noch zu gering; ſondern nach ſo vielen Wehn
wirſtu deinen Saamen ſehn, als ein Erndte ausgebreit, ſtatt der lang betrübten Zeit, da man
wird mit Wunder ſehn Hauffen-weis zu dir
eingehn.

16. O was Freude! nach dem Leide, ſo dein
Trauren dir einbrach. Freylich iſt jetzt gantz
vergeſſen, wo du ſo betrübt geſeſſen, als ob dein
niemand gedacht. Nun wirds ſo viel ſchöner
ſcheinen, vor dein viel und langes Weinen, wirſtu in der Ewigkeit ohne Ziel und End erfreut.
O gedencke doch auch mein! weil gern wolt der
Deine ſeyn.

17. Solt ich ſagen, was vor Klagen ich muſt
führen lange Zeit, daß möcht deiner Huld genieſen, die mir thät mein Leid verſüſſen bey ſo manchem ſchweren Streit. Aber nun bin wie gene-

ſen; wo ſo lang betrübt geſeſſen, bin nun als wie
heim gebracht nach der langen Creutzes-Nacht.
O was vor ein ſeligs Seyn! wem GOtt ſchencket
Güte ein.

18. Was Vergnügen im erliegen, nach der
ſehr betrübten Zeit: nun werd ich nicht mehr vergeſſen, was es bringet vor Geneſen nach ſo viel
gehabten Leid: wo ſo lang muſt gehn verlaſſen,
thut mich in die Arme faſſen, die ſelbſt ſitzen muſt
allein, und ſo lang ein Witwe ſeyn. Hat auch
je ein Mund erzehlt, was es heiſſe, ſo ſeyn vermähle?

128.

Höchſt vergnügend iſt mein Leben, weil mein
Herz in GOtt erfreut, weiß von keinem Widerſtreben, leb im Nun der Ewigkeit. Alles andre iſt verſchwunden, weil ich bin wie heim gebracht, und mein Glück ſich eingefunden, wornach ich ſo lang getracht.

2. Freylich gibt es ſchöne Sachen, wann die
ſtille Ewigkeit alles Ding's ein End thut machen,
was vergehet mit der Zeit. Wo das Füncklein
aufgeblaſen, ſo der reine Geiſt entzündt, kan man
dieſes Wunder faſſen, heiſet bald ein Gottes-Kind.

3. Wann der Urgrund auf thät ſchlieſen, daß
das Meer der Ewigkeit machet Ström und Bäche flieſen aller Orten, weit und breit: Wird man
ſehen bald die Bäume, die am Ufer lieblich ſtehn,
Wunder-voll, als ob man träume, würde es ſeyn
anzuſehn.

4. Meine Freude die ich habe, iſt nicht eine
Blum der Zeit, weil ich mich unendlich labe in
dem Schooß der Ewigkeit. Jetzund iſt mein
Schiff verſehen mit dem Fahrzeug der Geduld,
weil mir lauter Winde wehen, ſo da heiſſen Gottes Huld.

5. Weilen ich die Freud der Erden weit von
mir gewieſen hin, muſt ein beſſer Theil mir werden! wer kan rathen den Gewinn? Weil ich
hange mit dem Hertzen an der ſtillen Ewigkeit,
acht ich wenig ſolche Schmertzen die vergehen mit
der Zeit.

6. Steht mir nur der Ungrund offen, wann
verdünnet iſt mein Geiſt, iſt mein Ziel beynah getroffen, bin als wie dorthin gereiſt. So kan ich

M 3   die

die Zeit verbringen, biß mein Wechsel mich erfreut, daß ich kan Loblieder singen in der stillen
Ewigkeit.

129.
Jesajä 49.

Höret mir zu, ihr Insulen! spricht der Herr
von Kraft und Stärcke: ihr Völcker in der
Ferne sehet und mercket auf seine Wercke. Der
Herr hat meiner schon gedacht, eh ich in Mutter-Leib erwacht, und noch war unbekannt: er hat
mir meinen Mund bewährt, geschärfft wie ein
zweyschneidig Schwerdt durch seine starcke Hand.

2. Mit seinem Schatten hat er mich wie mit
einem Schild bedecket; er hat mich, als ein'n
scharfen Pfeil in seinen Köcher gestecket, und
spricht zu mir: du bist mein Knecht Israel, der
mir schaffet recht, und giebet steten Preiß; doch
dachte ich: es sey umsonst, mein Arbeit wär ein
leerer Dunst; obs schon auf sein Geheiß.

3. Und meine Sache wär des Herrn, weil
er mich ihm selbst erkoren, und daß mein Lohn bey
ihm wird seyn, und nimmer gehen verloren.
Und nunmehr spricht der Herr, der mich von
Mutter-Leib bereit, daß ich Jacob bekehren soll zu
ihm, als eine Schaafe-Heerd, daß er nicht weg-
geraffet werd; sondern des Guten voll.

4. Drum bin ich herrlich vor dem Herrn geachtet und hoch erhaben, weil er mit hoher Wunder-Krafft mich dabey thut stetig laben, und spricht:
es ist gering und schlecht, daß du erwehlet als mein
Knecht, die Stämm zu richten auf Jacobs, der
vor zerstreuet war, und die verschlossen in Verwahr werden gebracht zu Hauf.

5. Ich habe dich auch noch gemacht, daß du
seyst das Licht der Heiden, damit durch dich in aller Welt mein Heil sich könne ausbreiten. So
spricht der Herr, der dich erlößt, und Israel so
reich getröst, zu dem verachten Mann, zu dem,
der aller Gräuel ist, und jederman ihm Leid einmißt; weil ers nicht helffen kan.

6. Auch Könige die sollen sehn, dabey stehen
dich zu ehren, und Fürsten werden bäten an, die
Herren Lob zu vermehren. Diß ist dein Ruhm,
so dir verheißt, der in Israel heilig heißt, und dich

erwehlet hat. So spricht der Herr: ich hab bereit gehöret dich zur gnädigen Zeit, nach meinem
weisen Rath.

7. Und habe dir am Tag des Heils geholffen,
und behütet dich, und dich zum Bund des Volcks
gestellt, daß durch dich werde aufgericht das Land,
und nehmst die Erbe ein, die vor so lang verstöret seyn, zu sagen: komm heraus, was vor so
lang gefangen war, im Finsternuß verschlossen
gar: die harte Zeit ist aus.

8. Daß sie am Wege sich weiden, und in aller
Füll sich laben; auf allen Hügeln hin und her
süß und gute Weide haben. Weder des Dursts
noch Hungers Pein bey ihnen wird zu sehen seyn,
noch heisser Sonnen-Stich: dann ihr Erbarmer führet sie zum Lebens-Wasser, damit sie daselbst erquicken sich.

9. Ich will (spriche er) all meine Berg zu ebe-
nen Wegen bähnen, und meine Pfade sollen auch
erhaben seyn allen denen, die da kommen von
Ferne her, von Mitternacht und von dem Meer
zu meiner Herrlichkeit. Auch dort vom Lande
Sinim her wird sammlen sich ein groses Heer in
der Erquickungs-Zeit.

10. Jauchzet, ihr Himmel, über dem, das ich
alsdann schaffen werde: lobet, ihr Berge, frolocket mit Jauchzen, freue dich, Erde, dann selbst
der Herr sein Volck erlößt, und sie so reichlich
hat getröst, daß sie sehr hoch erfreut. Die lang
im Elend mußte gehn, thut Gott in Gnaden
nun ansehn: O lang erwünschte Zeit.

130.

Jauchzet, ihr Kinder von Zion geboren, dan-
cket und rühmet den König von Macht, Der
euch hat unter den Heiden erkoren, und aus den
Völckern zusammen gebracht: lasset nicht fehlen,
Ihn stetig zu preisen, rühmet Ihn herrlich mit
Göttlichen Weisen.

2. Völcker und Völcker die werden sich beugen, wann sich der König von Zion aufmacht,
und sich an seinem Volck herrlich wird zeigen,
das jetzund öfters von Babel verlacht: der Heiden

den Ehre muß werden zu nichte, und kann nicht bleiben in Gottes Gerichte.

3. Der HErr ist mächtig, ein König der Ehren, zerbricht die Stühle der Hohen auf Erd; des müssen schrecken, die solches thun hören, damit sein Name noch herrlicher werd: Er wird die Machten der Feinde zerstören, und sich an ihre Regierung nicht kehren.

4. Lasset uns gehen, ihr Kinder der Liebe, freudig am Reihen mit trefflichem Pracht, daß wir aus heiligem Göttlichen Triebe täglich hoch rühmen des Königes Macht, weil Er sich kräftig und herrlich erweiset, den Scheidel unserer Feinde zerschmeisset.

5. Tretet im Bunde noch näher zusammen, lasset s hell schallen mit Göttlichen Klang; weil wir entzündet mit himmlischen Flammen, daß wir Ihn rühmen mit frohem Gesang, und so in Freuden die Wege fort wallen, damit wir unserem König gefallen.

131.

ICH bin daheim und ruh in meiner Kammer, geniese nun der edlen süßen Frucht, die ich so lang mit vieler Müh gesucht: wie wird nicht ganz vergessen aller Jammer? der ehmals plagte meinen blöden Sinn, nun ist derselbe ganz genommen hin.

2. Die Mutter-Treu ist mir zum Erbe worden, weil ich mit ihrer Gunst so reich begabt, daß sie mich mit so reicher Fülle labt: so daß ich ruhen kann in ihrem Orden. Was rechte Lieblinge und Kinder seyn, die gehen in die stille Kammer ein.

3. Der blöde Sinn, der sonsten nichts kont wagen, der hat gefunden nun vor seiner Thür das, was Vergnügen bringet dort und hier: O was kann doch ein solches Herz nicht tragen! das kommen heim in seine Mutter-Statt, allwo es nun die reiche Fülle hat.

4. Gedancken-loß von Sorgen frey zu nennen, bringe solche Haab, die niemand sagen kann, es ist das übersinnlich Canaan: wer will dann solches Herz von dem abtrennen? was ihm selbst worden ist zu seinem Theil, der hat erlange das allergröste Heil.

5. Drum bleib daheim, mein Herz, in deiner Kammer, und diene deinem GOtt ohn Unterlaß, Der so viel Gutes schenckt ohn alle Maaß: und weggenommen allen deinen Jammer, der sonsten dich so lang und oft gekränckt, und dir nun alles Gute voll einschenckt.

6. Die süse Lieb aus Gottes reicher Güte, und der Genuß aus seiner Freundlichkeit, die macht das Herze voller Geistes-Freud: da kann sich laben ein gesetz Gemüthe in der so reichen Gottes Segens-Lust, so flieset aus der reinen Liebe Brust.

7. So ruhe dann, mein Herz, in deiner Kammer, und weiche nimmermehr von deiner Stätt, bleib da in deinem sanften Ruhe-Bett: so bleibest du befreyt von allem Jammer, und Segens-voll vergnügt ohn allen Streit, gegangen ein zur stillen Ewigkeit.

132.

ICH bin eine Rose, Niemand sich anstose: Iwann darbey der Dornen-Stich, daß er nicht geh hinter sich.

2. Mein Geruch muß geben den Genuß zum Leben: meine Schönheit muß der Schein aller andrer Schönheit seyn.

3. In den Winter-Tagen muß ich es ertragen: daß ich bleibe ganz versteckt, und mit Kält und Frost bedeckt.

4. Dunckelheit und Regen muß mein Herz bewegen: daß ich wurtzle unter sich, oben ist der Dornen-Stich.

5. Wann die Sonne scheinet, so wird ganz verneinet: was mich hat gemacht so kalt finster, grob und ungestalt.

6. Ihre Schönheit giebet, was mein Herze liebet: der Genuß von ihrem Schein macht mich froh und freudig seyn.

7. Thut sie höher steigen, muß es mir anzeigen: daß die rauhe Zeit dahin, wo ich in gesessen bin.

8. Sie thut meiner warten, daß in Gottes Garten mein Gewächs sich schön ausbreit in des Geistes Niedrigkeit.

9. Bleibt ihr Glanz verborgen, schlaf ich bis an

an Morgen: so geht auf ein neuer Schein, daß auch nichts kan schöners seyn.

10. Will mich was erschrecken, thut ihr Glanz mich decken: daß ich froh in ihrem Licht, u. bleib stehen aufgericht.

11. Wandle ich im Kühlen unter den Gespielen, muß ihr Schatten mir ein Schein voller Süßigkeiten seyn.

12. Bleib ich ihr gepaaret, bleibt mein Herz bewahret: daß kein falscher Glanz noch Schein kan dasselbe nehmen ein.

13. Ob ich schon mit Dornen, hinten und von vornen, bin umgeben: es kan nicht schaden mir ein Dornen-Stich.

14. Weil ich eine Rosen, die alda entsprossen: wo die Dorn mir schencken ein, daß ich kan so schöne seyn.

133.

ICh bin ein grüner Zweig aus dürrem Reiß entsprossen, der Lebens-Strom aus GOtt hat meinen Geist durchflossen. Ich bin gepflanzet nun, und steh in GOttes Garten, und trage meine Früchte von viel und manchen Arten.

2. Die Blätter meines Saffts die müssen ewig grünen, und ihrer Schönheit Zierd zur Freud und Wonne dienen. So bin ich nun ein Baum mit Früchten, Blättern, Zweigen, die in dem Aufgangs-Liche die Frühlings-Zeit anzeigen.

3. Die rauhe Winters-Zeit hat ihre Macht verloren, wo mein Gewächse schien vor Kält und Frost erfroren. Die lange Nacht, der Zwang, wo ich in war gesessen, hat ihre Zeit erreicht, und ist nunmehr vergessen.

4. Und stunde mein Gewächs schon oft in viel Beschwerden: so konte solches doch nicht unterdrucket werden. Der Lebens-Safft, so mir aus Gottes Herz entsprungen, gab meiner Wurzel Krafft, daß dem Gewächs gelungen.

5. So stimme dann zuletzt nach vielem Wind und Regen der Geist sein Lob-Lied an von Gottes Wunder-Wegen.

Gegenhall.

Lob, Ehr und Herrlichkeit sey nun dem grossen GOtt, und auch dem Lamm, von uns gesungen, dieweil durch seine Macht es uns annoch so wunderbar bißher gelungen.

2. Wir freuen uns, und rühmen das, was nun zur Zeit an uns geschehen, dieweil wir ohne Maaß die Wunder-Hülff aus GOtt mit unsern Augen sehen. Amen Halleluja.

134.

ICh bin ein sehr beschwerter Mensch, wer wird mir helfen rahten? was mir zu thun in meinem Stand, wo ich bin mit beladen? Ich gehe hin, ich gehe her, so trag ich meinen Jammer. Ach GOtt! wenn werd ich gehen ein in meine Ruhe-Kammer.

2. Der Schmerzen, der mich dringe und treibt, ist mir oft selbst verborgen: diß ists, was mir so enge mache und so viel schwere Sorgen. So wird mein Leben in viel Schmerzen und bittern Leid verzehret: weil ich nicht sehen kann dis Ziel, wo mir die Ruh beschered.

3. Jetzt trag ich meine Leiden zwar so hin und her auf Erden; doch werd ich dort in jener Welt dafür verherrlich werden. Und weil die Hoffnung ist mein Stab, wenn ich geh hart gedrungen: so werd ich singen noch diß Lied: GOtt Lob! es ist gelungen.

135.

ICh bin ein Wander-Gast, hab wenig Freud auf Erden, mein Ziel ist abgefaßt, was mir aldort wird werden. Der müde Lebens-Lauf wird seine Zeit schon finden, wo mein so langer Schmerz wird auf ein mal verschwinden.

2. Mein Laufen ist gethan, ich geh in sanfften Schritten, so bleibt mein Helfers-Mann mir stets in meiner Mitten. Ist hoher Muth schon hin, die Jünglings-Krafft verschwunden, so ist ein besser Gut doch nun in GOtt gefunden.

3. Die Hoffnung ist mein Stab, worauf ich mich thu lehnen; des Geistes reiche Haab sind oft viel bittre Thränen. So wird der müde Gang mit Gottes Trost erfüllet, wann seine treue Gunst mir aus dem Hertzen quillet.

4. Was weiters mir zu thun, so will von grosser

ser Müde gantz stille seyn und ruhn in Gottes Gnad und Güte: die wird den blöden Sinn mit hoher Krafft bereichen, daß ich in Ewigkeit werd nimmer von ihm weichen.

5. Sonst gehets sachte hin, bey den betrübten Zeiten zur stillen Ewigkeit, die wird die Eng erweiten: da ist der lange Schmertz zu einem mal verschwunden, das ewig bleibend Gut in stiller Ruh gefunden.

6. Diß ist der süsse Trost, der mir ins Hertz geschrieben, drum werd in Ewigkeit nicht hören auf zu lieben. O theure Gottes-Lieb! thu mich doch selbst bekleiden, und bring mich an den Ort der lang erwünschten Freuden.

7. Ach! wie bin ich so müd der lang und rauhen Wege: Ach! wann wird GOtt mein selbst einmal im Schoose pflegen: so wär ich selig dann, nach so viel langem Hoffen, und hätt auf dieser Bahn, mein rechtes Ziel getroffen.

136.

JCH bin genesen, wo sonst gesessen, betrübt Im Hertzen, von vielen Schmertzen. Frage man mich um meinen Ruhm, nennt mich Gottes Eigenthum.

2. In Schmertzen Wallen heißt GOtt gefallen; viel dulden leiden, in trüben Zeiten, bringet schon in dieser Zeit zu dem Glück der Ewigkeit.

3. Wer diß getroffen, ist wohl geloffen, hat viel zu sagen, wie GOtt thut tragen. Schwimmt man auch im tiefen Meer, plötzlich ist er nun uns her.

4. Thut uns umarmen, in viel Erbarmen, speißt uns mit Güte, wo wir sind müde. Sind wir Rath-und Hülffeloß, sitzen wir Ihm in dem Schooß.

5. Drum muß es glücken, wer sich lernt schicken, und es kan wagen sein Creutz zu tragen: wann wirs meynen seyn zu schwer, ist er vorn und hinten her.

6. Ists dann gelungen, so wird gesungen, wie es gerathen durch seine Thaten; muß man gleich offt wieder dran, es geht so auf dieser Bahn.

7. Was frohe Zeiten, wer in dem Leiden, läßt GOtt so machen, weils seine Sachen. Er

bringt alles in den Stand, daß wir werden Ihm verwand.

8. Jetzt will ich leiden mit grosen Freuden, was mich wolt grämen, den Muth zu nehmen. Dann wer sein selbst kommen ab, hat sein Creutz gebracht zu Grab.

9. Wo diß geschehen, kann auferstehen ein neues Leben, das GOtt thut geben. Jetzund steiget man empor, singt schön mit der Engel Chor.

10. Drum ists gerathen mit meinen Thaten, mein gantzes Leben ist hin gegeben, wo der grose Wunder-GOtt helffen thut aus aller Noth.

11. Dis sind die Schrancken, wo man ohn Wancken in allem Leiden, als wärens Freuden. Wer einmal also bewährt, täglich Gottes Güt erfähret.

12. Viel Wunder-Sachen, sieht er Ihn machen; wers wolt errathen, was seine Thaten, muß nur wagen alles dran, er kommt bald auf diese Bahn.

13. Und kann sich schicken, wanns kommt ans Bücken; trau't alles tragen, was man zu sagen, gibt er dafür hin sein Ohr, merckt, was ihm gesprochen vor.

14. Wer dis probiret, hat wol studiret, und kann bestehen in allem Wehen; kommt auch schon ein harter Stoß, er kann ruhen GOtt im Schoos.

137.

JCH bin in GOtt erfreut, weiß keine andre Sachen, als was desselben Lieb will Gutes aus mir machen: will mich schon offtermal der Kummer zeitlich plagen, kan ich ihn doch gar bald mit Gottes Huld verjagen.

2. Wann Gottes Freundlichkeit mein Hertz zur Liebe lencket, fällt aller Schmertzen weg, ohn daß man sein gedencket: und wann ich Traurensvoll mit Finsternuß umgeben, so schenckt mir Gottes Huld das Liebste in dem Leben.

3. Diß heißt der Leidens-Weg, wordurch uns GOtt erworben: wer diesen geht vorbey, heiße hier und dort verdorben. Drum ist diß meine Lust und Freude hier auf Erden, weil ich durchs Leiden dort werd eins verherrlicht werden.

138.

JCh bin ins Heilge eingegangen, hab dabey al-
Die Ding versagt: auch selbst der viel und langen Drangen gab ich auf ewig gute Nacht.
Die Freundlichkeit von GOtt erfreut viel mehr,
den einig Ding auf Erd, wärs auch schon von
dem höchsten Währt.

2. Jetzt hat man auch im Gehen Friden, weil
alles sanfft und worden still; und man zuletzt sich
auch geschieden von dem, was offt schien Gottes
Will. Die viele Noth bracht auch in Todt,
was sonsten schien die beste Haab, und mußt zuletzt wol gar ins Grab.

3. Jetzt kan ich meine Zeit verbringen ganz
still, im innern Tempel-Dinst; weil es anfänget
zu gelingen, wie ichs schon lange hab gewünscht.
Ich hab bedacht offt Tag und Nacht, da ich ging
hin und war beschwert, wie ich mein Heil noch
finden werd.

4. Biß endlich nichts kont bleiben stehen, mithin biß an die gröste Treu; da alles mußt durchs
Feuer gehen, wo mehnte offt, daß GOtt auch sey.
Wie manche Nacht ich zugebracht betrübt auf
dieser Trauer-Bahn, kan ich alhier nicht zeigen an.

5. Thät gleich am Tag die Sonne scheinen,
so war ihr Brennen doch so heiß, daß offt verdoppelt wurd das Weinen, und ausgepreßt viel Tod-
tes-Schweis. Doch gabs offt Schatt; wann
ganz ermatt, war Gottes Güte um mich her,
und machte leicht, was saur und schwer.

6. Viel Tag sind so dahin gegangen, daß offt
betrübt biß in den Todt: wolt ich das höchste
Gut erlangen, mußte ich leiden so viel Noth.
Auch war mein Lohn der Völker Hohn, die meinen GOtt-verliebten Sinn so ganz nicht konten
tragen hin.

7. Biß endlich über mich ergangen das Blut-
Gericht im Todtes-Schweiß, da mußt zur
Schmach am Creutze hangen; doch thät die Sei-
fe waschen weiß; so daß die Raach mein erster
Tag, alwo ich werd mit GOtt verwandt, daß
mir wurd seine Güt bekannt.

8. Jetzt ist der letzte Sold erleget, der Todt
hat nun sein Recht verlorn; man wird in Eil-

te nun gepfleget, weil man von oben her geborn.
Man gehet hin mit viel Gewinn, vergißt das wel-
gehabte Leid und Drang in der vergangnen Zeit.

9. Der Tempel-Dinst muß ewig währen,
man brennet selbst auf dem Altar: diß Opffer
wird kein Flamm verzehren, man ist entrissen der
Gefahr. Kaum wird man sehn, was thut geschehn, wann dieses Opffer rauchet auf, es schaffet Fried im Geistes-Lauf.

10. Wer Opffer und auch Prister worden,
hat funden den göldnen Altär, alwo der höchste
GOttheits-Orden aussöhnt, was noch verlohren
war. Jetzt bin ich still in aller Füll, und pflege
Gottes weisen Rath in seinem Tempel früh und spat.

11. Da hört man täglich neue Weisen, die
GOtt im innern Tempel lehrt: die Andacht muß
die Seele speisen, wann sie die Güte Gottes nährt.
O! sanfftes wol, wer dessen voll, und so im Se-
gen heim gebracht um GOtt zu dienen Tag und
Nacht.

12. So sey denn diß mein Leben, Wallen,
weil ich noch lebe hier auf Erd, daß allein Gottes wolgefallen alzeit an mir erfüllet werd. So
solls dann seyn, daß gangen ein in Gottes Kirch
und Tempel-Haus, wo man geht nimmermehr
hinaus.

13. Ich wolte wol noch etwas sagen, wann
Gottes Güte wolte mein so pflegen und auf Händen tragen, daß ganz sein Eigenthum könt seyn.
Jetzt ists gethan, die Trauer-Bahn hat mir einbracht die Seeligkeit, so währen wird ohn End
und Zeit.

139.

JCh bin nun erhaben in Frende des HErrn,
und will mich noch näher in Liebe hinkehrn,
was ziehret den Handel zum Göttlichen Wandel,
und machet die Schätze des Himmels vermehrn.

2. Ich habe bestiegen die Tage der Welt, das
gegen ein himmlisches Leben erwählt: jetzt kan ich
verlachen die nichtige Sachen, dieweil mir, was
ewig, viel besser gefällt.

3. Wer noch nicht versaget die Freude der
Erd, wird leichtlich von Sinnen und Bildern bethört. Wer aber sein Leben dem Himmel ergeben,

ten, sind Schätze die nimmer durch Zeiten verzehrt.

4. Und wann ich den Irrthum der Wellust betracht, so hab ich schon lange die Thorheit verlacht. Ich hab mein Ergetzen an himmlischen Schätzen; drum hab ich die Freude der Erden versagt.

5. Und was man auch meynet das Göttlich zu seyn, und sichbar erscheinet, ist nichtiger Schein. Was man nicht kan sehen, thut ewig bestehen, sind Schätze, die tragen ins Himmelreich ein.

6. Und weil ich erfüllet mit himmlischer Brunst, so ist mir die Freude der Erden ein Dunst. Und wolt mich was blenden, mich nach ihm zu wenden, auch locken und rufen, ist alles umsonst.

7. Ist dann auch was Bessers als Himmlische Lieb, viel Dünste der Erden sie machen nicht trüb. Und wolten mich Sachen aufs freundlichst anlachen, so sehe ich saner, daß ich ihn nichts gib.

8. Es ist mir einkommen ein güldene Zeit, von Freuden des Himmels, die alles verneut. Und wolt mich was schmerzen und grämen im Herzen, so bin ich im Lieben zum Tode bereit.

9. Und werd ich vom Lieben getragen zu Grab, so hab ich gefunden die reicheste Haab; bin sachte eingangen, wo ewiges prangen, und bin von mir selber gekommen rein ab.

10. Und wo man so Gräber im Glauben anschaut, da sieht man der Heiligen Hütten erbaut. Viel Wunder erscheinen, geschehenes Weinen ist worden als wär es ein Göttliche Braut.

11. Jetzt wird man nun balde das Wunder ansehn, was heiset; die Freude der Erde verschmähn: nun sind es die Seelen, wo sich so vermähln, dem Lamme von vorne und hinten nach gehn.

12. Sie hiesen und sind die erkauffte auf Erd, daß also ein iedes verherrlichet werd. Jetzt sind sie geschmücket, und Göttlich beglücket, und also zur ewigen Sonne verklärt.

140.
JCh bin sehr gering und klein, weil ich nichtig auf der Erden; doch ich dring in GOtt hinein, da kan ich erhöhet werden. Ist es aus mit

meinem Thun, so kan GOtt mich wohl berathen, drum will ich in Ihm beruhn, weil es nichts mit meinen Thaten.

2. Weiß ich nicht mehr fort zu gehn auf den Leid-und Sterbens-Wegen, thu ich GOtt um Gnad anstehn, und mich Ihm zun Füssen legen: so werd ich in Ihm erfreut, und vergesse allen Jammer: daß in Geistes Niedrigkeit ich kan ruhn in meiner Kammer.

3. Was alda geschencket ein, wird kein fleischlich Herz ermessen, es wird nebst dem Myrrhen-Wein so viel Gutes eingemessen: daß auch selbsten der Verstand sich darinnen muß vergehen: weil er diese hohe Hand nicht kan fassen noch verstehen.

4. So die reinen Seelen führt, die also hineinwärts gehen: wo sich alles ganz verliehrt, was nicht kan in GOtt bestehen: denn da ist der rechte Weg, wo die Thür zu GOtt gefunden; und der schmale Himmels-Steg, wo wird alles überwunden.

5. Alle Sorge Müh und Last muß sich auf einmal verliehren: und der Seelen süse Rast läßt in diesem Grund sich spühren. Gottes Segen wird nicht müd, thut die Seel unendlich laben mit so voller Gnad und Güt, und sehr reichen Himmels-Gaben.

6. Dessen bin ich innig wohl, weil ich diese Kleinheit funden: wo mein Herze Freuden voll ist mit GOttes Lieb verbunden. Meine Kleinheit ist mein Grab, da der alte Mensch verweset; und des Geistes reiche Haab: da die Seel in GOtt genesen.

7. Und so bin ich heymgebracht, weil ich meine Hoheit funden in des Geistes Niederttacht, wo man wird mit GOtt verbunden. Also lebe ich dahin, wie mir täglich eingemessen: weil diß einzig mein Gewinn, daß ich bin in GOtt genesen.

141.
JCh bin verlobet nun des höchsten Königs Sohn, der mir wird setzen auf die rechte Ehren-Kron: die ich alldorten werd in jener Welt erlangen, wo die vereinte Schaar wird ewig innen prangen.

     2. Hier

2. Hier sind wir so vereint, wie es ziemt Wander-Gästen, und tragen auf der Fahrt noch viele schwere Läsen: doch wenn wir kommen heim, wird uns das Lamm versüßen des Lebens Bitterkeit, und lassen uns genesen.

3. Was wir gesucht hier in dieser eitlen Welt, da wir in heißer Lieb uns seine Schmach erwählt: das ist nun unser Theil, wir tragen die auf Erden, bis wir alldort mit Ihm werden verherrlicht werden.

142.

JCh bleib daheim, damit ich nicht versäum mein großes Heil, das mir von GOtt zu Theil erworben durch die Macht der reinen Liebe: O daß ich ewig drinnen treu verbliebe!

2. Kein eitler Schein kommt mehr in mich hinein, ich achte nicht, wie mir auch sonst geschicht: bin ich mit GOtt und seiner Lieb verbunden, so hab ich meinen besten Schatz gefunden.

3. Dann GOtt ist mir die allerschönste Zier: es ist Gewinn, wer sich Ihm ganz gibt hin, und lässet seine Huld und Langmuth walten, der wird durch seine Gunst und Treu erhalten.

4. Ich geb nicht mehr der eiteln Welt Gehör, was sie auch spricht: mein Herz ist hingericht zu dem, was mir in jener Welt wird werden, drum acht ich keines Dinges mehr auf Erden.

5. Kein andre Lust ist mir nunmehr bewußt, als nur allein bey meinem GOtt zu seyn. So hab ich es in meinem Thun und Leben, damit ich bleibe ewig Ihm ergeben.

6. So ists bestellt, so hab ich mirs erwählt: mein Theil ist GOtt, der mich aus aller Noth zur letzte noch wird endlich heraus reissen, und allen Jammer von mir gehen heissen.

7. So bleibt mein Ruhm in meinem GOtt beruhn, bis ich erlang nach meinem Creutzes-Gang mein volles Loos in jener Freud dort oben, da ich GOtt ohne Zeit und End werd loben.

8. So trägt mich dann auf meiner Creutzes-Bahn die Hoffnung fort, bis zu des Lebens Pfort ich werd eingehn mit Freuden ohne Sterben, und so mein Heil und Seligkeit ererben.

9. Diß ist mein Loos, diß bringe mir in den

Schoos viel tausend Freud schon hier in dieser Zeit; ob ich schon trage viele schwere Läsen: es geht nicht anderst fremden Wander-Gästen.

10. Ich geh so hin, frag nichts nach dem Gewinn, so hier erscheint: wann ich genug geweint, dann wird sich schon die rechte Heimat finden, drum lasse ich hier Alles gern dahinden.

11. Ists dann gethan auf meiner Glaubens-Bahn, so geh ich ein, ewig bey GOtt zu seyn: so hat es dann ein End mit den Beschwerden, die ich getragen hier auf dieser Erden.

12. O süsses Lamm! das von dem Himmel kam, sey du mein Gang, wann es geht krumm und lang: du bist mir doch die Eintracht meiner Seelen, drum thu ich hier so gern dein Lob erzehlen.

143.

JCh gedencke meiner Blüte, da der Geist der Ewigkeit hat erneut mein Gemüthe zu dem Looß der Seligkeit: da mein sehr verliebter Sinn gab die ganze Welt dahin, und versagt die Freud der Erden, daß ich Gottes Braut mög werden.

2. Als mich so thät einverleiben, bald drauf ward der Eyd gethan, ewig ewig treu zu bleiben auf der angetretnen Bahn. Dann der Bund auf Gottes Seit heisset Gnad Barmhertzigkeit, die im Wasser eingehüllet, wodurch aller Zorn gestillet.

3. Drum thut mirs so wohl gefallen, um mit vieler Geistes-Freud, hier auf Erd in meinem Wallen, zu erneuen meinen Eyd, in dem Wasser durch die Tauff, da mich GOtt genommen auf, wo er dreymal heilig heisset, seine Güte uns anpreiset.

4. Drum thu ich mich unterwinden (treuer GOtt!) in reiner Brunst, mich aufs neue zu verbinden deiner hohen Gnad und Gunst. Gib Gedeyen, daß ich sey dir von Herzen ewig treu, und also, durch stetigs Sterben, dorten Gottes Reich ererben.

144.

JCh gehe hin, und wandle fort auf jener Zions Straaßen: bis ich geh ein zur Salems-Pfort, da wird sich niederlassen mein viele Müh und großes Leid, wo ich oft in gewesen, und bey so vielem

vielem harten Streit oft traurig bin gesessen.

2. Nun lebe ich, und bin gantz still, und warte meiner Sachen, wie GOTT es schickt und haben will: Er weiß es wol zu machen. Ich geb mich sein gelassen hin in seines Willens Schrancken, so bleib ich in Ihm, wie ich bin, ohn hin und wieder Wancken.

3. Mein Leben ist zwar ausgeleert von Bildern und von Weisen; doch ist mein Hertz zu GOTT gekehrt, läßt sich von nichts abreissen. Er wird es alles machen wol, und mich zu Ehren bringen, daß ich dort mit viel Freuden-voll ewig werd Lieder singen.

145.

ICH gehe meine Straase als wie betrübt dahin, viel Leiden ohne Maase schwächt oft den Pilger-Sinn: war doch zum End geloffen die lang und schwere Reiß, da öfters mich betroffen viel bittrer Todes-Schweiß.

2. Wann alle Welt hat Freude in ihrem eitlen Sinn, muße ich auf dürrer Heyde mein Straase gehen hin, betrübt und sehr verlassen, von Freund und Feind verlacht, daß mich oft kaum kont fassen von Traurigkeit der Nacht.

3. Weil öfters blieb verborgen der Trost vom Himmel her, und mich viel schwere Sorgen umgaben wie ein Meer: was Wunder, daß oft bebet mein Hertz von Todes-Schweiß, weil alt und abgelebet, auf der so langen Reiß.

4. Doch hab im Blick ersehen, als wie ein dunckler Schein, die Pforten offen stehen, wo ich werd gehen ein. Da legt man ab die Lasten, da ist der Jammer aus, wie süse läßt sichs rasten in unsers Gottes Haus.

5. Drum will in Hoffnung stehen, bis mir mein Glück kommet ein, und alle meine Wehen werden vergessen seyn. Des Lebens bittre Drüsen wird GOtt zu einem mal in jener Welt versüsen im frohen Himmels-Saal.

146.

ICH geh gebückt den gantzen Tag, und folge meinem JEsu nach: und trag sein Creutz mit Schmertzen. Ob ich dabey schon im Genuß durch seiner Liebe Ueberfluß erquicket werd

---

im Hertzen: so scheint mein Leiden doch ohn Ziel, weil meiner Feinde sind so viel.

2. Dann oft muß fühlen, daß die Freund nicht weniger, als wie die Feind, mir meinen Geist verwunden, die doch ein Balsam solten seyn, der flieset in die Wunden ein, und helfen die verbinden, die schon der Feind zuvor gemacht, und noch zu fällen mich bedacht.

3. Drum werd ich oft gebeuget sehr, daß ich muß rufen aus: O HErr! thu meiner Seel beystehen wider die Feind ohn alle Maaß, die drauf bedacht ohn Unterlaß, daß sie mein Unglück sehen. Doch wenn ich so zu Ihm thu stehn, läßt Er mich seine Hülfe sehn.

4. Da ich der Streit so wunderlich, daß ich auch im Erliegen sieg, zum Trotz und Spott der Feinde: die auf mich lauren allzumal, damit sie bringen mich zu Fall, zum Schrecken meiner Freunde. So weiß ich doch, ich werd noch sehn, daß sie, die Feind, zu Grunde gehn.

5. Dann selbst der HErr mein Zuversicht, mein Schutz-GOtt, und mein's Lebens-Licht, Der mich thut sicher leiten: und machet mich gewiß im Gang, bey vielem harten Druck und Drang, u. hilft die Feind bestreiten. Drum will ich treulich halten aus, bis daß ich kommen werd nach Haus.

6. Da ich in reicher Fruchtbarkeit mein Saat, die ich hier ausgestreut, mit Freuden werd einbringen: der Thränen-Tranck und Myrrhen-Wein wird gantz und gar vergessen seyn, und ich werd frölich singen vom Sieg durch seine starcke Hand, wodurch Er mir gethan Beystand.

7. Ich sehe schon im Geist die Kron, wo auf wird setzen Gottes Sohn den', die Ihm hier nachgangen in Spott, Verachtung, Creutz und Schmach, verlacht, verhöhnt, den gantzen Tag. Drum können sie dort prangen in Sieges-Kronen nach dem Streit, weil sie hier überwunden weit.

8. Ihr Treu-Verlobten in dem Bund, wo kein Betrug in ihrem Mund und Hertzen ist gefunden: freut euch der edlen Thränen-Saat, wozu ihr seyd durch GOttes-Gnad berufen und verbunden. Denn eure Ernde blühet schon, und zeiget an den vollen Lohn.

N 3   9. Müßt

9. Müßt ihr schon oft mit Schmerzen sä'n,
gedrückt, gebückt und traurig gehn, und tragen
an dem Leibe das Creutz, wodurch wir sind versöhnt, da JEsus bis zum Tod verhöhnt. Drum
jedes sich verschreibe, in Schmerz und Wehen,
Angst und Noth, getreu zu bleiben bis in Tod.

10. So werdet ihr mit Sieges-Freud, dort
nach der Ueberwindungs-Zeit mit Himmels-Lust
eingehen zu Gottes Wohnung, Haus und Stadt,
die Er sich selbst erbauet hat, und wei der prächtig
stehen vor seinem Throhn hell angekleidt, mit schöner weisser reiner Seid.

11. Drum freuet euch der güldnen Zeit: steht
fest, damit ihr recht bereit, zu halten aus die Pröben. Wir sehen doch ja in dem Geist, daß es
sich schon zur Ernde weist, wer solte GOtt nicht
loben? weil Er uns aus bedachtem Rahr gebracht
zu solcher hohen Gnad.

12. Drum freu ich mich in meinem Sinn,
daß ich auch mit gezehlet bin zur Schaar, die
prächtig stehen mit Harfen an dem gläsern Meer,
und spielen schön dem Lamm zu Ehr: und noch
dabey zu sehen viel Jungfrauen sehr schön im
Gang, die rühmten mit viel Lob-Gesang

13. Das Lamm, so prächtig voran geht, und
auf dem Berge Zion steht, wo alles sich thut beugen vor Ihm und seiner gantzen Schaar, die
ewig, ewig, immerdar lobsingen ohne Schweigen.
O! das zieht oft den Geist dahin, daß ich vergesse, wo ich bin.

14. Wohn ich jetzt gleich noch als ein Gast in
Mesechs Hütten, da kein Rast vor meinen Geist
sich findet: und bin oft schwartz, wie Kedars
Hütt, werd ich im Reisen doch müd, weil
sie nun bald vollender. Drum will ich wallen
fort die Bahn, bis ich erreiche Canaan.

147.

ICH habe meine Stimme hoch erhoben zu
GOtt hinauf, und hielt mit Flehen an,
da half er mir aus meinen harten Proben, und
bracht mich wieder auf die rechte Bahn: alwo
man geht zur stillen Kammer ein, woselbst gantz
anders wird geschencket ein.

2. Als draussen in dem Vorhof der Gedancken, wo der verliebte Sinn nur wird verwirrt,
dabey ein stetes hin und wieder Wancken, auch
sich gar leicht die wahre Krafft verliert. Wer
einmal gantz ins Innre gangen ein, besitzt die
Perl im heil'gen Stille-seyn.

3. Man gehet aus und ein beym Knie-beugen, läßt andern das getausch der Sinnen-Welt:
wobey das Rauch-Werck thut ohn End aufsteigen, die Asche von der Glut macht auserwählt.
Wolcken Gedancken gleich stören die Ruh, man
schliesset Hertz und Aug und Sinnen zu.

4. Jetzt sitz ich da, und bin gantz abgeschieden,
und mercke, was mir Wincken wird gesagt: besitz dabey den unverwelckten Frieden, der Gottesdienst muß währen Tag und Nacht. Wann
andre sich in Faulheit machen still, so lebe ich in
reicher Gottes-Füll.

5. Mein Eingang in die stille Ruhe-Kämmer
ist mir erfolgt nach mancherley Gefahr, worin ge-
schwebt; nach viel und langem Jammer, der
mich beklemmet hatt so manche Jahr. So bin
ich dann der Sinnen-Welt verstellt, und geht
nach Wunsch, wie ich mirs lang erwählt.

6. Es ist lang nicht genug der Welt absagen,
man muß sich selber auch mit geben hin; und ja
nicht setzen drauf, was andre sagen, die noch entfernt vom ausgeleerten Sinn. Der süsse Fried
ist nun mein Lebens-Brod und Unterhalt, wann
andre leiden Noth.

7. O reiche Füll! die mir im Still-seyn worden, alwo im Heiligthum das Amt gepflegt; und
dem Altar gedienet im reinsten Orden, da eins
des andern Schuld und Lasten trägt. Das Feuer brennt, die Glut darf nicht ausgehn, der Priester bleibt in seinem Dienste stehn.

8. Da ist das Heiligthum von GOtt erbauet, wo das Versöhnungs-Amt ohn Ende währt.
Auch wird mit dem Gesicht im Geist geschauet
ein solches Gut, das keine Zeit verzehrt. Dis
wird nun mehr wol meine Losung seyn, das heisst:
ich bin ins Heilge gangen ein.

148.

ICH hab mir die ewige Schätze erwählet, und
ob ich werd zeitlich darüber entsetzet, das bringet
mich

mich nur näher zum Ende hin zu. Was allhier verdirbet, am Creutze erstirbet, erlanget alldorten die ewige Ruh.

2. Und ob mir gleich Geiste und Hertze verschmachtet, von Engeln und Menschen ein Schau-Spiel geachtet: so bleib ich doch eben derselbe wie vor. Hier zeitlich vergehen heißt ewig bestehen; diß ist mir geschrieben ins Hertze und Ohr.

3. Ich weiß mir kein bessere Haabe auf Erden, ohn daß ich erwarte, was dorten wird werden: dieweil mir kein andere Freude bewußt, als zeitlich Verwesen, und Göttlich Genesen: diß heisset geniesen viel himmlische Lust.

4. Wann alles auf Erden in Trümmern zergehet, so hab ich ein Leben, das ewig bestehet: das ruhet auf keinerley Wechsel noch Zeit. Was Winde verwehen, mag immer vergehen, dieweil mir alldorten ein Bessers bereit.

5. Wann Göttliche Klarheit mein Hertze beleuchtet, und himmlisches Thauen mein Inners befeuchtet: so wachsen die Früchte des Geistes herfür. Da kann ich mich laben, und alles an haben, was mir auch kann werden alldorten und hier.

149.

ICH hab wieder einen Schritt gethan auf den schmalen Himmels-Wegen: die enge rauhe Creutzes-Bahn bringt lauter Fried und Segen,

2. Dem Hertzen, das sich gantz hingiebt, und läßt sich schlagen und verwunden: dann, wer einmal in GOtt verliebt, der wird nicht überwunden.

3. Ob schon die böse arge Welt ihn suchet in den Koth zu treten: er achtets nicht, wenns GOtt gefällt, Der kann ihn wohl erretten.

4. Und geht es auch durch Schmach und Schand, durch Sümpfe, Pfützen, Dorn und Hecken: daß er der Welt gantz unbekannt, er läßt sich nichts abschrecken.

5. Er bücket sich, und machet sich klein, läßt alles über sich ergehen: geht so zur engen Thür hinein, und achtet keiner Wehen.

6. Er richtet sich nach Gottes Raht, Der solches über ihn beschlossen: und so sein Theil beschieden hat, drum wird er nicht verdrossen.

7. Und geht er schon oft hin und her, und meint, er wäre gantz verlassen: so bald er sieht auf JEsu Lehr, kann er sich wieder fassen.

8. Die zeiget ihm den rechten Weg, zum wahren Vaterland zu wallen: dann reißt er fort, und wird nicht träg, thut er schon oftmals fallen.

9. Sein Wanderstab ist die Geduld, die wächßt im Glauben, Lieb und Hoffen: hat er daneben Gottes Huld, so ist sein Ziel getroffen.

10. Und reiset dann im Segen fort, bey vilem rauhem Wind und Regen: bis daß er kommt zur engen Pfort, dann muß sich alles legen.

11. Und wann die Welt es siehet an, daß er den breiten Weg verlassen, und wallt die enge Lebens-Bahn, so fäht sie an zu hassen.

12. Und legt ihm Bürd und Lasten auf, daß er im Reisen soll ermüden? doch läßt er nicht von seinem Lauff, bleibt von ihr abgeschieden.

13. Und ob sie schon sich hart verstellt, und dränget ihn über die maaßen: so gibt sie ihm nur Reise-Geld, wann er es recht will fassen.

14. Dann wer nicht alles geben hin, was von der Welt geliebt kann werden: der hat noch keinen Pilger-Sinn, muß tragen viel Beschwerden.

15. Er kommt nicht fort auf dieser Bahn, da sind gar hohe Berg zu steigen: und ob er schon thut fangen an, so wird es doch sich zeigen.

16. Die schwere Last hält ihn zurück, daß er muß auf dem Weg ermüden: suchst du noch bey der Welt dein Glück, so bleib davon geschieden.

17. Indessen eilt der Pilger fort, und lässet fahren, was auf Erden; weil ihm, nach dem Verheissungs-Wort, ein bessers Theil wird werden.

18. Die Wüste ist sein Haus und Stadt, allwo er oft in Ruh kann rasten: wenn er ist müd, und abgematt von Reiß und Tages-Lasten.

19. Die hohe Berg und rauhe Weg, wo oft sehr schwehr hindurch zu kommen, machts ihn im Reisen doch nicht träg, weil alle wahre Frommen

20. Auf diesem Weg zu beyder Seit ihr Zeugnuß haben angeschrieben: und so erlangt die Seligkeit, weil sie darin geblieben.

21. Drum geht es doch zuletzt noch wohl dem,

der.

der die eitle Welt verlassen: GOtt macht ihn
Fried-und Freuden-voll auf seiner Pilger-
Straßen.

22. Und, wann er seine Reiß vollendt, so gibt
ihm GOtt sein Theil der Gnaden ins Vaters
Haus, als einem Kind: wird aller Sorg entladen.

23. Darum, O Welt! blendst du mich nicht
mit deinem falschen Schein-Wohlleben: du kanst
mir doch das kleinst Gewicht zu diesem Schatz
nicht geben.

24. Dein eitle Freud, die du erwählt, die endigt sich mit vielen Schmertzen: mein Leiden mich
zu GOTT gesellt, bringt Ruh und Fried im Hertzen.

25. Drum will ich dir in deinem Wahn den
Wechsel all zu gerne lassen: wenn ich zu End auf
meiner Bahn, werd ich ein Bessers fassen.

150.
ICh kan fast nicht mehr leben, ich mögt gern
Jungfrau seyn, und GOtt in mir erheben,
wie Er wolt schencken ein. So wär mein Glück
getroffen, wann seine ew'ge Gnad gestillt mein
langes Hoffen, nach seinem weisen Rath.

2. O Weißheit! die ein Hauchen aus GOtt,
vor aller Zeit, thu mich auch mit eintauchen ins
Meer der Ewigkeit. Was sterblich ist, verschlin-
ge, mach mich dir ähnlich seyn, und tief in mich
eindringe, daß Jungfräulich und rein.

3. Laß Lebens-Wasser fließen, wo sich mein
Geist nach sehnt, und gibe mir zu genüsen, was
mich an dich gewöhnt. Ich kan doch sonst nicht
leben, wann nicht dein hoher Rath schenckt, daß
in meinem Leben aus deiner Fülle satt.

4. Ich mögte seyn, und werden, wie ichs schon
lang bedacht, daß, weil noch leb auf Erden, gantz
wär an dich gebracht, so hätt ich das Gedeyen,
so recht vergnüget heißt, und könte mich erfreuen
im allerreinsten Geist.

5. Diß ist mein gantzes Sehnen, daß gern so
möchte seyn, wie dir gefällt an denen, die du geschrieben ein ins Buch der reinen Schaaren, die
du von Ewigkeit dir selbst hast wollen paaren zu
stehn an deiner Seit.

6. So wär mein Glück getroffen, und hätt
mein Ziel erreicht, wornach so lang geloffen, weil
du mirs selbst gezeigt. Was wird mir dann
wöl stören den sehr verlibten Sinn, die Brunst
thut sich nur mehren, wann bin wie gar dahin.

7. Ich kan mir fast nicht rathen, der Jungfrau Magia hat sich mir auf geladen, und ist doch
selbst nicht da. Doch, Wässer löschet Brennen, wann ich nur spüren kan, daß sie mich selbst
darff nennen Jungfrau, und nicht ein Mann.

8. Jetzt geh ich mit den Schaaren, die hier
auf dieser Welt die Jungfrauschafft bewahren,
wozu sie GOtt erwählt: und dort Lob, Ehre geben mit der erwählten Schaar, GOtt und das
Lamm erheben ohn Ende Zeit und Jahr.

151.
ICh lauff den schmalen Himmels-Weg, und
folge JEsu nach: weil Er voran gemacht die
Bahn durch Schande, Spott und Schmach.

2. Und lasse fahren, was im Gang mich noch
will halten auf: und achte nicht, wie mir geschicht, komm ich nur fort im Lauff.

3. Die Welt mag rasen immer hin, sie ihm
mir dor kein leid: sie zeigt mir nur die rechte
Spur zur frohen Ewigkeit.

4. Wer seine Reiß beruhen läßt, bis daß ihm
wünschet Glück die arge Welt, so doch zerfällt:
der bleibet gar zurück.

5. Dann sie schreye aller Orten an, wo sich
ein solcher findt: so laust die Bahn nach Canaan, und himmlisch ist gesinnt.

6. Doch wer mit allem Ernst bedacht, zu halten treulich aus: der achtet nicht ihr Spott-Ge-
richt, weil er nicht hier zu Haus.

7. Das Leben hier in dieser Welt währt eine
kurtze Zeit: drum eil ich fort, daß ich den Ort
erreich, so ist bereit

8. Vor alle, die zum Schau-Spiel hier sind
worden vor der Welt: weil ihr Gesicht dorthin
gericht, nach jener Himmels-Zelt.

9. Wer auf dem Wege fort will gehn, der
muß nicht sehen um: wär ihm auch schon ein
güldne Kron entfall'n, er kommt nicht drum.

10. Wer noch an Creaturen klebt, sols auch
das Liebste seyn: der kommt nicht fort, zur engen
Pforte kann er nicht gehen ein.

11. Dann

11. Dann wer nicht allem abgesagt, es sey
auch was es sey: der ist kein Christ, was er auch
spricht, sein Thun ist Heucheley.

12. Ein Christ ist hier ein Wanders-Mann,
der sich mit nichts hält auf: kein irdisch Glück
hält in zurück von seinem Glaubens-lauff.

13. Drum freu ich mich der Pilger-Reiß,
und achte keinen Strauß: ob mich schon spot't
die böse Rott, wann ich nur komm nach Haus.

14. Ich weiß, ich such ein ewig Gut, das raubet mir kein Feind durch seinen Grimm und Ungestümm: weil ich hab GOtt zum Freund.

15. Dann alles ist bey mir verlacht, was hier
auf dieser Welt in falschem Schein will mächtig
seyn: der doch zuletzt zerfällt.

16. Drum fahr nur hin, du arge Welt, mit
deinem falschen Schein: dir ist schon heut die
Grub bereit, wo du wirst fallen dreit.

17. Und setzest du auch deinen Stul schon
über Luft und Stern: so weiß ich doch, daß du
wirst noch gestürzet von dem HErrn.

18. Der dir vor deine Sünd und Schänd
wird voll bezahlen aus mit Leid und Weh: daß
dir gescheh, wie du gemessen aus

19. Den Fremdlingen, die durch dein Land
gereist als Wanders-Leut. Drum ist dir auch
von Quaal ein Rauch bereit in Ewigkeit.

152.
JCH lebe vergnügt, werd nimmer besiegt: trotz
Teufel und Welt, samt was mich zur Lincken
und Rechten anfällt.

2. Ich lebe voll Freud, werd täglich erneut:
viel Göttliche Lust erfreuet mein Herze, erfüllet
die Brust.

3. Ich lebe voll Rast, von Sorgen und Prast
hat GOtt mich befreyt: mein Leben veränder,
mich innigst erneut.

4. Viel Leiden und Noth war öfters mein
Brod, viel Weinen mein Tranck, viel Thränen mein Freuden-und Lobe-gesang.

5. Wie mancherley Schmerz thät kräncken
mein Herz: wie mancherley Noth ich muste ertragen mit Schande und Spott.

6. Das Feuer brandt heiß, bracht blutigen

Schweiß: erbarme dich GOtt, ich muste ausrufen in vielerley Noth.

7. Es leidet sich wohl, wenns Herze ist voll
vom Göttlichen Wein: doch anders, wenn es so
verlassen muß seyn.

8. Doch fahren dahin mit vielem Gewinn die
Leiden der Zeit: die Früchte derselben sind Friede
und Freud.

9. Das besteste Loos wird geben in Schoos:
wer es so erwirbt, im Ofen des Elends am Creutze erstirbt.

10. Das Leiden der Zeit bringe ewige Freud:
erquicket den Sinn, der so ist gerichtet zum
Himmlischen hin.

11. Wer dieses erfährt, und darinn bewährt:
wird sauber und rein, zu gehen mit Freuden zum
Himmelreich ein.

12. Ich mercke darauf, werd munter im Lauff:
es glücket mir schon, ich sehe schon blühen die güldene Cron.

13. Der leidende Sinn bringt lauter Gewinn:
erwarter der Zeit, da alles verändert in Göttliche
Freud.

14. Weil dieses mein Theil gewesen, dieweil
getroffen mein Herz mit vielerley Wehen und Leiden und Schmerz.

15. So ist es geschehn, daß GOtt angesehn
mein Elend und Noth, und thät mich erretten
vom sündlichen Tod.

16. Drum fahr ich dahin mit vielem Gewinn
des Leidens der Zeit, weil es mir erwirbet viel
Göttliche Freud.

17. Es fehler mir nicht, wann Hülfe gebricht:
so leg ich mich dar zum Stühle der Gnaden und
reinen Altar.

18. So werd ich erhört, der Bitte gewährt:
der Hader gestillt, mit Gnaden des Vaters von
Innen erfüllt.

19. So werde ich klein ohn gleisenden Schein,
und innigst erhöht zum Leben, das immer und
ewig besteht.

20. Drum bin ich vergnügt, trotz was mich
bekriegt: ich lebe in GOtt, Der mich hat errettet in Leiden und Noth.

21. Das

21. Das iſt nun dahin, mit vielem Gewinn verändert die Zeit: worinnen erworben die ewige Freud.

153.

JCh lebe zwar ſo hin, bin ſelig in dem Hoffen; Jdoch iſt mein rechtes Ziel dabey noch nicht getroffen: ich liebe zwar ein Gut, das ohne Maaß zu ſchätzen, doch will der blöde Sinn gar oft den Muth verletzen.

2. Was iſt dann wol mein Glück, das GOtt mir wird beſcheiden? die Hoffnung ſaget mir: es ſeynd die frohe Zeiten, die dort in jener Welt ich werd mit Augen ſehen, da ich werd nimmermehr aus GOttes Tempel gehen.

154.

JCh lege mich dennoch nicht ſchlafen mit Eva Jin das Sünden-Bett: ob ſie ſchon viele weg thut raffen um zu zerbrechen unſre Kett: ſo bleiben wir doch veſt verbunden mit JEſu reiner Himmels-Lieb, worinnen alles überwunden, was nicht iſt aus demſelben Trieb.

2. Ich kenne wohl das fremde Naſchen der böſen Luſt in falſchem Schein: hab Herz und Händ davon gewaſchen, mich tränckt nicht mehr ihr Zauber-Wein. Mein Leben iſt von ihr geriſſen, gebracht unter die reine Zucht, allwo man beſſer unterwieſen, als Tod und Höll zu bringen Frucht.

3. Ob zwar die Luſt zum reinen Leben viel Bittres bringet noch herfür aus dem, was noch nicht hingegeben, nach reiner voller Zucht-Gebühr: ſo bleibt ſie ſelber doch ohn Wancken, weicht nimmer von dem reinen Sinn der Weisheit ſcharfen Liebes-Schrancken, die ſie aus ſich genommen hin.

4. Ob zwar der falſchen Liebe Handel der Eva-Sinn nicht bitter ſchmäckt: ſo ſpüret doch der reine Wandel, wie hart ſie das Gewiſſen ſchreckt. Ein Herz das ſich GOtt ganz ergeben, verſaget ſolchem eiteln Wahn, verachtet alles Wider-ſtreben, geht ſo mit Freuden fort die Bahn.

5. Läßt die Verächter nur verachten, ſo nie berühret den reinen Sinn: thut in ſich ſelbſt vor GOtt betrachten, was in dem Ausgang ſein Gewinn. So kann er gehen ſeine Straaſen, mit vollem Segen halten aus, läßt ſich die Welt auch Freunde haſſen, gnug, daß er nicht iſt hier zu Haus.

6. Sein Weg iſt bey der Welt verborgen, auch oft den Gönnern unbekañt: beſielt deswegen GOtt die Sorgen, Der beſſer weiß um ſeinen Stand, als das verkehrte falſche Achten der Menſchen, die nur lieben Schein: drum thut er ihren Hohn zernichten, und dringt in Gottes Liebe ein.

7. So wird ſein Ziel, und iſt getroffen: ſo muß verſchwinden aller Schein, und endet ſich das lange Hoffen, weil er bereits gegangen ein in GOtt, wo die Verlobung blühet, und grüner als im Paradies: allwo man reife Früchte ſiehet, wodurch geheilt der Schlangen-Biß.

8. Nun grünet aus der neuen Erden der neue Menſch als Gottes Bild, in voller Lieb rein an Geberden, wodurch die neue Welt erfüllt mit reinen Seelen und Jungfrauen, die hier dem Lamm gefolget nach, und thäten ſich mit Ihm vertrauen zu helfen tragen ſeine Schmach.

9. Dis iſt wohl ein Geſchlecht zu nennen, ſo hier zum Lager gangen aus, und treulich ihren GOtt bekennen bey manchem harten ſchweren Strauß. Die Liebe zu dem reinen Leben mit JEſu durch der Weisheit Schein vernichtet alles Widerſtreben, weil ſie an Herz und Sinnen rein.

10. Hochtheure werth und Mit-Geſpielein, erwäget dieſen hohen Grad und Adel der uns vor ſo vielen iſt beygelegt aus lauter Gnad. Läßt andre ſich die Zeit vertreiben in eitler Welt- und Fleiſches-Luſt: die Liebe kann uns wohl beſchreiben, daß beſſre Sachen uns bewußt.

11. Die Lieb iſt GOtt, die ausgeſöhnet in unſerm Fleiſch der Sünden Gräul. Wohl dem! der ſich zur Lieb gewöhnet, der kann mit JEſu haben Theil, und gehen in die reine Kammer, allwo das keuſche Bett bereit, und man vergiſſet allen Jammer der vielen Müh und harten Streit.

12. So ſich in fremder Buhlſchafft thäte in falſchem Gleiſſen miſchen ein. O daß ich doch nie einmal hätte geglaubet einem falſchen Schein: ſo wär das Uebel lang verſchwunden, das mich ſo viele Zeit und Jahr ſo manchen Tag ſo manche.

dye Stunden bekräncket mit so viel Gefahr.

13. O reine Liebe sey gepriesen! daß du durch
deine scharfe Zucht mich hast so treulich machen
büsen, damit ich deiner edlen Frucht, theilhafftig
werd, und noch geniese allhier in dieser Leidens-
Zeit. Ich lege mich vor deine Füse, und bin
auf deinen Winck bereit.

14. Der reine Sinn aus Gottes Hertzen soll
bleiben ewig mein Panier; ich will dir klagen
meinen Schmertzen, wann ich etwa von Dir
abirr. Wann der Genuß aus deinem Wesen
mich hat durch alle Glieder hin-genommen ein,
wie ichs erlesen, so bleibest du voll mein Gewinn.

15. Weil JEsus-Lieb mein Hertz besessen, so
bleib ich Ihm verbunden fest, wird mir darneben
eingemessen Verachtung, Schmach aufs allerbest:
ich halte mich an seine Schrancken, wie Er getreten mir die Bahn, bleib ich in Ihme ohne
Wancken, kann ich ererben Canaan.

16. Mein Hertz ist fest an Ihn gebunden, ich
folge seiner reinen Lehr, ich werd auch nimmer
überwunden, ob toben Welt und Hölle her. Es
ist einmal bey mir beschlossen, ich werde weichen
nimmermehr. Trotz wer gedenckt mich umzu-
stosen, weil Liebe ist mein Brust-Gewehr.

17. Der reine Geist aus Gottes Wesen, der
bleibt mein Führer in dem Gang, und weil ich
Ihn zur Lust erlesen, bleibt Er mein Vorsprach
im Gesang, und lehret mich die schönste Weisen,
daß ich in Engel-reiner Lieb Ihn stets kann um
die Wette preisen durch seinen reinen Feuer-Trieb.

18. Ob ich schon läg in Band und Ketten so
bleibt die Liebe doch mein Theil, weil sie auch thut
vom Tod erretten, gibt selbst das allergröste Heil.
Wol mir! ich werde nunmehr haben ein Leben,
das nicht mehr vergeht: gedenckt was anders mich
zu laben, so wirds vom Winde weg-geweht.

19. Mein Fels ist GOtt, mein Wehr und
Waffen sind die Gebärde nach dem Sinn der
Liebe, die mich lehret schaffen, daß es mich bringen muß dahin, was ich am Creutz erworben, ich trag es gern und willig nach: wär
sie nicht selber dran gestorben, so müste bleiben
meine Klag.

20. So ist der Schluß bey mir getroffen, so
lebe ich in Gottes Huld: ich hab das wahre Gut
zu hoffen in jener Welt ohn alle Schuld: die Liebe macht mich rein im Hertzen, verneuet stetig
meinen Sinn, nimmt weg den alten Sünden-
Schmertzen, daß ich allhier schon selig bin.

155.

ICH möchte gern ein Lob-Lied singen von Gottes Huld und ew'ger Gnad; der unter so ge-
ringen Dingen so treulich mein gesteget hat; und
zeigt mir seinen Rath und Willen in dem gantz
bodenlosen Stand: sein Winck kan allen Zweiffel stillen, und machen seine Gut bekant.

2. Wer sein Ziel einmal hat gestellet auf das
ewig und bleibend Gut, der wird von keinem
Sturm gefället, und wanns auch käm bis auf
das Blut. Es lehrt nur mehr getreuer werden,
wanns auch im besten fleiß versehn, und wie doch
alles, was auf Erden, wanns auch schon Göttlich, muß vergehn.

3. Ich weiß doch anders kein Vergnügen,
als wann ich aus und gar dahin; und wann erlangt man im Erliegen; wer einst erloffen den
Gewinn, der ist gekommen an die Weite, wo sehen Gottes Thürn erbaut, und eingebracht die
Sieges-Beute der Kämpfer, so mit GOtt vertraut.

4. So hab ich allhier durchgedrungen in manchem Kampff und harten Streit, bis ich den
Sieg in GOtt gelungen, verlohren meine eigne
Beut. Jetzt muß der Glaub das Schiff regieren, weil alles hin und zu gebracht; GOtt kann
doch selbst uns besser führen, als was durch unsern Fleiß erdacht.

5. Jetzt bin ich froh und kan viel sagen, wie
Gottes Gut so offtmals neu; und was Er von
uns abzutragen auch offt in unsrer grösten Treu.
O! wol, wann wir das Ziel errungen, wo unser
Bestes gar dahin: also der Sieg in GOtt ge-
lungen, verlohren, was sonst heist Gewinn.

6. Dann unser Gutes ist das Leben, woran
GOtt so beleidigt ist: kan man dis nicht zum Tod
hingeben, so bleibet der Streit und harter Zwist.
Drum wol! wer an das Ziel ist kommen, wo

man

man sein selbst ist kommen ab, und seine Treu und
alles Frommen mit JEsu hat gebracht ins Grab.

7. O aber! was ein bitter Sterben, wann
auch genommen mit dahin, wo man gemeynet zu
erwerben den Himmel selbst mit viel Gewinn.
Jetzt muß der Glaub den Wanckel ziehrn, wann
auch die Hoffnung fälle dahin; die Liebe muß den
Scepter führen, und bringen ein, was dort
Gewinn.

8. Es hat nicht aufgehört zu lieben mein
Hertz in der betrübten Zeit, da GOtt mich thäte
aufs euserst sieben in dem so manchen schweren
Streit, den ich geführt, um zu ererben alldorten
das ewige Gut. Dacht nicht an ein so mühsam
Sterben, wo auch den Hohen fälle der Muth.

9. Und weil ich nunmehr wieder kommen vom
Weinen und vom Todes-Fall, ist aller Schmertz
hinweg genommen dabey gebracht zur heilgen
Zahl, die GOtt in jener Welt wird loben vor
die gehabte Müh auf Erd, also nach so viel Leidens-Proben ich selbst auch mit verherrlich werd.

10. Drum sing ich so gern meine Lieder, der
ewgen Liebe hier zum Preis, damit auch andere
Gemüther mit nehmen Theil an meinem Fleiß.
Dieweil ich wieder auferstanden vom Tod, und
so viel Hertzenleid, hat mirs nach so viel schweren
Banden einbracht die ewge Seligkeit.

156.

ICH reise fort nach jener Welt, laß mich ver-
Inichts abschrecken; weil GOTT so treulich
vor mich hält, thut mich mich mit Flügeln decken.

2 Er leitet mich nach seinem Rath, und richtet meine Gänge; wie Er es selbst beschlossen hat,
läßt mich in keiner Enge.

3. Im Frieden kan ich wallen hin, so wie Er
es beschlossen; und weil ich gantz Sein eigen bin,
bleib ichs auch unverdrossen.

4. Mein Leben ist aus meiner Hand, ich hab
es Ihm ergeben; die Hoffnung ist mein Gegen-
Pfand auf jenes Freuden-Leben.

5. Ob ich hier wohl viel enge Weg und Steige muß durchgehen; und leiden viel geheime
Schläg, ich achte nicht der Wehen.

6. Die Schmertzen, die ich leide hier; machen

mich rein im Wesen, und sind mein Schmuck
und Jungfrauen-Zier, den ich mir selbst erlesen.

7. Die Liebe hat mich schwartz gemacht durch
ihre heiße Stralen; doch mir daneben zugedacht:
daß ich zu tausend malen

8. Werd dancken in der neuen Welt für so
viel Wunder-Proben, wenn ich für Gottes Thron
gestellt, Ihn ohne End zu loben.

157.

Psalm 142.

ICH schreye, HErr, zu dir mit meiner Stim-
Ime, ich flehe, HErr, zu dir, O HErr! ver-
nimme: ich schütte aus Bekümmernüß der Seelen, und thu ihm alle meine Noth erzehlen.

2. Dann wann mein Geist in Aengsten und
in Grämen, nimmt er sichs an, und thut mirs
hinweg nehmen: dann viele Stricke sie mir umher legen, wo ich hingehen muß auf meinen Wegen.

3. Schau ich zur Rechten her, die fromm zu
nennen, da thut mich weder Freund noch Bruder kennen: dann wo ich meine Zuflucht auf thät
stellen, die suchten meine Seel ins Netz zu fällen.

4. HErr, zu dir schreye ich, und thue sagen:
du bist mein Zuversicht in meinem Zagen: mein
Theil im Lande der er, die dir leben, merck auf
zu meiner Klag und Hertzens-Beben.

5. Dann ich bin sehr gering und dünne worden, Verfolger mich umgeben aller Orten: die
mir zu mächtig sind auf allen Seiten, drum hilff,
O HErr! in den betrübten Zeiten.

6. Führ meine Seele aus des Kerckers Proben, damit ich deinen Namen könne loben: so
werden sammlen sich zu mir die Frommen, weil
du mir thust so wohl, daß es gelungen.

158.

ICH sehe die Pflantzen im Paradies-Feld vom
Ilieblichen Frühling sehr herrlich-aussprossen:
nun wird wieder sanfte, was vor war verstellt,
durch Herbe und Kälte im Winter verschlossen.
Da stehen die Bäume mit lieblichem Grünen, so
daß es zur Freude und Wohllust muß dienen

2. Den Seelen, so tragen im Seegen der
Bund, und gehen am Reihen im Paradies-Gar-
ten: und singen zu Ehren mit Hertzen und
Mund,

Mund, so daß man kann hören von mancherley
Arten der Stimmen und Thonen, so höher aufsteigen als vormals, damit sie nicht länger verschweigen

3. Die Wunder des, der sie so trefflich begabt,
so daß sie geniesen viel Paradies-Kräfte: wo Herze und Geiste und Seele sich labt, auch kommen
geronnen viel himmlische Säfte, damit sie im
Segen noch besser ausgrünen, das muß dann zur
Göttlichen Fruchtbarkeit dienen.

4. Auch fliesen die Ströme vom Tempel heraus, der stehet in Mitten der Paradies-Erden:
und theilen in Bäche und Flüsse sich aus, davon
alles Lande gewässert kann werden und machen-
schön grünen die Thäler und Auen, so daß es sehr
trefflich und herrlich zu schauen.

5. Die Libanons-Berge auch grünen daselbst
von mancherley Bäumen, die weit ausbreiten: und zeigen die Früchte, daß man es kann
sehen an denen gesegneten fruchtbaren Weiden.
Da können sich laben die Göttliche Seelen, und
freudig die Wunder des HErren ersehen.

6. Auch kann man da sehen die Heerden zu
Hauf, die da sich gelagert auf grasichten Auen:
da hüpffen die Lämmer vor Freuden hoch auf,
sehr herrlich und lieblich und schön anzuschauen:
Da sieht man die Hirten, mit freudigem Singen,
die Erstling der Heerden zum Opfer darbringen.

7. Da gehen die Töchter sehr prächtig einher
in diesem Gefielde der Paradies-Erden: und dort
komme entgegen ein jungfräulichs Heer, damit
sie zu Haufen gesammlet da werden, in mitten
des Garten, beym Brunnen des Lebens, wo man
sich kann laben umsonst und vergebens.

8. O Wunder! Ich find mich auch selber dabey auf diesen gesegneten Göttlichen Weiden: ich
hätte schier vergessen, wußt' nicht, daß ichs sey,
den JEsus, als Hirte, so herrlich thät leiten,
und flöset auch in mich viel Paradies-Säfte, so
daß ich zum Wachsen empfinde die Kräfte.

9. Ihr Söhne und Töchter der Paradies-
Welt! tret't freudig zu Haufen, und thut mit
geniesen den Segen der Früchte von Libanons
Feld: wo Ströme des Lebens von Bergen rab

fliesen. So müssen die Fluthen euch gantz
über-schwemmen, und alles verdorbene Leben-
wegnehmen.

10. O himmlische Fluthen! O heilige Tauff!
wer so ist beschwemmet und gantz übergossen: der
wächset im Garten als Cedern hoch auf, so das
man kann sehen vom Frühling die Sprossen ausgrünen mit Zweigen und Früchten sehr schöne,
drum jauchzet, und rühmet mit Lobes-Gethöne.

11. Den, der uns bishero so herrlich geführt
auf grasichten Auen und köstlichen Weiden: auch
öfters die Herzen in Liebe gerührt, und thät uns
als Heerden der Schaafe hinleiten zum Wasser,
da man sich sehr trefflich kann laben. Drum
können wir allzumal Zwillinge tragen.

12. Dieweil wir sind kommen sehr rein aus
der Schwemm, wo JEsus gewaschen die Schaaf.
seiner Heerden: drum jedes auch mit mir zu Herzen es nimmt, so wird denn sein Name verherrlichet werden. Und wollen Ihn alle zusammen
erheben, damit wir Ihm können Kraft Ehr und
Ruhm geben.

13. So wandeln wir freudig im Paradies-
Feld, und trincken des Wassers vom Bronnen
des Lebens: und können vergessen die irrdische
Welt, weil alles geschencket umsonst und vergebens. Wir wollen indessen gepflantzet da stehen
als Bäume an Wassern, sehr lieblich zu sehen.

14. Mit Aesten und Zweigen und Blättern
und Frucht, daß alles vollkommen im Wesen da
stehet: so wie es GOtt selbsten verlanget und
sucht, wann Er uns in lockender Liebe nachgehet.
Dem sey auch diß alles zu Ehren gesungen. Ja,
Amen! es ist auch durch Ihne gelungen.

15. Wir wollen nun schliesen, und dringen
hinein ins Innere; wo man in GOtt kann genesen: da müssen aufhören die Bilder und
Schein, samt allem, was menschliches Sinnen
erlesen: denn das ist auch Gottes selbständiger
Wille. Drum auf! und ersenckt euch hinein
in die Stille.

159:
ICh sehe mit Freuden den himmlischen Lauff,
wann heilige Seelen gesammlet zu Hauf mit
herr-

herrlichem Singen und lieblichem Klingen, und
steigen von Zeiten zu Zeiten mehr auf

2. Ins himmlische Leben: da ohne Verdruß
man stetig empfindet den Liebes-Genuß, und Göttlich Gedeyen. Drum lasset uns freuen, zu küssen einander mit heiligem Kuß.

3. Ich werde erfüllet mit himmlischer Lieb,
dieweil ich thu mercken, was kräftige Trieb, zum
Göttlichen Leben in die wird gegeben, wo fest sich
verbunden Dem, der sie geliebt.

4. Was ist es dann, das mich noch ofte so
drückt? so daß ich muß gehen sehr nieder-gebückt:
und fühle die Schmerzen im Geiste und Hertzen,
so daß es auch scheinet, ich wäre besiegt.

5. Sind es nicht die Feinde, so oft sich verstellt, mit heuchlendem Hertzen verleugnen die
Welt: und nannten sich Brüder, am Leibe Mit-
Glieder, weil sie sich in Falschheit zur Zahl mit
gezehlt?

6. Ich werde indessen erfreuet gantz sehr, dieweil GOtt hat selber gerettet sein Ehr: und machte zu Schanden die falschen Verwandten, thut
kräftig vertretten sein glaubiges Heer.

7. Drum lauff ich mit Freuden den Göttlichen Weg, und achte kein Schande, noch Marter noch Schläg: dieweil ich verspüret, daß
GOtt sein Volck führet, und schützet sie wider
des Feindes Geräck.

8. Drum kann mich nicht schwächen ihr grim-
mige Wuth und falsches Verhönen: GOtt hält
mich in Hut ohn einiges Wancken, zu bleiben in
Schrancken, so daß nichts kann rauben den Göttlichen Muth.

9. Ihr Brüder und Glieder am heiligen Leib,
von JEsu erkauft zum jungfräulichen Weib:
seyd himmlisch im Leben, so wird euch gegeben
die Liebe, wodurch man die Feinde vertreibt.

10. Und werdet schön leuchten mit herrlichem
Schein, hell brennend als Lichter, und truncken
vom Wein der Göttlichen Liebe, O heilige Trie-
b! die JEsus gegeben in Seelen, die rein:

11. Und alles verlassen aus Göttlichem Sinn,
gegeben von Hertzen gantz williglich hin: damit
sie vor allen nur Ihme gefallen, drum bringes
auch Segen und lauter Gewinn.

12. So daß man kann leben in stetem genuß,
in heiligem Scherzen gantz ohne Verdruß: mit
lieblichem Singen Ihm Opfer zu bringen, und
zeigen den Segen vom Liebes-genuß.

13. Ihr treulich-Verlobten im göttlichen
Bund, von himmlischer Liebe im Hertzen ver-
wundt: geht prächtig am Reigen, und singet ohn
Schweigen, den König zu loben all Tage und
Stund.

14. So werden die Geister recht munter gemacht, durch Liebe noch näher zusammen gebracht:
und können sich laben mit himmlischen gaben,
zu troze dem Feinde, der sie nur verlacht.

15. Ich sehe im Geiste den himmlischen Sinn
der Seelen, wo ich hier verbunden mit bin: weil
sie sich so üben nur JEsum zu lieben, Ihm gäntzlich zu eigen gegeben sich hin.

16. Drum freu ich mich innigst, ohn gleissenden Schein, der heiligen göttlichen Liebes-gemein,
von eiffrigen Seelen, die anderst nichts wählen,
als leben keusch, züchtig, jungfräulich und rein.

17. Die werden sehr prächtig von innen geziert
mit Blumen der Tugend: dieweil sie berühret vom
Funcken der Liebe, durch heilige Triebe, und selbsten vom König von oben geführt.

18. So daß sie gehn herrlich und prächtig
einher mit freudigem Jauchzen nach seinem Begehr: ders lässet gelingen, thut selber bezwingen
die Feinde, so schänden sein göttliche Ehr.

19. Drum werd ich im Siege erfüllet mit
Freud, weil JEsus den Kämpfern selbst stehet zur
Seit, und führet die Kriege mit herrlichem Siege
sehr trefflich als König und Helde im Streit.

20. Und rufe mit Freuden den Seelen im
Bund, den König zu loben mit Hertzen und
Mund: der alles in Händen, und Hülfe wird
senden, wann kommet die frohe Erledigungs-
Stund.

21. Drum bleibet im Wege, geht freudig im
gang entgegen mit Sieges-und Lobes-gesang, im
göttlichen Frieden, von allem geschieden, was öfters das Leben macht sauer und bang.

22. So werden wir alle zum Eingang bereit,
wenn sich wird eröffnen die güldene Zeit: da alle
zusam-

zusammen den herrlichen Namen des HErren erheben mit ewiger Freud.

23. Wir wollen indessen fest schliesen den
Bund, den König zu loben mit Hertzen und
Mund, in kindlichem Lallen, nach seinem gefallen,
Ihm leben zu Ehren all Täge und Stund.

160.

JCh sehne mich den gantzen Tag, damit Erbar-
mungen und Güte mich umgeben; diß wäre
eintzig meine Sach, daß Gottes Wolgefallen wär
mein gantzes Leben. O ewigs Gut! zieh mich,
und bring mich gantz in dich hinein, so kann,
nach langem Wunsch, ein Kind und Liebling
Gottes seyn.

2. O! Ungrund stiller Ewigkeit, du bist der
Ursprung selbst, was ehmals ist gewesen; dann
alles Dings, so in der Zeit, wird bald ein End,
und machet keine Seel genesen. Drum sehn ich
mich so sehr nach dem, was nie ein Auge sieht,
vielleicht komt mir noch ein, wo mich so lang hab
drum bemühe.

3. Auf Erden machet kein Ding mich satt; ob
es auch noch so schön und lieblich thut erscheinen;
meynt man auch, es wär Gottes Rath, so endigt
es sich doch zuletzt mit vielem Weinen. O! wär
ich doch einmal als wie genommen gantz dahin,
so wär mein langer Wunsch erfüllt mit doppel-
ten Gewinn.

4. Wann mir die Zeit wil werden lang, so
sehe ich mich um nach lauter solchen Sachen, wo
folgt auf Trauren Lobgesang, und wo nach vielem Leid der Trauer-Mund wird lachen. Drum
kan mirs fehlen nicht, weil ich mich sehn ohn Ziel
und Zeit nach dem erwünschten Glück, das schenckt
die stille Ewigkeit.

5. O ziehe mir dein Röcklein an! daß ich vor
aller Welt in solcher Tracht erscheine; damit es
seh jederman, wann ich muß gehn einher und
von Betrübnuß weine. Daß ich der Ewigkeit
mich gantz und gar ergeben hin, ob ich gleich uns-
bekannt, weil ich noch hie auf Erden bin.

6. O wie wär ich so froh gemacht! wann mit
der Ewigkeit ich stündlich wär umgeben; dann
also wär ich heim gebracht, und hätt mein glück-

gefunden schon alhier im Leben. Doch ists geschehn, ich bin der Welt und allem kommen ab;
solt etwa noch was seyn, es soll nicht gehen mit
ins grab.

161.

JCh stehe gepflantzet im Garten der Liebe:
drum thu ich empfinden viel Göttliche Triebe
von himmlischen Säften; die in mich gedrungen, wodurch das verderbliche Leben bezwungen.

2. Drum will ich hoch rühmen die Göttliche
Thaten, wodurch mir bishero ist alles gerathen:
wo öfters geschienen, ich wäre bezwungen, ist es
mir doch wieder durch Leiden gelungen.

3. Drum bin ich erhaben in Freuden des
HErren, und will mich noch näher in Liebe hinkehren zu deme, so machet verschwinden die Leiden, und thut mich erfüllen mit Göttlichen
Freuden.

4. Dann, wo ich auch öfters in Schmertzen
gesessen, da wurd ich zuletzte durch Lieben genesen:
so daß ich empfunden viel Göttliche Kräfte, die
machten mich freudig ins HErren Geschäfte.

5. Und wo es geschienen, ich müßte vergehen, in Leiden und Schmertzen, in Aengsten und
Wehen: da fand ich, daß JEsus mir selbsten
zur Seiten, und half mir im Kämpfe die Feinde bestreiten.

6. Drum will ich Dir dancken und täglich
lobsingen, O JEsu! weil Du es mir lassen gelingen: und hast mir geholfen in bitteren Schmertzen, wann ich oft verwundet im Geiste und
Hertzen.

7. Ich hab es gelobet, es soll dabei bleiben,
daß ich mich will wieder aufs neue verschreiben:
dann wann ich erwäge, wie Du mich getragen,
so kann ichs gantz freudig im Glauben hin wagen.

8. Mein Hertze zerschmeltzet aus Göttlicher
Liebe, ich kann es nicht sagen, was heilige Triebe
ich innigst empfinde von Dancken und Loben:
weil Du mich erhalten in Leiden und Proben.

9. Und machrest zu Schanden die, so mir
entgegen, so daß sie sich mußten zun Füsen hinlegen: und werden zerstreuet und alle zernichtet,
dieweil sie sich wider dein Erbe gerichtet.

10. Dasel-

10. Dasselbe zu fahen mit mancherley Rän-
cken, und heimlichen Tücken, die sie sich erden-
cken: drum will ich hoch rühmen dein Göttliches
Rechte, weil Du mich erlöset von solchem Geschlechte.

11. So wider Dich streiter mit heftigem Toben, in falscher Einbildung sich greulich erhoben:
drum müssen sie alle zu Grunde vergehen, weil
sie nicht in deinem Gerichte bestehen.

12. Drum dancket und rühmet den herrlichen
Namen, die ihr seyd geboren aus Abrahams
Saamen, und mit mir gepflanzet zum Göttlichen
Leben, das JEsus uns selber von oben gegeben.

13. Und habet gesehen viel treffliche Thaten,
die GOtt uns erwiesen und lassen gerathen:
drum wollen wir täglich die Wunder anzeigen
mit Dancken und Loben ohn einigs Verschweigen.

14. Dieweil wir ja alle den Segen genossen,
womit Er uns selber von Innen begossen: drum
wollen wir zeigen die herrlichen Früchte, die in
uns gewachsen im himmlischen Lichte.

15. Wir wissen ja, daß uns GOtt selber
regieret, und hat uns bishero so herrlich geführet,
so daß wir erlernet viel heilige Sitten, wodurch
wir die Menge der Feinden bestreiten.

16. Drum woll'n wir Ihn rühmen mit Dancken und Loben, damit auch sein Name werd
in uns erhoben zum Zeichen der Liebe: wir wollen
hoch preisen sein'n herrlichen Namen mit Göttlichen Weisen.

17. So daß auch sehr trefflich von Innen ausschallen viel liebliche Lieder nach seinem Gefallen:
und also den Segen durch Segen geniesen, wann
wir so zusammen in Liebe einfliesen.

18. Und wachsen sehr schöne im Paradies-
Garten, geniesen die Früchte von mancherley Arten: zu Ehren dem, der uns gibt Göttlich gedeyen, drum wollen wir alle von Herzen uns
freuen.

19. Und täglich hoch rühmen die Wunder
und Thaten, die an uns bishero so trefflich gerath-
ten: dieweil wir da stehen vom HErren erbauet,
daß alle Welt solches mit Augen anschauet.

20. Drum steh ich, und werde auch nimmermehr weichen, bis daß ich werd völlig im Sieg
erreichen die Krone der Ehren, so JEsus erworben, da Er an dem Stamme des Creutzes gestorben.

21. Dann weil ich gesuchet ein heiliges Leben, mich gänzlich daneben zu eigen Ihm geben:
drum hab ich gefunden, den meine Seel liebet,
zum Trotz meiner Feinde, die oft mich gesiebet.

22. Und machten mir Leiden und Wehen im
Herzen, so daß ich empfunden oft bittere Schmerzen: die sind nun geheilet, so daß ich genesen,
weil GOtt mich Ihm selber zu eigen erlesen.

23. Und weil ich im Schoose der Liebe thu
rasten, drum wird mich hinführo kein Feind mehr
antasten, und ob sie schon öfters noch suchen zu
rauben die Göttliche Kräfte und schwächen den
Glauben.

24. So werd ich doch bleiben und ewig bestehen, wann alles zerfallen und unter wird gehen,
und werde dort singen mit Jauchzen am Reigen;
drum will ich auf Erden auch nimmermehr
schweigen.

25. Ihr Brüder und Schwestern! kommt,
helfet mir singen, damit wir GOtt unsere Opfer darbringen: und laßt uns ja nimmer im Loben erweichen, damit wir dort alle zusammen
erreichen.

26. Das, was uns versprochen und theuer
erworben, da JEsus ist für uns am Creutze gestorben: und hat uns geschencket ein heiliges Leben, drum wird Ihm Kraft, Ehr und Ruhm
ewig gegeben.

27. Von allen, die JEsus zusammen gezogen,
und selbsten die Herzen durch Lieben bewogen: so
daß sie auch alles um Alles gegeben, um also
nach seinem Gefallen zu leben.

·162·

ICH werde kräftig angezogen, weil GOtt mich
Hat durch Lieb bewogen, zu fliehen, was betrüglich gleißt, und mich erfüllt mit seinem Geist.

2. Drum thu ich täglich in mir spühren, daß
Er mich thut hineinwärts führen: da ich genieß
verborgne Kraft, die meinem Herzen Leben schafft.

3. Drum thu ich ganz in Ihm zerfliesen,
weil Er mich lässet so geniesen das wahre Gut,

so

* ſo nimmer trügt, und Herz und Geiſt und Seel
vergnügt.

4. Und will auch ſtetig in Ihm bleiben, daß
auch kein Feind mich ſoll abtreiben: ſo kann ich
leben ohn Verdruß, und ſtets empfinden den
Genuß.

5. So meiner Seelen Nahrung gieber, weil
ſonſt nichts wird von mir geliebet: was mir im
Geiſt nicht bringt Gewinn, das geb ich alles
willig hin.

6. Und will noch tiefer in Ihn dringen, zu
bleiben in Ihm mich bezwingen, ſo werd ich ganz
nach ſeinem Sinn von mir zu Ihm genommen hin.

7. Und werde aller Laſt entbunden; weil ich
in Ihm nun alles funden: und kann auch nimmer irre gehn, weil ich werd unbeweglich ſtehn.

8. Und will in ſeinem Willen ruhen, nichts
wollen, wiſſen, oder thuen: als was ſein Geiſt
in mir einſpricht; das iſt die rechte Liebes-Pflicht.

9. So wird ſein Bild noch hier auf Erden
in mir voll aufgerichtet werden: und kömm in
voller Mannheits-Spur zur rechten Göttlichen
Natur.

10. Da alles wird im Ziel vollendet, was ſich
oft hin und her gewendet. Die Liebe hat kein
ander Ziel, ſie ruht allein in Gottes Will.

11. Kommt Seelen, die ihr mit gezählet, und
habt das beſte Theil erwählet: ergreifft den tief-
verborgnen Sinn, und gebet All's um Alles hin.

12. So wird das innre Geiſtes-Leben euch
viel geheime Kräfte geben: und zeigen die verborgne Spur zur rechten Göttlichen Natur.

13. Wo Stille, Ruh, und wahrer Frieden,
und man von allem abgeſchieden: was in dem
Geiſt nur bringt Verdruß, und raubt den Göttlichen Genuß.

14. Hier findet ſich das wahre Weſen, wo
man kann recht in Gott geneſen. Was öfters
Sorg und Müh gemacht, iſt hin, und in Vergeß gebracht.

15. Man ruhe im ſtillen Gottes-Himmel, iſt
frey von allem Welt-Getümmel, kein Eitles mehr
das Herz bethört, weil man iſt ganz hinein
geführt.

16. Ins Heil'ge, wo GOtt ſelber wohnet
und nur mit lauter Segen lohnet. O ſelig! wer
diß ſagen kann, der wird geſpeißt mit Himmels-
Mann.

17. Drum iſt mein Herz in Lieb zerfloſſen,
weil ich das höchſte Gut genoſſen: die eitle Welt
mit ihrem Schein ſoll ewig nun vergeſſen ſeyn.

18. Kommt, Liebſten, die ihr oft geſeſſen im
Schmerz, wo ihr nicht kont geneſen: ſeht, was
vor Ruh und Sicherheit genießt man ſchon in
dieſer Zeit.

19. Wo man hat alles übergeben, in GOtt
allein nur ſucht zu leben: drum jaget nach dem
einen Ein, ſo könt ihr hier ſchon ſelig ſeyn.

163.

JCH will den HErren loben vor ſeine groſe
Treu, weil in ſo vielen Proben Er mir geſtan-
den bey, und thät mir helfen aus: wann alles
ſchien zerrinnen, ward ſeiner Hülf ich innen, bey
ſchwerem Kampf und Strauß.

2. Drum freu ich mich von Herzen, und wills
verſchweigen nicht, weil Er in vielen Schmerzen
ſein Aug auf mich gericht, und bot mir ſeine
Hand: wann ich in Leid und Wehen geſchienen
zu vergehen, thät Er mir thun Beyſtand.

3. Drum will ich Ihm lobſingen all Zeit und
Tag und Stund, und Freuden-Opfer bringen,
weil an mir worden kund ſein groſe Gottes-Treu;
dabey mich laſſen wiſſen ſein Wahrheit und Zeug-
nüſſen, und macht mich loß und frey.

4. Von denen, die mir ſtellen viel Bande,
Netz und Strick, und ſuchten mich zu fällen, die
kehrte Er zurück, und machte ſie zu ſchand; ſo
daß ſie müſſen ſehen, daß ich noch kann beſtehen,
weil Er mir thut Beyſtand.

5. Wer GOtt von Herzen meiner, dem
kann es fehlen nicht, obs ſchon oft anders ſchei-
net, ſo hat Er doch gericht ſein treues Vater-Herz
zu denen, die Er liebet; wenn ſie durch Leid betrübet, thut heilen ihren Schmerz.

6. Sein Nam iſt groß und mächtig, in ſeinem
Heiligthum gehts löblich zu und prächtig; weil
man da ſeinen Ruhm und groſe Macht ausbreit:
bey denen, die GOtt ehren, muß ſich ſein Lob
vermehren in Zeit und Ewigkeit.

P   164

164.
Der 145. Pſalm.

ICH will dich hoch erhöhen, mein König und
mein GOtt, weil du in allen Wegen thuſt
helffen aus der Noht: dis ſoll ohn Ende währen,
ja, in die Ewigkeit wil ich dein Lob vermehren
auch ohne Ziel und Zeit.

2. Ja, alle Tag und Stunde wil ich dein Lob
erhöhn, mit Herzen und mit Munde, das ſoll
nicht mehr vergehn. Der HErr iſt groß und
mächtig, und hält in Güte Haus, ſein Königreich ſieht prächtig mit Heil geſchmücket aus.

3. Man wird dein Lob vortragen Kinder und
Kindes Kind, daß jedes weis zu ſagen was deine
Wunder ſind. Ich wil nicht davon ſchweigen,
hoch rühmen deine Macht, und auch dabey anzeigen, wie herrlich ſchön dein Pracht.

4. Man wird an allen Orten auf der gerechten Bahn mit hoch erhabnen Worten ſagen, was
du gethan: wolt ich es gleich erzehlen, was deine
Thaten ſeyn, es würd mir doch dran fehlen, weil
zu gering und klein.

5. Man wird von Güte ſagen, wie groß die-
ſelbe ſey, gar zierlich die vortragen, zehlen an einer Reih: hoch rühmen mit Frolocken deine Gerechtigkeit, die uns herbey thut locken, wo deine
Güt erfreut.

6. Die ſich ſchön an thut preiſen den Wercken
ſeiner Händ, um ſie zu unterweiſen, daß die noch
Ziel noch End. Drum müſſen dich HErr loben
all deine Heiligen, weil dein Reich hoch erhoben
und ausgezieret ſchön.

7. Damit man möge ſagen von deiner groſ-
ſen Macht, und auch dabey vortragen, was deines Reiches Pracht: dieweilen es wird ſtehen zu
alle Ewigkeit: wann alles wird vergehen, hat
dis noch Ziel noch Zeit.

8. Er iſt getreu in allen, richtet in Güte auf,
dis ſtraucheln oder fallen im müden Lebens-lauf.
Drum warten aller Augen auf ſeine Gütigkeit,
ſo hier die Gnade ſaugen, biß Er zur rechten Zeit.

9. Gibt Speiſe und Gedeyen aus ſeiner milden Hand, und läſſt Ihn nichts gereuen, macht
ſeine Güt bekannt: damit was lebt und webet,

werde derſelben voll, und deſſen Macht erhebe,
der Ihnen thut ſo wol.

10. Der HErr iſt ein Gerechter, die Wege
ſind voll Güt; Vertreter und Verfechter derer,
ſo worden müd. Heilig dabey in Wercken; wer
Ihn anruft zur Zeit, wird gar bald können mercken, wie Er ſo nah zur Seit.

11. Er iſt gar treu von Güte, läſſt ſeine Hülfe ſehn die, ſo von Seuffzen müde, wann ſie Ihn
drum anflehn: erhöret ihr Begehren, wann ſie
zu Ihme ſchreyn, thut ihrer Bitt gewähren, weil
ſie ſeine Getreuen.

12. Drum thut er ihrer hüten, wie man der
Kinder pflegt, und läſſt ſie nicht ermüden, weil
er im Herzen trägt, daß ſie ſind ſeine Wayſen,
in viel und manchem Leid den Weg zum Himmel reiſen nach jener Ewigkeit.

13. So thut er keinen Heyden, und die ſonſt
Gottlos ſeyn, wird er viel Reu bereiten und ſchwere Leidens-Pein: biß ſie vertilget werden, mit vielen ſchweren Wehn, ſo daß ſie auf der Erden
verfallen und vergehn.

14. Jetzt wil ich ſtets lobſingen des HErren
Güt und Gnad, weil er es läſſt gelingen nach
ſeinem weiſen Rath. Ja, alle Welt muß ſtehen zu ſeinem Dinſt bereit, und ſeinen Ruhm
erhöhen in Zeit und Ewigkeit.

165.

ICH wil tragen meine Schmerzen, leiden Gottes ſchwere Hand: was mich quälet in dem
Herzen, iſt am beſten Ihm bekannt.

2. Bin ich ſchon ſehr oft beladen, daß auch
ſcheint, ich müſt vergehn: wird Er ſelbſt dem
Elend rathen, laſſen ſeine Hülffe ſehn.

3. Dort ſind die Erquickungs-Zeiten, hier der
harte Zwang und Drang. Gottes Troſt verſüßt das Leiden, wann die Zeit will werden lang.

4. Solte auch mein Schmerze währen gar
biß in das Grab hinein, wird er endlich doch aufhören, wann ich geh zum Himmel ein.

166.

JEſu! den ich liebe, wenn mich was macht
trübe. JEſu Luſt im Herzen, der in allen
Schmerzen mir Erquickung giebet: wann ich bin
betrübet,

betrübet, ist Er meine Sonne, meine Freud und Wonne.

2. Himmels-süse Weise, angenehme Speise, Kost der reinen Seelen, die sich dir vermählen: Herz in unserm Zagen, Freude, wann wirs wagen: Zuversicht im Weinen, wann wirs redlich meinen.

3. Herzog deiner Schaaren! Du kanst wol bewahren die dir, dem Erwünschten, leisten ihre Dinsten, deiner stets erwarten auf sehr manche Arten, wie Du sie thust leiten, Dir sie zu bereiten.

4. Sie sind Dir ergeben, gantz zu Ehren leben, sie sind deine Gäste, tragen deine Läste: wenn sie müde worden sind in deinem Orden, kommen sie mit Weinen, thun vor Dir erscheinen.

5. Fallen vor Dir nieder, singen ihre Lieder, bringen ihre Gaben, die sie von Dir haben: loben Dich im Herzen, achten keiner Schmerzen, laben im Gemüthe sich von deiner Güte.

6. Sie sind deine Diener, und Du ihr Versühner: sie sind deine Knechte; sie sind deine Mägde, haben Dich zum Führer Vorgang und Regierer, bleibest Du ihr Treuster, bleibest Du ihr Meister.

7. Lässest Du sie hören deine Himmels-Lehren, werden sie wie truncken: deine Feuer-Funcken schlagen in die Hertzen, treiben weg den Schmertzen, und das tiefe Beugen machet sie zu Dir neigen.

8. Deine Liebes-Gaben in dem Herzen haben, deine Liebes-Wercke, deine Kraft und Stärcke zeiget im Genesen, was Du vor ein Wesen, wenn Du ihn'n einschenckest, und im Geist sie kränckest.

9. Ach wie muß nicht allen deine Gunst zu fallen? die sich Dir so üben, über alles lieben, und in einer Kette ringen um die Wette: und so von Dir machen eitel Wunder-Sachen.

10. Thut sie jemand fragen, können sie's nicht sagen, was sie macht so truncken, wenn sie so ersuncken, weil es louter Sachen, die Gott selbst thue machen in der reinen Wahrheit und des Himmels Klarheit.

11. Da Er sie thut leiten auf die besten Weiden, und sehr schöne Auen, lustig an zu schauen weil sie da erquicket, und von Gott beglücket, seiner zu erwarten in dem Myrrhen-Garten.

12. Was noch sonst zu sagen: sie thun alles wagen, hälten an im Ringen, in Ihn ein zu dringen, weil sie besser Maaßen Ihn selbst in sich fassen, und die Kraft im Leiden nicht von Ihm zu scheiden.

13. Was ist's denn nun Wunder? wenn ihr Liebes-Zunder nimmer kann ausgehen, weil sie allzeit stehen im Genuß der Liebe, durch die reine Triebe, in des Geistes Freuden, in der Kraft zum Leiden.

14. Weil sie dann genießen ihn zusammen Fließen viele Segens-Kräfte, zu des HErrn Geschäfte: bleiben sie einhellig, wie es Ihm gefällig, achten kein Betrüben, wann Er sie will üben.

15. Dann ist's recht getroffen, wann man kommt gelossen, und erfüllt mit Segen auf des HErren Wegen, und thut alles wagen, was vom HErrn zu tragen: Himmel, Freud und Leben wird in die gegeben.

16. Drum muß JESus-Liebe löschen alle Triebe, die mir in den Hertzen machen viele Schmertzen: Er bleibe meine Wonn, meine Freuden-Sonne, die Erquickung giebet, wann ich bin betrübet.

17. Alles muß Dich loben, was hieunten droben, muß es ewig schallen nach deinem Gefallen mit viel schönen Weisen stetig Dich zu preisen, Himmels-volle Klarheit, aufgeschlossne Wahrheit.

18. Lobet freudig, lobet; obschon alles tobet: obschon alles schnaubet, doch den Muth nichts raubet seinen treuen Knechten, die sein Lob versechten. Lobet all zusamen seinen Namen, AMEN.

167.

JESus Hirte meiner Seel, mich, dein Schäf-lein leite, führ mich aus der Trauer-Höhl auf die grüne Weide: meinem Geiste stehe bey, und ihn unterstütze, mach ihn von dem Kummer frey, und mit Kraft besitze.

2. Leite mich die Pilger-straas, die Du selbst gegangen; nimmermehr zu sehn auf das, was der Menschen Prangen: deine Kraft erhalte mich auf dem schmalen Stege, daß ich allzeit emsiglich mich darauf bewege.

P. 2 · 3. Je

3. Immer lasse einen Fuß nach dem andern ellen, und fortsetzen ohn Verdruß, und ja nicht verweilen, weil die Zeit gar edel ist, und so leicht verschwindet, dis bedenckt ein jeder Christ, sich mit nichts verbindet.

4. Was im Lauffe hindern will, halten ab vom Ziele, oder machen stehen still, durch der Welt Gewühle: stehet aller Dingen bloß, ganz an nichts nicht klebet, nichts ist, das ihm bringe Verdruß, weil er JEsu lebet.

5. Der ihn in viel Creutz und Pein süßiglich erquicket, und ihn tränckt mit Freuden-Wein, daß er nicht ersticket: wann der Dränger treibet ihn, giebt ihm Schläg und Wunden, muß ihm bringen nur Gewinn, weil er hat gefunden.

6. Eine Freystadt der Geduld, da er sich kann setzen in die Ruh: ist er ohn Schuld, nichts kann ihn verlegen, wer ihn dränget, träget ihn, fördert ihn im Reisen, vieler Druck bringe ihm Gewinn wunderbarer Weise.

7. JEsus ist sein Augenmerck, in viel Creutz und Leiden, weil Er öfters unvermerckt süß gemacht das Leiden, drum ich nun und nimmermehr will von JEsu weichen, und Ihn lieben mehr und mehr, bis ich werd erreichen.

8. Zion, Gottes güldne Stadt, da die Thor stets offen vor die, soll in Thränen-Saat, hier in Schmerzen hoffen; lang verlangtes frohes Fest wird uns all erfreuen, wenn die Freund und Hochzeit-Gäst werden gehn am Reihen.

9. Gottes Harfen stimmen an mit viel tausend Freuden, singen Lieder vor dem Thron, weil GOtt all ihr Leiden weggenommen, das sie hat unter so viel Proben oft gedrückt: O grose Gnad! ewig will ich loben.

10. Gottes Lamm, das würdig ist Preiß und Ruhm zu nehmen, ewig und zu jeder Frist, und zwar noch von denen, wo es von erwürget war hier auf dieser Erden. O! wie groß wird wohl die Schaar bis zuletzt noch werden.

11. Drum sich freu ein jeder Christ in viel Creutz und Leiden, wenn er hart bedränget ist, zähle Stund und Zeiten, weil der frohe Tag ist nah, der uns all erfreuet, und die letzte Stund ist da, da wir ganz verneuet.

12. Ich will nimmer stille stehn hier auf dieser Erden, alle Tage weiter gehn, achten kein Beschwerden, weil die schöne Frühlings-Zeit alles wird vergessen, auch wo man in Schmerz und Leid öfters ist gesessen.

13. O ihr Zions-Schwestern seht! seht die frohe Zeiten, JEsus euch entgegen geht, thut euch wohl bereiten, daß ihr euren Hochzeit-Schmuck reinlich mögt bewahren, und auch keines sey zuruck, wegen viel Gefahren.

14. Tragt die Lamp in Herz und Händ, freudig geht entgegen, daß sich keines schläfrig find, und verscherz den Segen, der den Klugen beygelegt, weil sie reine Herzen, und sind worden niemals träg, auch in bittern Schmerzen.

15. Alles was noch rühmen kann, brenn mit mir in Flammen, GOtt, dem grosen Wunder-Mann, singet allzusammen: gebet Ehr und Herrlichkeit seinem grosen Namen. O daß ihr doch recht bereit! so wirds werden, Amen.

168.
Jetzt bin ich erfreut, die göldene Zeit hat nunmehr einbracht, was lange gesuchet bey Tage und Nacht.

2. Der himmlische Sinn nimmt gänzlich dahin die Sorgen und Brast, so Herz und Gewissen ein tägliche Last.

3. Wer hätt es gedacht bey dunckeler Nacht, daß alles so schön, so bald man thut sehen die Sonne aufgehn.

4. Wers Leben gewagt, und alles versagt, was lieblich und schön auf Erden, der kann dort zum Himmel eingehn.

5. Wer seiner selbst loß, kann ruhen im Schoos der Göttlichen Lieb, wann alles von Dunckelheit schwarze und trüb.

6. Viel Freuden und Lust erfüllet die Brust, wer funden die Haab, und sagen kan: nun ist getragen zu Grab.

7. Mein nichtiger Wahn, ich gehe die Bahn ins Heilige ein, wo GOtt nicht gedienet mit eitelem Schein.

8. Da grünet ein Reiß aus Gottes geheiß,

so

so aller Welt Tod, auch öffters vor Freunden und Feinden ein Spott.

9. Da wird man erhört, was man auch begehrt, doch, Göttliche Luſt muß in dem Aufſteigen erfüllen die Bruſt.

10. Und hat man die Füll, ſo ſchweiget man ſtill, und iſſet ſein Brod, ſo heiſſet, vergnügliches Weſen aus GOtt.

11. Wer gangen da ein, dem ſchencket man ein den Becher voll Troſt, dieweil man vom Teuffel und Hölle erlöſt.

12. Jetzt ſitze ich ſtill in Göttlicher Füll, erwarte der Zeit, biß Himmel und Erde und alles verneut.

169.

Jetzt bin ich gar dahin, weis nicht mehr, was ich bin, mit Schmertzen Gram und Leid vertreib ich meine Zeit.

2. Wer hätt es je gedacht, noch auch, wenn mans geſagt, geglaubt den harten Streit und ſo viel bitters Leid:

3. Auf der verliebten Bahn, weil Lieb nicht anders kan, weichet in keiner Noth, auch, bis in bittern Tod.

4. Mein ausgeleerter Sinn, der alles gab dahin, ligt nun im Kranken-Bett und harten Lager-Stätt.

5. Der Glaube ligt verkleint, hat ſich zu Tod geweint; die Hoffnung ligt im Drang, daß Zeit und weile lang.

6. Die Liebe ächzet noch, und trägt ihr ſchweres Joch in viel Gedult dahin bey dem betrübten Sinn.

7. Sie träget um mich Leid, weil ſie den harten Streit durch ihre Liebes-Mache hat über mich gebracht.

8. Sie geht, und iſt betrübt, weil ſie zu viel geliebt, daß ich in ſo viel Noth gebracht faſt biß zum Tod.

9. Dann hier iſt kein Pardon, auch vor dem Gnaden-Thron; der Geiſt ſiehe im Geſicht das ſchwere Blut-Gericht.

10. O Vatter aller Ding! ich bin faſt zu gering zu tragen deine Hand, in dem ſo ſchweren Stand.

11. Drum ſehnet ſich mein Herz bey ſo viel bitterm Schmerz, biß Gottes Gütigkeit mich wiederum erfreut.

12. Ich ſpüre Lebens-Safft, und neue Wunder-Krafft, das Zweiglein bricht herfür, macht eine offne Thür.

13. Zu der Erquickungs-Zeit, nach ſo viel bitterm Leid: Jetzt ſchwindet nach und nach mein hart und ſchwere Sach.

14. Der lange Zwang und Drang, da mir die Zeit offt lang, bringt Frucht, und ſchöne Blüt, erfreuet das Gemüth.

15. Kleidt mich mit Hoffnung an auf meiner Trauer-Bahn, ſagt mir von ſo viel Freud in jener Ewigkeit.

16. Weil bald werd gehen ein, wo die erlöſte ſeyn, die hier auf dieſer Welt gethan, was GOtt gefällt.

17. Und in ſo mancher Nöhe treu blieben biß in Tod: ſich in dem Creutz geübt, wann ſie von GOtt betrübt.

18. O! Lang-erwünſchtes Heil, das alsdann wird zu Theil, in der Erquickungs-Zeit nach ſo viel bittrem Leid.

19. Die Treu, ſo lang verhöhnt, wird nun von GOtt gekrönt: die harte Zeit iſt aus, man ruhe in Gottes Hauß.

20. O Seele! dencke dran, wie, nach dem harten Bann, dich hat dein GOtt getröſt, aus aller Noht erlöſt.

21. Die kümmerliche Zeit, in ſo viel bittrem Leid, brachte ein den Gnaden-Lohn, durch JEſum Gottes Sohn.

22. Bricht ein das Frohe Feſt, ſo GOtt ausruffen läſt, ſo iſt dahin mein Leid in alle Ewigkeit.

170.

Jetzt gehe ich ſo hin, weiß bald nichts mehr zu machen, wann Gottes Gut nicht ſelbſt wird rathen meiner Sachen. Das mancherley Gedräng macht mich ſo müd und matt, daß bring mein Leben hin faſt ohne Hülff und Rath.

2. O wie ſo offt hab ſten gemeynt! es wär gewonnen, bald kam ein andre Fluht auf mich daher geronnen, da dann mein guter Muhe zu

Staub.

Staub und Aſch gemacht, und alles wieder hin, was ſchien zurecht gebracht.

3. Dis bracht zuletzte noch ſo manche Trauer-Stunden, wo offt gemeynt, es wär das Heil in GOtt gefunden, da kaum war ſo viel Zeit, daß kont zur Thür ausgehn, da nicht wurd überhäufft mit vielen andern Wehn.

4. Dis macht mich auch ſo müd, daß es ſchwer zu ertragen, weil immer eine Fluth die andre thäte jagen. Drum weiß auch nunmehr kaum, wo wird das Ende ſeyn von meinem langen Drang und ſchweren Creutzes-Pein.

5. Was Wunder, daß ermüd in den betrübten Tagen, weil offt ſo überhäufft, daß kaum iſt zu ertragen, weil Treu und Redlichkeit ſelbſt macht die Sach ſo ſchwer, daß man muß zweiffeln, ob GOtt mehr ein Helffer wär.

6. Wann ich betracht die Zeit ſchon von ſo langen Tagen, was vor viel bittres Leid ich ſtets mußt umher tragen; ſo werd in meinem Sinn ganz auſſer mir geſtellt, als ob ich käm zu kurz hier und in jener Welt.

7. Der Bodenloſe Stand läſſet auch nicht weiter wägen, weil ſcheint die Treu wär ſchuld, daß man ſo hart geſchlagen. Wo ſoll man dann nun hin bey dem betrübten Stand, weils ſcheint, ob Gottes Gut ſelbſt wäre umgewand.

8. Ich will zwar legen bey die hart und ſchwere Sachen, vielleicht wird GOtt zur Zeit wiſſen ein End zu machen. Wann alles rein gemacht und ausgefegt wird ſeyn, werd ich wol einſten gehn in meine Ruhe ein.

9. Da jetzt ſo mancherley bedrängt und beladen, als ob kein Helffer wär, der könt dem Elend rathen. Doch werd ich dennoch ſehn mein dürr und magres Reis gar ſchön im grünen ſtehn, aufs Höheſten Geheiß.

10. Auf diß wil gehen hin und tragen, was mich grämet, vielleicht wird was nicht weiß, er tödtet und bezähmet; dann die Erquickungs-Zeit wird ſchon noch machen klar, was bey ſo viel Gedräng im Creutz verborgen war.

11. Die Hoffnung blühet noch, und iſt nicht gar erſtorben, was ſie gemählet vor, wird in Ge-

dult erworben. Iſt Glaub und Lieb dabey, und hält nur das Gewicht, ſo wird der blöde Sinn beym Straucheln aufgericht.

12. Zuletzte wird geſagt: nun iſt das Ziel getroffen, wo man ſo manchen Tag und Jahr darnach geloffen. Zuletzt kommt ein das Glück nach ſo betrübter Zeit, da alles Trauren weg in alle Ewigkeit.

171.

JEtzt lauffen zu Ende die traurigen Stunden, weil wieder geheilet die blutigen Wunden; da alles umſtellet mit Schmerzen und Leid, bey der ſo ſehr traurig betrübeten Zeit. Nun läſt ſich auf einmal die Sieges-Krafft ſpüren ſo, wie GOtt vor Zeiten die Jugend thät führen, damit ſie nicht konte von Ihme abtreten.

2. Der Sieger der Helffer iſt kommen zu retten, und thut ſeine Traurigen ſelber vertretten; auch ſelbſt die Verächter ſind worden zum Hohn; ein förchterlich Zagen iſt nunmehr ihr Lohn. Dagegen ſieht man nun die tapfferſten Helden, die ſich in dem Tryumph ſehr freudig darſtellen, die Sieges-Kind tragen mit denen Erwählten.

3. Nun gebens die mancherley Feinde verloren, weil andere Waffen im Krieg als zuvoren; deswegen der Kleinſte jagt tauſend davon; wer ſonſt auch Geringe, macht Völcker zum Hohn. Drum ſieht man die Helden die Sieges-Kron tragen, weil alle Verächter zu Boden geſchlagen, daß keiner ſich trauet ein Wörtlein zu ſagen.

4. Dieweil GOtt hat ſelber vom Himmel geſtritten, ſind allen Verächtern die Füſſe geglitten, ganz unvermuth alſo gefallen dahin, zerglittert, zerſplittert ihr thörichter Sinn. Uns aber iſt worden die Himmliſche Beute, ob wir gleich ſonſt ſcheinen die ärmeſten Leute, ſo wird uns doch niemand wegnehmen die Beute.

5. Der Glaubens-Kampff hat uns die Kronen erworben, wo andre durch Untreu und Fäulheit verdorben. Drum können wir ſingen von ewiger Gnad, die auf uns iſt kommen nach Göttlichem Rath. Drum müſſen ſie alle mit Schanden beſtehn, die ſonſt uns gemacht ſo mancherley Wehen, ſo, daß wir ganz freudig die Wege fort gehen:

6. Die

6. Die sonsten beklemmet von hinten und vor=
nen, auch öffters bewachsen mit Disteln und Dor=
nen: die sind nun gebahnet, weil Lieben und Leid,
die Dornen durchbrochen in dunckeler Zeit. Nun
sind die Erlöseten wieder gekommen, wo Schmer=
tzen und Seufftzen hinweg ist genommen, und al=
les sonst andre muß helffen zum Frommen.

7. Jetzt können die reinen und stillen gemü=
ther erst singen die holden und lieblichen Lieder,
weil alles Unwesen nun ist wie dahin, drum thut
sich eröffnen der lautere Sinn; wo man kann
von Freuden des HErren aussagen, wie er hat
geholffen, gehoben getragen, wo Hoffen und
Glauben darnieder geschlagen.

8. O! Selige Beute, wo dieses bestigen, daß
alle Hohn=sprecher nun müssen erligen; die Ein=
tracht der Heiligen wächset heran, drum thut sich
eröffnen die göldene Bahn, wo Lieben und Leiden
den Himmel erjagen, samt allen die treulich es
biß dahin wagen, wo man erlaufft göldene Kro=
nen zu tragen.

9. Jetzt helfen die englische Trohnen mit sin=
gen, weil GOtt es im Siegen so lassen gelingen,
daß alles Verlorne auch kommen mit ein, drum
kann man auch anders bey diesem Sieg seyn,
als sonsten zuvor in vergangenen Zeiten, da al=
lezeit Elend und Schmertzen zur Seiten, und al=
so verbittert die Göttliche Freuden.

10. Nun bleibet man stetig im Lieben erhoben,
wo nimmer aufhöret das Dancken und Loben:
die erstere Liebe wächst wieder heran, drum walle
man mit freuden die göttliche Bahn. Was
wolte erkalten, muß plötzlich vergehen, die erste
Lieb lässet uns nimmer still stehen, weil ihre be=
wegliche Winde stets wehen.

11. Nun müssen auf ewig hin bleiben verges=
sen, wo man ist vorhers so traurig gesessen: in
diesem Sieg sind auch geschlagen, gefällt, die
Freunde, so offt sich als Brüder verstellt. Jetzt
muß es gelingen als Gottes Getreuen, drum wol=
len wir alle von Hertzen uns freuen, weil er uns
gibt Segen und Göttlichs Gedeyen.

12. Der Fortgang zum Himmel ist treulichst
gekröhnet, wol, wer sich zum Dulden und Hoffen

gewöhnet; die sanfften Tritt bringen uns weiter
hinan, auf dieser so neuen gesegneten Bahn, als
vor im Gebüsche der mancherley Sachen, da offt
nicht zu dencken, was man nur solt machen; jetzt
balde bringt Lieben ein göttliches Lachen.

13. Da werden wir alle nur singen und sa=
gen, wie GOtt uns in Güte gepfleget, getragen,
wann Hoffen und Glauben gefallen dahin, thät
er uns erneuen den himmlischen Sinn. Nun
aber sind Schmerzen und Leiden vergessen, und
wo wir auch öffters so traurig gesessen, weil wir
in der Freude des Himmels genesen.

172.

JEtzt muß man gehen hin und weinen, weil alle
Freude wie dahin, und GOtt vergessen hat
der Seinen; (so dacht der kleine Kinder=Sinn)
O was vor Leid und Traurigkeit muß tragen
der verlibte Geist! so wolt zu GOtt seyn hingereißt!

2. O! was vor sehr betrübte Tage, wann selbst
das Rechte heist: Gefehlt, daß jedermanns ge=
meine Sage: man hätt das Beste nicht erwählt.
Die Traurigkeit bringt so viel Leid, weil man
muß sehn gebracht zu Grab, was schien der Him=
mels=Güter Haab.

3. Wer diesen Schmerzen kann vertragen,
den wird GOtt wieder richten auf, ist gleich der
Muth sehr hart geschlagen bey dem sehr schweren
Glaubens=Lauff. Wänn Gottes Gnad gibt
weisen Rath, wie man gebracht auf höhre Pflicht,
so steht man wieder aufgericht.

4. Doch kann man kaum so gar vergessen der
schweren und betrübten Zeit, da man in hartem
Drang gesessen in so viel Gram und bitterm Leid.
Will alles hin, auch der Gewinn, so hieß das
ewig bleibend Gut; wem solt da fallen nicht der
Muth.

5. Doch blieb der ewge Funcken klimmen, ein
Windlein blies ihn wieder an, der ließe sich nicht
weiter hemmen, und bracht mich wieder auf die
Bahn; wo Gottes Rath, und hohe Gnad schenckt
wieder neuen Unterricht, worzu man sich so vest
verpflicht.

6. Die Jungfrauschafft sieht ihre Blühte im
bittren Creutz und Todes=Tahl; so bald im Lauf
sie

sie worden müde, so lässe sich sehn ihr schwerer Fall. Doch ist es nicht derselben Pflicht, so heisset Sophia vermählt, es wird nur Adams Sinn entseele.

7. So bald derselbige gefallen, so wachet auf der hohe Geist, und macht die ew'ge Lieb aufwallen; jetzt kommt ein, was verlohren heist. Die Ewigkeit besiegt die Zeit: wo man so lang hat drum geweint, nun in dem Glaubens-Geist erscheint.

8. Drum will nunmehr nicht länger weinen, obgleich die Jungfraufschafft dahin, so irrdisch, dis trifft nur die Kleinen, so in dem zarten Kinder-Sinn dorthin geschaut, wo Gottes Braut verherrlicht wird in jener Welt, weil sie sich GOtt am Creutz vermählt.

173.

JEtzund gibt es andre Sachen, man muß nur so lassen machen, mercken dabey eben drauf: dann die schweren Trübsals-Tage steigen, nach gemeiner Sage, alle Tage höher auf.

2. Und wer nicht mit Ernst bestiffen, und sich legt zu aller Füssen, kommt nicht fort auf dieser Bahn. Dann wer nur noch was zu haben, das Gewissen dran zu laben, noch erbärmlich fallen kann.

3. Dis ist ein betrüber Handel, wann der tuncke Glaubens-Wandel auch nimmt dieses noch mit hin: was gemeynt zu seyn die Kronen, womit GOtt aldort wird lohnen. Dis fällt schwer dem Kinder-Sinn.

4. Doch ist es noch wol zu tragen, wann man einst ans Creutz geschlagen, auch um seine gröste Treu. Dann da grünt das Glaubens-Leben, das GOtt wird aldort erheben, wo wird werden alles neu.

174.

JEtzund ist es wol bestellt, so hab ich mirs lang erwählt: ich bin überwogen. Dann die starcke Liebes-macht hat mich von mir abgebracht, und an sich gezogen.

2. Was ehdessen wol bedacht, und mit Fleiß ins Werck gebracht, um GOtt zugefallen: muste gehn durch so viel Noth, auch biß an den bittren Tod hier in meinem Wallen.

3. Dann der Fleiß und grose Treu, so offt ausgeübt aufs neu, hat es gantz nicht troffen; dann gar offt in meinem Fleiß, auf gar viel und manche Weiß GOtt bin vorgeloffen.

4. Jetzund bin ich eingeholt, leb nicht mehr auf meinen Tag, ich bin unterthänig. Was nicht Gottes weiser Rath selbsten lehrt in Werck und That, ist mir viel zu wenig.

5. Niemal war es so bestellt, ob man gleich versagt die Welt, blib doch was in Händen. Wo man sich in Wol und Weh, nach Belieben je und je, selbst kont drehn und wenden.

6. Kaum hätt man einmal gedacht, daß man so zurecht gebracht, wo es heißt: verloffen; was gethan mit so viel Fleiß auf gar viel und manche Weis, in Gedult und Hoffen.

7. O was ein betrübte Sach! und vor Reu auf jenen Tag (so steht man im Meynen) wann man wird so hart gesicht, daß auch kommen ins Gericht selbst das bittre Weinen.

8. Aber, o ein treuer GOtt! so hilfft aus der letzten Noth, lässe nicht verderben: nur das alte Sünden-Thier, so da irret für und für, muß im Tod ersterben.

9. Wann bezahlet dieser Sold, wird das rechte Glaubens-Gold in dem Staub gefunden. Jetzt geht auf ein neue Welt, alles alte gantz zerfällt, weil hat überwunden,

10. Das von GOtt erwürgte Lamm, so doch sonst vom Himmel kam, das Heil zu erwerben. Und nach Gottes weisen Rath, der es so beschlossen hat, am Creutz müssen sterben.

11. Drum ist es so wol bestellt, weil ich auch mit angepfält, und dahin gegeben: wie man Uebelthätern thut: damit durch des Bundes Blut ich kön ewig leben.

175.

JEtzt wil gehen hin und weinen, weil misrathen meine Saat ist an Grosen und an Kleinen, die gesäet durch Gottes Gnad. O was ein betrübte Zeit! wann auch Treu und Redlichkeit muß so schwere Schulden tragen, und noch seyn von GOtt geschlagen.

2. O! was vor betrübte Tage von so langen
Zeiten

Zeiten her; was ein schwere Niederlage, wann sasten, ob kein Helffer wär; weil das Beste hieß gefehlt, würde man als wie enseele. Wer sol dieser Sachen rathen, weils versehn in Helden-Thaten.

3. Hier gilt weder Flehn noch Weinen, weil dis alles schon geschehn: das Gericht trifft nur die Kleinen, die sich liesen nicht erhöhn wie die Schlang dort in der Wüst, da die Kleinheit abgebüßt, und der Gottheit Zierd und Ehren sich wiedrumm ließ sehn und hören.

4. Wann ich thu daran gedencken, wie die Kleinheit offt gesiebt; wann mir GOtt wolt Gut einschencken, wurd ich nur noch mehr betrübt. Was mich bringen wolt zur Höh, thärs offt heisen, ich vergeh: weil mich furcht aufwärts zu stelgen, thäte ich so tief mich beugen.

5. Wann die Kleinheit so geschlagen, als ob sies so hart verschuldt, alle Treu zu Grab getragen, Hoffen, Glauben und Gedult, gar wie an dem Creutz enseelt, ausgekehrt von aller Welt; dabey noch das schwerst zu tragen, auch zu seyn von GOtt geschlagen.

6. Doch, wann ging und war beladen, wuste nicht wo aus noch ein, thät er selbst dem Elend rathen, schenckte Trost und Güte ein. Auch, wann ginge hin und her, als ob gantz kein Helfer wär, thät er mich mit Gut umarmen, und umfassen mit Erbarmen.

7. Dieses sind die Wunder-Wege, wo die Kleinen zu erhöhn: O! wie viel geheime Schläge offt bey so viel bittern Wehn, biß das Kleine sich gibt her, daß GOtt kommt zu seiner Ehr. Was die Grosen machet beugen, müssen Kleine aufwärts steigen.

8. Meine Kleinheit hats versehen, daß das Ziel im Lauf verfehlt, und macht andre sich erhöhen, ob man gleich das Best erwählt. Dis brachte mir so manches Leid, daß vergessen aller Freud, wenn verworffen mein Verkleinen, ob mich schon zu Tod thät weinen.

9. Dis macht mich fast wie gereuen, weil auch meine Erndt betrübt, und der Schmertz trifft nur die Treuen, als ob sie zuviel geliebt. Izund

gibts ein neue Saat, weil der Führer Gottes-Rath hingedeckt über das Weinen, bey den Grosen und den Kleinen.

10. Geht man dann so hin im Schmertzen, und saet andern Saamen aus, traurig, mit verwundtem Hertzen, biß man bringt die Frucht nach Hauß. Geht die Hoffnung wieder auf bey dem müden Lebens-Lauf, bringt es Trost, weil thut erscheinen, was verdeckt bey so viel Weinen.

11. Izund gibt es andre Sachen nach der langen Wanderschafft, und der Trauer-Mund wird lachen, weil nicht mehr so in verhafft, wo das Best offt hies-Gefehlt, daß man seyn muß wie enseelt. Diese Saat wird sich ausbreiten dort, zu vielen tausend Freuden.

176.

JEtzt will ich lauffen weiter fort, auch fliehen das Gewimmel, daß vor der engen Lebens-Pfort macht so ein groß Getümmel: mögt gern die Pfort weit offen sehn, daß Roß und Wagen könt eingehn, und weil sichs nicht wolt geben, ist ein so wütend Leben.

2. Jetzt heissts bey mir: nicht stille stehn bey diesem tollen Handel, ich hab schon längstens eingesehn, daß dieser Leut ihr Wandel nicht zielt nach jener Himmels-Pfort, alwo das innre Gnaden-Wort uns-hält in steter Enge, bey mancherley Gedränge.

3. Dis Volck laufft nach der breiten Thür, weicht ab vom schmalen Stege; nach Wollust stehet die Begier, im Geiste ist man träge. Dieweil man nur nach altem Brauch thut suchen einen völlen Bauch, dann heissts: in Faulheit schlafen, so braucht man nicht zu schaffen.

4. Dis ist der lustig Höllen-Weg, wo Fleisch und Blut fortkret; doch gibt es manche harte Schläg, weil man von GOtt abirret. Die Erndte bringt viel schwere Pein, dieweil der Tod wird schencken ein das, wo sie hier im Leben sich wolten nicht ergeben.

5. Zuch hin mit deinem Christenthum, du gantz verlogner Handel; suchstu gleich noch in Worten Ruhm, so zeigt es doch der Wandel. Dann alle Gänge, Schritt und Tritt, sind, wie man

man es mit Augen sieht, ein nichtig leeres Träumen, gleich den erstorbnen Bäumen.

6. Der enge Steig zum Lebens-Baum ist nicht
auf dieser Straase; dann wo man durch kann
kommen kaum, werden die Augen nasse. Aber
auf dieser weiten Bahn, wo alles mit durch kommen kan, verliert sich das Hingehen mit Thränen
auszusäen.

7. Drum will ich eilen, daß komm ab von
diesen Lager-Stätten, wo Gottes Zeugnüß kommt
ins Grab, schmidet die Sünden-Ketten. Der
Fortgang dort, nach jener Welt, wozu mich
GOtt hat auserwählt, macht mich von Menschen fliehen, die sich um GOtt nicht mühen.

8. Es wird doch wol ans Krachen gehn,
drum wil mich vorher scheiden, damit, wann kommen an die Wehn, kann ich mit grosen Freuden
dem Handel also sehen zu, drauf gehen ein zur
wahren Ruh, wo jene mit viel Wehen zur Höllen müssen gehen.

177.

JEtzt wil ich meine Lampe klüglich schmücken, weil hab gehöret das Geschrey zur Mitternacht; daß Braut und Bräutigam thut na-
her rücken, drum gleich als wie ein Sturm von
meinem Schlaf erwacht. Jetzt ist die Lampe
nicht genug, die kann noch stehn beym Heuchel-
Trug; es fordert Braut-und Hochzeit-Kleider,
sonst kommt man keinen Fuß-Tritt weiter.

2. Dis gilt mir nun in meiner ganzen Sachen, damit nicht nackend komme zu dem hohen
Fest; drum thät auch in so groser Eil aufwachen,
damit ich auch erschein wie andre Hochzeit-Gäst.
Jetzt wird nicht nach der Lamp gefragt, es fordert hochzeitliche Tracht; drum muß man sehn,
was sey zu machen, wann man thut von dem
Schlaf erwachen.

3. Da ists nicht gnug die Augen aufzuheben,
der Lebens-Geist aus GOtt muß Hand mit schlagen an, damit hervor gebracht werde ein himmlisch Leben, das aller Berge Höh in Krafft besteigen kann. Der neue Mensch bringe mit sein
Kleid, das sind die rechte Hochzeit-Leut; jetzt thut
die Braut das Vorspiel machen, was sollen seyn
der Hochzeit Sachen.

4. Nun werden Wunder-Dinge erst gesehen,
wann die Spielleut werden an einer Reihen
stehn, und wann die Musica schön wird angehen,
so wird die Braut zum Tanzen zierlich voran
gehn. Da die Gespielen auch herbey kommen
gar schön an einer Reih; nun wird der Tanz
ohn Ende währen, die Freud wird keine Zeit
verzehren.

178.

JEtzt wil noch einmal singen von Gottes Gütigkeit, ders lassen hat gelingen nach so viel
schweren Streit. Viel kümmerliche Tage hab
ich dahin gebracht, ob gleich viel davon sage, es
wird doch nichts geacht.

2. Doch kann nicht ganz umgehen, was auf
der Himmels-Bahn vor viel und lange Wehen,
dem Volck zu zeigen on; da ist kein End zu finden von Leid und vielen Wehn, und wann mans
wolt abwenden, müsse man verloren gehen.

3. Doch, hat der ew'ge Funcken nur Treu
und Redlichkeit, so wird man oft wie truncken bey
so viel schwerem Streit. Der Himmel gibt gedeyen, daß aller Gram und Drang machet in
GOtt erfreuen und preisen mit Gesang.

4. Wer wird es können sagen? was kömt vor
Segen ein, (nach denen Trauer-Tagen) den
GOtt thut schencken ein. Denn das Gewissen
nähret den GOtt verliebten Sinn, so wird das
Herz bewähret, und fällt der Kummer hin.

5. Wer hätt wol sollen dencken in der betrübten Zeit, was GOtt zuletzt thut schencken
nach so viel bitterm Leid. Der Segen bringe
Gedeyen löst auf, was saur und schwer, und
macht in GOtt erfreuen, als ob geholfen wär.

6. Bald komme ein andre Enge, eh man sichs
hätt versehn, so gibts ein neu Gedränge von viel
und manchen Wehn. Doch, eh man es kont
dencken, fließe Heil und Segen ein, und was zuvor thät kräncken, muß wie vergessen seyn.

7. So wird das Ziel ger offen, nach so viel
schwerem Streit, zuletzt kommt eingeloffen, was
uns in GOtt erfreut. Jetzt kön man Garben
binden auf seinem Thränen-Feld, o was wird
man erst finden in jener neuen Welt!

8. Drum

8. Drum wil mich stündlich freuen über den langen Drang, weil GOtt mir gibt Gedeyen zu manchem Lobgesang. Weis man gleich nichts zu machen annoch vor vielem Leid, es gibt nur schöne Sachen in jener Ewigkeit.

9. Hier muß sich schmigen, beugen in mancherley Gefahr, was sich aldort wird zeigen und werden offenbar. Drum wil unendlich loben, danckbar und frölich seyn, weil nach so vielen Proben in GOtt gegangen ein.

179.

Ihr Brüder und Schwestern von oben geborn, Laßt fallen den Schmerzen, wo quälet die Herzen, weil JEsus uns alle zur Freude erkorn: was kräncket man sich, wann Hülfe gebricht? und ob es auch scheinet, wir wären verloren.

2. So muß uns doch solches nur förderlich seyn, wenn wir es recht fassen, uns Ihme gelassen ergeben, und ruhen in Ihme allein, in stetem Genuß, und ohne Verdruß: weil Er uns erquicket mit Göttlichem Wein.

3. So haben wir Friede und Freude zugleich, wenn wir uns so finden, und lassen verschwinden das, was uns verhindert vom Göttlichen Reich: und schwächet den Lauff, zu halten uns auf. O werdet doch nimmermehr matte noch weich.

4. Und solte zuweilen die Hülfe verziehn, so werdet nicht bange, es dauret nicht lange, so müssen die Feinde mit einem Wort fliehn: wenn wieder erscheint, ders herzlich gemeint. O selig! die sich um nichts anders bemühn.

5. Als lieben den König mit heiliger Brunst, die schmecken die Güte in ihrem Gemüthe, und werden begabet mit himmlischer Gunst. O edler Genuß! da ohne Verdruß man liebet, weil Er uns gibt alles umsonst.

6. Wo JEsus Lieb herrschet, da brennet das Herz in Göttlichen Flammen, die schlagen zusammen, und machet oft küssen mit heiligem Scherz. Wer anders was liebt, und sich nicht so übt, wird täglich belohnet mit Leiden und Schmerz.

7. Ach lerner doch JEsum im Geiste ersehn! und sehet, wie reine Er also erscheine: und ob ihr auch also vor Ihme könne stehn? was zaudert ihr noch, ermahnet euch doch, wie könnet ihr sonsten ins Heiligthum gehn.

8. Wer noch ist beflecket mit hurischer Lieb, hat täglich im Herzen nur Leiden und Schmerzen, drum folg ich dem heiligen Göttlichen Trieb: und sage rein ab, versencke ins Grab, was mich noch kann scheiden von Göttlicher Lieb.

180.

Ihr Bürger des Himmels! kommt alle zusammen, entzündet die Herzen mit himmlischen Flammen: das Feuer der Liebe zum Göttlichen Leben hat in uns der König des Himmels gegeben.

2. Das machet recht brünstig und stärcket im Leiden, verwandelt dieselben in Göttliche Freuden: zu loben den König mit freudigen Zungen, Dem alles so trefflich bishero gelingen.

3. Drum schallen von Innen viel liebliche Lieder, wir opfern dem Schöpfer dieselbigen wieder zur Gabe, die Er uns von oben gegeben, um also nur Ihme gefällig zu leben.

4. Drum werde nunmehro nichts anders gehöret, als wie sich die Gabe des Vaters vermehret im heiligen Feuer im himmlischen Lichte: damit wir ausbreiten die Wunder-Geschichte.

5. Er hat uns geschencket ein Göttliches Leben, und hat uns Sich selbsten zu eigen gegeben: wer solt nicht besingen die Wunder der Liebe, die in uns geflossen aus Göttlichem Triebe.

6. Drum werden wir täglich aufs Neue begossen mit Strömen der Liebe, die kommen geflossen vom Brunnen des Lebens, der in uns ausquillet, damit das Verlangen des Herzens gestillet.

7. So ruhen wir sanfte im Göttlichen Frieden, genießen das himmlische Leben hienieden: das Kräncken und Drücken ist alles verschwunden, was vor war verlohren, ist wieder gefunden.

8. So lebt man zu Ehren dem König von oben, und singet Ihm Lieder in Leiden und Proben: weil Er uns gezieret mit Göttlichem Leben, drum wird Ihm Preiß, Lob und Danck ewig gegeben.

181.

Ihr Gäste, machet euch bereit zur Lammes froh, Ihr Hochzeit-Freud, und schmücket euch aufs allerbest:

Q 2

allerbeſt: denn wie es ſich anſehen läßt, ſo iſt die
ſelbe nah vor unſrer Thür; drum werdet Freuden-voll mit Himmels-Gier.

2. Zieht an das reine Hochzeit-Kleid, ſeyd angethan mit Tapferkeit, zu ſtehen vor des Feindes
Grimm: hört, wie euch ruft der Wächter Stimm,
daß ihr ſolt Tag und Nacht nur ſeyn bedacht,
daß eure Lampen ins Geſchick gebracht.

3. Der Feind wird wagen, was er kann:
ſteht man nicht als ein tapfrer Mann, ſo fällt dahin der Helden-Muth, der Kampf komme nicht
bis auf das Blut. Drum wohl dem, der in
Glaubens-Munterkeit iſt angethan mit Kraft
und Tapferkeit.

4. Der wird in allem Kampf und Strauß
auch halten können freudig aus: und ſo, daß auch
nichts trennen mag, zu ſtehen ohne alle Klag, erwartend nur allein in ſüſer Still, zu ſehen, was
des HErren Winck und Will.

5. So wächſt man in dem Glaubens-Lauf,
im Fallen ſteht man freudig auf, ermannet ſich
in Geiſtes-Kraft, der allzeit Sieg und Heil ver
ſchafft bey denen, die in ſteter Wachſamkeit bereit
zu ſtehen in des HErren Streit.

6. Wider das Thier und Antichriſt, das ſich
in Frevel, Trug und Liſt, bishero hat gebrüſtet
ſehr, geſetzet wider Gottes Heer: drum wird der
HErr ihn bald mit ſeinem Schwerdt zerhauen,
und vertilgen von der Erd.

7. Drum ſammlet wahre Lebens-Kraft, daß
ihr nicht werdet weggerafft im Grimm des Zorns,
wie eine Fluth: ſehr was GOtt denen Sündern
thut, die hier gelebt in Frevel, Trug und Liſt,
gehäſſt geſchmäht, geſchändet jeden Chriſt.

8. Die vierthalb Jahre gehen an: O ſelig!
wer diß mercken kann, damit er ſammle Glaubens-Kräft, und nicht mit werde weggerafft, wenn
Gottes Zorn und ſchwehre Donner-Grimm ſich
rächen wird an ſeines Feindes Grimm.

9. Der jetzt ſehr hoch erhaben iſt, zu herrſchen
über GOtt und Chriſt, und ſeiner Glieder heil'ge
Zahl, die zu dem frohen Abend-Mahl gerufen,
durch der Wächter ſtarcke Stimm, wodurch zer
ſchmettert wird der Feinde Grimm.

10. Durch ſeinen Arm gewaltiglich Er retten
wird ganz wunderlich die, welche rufen Tag und
Nacht: damit bald werd ein End gemacht dem
Frevel-Hauffen, durch verruchte Lehr verführt,
und ſtreitet wider Gottes Heer.

11. Dieweil ſie deinen Namen ſchänd't, den
ſelben mit dem Mund bekennt, ſich ſchmücket
ſchön mit Wort und Schein: verleugnet aber,
daß ſie rein an Herz, an Sinn und Geiſt hie
werden muß, durch wahre Reu, in rechter Herzens-Buß.

12. Drum wird ihr werden angſt und weh,
weil ſie betrübet je und je die Frommen Gottes
allzumal, ſo viel auch ihrer an der Zahl: die GOtt
zu ſeinem Dienſt ſich zubereit, zu dienen Ihm in
Herzens-Reinigkeit.

13. Damit ſein groſe Wunder-Macht durch
ſie werd an das Licht gebracht: indem ſie niedrig,
arm und klein, dennoch ein Volck des HErren
ſeyn, Der plötzlich richten wird die ganze Welt,
ſamt allem, was in Falſchheit ſich verſtelle.

14. Drum wachet, ſteher recht bereit, ihr Klugen, in des HErren Streit, damit nicht ſchrecke
euren Sinn des Feindes Wuth, verboſter
Grimm: denn ſeine Hoffart, Zorn und groſer
Pracht wird werden plötzlich ganz zu nicht gemacht.

15. Alsdann wird wachſen uns der Muth,
wenn GOtt wird aller Frommen Blut nun
rächen an der Feinde Schaar, und ſie vertilgen
ganz und gar: damit ihr Name werd zu nicht
gemacht, und Ihm werd Lob und Preiß von uns
gebracht.

16. Darum, ihr Frommen allzumal, die ihr
zum frohen Hochzeit-mahl gerufen durch des HErren Stimm: ſeht! wie Er ſtraft der Feinde
Grimm, der wider euch ſich ſetzt mit ſtolzem Muth.
Nunmehro wird der HErr bald rächen euer Blut.

17. Steht alſo feſt, halt't tapffer aus in allen
Proben, Creutz und Grauß: dadurch man hier
wird zubereit, um einzugehn ins HErren Freud,
die alle Frommen wird erquicken dort, wenn ſie
Lob, Ehre geben fort und fort.

18. Dem Lamme, das erwürget war: nun
ewiglich und immerdar wird nimmermehr kein

Schweſt

Schweigen seyn, bis allzusammen ins gemein
dem grosen GOtt und Herrscher aller Welt
Lob, Ehre geben in des Himmels Zelt.

182.

IHr Zions-gespielen! ermannet euch wieder,
Und singet mit Freuden die lieblichen Lieder:
dann unsere Hoffnung sieht wachsen heran die
Früchte des Glaubens auf unserer Bahn. Drum
lauffen zu Ende die traurigen Stunden, die tödliche Schmerzen sind gütigst verbunden, und balde geheilet die blutige Wunden.

2. Jetzt grünen die dürre und magere Wiesen,
die unser bißheriges Trauren versüsen; der Brunnen des Lebens sich reichlich ergeust, daß jedes den
Segen von innen-geneusse. Drum können wir
alle nur singen und sagen von Güte und Gnade, wie die uns getragen, wann Glauben und
Hoffen darnider geschlagen.

3. O wol uns! dieweil wir nun wieder gedeyen, drum wollen wir alle von Herzen uns
freuen; viel traurige Stunden sind gangen dahin; nun aber einkommen mit vielem Gewinn
die Früchte des Glaubens in Dulten und Hoffen, um welche sehr Viele so ernstlich geloffen,
und endlich mit Freuden das Beste getroffen.

4. O Brüder! gedencket der seligen Stunden, wo unser Velornes ist wieder gefunden.
Der Segen, so grünet aus weisestem Rath, ist
worden den Schwestern aus hoher Genad.
Drum kommet zu Hauffen ihr lieben Getreuen,
wir wollen zusammen von Herzen uns freuen,
dieweil uns GOtt lässet in Ihme gedeyen.

5. Und weil uns das Ziel ist mit Segen getroffen, wornach wir so lange mit Schmerzen
geloffen; so wollen wir rühmen die Göttliche
Gnad, die unser gepfleget nach weisestem Rath.
Jetzt wollen wir unsere Gaben darbringen, weil
Er es so trefflich hat lassen gelingen; dort wird
man die schönsten Lieder absingen.

183.

IN der stillen Herzens-Ruh tritt mein JEsus
selbst herzu: binder meine Seele an, daß sie
nimmer weichen kann

2. Voll der Liebe vollem Geist, der mit Kraft

in mich einfleußt: und erquicke mein mattes Herz,
macht vergessen allen Schmerz.

3. Wann ich sitz in tiefer Still, führt mich
Gottes reiner Will selbsten über Zeit und Ort:
spricht in mich sein Lebens-Wort.

4. Bin ich Schmerzens-Kummer voll, weiß
nicht, was ich machen soll: steht Er mir zu meiner Seit, und versüset alles Leid.

5. Hab ich seine Lieb genossen, daß ich ganz
darmit begossen, führt Er tiefer mich hinein, daß
ich bleibe keusch und rein.

6. Oeffnet Er mir seine Schätze, daß ich mich
daran ergötze: spricht Er mir so gleich mit ein,
auch im Tod getreu zu seyn.

7. Sammlet sich mein Geist zusammen, voller Liebe, voller Flammen: sind ich auch noch
diß dabey, daß ich meines JEsu sey.

8. Was ich reden thu und dencken, muß sich
nur nach JEsu lencken. Ihm zu leben ganz
allein, soll mein Ein und Alles seyn.

9. Weil ich mich an Ihn gebunden, hab ich
Ruh und Fried gefunden: welche nicht in aller
Pein, sole es auch schon schmerzlich seyn.

10. Seine Lieb, die ich genossen, ist es, die
mich unverdrossen lässet bleiben in der Still, nur
zu sehn auf seinen Will.

11. Der nach hält in seinen Schrancken,
vest zu stehen ohne Wancken: nur zu leben Ihm
allein, drum kann ich recht selig seyn.

12. Was vor Ruh und Süsigkeit findet schon
in dieser Zeit: wer mit reiner Liebes-Lust wird getränckt aus seiner Brust.

13. Doch ich thu noch mehr begehren, groser
GOtt! thu mirs gewähren: laß den reinen
Lebens-Strom fliesen rab vom Libanon.

14. Daß ich werde übergossen von den Säften, die geflossen kommen aus der Gottheit See,
und erlauffen Leid und Weh.

15. So werd ich viel Früchte bringen, ein Lied
nach dem andern singen: Dir zu Ehren auf der
Welt, bis ich komm ins Himmels-Zelt.

16. Da will ich es besser machen, weil zu lauter Freud und Lachen Du wirst machen alles Leid,
Dich zu lob'n in Ewigkeit.

Q 3   17. O ich

17. O ich sehe schon im Geist! wie dein ganzes Heer dich preist schön mit Gottes Harfen-
Klang mit dem Siegs-und Lobgesang.

18. Auf! die ihr noch lebt auf Erden, wollt
ihr Himmels-Bürger werden: ey so stimmet
auch mit an, und besingt die Creutzes-Bahn.

19. Mit viel Danck-und Sieges-Lieder opfert
eurem Schöpfer wieder, was sein Geist in euch
ausspricht, diß ist eure Glaubens-Pflicht.

20. Stille Ruh und Sicherheit sich da findet allezeit: wo beflissen Hertz und Mund, GOtt
zu loben alle Stund.

21. Glorie, Ehr und Herrlichkeit unserm
GOtt sey stets bereit von der gantzen Glaubens-
Schaar ewiglich und immerdar.

184.

IN der Stille, ohn Gewühle, findet man die
wahre Ruhe und Vereinen mit dem Einen,
das gibt innre Kraft dazu.

2. Wer sich scheidet, ernstlich meidet allen falschen Trug und Schein: findet Wesen zum Genesen, geht ins stille Salem ein.

3. Recht vergnügt lebt, wer sieget über aller
Feinde Macht: ders von Ausen lässet brausen,
alles Thun der Welt verlacht.

4. Sonst nichts wissen, als geniesen GOtt,
das wesentliche Gut: bringt Vergnügen, machet
siegen über aller Feinde Wuth.

5. Wer von Hertzen, ohne Schertzen, liebet in der reinen Lust: wird umarmet, und erwarmet an der heissen Liebes-Brust.

6. Die da träncket, voll einschencket denen,
die gegeben hin Hertz, und Munde, in dem Grunde, leben nur nach Gottes Sinn.

7. Tief Einsencken, und sich lencken nach der
stillen Geistes-Art, sind nur Gaben, wo sich laben die, so sich mit GOtt gepaart.

8. Stilles Schweigen, tief sich Beugen vor
der höchsten Majestät, komme von oben, nach viel
Proben, und inbrünstigem Gebät.

9. Wer geschieden von dem Frieden, so die
Welt den ihren giebt, lebt auf Erden ohn Beschwerden; weil er nichts Vergänglichs liebt.

10. Willt du rahten, durch was Thaten die

zur Ruh gekommen seyn, so da rasten, nach viel
Fasten, und in GOtt gegangen ein:

11. So lern meiden, und dich scheiden von
dem eitlen Wort-Gepräng: da kein Wesen zum
Genesen, auch das Hertz nicht kommt in Eng.

12. Gantz nichts wissen, als geniesen das,
wo alles übersteigt, macht dich reine, daß du kleine, und vor deinem GOtt gebeugt.

13. Solche Thaten können rahten, wo der
Weg zum Heiligthum: da man stille, in der Fülle, und mit sonst nichts gehet um.

14. Als mit Schweigen GOtt anzeigen, seines Geistes innre Lust: und, ohn Dencken, stets
thut trincken aus der Liebe süsen Brust.

15. Was der süse Liebes-Güsse fliesen da zusammen ein: wo das Hertze ruht ohn Schmertze,
und ins Innre gangen ein.

16. Wahres Manna findet man da, und die
dürre Aarons-Ruth thut ausgrünen, zum Versöhnen, was verschuldet Fleisch und Blut.

17. In den Kräften und Geschäfften der Ver-
nunfts-Bedencklichkeit: da im Scheinen, und
gut meinen man sich gleissend zubereit.

18. Durch Laut-schallen zu gefallen deme,
Der so nah beywohnt: wo der Wille nur ist stille, Er schon selber wohnt, und thront.

19. Nun ich ruhe, sonst nichts thue, als nur
warte, was sein Will: Er wird rahten meisten
Thaten: so bleib ich in süser Still.

185.

IN GOtt verliebet seyn heißt sanffte und süse schlafen. O wol! wer sonsten nichts in
dieser Welt zu schaffen. Das Lieblichste aus
GOtt und seiner Fülle her ist, wenn Er stille
schweigt, und gibt uns kein gehör.

2. Wann wir in heiser Brunst Ihn wolten
nimmer lassen, so hält Er sich zurück, und lässet
sich nicht fassen. Die Liebe liebet nur, wo sie
sich frey kan schencken: wer mehr von Ihr begehrt, läßt sie sich nicht einschräncken.

3. Sonst müßte der Himmel selbst durch Liebe
Abgang leiden, wann er sich solte schlechte in unsre
Lieb einkleiden. Die Liebe, die nur schläft; doch
reinen Hunger hat, wird in gelassenheit aus ihrer
Fülle satt. 4. Und

4. Und solte sie für Noth auch gar im Tod erblassen: könt sie doch nimmermehr was anders in sich fassen. Die Liebe, die nicht hält den bittern Todes-Strauß: fällt endlich gar dahin, wenn ihre Zeit ist aus.

5. Wer Willen-loß in sich, u. in der Lieb gelassen, der kan das schöne Kind in seine Arme fassen, so die Verborgenheit der Weißheit selbsten träncket, und ihm aus ihrer Brust viel reichen Trost einschencket.

6. So schlafe dann nur hin in deinem sanfften Schlummer, mein Hertz, und lasse fahrn den viel gehabten Kummer. Wer durch Gelassenheit ist Kind und Mutter worden, der hat bereits erlangt den reinsten Jungfraun-Orden.

186.

ISt dann auch wol ein beßre Haab, als wo man Welt und Zeit in Krafft besteigen, und alles mit gebracht zu Grab, was auch die Starcken offt noch thut besiegen. Jetzt spricht man Hohn dafür dem GOtt-verlognen Sinn, der alle Lebens-Krafft offt mit-genommen hin.

2. Was dieses vor ein hoher Sieg, wird niemand leicht bey leerem Wahn errathen, ohn wer geführt des HErren Krieg, und selbst erfahren hat viel Helden-Thaten: alwo der Kleineste in Krafft die Tausend schlägt, dabey in hohem Ruhm die Sieges-Krone trägt.

3. Die eigne Krafft und Helden-Muth muß diesem Krieg bey Zeit im Siegen weichen; wo man gefärbet ist mit Blut, daselbst erscheint das rechte Sieges-Zeichen. Jetzt bin ich froh, dieweil nunmehr das Kleine siegt, und hoher Muth und Stärck als wie zu Boden ligt.

4. Wer seine Stücke hat besiegt, und mit der Klein-und Schwachheit oben kommen, siehet sieg, wann ihn was bekrieget; der Fehl-Schuß ist bey Ihm hinweg genommen. Ich weiß kein höher Gut auf meiner Wanderschafft, als daß gekommen bin um meine eigne Krafft.

5. Nun muß, was groß und mächtig scheint, vor meiner Klein-und Schwachheit wie verrauchen; je groß-und mächtiger der Feind, je weniger ich thue Stärcke brauchen. So bald ich laß-

se meine Klein-und Schwachheit sehn, so weicht der Feind und flieht, weil er nicht kan bestehn.

6. Dis Sieges-Zeichen ist das Creutz, wo Adams großheit müssen dran ersterben, niemand kan dem anthun viel Leids, der seine Eigenheit lassen verderben. Jetzt siehet man Jerusalem erbauet stehn, und wird nicht können mehr ein Feind durch sie eingehn.

7. O Gottheits-Tiefe! brich herfür, laß deine Allheit bald im Sieg erscheinen, wie sehnen uns mit Ernst nach dir, weil wir doch worden sind die liebe Deinen. Laß bald dein Reich in Herrlichkeit und Krafft anschn, und deine Heiligen in ihre Ruh eingehn.

187.

ISt es nun aus mit meinem Leid und Leben hier auf dieser Erden, so wird mir in der Ewigkeit ein Beßers dafür werden. Drum fahre ich im Frieden hin, und ruh in meiner Kammer, wo ich nach lang-verlangtem Sinn befreyt von allem Jammer.

2. Die Zeiten meiner Tag und Jahr, so ich gelebt auf Erden, war'n wenig, und in viel Gefahr und mancherley Beschwerden. Das Grämen um die wahre Freud und Heil aus GOtt von oben bracht mich in manchen schweren Streit und viele harte Probern.

3. Sehr früh ich thäte fangen an den Himmel zu erjagen, doch aing ich irr auf der Bahn, weil ich noch nicht kont tragen das Creutz, wo JEsus Gottes Sohn aus Liebe dran gestorben, und mir daselbst die Ehren-Kron und Seligkeit erworben.

4. Doch wurde endlich bey Geduld in viel-und langem Hoffen durch Gottes-Gnad, und Huld das rechte Ziel getroffen. Das Creutz war mir ein sanfte Last, das JEsus mich hieß tragen, bald fand ich meiner Seelen Rast, als ich thät alles wagen.

5. Und drunge ein zur engen Pfort, den schmalen Weg zu gehen, bald thät das theure gnaden-wort mir heilen meine Wehen. O wol mir! weil ich diese Bahn bey Zeiten hab gefunden, drum werd ich erben Canaan, wo alles über-wunden.

6. Da-

I27

6. Da ist die Ruhe nach dem Streit und Leiden hier auf Erden, da ist die wahre Seligkeit nach den so viel Beschwerden. So ist gefunden dann mein Heil, das ich allhier begehret, und ruh in meinem Erb und Theil, das mir GOtt hat bescheret.

7. So leb dann wol! du liebs Geschlecht, das ich jetzt hinterlassen, bleib hier auf Erden schlecht und recht auf deiner Friedens-Straßen: so kommen wir zusammen ein, allwo wir bey GOtt wohnen, da Er nach vielem Creuz und Pein uns wird mit Segen lohnen.

188.

JSt mein Leben schon beladen mit viel Leid und Traurigkeit, wird mir doch die Hoffnung rathen dort in jener Ewigkeit. Allhier trag ich meine Lasten, als ein Gast und Wanders-Mann. Dorten werd ich sicher rasten, wo zu Ende aller Bann.

2 Ist mein Leben schon verborgen, scheint die Hoffnung aus zu seyn, gehet mir doch alle Morgen auf ein neuer Gnaden-Schein. Gottes Lieb, darum ich leide, richtet mich in Hoffnung auf, schencket mir viel tausend Freude in dem milden Lebens-Lauf.

3. Fahr nur fort, O meine Seele! trag dein Creuz in Hoffnung hin: du entgehst der Trauer-Höle endlich noch mit viel Gewinn. Ich seh schon die Krone blühen dort in jener Ewigkeit: wo mein ängstliches Bemühen endet sich in lauter Freud.

4. O wol dann! so sey mein Leben meinem GOtt auch früh und spat gantz auf ewig übergeben, der es so beschlossen hat: daß durch Leiden, Dulden, Hoffen man ererb die Seligkeit, wo das rechte Ziel getroffen, und zu Ende alles Leid.

189.

JSts dann geschehn, daß ich muß gehn den Weg, wo all mein Jammer ist zu Ende? Ich gebe hin, was ich auch bin, in meines treuen Gottes Hände.

2. Mein Trauer-Stand ist GOtt bekannt, samt vielem Leid und kümmerlichen Tagen: weil Herz und Muth ums ew'ge Gut es that aufs äuserste hinwagen.

3. So ists geschehn, daß offt mußt gehn von einem Elend hin biß zu dem andern, in manchem Leid und Traurigkeit mußt mein betrübte Straaße wandern.

4. Als Gottes Gut der Jugend Blüht gar herrlich schön und lieblich machte scheinen: gab ich so hin den gantzen Sinn, dacht nicht an so ein langes Weinen.

5. Ists dann gethan zu gehn die Bahn dahin, wo alle Frommen angeländet, die nach viel Leid und Traurigkeit zulezt den Lauf mit Freud vollendet.

6. Drum geb ich auf den Glaubens-Lauf samt allem, was sonst machet müde Hände. Ist GOtt mein Lohn und Ehren-Kron, wolan, das mache ein seligs Ende.

K
190.

KAn das Verlangen schon mein Herz in GOtt erfreuen, was wirds erst seyn, wann Er mich einst wird gar verneuen? ich gehe zwar so hin in meinen Leidens-Tagen; doch mercke ich dabey die Liebe Gottes sagen:

2. Daß ich mit hin gezählt zur reinen Lämmer-Heerden, die sich das werthe Lamm erkaufft allhier auf Erden; da geh ich dann mit an, und folge ihren Gängen, ob mich schon Teufel, Welt im Leben oftmals drängen.

3. Was Freud gehet auf? ich seh nach langem Jammer die Thür sich öffnen mir zur stillen Ruhe-Kammer: wo ich werd gehen ein, um sicher da zu rasten, allwo ich gantz befreyt von so viel Müh und Lasten.

4. Ich lebe dann getrost, bin frölich in dem Hoffen, weil mir die Liebe sagt: das Ziel ist nun getroffen. So ruhe dann mein Herz in deiner stillen Kammer, vergiß dein langes Leid und viel gehabten Jammer.

5. Die grose Seligkeit, die dorten wird erscheinen, ist meines Geistes Lust, kan alles Leid verneinen, wann kommen an ihr Ziel die viele Geistes-Wehen, werd ich alldorten mit in groser Freud eingehen.

Kinder

191.

Binder der Liebe, die ihr nun in Freuden beysammen, innigst zu loben und rühmen den herrlichen Namen, der groß von Macht, und uns zusammen hat bracht, geborn aus Abrahams Saamen.

2. Tretet zu Hauffe und rühmet mit freudigen Stimmen den, ders so trefflich bishero hat lassen gelingen, und unsere Krieg krönet mit Göttlichem Sieg; wer solte nicht helfen besingen

3. Die grosen Wunder und Liebes-Treu an uns erwiesen? drum müsse täglich sein Name hoch werden gepriesen; in Munterkeit uns halten stetig bereit, daß wir in Liebe zerfliesen.

4. Wann uns die Feinde anschnauben, und wüten und toben, so werden unsere Hertzen mit Eifer bewogen, zu lauffen fort, daß wir erlangen den Ort, wo allzusammen GOtt loben.

5. Drum müssen unsere Feinde mit Schanden bestehen, weil wir gantz freudig im Glauben die Wege fortgehen, durch Creutz und Noth, Schande, Verachtung und Spott, bis daß wir dorten eingehen.

6. Auch ist mein Hertze erfüllet mit Göttlichen Freuden, weil ich kann sehen, daß unser GOtt selber thut streiten wider die Feind, so täglich bemühet seynd, wie sie uns möchten verleiten.

7. Jauchzet und rühmet, frolocket mit freudigen Stimmen, singet zu Ehren dem, der es uns lässet gelingen, in Munterkeit uns auch häte stetig bereit, und hilft die Feinde bezwingen.

8. Drum singt mit Freuden die Psalmen und lieblichen Lieder, und geht am Reyhen in Ordnung verbunden als Glieder, so klinget schön das Liebes-und Lobes-Gethön in euer Hertz und Gemüther.

192.

Binder unsrer Liebe, tretet mit zu Hauff: seht! was heilge Triebe in dem Glaubens-tauff sich in die ergiesen, und zusammen fliesen, die mit reiner Liebe steigen Himmel-auf.

2. Werdet mit erfüllet von dem Liebes-Fluß, der sehr rein ausquillet, durch den Ueberguß: der von oben triefet, damit ihr vertiefet in das reine Meer der Gottheit zum Genuß.

3. Alle reine Geister, die von oben her, dabey unserm Meister geben Preiß und Ehr: weil sie Mitgenossen, kommen auch geflossen auf sie Ströme aus dem tiefen Ungrunds-Meer.

4. Habet reine Hertzen, traget mit am Leib Christi Creutz und Schmertzen, daß euch nichts abtreib: weil ein reines Leben Er in uns gegeben, und geschmücket schön als ein Jungfräulich Weib.

5. Wer sole Ihn nicht loben? weil Er uns erkaufft, kost es gleich viel Proben, sind wir doch getaufft, daß wir mit Ihm sterben, und das Reich ererben. O wie selig ist, der Ihm so stets nach laufft.

6. Was ein herrlich Wesen bringt der Christen-Stand; wo man recht genesen, alles hält vor Tand: was von ausen gleisset, und von GOtt abreisset, um zu hindern auf dem Weg zum Vaterland.

7. Man wird gantz entbunden aller Sorg und Last, wahrer Fried ist funden, dabey süse Rast. O was vor ein Leben wird in die gegeben! die von gantzem Hertzen alles hier gehaßt.

8. Niemand kann ermessen, was vor ein Genuß und Fried wird besessen, wo man ohn Verdruß, unermüd't im Warten, in dem Creutzes-Garten, bis genossen man der Liebe Ueberfluß.

9. Wodurch man vergessen aller Pein und Schmertz, da man oft gesessen mit verwundtem Hertz, und verlangtem Sehnen, auch zu gehn mit denen, die vergnügt seyn mit vollem Liebes-Schertz.

10. Drum wird auch gesungen von der gantzen Schaar, denen es gelungen, daß sie immerdar ohn Ermüden loben, nach vollend'ten Proben. O! ich freu mich auf das grose Freuden-Jahr.

11. Weil ich werd eingehen mit viel Sieges-Freud, und vorm Throne stehen: O! der güldnen Zeit, da ich ohn Aufhören mit den Himmels-Chören werde jauchzend rühmen GOtt in Ewigkeit.

193.

Gottes einiger Retter, der Armen-vertreter; gib Stärcke den Schwachen, hilff unser Sachen, womit wir beladen, weil niemand kan rathen:

R

rathen: wir klagens mit Weinen, schaff Rettung den Deinen! du bist ja ein Licht, wann wir so umschweben, und müd seyn zu leben, wann Hülffe gebricht.

2. Der bittere Schmerßen macht traurige Herßen, weil mancherley Dränger und Kleinen-Bezwinger; viel stehen verlassen, die Augen benassen mit bitterem Weinen; laß Hülffe erscheinen: die Zeiten sind lang; schenck, was du verheißen, so wolln wir dich preisen mit frohem Gesang.

3. Viel stehen im Zagen, als Kleine, geschlagen; die Grosen sind mächtig, frolocken siegprächtig, als ob es gelungen, die Kleinen bezwungen. Doch GOtt ist ein Retter, der Armen Vertretter: Er siehet es ja. So balde die Seinen sind müde von Weinen, ist seine Hülff nah.

4. Jetzt gehen hin weiden die Schaafe mit Freuden, der gütigste Hirte trägt selber die Bürde, thut sänfftiglich leiten, bewahret vorm Gleiten; die Wölff sind gefangen in schmälichen Drangen. Jetzt kann man schon sehn die Lämmer auffspringen, weil es thut gelingen nach vielerley Wehn.

5. Man siehet die Rosen vom Frühling aussprossen, vom lieblichen Mayen, die Kinder sich freuen, und gehen bey Paaren, als himmlische Schaaren: man kan es kaum sagen, noch alles vortragen: der Vogel-Gesang der macht es noch schöner, weil Spötter und Höhner nun liegen im Drang.

6. Ey Wunder! dort kommen noch andere Frommen, dies redlich gewaget, und alles versaget, auch ernstlich gerungen, den Teuffel bezwungen: gar vieles erlitten, als Helden gestritten; die eitele Freud war ihnen erstorben, darum sie erworben die Göttliche Beut.

7. Bald hätt ich vergessen, die sonsten gesessen in mancherley Nöthen, in Schmerßen und Tödten, die Welt-Lust versaget, aufs euserst gewaget; am Creuße gestorben, am Fleische verdorben; Schmach Schande zum Lohn, diß seltsame Wagen macht dorten mit tragen die Paradies-Kron.

8. Jetzt sieht man mit Prangen die Jungfern gegangen, und siehet sie machen noch schönere Sachen: kaum ist es zu sagen, was sie umher tragen; aufm Haupte viel Kronen, womit GOtt thut lohnen, die Ihme vermählt: und alles verlassen, daß Er sie dermassen zur Braut-Zahl gezählt.

194.

KOmm! GOTTES Tochter holde Braut, wir wollen dir entgegen gehen, dieweil wir dich im Geist geschaut, dem Könige zur Rechten stehen. Wir möchten gern auch deine Mitgespielen seyn, wann der so frohe Hochzeit-Tag wird brechen ein.

2. Der Wächter Stimm vom Himmel her hat uns zur Hochzeit eingeladen, drum jedes gern das Erste wär, worzu uns deine Gunst zu rathen. Anjeßo wohnen wir annoch in Mesechs-Pfort, und warten nur noch auf das leßte Zurufs-Wort.

3. Dann es schon gar ein lange Zeit, da dieser Ruf an uns ergangen, daß jedes in dem Hochzeit-Kleid entgegen geht mit schönem Prangen. Allein, der lang Verzug hat uns fast müd gemacht, daß wir in manchem Leid die Zeiten hingebracht.

4. Drum möchten wir nicht gerne seyn von denen, die zur Unzeit schlafen: drum schreyen wir in dich hinein, daß du uns gebest, was zu schaffen. Was uns sonst dienen wil zum reinen Hochzeit-Kleid, es sey hernach von Golde oder weisser Seid.

5. Drum möchten wirs nicht gern versehn beym Aufbruch, wann du wirst erscheinen, sondern mit Freud entgegen gehn, weil wir doch sind die liebe Deinen. Dann man hat schon gar lang und viel davon gesagt, was da vor eine Wunderschöne Kleider-Tracht.

6. Drum hätten wir gern Unterricht, daß wir uns lernen recht drein schicken, damit wir in dem reinsten Licht beschäfftigt seyn, uns recht zu schmücken. Und wann wir dann der Kleider Zier und Lampen Schein in Händ, so können wir zur Hochzeit gehen ein.

7. Wir haben schon gar lang geharrt, dieweil wir gern entbunden wären: wo man der ew'gen

Lieb

Lieb nachart, thut man kein böß Geschrey mehr hören. Wir sind hinzu geneigt, was deine Gunst ertheilt, damit einmal erlanget, was unsern Schmertzen heilt.

8. O ew'ge Lieb! sey uns doch nah, in unserm Absehn dir zu leben; dein Trost-Wort und dein ewigs Jah kan uns Heil und Erquickung geben. Wir warten schon gar lang, biß uns dein Heil erwacht, wo bey dem ersten Ruf gar viel davon gesagt.

9. Wir gehen jetzt so hin und her, bald Hoffnungs voll, bald wie geschlagen: in Noth als ob kein Helffer wär, und was das schwerst, lasst sich nicht sagen. Jedoch bricht aus dem Hoffnungs-Glantz gar offt herfür ein Licht zur grosen Freud, so zeigt die offne Thür.

10. So bald wir gehen dahinein, so thut man Philadelfy sehen: der Jungfraun Staat wird auch da seyn, und wird der Braut zur Seiten stehen. Sieht man sich um, dort steht die Tafel schon bereit, gar wunder-schön sind auch die Gäste angekleidt.

11. Annoch drückt uns der Wäisen-Stand: wann unsre Trauer-Tag vorüber, so grüner unser dürres Land, und das erfreuet die Gemüther. Jetzt sind wir dran, daß unser Hochzeit-Schmuck bereit in reinster Jungfrau-Tracht, und schöner weisser Seid.

12. Jetzt wird man bald zur Hochzeit gehn, man höret schon die Harffen klingen, die Jungfrauen bereitet stehn, dabey die schönsten Lieder singen. Der Ruf erschallt, kommt all ihr Schaaren Groß und Klein. Jetzt können wir mit unserm Schmuck auch gehen ein.

13. Wie sind wir doch so froh gemacht, daß unsre Hoffnung ist einkommen, wo wir zum rechten Ziel gebracht, also gesammlet alle Frommen. O wol! wer seine Trauer-Tag gehalten aus, der kann nun gehen in seiner Mutter Haus.

14. Dis ist der Tag von groser Freud, also die Braut dem Lamm vermählet; O! lang gehofft erwünschte Zeit, samt allen, die dazu gezählet. Dis ist, wo die Gedult in Hoffnung nach gejagt, wobey man hat der Welt und allem Ding versagt.

15. Jetzt trincket man vom besten Wein, der biß aufs letzte vorbehalten; und wer davon wird truncken seyn, ist da, wo GOtt thut ewig walten. Weil alles Trauren weg, ist auch das Leid zu End, und GOtt hat allen Schmertz auf einmal umgewendt.

195.

KOmmt bewährte Mutter-Kinder, die von Elend aufgezehrt, und daneben doch nicht minder wie das reinste Gold bewährt. Sehet unser Heil aufgehen, nach der sehr betrübten Zeit, da sich enden unsre Wehen samt dem viel gehabten Leid.

2. Wer in den betrübten Tagen nie gewichen aus der Eng, wird dort seine Krone tragen, nach so mancherley Gedräng. Wann die Trauer-Saat gelungen, thut die Hoffnung grünen aus, so dabey wird Lob gesungen, bringet man die Frucht nach Haus.

3. Dis ist meine Freud auf Erden, bey so mancher Hertzens-Eng, weil wird alles anders werden, wenn zu End das viel Gedräng. Muß ich schon in Schmertzen wallen, ich bin willig und bereit, was nach Gottes Wolgefallen wird belohnt mit tausend Freud.

4. Sind die Wasser gleich gestigen über alle Berge hin, nach der Trübsal komt ein Siegen dem in GOtt verliebten Sinn. Wann der Schmertzen abgewogen nach so manchem Todes-Stich, wird der schöne Friedens-Bogen in den Wolcken zeigen sich.

5. Was ein seliges Gedeyen, nach so viel und mancher Noth; Gold-Bewährte thut euch freuen, weil er gar ein treuer GOtt, dabey unser einzigs Leben, Helffer in der bösen Zeit, drum wird Er uns dort erheben nach so viel gehobten Leid.

6. Sollen wir uns dann nicht freuen, weil der Trübsal Feuer-Herd uns thut alle Tag verneuen, machet uns wie Gold bewährt. Wann die Schlacken häuffig fliesen von dem Brand, der angelegt, wird man bald darauf genüsen, was der Himmel uns aufträgt.

7. Kaum wird jemand es errathen, was die schwere Kelter-Preß einbringt, auf dem Weg der

Gnaden,

Gnaden, alles kommet in Vergeß, was Geschrey
und grämen machet, wenns auch Schmertz und
Todes-Pein; wer nur klug und alzeit wachet,
bringet seine Ernde ein.

8. Gottes Liebling sind zu nennen, die alhier
auf dieser Welt stets im Elends-Ofen brennen,
da man GOtt wird auserwählt. O was Him-
mel-schöne Sachen wird man sehen nach dem
Streit! wann GOtt wird ein End machen aller Müh und Hertzenleid.

9. Jetzund höret auf das Klagen, die Erquickungs-Zeit bricht ein; GOtt läst andre Kost vortragen, drauf geht man zum Himmel ein. Jetzund hat das glück gefunden, was im Hoffen
rein bewärt, und die lang erwünschte Stunden
machen uns in GOtt verklärt.

10. Nun wil ich ohnendlich loben Gottes grose Gütigkeit, vor die viel gehabte Proben meine
gantze Lebens-Zeit. O wie hastu mich getragen
in so mancher Seelen-Noth! Thät ichs ferner
auf dich wagen, warestu mein treuer GOtt.

196.

KOmmt, erfunckene Gemüther, setzet fort den
Glaubens-Lauf; singet neue Hoffnungs-Lieder, mercket dabey eben drauf, was die Wächter
sagen uns, in unsern Tagen. Kommer schnell,
und seyd bereit, schmücket euch als Hochzeit-Leut.

2. Mächt euch himmlische Geberden, geht im
Braut-Schmuck schön einher, als erkauffte von
der Erden, zu des grosen Gottes Ehr. Alles
sey zu wenig, was nicht unserm König giber Ehr
und Herrlichkeit, und zu seinem Dinst bereit.

3. Es wird nunmehr bald geschehen, daß die
lang-verlassenen werden tretten auf die Höhen,
und im Hochzeit-Schmuck da stehn. Alles wird
sich neigen, und vor ihnen beugen, weilen hier in
Niedrigkeit ihre Hochzeit zubereit.

4. Kome vereinte Mutter-Kinder, Zions
Töchter, lasset sehn, wie kein Ding euch mehr verhinder, weil ihr thut dem Lamm nachgehn.
Dann die Zeit ist kommen, daß die wahre Frommen bald von GOtt genommen auf, und gesammlet schön zu Hauff.

5. Die erwünschte Freuden-Tage kommen ein,

weil man thut sehn, wie die Jungfern Krän-tze
tragen, und sehr schön am Reihen gehn: wann
sie lieblich singen, thun die Lämmer springen,
hüpffen auf von groser-Freud, weil vergessen
alles Leid.

6. Nunmehr siehet man die Kleinen dort sehr
hoch in GOtt erhöht, vor ihr viel und langes
Weinen Ehre, Krafft und Majestät, sie unendlich krönen, daß sie gleich mit denen, die GOtt
ohne End und Zeit geben Ehr und Herrlichkeit.

7. Ob wir gleich ein Trauer-Leben noch alhier
im untern Chor; wollen wir doch mit erheben
unsre Häupter hoch empor; und uns fertig halten, lassen nicht erkalten, biß man hört den frohen Schall: Jungfern komme zum Abendmal.

8. Jetzund gilts um Hochzeit-Kleider, daß
man sich darf lassen sehn, auch die Füsse setzen
weiter, wer gedenckt mit einzugehn. Sicht man
auf die Wunder, ist man alzeit munter, und auf
jeden Winck bereit einzugehn zur Hochzeit-Freud.

197.

KOmmt Gespielen, lasst uns sehen, und sehr
fleissig mercken drauf, wie alborten auf den
Höhen Zions Wächter rufen auf. Wer recht
ausgeschlafen, siehet, was sie schaffen: machen
neue Weg-geleiß, einzugehn ins Paradeiß.

2. Fliehet was man sicht veralten, und bekleidt
mit Kält und Frost, auch was macht die Lieb erkalten, daß des Glaubens Gold verrost. Schmücket die Gemüther, singet neue Lieder, und allein
auf was seyt, was in jener Welt besteht.

3. Lasse uns eilen zu den Hauffen, die im
Blut gewaschen seyn, und der ew'gen Lieb nachlauffen, daß wir auch mit gehen ein. Lasset mit
hin sterben, und im Tod verderben, was uns machet träg und feig, und nicht schmeckt nach Gottes Reich.

4. Dann es gibt nun andre Sachen, als in
der vergangnen Zeit. Wil man einen Wahn
draus machen, muß man drüber tragen Leid.
Wann gantz ohn Vermuthen, fänget an zu bluten, und mit Sünd und Tod umstellt, einfält das
Gebäu der Welt.

5. Drum lasst uns aufs neu aufwachen, weil
der

der Zuruf fordert auf, zu bestellen unsre Sachen in dem frohen Glaubens-Lauf. Kommt, es ist vorhanden (Babel steht in Schanden,) daß die reine Gottes-Braut wird im Lichte angeschaut.

6. Was steht doch das ew'ge Hoffen dort vor schöne Hauffen gehn, die der eitlen Welt entloffen, und geachtet keiner Wehn. Da die grose Beute mit viel Sieges-Freude bringet das Verlangen ein, mit so grosem Freuden-Schein.

7. Sehet doch die schöne Sachen, die der Zuruf preiset an! wer was anders draus wolt machen, bleibt zurücke auf der Bahn. Drum wil mit viel Freuden mercken auf die Zeiten; wo der Paradises-Safft ein thut schencken neue Krafft.

8. Drum wil mercken auf die Wächter, und den Ruf vom Himmel her, und nicht achten der Geschlechter, die ersauffen in dem Meer. Dann man kan nun sehen schön erbaut stehen Zions Burg und ihre Stadt nach des weisen Schöpffers Rath.

9. Wo mit Hauffen kommen werden Schaaren-weis mit viel Gepräng, von dem äusern Ende der Erden, nach so mancherley Gedräng. Jetzund ists getroffen, dann das lange Hoffen hat erworben seine Beute in der frohen Ewigkeit.

10. Preiset mit mir Gottes Güte, die ihr treu geblieben seyd, und niemalen worden müde, bey so manchem schweren Streit. Sehet die schöne Kronen, womit GOtt wird lohnen allen treuen Kämpffern dort, wie ihr sagt das ew'ge Wort.

11. Alles müsse seyn vergessen, wo in der vergangnen Zeit wir so lang betrübt gesessen bey so manchem schweren Streit. O der süssen Wonne! bey dem vollen Lohne, der mit Hauffen eingebracht, nach der langen Creuzes-Nacht.

12. Dann die Tage sind vergangen, nach der rauhen Wanderschafft, wird man dort im Triumph prangen, in sehr hoher Wunder-Krafft. Jetzund höret man Wüsten, die den Schöpffer preisen, und die grose Seligkeit währet ohne End und Zeit.

198.

Kommt ihr Lieben und Bewährten, die ihr treu geblieben seyd, und erkauffet von der Erden,

durch des Lammes Nidrichkeit. Seht, die Geistes-Winde wehen, und darreichen alle Füll: darum lasse uns weiter gehen, und nicht länger stehen still.

2. Kan man nicht von Wunder sagen, wann die schöne Frühlings-Zeit, nach den rauhen Winter-Tagen, sich so Wunder-schön ausbreit. Wann die Frühlings-Winde wehen, wie dem Schöpfer wol gefällt, so muß unsre Saat aufgehen, grünen als ein neue Welt.

3. Sehet doch die schöne Sachen, nach der langen schwarzen Nacht! soll dann diß nicht Freude machen, wann man recht vom Schlaf erwacht. Jetzt sieht man die Bäume blühen nach der trüb und tunckeln Zeit: und nach lang und viel Bemühen wird das Hertz in GOtt erfreut.

4. In den rauhen Winter-Tagen schien die Hoffnung aus zu seyn; wer hätt es wol können sagen, was der Frühling schencket ein. Weil die Sonn thut hoch aufgehen, muß vergehen Frost und Kält, daß die Auen frölich stehen, lieblich wie ein grünes Feld.

5. Kommt! die Sonn ist aufgegangen, setzt das Tagwerck wieder an, seyd vergessend aller Drangen: sehet auf die offne Bahn! dann die Steine sind gehoben; es ist Raum, wir wollen gehn; aufgelöset die harten Pröben, weil uns andre Winde wehn.

6. Dann der Führer ist vorhanden, machet neue Weggeleiß, löset auf die harten Bande, öffnet uns das Paradeis. Da sieht man die Ström und Bäche lieblich fliesen hin und her, in der Höh und in der Fläche, zu das tiefe Ungrunds-Meer.

7. An den Strömen bey der Seiten thut man schön mit Hauffen sehn sich die reinen Lämmer weiden, die des Schöpffers Macht erhöhn. Und daneben sieht man grünen Bäum in hoher Wunder-Krafft; da die Blätter müssen dienen zum Genuß der Heydenschafft.

8. Wer sole dann noch länger schlaffen bey dem schönen Frühlings-Schein, und nicht weiden mit den Schafen, die gewaschen sind so rein in den Wassern aus dem Bronnen, der vom Thron

Thron des Lammes fleußt; Wer also das Spiel
gewonnen, ist zur andern Welt gereist.

9. Jetzt sieht man noch andre Sachen, wann
mit grosen Hauffen gehn, die das Wunder gröser machen; und dem Lamm zur Seiten stehn;
weil sie zu der Zahl gezählet, die im Geist und
Blut getaufft, und also dem Lamm vermählet,
das sie dazu auserkaufft.

10. In der Nidrigkeit auf Erden sind sie die
Verlassene; drum wirds so viel schöner werden
dort, auf jener Zions-Höh. Ahnt die Vorkost
was einschencken hier auf unsrer Wanderschafft,
so, daß wir es nur gedencken, ist es Paradieses-
Krafft.

11. Unsre Leid-und Trauer-Tage sind vergeß-
sen mit Gewinn: führet jemand weiter Klage,
bald ist aller Schmertzen hin. Weil die Frühlings-Sonne scheinet, sich schön über uns ausbreit, wird man haben aus geweinet, biß auf eine andre Zeit.

12. Ach! ich hätte schier vergessen, was daneben in der Still wird vor gutes eingemessen aus
der reichen Gottes-Füll. O! diß machet schöne Blüte aus dem Paradieses-Safft, thut erfreu-
en das Gemüthe, gibt dem Hertzen neue Krafft.

13. Jetzt sieht man die Lämmer springen,
hüpffen auf, mit groser Freud; und die Jungfern Lieder singen, von der schönen Frühlings-
Zeit. Weit von morgen kommen Hauffen Völcker, die den Ruhm erhöhn derer, die dem Lamm
nachlauffen, und desselben Fuß nachgehn.

14. Bald muß es noch schöner heisen, wann
das Paradieses-Feld thut zur vollen Erndte weisen, leuchten als ein neue Welt. Wann man
wird zu denen Zeiten bringen seine Garben ein,
wird man rufen aus mit Freuden: Ey! was
könte schöner seyn?

15. Jetzt ist unsre Saat vergessen, und das
Trauren weggerafft, weil dafür wird eingemessen
neues Leben neue Krafft. Dann die Hoffnung
macht uns ziehen dort hinan, wo man bereit sieht
die Bäume lieblich blühen in der schönen Frühlings-Zeit.

16. Komt, wir wollen uns erfreuen, bey dem

Aufgang unsrer Blut; weil uns alles muß gedeyen, wie man nun mit Augen sieht. Darum
die Winde, die uns wehen, kommen hoch vom
Himmel her, machen unser Schiff eingehen in
das stille Friedens-Meer.

199.

KOmmt ihr Glaubens-Kämpfer und ihr
Sünden-Dämpfer, kommt und sehet eure
Kronen! Es ist euch gelungen, weil der Feind
bezwungen, nun da habt ihr euren Lohne: weil
ihr seyd in dem Streit als ein Held gestanden,
bis der Feind zu Schanden.

2. Glauben, Lieb und Hoffen hat das Ziel getroffen, darum hört man freudig klingen: Zions
neue Lieder schallen frölich wieder, daß das Hertz
vor Freud thut springen. Es ist aus aller
Strauß, weil der Feind gebunden, und ist
überwunden.

3. Nun wird Zion lachen über seine Sachen,
weil die Ruthe ist zerbrochen: und des Treibers
Stecken sie nicht mehr wird schrecken, und der
alte Feind gerochen. Freuet euch allzugleich,
die ihr ausgehalten und nicht thät erkalten.

4. Wo die Helden-Thaten einmal sind gerahten, da kann man es weiter wagen: in dem
Kampfe-Ringen seine Feind bezwingen, bis sie
alle sind geschlagen, und der Sieg nach dem Krieg
theilet aus die Beute, mit viel Sieges-Freude.

5. Rechte Glaubens-Männer und Warheits-
Bekenner lassen sich auch nicht abschrecken: wenn
sie schon geschlagen, sie thuns weiter wagen, bleiben sie schon offtmals stecken. Neuer Muth wagts
aufs Blut, wird nicht gern zu Schanden in des
Feindes Landen.

6. Kommt ihr Glaubens-Schüler und ihr
Muth-Abkühler! kommt und lernet solche Thaten: daß ihr auch im Sincken könnet List erden-
cken, die zum vollen Sieg gerathen: Tapferkeit ist bereit es aufs neu zu wagen, bis der Feind
geschlagen.

7. Groser Muth gibt Stärcke, und die Glau-
bens-Wercke zeigen ihre Kräfte wieder: es ist
nicht verschertzet, wenn man nur behertzet, ob
man schon geschlagen nieder. Solches schafft
neue

neue Kraft, tiefer einzudringen, alles zu bezwingen.

8. Wer bald wolt erschrecken, wenn er bleibet stecken, der würd seine Beut verlieren: er muß tapfer sehen, wer ihm vor thut gehen, und die Kriege aus thut führen. Wer nicht kann diesem Mann in dem Kampf nachgehen, muß mit Schand bestehen.

9. Er wird bald mit Eilen seinen Raub austheilen, und die Ritter-Krone geben seinen treuen Helden, die sich vorn an stellen, und im Kampf gewagt ihr Leben. Gloria! Er ist da, er ist schon gekommen; freuet euch ihr frommen.

10. Ihr solt nun eingehen, wo die Kämpfer stehen, und mit erben eure Kronen: die ihr solt tragen nach den Leidens-Tagen, und in Fried beysammen wohnen. Da der Sieg nach dem Krieg in den Friedens-Mauren ewiglich wird dauren.

230.

Kommt Jungfern, wir wollen dem Lamme nachgehen, das auf dem Berg Zion uns mit wird erhöhen, wann Völcker und Schaaren gewiesen zur Seit, so können wir singen von ewiger Freud: dieweil wir versaget die Freude der Erden, hat unser Theil müssen im Himmel uns werden, daß wir gebracht zu des Lamms Jungfrauen Heerden.

2. Die alhier die Lüste der Jugend versaget, dem Lamme zu folgen es also gewaget; und ob wir gleich worden den Völckern zum Spott, auch öffters erlitten viel Schmerzen und Noth; so sind wir doch freudig in unserem Sehnen, wo das Lamm wird unsre Jungfrauschafft krönen, abwischen die viele und mancherley Trähnen.

3. Dann wir ja der Jungfrauen Schmuck umher tragen, auch thäten dabey alle Dinge versagen, daß Freunde und Feinde nichts sahen als Schmach, und grose Verachtung am lichtesten Tag. O! was vor betrübte und traurige Sachen, wo man thut die Freude der Erden verlachen, vor Schmerzen und Seufzen nichts besser kan machen.

4. Der Jungfrauschafft Krone albier auf der Erden stehet in viel Bedrängnüs und manchen

Beschwerden; man kan es nicht sagen, was öffters gebricht; doch, wann sich aufkläret das ewige Licht, so werden viel Tiefen im Geiste gesehen, auch was die so viele und mancherley Wehen bey denen, die alhier dem Lamme nachgehen.

5. O! Ungrund der Ewigkeit thu dich aufschliesen, und schencke in Schmerzen ein mildes Versüssen; obgleich unsre Jungfrauschafft alhier verhöhnt, je schöner wird sie seyn alsorten gekrönt. Drum thut uns die Freude der Erden anschlagen, dieweil wir ihr Liebstes auch thäten versagen, damit wir die Jungfrauschafft wieder erjagen.

6. Der Braut-Schatz des Himmels wird also erworben, weil JEsus zur Schmach ist am Creuze gestorben; die Jungfrauschafft blühet, weil Adam zum Todt des Creuzes verdammet mit Schande und Spott: Drum kann auch der Adam die Jungfrau nicht leiden, dieweil sie von seinem Trug sich wollen scheiden, und so ihm den Untergang wollen bereiten.

7. Was Wunder? daß also die Jungfrau auf Erden, von Völckern und Völckern thut ausgekehret werden; der Untergang Aller komme durch sie heran, dieweil sie versaget die sündliche Bahn. Jetzt müssen sie gehen und schulden umtragen, und daß sie deswegen von GOtt so geschlagen, dieweil sie den Adams-Sinn thäten versagen.

8. Diß sind nun, die man die Erkauffte thut nennen, jungfräulich auf ewig dem Lamm zu erkennen, der Himmel und Erde muß fallen dahin, so bald nur erscheint der jungfräuliche Sinn; die Reiche der Erden die müssen verschwinden, so daß ihre Herrlichkeit nirgend zu finden, Pracht, Ehre, Ruhm alles wird bleiben dahinden.

9. Drum kommet ihr Jungfern, und sehet die Kronen, womit euch alsdorten der Himmel wird lohnen; ihr seyd das Gepfänge der ewigen Welt, wo alles, was sichtbar, zuletzt hinfällt. Drum fängt es auch also schon hie an zu loben, so bald man die Jungfrauschafft sicher erhoben, wann sie den Gesalbten im Vorspiel nur loben.

10. Der Sieg muß doch endlich den Kleinen noch werden, dieweil sie versaget die Freude der Erden; was hoch ist gesessen, wird fallen dahin,

dann

dann sieget der Kleine jungfräuliche Sinn. Laßt blasen die Sinnen der eiteln Gedancken, der Jungfraun Geschlechte kann nimmermehr wancken, weil JEsus JEHOVAH sie selbst hält in Schrancken.

201.

Kümmerliche Zeiten, manche Tag und Jahr, waren, statt der Freuden, bey so viel Gefahr; sind die Tag verschwunden der betrübten Zeit, hat sich eingefunden, was in GOtt erfreut.

2. Meine Armutheyen, und verlaßner Stand, macht zuletzt erfreuen, und mit GOtt verwandt. Dis's aufs äuserst wagen hier in Mesechs Zeit, siehe man Krohnen tragen dort in jener Welt.

3. Wer sich läßt verarmen in betrübter Zeit, des wird sich erbarmen GOtt in Ewigkeit. Wer kan wohl ermessen? was vor ein Genuß und ein Gut besessen, nach der strengen Buß.

4. Lauter Freuden-Tage kommen endlich ein, nach der Niederlage so viel bitter Pein: wolt gleich etwas grämen den verliebten Geist, Still-seyn kans bezähmen, daß es gülden gleißt.

5. Wo man einst genesen, und so vielem Leid, ist, als wie verwesen, die betrübte Zeit. Niemand weiß zu sagen, was es hat zu seyn, das nach trüben Tagen wird gemessen ein.

6. Doch thut man gedencken, was Verborgenheit täglich thut einschencken nach so vielem Leid: die erwünschte Stunden, nach so mancher Noth, haben mich verbunden und vereint mit GOtt.

202.

Lang-erwünschte Freuden-Tage kommen ein zur engen Thür, nach so mancher Niederlage bricht der schöne Glanz herfür: dessen man sich nicht versehen, weil die sehr betrübte Zeit hat gemacht so manche Wehen, daß vergessen aller Freud.

2. Die mit Weinen ausgesäet ihre Saat in manchem Leid, sieht man wie von GOtt erhöht, nach so viel und schwerem Streit. O du seligs Wiederkommen! nach der sehr betrübten Saat, wo die Erndte eingenommen in den Schooß Göttlicher Gnad.

3. Nimmer hät man sollen dencken, daß der lang und schwere Drang so viel Gutes wird einschencken, GOtt zu preisen mit Gesang. Da auch noch wird eingemessen in der stillen Einsamkeit gleich als ob man wie genesen, und erlangt die Seligkeit.

4. O Du seligs einsam Leben! wo GOtt selbst den Tisch bereit, könt ich dich genug erheben, ich wolt sparen keine Zeit. GOtt thut jede Stund belohnen, die im Elend zugebracht: macht zuletzt im Friede wohnen, Ihm zu dienen Tag und Nacht.

5. O GOtt! ich bin wie genesen, pflegst du ferner mein in Güt, dann wird ewig seyn vergessen, wo auch offt von Seuffzen müd. Ich bin fast als wie eingeladen, und von aller Noth erlöst, ruh gar sanfft im Schooß der Gnaden, die mich nun so reichlich tröst.

6. Flehendlich thu ich anhalten, treuer GOtt! halt mich in Eng, wie du selbst gern woltest walten, ich will achten kein Gedräng: wann ich mir in deinen Schrancken ohne Ende, Ziel und Zeit, will ich dir unendlich dancken hie, und dort in Ewigkeit.

7. Mein Verlangen ist zu Ende, wann ich dieses mercken kan, daß mich deine treue Hände selber leiten auf der Bähn. Dann ich kan doch sonst nicht leben, wann ich nicht in deiner Zucht: weil so vieles Widerstreben in mir abzu irren sucht.

8. Ich will es so niederlegen, treuer GOtt! in deinen Schooß, daß du mein wollst selber pflegen, so werd aller Sorgen loß. O du lang-gewünschtes Ende, und erfolgte Seligkeit, jetzund ruhn die müde Hände nach so lang-geführtem Streit.

203.

Laß die Bäch und Brunnen fliesen, treuer GOtt! in unser Thal: wässre unsre dürre Wiesen, dann wir lechzen allzumal, sehnen uns nach deinem Heil, weil du unser einzigs Theil. Segne uns in Gnad und Güte, daß wir bringen neue Blüthe.

2. Dann wir eilen dir entgegen, auf der müden Wanderschafft, daß du uns wollst selbst beylegen

legen

legen neues Leben, neue Krafft. Unsre Saat ist wie gethan, auf der Leid und Trauer-Bahn, gibstu selber das gedeyen, und thust unser Hertz erfreuen.

3. Ol so kommen wir mit Freuden, bringen unsre Garben ein, weil nach so viel Tunckelheiten uns geht auf ein Freuden-Schein: Darum kommen wir aufs neu, dancken dir vor deine Treu, die uns so gepflegt, getragen, daß es kaum ist nach zu sagen.

4. Darum kommen wir mit Flehen, treuer GOtt! und halten an, daß du ferner wollst beystehen, und forthelfen auf der Bahn. Es ist dir ja wol bekant deiner Kirchen Wittwenstand, und hast uns auch kommen heisen zu dir, als wie arme Weysen.

5. Wo der Trost der Welt verloren: unsre Hoffnung ist allein, was du vor uns auserkoren, daß wir gantz dein eigen seyn. O was vor erwünschte Freud blickt uns an in Traurigkeit, wo wir spüren deine Güte im Hertzen und Gemüthe!

6. Treuer GOtt! wir haben Freude, weil du uns hast angesehn, daß wir nach so vielem Leide, wiederum zusammen gehn, in der Mitternachtes-Zeit, wo wir machen uns bereit, daß wir wachende zu nennen, und die Lampen helle brennen.

7. Auch daneben uns bereiten mit dem hochzeitlichen Kleid, wie es ziemt den Lammes-Bräuten, die Ihm dorten stehn zur Seit, schön geziert, im hohen Pracht, weil sie diese Welt verlacht, und versagt die Freud der Erden, daß sie dort verherrliche werden.

8. Dis ist unsre Freud zu nennen wann wir nur gedencken dran, daß wir uns dir zu erkennen, und nicht weichen von der Bahn. O Gespielen! freuet euch, bald bricht an das neue Reich: nach den langen Trauer-Tagen wird man schöne Kronen tragen.

9. Jetzund wollen wir im Lieben uns befleissen treu zu seyn, wie er uns auch wolte üben, und daneben schencken ein; so muß Hoffen und Gedult halten fest an seiner Huld, biß er uns wird dort erfreuen, alles, alles gantz erneuen.

10. Nun, wir stehen, als die Deinen, leite
S

uns nach deinem Rath, tröst uns, wann wir müssen weinen, und gebricht an Rath und That. Laß uns sparen keine Müh, dir zu dienen spath und früh, biß die lange Trauer-Zeiten lohnen uns mit tausend Freuden.

204.

LAsst mich gehn, ich muß fort eilen, und mich ja länger nicht verweilen in dem Vorhofe dieser Welt. Es ist Zeit sich umzusehen, eh brechen ein die letzten Wehen, da alles andre mit hinfälle. Schlafe nicht beym lichten Tag, beschicket eure Sach: lasst uns gehen; in Eil aufwacht, es ist gesagt: auf! dieses ist die letzte Nacht.

2. Drum kan ich nicht länger schlafen, ich hab beständig was zu schaffen, damit nicht bloß erfunden werd: auch die Lamp muß stetig brennen, vor aller Welt ohn Schen bekennen, eh erkauffet von der Erd: und also sey bereit zu jeder Stund und Zeit, wann es schallet: auf! auf, in Eil, ohne Verweil, dann es bricht an das grose Heil.

3. Ich weis sonst nichts mehr zu machen, als zu beschicken meine Sachen, daß weder träg noch schläfrig werd. Und mir laß nichts thörichts träumen, wordurch ich möcht mein Heil versäumen, weil ich erkauffet von der Erd. Auch kehr ich mich nicht an, die träg sind auf der Bahn, und versäumen dis grose Heil, so ohn Verweil einbrechen wird in schneller Eil.

4. Ich seh neue Wunder-sachen, drum lasset uns doch recht aufwachen, auf die ergangne Zuruffs-Stimm. Komme ihr Faulen und ihr Trägen, lasts euch mit Ernst seyn angelegen, daß man es sehe und vernimm, wie schön ihr seyd bereit in Geistes-Munterkeit, und daneben zu diesem Fest, als Hochzeit Gäst, euch schmücket auf das allerbest.

5. Sehet auf, ihr Zions-Töchter, und merckt auf das Geschrey der Wächter! ziehe eure weisse Kleider an. Sehet, wie sie dorten eilen, weil keine Zeit mehr zum Verweilen, was es kan: dabey sich herrlich schmückt, und nimmer sich zurück: einzugehen schön angekleidt, wie Hochzeit-Leut, zu der so lang-erwünschten Freud.
6. Sin

6. Sind etwa noch Mitgespielen, die GOtt erwählet vor so vielen, dabey nicht bliben auf der Wacht: denen lässet GOtt ansagen, und einen neuen Ruf vortragen, damit sie nicht ergreiff die Nacht. Drum tret aufs neue an zu lauffen fort die Bahn ohn Verweilen. Setzt auf den Kranz, die Zahl ist gantz, so geht ihr mit zum Freuden-Tantz.

205.

Lobsinget, lobsinget dem König der Ehren, dieweil Er gesieget in Stärcke und Kraft: wir wollen sein Lobe mit Dancken vermehren, weil Er uns in Jhme auch machet sieghafft.

2. Es werden jetzt wieder aufs neue geboren aus Göttlichem Saamen vom himmlischen Blut: die werden auffsuchen, was scheinet verloren, und wieder erwecken den Göttlichen Muth.

3. Es werden nun alle mit Schanden besteben, die über die Frommen gerufen: da, da: das wolten wir gerne, damit sie vergehen, sie sind schon gefallen, man siehet es ja.

4. Ihr habet gefehlet und übel gesehen, es kann ja nicht fallen des Königs Geschlecht: Er thut sie beschützen, damit sie bestehen, und nimmermehr weichen vom Göttlichen Recht.

5. Die Blüht ist gefallen, der Saamen bleibt stehen, und wächset in Stürmen und Winden voll auf zur Göttlichen Größe: wird nimmer vergehen, auch niemals ermüden im himmlischen Lauff.

6. Des freuet sich Jacob mit seinem Geschlechte, dieweil sie nun wieder zu sammen gebracht: so daß sie hoch rühmen des Königes Rechte, der ihnen beystehet mit Stärcke und Macht.

7. Aus diesem Geschlechte wird Saamen behalten auf Erden, und stehen als Helden im Streit: und wird sie im Kriegen nichts können aufhalten, bis daß sie erlanget die völlige Beut.

8. Und ob sich die Feinde schon wider sie setzen, und ziehen mit Haufen entgegen zum Krieg mit Schwerdt, Schild und Bogen: nichts wird sie verletzen, weil JEsus Jehovah den Seinen gibt Sieg.

9. Drum kommet aufs neue, ihr eifrigen Seelen, die ihr habt bishero gehalten die Prob: wir

wollen mit Freuden Gott's Wunder erzehlen, dieselben erheben mit stetigem Lob.

10. Laßt Dancken und rühmen von Innen erschallen, dieweil wir empfinden verneuete Kraft: wir können nun wieder mit Freuden fort wallen, weil in uns wird fruchtbar der Göttliche Saft.

11. Ermannet die Geister, thut länger nicht zagen, erwecket im Glauben den Göttlichen Muth: wo JEsus hilft siegen, da kann man es wagen, um feste zu stehen im Kampf bis aufs Blut.

12. Ergreiffet die Schwerdter, umgürtet die Lenden, und ziehet mit Freuden als Helden in Streit: der Feinde ihr Trotzen wird sich nun bald wenden, dann werden die Kämpfer erwerben die Beut.

13. Der HErr wird nun balde mit Eifer ausziehen, und selber bestreiten das böse Geschlecht: die Müh an zu richten sich täglich bemühen, damit sie verkehren das Göttliche Recht.

14. Dann werden die Frommen einnehmen ihr Erbe, wann alle Gottlosen vertilget auf Erd: und wird sie auch nimmer kein Feind mehr verderben, weil GOtt seine Kräfte in ihnen vermehrt.

15. Drum singet und rühmet mit Dancken und Loben, die ihr seyd gezehlet zu Gottes Geschlecht: der Höchste zernichtet der Gottlosen Loben, thut selber sein Erbe erhalten bey Recht.

16. Drum wollen wir alle zusammen erheben den Namen des HErren mit Göttlicher Freud: und Jhme Kraft, Ehr und Ruhm immerdar geben dort ewiglich und auch schon hier in der Zeit.

M

206.

Meine Freude ist dahin, meine Herrlichkeit verschwunden; was zuvor war mein Gewinn, machet mir jetzo lauter Wunden. Was wirds wohl zu letze seyn? wann der Trost ist gar verschwunden; wird mich wohl des Creutzes Pein machen seyn mit GOtt verbunden?

2. Zwar wann Hoffen und Gedult in Gelassenheit mich übet, wird mein Leben ohne Schuld, ob ich schon oft hart gesiebet. Meine Freude blühet mir doch zur letze aus dem Sterben, ob ich

schon

schon im Leben hier oft muß scheinen zu verderben.

3. Wann die Trauer-Zeit zu End, wird GOtt die Erlösung geben: was sich jetzt in Schmerzen findt, wird in lauter Freude leben. Also fähret mit dahin aller Kummer Müh und Sorgen, und der lang-verliebte Sinn wird gekrönt an jenem Morgen.

4. Doch muß ich zu meinem Leid meinen Kummer stetig tragen, in viel Geistes-Engigkeit, daß in Worten nicht zu sagen. Wann die Ehre aus dem Staub dort wird seyn in GOtt erhoben, hat der Feind den letzten Raub, und ich kann GOtt ewig loben.

5. Unterdessen ist der Trost öfters vor dem Aug verborgen, weil der Geist noch nicht erlößt von des Leibes Bürd und Sorgen. Hoffnung kann zwar ziehen an, das Verlangen fort zu setzen, wenn die enge rauhe Bahn will den schwachen Muht verletzen.

6. Wenn die Noht das Leben bricht ohne weiter fort zu gehen, wird der letzte Feind besiegt, der gemacht so viele Wehen. Wann die Hoffnung nach dem Streit wird den treuen Helden lohnen, und sie in der Ewigkeit dort in Gottes Hause wohnen.

7. Da geht auf ein neue Welt, die dem blöden Aug verborgen, wenn die Alte ganz zerfällt, wird der Schöpfer selber sorgen: daß wir dahinein gebracht zu dem wahren Freuden-Leben, und des Schöpfers Wunder-Macht ohne Zeit und End erheben.

207.

Eine Seele soll nun singen, loben Gottes Wunderthat; weil Er mir in allen Dingen bey thut stehen früh und spat: und hilft mir aus aller Noth, zeigt sich als ein treuer GOtt. Wann ich nichts mehr weiß zu machen, hilfe Er meiner armen Sachen.

2. Tag und Nacht thut Er beystehen mir in aller Schwachheit gros: und hilft mir aus allen Wehen, kommt auch schon ein harter Stoß; läßt Er doch nicht fallen hin meinen schwachen blöden Sinn; sondern lässet mich verspüren, daß Er mich thut selbst regieren.

3. Wann die innre Geistes-Wehen mir durch Herz und Geiste gehn: daß es scheint, ich müßt vergehen, lässet Er mich doch bestehn, daß durch Glauben und Gedult ich erwerbe Gottes Huld; Demuth, Hoffen, Lieben, Leiden können mich darzu bereiten.

4. Ich will gern in allen Sachen warten meines Gottes Raht: Der es weiß gar wohl zu machen, so wie Ers beschlossen hat. Es ist doch nur lauter Wind, was ein armes Menschen-Kind wählet, liebet, und vermeinet; ob es schon aufs Beste scheinet.

5. Aller Menschen Raht, Gedancken treffen nicht das rechte Ziel: darum ist ein stetes Wancken, wo man es so machen will, wie Vernunfft es meint und tichr: es wird ganz nichts ausgericht, wo nicht GOtt des Menschen Führer, und selbst seines Thuns Regierer.

6. O! wie vieles Leid und Wehen könt der Mensch entübriget seyn: wann er GOtt selbst nach thät gehen, und thät glauben keinem Schein, den sein eigen Urtheil ticht; sondern alles diß zernicht, was in ihm sich lässet mercken, das sein eigen Thun thut stärcken.

7. Selig ist der Mensch geachtet, der einmal zum rechten Ziel ist gekommen, und betrachtet Tag und Nacht, was GOtt nur will: er wird leben hier und dort, und, nach Gottes wahrem Wort, ganz von keiner Quaal mehr wissen; sondern selbsten GOtt geniesen.

208.

Meines Geistes Munterkeit mache mich neue Lieder singen, weil der lang-geführte Streit thut die Leidens-Frucht einbringen. Unaussprechlich ist der Segen, der durch Trauren eingebracht; auf den schmalen Himmels-Wegen wird das beste Theil erjagt.

2. O! wie froh bin ich gemachr, ich kans selbsten kaum errathen, wie die lange Creutzes-Nacht mich gepfleget in Genaden. O! ein Gut, das macht Vergnügen, nimmt den vielen Kummer hin; auch lernt man sich schmügen biegen bey dem GOttergebnen Sinn.

3. Jetzund heisst es Genad, weil mir so aus Händen

Händen kommen, und sich GOtt nach weisem Rath mein so treulich angenommen; und pflegt meiner nun in Güte nach der sehr betrübten Zeit, da auch offt von seufftzen müde, bey so manchem schweren Streit.

4. Eines liget mir noch an, treuer GOtt! ich steh in Gnaden, meiner dich zu nehmen an, und selbst meiner Sach zu rathen: dann mein Alles stehe im Sehnen um zu bleiben ewig treu, und in allen meinen Trähnen mich dein grose Güt erfreu.

5. O! wie hastu mein gedacht, bey so mancherley Gefahren, daß ich würd zurecht gebracht, thärst mich wie dein Aug bewahren. Darum thu mich ferner leiten, und verlaß mich nimmermehr, wenn ich etwa solte gleiten, daß du seyest um mich her.

6. Dann die harte Donner-Schläg, die ertrüg in meinem Wallen, machten mich niemalen träg, daß ich wär dahin gefallen. Wann es war Gefahr zu gleiten auf der sehr betrübten Bahn, stundestu mir selbst zur Seiten, nahmst dich meiner Sachen an.

7. Weil du mein so treu gepflegt in den schweren Trübsals-Tagen, wie man sonst die Schwachen trägt, wann der Muth ist wie geschlagen; wirst du wol noch ferner rathen dem so sehr verliebten Sinn, weil die grose Helden-Thaten und die eigne Krafft dahin.

8. Darum steh ich deine Huld, daß du ferner mein wollst warten, und mich tragen in Gedult, daß ich dir so kann nacharten; dann mein Alles steht im Sehnen, daß hier recht vollende werd, und gesammelt dort zu denen die erkauffet von der Erd.

9. Darum steh ich noch einmal, laß mich ja nicht aus den Händen: halt mich eng in deiner Wahl, daß mich nicht kann drehn noch wenden. Laß die Vollheit mich erleben hier in dieser Sterblichkeit, und dich ohne Maaß erheben dort, in jener Ewigkeit.

10. O wie wol wär mir gethan! wenn GOtt stillte mein Verlangen, und sich mein so nehme an wie er es hat angefangen; ich wolt wallen, weben, leben, wie mich lehrt sein weiser Rath,

seine Wunder-mache erheben, und hoch preisen seine Gnad.

11. Solten meine Leidens-Tag auch noch in die länge währen, wil ich führen keine Klag, wenn mir GOtt nur thut gewähren, daß ich sey sein Wolgefallen, wann die Zeit zu End wird seyn, und nach meinem langen Wallen gehen kan zum Himmel ein.

209.
MEines Geistes Sehnen sind viel bittre Trähnen; könte ich doch sehen, bald erbauet stehen Zions Burg und ihre Stadt, nach des weisen Schöpffers Rath.

2. Stünden Zions Pforten offen aller Orten, wolt ich Vielen sehen, kommt, wir wollen gehen, daß wir auch mit kommen ein, weil die Thore offen seyn.

3. Dann bey viel Verweilen, muß man drausen heulen, und in vielen Sorgen stehen biß an Morgen, da ein andrer Tag bricht an, und man wieder eingehn kan.

4. Wo ein rein Gemüthe folget in der Blüte, wird die Ruh gefunden in den Abend-Stunden. Wer am Tag wolt läsig seyn, kan dort nicht wol gehen ein.

5. Wer dis thut versäumen, lasse sich nicht träumen, daß die Zeit getroffen, wann die Thor stehn offen. Darum würcke, wie man sagt, eh einbricht die lange Nacht.

6. Dieses macht offt Thränen, und mich herzlich sehnen, daß ich möchte sehen Hauffen-weis eingehen, von den Schaaren, die erwähle, und dem keuschen Lamm vermähle.

7. Töchter Zions eilet, daß sich keins verweilet: gehet schön am Reihen, last euch nichts zerstreuen: ziehet an die Jungfraun-Tracht, dann es ist bald Mitternacht.

8. Unter Jungfern allen thun mir nur gefallen Sophia und Esther die im Brautlauf Schwestern. Lässt sich dann die Taube sehn, wird man bald zur Tafel gehn.

9. Kome, ihr Jungfern alle, freuet euch mit Schalle; säubert die Gemüther, singet Hochzeit-Lieder. Seht! er kommt, der euch erwählt, daß ihr rund umher gestellt. 10. Drauf

10. Drauf wird man bald sehen in der Mitten stehen, was nicht zu erzehlen, wann sich wird vermählen Herzog unsrer Seligkeit, da die Braut zur rechten Seit.

'11. Schön, in güldnen Stücken, wer sie an thut blicken, kan es niemand sagen, wann man Ihn wolt fragen: dann ihr Schmuck und schöner Krantz leuchtet wie des Himmels Glantz.

12. Jetzt sind meine Tränen, und mein langes Sehnen, zu dem Ziel gekommen, mit viel tausend Frommen, weilen worden offenbar, was so lang verborgen war.

13. O ihr reinen Seelen! eilet zum Vermählen: wer den Schatz gefunden, ist mit GOtt verbunden, und Jehovah selbst vertraut; o du reine JEsus-Braut!

14. Schmücket die Gemüther, singet Hochzeit-Lieder, eilet zum Vermählen, thut die Stunden zählen: wer nur eine hat verfehlt, wird nicht mit zur Zahl gezählt.

15. O ihr Mit-Gespielen! die erwählt vor vielen, seyd wie reine Tauben, wer nicht lässet rauben seinen Schmuck; der Weißheit Rath, gehet ein in Gottes Stadt.

210.

MEin Gang geht wieder glücklich fort auf denen engen und sehr bittern rauhen Wegen; die Frucht vom innern Gnaden-Wort versüßet alle Noht mit tausendfachem Segen. Obwohl offt Zeit und Weile in denen sehr betrübten Leidens-Tagen, lernt man doch bey so schwerem Drang zuletzt von Gottes Treu und Güte sagen.

2. Die Leidens-Frucht ist Lebens-Brod, das in so viel Gedräng und Elend wird erworben; der Lebens-Tranck quillt aus viel Noht, wo man offt meint zu seyn an allem Heil erstorben. O was ein bittere Trauer-Saat in denen schweren und betrübten Tagen! da man gantz ohne Hülf und Raht sein Creutz und Elend so herum muß tragen.

3. O sehr betrübter Trauer-Gang! wo man von Herzens-Freunden scheint zu seyn vergessen; da nichts als Trauren für Gesang, weil schon

zuvor so manche Jahr betrübt gesessen. Da offt begossen wie ein Fluth mit Thränen, die so auf mich hergedrungen, weil einzig um das ew'ge Gut ohn Unterlaß habe so hart gerungen.

4. In diesem dunckeln Trauer-Spiel wird endlich doch, was niemand weiß, noch denckt, erworben: der Jammer findt zuletzt sein Ziel, wann alle Bitterkeit des Lebens wie erstorben. Dann ist die Sündflut überhin, der schöne Friedens-Bogen läßt sich sehen, die Trauer-Zeit bringt den Gewinn zuletzt ein mit vielem reichen Segen.

5. Drum setz ich meine Pilger-reiß mit Segen fort nach denen trüben dunckeln Zeiten, es glückt, aufs Höhesten Gheiß: hat man Gedult, so kommt viel Friede nach dem Leiden. Wer nur sein selbst ist kommen ab, und lernt sein stille seyn in Trübsals-Tagen, erwirbt zuletzt ein solche Haab, daß nie ein Mund mit Worten kan aussagen.

6. O wie wird man so froh gemacht, wann der so müde Geist dem harten Zwang entkommen! und nach der langen Creutzes-Nacht von Gottes Freundlichkeit u. Gut wird aufgenommen: Vergessen wird die Trauer-Saat, die Erndte bringet ein gar schöne Girben, man ruhet auf dem Schooß der Gnad, wo Andre noch in vielem Elend darben.

7. Getrost! getrost, mein müder Geist, dein vieler Schmerzen eilet nun zu seinem Ende: dein Thränen-Feld zur Erndte reißt, die Güte Gottes reichet dir die milde Hände; du wirst mit reichem Trost gespeist, dein vieles Leid wird endlich wie verwesen; bald kommt dir ein, was GOtt verheißt, daß du vergnügt wirst seyn in Ihm genesen.

8. Das lang erwünschte grose Heil wird dir nun bald mit Hauffen kommen eingeflossen: dann der, so selbst dein Erb und Theil, wird seinen Rath in Ewigkeit nicht mehr umstossen. Du bist ja doch sein Eigenthum, weil du niemal thärst fremde Götter küssen; drum wird er dir zu seinem Ruhm, dein viel gehabtes Leid mit Freud versüßen.

9. Halt an im Hoffen und Gedult, ists schon annoch

annoch bißweilen saur und schwer zu tragen:
nimm es so auf als deinen Sold, und scheinest
du auch selbst von GOtt sehr hart geschlagen.
Dann der dir dieses zugedacht, weiß wol, wie er
dich sol alhier bereiten, daß du zum rechten Ziel
gebracht, und deinem Glück in jenen Ewigkeiten.

10. Drum freu ich mich im Trauer-Stand,
denn darinn bleibt mein Glück vor aller Welt
verborgen, auch meist den Freunden unbekannt;
O wol mir! weil GOtt thut so treulich vor mich
sorgen. Das Trübsals-Feuer schmelzet ab,
was mich untüchtig macht vor GOtt zu stehen,
drum wil biß in das Grab hinab befleißen mich,
zu tragen meine Wehen.

11. Gelobt sey GOtt in Ewigkeit, daß sein
sehr weiser Rath es hat also beschlossen, daß wir
alhier so zubereit zu seinem Reich, als End und
wahre Bunds-genossen. Drum tret ich freudig
diese Bahn, weil dieser Wechsel troffen alle Frommen, die auf dem Weg nach Canaan, sind durch
viel Leid zur wahren Ruhe kommen.

211.
Psalm 122.

MEin Geist ist Hoffnungs-voll erfreut auf die
so lang erwünschte Zeit, die mir von GOtt
geredet worden: daß wir bald werden allzumal
mit grosser Freud und Jubel-Schall eingehen zu
des neuen Tempels Pforten.

2. Dann wird man grosse Wunder sehn, wann
unsre Füse werden stehn in Jerusalems güldnen
Thoren: die Tag und Nacht stets offen seyn,
und kein Unreines gehet ein, sondern nur was
sich GOtt selbst hat erkoren.

3. Jerusalem, du güldne Stadt! die GOtt
so schön erbauet hat, daß sie wird bleiben ewig
stehen: die Völcker werden allzumal durch deiner
zwölfen Thore Zahl mit Wonn und Jubel-Freud
zu dir eingehen.

4. Dann wird man in Erstaunen stehn, wann
man die Wunder an wird sehn, da die zwölff
Stämme alzusammen hoch-preisen dessen Herrlichkeit, die sich läßt sehen weit und breit, u. predgen von des HErren grossen Namen.

5. Da wird man noch daneben sehn zwölf

Stühle schön bereitet stehn, die zum Gerichte der
zwölff Geschlechte: drauf werden sitzen allzusamm
die zwölff Apostel, die dem Lamm gefolget und
nun sind zu seiner Rechten.

6. Als Fürsten und als Könige (nebst dem,
so wohnet in der Höh) die Stämm und Erden-
Krayß zu richten. Dann wird die alte Welt
vergehn, der Völcker Rath wird nicht bestehn,
weil ihr Gericht wird all ihr Thun zernichten.

7. Wohl dem, der hat Jerusalem gewünschet
Glück, daß ihre Stämm gebracht hinauf zu diesen Ehren: und die dich lieben gleicher Weiß,
die kommen auch zu ihrem Preiß, wo man thut
stets des HErren Lob vermehren.

8. Es müsse Friede seyn bey dir in deinen
Mauren für und für, und Heil in deiner Stadt
Pallästen. Die dir zuvor gewesen gram, die
werden nunmehr allzusamm unter der Deinen
Fittigen sanfft rasten.

9. Die Völcker alle stehn bereit, daß sie an
deiner Herrlichkeit und Schöne sich ohn End erfreuen. Dann GOtt ist selbst in deiner Mitt,
und schaffet deinen Gräntzen Fried, weil er thut
alles gantz in dir verneuen.

10. Um meiner Brüder allzumal, Apostel
und Propheten Zahl, und aller treuen Freunde
willen wünsch ich dir Segen, Fried und Heil, so
komm ich auch zu meinem Theil, und helfe mit
dein Lob ohn End erfüllen.

11. Dann um des HErren Haus und Stadt,
die er so schön erbauet hat, will ich dir stetig Heil
zulegen: und meine treue Dienste thun, daß ich
auch könne in dir ruhn im Frieden, den du wirst
daselbst zulegen.

Aus Offenb: 19 und 20.

12. Nun freue sich das gantze Heer, die dort
auf weissen Pferdten her zur Zeit des grossen
Streits mit kommen. Ihr seyd des Lammes
Ritterschafft, so hat gesieget in der Krafft, daß
seine Feinde sind vor ihm umkommen.

13. Nun wird der Drach die alte Schlang
(das uns so offt gemachet bang) gefangen und
sehr hart gebunden in Abgrund, wo viel schwere
Pein ihm wird ohn Maaß bereitet seyn, weil

JEsus

JEsus und sein Heer hat überwunden.

14. Diß wird dann währen tausend Jahr,
daß er, und seine gantze Schaar, sehr hart gefangen werden liegen. Nachdem wird er zum letzten mal einholen sein Gericht und Fall, wann
ihn GOtt selbst vom Himmel wird besiegen.

15. Da muß er in dem Schwefel-Pful, samt
seiner falschen Läster-Schul, viel lange Ewigkeiten baden: da dann ein jeder seinen Lohn empfangen wird, wie er gethan allhier, und sich nicht
wollen lassen rathen.

16. Nun siehet man im Geiste schön Himmel
und Erd erneuet stehn, weil nunmehr ist vorbey
gegangen die alte Welt mit ihrem Schein, die
nun wird gantz vergessen seyn, dieweil ein andre
nun hervor thut prangen.

17. Nun siehet man die schöne Stadt, die
GOtt sich selbst erbauet hat, in kümmerlicher Zeit
auf Erden: da oft die Steine Blut geschwitzt
zur Zeit, wann ihre Feind erhitzt, drum wird
nun alles so viel besser werden.

18. O Herrlichkeit! die wird geschaut an der
vermählten Lammes-Braut, nimm uns auf alle
zu den Deinen: wir schreyen dich inständig an,
löß doch bald auf den harten Bann, und mache
bald ein End dein langen Weinen.

19. Ja komm, HErr JEsu, hohl uns ein,
wo wir mit dir vermählet seyn: laß bald das Alte
gantz vergehn, damit zu End der schwere Drang,
da öfters Trauren für Gesang bey dem so langen
Schmerz und vielen Wehen.

20. Wirst schencken du, was deine Gunst
verheissen uns hat gantz umsonst, so ists in allem
nicht vergebens: weil wir sind deine Dürstige,
und deinem Dienst Ergebene: tränck uns in
unser Bitt am Brunn des Lebens.

21. So wird uns noch in unserm Band dein
treue Huld und Gunst bekannt, weil wir noch leben hier auf Erden: und gehet uns der Trost
mit fort, bis wir, nach dem Verheissungs-Wort,
alldorten gantz durch dich verneuet werden.

212.

MEin Geist ist voller Trost, und hoch in GOtt
erhaben, weil seine reiche Güt mich thut un-

endlich laben: wie wird nicht aller Drang zur
letzt gantz vergessen? wann der Genuß aus GOtt
die Seele macht genesen.

2. O süse Leidens-Frucht! in vieler Noht erworben, die oft tu so viel Drang erscheinen gar
erstorben: Nun wird der müde Geist aus Gottes Herz geträncket, das täglich neue Kraft in
reicher Füll einschencket.

3. Ist auch was bessers wohl zu finden auf
der Erden? dann also voll von GOtt und seiner
Liebe werden. Wann aller Trost dahin, der uns
kann zeitlich laben, schenckt seine Völle ein viel
süse Himmels-Gaben.

4. Der selige Genuß läßt nimmermehr ermüden, die unverrückte Treu bringt den erwünschten Frieden: Hoffnung macht Freuden-voll,
wann Dulden, Lieben, Leiden die Erndte bringet
heim in den Erquickungs-Zeiten.

5. Nichts wollen, wissen, seyn, nichts können
noch begehren erwirbt einen Schatz, den Niemand kann versehren: wo die Gelassenheit dem
Himmel selbst verkauffen: ein kleiner Augenblick, der
GOtt in Liebe fähet, erwirbt uns ein Gut, das
nimmermehr vergehet.

6. Beym rechten Stille-seyn kann man sein
Theil erlauffen, wo andre im Geräusch den Himmel selbst verkauffen: ein kleiner Augenblick, der
GOtt in Liebe fähet, erwirbt uns ein Gut, das
nimmermehr vergehet.

213.

Der 129. Psalm.

MEin Geist wird nun aufs neu bewogen
zu singen GOtt ein Wunder-Lied, Der mich
mit Liebe angezogen durch seine grose Gnad und
Güt; weil ich verspür, daß Er sich nieder-
lässet in dem Grund, und macht mein armes
Herz gesund.

2. Dann ich gar oft sehr hart gedrungen in
meinem Geist von Jugend auf, und von den
Feinden schier bezwungen, daß ich ermüdet in dem
Lauff: es sind fürwahr viel lange Jahr, daß ich
gedränget oft und viel, von Jugend auf ohn
Maaß und Ziel.

3. Ich kann mit Israel wohl sagen: sie haben
mich sehr oft gedränget, von Jugend auf mit sehr
viel

viel Plagen mir vieles Leiden eingeschenckt; doch
konten sie mit so viel Müh gantz nicht bezwingen
meinen Sinn, den ich GOtt hatt' ergeben hin.

4. Mußt' aber leiden auf dem Rücken, daß
er durchpflüget jämmerlich mit vielen falschen bösen Tücken, und Pfeil, und Schwerdt, und Mör-
ders-Stich: ihr böser Raht wurd nimmer satt,
bis sie durchgraben mir mein Hertz mit vielen
Wehen Leid und Schmertz:

5. Und ihre Furchen lang gezogen auf meinem Rücken hin und her, bis endlich GOtt in
Gnad bewogen, und half mir aus zu seiner Ehr:
machte zu schand die losen Band, brach ihre Seil
und Strick entzwey, und mache mich wieder loß
und frey.

6. Drum werden all mit Schand bestehen,
die Zion heimlich gram und feind: ihr Thun
wird gantz und gar vergehen, und fallen, eh man
es vermeint; weil GOtt verwehrt, zurücke kehrt
die Anschläg der Gottlosen Rott, die Zion höh-
net, und nur spott't.

7. Sie werden ihre Saat nicht sehen mit
Freuden grünen auf dem Feld; weil sie wird vor
der Zeit vergehen, eh man die Sichel nägt zu
Feld: ihr hoher Sinn wird fall'n dahin, wie
Graß, das hoch auf Dächern steht, verdorret, eh
die Sonn aufgeht.

8. Wo keine Sichel mit gefüllet, noch auch
des Garben-Binders Hand: ihr Schein, womit
sie sind umhüllet, wird fallen, und nicht halten
Stand; ihr beste Saat wird in der That nicht
bleiben stehen bis zur Zeit, wann Zion ihre Ernd
erfreut.

9. Drum werden sie diß Wort nicht hören
vor allen, die vor über gehn: der HErr woll eure Saat vermehren, daß eure Garben dicke stehn;
diß Segens-Wort wird also fort von ihnen
bleiben abgewandte durch Gottes starcke Wunder-Hand.

10. Drum freue sich die kleine Heerde, die
Zion heißt und auserwählt, daß sie durchs Creutz
geheilig werde, und zu den Frommen Zahl gezählt: es bleibt dabey, GOtt ist getreu den Seinen schon in dieser Zeit, und wirds auch seyn in
Ewigkeit.

214.

MEin Geist zerfliese nun in Gottes Wesenheiten, da wird mein langer Schmertz zu
Staub und Asch gemacht: da ich musst gehn
einher in so viel Niedrigkeiten, als ob vergessen
wär, und mein nicht würd gedacht. Weil mir
so reich wurd eingeschenckt der bittre Kelch womit
getränckt, da mancher Tag dahin gegangen, da
sehr gedrängt und hart gefangen.

2. Ach GOtt! was rauhe Gäng in den betrübten Tagen, wann Rath-und Boden-loß im
Elend umher ging: und den betrübten Stand
durfft keinem Menschen klagen; ob gleich ging
aus und ein, so war in steter Eng. Doch blib
in allen meinen Wehn die Hoffnung unbeweglich
stehn; diß bracht mir in betrübten Zeiten offt
einen Trost der Ewigkeiten.

3. Diß Marterthum hat schon gewährt sehr
lange Zeiten, drum sehnet sich mein Geist nach
der Erlösung hin: wo GOtt durch so viel Leid
mich wollen zubereiten, weil ich auf ewig hin nun
mehr sein eigen bin: Und weil ich dann, durch
so viel Noth, so lange Zeit geübt von GOtt, so
wirds zuletzte noch gelingen, daß ich mein Triumphs-Lied werd singen.

4. O was vor ein Genuß, und seliges Versüssen, nach der so harten Reiß und langen Wanderschafft! Jetzt giebt GOtt zum Lohn sich selber
zu genüsen, so wird die Bitterkeit versüsst mit
Lebens-Krafft. Jetzt ist vergessen und dahin die
Trauer-Zeit mit viel Gewinn, man ruhet GOtt
in seinen Armen, die treulich pflegen mit Erbarmen.

5. O Güte! die sich hat mir biß dahin gesparet, daß meine Zeit erreicht, und kommen an das
Ziel, alwo mein langer Schmertz zu End und
überjahret, so daß ich Segens-voll aus deiner reichen Füll. Gnug, daß ich so bin heim gebracht;
nun ewig ewig gute Nacht, wo ich so lang betrübt
gesessen, weil ich nun bin in GOtt genesen.

215.

MEin Glantz blinckt mir in jener Welt, weil
GOtt mich Ihme auserwählt zu seinem Lob
auf Erden: in harter und betrübten Zeit; auch
vieler Müh und harten Streit, und mancherley
Beschwer-

Beſchwerden. Nun bringt der Hoffnungs-
Glanz herfür, die Herrlichkeit ſey vor der Thür.

2. Da wird man andre Sachen ſehn, als hier
bey den ſo vielen Wehn, und kümmerlichen Zeiten, die Tage der betrübten Saat werden nach
Gottes weiſen Rath vergeſſen vor viel Freuden.
Drum wol! wer in betrübter Zeit niemal gewichen iſt zur Seit.

3. Dis iſt alhier mein Lobgeſang und Troſt
bey manchem harten Drang, und Elend hier auf
Erden; weil dort, in der Erquickungs-Zeit, das
lang und viel gehabte Leid wird ganz vergeſſen
werden. Der Troſt, ſo offt geſchencket ein,
macht ſchon alhier wie ſelig ſeyn.

4. Wär nicht die groſe Seligkeit im Vorſchmack
der betrübten Zeit offt eingeſchencket worden: ich
wär an meinem Heil verzagt, ob ichs aufs euſerſt
ſchon gewagt, auch meiner gar entworden. So
aber hat mich Gottes Rath anders gelehrt in
Güt und Gnad.

5. Dis war mein Troſt, wann gieng betrübt,
da auf das euſerſt wird geſiebt, auch ſchien von
GOtt verlaſſen: kam nur ein Blick vom Himmel her, wurde bald leicht, was ſaur und ſchwer,
und kont mich wieder faſſen. So bracht ich hin
gar manche Zeit, in manchem Troſt und manchem Leid.

6. Auch wuchs indeß mein Hoffnungs-Baum,
ſezt meinen Fuß auf weiten Raum, in den betrübten Tagen. Kam nur ein Wünck von oben
her, ſo hatt ich eine ſtarcke Wehr, daß ichs kont
weiter wagen, aufs neue wieder ſezen an, auf der
betrübten Himmels-Bahn.

7. So wächſt im Glauben offt der Muth,
kommt auch der Drang ſchon biß aufs Blut,
man thut daran gedencken; was vor in der betrübten Zeit in manchem Weh und bittern Leid,
der Himmel thät einſchencken: doch blib in allem
diß die Bahn, was GOtt im erſten Ruf gethan.

8. Allein, dis war noch nicht genug; ob gleich
wol bey dem erſten Flug viel Wunder ſind geſchehen: die Creuz-Schul wurd erſt angelegt, eh
unſer GOtt im Schooß uns pflegt, und heilet
unſre Wehen. Diß wird man ſchwerlich reden
aus, was da vor Koſt getheilet aus.

9. Da iſt nicht gnug der Myrrhen-Wein
es muß Eſſig und Galle ſeyn, auch Elends-Brod
daneben: da man viel Trübſals-Berge Höh beſteigen muß in manchem Weh, und in viel Elend
ſchweben. Bald wird man ſo hinab geſenckt,
als wie von einer Fluth ertränckt.

10. Dis iſt der Weg nach Gottes Reich, und
der ſo ſchmale Himmels-Steig, den ſo gar wenig
finden; und weil die Thür ſo eng und klein, wa-
man zum Himmel gehet ein, bleiben ſo viel dahinden. Und weil dis ſo muß ſehen an, werd
ich offt müd auf meiner Bahn.

11. Indeſſen trag ich meine Laſt nur als ein
fremder Wander-Gaſt, dort wirds ſchon beſſer
werden. Wann meine Zeit zu End wird ſeyn,
werd ich zur Ruhe gehen ein, nach den ſo viel
Beſchwerden. Der Vorſchmack, der mich offt
erquickt, macht, als wär ſchon dorthin gerückt.

12. Doch bleibt dabey der harte Drang, da
öffters Zeit und Weile lang, wann GOtt ſich
ſelbſt verborgen: doch macht der Braſt am lichten Tag, deß man auch des Nachts ſiegen mag,
biß wieder an den Morgen; da dann die groſe
Güt und Treu offt wiederum thut werden neu.

13. Sezt man ſein Tag-Werck wieder an,
ſo iſts, wie vor, die rauhe Bahn, da nichts als
Gram und Leiden. Inzwiſchen kommt gar offt
zur Freud ein Blick, der Sonnen Lieblichkeit,
doch währts nur kurze Zeiten. Dann bald drauf,
eh man ſichs verſicht, ſizt man im tuncklen ohne
Licht.

14. So macht es auf, ſo macht es ab, biß
man uns träget in das Grab, und ſo der lauff
vollender. Jezt träge man andre Koſten auf,
als bey dem milden Lebens-Lauff, weil ſichs hat
umgewendet. Der Frieden nach dem ſchweren
Streit währt in die läng der Ewigkeit.

216.

Ein Glück, das ich mir hab erwählt, wird
dort in jener Welt erſcheinen: und wenn es
meinem GOTT gefällt, ſo endigt ſich das lange
Weinen.

2. Die lang und ſchwere Pilger-Fahrt wird
noch zur Zeit ſich frölich enden, und wenn der

T   Kum-

Kummer überjahrt, wird sich der Schmerz auf einmal wenden.

3. Die Liebe hat mir zu gedacht viel Leiden hier auf dieser Erden; doch wenn mein Lauf zum End gebracht, so wird es alles anders werden.

4. Leid ich schon manchen Druck und Drang, und trage viel und schwere Lasten: werd ich doch nach dem müden Gang sehr sanfft in süser Ruhe rasten.

5. Wann die Gedult den Glauben speißt, und das Verlangen GOTT bezwungen: bin ich zur andern Welt gereißt, und ist mir dort und hier gelungen.

6. Drum wird das Glück die Pilger-Fahrt zuletzt mit vieler Freud belohnen: und wer dem sanfften Lamm nachart, wird dort in Gottes Hütten wohnen.

217.

MEin Glück ist mir einkommen nach der betrübten Zeit: der Jammer weggenommen nach viel gehabtem Leid.

2. Das lang verlangte Sehnen hat seine Zeit erreicht: die viel gehabte Thränen sind wie im Tod erbleicht.

3. Ja meinen Kinder-Jahren, die man sonst Göttlich nennt, mußt allzu früh erfahren, wie heiß das Feuer brennt.

4. So in den Trübsals-Hitzen - schmelzte den Kinder-Sinn: O wie viel Todes-Ritzen! biß ich gab alles hin.

5. Da ging es an ein Zagen, da halff kein weiser Rath: ich mußte schwehrer tragen, als ich Vermögen hat.

6. Ach was hab ich verbrochen! ach was hab ich gethan! daß ich so werd gerochen, wo doch nicht helfen kan.

7. Ach GOtt! schenck wie zuvoren mir einen lautern Sinn: sonst ist mein Thun verlohren, und bin als wie dahin.

8. Ein Kind kan ja nicht gehen des Mannes Tritten nach: und bleibt es stille stehen, ists ein betrübte Sach.

9. Diß sind die bittre Klagen, weil in dem ersten Flug ich mußt ein Creutz tragen, worzu nicht alt genug.

10. Doch ists nicht zu ermessen, was dem verliebten Sinn vor Gutes eingemessen, der sich so gab dahin.

11. Die Segens-volle Güte aus GOtt, vom Himmel her, macht ein gar sanft Gemüthe und leicht, was saur und schwer.

12. Allmählich lerne man gehen des Lammes Tritten nach: diß heilt die viele Wehen, und löset auf die Schmach.

13. Es ist nicht zu ermessen, was viele Süßigkeit und Gutes wird genossen nach der betrübten Zeit.

14. Es bringet Gottes Güte und reichen Segen ein: wer nie im Leiden müde, wärs auch die schwerste Pein.

15. GOtt weiß schon Maaß zu geben, wann es fällt saur und schwer: ist man auch müd zu leben, so geht er selbst vorher.

16. Ob gleich in meiner Blüthe und blöden Kinder-Sinn offt wird von Seufftzen müde, Gedult trägt alles hin.

17. Es macht zuletzt genesen aus Gottes Freundlichkeit: wo man betrübt gesessen in so viel bittrem Leid.

18. Daß ich mich so hingeben in meiner Jugend-Blüt, war um ein reines Leben, und um das ew'ge Gut.

19. Wo recht und wol gelitten in dem verliebten Sinn: kommt ein der süse Frieden, der Kummer fället hin.

20. Diß ist der Zweig der Kirchen; so lehret Gottes Rath: diß machet reine Fürchen, daß grünet unsre Saat.

21. So muß zum Segen dienen, dem der ist recht getreu: die Saat muß lieblich grünen, daß auch nichts schöners sey.

22. Die viele harte Pressen, worinn man sich bemüht, machen in GOtt genesen, dazu ein rein Gemüth.

23. Die Segens-volle Güte aus GOtt vom Himmel her macht ruhn, wann man ist müde, in stillem Friedens-Meer.

24. Da legt sich alles Brausen, da weht ein sanfter Wind, was öfters machte Grausen, ist nun an seinem End. 25. So.

25. So muß es dann gelingen, wer nur im Glauben treu, der kan mit Freuden singen, was Gottes Güte sey.

26. Die in so vielen Pressen und manchem rauhen Wind zuletzte mache genesen, daß man ein Gottes-Kind.

27. Wie schön wird da gesungen, wo dieses kommen ein: das heißt, es ist gelungen, was könte besser seyn.

28. Die Segens-volle Güte mich offt so überhäufft, daß Hertz Sinn und Gemüthe als wie im Meer ersäufft.

29. Nun kan man süße schlafen im Schooß der reinen Lieb: weil man nichts mehr zu schaffen, was finster schwartz und trüb.

30. Es ist ein bessers funden: die Ruhe nach dem Streit, wo alles überwunden, erlangt die Seligkeit.

31. Was wird dann wol noch werden alldort in jener Welt: wann alles, was auf Erden, in einem Nu zerfällt.

32. Dann wird erst recht erscheinen, was hier im Creutzes-Thal verdeckt bey langem Weinen der auserwählten Zahl.

33. O was vor schöne Sachen wird man da hörn und sehn: der Trauer-Mund wird lachen, die Freud nicht mehr vergehn.

34. Da bringe man seine Garben mit grossen Freuden ein, wo andre müssen darben, schenckt man hier Nectar-Wein.

35. Diß sind die sel'ge Stunden, die nach der Trauer-Zeit sich endlich eingefunden nach so viel bitterm leyd.

36. Kaum ist es auszusagen, was da geleget sey, wer in den Trübsahls-Tagen ist GOtt geblieben treu.

37. Ich werde wol gedencken hier all mein Lebenlang, was GOtt mir thäte einschencken in meinem harten Drang.

38. Das Göttliche Gedeyen fließet unendlich aus, macht Jung und Alt erfreuen in unser Gottes Haus.

39. O allerliebste Seelen! euch blühe ein grosses Heyl: es heißt mit GOtt vermählen, die daran haben Theil.

40. Die Wesenheit von oben will sich gern bringen an, wer nur stehet fest in Proben, und weicht nicht von der Bahn.

41. Der wird gar bald erfahren, was heißt recht selig seyn: da man in Kinder-Jahren nur hat geliebet Schein.

42. Die Wunder-volle Güte reicht selbst die Völle dar, was in der Jugend Blüthe verdeckt verborgen war.

43. Wer dieses kan ertragen, dem ist recht wol geschehn, und kan von Güte sagen: die nimmer wird vergehn.

44. Sein Thun ist lauter Segen, und was man an Ihm sieht. In allen seinen Wegen leuchtet ein rein Gemüth.

45. Kaum wird man sagen können, wie heiß die Liebe ist: und was ein hitzigs Brennen dieselbe uns einmischt.

46. Wer aus dem Bach getruncken, so reine Liebe heißt, ist gantz in GOtt versuncken: der ihn mit Manna speißt.

47. Die Fülle muß ihn laben aus Gottes Freundlichkeit: diß sind die besten Gaben, wo man in GOtt erfreut.

48. Diß ist von mir gesungen, GOtt schenckt mir Liebe ein: dem es also gelungen, der kan recht selig seyn.

49. Ich weiß kein besser Leben allhier auf dieser Welt, als bleiben GOtt ergeben, und thun, was Ihm gefällt.

50. Wer diesen Schatz gefunden, ist ohne End erfreut, weil er mit GOtt verbunden in Zeit und Ewigkeit.

218.
Psalm 45.

MEin Hertz bringe für sehr angenehme Dinge, von einem Könige ich lieblich singe: auch meine Zung soll nicht in mir bekleiben, viel Wunderschöne Ding will ich fürschreiben.

2. Wie schön bist du, weil du der Schönst zu nennen von Menschen-Kindern, die man nur thut kennen? auch deine Lippen sind Holdseligkeiten; drum GOtt gesegnet dich zu allen Zeiten.

3. Gürte dein Schwerdt um dich, O Held! laß

T 2

laß sehen, wie du in deinem Pracht einher thust
gehen: zeuch prächtig aus in Majestä: und Ehren, zu gut der Wahrheit hohen Wunder-Lehren.

4. Lehr die Gerechtigkeit ohn Stille-schweigen,
so wird dein rechte Hand die Wunder zeigen:
scharff deine Pfeile sind vor andern allen, daß
Völcker um und um dafür hinfallen.

5. Sie gehen tief ins Herz des Königs Feinde, so können Wunder sehn, die seine Freunde.
O Gott! dein Stul in Ewigkeit wird stehen;
das Scepter deines Reichs wird nicht vergehen.

6. Du hast Gerechtigkeit geliebt, daneben gehaßt, was Gottloß ist in seinem Leben: Drum hat
dich, Gott, dein Gott mit Freuden-Oele gesalbet mehr als deine Mitgesellen.

7. Auch ist dein Kleider-Schmuck von eitel
Myrrhen, Aloes, Kezia muß selben ziehren: wann
du einher trittst in deinen Pallästen von Helffen-
bein, zur Freud in deinen Festen.

8. In deinem schönen Schmuck gehen die
Töchter der Könige einher, als die Geschlechter:
in grosser Würdigkeit und hohen Ehren, die mit
des Königs Lob und Ruhm vermehren.

9. Die Braut steht da in Goldgestickten Kleidern, in grosem Pracht, dem Könige zur Seiten.
Hör Tochter, schaue drauf, neig deine Ohren:
vergiß deins Vaters Haus, da du geboren.

10. So wird der König Lust zu dir dann ha-
ben, daneben sich an deiner Schöne laben. Die
Tochter Zor wird mit Geschenck da stehen: die
Reichen in dem Volck werden dir flehen.

11. Des Königs Tochter ist inwendig holde,
von aussen geht sie in gesticktem Golde: in solchem Kleider-Pracht sieht man sie führen zum
König in den Saal mit Jubilieren.

12. Die Jungfrauen folgen ihr mit den Gespielen, die darzu auserwehlt unter sehr vielen:
die führet man zu dir mit Freud und Wonne,
da du bist selbst ihr Schmuck und Ehren-Krone.

13. Sie gehen im Pallast in hohen Ehren,
und lassen Wunder-schöne Stimmen hören. An
statt der Väter kriegst du im Vermählen ein grose Kinder-Zahl, die nichte zu zehlen.

14. Die wirst du setzen auf dein hoch Geheiße
zu Fürsten auf dem gantzen Erden-Krayse: drum
will, zu deines hohen Namens Ehren, von Kind
zu Kindes Kind es lassen hören.

15. Drum werden preisen dich der Völcker
Summen, wann sie von aller Welt zu Haufen
kommen: das grose Freuden-Fest wird ewig währen, und wird es weder Zeit noch Krafft verzehren.

219.
MEin Herz das ist bereit von Gottes Lieb zu
sagen, doch kann ich solche nicht in Worten
voll vortragen: die Kraft, die sich bewegt in meinem Herzens-Grund, die dringt und treibet mich,
und macht ihr Wesen kund.

2. Ihr Ausgebährungs-Werck ist ohne Maaß
zu nennen, die volle Liebes-Kraft aus ihr läßt
niemand trennen: sie wircket klein zu seyn, wirft
alle Hoheit hin, sie macht das Alte neu, gibt einen Kinder-Sinn.

3. Wer ihre Zeit erreicht, daß er dahin ist
kommen, wo die Erneurungs-Kraft das Herz
hat eingenommen: der kann nicht stille seyn, sie
dringt und treibet ihn, damit werd offenbahr ihr
hoher Liebes-Sinn.

4. Hochtheure werthe Kraft, Bekrümfung
aller Geister, mein Herz ergibt sich dir, als obersten Lehrmeister: du bist der beste Raht, und treuste Unterricht, wann Weisheit mangeln will,
hält Liebe das Gewicht.

5. Du hohe Urstands-Kraft, du Wesen aller Wesen, wo du Beherrscherin, ist man in
Gott genesen: die Weisheit selbsten muß dir
weichen im Gerichte, wo du hast deinen Thron
und Wohnung aufgericht.

6. Wenn du nicht wärst, so wär nie einig
Ding gewesen, die Weisheit selbsten hat aus ihr
ihr Spiel erlesen: drum was uns Freude macht,
kommt nur von Liebe her: sie macht das Bittre
süß, und alles leicht, was schwer.

7. Dann wo die Weisheit auch selbst Braut
und Schwester worden, da ist Sie Königin in
diesem hohen Orden. In Zeit und Ewigkeit im
Himmel und auf Erd wird nichts gefunden, das
Ihr zu vergleichen werd.

8. Mein Herz vergehet gantz, und kann es
nicht

nicht aussinnen; ihr hohe Wunder-Kraft ziehe meinen Geist von hinnen: denn was ich bin, das bin ich blos durch Liebe nur, die mich selbst hat gebracht auf diese hohe Spur.

9. Ich eß und sauge ein ihr rein und lauteres Wesen, so werd vergöttet ich, daß ich kann voll genesen: der ausgeleerte Sinn von der Vergänglichkeit hat seine Völle nun aus ihr ohn allen Streit.

10. Die Liebe hat mich gantz und gar mit sich durchdrungen, drum auch die alte Welt ist gantz und gar verschlungen. Da soll es bleiben bey, ich lebe nun in ihr, und soll nichts scheiden mehr mich weder dort noch hier.

220.

MEin Hertze ist plötzlich in Ohnmacht gesuncken, in tiefester Demuth gefallen dahin: bald wär ich im Wasser der Liebe ertruncken, wann mich nicht gehalten der Göttliche Sinn in mäßigen Schrancken, daß ich nicht kont wancken, bey denen so mancherley Liebes-Geschäfften, die öfters nur schwächen und rauben die Kräfte.

2. Ich ruhe nun wieder in sanfftestem Schlummer, und werd ich schon öfters durch Liebe erwecket: dis machet mir keinen Hertz-essenden Kummer, weil ich mich zum Lieben hab nieder geleget. Drum wird mich nichts schrecken, noch können erwecken, als wann ich hör sprechen: steh auf dich zu paaren! so bist du befreyet von allen Gefahren.

3. So werd ich bald können vor Liebe nicht schlafen, ob sie mich schon selber geleget dahin: so hat man mit ihr nur alleine zu schaffen, wenn sie selbst erwecket den liebenden Sinn. So können die Sachen, was man auch thut machen, zusammen im Frieden und Segen gerathen und heissen recht Gottes selbstständige Thaten.

4. O heimliche Kräfte inwendiger Stille! da man auch Gott schlafend und wachend geneußt: denn in Ihm ist alle vergnügende Fülle, die Liebe ohn alle Maaß da sich ergeußt. O heiliges Erwarmen! O Liebes-Umarmen! wer also sich selber ist gäntzlich entnommen, und zu der inwendigen Stille gekommen.

5. Hertz Seele und Geiste sich können erlaben in diesem Urstande der inneren Ruh: hier finde

sich, was Gottes Erlösete haben: wer einst will genesen, der komme herzu, und lerne sich beugen in kindlichem Schweigen. Wo alles in tiefer gelassener Stille, da wohnet der Friede in Göttlicher Fülle.

6. Was ist es dann Wunder? wer dahin ist kommen, wenn er auch schon öfters in Ohnmacht hinfälle: die Liebe macht truncken, man wird sich entnommen, so wird dann das Hertze zu Frieden gestellt, und thut sich ergeben, nur deine zu leben, was ihne zu solchem Fried-Lieben bewogen, und in die inwendige Stille gezogen.

221.

MEin Hertz ist Freuden-voll in Gott erhoben, und meine Seele soll Ihn stetig loben: weil mich Barmhertzigkeit und Gnade krönt, und seine Langmuth meine Schmach versöhne.

2. Die in so viel Geduld ich mußt ertragen zur Zeit, da ich sehr hart von Gott geschlagen: und so viel Feind auf mich gedrungen hin; bis daß mir Gott gab einen Kinder-Sinn:

3. Der mich macht klein, und rief vor Ihm mich beugen, da mußte sich der Himmel zu mir neigen: und mich in Huld und Langmuth kleiden ein, daß aller Drang mußt gantz vergessen seyn.

4. Drum danck ich Gott für seine Gnad und Güte, weil Er nicht worden des Erbarmens müde: und meinen Gang mit seiner Huld versehn, so daß ich kann in allem Leid bestehn.

5. Und ob gleich Freund und Feind schon offt noch schnauben, so kann doch meinen Muhe mir Niemand rauben: weil ich mich meinem Gott ergeben hin, so daß ich gantz und gar sein eigen bin.

6. Er thut mich offt auf seinen Händen tragen, drum kann mich auch kein Unglück nieder schlagen: und wann ich schon von Ihm verlassen schein, so schenckt mir seine Güte anders ein.

7. Und thut am Brunn der Gnad mich reichlich träncken? so thu ich dann an seinen Bund gedencken: der mir verspricht die wahre Seligkeit zu erben dorten, die ohn End und Zeit.

8. Drum will ich Ihn schon hier unendlich loben, und achten nichts der vielen Völcker Toben; dann wann die Zeit des Streits zu End

wird

wird seyn, so gehe ich in meine Kammer ein.

9. Da bin ich dann vor aller Welt verborgen, und schlafe bis an jenen frohen Morgen: dann wird der Tag mein Glück mir theilen aus, und ich werd gehn in meines Gottes Haus.

10. Indessen will ich noch zur letzt sagen: O GOtt! wie thust Du vor mich Sorge tragen, annoch allhier in diesem Trauer-Zelt: was wirds erst seyn alldort in jener Welt:

11. Da alles Wohl wird in die Länge wähteren, daß weder Zeit noch Jahr es wird verzehren: deß freu ich mich, und bin unendlich wohl, weil ich schon hier bin alles Guten voll.

222.

MEin Herz ist froh, weil ich in GOtt genesen, und kan sehr sanfft in seiner Liebe ruhn, und weil das höchste Gut mir hab erlesen, wird sonsten nichts mir können Schaden thun: der Schluß hat mich so wohl bedacht, daß ich zum rechten Ziel gebracht, kan sanfft und stille seyn, kein Zweiffel hält mich weiter auf, weil ich mit meinem Glaubens-Lauf in GOtt gegangen ein.

2. Ist dann auch wohl was bessers auf der Erden, als wo man stets mit Gottes Huld versehn: trägt man dabey schon mancherley Beschwerden; so kan sie doch ein leichter Wind vertrehn. Wann mich der zeitlich Kummer kränckt, werd ich mit Gottes Huld beschenckt, die mir mißt anders ein, des Geistes Frucht und Lieblichkeit macht mir des Leibes Bitterkeit zu lauter Freuden-Wein.

3. Wie ist dem Hertzen doch so wohl gerathen, das leben kan in sanfft-und süßer Still, des vielen Drangs und aller Sorg entladen, und liebet ohne Maaße End und Ziel: wird ihm schon oft sein Kleid besteckt, sein Licht mit Finsternuß bedeckt, es bleibet ungestört. Die edle Frucht des Leidens schafft dem Hertzen immer neue Krafft, so bleibt sein Licht verkläre.

4. So muß die Hoffnung selbst dem Hertzen rathen, das unverrückt in Gottes Liebe schwebt: Gedult und Langmuth sind die Helden-Thaten, wo man in allem GOtt zu Ehren lebt: des Leidens süße Bitterkeit macht weiß und hell das

---

Hoffnungs-Kleid, wie schön wirds dorten stehn, wann mich des treuen Gottes Huld durch-seine Güte und Gedult macht in sein Reich eingehn.

223.

MEin Herz ist in GOtt verliebt, weil er mich ohn Ende übt: sein zu seyn ohn Ziel und Zeit, unverrückt in Ewigkeit.

2. Alle Süßigkeit der Welt endlich mit der Zeit hinfällt: aber Gottes Freundlichkeit bleibet ohne End und Zeit.

3. O wie manchen Liebes-Blick schickt er meiner Seel zurück! wann sie einsam und allein, scheinet gantz verlassen seyn.

4. Nichts ist lieblicher zu sehn, als in Liebe GOtt nachgehn: nichts bringe reichern Segen ein, als mit GOtt vereinigt seyn.

5. O was angenehme Lufft! wann so eins zum andern rufft: süße Lieb erfüllt mein Hertz, weiß von keinem Sünden-Schmerz.

6. Das ist Freud, die höher steht, als wo man der Welt nachgeht: was empfunden und verspührt, hat kein fleischlich Herz berührt.

7. Diß hab ich mir zugedacht, mich gesehnet Tag und Nacht: bis mein Herz in GOtt erfreut. O der lang-erwünschten Zeit.

8. Alles andre ist dahin, weil mein ausgeleerter Sinn ist erfüllt nun mit Krafft, die ein wahres Wesen schafft.

9. Hätte mein verliebter Sinn nicht erst alles geben hin: nimmer wär mir kommen ein, daß ich kan so selig seyn.

10. Ach wie ist mir nun so wohl! weil ich alles Guten voll: kan vergessen Welt und Zeit, weil mein Herz in GOtt erfreut.

11. Recht vergnügt heißt himmlisch seyn: weg mit allem leeren Schein: wer in Liebe lang geweint, wird zuletzt ein Gottes-Freund.

12. Und kan sagen von Genad, die GOtt ihm erwiesen hat: wann der schwach und blöde Sinn oft weit fallen gar dahin.

13. Darum bin ich Freuden voll, weiß nicht was ich sagen soll, wie ich GOtt so weich geacht, ihm zu dienen Tag und Nacht.

14. Drum vertreibe meine Zeit mit der seeligen

gen Ewigkeit: will die Sonne untergehn, halt
ich an mit vielem Flehn.

15. Daß sein hohe Wunder-macht mein auch
pflegen woll bey Nacht: bricht der frohe Morgen
an, ruf ich aus, was GOtt gethan.

16. So verbring ich meine Zeit in erhabner
Gottes-freud: weil ich nicht vergessen kan, was
er mir vor Guts gethan.

224.

MEin Herz kann wohl zu frieden seyn, weil
ich daselbst gegangen ein, wo GOtt thut selber walten: ins innre wahre Heiligthum, wo steter Frieden um und um ohn einziges Veralten.
Das stetige Dencken von Göttlichen Sachen,
kann Herzen und Geister in Liebe voll machen.

2. Daselbsten blüht die wahre Ruh und schleußt
die äusern Sinnen zu von allem abgeschieden,
und wird vergessen aller Schein, auch was sonst
mag entgegen seyn dem innern wahren Frieden.
O seligs Vergnügen! das da wird gefunden,
wo alles Geräusche auf ewig verschwunden.

3. Man geht nicht mehr von da hinaus in
das verkehrte Welt-gebrauch, weil Gottes Huld
und gaben daselbst sich theilen denen mit, die
sonst um anders nichts bemüht, als sich in Ihm
zu laben. Wer also geschieden von allem getümmel, besitzet schon allhier auf Erden den Himmel.

4. Wie ist die Ruh so übergroß daselbst in des
geliebten Schoos, wo alles überfließet, was nur
geduld und langmuth heißt, und Himmels-Brod
die Seele speißt, und alles Leid versüßet. Da
müssen aufhören die Bilder und Weisen, und
was nur im Scheinen von aussen thut gleissen.

5. Da findet man den neuen Weg, der durch
des Fleisches Vorgehäg gebahnet stehet offen
durchs Blut des Lämmleins voller Huld, das
ausgesöhnet unsre Schuld, erwart't durch langes
Hoffen. Da findet man die heilige Seelen hinwallen, die also nur leben nach seinem gefallen.

6. Da wird das Lämmlein selbst der Hirt der
Seelen, die es mit sich führt in Gottes Haus
beysammen: und richt daselbsten ihnen an ein
vollen Tisch von Himmels-Mann, und nennet
sie mit Namen, sein eigenes Erbe, das es sich er-

worben, da es ist vor sie an dem Creutze gestorben.

225.

MEin Herz soll singen GOtt zu Ehren von
wegen seiner güt und gnad, die Er erweiset
früh und spat: drum will ich stets sein Lob vermehren, und lassen hören.

2. Wer kann ausdencken, was zu sagen? die
Treu ist unermesslich groß, die Er vergilt in unsern Schoos: wann wir in Demuth nach Ihm
fragen in unserm Zagen.

3. Er schencket ein ohn alle Maasen den Segens-vollen Ueberfluß dem, der Ihm dienet ohn
Verdruß: und gehet fort die Friedens-Straasen
ohne Ablassen.

4. O grosser GOtt von Macht und güte! wie
reichlich schenckst Du deinen ein, die Dir allzeit
ergeben seyn, und opfern Dir Herz und gemüthe in voller Blühe.

5. Es müsse Herz und Mund Ihn loben,
die Er mit seiner Lieb erfreut, daß sie zu seinem
Dienst bereit, auch bleiben stets darinn erhoben
in allen Proben.

6. Wohl deme, der so sein gedencket in Leiden,
Trübsal, Angst- und Noth gerren zu bleiben bis
in Tod, wann er mit Bitterkeit geträncket, wird
er beschencket.

7. Mit reichem Trost aus seiner güte. O!
selig wer desselben voll, der weiß recht, wie er wandeln soll: besitzet GOtt, hat steten Friede in dem
gemüthe.

8. Lobsinget GOtt mit Herz und Munde,
dancksaget Ihm ohn alle Maaß, geht freudig
fort die Friedens-Straaß: gedenckt der gnade in
dem Bunde zu aller Stunde.

9. Er führet uns aufrechtem Wege der Wahrheit und gerechtigkeit, und hilft zulezt aus allem
Leid, auch dringen durch das Fleisch-gehege,
wann wir sind träge.

10. Drum soll mein Herz zu allen Zeiten
hoch rühmen seine Wunderthat, die Er erweiset
früh und spat, und will sein grose Macht ausbreiten vor allen Leuthen.

11. Herz, Seel und Geist bleib in den
Schrancken der unverfälschten Lieb und Treu,
die

die alle Tag und Stunde neu: ich will in Ewigkeit Ihm dancken ohn einigs Wancken.

226.

MEin Hertz weiß keine beßre Tracht zu nehmen an allhier auf Erden: als nur allein seyn drauf bedacht, was mir in jener Welt wird werden.

2. Dort blühet meine Seligkeit, die JEsus mir allhier erworben durch viele Müh und harten Streit, da Er für mich am Creutz gestorben.

3. Dem will ich folgen treulich nach, so lang ich leb allhier auf Erden: so werd ich ohne alle Klag alldort mit Ihm verherrlichet werden.

227.

MEin Hertz wolt mir zu Aschen werden, als ich an meinen Bund gedacht, da ich die Freude dieser Erden, und aller Lust der Welt versagt. Mein Geist zerfliest, wann er geniest die Früchte seiner Trauer-Saat, die kommen ein nach Gottes Rath.

2. Wie ließ ich alles andre fahren, als ich die Jungfrau hatt erblickt, die niemals älter wird von Jahren; ob sie schon geht gebückt, gedrückt. Ich gab Gewinn und alles hin, vermeynt der Braut-lauf wäre recht, daß Rahel würde beygelegt.

3. Allein, als ich vom Schlaf erwachte, so hatt ich Lea in dem Schooß, die sonsten heiset, die Verachte, diß war mir gar ein harter Stoß. Da wurd gesagt: es ist die Tracht, daß man erst dieser liege bey und in derselben fruchtbar sey.

4. Die sieben Jahre wurden lange, O was ein hartes Trauer-Spiel! bey diesem Dinst und langen Drange; doch wars dem Lieben nicht zu viel. Die Bitterkeit von langer Zeit macht Lieben nur zum einzlen Tag, daß man von Freuden jauchzen mag.

5. Indessen wird das Glück getroffen, weil Rahel selber Blicke giebt, und endigt sich das lange Hoffen, bringt in den Schooß, was man geliebt. Der Hochzeit-Staat erworben hat, daß in dem Beyschlaf Joseph kam, eh daß man Benjamin vernahm.

6. Jetz thut Rahel im Tod erbleichen, weil ich ein Schönre hab erblickt, der Schatten muß dem Wesen weichen, worüber ich als wie entzückt. Dann Sophia gibt selbst das Ja, sagt, daß ich Ihr zuvor vermählt, eh ich mir Rahel hätt erwählt.

7. Sie ist in Eyffersucht gerathen, und wil mich haben gantz allein, daß aller andern ich entladen, ob sie auch noch so schöne seyn. Rahel geht ab, und komt ins Grab. Sophia ist von Ewigkeit, vor aller Schöpffung Welt und Zeit.

8. Zeuch selbst den Schmuck mir an, o Liebe! daß könne rein vor dir bestehn, damit ich dich nicht mehr betrübe, wie etwa vor der Zeit geschehn. Bleibstu mir nah, so heist es Ja, daß ich dein Treuergebner sey von allen andern Dingen frem.

9. Die Eyffersucht hat mich bewogen, daß alles andre gab dahin, und deiner Schöne nach gezogen, in dem so sehr verliebten Sinn. Du bist mein Hertz, der viele Schmertz machte mich dir so nah verwandt, als wie das reinste Eheband.

10. Gedencke meiner Trauer-Tage, in dem betrübten Wittwenstand, den ich noch stündlich umher trage, wie es dir selber ist bekannt. Doch bin ich erfreut, und wie erneut, weil mir das Mutter-Hertz erscheint, um welches ich so lang geweint.

11. O pflege mein doch nun in Güte! du holdeste Gebieterin; gedencke meiner Jugend Blüthe, daß sie gebracht zum Alter hin; du siebsten bist, was ich erkiest, bist Braut und Mutter allezeit, weil dein Aufgang von Ewigkeit.

12. O daß du ewig Mutter würdest zum Trost dem kleinen Kinder-Sinn! und mich in dein Gezelt einführtest, so fiele aller Kummer hin, und würd die Zeit zu lauter Freud, so lang noch walle hier auf Erd, biß dorten völlig würd verklärt.

13. So würde auf einmal veraessen, was mich betrübt so lange Zeit, und wär in deiner Huld genesen, zu End der lang gehabte Streit. O süsse Brust! o ew'ge Lust! wer dir kan ruhen auf dein Schooß, und aller Müh und Sorgen loß.

14. Nun wil ich mich nicht weiter kränken, weil ich hab meine Zeit erreicht, wo Gottes Hertz mir thut einschencken, was meinen langen Kummer schweigt, und macht mich still aus seiner Füll. Nun ist dahin die rauhe Zeit, ich ruh im Schooß der Ewigkeit.

— Mein

MEin Herz zeucht nun mit Freud hin, nach
so viel Verlangen, zur stillen Ewigkeit, die
mich nunmehr umpfangen: daß ich in ihrem
Schooß genommen auf und an, nach dem so viel
Gedräng der schmalen Creutzes-bahn.

2. Da ist ein weiter Raum, man kan einander weichen, man wird es sagen kaum, was sey,
diß Ziel erreichen. Man siehet anders nichts,
als Wunder die geschehen: wann GOtt spricht,
so geschicht, was nie ein Mensch gesehen.

3. In dieses Ungrunds Mitt, da ist gar schön
erbauet der Jungfrau göldnes Schloß, so sich
mit GOtt vertrauet, und Ihm von Ewigkeit auch
ist geblieben treu, drum sie auch forn mit dran,
wann Er macht alles neu.

4. Da wird ihr gantz Geschlecht mit schönen
Kronen prangen, so durch die enge Thür in dieses Schloß eingangen; so hier dem Mann der
Welt auf ewig abgesagt, dabey ihr Lebenlang verspottet und verlacht.

5. Der Glaube hat sein Glück in diesem
Schloß gefunden, wo er in so viel Noth sich hat
mit GOtt verbunden: als er auf dieser Welt
ließ alles fahren hin, weil er allein gesucht, was
dorten bringt gewinn.

6. Die Jungfrau ist wie Kind, wo er als
Vormund pfleget, weil sie die Ewigkeit im
Schooße umher träget, da dann die Vormund-
schafft wird endlich abgethan, weil GOtt ihr
selbsten nun pfleget als ihr HErr und Mann.

7. Dann ist der Waysen-stand der der Jungfraufschafft zu Ende, wann ich mit meiner Fahrt
an diesem Schloß anlände. Dieweil der Glaube selbst ist gar ein harter Mann dem Jungfrauen-Geschlechte auf der verliebten Bahn.

8. Er nimmt auch gar dahin, was nur noch
Schatten machet dem Jungfrauen-Geschlechte,
die alles sonst verlachet. Doch, wann der Hochzeit-Tag bricht ein in unsrer Vahn, so gibt er
auf sein Amt, und läßt uns unserm Mann.

9. Die stille Ewigkeit hat alles überwogen,
so bald die Jungfrau einst ist in ihr Schloß gezogen. Was seyn wird vor ein Fest und schöne

Musica, wañ man wird rufen aus: der Hochzeit-
Tag ist da.

10. Der von Anfang der Welt ist aufgespah-
ret blieben, biß kam ein andrer Mann, so war mit
Eyd verschrieben, der ewgen Jungfrauschafft,
auch selbsten ward ihr Sohn, daß wieder hergestellt der hohe Gottheits-Thron.

11. Das ist die schöne Kirch, wo ich auch
werd anfahren, weil meinen Hochzeit-Tag biß
dorthin wollen spahren: und weilen ich hier nicht
an Adams Kirch gebauet, drum hab ich mich auch
nicht dem Weib der Welt vertrauet.

12. Weil der vermählt wolt seyn, so ewig war
gewesen; dabey von Ewigkeit GOtt in dem
Schooß gesessen. Drum auch ihr liebster Sohn
an seinem Leib zerbrach, was hat die Schöpfung
bracht in so viel Ungemach.

13. Drum pfleg der Jungfrauschafft, die mich
alldort wird krönen, thut Adams Pöbel schon
mich hier unendlich höhnen. Die stille Ewigkeit
wird machen offenbar, was hier bey so viel Hohn
verdeckt, verborgen war.

14. Drum bleibt die Jungfrauschafft mein
Lustspiel hier auf Erden, und macht mich schon
zum Spott vor allen Leuthen werden. Das
Schloß der Ewigkeit, wo das Fest angestellt, be-
steige die Höh der Welt, drum werd nicht mehr
gefällt.

15. Jetzt heißt mein Trauer-spiel ein GOtt-
verliebter handel; weil mich zum Ziel gebracht
mein langer Glaubens-wandel. Die Jungfrau
ist mir nun zu allem Dienst bereit, um mich zu
führen ein ins Schloß der Ewigkeit.

MEin Heil blüh mir in jener Welt, weil ich gesucht, was GOtt gefällt in meinem Lauf auf
Erden. O! was vor mancherley Gehäg, auf
dem so schmalen Himmels-Steg, samm vielerley
Beschwerden. Nun aber nahet sich die Zeit allmählich nach der Ewigkeit.

2. Drum sehnet sich mein müder Geist, der
schon so manchen Tag gereisst, auf den betrübten
Wegen; daß bald mögt die Erlösung sehn, nach
den so viel und langen Wehn, und mich zur Ruh
hinlegen;

hinlegen; doch, wann] ich hör der Hoffnung
Klang, preiß ich den Schöpffer mit Gesang.

3. Jetzt fahr ich nicht mehr oben her, weil
Gottes Güte wie ein Meer mich gantz und gar
umpfangen; und leitet mich nach seinem Rath,
macht mich aus seiner Fülle satt, nach vielen
langen Drangen. Weil Er mein viel-gehabtes
Flehn in Gnaden endlich angesehn.

4. Drum geh ich nun so sachte hin, und mercke nur, was bringt Gewinn nach Gottes Wolgefallen. Und halte an mit vielem Flehn, zu
leiten mich, wann irr soll gehn, so kann ich sicher
wallen. So bald ich mercke seinen Rath, dancke ich Ihm vor seine Gnad.

5. Und sage: O! Getreuer GOtt, gedenck
stu auch noch meiner Noth, und thust mein heut
noch pflegen. Da du zuvor so manche Jahr geholffen aus so viel Gefahr auf denen rauhen
Wegen: und wurdst nie des Erbarmens müd;
O ew'ge Gnad! O ew'ge Güt.

6. Drum thu ich alzeit dencken dran, wie du
auf der betrübten Bahn so treulich mich geführet:
und halffst mir aus so vielem Leid, und manchem harten schweren Streit, wann ich etwa abirret. So sey dann ferner mein Gefährt, so
lang noch lebe hier auf Erd.

7. Diß wäre mein gröste Freud, wann alzeit
Geistes-Munterkeit in allem ich verspüren, so
wär mein Gang mit GOtt zu sehn, und könt
in allen Dingen stehn ohn einiges Abirren.
Jetzt bin ich froh, daß mir dein Licht gibt alzeit
stetten Unterricht.

8. Will mir die Zeit sonst werden lang, will
ich dich preisen mit Gesang, und von viel Wundern sagen. Wie du so manche Zeit und Jahr,
in so viel Nöthen und Gefahr, auf Händen mich
getragen. Diß ist mein Fortheil in dem Weg
zu bringen durch das viel Gehäg.

9. Du hoch erhabner Zions-GOtt, laß sehen
bald der Völcker Spott, die sie gelästert haben;
damit ihr Fall und bittre Klag bald kommen mög
auf einen Tag, daß man es könn nachsagen.
Der Herr hat nun sein Volck getröst, und durch
sein grose Macht erlöst.

10. Ach laß doch sehen bald den Tag! worinnen Zion jauchzen mag in hoch erwünschten
Freuden: so wird man sehen rund umher von
ihrem Glantz erschrecken sehr die gantze Macht der
Heyden. Die sie zuvoren nichts geacht, und
ein Liedlein aus ihr gemacht.

11. O! möchten doch die übrigen von meinem Saamen es auch sehn, wann Zions Glück
erwacht. Der Mund, so lang den Trauer-
Tohn ließ hören bey so langem Hohn nunmehr
von Freuden lachet. Jetzt hört man sagen weit
und reit bvon Zions groser Herrlichkeit.

12. Diß ist der Trost bey so viel Drang, und
dem gehabten Creutzes-Gang und Jammer hier
auf Erden; den man getragen stets unher, samt
vielen Fluten wie ein Meer in mancherley Beschwerden. Jetzt ist der Hoffnung ihre Eng dahin, samt mancherley Gedräng.

13. Deß freue sich mein müder Geist, weil
ich bin nun dahin gereißt, wo mein Glück ist getroffen. Die Vorkost von der Zions-Freud versüßt das viel gehabte Leid, erwart in langem Hoffen. O hoch beglückter Freuden-Tag! worinn
vergessen alle Klag.

14. O komme zu Hauffen weit und breit! die
ihr etwa ermüdet seyd auf diesen rauhen Wegen.
Was man mit so viel Müh gesucht, und sich er-
rettet durch die Flucht, kommt ein, mit vielem
Segen. Jetzt ruh ich nach so manchem Leid im
Schooß der stillen Ewigkeit.

230.

MEin Heil ist mir in GOtt erwacht, der
mir von längsten zugesagt vom Siegen und
Gelingen. Jetzt bin ich dran, es glücket schon,
daß ich im allerschönsten Tohn kan Sieges-Lieder singen. Des Spötter Pracht und Frevel-
Muth ligt nun in ihrem eignen Blut.

2. Ich freue mich der Wunder-Krafft, worinnen mir GOtt Heil verschafft, daß ich kan freudig sagen: Der Feinde Wuth und böser Grimm
ist nun mit grosem Ungestümm hin, und zu Grab
getragen. Ich bin nun wie in GOtt erneut,
dieweil ich voller Sieges-Freud.

3. Jetzt rufft nicht laut der Trauer-Tohn, es
schallt.

schalt vom hohen Himmels-Thron, sey froh, es
ist gelungen. Weil die Verächter selbst den
Hohn tragen als eine Beut davon, die dich so
hart gedrungen, dabey verhöhnt den ganzen Tag,
die tragen nunmehr ihre Schmach.

4. Es ist eine hohe Wunder-that, die nach des
weisen Schöpfers Rath ein Glück vor allen Sachen; wer seiner selbst ist kommen ab, sein eigen
Thun gebracht ins Grab, kan Teuffel, Welt verlachen: dabey der Höhner leeren Wahn wie Koht
zertretten auf der Bahn.

5. Ja, freylich gibt der Spötter Hohn nunmehr auch keinen lauten Thon, weil sie wie Koht
geachtet. Die Siege jener armen Leut machen
aus ihnen eine Beut, weil nun ihr Spott verschmachtet. Drum werden groß und klein da
stehn um dieses Wunder anzusehn.

6. Wie GOtt die Kleinen hat erhöht, mit
Ehre, Krafft und Mayestät, die Grosen hin verwiesen, also kein Tröpfflein Lebens-Saffe, auch
hart genommen in Verhafft, den Hochmuth ab-
zubüsen. Jetzt siehet man der Kleinheit Staat,
wie selben GOtt erhöhet hat.

7. Tryumph! das Lamm behält den Preiß,
siegt auf gar wunderbahre Weiß; wo andre hoch
auffsteigen, und prahlen in viel Wort-Gepräng:
es gehet hin bey viel Gedräng, und siegt im Stille-schweigen. Wer mich will kennen auf der
Bahn, der sehe nur ein Lämmlein an.

8. Wann Ihm der Schärer thut zu viel, es
läßt sich binden, schweiget still, soll auch der
Schlachter kommen. Es läßt das Leben samt
der Woll, lehrt jederman, wie er thun soll, der in
dem Looß der Frommen. Jetzt hab ich meine
gröste Freud an der so edlen Sieges-Beut.

231.
MEin in GOtt verliebter Geist hat sich aller
Ding begeben, ist hinein zu GOtt gereißt,
wo das stete Andachts-Leben. Da hat das erwünschte Hoffen, worin man sich so sehr bemüht,
zu einem mal sein Ziel getroffen, mit lauter Segen, Heil und Fried.

2. Dann das eingekehrte Aug hat im Still-
seyn was erblicket, das sonst nicht der Menschen

Brauch, die nicht einwärts sind verrücket, O du
seliges Gedeyen! O du vergnügtes Stille-seyn!
wo so viel Müh nicht läßt gereuen, und man in
GOtt gegangen ein.

3. Wann der Vorhof ausgefegt, der befleckt
von vielem Bluten, wo nur eins das andre schlägt:
statt der Priester Zornes-Ruthen, wird man bald
erbauet sehen den Tempel herrlich, weit und groß;
doch wird sonst niemand da eingehen, als dem
ertheilt ein Priester-Looß.

4. Ich bin froh in meinem Geist, weil mich
GOtt so rein gefeget von dem, was betrüglich
gleißt, und den Priester-Schmuck anleget, da
man trägt des Andern Lasten, und wird im Opffer auch für die, so uns als Feinde oft antasten,
und stehet für sie spat und früh.

5. Wer auf den Altar gebracht, und im Feuer stetig brennet, hört nicht, was man sonsten sagt,
noch was leerer Mund bekennet; lebt man nur
im reinen Wesen, so ist das Opfer angenehm,
was nicht rein, thut das Feuer fressen, wär es
auch von der zwölfen Stämm.

6. Kan auch wol was bessers seyn, als wo
anders nichts gehöret: die in GOtt verliebte Pein
wird im Feuer stets vermehret: wo das Brennen
auffgehöret, eh kam das reine Gold herfür, wird
man dadurch nur mehr bethöret, und irret weiter
für und für.

7. So nicht mein verliebter Sinn muß im
Feuer stetig brennen, wäre diß nicht mein Gewinn, könt ich nicht GOtt bekennen, dann desselben reine Kräffte ertödten stets den Adams-
Sinn, daß all sein Thun und sein Geschäffte ge-
kränket, und gar genommen hin.

8. Wie der alte Mensch erliegt, kommt man
bald zum wahren Wesen, und wo Teufel, Welt
besiegt, ist man wie in GOtt genesen; und das
Leben hat Geschäffte, die nimmer stille können
seyn, erwecket stetig neue Kräffte tiefer in GOtt
zu dringen ein.

9. Dann da ist kein Stille-seyn, nach dem
Weinen kommt das Lachen, wer in GOtt gegangen ein, siehet täglich neue Sachen: schlagen jetzt
die Meeres-Wellen, bald drauf singt schön der
Engel-

U

Engel-Chor, und wolt ihn auch was anders fällen, so redt GOtt selbsten ihm ins Ohr.

10. Drauf gibts neuen Unterricht, daß man
kan von Wundern sagen; und scheint das Propheten-Licht, läßt GOtt neue Mähr vortragen,
gibt im Schauen einzusehen, was dort in jener
Welt erscheint, dann muß der Kummer bald vergehen, hätt man sich auch zu todt geweint.

11. Setzt der Geist aufs neue an, ohne Maaß
in GOtt zu leben, so muß Adam wieder dran,
und in lauter Elend schweben: diß ist Freude die
errungen, wann sich Adam zu tode kränckt, wird
ein neu Tryumph-Lied gesungen, sein Anschlag
wird im Meer ertränckt.

232.

MEin in GOtt verliebter Sinn weiß von
keinen andern Schmerzen, als nur, daß ich
nicht so bin, wie ich wünsch in meinem Herzen.

2. Hätt' ich mein erwünschtes Loos und der
Weißheit Schatz gefunden: wär ich aller Sorgen loß, und mein langer Schmertz verschwunden.

3. Und so muß sich meine Lust oft an andern
Sachen nähren: weil ich ihrer süßen Brust muß
so lang und viel entbähren.

4. Doch soll meine heisse Brunst ohne Ende
nach ihr brennen: bis daß ihre treue Gunst mich
wird ganz ihr eigen nennen.

233.

MEin Laufen hat mit GOtt erjagt, mein Stille-seyn den Sohne; das Geist, was man in
Worten sagt. Dis ist der Gottheits Throne.

2. Jetzt fahr ich dann sehr sanffte hin, ohn
daß man sich bemühet: worinn ich ein ganz andrer bin, als was man an mir siehet.

3. Ich lebe Sinn-und Bilder-loß, acht keinen
leeren Scheine: wär auch das Ansehn noch so
groß, ich halts nicht vor das Meine.

4. Mein Still-seyn ist ein GOtt-Gewicht,
mein Wallen schafft der Sohne; der Geist ver-
tritt die Amtes-pflicht! jetzt bin ich selbst sein Throne.

5. Weil ich nun bin ein Tempel-Hauß, worinn er selbst thut wohnen: muß nichts da gehen
ein und aus, ohn, was Er kan belohnen.

6. Und wann im innern Heiligthum dem Altar wird gepfleget: so muß sonst alles werden-
stumm, ohn was Rauch-werck zuträget:

7. Daß die Gebäte rauchen auf, nach Gottes
Wolgefallen: bald folgt ein anders wieder drauf,
man thut im stillen wallen.

8. Der Rauch-Altar pflege Christi Leib, das
Stillseyn hat sein Wesen aus-GOtt, daß man
sein Werck-so treib, und von Ihm heiß erlesen.

9. Um so zu dienen dem Altar, wo stets das
Feuer brennet: und ausgesöhnt die ganze Schaar,
so nach Ihm wird genennet.

10. Der Gottes-dienst währt Tag und Nacht,
wann man den Hauch läßt wallen, der vor die
ganze Schöpfung wacht, und lässet nicht erkalten.

11. Man gehe aus, man gehe ein, man bleibt
in seiner Mitte: wo GOtt selbst schencket Wesen
ein, da ist ein ew'ger Friede.

12. Wol, wer einmal hinein gebracht, wo
man dem Altar dienet: und vor die ganze Schöpfung wacht, daß die werd ausgesöhnet.

13. Der hat erlangt sein Erb und Theil, wo
GOtt ihm hat beschieden, besißt das aller größte
Heil, dabey den ew'gen Frieden.

14. Jetzt hat noch Wort noch Mundgeschrey,
noch, was betrüglich scheinet, mehr anders was
zu tragen bey, weil man mit GOtt vereinet.

234.

MEin Leben ist dahin und bald verschwunden,
drum suche ich nun eine andre Welt.
Wohl mir! das wahre Gut ist nun gefunden,
das ich schon lang zuvor mir hab erwählt. Wie
froh bin ich auf meiner Fahrt, weil ich nun bin
mit GOtt-gepaart, der nach so langem Leid und
Wehen mich macht mit in sein Reich eingehen.

2. Drum wird die Wanderschafft sich selbst
belohnen, wann meine Reise nun wird seyn vollendt, und ich in Gottes Haus werd ewig wohnen, und aller Schmerz und Leid wird seyn zu
End. Wie freuet sich mein Herz und Geist,
weil ich bin aus mir selbst gereißt, drum wart ich
nur, bis kommt gegangen, was mir wird stillen
mein Verlangen.

3. Ich bin zwar schon getröst durch langes
Hoffen, weil mir der süße Fried im Herzen blühet,
mein.

mein Geist ist schon erlößt, sein Ziel getroffen,
um welches mich so manche Jahr bemüht.
Drum bin ich alles Trostes voll, weil GOtt mir
thut so innig wohl, und weg genommen meine
Lasten, daß ich in Ihm kann süße rasten.

4. Wie muß zuletzt nicht alles anders werden,
wann man einmal das rechte Ziel erreicht. Wie
enden sich nicht die so viel Beschwerden, wo man
in Treu und Glauben nicht erweicht. Wie wird
nicht alles still und ab, wo gantz versencket in das
Grab die leere Dünste, die nur brausen, und suchen GOtt im Schein von außen.

5. Mein Paradieß ist GOtt und reine Liebe,
die mir beständig aus dem Hertzen quillt. Und
weil die reine Quell nicht mehr wird trübe, so ist
auch aller Zorn und Haß gestillt. Wie sanfte
läßt sichs allda ruhn, wo man sonst nichtes weiß
zu thun, als was Gedult und Liebe schaffen; wie
sanfte läßt sichs allda schlafen.

6. Drum kann mein Hertz sich auch mit sonst
nichts paaren, weil es so sanft im Schoos der
Liebe ruht: es lässet allen Trost und Schein-
Werck fahren, Trotz was ihm sonsten schwächen
kann den Muth. Ich werde nun nicht mehr
verstellt, weil ich in einer andern Welt; wo alles
andre gantz verschwunden, und stete Ruh in
GOtt gefunden.

235.
MEin Leben ist erhaben in süßer Himmels-
Lust, weil ich mich stets kan laben an Gottes
Liebes-Brust. Was da wird eingeschencket, kein
fleischlich Hertz versteht; der Wille wird gelen-
cker zum Wachen und Gebät.

2. Es ist nicht zu ermessen, was dieses vor ein
Gut, wo man in GOtt genesen, und stets auf
seiner Hut; die Schmertzen müssen weichen, wo
sonst der blöde Sinn offt scheint im Tod erbleichen. O! seliger gewinn.

3. Dem so sein glück einkommen da man es
nicht gedacht, bey so viel Anfechtungen, der langen Creutzes-Nacht. Das Trauren muß nun
schweigen, weil GOtt gesehen drein, und bey
dem Knie-Beugen schenckt lauter gute ein.

4. O Reiche Gottes-Fülle! die da wird ein-

geschenckt, wo man in tiefer Stille in Gottes
Meer versenckt. Man kan es niemand sagen,
was da vor Segen blüht, wo GOtt umher getragen im Hertzen und gemüth.

5. Die Perle ist gefunden, ein Schatz der E-
wigkeit, die Welt ist überwunden und alle Reich-
tigkeit. O! seliges gedeyen, wer so mit GOtt
vereint; es lässt sich nicht gereuen, dann hier ist
ausgeweint.

6. Jetz gehet es an ein Hertzen, der hoch-erhab-
ne Stand versüßet allen Schmertzen, man ist
mit GOtt verwandt. Was sonst vor denen
Zeiten geheisen gram und Leid, wird nun mit
tausend Freuden belohnt in Ewigkeit.

236.
MEin Leben ist versuncken im stillen Friedens-
Meer, wer darin gantz ertruncken, kan rühmen Gottes Ehr: wie sanfte läßt sichs rasten,
wer da geschiffet ein, ist frey von allen Lasten,
wärs auch die schwerste Pein.

2. Wie mancher Schmertz und Wehen, wie-
viel betrübte Zeit, muß über uns ergehen, eh wir
in GOtt erfreut: das Beste, wo wir meinen an
GOtt getreu zu seyn, muß erst, bey langem
Weinen, als wie verloren seyn.

3. Wann ich mir thu gedencken, wie manchen
Tag und Jahr ich bey so vielem Kräncken, in
mancherley gefahr, betrübt einher gegangen: so
könt vor Leid vergehn; doch hatte mein Verlangen GOtt endlich angesehn.

4. Man kan es niemand sagen, was heißt:
genesen seyn, und wie nach so viel Zagen GOtt
anders schencket ein. Der süße Trost im Hertzen
ersetzt den langen Drang, wo sonst in tausend
Schmertzen offt Zeit und Weile lang.

5. Doch kan man schwer vergessen in dieser
Sterblichkeit, wo man betrübt gesessen in so viel
bitterm Leid: da offt in Todes-Zügen der arme
Geist versenckt, verlassen mußte liegen, gleich wie
im Meer ertränckt.

6. Hätt ich in denen Tagen der kümmerlichen
Zeit mein Creutzlein nicht getragen in Demuts-
Niedrigkeit: gewiß ich wär entkommen des treu-
en Schöpffers Rath, beraubt der wahren Frommen, und Gottes güt und gnad.

7. Wie wohl ist dem geschehen, der in dem Leiden treu, soll er auch drin vergehen, GOtt stehet treulich bey den lieb-verliebten Hertzen, die um das wahre Gut erdulten alle Schmertzen, gings auch bis auf das Blut.

8. So hab ich durchgedrungen in vielerley Gefahr, bis endlich es gelungen, da ich genesen war: mußte der Schmertzen weichen, der Kummer stille hin, muße wie im Tod erbleichen mit doppeltem Gewinn.

9. So wird das Ziel erjaget bey mancherley Gedräng, der Kummer, der uns naget (daß wir in steter Eng) muß endlich mit vergehen; der Frieden bringet ein viel Segen, nach den Wehen kommt süßer Freuden-Wein.

10. O! möchte man bald sehen die gantze fromme Schaar entnommen ihren Wehen und mancherley Gefahr: so würde Zion singen (mit vieler Sieges-Freud) von großen Wunder-Dingen in alle Ewigkeit.

237.

MEin Leben steht in Schmertzen, so lang ich leb auf Erd; das Grämen in dem Hertzen sich täglich noch vermehrt. Ach! ach, der vielen Pressen, die ohne Ziel und Maaß mir werden eingemessen auf meiner Pilger-Straas.

2. Wer hätte sollen dencken, daß bey so langem Leid nicht auf soll hörn das Kräncken. O! der betrübten Zeit, wann gerne wär genesen durch heiligs Stille-seyn, kommen noch härtre Pressen, die mit gemessen ein.

3. Was soll man dann nun sagen in dem betrübten Stand, daß oft kaum zu ertragen, doch ist es GOtt bekannt, der weiß die besten Zeiten, wann Er soll schencken ein nach so viel Bitterkeiten den süßen Liebes-Wein.

4. Drum wird der Staub noch loben, wann ich werd aus dem Koth gebracht nach vielen Proben und bitter Leidens-Noth. Ich kan nicht vieles sagen, wann ich werd laden ab; doch will den Schmertzen tragen, biß man mich legt ins Grab.

5. Offt muß die Hoffnung schweigen, das Dencken höret auf, diß bringer tiefes Beugen in dem so müden Lauf: so muß ich immer wandern in sehr betrübten Sinn, von einer Noth zur andern, biß alle Krafft dahin.

6. Doch ist mir dieses blieben in meinem vielen Leid, wie in so viel Betrüben die große Gütigkeit mir hat vor diesen Jahren in dem verliebten Sinn aus vielerley Gefahren geholffen immerhin.

7. Wann Schmertzen mich umgeben und viele Engigkeit, schenckt GOtt das Liebst im Leben nach der betrübten Zeit. So bin ich dann berathen mit Wol und Weh zugleich, wollt ich mich deß entladen, verscherzt ich Gottes Reich.

8. Drum bleibe ich behangen an seiner Freundlichkeit, dort werd in Ehren prangen nach viel gehabtem Leid. Die Freude in dem Leben, so einst alldort erscheint, wird die Erlösung geben, wann lang genug geweint.

9. Diß sind des Glaubens Schrancken, so lehrt ein Gottes Kind, wer darinn bleibt ohn Wancken, der kommt zum guten End. Drum wol, es ist geschehen, ich gehe meinen Gang, dort werd ich GOtt erhöhen mit vielem Lob-Gesang.

238.

MEin lieb-verliebter Sinn will es mit JEsu wagen, und gern und willig Ihm sein Creutze hier nachtragen: dann nichts kan Liebers seyn, nichts Schöners wird gefunden, als wann ein Hertze gantz mit Gottes Lieb verbunden.

2. Und weil das keusche Lamm sich hat zur Braut ersehen die Seelen, die allein nur seinem Fuß nachgehen: drum geb ich alles hin, was sonst erfreut auf Erden, dann ich Gottes Braut und liebste möge werden.

3. Diß ist die höchste Lust, die meinen Geist bewogen, daß ich die Welt verschmäht, und jener nachgezogen. Und weil ich bin vereint des reinen Lamms Jungfrauen: werd ich mit ihnen dort GOtt ohne Ende schauen.

239.

MEin Seel soll GOtt lobsingen, und Ihn hoch rühmen allezeit, dann Er läß mir gelingen, drum soll mein Hertz stets seyn bereit: daß ich sein Wunder-Thaten ausbreite nah und fern, die bisher wohl gerathen, zu Lob dem großen HErrn, vor Dem sich alles beuget, wann Er

sich

fich aufgemacht. Mein Seel ist hoch erfreuet,
weil Er mir Heil verschafft.

2. Wider die Feind ohn Maaßen, die auf
mich drungen allzumal, und mich ohn Ursach
haffen, damit sie brächten mich zu Fall. Das
haft du laffen fehlen, ihr'n Rath zu nichte gemacht:
drum will dein Lob erzehlen, und stetig seyn bedacht,
daß ich Dich rühm und preise, mein
GOtt! zu aller Stund, und dir Lob Ehr erweise
aus vollem Herzens-Grund.

3. Denn Du thätst nicht vergeffen, was du
zuvor verheiffen haft: und lieffest mich genefen,
und nahmest weg mir meine Laft. Du läffst den
Bund nicht fahren, hältst fest an deiner Treu,
errettest von Gefahren, und machst von Banden
frey die, so sich Dir vertrauen und halten in der
Noth, die läffest Du bald schauen, daß Du ihr
Schutz und GOtt.

4. Du lieffest deine Gnaden kund werden dem
Volck Israel, und heilest ihren Schaden: daß
man von deinem Ruhm erzehl jetz und zu allen
Zeiten, weil Du bist Jacobs GOtt, und thust
vor sie selbst streiten, hilfst ihnen aus der Noth.
Drum könn'n sie stets verehren den grosen Namen
dein, wann sie dein Lob vermehren in deiner
heil'gen G'mein.

5. Heil, Preiß, Danck, Krafft und Stärcke,
sey unserm GOtt in Ewigkeit: Der uns zeigt
seine Wercke, daß wir zu seinem Dienst bereit.
Er thut mit Güte walten über sein Eigenthum,
und thut sein Zusag halten: drum werd Ihm
Preiß und Ruhm jetz und zu allen Zeiten von
seinem Erb-Geschlecht, die seine Macht ausbreiten,
das sey ein ewigs Recht.

240.

Ein sehnendes Verlangen hat seine Zeit erreicht,
unter so langen Drangen, die nunmehr
sind geschweigt. O seliges Vergnügen!
nach so viel schweren Streit, da hin die Krafft
vom Siegen in der betrübten Zeit.

2. Nun kann man seine Tage im Segen
bringen hin, die schwere Niederlage hat einbracht
den Gewinn. Dann wann ich thu gedencken,
was Gottes Gütigkeit mir gutes thät einschencken
in meinem langen Leid:

3. So werd mit süssen Trähnen gantz ausser
mir gestellt, und lerne mich gewöhnen zu seyn,
wies ihm gefällt. Dann jetz gibts andre Sachen
als in vergangner Zeit, der Trauer-Mund
kann lachen, weil man in GOtt erfreut.

4. Die langen Trauer-Tage in dem verliebten
Sinn werden zu einer Sage, was bringet vor
Gewinn. dem, der getreu auf Erden im schmalen
Himmels-Steig, bey den so viel Beschwerden
auch niemals worden weich.

5. Der Segen kommt geloffen von allen Orten
her, daß alles heißt getroffen, was auch sonst
faur und schwer. Jetz muß nichts seyn gefehlet,
wo auch von Herzenleid man seyn muß wie entseelet,
es bringet lauter Freud.

6. Wer in Gedult getragen sein Creutz in
Mesechs Zelt, den Himmel zu erjagen, gethan,
was GOtt gefällt; dem muß noch hier auf Erden
einkommen Fried und Freud, ohn was aldort
wird werden in jener Ewigkeit.

7. Jetz ists im Sieg gelungen nach lang und
vieler Noth; wo man so hart gedrungen, genüffet
man nun GOtt. Diß ist nicht auszusagen,
was vor Vergnügsamkeit man stets umher thut
tragen schon hier in dieser Zeit.

8. Wer so getreu geblieben bey seinem vielen
Leid, der ist ins Buch geschrieben der ew'gen Seligkeit.
Dann muß ihm sein Glück werden aldort
in jener Welt, weil er alhier auf Erden gethan,
was GOtt gefällt.

241.

Ein so langer Trauer-Stand kann mit
Freuden Garben binden, wer einmal mit
GOtt verwandt, läßt kein Ding sich überwinden.
O! was Frieden nach dem Streit, O was angenehme
Stunden! wer erwarten kann der Zeit,
biß das wahre Gut gefunden.

2. O! ein seliger Gewinn, der so plötzlich
eingeloffen, da gemeynt, ich wär dahin, war mein
rechtes Ziel getroffen. O! wie selig ist der Sinn,
der in keiner Noth wolt weichen, lieber alles gab
dahin, um sein Ziel zu erreichen.

3. Wer diß einmal hat erjagt, daß er an sein
Nichts ist kommen, hört nicht mehr, was wird
gesagt,

gesagt, auch wol von gemeinen Frommen. Dann gar wenige diß Looß hier ergreiffen in dem Leben, wo man aller Dingen bloß, und sich GOtt so hin thut geben.

4. Was vor Güter kommen ein, lässet sich al- hier nicht sagen, scheints man wäre gantz allein, werden Kosten aufgetragen, daß kein fleischlich Hertz verstehr, wie dieselbe zu genüsen, sondern lieber Wege gehr, wo man tritt das Best mit Füssen.

5. Ich will diß nun lassen stehn, sagen, was GOtt thut einschencken; nach so vielen bittern Wehn thut Er nun mit Güte träncken. Ich bin schmiegend als ein Kind, dann er pflegt mein mit erbarmen, wann sich ein Gebrechen findt, thut er mich in Güt umarmen.

6. Drum bin ich so froh gemacht, weil gantz anders meine Sachen, als in finstrer Creutzes- Nacht, da offt wuste nichts zu machen, als mit Trauren gehen hin, hoffen nur, was dort wird werden, da erst blühet mein Gewinn, weil versagt die Freud der Erden.

7. O! wie wol bin ich nun dran, weil ich al- les hingegeben auf der frohen Lebens-Bahn, auch das liebste in dem Leben. Darum geh ich aus und ein in der Hoffnung bessrer Zeiten, da inzwischen GOtt schenckt ein, und thut mich im Segen leiten.

8. Daß im Hoffen und Gedult ruhen kann in meiner Kammer, weil die Treue Gottes-Huld hingenommen meinen Jammer. Drum ist mein so langer Brast gleich, als obs wär nichts gewesen, samt der schweren Tages-Last, weil ich bin in GOtt genesen.

242.

Ein so sehr verlassner Stand, in so vielen Trübsals-Tagen, machet mich seyn mit GOtt verwand; Wer kan die Wunder nicht aussagen. O wie selig ist der Sinn! der es thut aufs äuserst wagen, sich und alles gibet hin, lerner bald manch Creutze tragen.

2. O wie froh bin ich gemacht! daß ich nie- mals bin gewichen, in so mancher Trübsals- Nacht, da offt fast im Tod verblichen. O! Was

Friede nach dem Streit! und sehr kümmerliches Tagen, wann die harte Trauer-Zeit hin, und wie ins Grab getragen.

3. Jetzund gehet man so hin, dultet, was man nicht kan sagen: wer wolt wissen den Gewinn, lern erst mit manch Creutze tragen. Also wird man zubereit zu dem wahren Freuden-Leben, wel- ches nach betrübter Zeit allen wird in Schooß gegeben.

4. So hier alle Ding versagt, mit viel Wei- nen hingegangen, es aufs äuserst hin gewagt, auch in bittern Todes-Drangen: nie gewichen hin zur Seit, wo der Jammer wär verschwun- den. Nach so lang und schwerem Streit wird das ew'ge Gut gefunden.

243.

Ein Verlangen hat getroffen nun das rech- te End und Ziel: weil zu End das lange Hoffen, und ich mit viel Segens-Füll werd von innen angefüllt, wodurch aller Schmertz gestillt.

2. O was wird da eingemessen! wer erwartet seine Zeit: bis er eins in GOtt genesen, und von aller Last befreyt, lang gehofft ist nicht verscherzt, ob es schon oft bitter schmertzt.

3. Süse Ruh und stiller Friede breitet sich un- endlich aus: wer getreu an GOtt geblieben in dem allerhärtsten Strauß. Wer darinn ist rein bewährt, bleibt GOtt ewig zugekehrt.

4. Nun mein Hertz! ersenck dich nieder, lobe deinen guten GOtt: singe neue Liebes-Lieder, sey getreu bis in den Tod, und gedencke stets daran, was Er dir vor Guts gethan.

5. Seine Güte hat kein Ende, seine Langmuth hat kein Ziel: seine treue Liebes-Hände lenckens, wie Ers haben will. Darum bleibet seine Gnad allezeit mein bester Rath.

6. Und weil auch mein Theil wird werden mir in jener neuen Welt: darum will ich hier auf Er- den leben, wie es GOtt gefällt. Durch Gedult, nach so viel Leid, wird erlangt die Seligkeit.

244.

Ein Wandel ist vor GOtt, der zehlet mei- ne gänge: reißt mich aus aller Noth, lässt mich in keiner Enge. Wann alles, was

Odem

Odem hat, erfähret man erst seine gnad.

2. Mein Wandel ist mit GOtt, der mich mit Augen leitet; drückt mich der Völcker Spott, so ist mein Bett bereitet in Gottes Gnade, Gut und Huld, der meiner pflegt in viel Gedult.

3. Mein Wandel geht dort hin, was nie ein Aug gesehen, und weil ich alber bin, macht mirs so manche Wehen. Wann aber glänzt der Weißheit Licht, werd ich von Freuden aufgericht.

4. Ich wandle für mich hin, hab anders nichts zu tragen, als was der Pilger-Sinn thät um den Himmel wagen. Mein ausgeleerter Stand bringt ein, was GOtt mir wolte schencken ein.

5. Da Er mich hiese gehn aus Sodoms Anverwandten; ich ließ die Saltz-Seul stehn sammt übrigen bekannten. Thuts gleich in Sodom schrecklich stehn, ich eil in Zoar einzugehn.

6. Da finde ich mein grab, da ich werd sauffter rasten, dann mein erworbne Haab sind lauter leichte Lasten. Mein Erbtheil blüht in jener Welt, weil ich gesucht, was GOtt gefällt.

7. O! daß doch meine Treu gebracht zum guten Ende; und GOtt es selber sey, der all mein Unglück wende. Diß ligt mir an in allem Leid, daß Er selbst gebe den Bescheid.

8. Daß ich zurück gebracht, wann soll von hinnen scheiden, wie er mir zugedacht in den vergangnen Zeiten: da er mich rief aus dieser Welt, und mich zu so viel Creuz erwählt.

9. Diß ligt mir stetig an, daß mögte seyn getroffen das Ziel auf meiner Bahn, wornach so lang geloffen: da freylich aller Schmerz und Pein wird ewiglich vergessen seyn.

10. Weil Gottes ew'ge gnad mich selber hat geleitet den engen Lebens-Pfad, wo an dem End bereitet das süsse glück der Ewigkeit, alwo vergessen alles Leid.

11. Drum werd ich sanffte ruhn, wann ich den Lauf vollende, weil das mühsame Thun GOtt treulich umgewendet. Jetzt wandle ich mit GOtt's gemein, biß ich werd gehn zum Himmel ein.

245.

EIn Ziel ist nun gesteckt, was heisen wird getroffen, wird seyn, wo man im Lauf sich fast zu Tod geloffen; da kommt der schwere Stoß des alten Menschen Stand, dem GOtt noch biß zur Zeit geblieben unbekannt.

2. O Geist der Ewigkeit! laß einsten mich genesen! weil ich gab alles hin, da ich mir hart erlesen dir, als dem höchsten gut, ewig getreu zu seyn, da weiter nicht gedacht an so viel Todes-Pein.

3. Ich meynt, es wär genug, wo man das Best erwählet; gedacht an keinen Trug, biß daß ich fast enteelet. Der alte Sünden-Mensch kam erst hervor mit Macht, da ich gemeynt, ich wär zum rechten Ziel gebracht.

4. O ein betrübter Stand! wo solte seyn erworben das höchste gut, da war ich erst im grund verdorben. Jetzt fiel der Muth dahin, ich war wie irr gemacht, weil meynt, mein Gottes-Dinst solt währen Tag und Nacht.

5. Jetzt kam der Trug hervor, wo GOtt so sehr betrübet, da man sich Ihm schön schmückt, und doch nur sich selbst liebet. Diß macht den harten Streit, weil man sich selbsten hat zum Ziel gestecket ohn GOtt, und seiner gut und gnad.

6. Wer thut wol dencken dran, wann man die Freud der Erden versagt, daß man dabey selbst ganz zu Nichts muß werden; und daß nur unser Nichts GOtt seinen Trohn-Sitz macht, wo man erst Gottes-Dinst kann pflegen Tag und Nacht.

7. Hier wird der reine Schmuck des Himmelreichs erworben, wo Adams Trug und List in vieler Noth erstorben. Jetzt grünt ein Blummen-Zweig hervor aus reiner Erd, diß ist die Frucht, wann man vom Weinen wiederkehrt.

8. Jetzt sieht man Kinder gehn, die GOtt entgegen kommen, und das verlohrne gut wird wiederum vernommen. Jetzt kommen Blicke aus dem Geist der Ewigkeit, der funden, wie es war vor aller Welt und Zeit.

9. Jetzt ist mein Fäncken auch aufs neue aufgewachet, weil ihn der reine Geist so freundlich angelachet; Vielleicht ists Jungfrauschaffte, wo mein verliebter Sinn hat alles auf der Welt um sie gegeben hin.

10. Ist diß mein Losungs-Wort nach so viel Trauer-stunden, so wär zu einem mal der edle Schatz

Schatz gefunden. Ich konte doch nicht ruhn, biß mich ihr Blick erfreut, dann diß wars, daß geführt so manchen schweren Streit.

11. Wann es nur Jungfrau heiße, was meinen Schmertz versüset, so ist es, was mein Geist, so lang gewünscht, genüsset. Ist es die Jungfrauschafft, die meinen Jammer stillt, so ist des Leidens Maaß zu einem mal erfülle.

12. Jetzt trag ich meinen Schmuck gantz heimlich und verborgen, und thu der Jungfrau selbst befehlen meine Sorgen; kommt einst der Hochzeit-Tag nach langem Wunsch heran, so bin ich eins zu End auf meiner Trauer-Bahn.

246.

MIt Kummer, Trübsal und viel Leid verbring ich meine Lebens-Zeit, bey kümmerlichen Tagen; weil sich so vieles um mich her, als ob keil, GOtt im Himmel wär, diß sind die bittre Klagen. Dabey, ist diß mein Sorgen-Stein, daß ich möge GOtt gefällig seyn.

2. In diesem Sinn hab zugebracht, so manchen Tag so manche Nacht, daß möchte selig werden; dabey versaget alle Ding, die sonst zu schlecht und zu gering, auch alle Freud der Erden. Dis bracht so manches bittres Leid, so manchen Kampff und schweren Streit.

3. Drum geh auch jetzt so traurig hin, weil mein so sehr verliebter Sinn muß fast von Leid verschmachten. Dis bringer mir so manches Weh, weil viel so wol geloffene diß grosse Heil verachten. Der Tempel ist, als wie zerstört, das Heiligthum hinaus gekehrt.

4. Man siehet weder Schaf noch Taub (weil gantz verloschen Lieb und Glaub) mehr auf den Altar bringen. Kein Rauchwerck mehr zur Himmel steiget, weil das Gebät zu GOtt hin schweiget, veracht das Lieder-singen, dieweil das Eitle nahm dahin den sonst so sehr verliebten Sinn.

5. Dis bracht mir ein den Trauer-stand, weil sich, wie Gottes Wunder-Hand sich hat zurück genommen; und läßt den Sinnen ihren Lauf, weil niemand mehr thut achten drauf, daß gantz dahin das Frommen. Drum möcht ich Garben-Binder seyn, wann diese Erndt wird kommen ein.

6. Sehr wenige sind jetzt zu sehn, die stets mit Trauren umher gehn, und säen ihren Saamen mit Weinen und mit Schmertzen aus, biß man die Erndte bringt nach Haus, und kommen allzusammen, die hier in der betrübten Welt gesucht, gethan, was GOtt gefällt.

7. Dann wird die schöne Erndte-Zeit vergessen machen alles Leid hier, in den Trauer-Tagen, da öffters Zeit und Weile lang, wegen so manchem harten Drang, daß kaum ist aus zusagen: so größer wird dann seyn die Freud, je härter die betrübte Zeit.

8. Da man muß weinend umher gehn, bey so gar viel und langen Wehn, daß scheint, man wär verwiesen, weil man verscherzet Gottes gnad, durch Menge großer Missethat, drum müßte man so büßen. O! wie so klein wird man gebeugt, wann selbst der Helffer sich nicht zeigt.

9. Kommt Traurige, setzt wieder an, und sehet auf den Helffers-Mann, die Zeit eilet zum Ende; die Trübsals-Tage gehn vorbey, man wird kaum wissen, was es sey, wie elend und geschwind, ie der Helffer selbst wird wachen auf, und stärcken, was ist müd im Lauf.

10. Wird man mit Segen heim gebracht, daß in dem Lauf das Ziel erjagt, so wird man es schon sehen, was hier im Creutz verborgen lag, und nun der angenehme Tag geheilt die lange Wehen. Jetzt trincket man lauter Zucker-Wein, die große Freud wird ewig seyn.

N

247.

NIchts erfreulichers kan werden, als die Schönheit, die gesehn, wann in Englischen gebärden Jungfern hier dem Lamm nachgehn. Doch wirds noch viel schöner stehen, wann sie alle groß und klein werden Chör um Chöre gehn in des Königs Saal hinein.

2. Wer wird wohl errathen können, was man da vor Freude hegt, und was heilig Liebe-Brennen bey dem Jungfrauen-geschlecht: Jedes hält sein eigne Weise, anderwärts ists wie ein Traum, süß ist ihre Speise, ihr geziel ein weiter Raum. 3. Biß.

3. Bist du nicht mit Heil bekleidet? O du Jungfrauen-Geschlecht! Dir ist dort vielmehr bereitet, als nur Stadt-und Burgerrecht. Selbst der König wird sich wählen seine Braut, die ihm vermähle aus der Schaar, die nicht zu zählen, so die Jungfrauschaft erwählt.

4. Wird die Hochzeit dann gehalten, wird man können kaum verstehn, was vor schöne Angestalten werden seyn allda zu sehn: Chör um Chöre werden singen, eins ums ander wird den Thon machen noch viel schöner klingen vor dem glorieusen Thron.

5. Was da vor ein Staat gesehen, wann die Königin mit Pracht dem zur rechten Seite wird stehen, so allhier, am Creuz geschlacht: wird wohl kaum ermessen werden, weil verdunckelt offt das Liche in dem Wallen hier auf Erden durch die schwere Leidens-Pflichte.

6. Unterdessen geht das Leben offt im Duncklen wieder auf, was sich einmal GOtt ergeben, wird nicht müde in dem Lauf: Kommet nur und seht die Krone dessen, der am Creuz erhöht, Gleiches wird alldort zu Lohne dem, der seinen Fuß nachgeht.

7. Sind die Tage schon verschwunden, wo sich der verliebte Sinn JEsu Lieb am Creuz verbunden, fället doch der Schmerzen hin: Wann wir dort erhöhet sehen in so groser Herrlichkeit, die hier seinem Fuß nachgehen in des Lammes Niedrichkeit.

8. Kommt, ihr Jungfern, laßt uns gehen, fasset wieder neuen Muth, achtet nicht der vielen Wehen: es vermehret nur die Glut, die im reinen Liebe-Brennen sich dem keuschen Lamm vermähle: wer sich so nach Ihm thut nennen, ist zur Jungfrauschaft gezähle.

248.
NUn bringet mir die Hoffnung ein mein lang-verlangtes Sehnen: was in so bitter Liebes-Pein gesucht mit vielen Thränen. Der Schmerzen, der mich überhäufft in so viel Tag und Jahren, ist nun als wie im Meer ersäufft, samt vielerley Gefahren.

2. Nun wird mein Glück das beste Looß nach

denen Trübsals-Tagen mir legen bey in meinen Schooß, daß ich kan freudig sagen: nun heiß ich Gottes Eigenthum, nichts bessers kan mir werden, als daß ich seinen grosen Ruhm hoch preise hier auf Erden.

3. Es kommt mir dann zu meiner Freud das Beste eingeloffen, weil nach so viel und bittrem Leid mein rechtes Ziel getroffen: so daß ich kommen zu der Tracht in dem verlobten Orden, wo man GOtt dienet Tag und Nacht ins innern Tempels Pforten.

4. Nun ist zu einem mal erjagt, was in so langen Zeiten in vielen Worten nicht gesagt bey so viel Niedrigkeiten: diß ist nun mein verliebter Sinn, daß ich mit allen Seelen vereine mich auf ewig hin, die sich dem Lamm vermählen.

5. O lang-verlangter Hochzeit-Tag! O lang-verlangte Stunden! weil nach so lang-und vielem Ach das beste Theil gefunden: die Welt, mit ihrer Eitelkeit, ist mir als wie verwesen, des Todes Krafft und Bitterkeit auch gantz und gar vergessen.

6. O reiner Geist von oben her! vereine uns im Wesen mit seinem Jungfräulichen Heer, die du dir auserlesen: daß sie alldort in groser Freud, mit vielen schönen Weisen, GOtt in die Läng der Ewigkeit ohn Zeit und Ende preisen.

7. Was soll uns wohl in unserm Looß mehr scheiden hier auf Erden? wer einmal ruht der Lieb im Schooß, kan nicht bewegt werden: die Liebste, die wir uns erwehlt, heißt Sophia mit Namen, und ob der Himmel schon einfälle, ihr Eyd hält uns zusammen.

8. Sie schmücke unsre Sinnen aus mit Weisheit, Zucht und Ehre, daß wir ein reines GOttes-Haus: durch ihre holde Lehre wird uns ertheilet, was gebricht, wir sind durch sie umschlossen: ihr Rath gibt steten Unterricht, wer wird ihn wohl umstosen.

249.
NUn blühet unsre Hoffnung wieder, weil des Schöpffers Freundlichkeit thut erfreuen die Gemüther, die zu seinem Dinst bereit. Kommt! wir wollen ihn erheben, unser Bestes wagen dran, und

2. Sollen wir nicht Freude haben, wann uns Gottes Güte tränckt mit so reichen Himmels-Gaben, und so manchen Trost einschencket: wann wir müssen traurig gehen, in dem sehr verlaßnen Stand, läßt er seine Hülffe sehen, weil wir sind mit ihm verwandt.

3. Sind wir dann nicht seine Armen und verlaßne Wayselein? die er träget mit Erbarmen, und schencket so viel Gutes ein. Darum wollen wir uns freuen, rühmen Gottes Gnad und Gut, weil er lässet uns gedeyen, wann wir sind von Seufftzen müd.

4. Kommt ihr Lieben und Bewährten, die ihr treu gebliben seyd, bey den reinen Lämmer-Heerden, die da gehen an der Weyd auf den grünen Himmels-Auen, wo ihr Hirt und Bräutigam, als der Schönste anzuschauen, und voran gehet wie ein Lamm.

5. Freuet euch, ihr Mitgespielen, seht der holde Bräutigam! der uns hat erwählt vor vielen, ist selbst Hirt und auch ein Lamm. Was ein Wunder wird man sehen, wann die reine Lämmer-Heerd wird zu seiner Rechten stehen, und als Jungfrau hoch geehrt.

6. Nunmehr siehe man andre Sachen, als in der betrübten Zeit, weil GOtt wird ein Ende machen dem so viel gehabten Leid. Dann wird es gar schön aussehen, wann die Jungfrauschafft erhöht, und mit Scham und Schand bestehen jeder, der sie hat verschmäht.

7. Edle Jungfrau, laß dir sagen: bald komt ein, wornach dich dürst; mußtu gleich im Hertzen tragen, als ob du verstoßen wärst: wirstu es doch noch erleben, nach der sehr betrübten Zeit, daß du wirst den Mann umgeben wordurch alle Ding verneut.

8. Edles Licht, thu helle scheinen, mach uns freudig in dem Gang, daß vergessen alles Weinen, und der viel gehabte Drang. Bistu da, so blüht ein Leben, das in jener Welt bestehet; wer sich deiner Huld ergeben, hat ein Gut, so nicht vergehet.

9. Drum muß unsre Freude blühen in dem schönen Lichtes-Schein: wer sich nicht thut drum bemühen, wird wol ausgeschlossen seyn; wann das Lamm sich wird vermählen mit der allerreinsten Braut, wird man Wunder-Ding erzehlen, die jetzt kaum im Geist geschaut.

10. Nun genüsen wir die Früchte von dem viel gehabten Leid, weil uns ein so helles Lichte gläntzet aus der Ewigkeit. Drum ist unser gantzes Leben mit viel hoher Freud umstellt, weil uns thut die Vorkost geben, was wird seyn in jener Welt.

11. Unsre Hoffnung ist gekrönet, dann der lang geführte Streit, hat im Segen ausgesöhnet, wordurch wir so hoch erfreut. Jetzund stehn wir nur im Warten, wie der Geist uns schencket ein viel und mancher Tugend-Arten, und uns führt in Braut-Saal ein.

12. Wo die Tafel schön gezieret zu der allerreinsten Lust, die kein fleischlich Hertz berühret, noch gesäuget an der Brust. O! du reine Himmels-Wayde! schencke recht getreu zu seyn, daß wir, als wie reine Bräute, gehen mit zur Kammer ein.

250.

Nun fließt die Liebe ein und aus, und reinigt meines Hertzens-Haus, daß ich geniesen kann der edlen Frucht vom Paradies, die machet alles Bittre süß, zu gehen auf der rechten Bahn.

2. Wenn diese Liebes-Winde wehn, dann muß der eitle Sinn vergehn, der noch an anders was ein Leben und Vergnügen hat: es zeigt der volle Liebes-Rath die rechte Lieb und Friedens-Straaß.

3. Wer so mit Liebe angefüllt, daß alle Zorn und Haß gestillt, der hat das beste Ziel: sein Leben ist vergnügte Lust, und aller falsche Heuchel-Wust ist ausgekehrt bey diesem Spiel.

4. Die Seele trincket Himmels-Most, wilt du errathen, was vor Kost da wird genossen ein? so gehe hin, und frage nur: wo ist die reine Liebes-Spur; du wirst bald voll von Liebe seyn.

5. Die wird dein gantzes Hertzens-Haus mit voller Tugend zieren aus, und nichts mehr nehmen ein von dem vergifften Haß und Neid, das

die.

die vereinte Liebe zweyt, und läßt nicht in sich gehen ein,

6. Die volle Liebes-Harmonie, wo alle Geister dort und hie zusammen stimmen ein. Die Liebe zweyer nimmermehr, und kommen gleich der Stimmen mehr, muß es um so viel besser seyn.

7. So lobet GOtt mit Herz und Mund und Geist die Seel zu aller Stund, die voll von Liebe ist. Das Spiel muß allzeit vor sich gehn: so lang die Liebes-Winde wehn, muß schweigen aller Trug und List

251.
NUn gehen die Geister ins Innere ein, und thun sich erlaben im Göttlichen Wesen: und lassen dahinden den nichtigen Schein, wo nimmermehr konte das Herze genesen. Nun müssen aufhören die viele Gedancken, die anders nichts können, als hin und her wancken.

2. O Ruhe! wie schmeckest du denen so wohl, die lange ermüdet in vielerley Sachen: wie wird nicht das Herze des Guten so voll, weil GOtt es nun alles so herrlich thut machen. Nun werden genossen in heiliger Stille viel innere Kräfte aus Göttlicher Fülle.

3. Es ist nicht zu sagen, was himmlische Lust man innigst genieset, wo GOtt ist gefunden: wenn stetiger Friede erfüllet die Brust, und alles sonst andre ist ganz überwunden. Da müssen aufhören die vielerley Weisen, wenn wir Ihn im inneren Heiligthum preisen.

4. Da stehen die Geister ohn gleissenden Schein, und bringen die Gaben im reinesten Wesen: dieweil sie erscheinen sehr sauber und rein, so können sie alle im Frieden genesen, mit Dancken und loben und kindlichen Lallen erheben die Stimmen nach seinem Gefallen.

5. So werden sie alle von Innen erquickt in wahrem Vergnügen und heiligem Schweigen: der innere Tempel steht herrlich geschmückt, wenn also die Früchte des Geistes sich zeigen. Das Leben vom Göttlichen Segen und Fülle erfüllet die Geister zur innigsten Stille.

6. O Liebe! wie thust du den Deinen so wohl, die in dir gefunden das wahre Genesen: wie sind

nicht die Geister des Guten so voll, die stetig geniesen dein reinestes Wesen. Sie leben im Frieden, in seligster Stille, bey der so inwendigen reichlichen Fülle.

7. Das Feuer, so nimmer verlöschet die Glut, muß ewig ohn Ende mit stetem Aufsteigen erwecken den heiligen Göttlichen Muth, mit Dancken und loben ohn einiges Schweigen. So wird GOtt geehret mit Geistes-Gesängen, wenn wir Ihm die inneren Opfer darbringen.

8. Die stetig aufsteigen vom reinen Altar zum Stuhle der Gnaden, in vollem Versöhnen: da wird erst von innen und ausen recht wahr, was andre in Formen und Weisen erthönen. So sind sie im inneren Tempel beysammen, und brennen im Feuer der liebenden Flammen.

9. Dieweil wir nun alle vereinigt da stehn, zu loben den HErren mit himmlischen Weisen: und zu Ihm ins innere Heiligthum gehn mit Ehr und Anbätung Ihn stetig zu preisen. Drum werden wir bleiben und ewig bestehen, und werden auch nimmer zum Tempel aus gehen.

252.
NUn gute Nacht, du eitle Welt, dein Wesen mir nicht mehr gefällt, du giebst gar schlechten Unterricht: wenn Hülf gebricht, känst du dir selber rathen nicht:

2. Ich weiß ein Gut, das besser ist als hier der eitle Sünden-Mist: das ist mein Theil, das wird mir seyn, wenn ich geh ein, daß ich bey GOtt werd ewig seyn.

3. Da werd ich meine Erndte sehn, wenn ich vor GOtt werd freudig stehn: ein jeder, was er hat gesäet, wird abgemäht, und hin gebracht an seine Stätt.

4. Drum, wie du hier thust säen aus: so bringst du eine Frucht nach Haus. Wer hier nach Gottes Will und Rath säet seine Saat, ererbt, was GOtt verheissen hat.

5. Darum, O Mensch! wo lauffst du hin? laß ab von deinem eitlen Sinn; du must sonst hören im Gericht, wenns Urtheil spricht: geht von mir weg, ich kenn euch nicht.

6. Was hilft alsdann der hohe Muth, und alle

alle Welt mit ihrem Gut? was wird die Wohllust seyn alsdann? O dencke dran! daß dich nicht trifft der Fluch und Bann.

7. Und müssest hören dieses Wort: geht, ihr Verfluchten, von mir fort, ins Feuer hin, das ist bereit in Ewigkeit vor alle, die sich nicht bereit.

8. Und nur nach Wohllust hier getracht't, den theuren Gottes-Raht veracht't. Drum ist der Schluß bey mir gemacht: ich habs bedacht, und sag nochmal: Welt, gute Nacht.

253.

Nun hab ich meinen Lauf vollend in diesem kurzen Leben. Nun wird mein Leid in Freud gewendt, die GOtt denen thut geben, die durch viel Creuz und Traurigkeit, und aus viel Trübsal kommen: wo Er die wahre Ruh bereit vor alle liebe Frommen.

2. Weil ich geliebet Christi Sinn, ist mir zum Erbe worden ein besser Theil mit viel Gewinn, als hier in Mesechs-Pforten: da nichts als Angst und Noth und Plag, und harte Leidens-Proben, nun werd ich ohne alle Klag GOtt ewig dafür loben.

3. Mein Joch, das ich getragen hier, war Christi Creuz auf Erden: nun geh ich ein zur Himmels-Thür, da mir dafür wird werden die grose Freud und Seligkeit, die JEsus mir erworben durch viele Angst und Todes-Streit, da Er am Creuz gestorben.

4. Muß schon der Leib verwesen zwar, und gantz zu Staube werden, so wird ein End nur der Gefahr und Jammer hier auf Erden: da nichts als Leid und Traurigkeit, wenn es aufs beste kommen, so ist es Mühe und Arbeit bey allen wahren Frommen.

5. Nun fahr ich hin ins Paradies, da ich werd aufgenommen von GOtt, wo gibt Danck Lob und Preiß die gantze Schaar der Frommen: da werd ich seyn bey JEsu Christ mit groser Freud und Wonne, ohn Ende und zu jeder Frist hell leuchten wie die Sonne.

6. Habt gute Nacht, ihr meine Freund, die ihr noch bey dem Leben: es komme auch an euch, eh ihrs meint; drum schicket euch daneben, macht euch bereit auf diese Zeit, wann ihr müßt an den

Reihen. Heut ist der Tag der Ewigkeit, läßt euch die Müh nicht reuen.

254.

Nun hab ich mein Glück gefunden, wo mein Hertz vergnüget heißt: dann ich bin dahin gewunden, als ob wär zu GOtt gereist. Aller Kummer ist dahin, weil mich Gottes Huld umgeben, daß nicht mehr derselbe bin, da offt wuste kaum zu leben.

2. Da bedrängt auf allen Seiten, was nur hiese, um mich her, machte mir lauter Schmertz und Leiden, als ob diß mein Bestes wär. O! wie froh bin ich gemacht, daß es sich einmal gewendet, und ich wurd dahin gebracht, wo ich meinen Lauff vollendet.

3. Jetzund kann von Wundern sagen, wie mich Gottes Gütigkeit hat gehoben und getragen, in so manchem schwerem Streit. Da verdrocknet mein Gebein bey so viel und manchem Wehen, daß gedacht, wie kanns doch seyn, daß ich nicht muß gar vergehen.

4. Ob ich gleich sehr hart gesiebet, ließ ich doch nichte fallen hin, was mich machte so verliebet, daß auch sonst gab alles hin. Plötzlich kam mir ein die Zeit, daß mich rund um hat umgeben Gottes Huld und Freundlichkeit, daß in Ihm kann leben weben.

5. Wolt ich gleich viel davon sagen, was mir nun gemessen ein, kann ich es doch nicht vorträgen, wie es ist und hat zu seyn. Es ist lauter Wesenheit, die erschöpffet aus dem Brunnen, der uns Gottes Gütigkeit machte auf uns angeronnen.

6. So muß es zuletzt gelingen dem so sehr verliebten Geist, daß er kann Lob-Lieder singen, weil er hin zu GOtt gereist. Wol, weil mir ist kommen ein, wornach sonst so lang geloffen, und, nach so viel bitter Pein, mir mein rechtes Ziel getroffen.

255.

Nun ists auf einmal stille worden, das harte Wetter ist nunmehr vorbey: es öffnet sich der hohe Gottheits-Orden, und lehrt, daß Israel nun wieder frey. Jetzt kann man rühmen Gottes Macht, die alles hat zuvor bedacht, wann

Heil

Heil aufgehen soll der kleinen Heerde, daß sie erst hart und schwer bedränget werde.

2. Dis grose Heil lehrt neue Sitten, wie man in allem Sturm kann stille seyn, weil selbsten da blühet der Frieden, der in dem grösten Sturm geschencket ein. Jetzt gehts nichts nach gemeiner Weiß, dann dieser hohe Gottheits-Preis bricht erst herfür nach gar betrübten Zeiten, wo GOtt die Lieblinge nur thut bereiten.

3. Jetzt fänget an das Geister-küssen, wo vorher nur ein leeres Mund-gepräng und offt davor muß treulich büsen, daß reine Geister kommen sehr in Eng. Die Lauterkeit von oben her macht alles leicht, was sonst so schwer; man thut in Hertz und Geist zusammen flüesen, das macht die strenge Herrlichkeit versüßen.

4. Auch kann die Bruder-Liebe grünen, weil sie bey so viel Drang sehr hart versteckt, und kann den langen Bann ausführen, weil aller Frevel-Trug nunmehr entdeckt. Nun wird der Klarheit erster Zeit ihr Glantz ausbrechen nah und weit; daß jederman das grose Heil wird sehen, wie GOtt sein Zion nunmehr thut erhöhen.

5. Der Orden jungfräulicher Seelen kommt nun nach langer Schmach zu seiner Ehr; so daß man wird davon erzehlen, daß sich zum Preis des Schöpffers Ruhm vermehr. Wer nur von Hertzen drauf bedacht; und mercket, was man davon sagt, der wird gar bald mit grosen Freuden sehen des HErrn Erlöseten schön einher gehen.

6. Der Himmel selbst gibt das Gedeyen, daß man bringe seine Zeit im Segen hin, drum die Erlöseten sich freuen, und binden Garben auf mit viel Gewinn. Jetzt gehn im Segen ein und aus, in Gottes Kirch und Tempel-Haus, man sieht das Lamm die kleine Heerde weiden, und hin zum reinen Lebens-Wasser leiten.

7. Jetzt thun die Lämmer wieder springen, dieweil die kalte Winter-Zeit vorbey, man hört des Lamms Lied lieblich singen, weil seine Heiligen gehn an der Reih, die nun sind froh und frey gemacht, nach der so langen Trübsals-Nacht. Ihr Glück ist kommen ein nach viel Beschwerden, drum muß nach jedem Leid ein bessers werden.

8. Die Häuser sind mit Heil erfüllet, weil sie gewartet auf des HErren Gnad, biß allem Bann sein Maas erfüllet, so, wie es GOtt bey sich beschlossen hat. Wer nur kann warten in Gedult, es findt sich allzeit Gottes Huld, dann wann man lang genug und wol gelitten, kommt ein in Segens-Füll viel süsser Frieden.

9. Die Kirch kann nun Danck-Lieder singen, weil Gottes Rath dem Hohn ein End gemacht: zuletzt muß jederzeit gelingen, wann man nur über Gottes Führung wacht. Weil die in allem schon ersehn, wie es in unsrer Sach zu gehn, sein stille seyn und seinen Kummer tragen, so lernet man von Gottes Güte sagen.

10. Man hätte diß nicht sollen dencken, so lang der Zwang u. harte Bann gewährt, was Gottes Güte wird einschencken, nach dem man ist im Trübsals-Feur bewährt. Nun kann man gehen aus und ein, weil gangen auf ein neuer Schein, und GOtt nun also thut in Güte walten, so wird auch seines können mehr erhalten.

11. Drum bringet man ein seine Garben, die man mit Schmertzen ausgesäet hat, und andre noch im Elend darben, wird die Gedult gesetzet mit Gottes Gnad. Der Segen, der nun kommen ein, lässt nicht mehr zweiffelhaftig seyn, wann ferner kommen solten trübe Zeiten, daß GOtt nicht solte helffen, führn und leiten.

12. Und weil die Sonne nun thut scheinen, nach der so sehr bewölckten trüben Zeit, und mit dahin das lange Weinen, so daß auch Hertz und Seel in GOtt erfreut. So kann man wieder treten an die eng und schmale Himmels-Bahn, die uns bringe hin zur grosen Schaar der Frommen, die alle sind aus vielen Trübsal kommen.

13. Das ist das Glück, so lang verheissen, und allen Jammer nehmen wird dahin, dabey aus allem Elend reissen, und bringen ein desselbigen Gewinn. O! lang-gehofft erwünschte Zeit, erworben durch so manches Leid. Dis grose Heil wird ohne Ende währen, daß es wird weder Zeit noch Jahr verzehren.

14. Das ists, warum so viel erlitten alhier auf meiner langen Wanderschafft, da öffters biß

aufs

aufs Blut gestritten, und hin war alle meine Lebens-Krafft. Jetzt gehe der Geist zur Ruhe ein,
wo er bey GOtt wird ewig seyn. O seligs wol!
um so viel Noth erworben, da JEsus ist für uns
am Creutz gestorben.

256.

NUn ist aller Schmertz verschwunden; nach so
manchem schweren Streit hat mein Glück
sich eingefunden, daß vergessen alles Leid. Jezund geh ich nicht mehr hin, wo man aller Freud
entnommen, dann ich hab nun den Gewinn, weil
vom Wettern wieder kommen.

2. Ich werd wol nicht können sagen, was es
ist und hat zu seyn, was nun wird umhergetra-
gen nach so viel verliebter Pein. Jezund eß ich
Gottes Brod, weil die Erndte mir einkommen,
und GOtt nach so mancher Noth allen Schmerzen weggenommen.

3. Darum kann von Güte sagen, und wie
Gottes ewge Gnad mich gehoben und getragen,
wann auch ohne Hülff und Rath, that er dem
gebeugten Sinn Trost und Gütigkeit einschencken; schlens, ich wäre gar dahin, that ers alles
anders lencken.

4. O! wol, weil es ist gelingen, daß man ist
gelänget an, nach dem man so hart gedrungen
auf der engen Lebens-Bahn. Wie erfreulich diese Zeit, kann man jezund nicht aussagen, und
was man nach so viel Leid nun thut stetig umher
tragen.

5. Mein Geist thut in mir zerfliessen, weil mir
Gottes Gütigkeit thut mein bittres Leid versüssen,
daß mein Herz in Ihm erfreut, weil ich alles guten voll, und mit seiner Huld umgeben, die mir
thut so innig wol, schon alhier in diesem Leben.

6. Bald werd gantz in Ihm zerfliesen, weil
nichte mehr aussagen kann, was er giebt zu genüsen hier, auf der verliebten Bahn. Drum soll
diß die Losung seyn, ich will GOtt die Ehre geben,
und Ihn ohne leeren Schein allzeit hie und dort
erheben.

257.

NUn ist die frohe Zeit erwacht, allwo der Väter Hoffnung lacht. Ein Jungfrau rein
von Armut groß hat nun das Kind in ihrem
Schoos.

2. Wohl dann du reine Himmels-Sonn, die
du des keuschen Gottes Sohn in deinem Herzen
ausgeborn, und funden, was so lang verlorn.

3. Wie keusch und züchtig muß nicht seyn
ein Leib, wo diese Sonn geht ein: denn da geht
auf ein neue Welt, wordurch die alte gantz zerfällt.

4. Die Himmels-Chör sind hoch erfreut, so
bald die Jungfrau benedeyt. Die sich zur Magd
selbst GOtt anpreißt, nunmehro JEsus Mutter heißt.

5. Die Zeit, wo unser Glück erscheint, ist kommen, eh man es vermeint: der Väter Hoffen ist
zu End, GOtt selbsten wird ein kleines Kind:

6. So ruhet in der Jungfrau Schoos gering und arm, O Wunder groß! der alle Welt
zu nähren wußt, ligt dem Geschöpf nun an der
Brust.

7. Wie heimlich ist der Weißheit Rath, der
dieses so beschlossen hat, geblieben bey der Welt
Gericht, das uns zum Trost aufgangen ist.

8. Weil GOtt selbst als ein Kind erwacht,
wird das verlorne wiederbracht: die GOtt geweih-
te Jungfrau hat erfüllet Gottes Wunder-Rath.

9. GOtt Lob, wir singen dann zugleich ein
neues Lied in Gottes Reich. Wir sind nun froh
in diesem Heil, weil wir auch daran haben Theil.

258.

NUn ist mein Glaubens-Weg vollendt, GOtt
hat mein Elend abgewendt, und mich erqui-
cker nach dem Streit: drum geh ich ein zur
(Seligkeit.)
wahren Freud.

2. Die Zeit von harter Kält und Frost ist
hin, nun kommt der reiche Trost aus GOtt und
seiner Gnad und Huld, die ausgesöhnet meine
Schuld.

3. Nun ist die Seel in Gottes Hand, Der sie
erlöst vom eitlen Band, der vielen Müh und Tages-Last. Nun hat sie funden ihre Rast.

4. Man träget mich zwar hin ins Grab; doch
hab ich eine bessre Haab, als dieses Bild der
Sterblichkeit, zu hoffen in der Ewigkeit.

5. Dem Leib ist da ein Bett bereit nach vieler
Müh

Müh und hartem Streit: die Seel kann ruhen
nun in GOtt, nach ausgestandner vieler Noth.

6. Nun findt sie ihre Fruchte der Saat, die sie
hier ausgestreuet hat in vieler Müh und so viel
Fleiß; drum geht sie ein ins Paradeiß.

7. Gehabt euch wohl ihr Freunde hier! lauffe
nach der offnen Gnaden-Thür: verlaßt die strenge Herbigkeit: so könt ihr ruhen nach dem Streit.

8. Seht an die Schmerzen, Angst und Noth,
die ich erlitten vor dem Tod, eh daß das sanfte
Gnaden-Oehl, erquicken konte meine Seel.

9. Und mir mein Haupt damit begoß, Drei-
cher Trost! den ich genoß, der Bruder-Balsam
trunge ein, und macht mein Herze ruhig seyn.

10. Das sanfte Oel gibt Linderung, die Strengigkeit Verhinderung, daß dieser Balsam nicht
kann gehn ins Herz, zu heilen unsre Wehn.

11. Gewiß wer dieses Wegs verfehlt, der wird
den Sündern zu gezehlt; wär er auch kommen
an den Ort, wo man hört unaussprechlich' Wort.

12. Die Liebe hat Barmherzigkeit: der uns
versöhnt zur bösen Zeit: die Langmuth ist von
Gnad und Huld, und weiß von keiner Sünden-
Schuld.

13. Es wird ein unbarmherzig Looß zuletzt gegeben in den Schoos, wer nicht Barmherzigkeit
gethan, und sich geübt auf dieser Bahn.

14. Das kann erfahren wohl ein Knecht des
HErrn, der sonsten schlecht und recht: und doch,
verfehlet diese Spur, so muß er in die harte Cur.

15. Diß war mein Fehler in der Zeit, drum
ich so einen harten Streit mußte gehn durch in
letzer Noth, bis ich erlöset von dem Tod.

259.

NUn ist mein Glück erwacht nach den betrübten Tagen, jetzt komme mit Hauffen ein die
Frucht von meiner Saat: die in so manchem Leid
ich hab umher-getragen, mir wird eingeschencket
so reiche Füll in Gnad. O seliger Gewinn!
in viel Gedult erworben, da auch der Hoffnungs-
Baum offt scheint zu seyn erstorben.

2. Ob gleich die Zeiten lang in denen Trauer-Stunden, so ist doch kommen ein, was man
nicht sagen kan: nach vielem Leid hat sich ein fol-
y

ches Gut gefunden, so ist statt Himmel-Brod
auf der betrübten Bahn. Ich werd wol nimmermehr aus Gottes Tempel gehen, im Geiste
halten an mit viel Gebät und Flehen.

3. Es ist nach Wunsch geschehn, ich weiß
sonst nichts zu machen, als also meine Zeit im
Tempel bringen zu, und ohne unterlaß mit Bäten, Flehen, Wachen mit GOtt beschäfftigt seyn,
in stiller Andachts-Ruh. So bleibt der Tempel-
Dinst in Gottes Huld berathen, wo man des
langen Drangs, und aller Sorg entladen.

4. Der liebliche geruch von heiligen gebäten
erfüllt das gantze Haus mit seiner Segens-Krafft:
daß Rauchwerck steiget auf, so bald man komme
getreten, und was zur Sach gehört, im innern
Tempel schafft; und dienet dem Altar, wo man
sieht stets aufrauchen den reinen Lippen-Dinst in
stetem Geistes-Hauchen.

5. Wer da gegangen ein, hat seine Zeit errei-
cher, man hört kein böß geschrey, daß Furcht und
grauen macht. Der Hütten-Dinst ist aus, man
steht und ist gebeuget, alwo der Gottes-Dinst
muß währen Tag und Nacht. Wer diß Versöhnungs-Amt im Tempel thut verwalten, der kan
in Ewigkeit auch nimmermehr erkalten.

6. So bin ich heim gebracht nach so viel glaubens-Proben, wo man in lauter güt GOtt seine
Dinste thut, und Ihn kan Tag und Nacht in
seinem Tempel loben, das bringe zur letzt, ein das
ewig-bleibend gut. Brennt offt das Feuer heiß,
und macht zu Zeiten Wehen, werd ich doch nimmermehr aus Gottes Tempel gehen.

260.

NUn ist mein glück gekommen ein, die lang erwünschte Stunden; nun ist des Todes bittre
Pein zu einem mal verschwunden: die süse Frucht
der Ewigkeit wird wohl mein Leid versüsen, wo-
ich in der betrübten Zeit hab hindurch wandern
müssen.

2. Der Eiffer um das ew'ge gut brachte mich
in tausend Schmerzen, doch offt fiel hin der Heb-
den Muht durch Kräncken in dem Hertzen. Gar
früh kam ein der schwere Streit: schon in der
Jugend Blüthe hab ich viel tausend Weh und
Leid, daß offt von Sensten müde. 3. Bald

3. Bald drauf mußte ich gar ritterlich mit Tod und Hölle ringen, auch Welt und Fleisch war wider mich, den Glauben ab zu bringen. Allein die Fahrt gieng richtig fort bey vielen Stürm und Winden, bis ich kam an die enge Pfort, da war kein Raht zu finden.

4. Der Jammer ging aufs neue an mit tausendfachen Wehen; da meinte, daß zu End die Bahn, mußt ich vor Schmerz vergehen, die Hoffnung zu dem ew'gen Gut mußt ich allda versagen, da war hin alle Krafft und Muht, der sonst kont alles wagen.

5. Allein obs schon ging saur und schwer, bey so viel bittern Wehen kam bald der Trost vom Himmel her, und machte mich eingehen zu der so lang verschlossnen Pfort, in den betrübten Stunden; nun hab ich auf sein Gnaden-Wort die wahre Ruh gefunden.

6. Wohlan, so fahre ich dann hin, mit vielen tausend Freuden: nun komme der groß und viel Gewinn vor so viel Niedrigkeiten, die ich allhier in viel Gedult ertragen und erlitten, nun ist erworben Gottes Huld in lang-erwünschtem Frieden.

7. Ihr lieben Schwestern allzumal, seyd GOtt getreu auf Erden, dann nach der bittern Todes-Quaal muß alles besser werden: ich gehe hin und wünsche euch, nach viel gehabten Wehen, daß wir alldort in Gottes Reich einander wieder sehen.

8. Auch alle Glieder in dem Bund, alt oder jung von Jahren, gedenkt der letzten Todes Stund, und laßt die Welt hinfahren: versäumet nicht das wahre Gut, so JEsus uns errungen, da Er im Garten schwitzte Blut, und so den Tod bezwingen.

261.

Nun kann ich aufs neue viel Wunder ansehen, was Gottes Erlösten im Herzen umtragen, wann Trübsal verdunckelt den Paradies-Schein, von jederman geachtet unrein: das machet, weil sie sich dem Himmel verschrieben, drum ruht sie die Welt, Teuffel und Höllt offt sieben; doch achten sie wenig das zeitlich Betrüben.

2. Sie wissen, daß alle, die vor uns hingangen, gen, und wolten ihr Erbtheil im Himmel erlangen, verachtet, verhöhnet, getreten in Koht, ein Schauspiel der Leute, den Völckern ein Spott. Ein Liedlein der Grosen, ein Fuß-banck der Kleinen; die Mitleren helffen verdoppeln das Weinen, und sonderlich, wann keine Sonne thut scheinen.

3. So thut man die Wandrer zum Himmel belohnen; doch, wer ein getreuer, der lernt es gewohnen: dann das sind die Helffer, damit man kommt fort, und helffen zersprengen die engste Pfort. Viel tausend und tausend, die also gelitten, durch Trübsal Welt, Teuffel und Sünde bestritten; wo leere Bekenner erbärmlich geglitten.

4. Die Freude des Himmels kann alles ertragen, wer es nur thut einmal aufs äuserst hinwagen, die Freude der Erden muß bleiben zurück und was man sonst nennet das zeitliche Glück. Die Wanderschafft, die uns den Himmel erkauffet, die leider nicht, daß man der Weltlust nachlauffet, drum wird man mit Schmach und Verachtung getauffet.

5. Denn das ist der Christen ihr Wanders-geräthe, ihr Zehr-geld, Gesänge und heilige Gebäte; auch Siegel und Briefe, so geben den Schein, daß man wird gelassen zur engen Pfort ein. Sonst bleibet dieselbe gar veste verschlossen, man wird hin verwiesen zu jenen Gottlosen, die dort von den Frommen hinaus sind geflossen.

6. Jetzt müssen sich freuen, die noch hier auf Erden bekümmert, daß ihnen der Himmel mögt werden; so kann man erjagen die ewige Kron, weil man offt von treuesten Gönnern zum Hohn. Die Welt kann hingehen, man läßt sie so machen, ihr Gutes und Böses sind einerley Sachen, ihr Himmel wird selbsten vergehen mit Krachen.

7. So bald GOtt wird lösen und abthun das Hüllen, wird niemanden können die Rache mehr stillen; viel werden ausrufen von Schrecken und Nohte: nun sind wir geworden der Heiligen Spott. Die sonsten zuvoren von uns wie zertreten, verachtet, verhöhnet in Schmerzen und Nöthen; nun ruht sie des Schöpffers Hand selbsten erretten:

6. Und

8. Und wir sind erschrecket von Forchten und
Zagen, und müssen mit Heulen auf unsre Brust
schlagen, ausrufen: ihr Berge bedecket uns
schnell, eh wir sind verwiesen zur untersten Höll;
dann vor dem Gerichte kann niemand bestehen,
weil Berge und Hügel selbst müssen vergehen,
die Bösen verzagen in Schmerzen und Wehen.

9. Kommt Höhner und Spötter, und sehet
die Kronen, und Herrlichkeit, womit GOtt dorten wird lohnen, die alhier auf Erden euchwaren
ein Spott, verhöhnet, verachtet getreten in Koht.
Die Decke ist hinweg, nun kann man erst sehen,
was sie umgetragen in mancherley Wehen; drum
thun sie mit Freuden zum Himmel eingehen.

10. Drum freuet euch all, ihr gedultige Seelen, die jetzund der Dränger offt ängstlich thut
quälen, kommt sehet, was denen wird werden
zum Preis, so hier ausgehalten die mühsame Reis.
Da sie offt von Freunden und Feinden zertreten,
als Staube geachtet bey mancherley Nöthen, die
wird GOtt nunmehro mit Eilen erretten.

11. Betrübete Seelen, kommt helfet mir singen, wir wollen die Erstling und Danckopfer
bringen; wir sehen schon dorten die ewige Freud,
die uns wird umgeben nach so vielem Leid. Jetzt
tragen wir unser groß Elend auf Erden, bey manchem Gedränge und vielen Beschwerden, biß daß
wir einst dorten verherrlichet werden.

12. Dann werden sich freuen, die Grosen und
Kleinen, auch nimmer gedencken des lang und
viel Weinen, noch was sie erlitten alhier auf der
Erd, von Seuffzen und Elend viel Zeiten verzehrt. Wir wollen uns freuen in Hoffnung,
daneben dem grosen GOtt Herrlichkeit, Ehr und
Ruhm geben, weil er uns wird endlich vom Staa-
be erheben.

13. Und zeigen, daß er ein Erlöser der Armen, und wird in viel Güte sich unser erbarmen.
Jetzt sieht man erhöhet die selige Schaar, die alhier gewallet in so viel Gefahr. Auch sieht man
den Himmel und Erde verneuen, vor Gottes er-
stauffte und liebe Getreuen, da alle zusammen sich
ewiglich freuen.

252.

NUn kommen die Zeiten verdoppelt geflossen,
die GOtt sich in seinem Raht selber beschlossen: der Himmel erhöret die Erde nun wieder,
und machet erschallen viel liebliche Lieder.

2. O Göttlichs Gedeyen! O himmlischs Verneuen! wir wollen nun alle zusammen uns freu-
en: wir wollen auffsteigen zum stetigen Loben, ob
Sünde und Teufel und Hölle schon toben.

3. GOtt hat uns erneuet und wiedergeboh-
ren, und Ihme sich selber zu eigen erkoren, zum
reinesten Wandel und Göttlichen Leben, das Er
uns hat selber von Innen gegeben.

4. Es müssen nun Herzen und Sinnen sich
freuen, die in sich geniesen das Göttlich Gedey-
en: und also mit neuer und Göttlicher Liebe erwecket aus heiligem innigen Triebe.

5. Das neue Vertaehren inwendiger Gaben
thut wieder mit Göttlicher Fülle uns laben: wir
werden aus tiefer vereinet zusammen, weil Er
uns thut wieder auffs neue anflammen.

6. Mit himmlischer Liebe zum heiligen Leben,
damit wir zusammen die Wunder erheben, die Er
uns erwiesen in Zeiten und Jahren, geholfen aus
Nöthen und vielen Gefahren.

7. Drum kommen wir alle zusammen getreten, Ihn innigst zu loben mit Singen und Bäten: in tiefer Fußfälliger Ehre uns beugen, und
also die Andacht der Herzen anzeigen.

8. Wir werden aus heiligem innigen Triebe
auffs neue erwecket mit Göttlicher Liebe: um ewig
uns nimmer einander zu lassen, vielmehro einander noch fester zu fassen.

9. Die feurige Liebe und himmlische Sinnen
die machen viel innere Kräfte gewinnen: das heilige Dencken von Göttlichen Sachen kann unsere Herzen in Liebe voll machen.

10. O himmlische Liebe! O inniges Wesen!
wo Seelen in Göttlicher Liebe genesen. O heilige Eintracht der liebenden Herzen! die nimmermehr weichen in Leiden und Schmerzen.

11. Was sollen wir sagen? wir haben empfunden, daß GOtt sich hat selber mit denen verbunden: die also vereinet ohn einigs Zerbrechen,
und lassen noch Sünde noch Hölle sich schwächen,

12. O

12. O Ewige Weisheit! du bist es alleine, die uns hat erbauet als eine Gemeine: dann unsere Thorheit hätt nimmer gefunden, worinnen wir uns also zusammen verbunden.

13. Laß deine Zucht ewig die Deinen bewahren, damit sie befreyet von allen Gefahren der vielen Geschäfften in nichtigen Dingen, die öfters unschuldige Hertzen bezwingen.

14. Laß deine vereinende Salbungs-Kraft fliessen, und viele, erneuete Kräfte geniessen: die himmlische Sinnen in reinen Geberden die machen verschwinden die Freuden der Erden.

15. Wann Liebe in Liebe zusammen geflossen, so werden wir alle von ihnen begossen, und haben das wahre Vergnügen gefunden, worinn wir auf Ewig zusammen verbunden.

16. Kein Zagen noch Klagen wird jemals gehöret, allwo sich die himmlische Eintracht vermehret. Auf Seelen! erwecket die sterbende Glieder, und opfert die neuen erbohrne Ihm wieder.

17. Wir werden erlangen ein ewiges Leben, wann wir ihm alle zu eigen ergeben: kein Tod noch Verderben wird über uns kommen, dieweil wir sind Gottes geheiligte Frommen.

18. Wir wollen anhalten im Wachen und Bäten, und also zerbrechen die sündliche Ketten: wir wollen den Göttlichen Eifer erwecken, und lassen nichts anders uns von Ihm abschrecken.

19. Wir wollen durchbrechen durch alles Gehege, noch Teufel, Welt, Sünde soll machen uns träge; der breite Weg bleibe auf ewig verlassen, so können wir wandeln die himmlische Straassen.

20. Durch vieles Verlangen und ernstliches Sehnen kann Hertz und Gemüthe zu Gott sich gewöhnen: um an Ihm zu bleiben in allerley Wehen, und endlich mit Freuden zum Himmel eingehen.

21. Wir wollen deswegen nun nimmer ermüden, bis daß wir sind völlig von allem geschieden: was finster und dunckel in Gleichheit der Erden: so werden wir dorten vorherrliche werden.

22. Ein steigs Verlangen nach Liebe und Wahrheit bringt Hertzen und Seelen zur himmlischen Klarheit: so werden bereitet die innige

Seelen, die einzig alleine mit Gott sich vermählen.

23. Wir wollen nun alle mit Freuden erwarten die Göttliche Früchte im Paradies-Garten: wenn himmlische Tauen sich auf uns ergiesen, so thun wir zusammen in Liebe zerfliesen.

24. Die Göttliche Sonne belebet die Glieder, erwecket Hertz Seele und Sinn und Gemüther: die himmlische Flammen mit ihren Lieb-Strahlen thun unsere Leiber und Geister bemahlen.

25. Wir leben nun wieder in vorger Gnade, da Gott uns geführet auf richtigem Pfade: der Weg ist getroffen, wir haben gefunden, worinnen wir ewig zusammen verbunden.

26. Was ist es dann? das uns hinführo wird zweyen, dieweil wir nun sind die vereinte Getreuen: die manche Erduldung in Leiden und Hoffen hat endlich zur Letzte das Ziele getroffen.

27. Das wird uns nun bleiben und nimmer entgehen, dieweil wir nun alle zusammen bestehen in Gottes selbständiger Wahrheit, daneben Ihn stetig mit Hertzen und Sinnen erheben.

28. Ihr Lieben, Bewährten in Treue und Wahrheit? wir haben gefunden die himmlische Klarheit. Durch Dulden und Leiden erwartet der Zeiten, die Gott sich bestimmet und wollen bereiten.

29. Wir werden nun balde die Kronen erlangen, worinnen wir dorten mit ewiglich prangen. O theure liebhabende Seelen in allen! wir wollen nun leben nach seinem Gefallen.

30. Weil unsere Hertzen im Lieben zerflossen, drum wird uns auch nichtes mehr können umflossen: die leidende Liebe erwirbet das Leben, wo auch in vielen gefärden umschweben.

31. Die heilige Inbrunst zum Göttlichen Leben erwecket uns, daß wir zusammen erheben die theure Gemeinschaft, die Gott uns geschencket, am Brunnen der gnade und Liebe geträncket.

32. O himmlischs gedeyen und Göttlichs Verwalten! worinnen wir alle bishero erhalten; daß Treue und Treue sich ewig verbunden, und also das wahre Vergnügen gefunden.

33. Das

33. Das laßt uns bedencken und nimmer vergessen, daß GOtt uns so wunderbar lassen genesen: wo Dencken und Hoffen geschienen verloren, da wurden wir alle zum Leben erkoren.

34. Die Treue muß bleiben und ewig bestehen, wer also bewähret in Leiden und Wehen: die Wunder des Höchsten man da kann ablesen, wann leidende Seelen in Liebe genesen.

35. Was wird uns dann scheiden von himmlischer Liebe? was wird uns auflösen die mächtige Triebe? was wird uns die Bande der Liebes-Macht schwächen? noch Engel noch Thronen sie werden zerbrechen.

36. Wir wollen nun schliesen von Liebe zu sagen, die Liebe soll selbsten die Sachen vortragen: das Leben, so GOtt uns von innen gegeben, wird solche ohn Wort in den Wercken erheben.

37. Da wird es sich zeigen in heiligem Wandel, und reinen Gebärden: O herrlicher Handel! wann Seelen sind worden, was andre nur sagen, und thun es im Geiste und Wesen vortragen.

38. Das ists auch, was GOtt thut so ernstlich verlangen an liebende Geister, und selber will prangen mit seinem selbständigen Gottes-Gebähren, da alles sonst andre muß endlich aufhören.

39. Nun Amen, das Ende hat endlich gegessen das, was wir erwartet im Dulden und Hossen: dabey solls nun bleiben, wir haben das Leben, das GOtt wird zu ewigen Zeiten erheben.

263.

Nun muß der Seelen-Palmen-Baum aufs neue grünen wieder weil seine Zeit vorbey, da er gedruckt darnieder: die schöne Frühlings-Sonn macht seine Last verschwinden, die rauhe Zeit ist hin, und bleibet gantz dahinden.

2. So grünt der edle Zweig der reinen Kirche wieder mit vielem Segen aus, erneuer die Gemüther zur reinen Fruchtbarkeit in Gottes Haus beysammen, da sie gepflantzet steht, mit Blüth und Früchten prangen.

3. Viel Segen krönen uns, viel Heil muß uns bekleiden: die Hoffnung wird belohnt mit den Erquickungs-Zeiten. Obschon die lange Nacht in kalten Winter-Tagen uns so gemessen ein, daß es sehr schwehr zu tragen: Y 3

4. So können wir doch nun von bessern Zeiten singen, weil unser Glaubens-Baum thut neue Früchte bringen: und weil wir dann erhöht mit so viel süsen Freuden; so sind vergessen gantz die harte Winter-Zeiten.

5. O seliger Gewinn! in viel Geduld erworben, da wir in so viel Drang oft schienen gar erstorben. Der reine Lebens-Saft, der in uns thut einfliesen, thut alle Bitterkeit und vieles Leid versüßen.

6. So gränet unser Zweig aus dürrem Reiß entsprossen an seiner Wurtzel aus, daß ihn wird nichts umstosen: Der Segen von dem Saft der uns wird eingemessen, macht uns viel Freuden-voll, weil alles Leid vergessen.

7. Was ist dann bessers wohl als in Geduld erwarten, bis man gepflantzet ein in seines Gottes Garten; die Ernde bringet den Lohn der vielen rauhen Zeiten, und das verlangte Glück in jenen Ewigkeiten.

264.

Nunmehr kan ich nicht mehr schlafen, weil mein Hertz mit so viel Freud sicher täglich neues schaffen in dem Geist der Ewigkeit. Was wird dann zuletzt noch werden, wann die Herrlichkeit angehe, und die Freude dieser Erden mithin gantz zu grunde geht.

2. Sind dann das nicht Freuden-Tage, wann der Glantz der Ewigkeit macht ein End so vieler Plage, die gebracht so manches Leid? Muß dann nicht, was zeitlich, schwinden, wann die Ewigkeit bricht an, bleiben auch wol gar dahinden auf der frohen Lebens-Bahn?

3. Nun kan ich die Fülle haben von dem Glantz der Ewigkeit, der mich thut unendlich laben; und vertreibet mir die Zeit. O! wär ich nur gantz verschlungen von der unsichtbaren Krafft, und zum Leben durchgedrungen, daß so viele Wunder schaffe.

4. Weich nun, was sonst machet Wunden, ich bedarff desselben nicht, weil ich hab den Schatz gefunden, den mir zeigt das ew'ge Licht. Auch die angenehmste Freude ist mir nur wie Welt und Zeit, weil ich mich von allem scheide, was nicht heiset Ewigkeit. 5. Stetig

5. Stetig kommt mir eingeflossen, was ich niemand sagen kan, bleib deswegen unverdrossen auf der sel'gen Liebes-Bahn. Muß ich schon dabey offt sterben, es trifft nicht die Geistes-Beut; sondern nur, was muß verderben, und vergehet mit der Zeit.

6. Nun hab ich mein Glück ersehen, das mir tausend Freude macht, und vertreibt die viele Wehen in der langen Creutzes-Nacht. Glück zu, das erwünschte Hoffen bringt nun seine Ern- te ein, daß zu einem mal getroffen, daß ich kan so selig seyn.

7. Jetzund muß die Welt verälten, weil was ewig briche herein, und was zeitlich, tod erkalten bey dem hellen Lichtes-Schein. Siehet man dann nicht das Leben, so Enoch zu GOtt ge- bracht, welches GOtt will allen geben, die Ihm dienen Tag und Nacht.

8. Sieben macht die Zeit verschlingen, so ge- nennt die sechste Zahl, und thut uns zur Ruh einbringen, zu dem grosen Abendmal. Da die Gäste sich erbeuten, durch des Höchsten Wunder- Kräfft, daß sie alle weiß gekleidet, nach der lan- gen Wanderschafft.

9. Wer die Tracht hie thut versäumen, und erwürbt kein weisses Kleid, läffet sich vergeblich träumen einzugehn zur Hochzeit-Freud. Solte es dann ja geschehen, daß er also käm hinein, müsse er doch mit vielen Wehen weit hinaus ver- wiesen seyn.

10. Darum soll der Schmuck der Liebe blei- ben mir mein weisses Kleid, und die reinen Feuer- Triebe machen mich in GOtt erneu. Dieses Kleid thut nicht veralten, läffet keinen Flecken sehn: wird die Hochzeit dänn gehalten, kan man mit zu Tische gehn.

11. Darum bleibt diß mein Behagen, daß allhier, den gantzen Tag, diesen Praut-Schmuck will antragen, der da heiset Christi Schmach. Hab ich dieses wol getroffen, kommt kein Flecken an das Kleid, und bin recht und wol geloffen nach dem Ziel der Ewigkeit.

12. Und weil mir von fern erschienen, was so hab mit kommen ein, muß es mir zum Segen

dienen, daß ich kan so selig seyn. Recht erfreulich ist-gelingen, nach des weisen Schöpffers Wahl, dorten wird Triumph gesungen in dem schönen Freuden-Saal.

265.

Nun siehe der Geist sich einmal um auf seiner lang-und schweren Pilger-Reise: weil ihm der Weg fällt lang und krumm, viel Tages-Last ihm offt gemachet heise. Was ihm aufs Höch- sten Geheiß versprochen, wird wohl dorten wer- den, drum er so ein mühsame Reiß getreten an allhier auf Erden.

2. Das Aug nach jener Ewigkeit läßt hier beym stille stehn nicht lang verweilen: weil gantz ver- gessen Welt und Zeit, so ist das Best von da hin- weg zu eilen. Obschon die Kleider ab und ab, an Brod und Wasser offt Gebresten; die Ewig- keit bringt in das Grab die Noth betrübter Wander-Gästen.

3. Die lange Zeit und viele Jahr, so diese Reise schon allhier gewähret, samt Schmertz und vieler Tods-Gefahr, da man von grosem Leid offt fast verzehret: wird schon zuletzt sich legen bey, samt allem, was genannt mag werden in diesem Lebens-Wüsteney, allhier auf der mühsamen Erden.

4. Drum will aufs neue setzen an, obschon mit stetem Schmertzen bin umgeben: man muß fortzgehn diese Bahn, ob man schon offt auch müde wird zu leben. O Schmertzen! die offt wie ein Meer über dem Haupt zusammen schla- gen, daß auch daß Reißen wird so schwer, daß kaum mit Worten aus zu sagen.

5. Doch kan kein Zweifel kommen ein, ob wohl von in-und ausen nichts als Wehen; und wenn der Himmel fiele ein, so läßt sichs doch nun nicht mehr stille stehen. Die Welt geht selbst mit Tode ab, wann treffen sie die viele Wehen, die Herrlichkeit-fälle mit ins Grab, wird gantz und gar zur Grunde gehen.

6. Diß ist die Ursach, daß ich nicht der Welt mich anvertraut in meinem Leben; weil alles doch zuletzt zerbricht, hab ich mich auf die müh- sam Reiß begeben. Wie selig ist demnach der Sinn, der sich also der Welt entnommen, weil

ihm

ihm sein Glück mit viel Gewinn dafür wird häuffig dort einkommen.

7. Der Gang geht wieder richtig fort, der Geist hält seine Waag in Lieb und Leiden; sein Unterricht heist Gottes Wort: diß ist sein Lebens-Brod in trüben Zeiten. So geht man endlich sachte ein in sein Gezelt und Ruhe-Kammer, da dann wird ganz vergessen seyn die lange Reiß und vieler Jammer.

266.
Pristerliches und Sofianisches Brautlied.

NUn scheints, es wär mein Ziel getroffen auf meiner langen Wanderschafft, wornach so manche Jahr geloffen, da offt dahin war alle Krafft. Nun aber, da mir ist einkommen, wo alles aus und gar dahin, hab ich diß Lofungs-Wort vernommen, daß ich nun erst derselbe bin:

2. Was ich gedacht so lang zu werden, da ich den ersten Zug verspürt, und drauf versage die Freud der Erden, und aller Lust, die irre führt. Doch thät diß nicht genug zur Sachen, es nahm zulezt auch diß mit hin, was selbst der Jungfraun Spiel thät machen in dem so sehr verliebten Sinn.

3. Allein, die Brunst zum Jungfraun-Leben, so erst in jener Welt erscheint, kont alles diß getrost hingeben, weil vieles nur so war gemeynt. Die reine Jungfrau, die gezogen an sich den sehr verliebten Sinn, die hat mein Herz dazu bewogen, daß auch diß konte geben hin.

4. Sie war als Meister meiner Jugend, gab mir gar manchen Unterricht; was offt vermeyne die höchste Tugend, da gab sie mir ein ander Licht. Ließ mich in keiner Sachen irren, wann auch aufs höchst geloffen an, so thät sie bey der Hand mich führen und zeigte mir ein andre Bahn.

5. Was hab vor Sachen ich erfahren auf dieser Fürstin hohen Schul? daß wer sich woke mit ihr paaren, dem bauet sie den Priester-Stul, wo man erst muß dem Altar dienen, wo selbst der Priester als ein Lamm geschlacht, die Jungfrau zu versühnen: Jezt glüet ihre Liebes-Flamm.

6. Dann wer den Braut-Schaz will erjagen daß er der Jungfrau liege bey, muß erst ans Creuz

sich lassen schlagen, eh sie kann glauben daß er treu. Sie thut sich keinem Mann vertrauen, der nicht kommt an das Priester-Recht, wärs auch als Jungfrau anzuschauen, sie traut nicht mehr Adams Geschlecht.

7. Wo aber an dem Creuz entseelet des alten Manns und Adams Sinn, das ists, wo sie sich mit vermählet, und sich mit allem gibet hin. Jezt ist der Brautlauf noch fürhanden, wornach auch ich so lang gedürst; man saget schon in unsern Landen, der Bräutgam sey ein Priester-Fürst.

8. Solt ich dann des nicht Freude haben? weil mir die Jungfrau kommen ein, man sättiget sie nicht mit Gaben, es heist, du must selbst Meine seyn. Diß ists, warum so lang geloffen, die Gaben sind wie gar dahin, und wann es heist, es ist getroffen, daß ich ihr selbst ergebner bin.

9. So wär ich dann einmal heimkommen nachdem so manche Zeit und Jahr mein Heil gesuchi nebst vielem Frommen unter so mancherley Gefahr. Und weil mein Lamm bey nah entseelet, so wird es wol treffen ein, weil sie mit keinem sich vermählet, er muß dann erst ein Priester seyn.

10. Ist dann also mein Loos gefunden nach so viel Müh und bittrem Leid, so bleibe ich auch vest verbunden in alle Läng der Ewigkeit. O reine Braut! thu mich umarmen, und bring mich einst auf deinen Schoos; dann wann umfasset mit Erbarmen, so werd ich aller Sorgen loß.

11. Du weist ja meine Trauer-Tage, und wie so lang ich ging betrübt, mit Trähnen führte manche Klage, weil ich in dich so sehr verliebt. Wust aber nicht, daß erst muß werden ein Opfer selbst auf dem Altar, eh man gebracht zu deiner Heerden, und zu der reinen Jungfraun-Schaar.

12. Ist dann also mein Loos getroffen, o ewge Lieb, o ewge Gnad! daß ich nicht bin umsonst geloffen, weil du gabst alzeit weisen Rath. Wann offt gemeynt, es wär verloren, so daß ich aus und gar dahin, gabst du ein bessers als zuvoren, und tröstest mich mit viel Gewinn.

13. Jezt ists ein sehr verliebter Handel, dann ich wär gern einmal vermählt, damit mein langer

ger Glaubens-Wandel ja nicht müst heisen seyn
gefehlt. Ich bind dir auf, o meine Liebe! laß
mich in Ewigkeit nicht mehr, solt etwa mich was
machen trübe, so sey du selber um mich her.

14. Und wann das Glück mir mögte werden,
daß ins Braut-Bett genommen ein, so hätt vergessen die Beschwerden, wo ein Verstoßner muste
seyn. Doch hoff ich, du wirst dran gedencken,
was ich um dich gelitten hier, und mich nach deinem Willen lencken, damit ich ja nicht mehr abirr.

15. So wär mein Eyd zum Wesen worden,
und könte ruhn in deinem Schoos: dis wär der
Gottheits-Priester-Orden, wordurch ich aller
Sorgen loß. Dis wärs, was einer hat zu
werden, nach dem so lang-geführten Streit, und
vielem Elend hier auf Erden, also vergessen
alles Leid.

267.

NUn sind wir auf der Fahrt dem Ziel was näher kommen, auf unserm Lauff allhier in dieser Sterblichkeit: wol dann weil uns dabey wird
alles weggenommen, was sonsten uns gemacht so
manches bittres Leid. Wir preisen Gottes Wunder-volle Gnad und Güte, die alles bringt zu seinem vollen End und Ziel, und werden wir auch
oft des vielen Dranges müde: so labet doch zuletzt
die reiche Gnaden-Full den müden Geist, und trägt
ihn mit Erbarmen, und thut ihn wiederum mit
heisser Lieb umarmen.

2. Wir lauffen zwar, und doch mit eng-und
kleinen Schritten auf unserm Weg dorthin zur
frohen Ewigkeit: doch, wenn auf dieser Bahn
genug wird seyn gelitten, so wird derselben End
uns lohnen mit viel Freud. Wann der Genuß,
so wird darzwischen eingeschencket, uns Freude
macht auf der mühsam-und rauhen Bähn, was
wirds erst seyn, wann man auch des nicht mehr
gedencket, was Wehmuth heißt, oder uns sonsten
schaden kan. Drum sind wir nun in unsern
Tages-Lasten, weil wir alldorten einst in Ruhe
werden rasten.

3. O wol uns nun! wir tragen dann mit vielen Freuden, wie Gottes weiser Rath uns täglich
schencket ein: weil unser rechtes Looß in jenen

Ewigkeiten (so hier verdecket war) erst öffen bahr
wird seyn. Die Freude, die wir schon allhier
im Hoffen haben, die speiset uns sehr oft mit süser Himmels-Lust: so, daß wir uns dabey an Gottes Güte laben, und trincken ohne Maaß an seiner Liebes-Brust. Und weil hier unser Glück
blühet in Beschwerden, so werden wir auch dort
nach dem verherrlicht werden.

268.

NUn walle ich im Frieden fort, bis ich geh ein
zur Himmels-Pfort: ich lauff, ich renn und
stehe still, erwarte nur, was Gottes Will.

2. So komm ich fort in schneller Eil, wenn
ich mich schon mit GOtt verweil: das hindert
mich nicht in dem Lauff, weil ich von Ihm genommen auf.

3. So hab ich steten Unterricht, wenn mir's
an Hülf und Kraft gebricht: zeigt Er mir, wie
ich wandlen soll, und macht mich Fried-und
Freuden-voll.

4. Wenn ich bin müd und abgemat't, so ist
Er mir ein kühler Schatt: und meine Labsal in
dem Tod, und Helfer in der grösten Noth.

5. Mein Lebens-Brod auf meinem Weg,
mein Fortheil, wenn ich werde träg: und meiner
Seelen Nahrungs-Tranck, Erquickungs-Saft,
wenn ich bin kranck.

6. Du bist mir worden wunderbar, wer darauf mercket, siehet klar: daß Du der rechte Helfer bist bey dem, der verlassen ist.

269.

NUn werde ich wieder aufs neue beglückt,
nachdem ich in Schmerzen und Leiden gedrückt: und traurig gesessen, bis daß ich genesen,
daß Herze und Geiste und Seele erquicke.

2. Ich muste vertragen das, was ich verschuldt, dieweil ich verscherzet die Göttliche Huld:
doch that ich im Leiden nicht wider GOtt streben, und litte es alles mit grosser Gedult.

3. So daß ich in tiefester Demuth gab hin
mein Liebstes im Leben nach Göttlichem Sinn:
und hielte mich stille, bis daß ich die Fülle, der
Gnaden erworben mit vollem Gewinn.

4. Drum will ich mich scheiden von allem auf
Erd,

Erd, damit ich Gott's Eigen-Ergebener werd:
will alles verlassen, und noch dazu hassen das
Liebste, so öfters mein Herze bethört.

5. So werd ich schon finden die Göttliche
Spur, wann ich so geschieden von Welt und
Natur: und lasse sie fahren, und thu mich nur
paaren mit GOtt und der heiligen reinen Natur.

6. Es ist nun beschlossen, ich lasse nicht nach,
bis in mir aufgangen ein ewiger Tag: die Göttliche Sonne bringt Freude und Wonne, und
machet vergessen all' Leiden und Klag.

7. Ich sehe schon weichen das Dunckle der
Welt, ihr trügliches Wesen bald alles zerfällt:
ihr Falschheit und Lügen solln mich nicht mehr
trügen: ob sie sich auch schon in ein Lichte verstelle.

8. Ich spüre ein Leben, das ewig besteht: was
soll ich denn lieben, was plötzlich vergeht, und
machet nur Leiden? die trügliche Freuden, sind
leichter als Spreuer vom Winde verweht.

9. Wie wurde mir alles so bitter gemacht, eh
daß ich die Welt recht im Grunde veracht.
Wurd öfters betrogen und greulich belogen, wenn
sie mich mit fälschlichen Lippen anlacht.

10. Drum will ich treu bleiben Dem, Der
mich erkorn, und Sich mich auch selbsten zu eigen
verschworn: und thät mich erretten aus Leiden
und Nöthen, wenn alles geschienen, ich wäre
verlorn.

11. Was Er mir geschencket, das raubet kein
Feind, sie werden zu schanden, wie viel der auch
seynd: ihr trügliches Scheinen kann in mir verneinen mein holdster, mein liebster, mein treuester
Freund.

12. Er hat mich gezogen zum Göttlichen Licht,
drum ist auch mein Herze zu Jhme gericht't: Er
thut mich auch führen, und selber regieren, wenn
es mir an Hülfe und Stärcke gebricht.

13. Wenn alles will sincken, so bleibet Er
stehn, und thut mit mir durch die Versuchungen
gehn: und sinck ich schon nieder, so stärcke Er
mich wieder, daß ich kann in Proben und Leiden
bestehn.

14. Drum will ich mich wieder beyden aufs
neu, dem Liebsten im Leben zu bleiben getreu:

B

will anders nichts wissen, als bleiben beflissen,
daß ich sein Getreu-und Ergebener sey.

270.

NUn will ich mein Leben im Lieben verzehren,
das Leiden hat dennoch daneben sein Theil:
die Liebe kan Golde im Feuer bewähren, und machet die tödlichste Wunden offt heil. Sie herrschet im Dulten, trägt Kronen im Leiden, sind
andre im Dunckeln, sie schwebet in Freuden.

2. Und solten zuweilen die Kräffte vergehen,
die Liebe bringt stündlich was anders herbey; und
solten sich häuffen viel Schmerzen und Wehen,
so thut sie erweisen, daß bessers nichts sey, als sitzen zu Tische, wo Liebe aufträget die Kosten,
und selbsten dem Tische-Dinst pfleget.

3. Ist sonst noch was anders, ich lasse es fahren, die Liebe ist mir die vortrefflichste Kost; sie
kan mich in Nöthen und Tödten bewahren,
macht blincken, wann andern ihr Glaube verrost.
Die Liebe kan heilen die tödlichste Wehen, wann
Glauben und Hoffnung von Schmerzen vergehen.

4. Die Mutter derselben ist Weisheit und Ehre, die Kinder die aller Jungfräulichste Zucht;
Sie pfleget ihr, daß sie nicht etwa bethöre was
anders, so träger verfaulete Frucht. Wann
Weißheit und Liebe der Kinder wol pflegen, so
grünet der Glaube von himmlischen Segen.

5. Bald hätt ich vergessen von Liebe zu sagen,
was sie ist gewesen von Ewigkeit her; und wolte
man ihr andere Kosten auftragen: sie thut sich
verbergen im tiefesten Meer. So bleibet ihr Wallen in tiefesten Wassern verborgen vor Feinden
und tödlichen Hassern.

6. Bald machet ihr Feuer das Wasser verschwinden, dann bleibet ihr Flämmlein ein ewiges Licht; und thut ihren Hassern die Augen
verblinden, damit sie nicht sehen was ihnen gebricht. So bleibet die Liebe als Fürstin erhoben, lässt Freunde und Feinde nur schnauben
und toben.

7. Die Liebe ist alles, was ehmals gewesen,
ob schon es offt scheinet sie läge im Grab. Was
tödlich erkrancket, sie machet genesen; sie bleibet,
wies gehet, die reicheste Haab. GOtt selber wird
Liebe

Liebe genennet mit Namen, samt allen Geschlechtern, die aus Jhm herstammen.

8. Dann was wir auch sagen, daß GOtt solte heissen, ist alles entstanden aus diesem Ungrund,
wie schön auch die Weißheit das Jhre macht
gleissen, ist Liebe doch Mutter im ewigen Bund.
Drum bleib ich im Wasser der Liebe ersincken,
biß daß ich im Meere der Gottheit ertruncken.

271.

NUn wird mein Hertze wieder wohl nach so
viel Leid und Trübsals-Tagen, GOtt macht
mich Fried und Segens-voll, nachdem ich ward
sehr hart geschlagen. Ich geh nun wieder meinen Gang, frag nichts nach seinen bösen Rotten,
die mir anthun viel Zwang und Drang, laß die
Gottlosen immer spotten. Ich sehe in dem Lauff,
und mercke eben drauf, was noch zuletzt wird auf
sie kommen, wann GOtt wird seinen Sohn senden von seinem Thron, um zu erlösen seine
Frommen.

2. Drum lebe ich in Hoffnung hin, trag gern
und willig meine Lasten, dort wird man sehen,
wer ich bin, wann ich gar süß in Ruh werd rasten, und hingenommen wird mein Leid, das ich
in dieser Welt getragen, und so erlangt die Seligkeit, da man befreyt von allen Plagen, so hier
auf dieser Welt der Seelen zugesellt, wann sie im
Frieden thäte wallen. Diß ist nun meine Freud,
daß ich in dieser Zeit kann also meinem GOtt
gefallen.

3. Dann Er ist selbst mein Theil und Lohn,
Der es so über mich beschlossen, daß ich auch tragen muß den Hohn, wie alle seine Bunds-Genossen, die Er sich Jhme hat erwählt allhier, auf
dieser gantzen Erden, daß sie mit seinem Sohn
vermählt, und mit Jhm so vereinigt werden.
Ich bin ergeben hin nach seinem Rath und Sinn,
wie der vor Gewinn, wann ich beladen bin mit Creutz, und
trag es unverdrossen.

4. Doch fällt mir hart der Jugend Hohn,
der mich zur Letze hat betroffen, und wann ich
nicht die Ehren-Kron in jener Welt dafür zu
hoffen, so wär ich bald des Kummers satt, den

ich erlitten schon auf Erden, und durch Ermü-
dung abgematt bey den so mancherley Beschwerden: ich klag es meinem GOtt, Der alle meine Noth zur Letze noch wird von mir reissen.
Drum will ich Jhm dafür auch schon im Leben
hier Preiß, Lob, Ehr, Ruhm und Danck erweisen.

5. Ich werde wohl mein Lebenlang an meines
Gottes Liebe halten, und will in allem Zwang
und Drang nur seine Güte lassen walten. Er
weiß wohl, was mir nutz und gut, kann meiner
Sach am besten rathen; obs schon oft schmertzlich wehe thut: es helfen doch nichts meine Thaten. Ich weiß sonst nichts zu thun als nur in
Jhm zu ruhn, und stehe bereit nach seinem Willen, und warten in Geduld, bis daß wird seine
Huld mir meinen Schmertz und Jammer stillen.

6. Und bleib ich Jhm so zugekehrt, so kann
mir gantz kein Unglück schaden, denn Er der Armen Bitt erhört, die zu Jhm schreyen hart beladen. Ich leb auf das allein dahin, was mir
in jener Welt wird werden, drum acht ich alles
für Gewinn, wann ich allhier auf dieser Erden
mit Kummer, Angst und Müh beladen spath
und früh, weil ich in Hoffnung werd erlangen
die Freud und Ehren-Kron mit JEsu Gottes
Sohn, darinnen ich werd ewig prangen.

7. Es ist zwar meinem GOtt bekant, was
Leiden mich noch oft umgeben, so daß ich auch
in solchem Stand oft meinte länger nicht zu leben; doch wurd mir, was mir nutz und gut,
mir in dem Leidens-Sinn erworben: obs auch
schon schmertzlich wehe thut: besser so hier als dort
verdorben. Der harte Eigen-Sinn muß fallen
gantz dahin: so wird erworben Gottes güte, die
sich so den'n anpreist, die hin zu GOtt gereist
mit Geist, Hertz, Seel, Sinn und gemüte.

8. Drum will ich leiden meine Noth, die mir
ist auferlegt zu tragen, und währte es auch bis
in Tod, weil dort wird nach den Trübsals-Tagen die Hoffnung ihre Erndte sehn, wann ich
entbunden aller Laster, und vor GOtt werde
freudig stehn, gar sanft in seiner Liebe rasten,
da meine Noth und Pein zu lauter Freuden-
Wein, und gantz vergessen aller Schmertzen, der

mich

mich in dieser Zeit in so viel Weh und Leid oft
hat gekräncket in meinem Herzen.

9. Drum sey getrost, O meine Seel! und
lasse deinen GOtt nur walten, weil Er auch gantz
ohn allen Fehl dich hat so wunderbar erhalten in
so viel Drang und harter Noht, da du geschienen
gantz verlassen, und musiest seyn der Völcker
Spott, die auf dich drungen ohne Maasen, dich
durch so vielen Drang zu hindern in dem Gang,
wo du nach jener Welt thust wallen. Nun hat
dich GOtt gekrönt in Gnad und Huld versöhnt,
und die Verächter sind gefallen.

O

272.

O Auserwählte Schaar! nimm eilends dei-
ner wahr, schmück dich aufs beste: die
Wächter rufen schon, vom hohen Himmels-
Thron, zum Hochzeit-Feste.

2. Auf, Auf, in schneller Eil, damit sich keins
verweil durch langes Schlafen, ein jedes sey bereit, in steter Munterkeit, mit Geistes-Waffen.

3. Eröffnet Herz und Ohr, hebt euer Haupt
empor, breit't aus die Hände: seht! wie des
Feindes Macht und Babels Huren-Pracht, eilen zum Ende.

4. Dann JEsus, euer Held, der euch hat
auserwählt, als seine Währe, der rufet überlaut, daß seine keusche Braut geschmücket werde.

5. Wohl dem, der drauf bedacht, all Tag und
Stunden wacht, dem wirds nicht fehlen, wenn
JEsus, unser Hirt, sein Volck versammlen wird,
sich zu vermählen.

6. Mit seiner keuschen Braut, die sich allhier
vertraut, in reiner Liebe, so daß sie gantz allein
nur Ihm ergeben seyn ohn Heuchel-Triebe.

7. Wohl mir! weil ich erwehlt, zur frommen
Schaar gezehlt: die reine Taube hat mich selbst
auserkorn, dazu auch neugebohrn, kein Feind
mich raube.

8. Dann ihre treue Gunst die hat mich gantz
umsonst an sich gezogen, mit reiner Himmels-
Lieb, daß durch die starcken Trieb mein Herz
bewogen

9. Zu bleiben ihr getreu, und also ohne Scheu
die Meine nennen, ob gleich die gantze Welt dagegen sich verstelle, nichts soll mich trennen.

10. Das Hauchen ihrer Kraft, und starcken
Liebes-Macht thut mich durchdringen, daß ich,
aus Lieb zu ihr, der falschen Lust Begier nun
kann bezwingen.

11. Die grose Liebes-Treu bewegt mich oft
aufs neu zum keuschen Leben, damit ich recht bereit, die gantze Lebens-Zeit ihr bleib ergeben.

12. Mit reiner Himmels-Lust, dieweil aus
meiner Brust durch sie vertrieben die falsche Hu-
ren-Lieb, davor sie sich mir giebt, und thut
mich üben.

13. Durch ihre scharfe Zucht, damit ich bringe Frucht, in reiner Liebe; in Geistes Munterkeit und steter Wachsamkeit, dabey mich übe.

14. In unverfälschter Treu rein, ohne Heucheley nach Gottes Willen, in Geistes-Niedrig-
keit, bleib ihrem Winck bereit, den zu erfüllen.

15. Ich bleibe ihr vertraut, weil ich im Geist
geschaut den hohen Adel, so haben allzusam, die
allhier Gottes Lamm rein, ohne Tadel.

16. G. folget also nur auf seiner keuschen
Spur, in Liebes-Tritten: mit Geistes-Munterkeit, und steter Wachsamkeit, den Feind bestritten.

17. Drum werd ich gehen ein, wo Gottes
Liebsten seyn, in hohen Ehren, und, mit der gantzen Schaar, ewig und immerdar sein Lob
vermehren.

18. Ihr Himmels-Bräute schaut, wie schön
die Stadt erbaut, wo die eingehen, so hier gefolget nur des keuschen Lammes Spur, in Leid
und Wehen.

19. Drum geht am Reigen schön, mit Siegs-
und Lobgethön vom keuschen Leben; so könt ihr
gehen ein, wo Gottes Liebsten seyn, und Ehre
geben.

20. Dem Bräut'gam JEsu Christ, der allezeit gerüst, euch zu empfangen auf eurem Glaubens-Weg. O! werdet ja nicht träg, Er
kommt gegangen.

21. Auf, Auf! und seyd bereit, Er ist ja nicht
mehr weit, wie könt ihr schlafen? ziehet eure Klei-

B 2   der

der an, daß man es sehen kann, thut euch
aufmachen.

22. Und rufet allzusamm: komm, komm!
O Gottes-Lamm, daß deine Währte, die Du
dir selbst vertraut, aus deiner Seit erbaut,
verehlich werde.

23. Des Echo Wiederhall giebt einen Gegen-Schall; Ja, ja, ich komme, zu halten meine Treu, damit ich dich erfreu, O meine Fromme.

273.

Ob Zion gleich verlassen in der betrübten Zeit,
muß traurig gehn die Straasen, von grosem Herzenleid; thut doch die Hoffnung sagen
von einer andren Welt, die nach den Trübsals-
Tagen vor Augen wird gestellt.

2. Im Geiste thut erscheinen, was grose Herrlichkeit alldort nach langem Weinen von GOtt
ist zubereit. Viel Wunder wird man sehen, die
nie gewesen seyn, nach viel gehabten Wehen geht
man daselbsten ein.

3. Drum freu dich, du Betrübte, in deinem
Trauerstand, du bist doch die Geliebte, weil du
mit GOtt verwandt. Hier sind die dürren Hal-
men im Trauer-Thal bereit; dort singt man schöne Psalmen in der Erquickungs-Zeit.

4. Mit Wunder wird anschauen, wer deine
Hütten sieht, wie schön sie GOtt wird bauen:
und wie in lauter Fried du wirst darinnen wohnen, dabey mit Wunder sehn, wie GOtt dir wird
belohnen dein viel gehabte Wehn.

5. Mit Freuden wirst du sehen, wann zu dir
gehen ein, die hier in deinen Wehen dir Guts gemessen ein. Daneben werden kommen, die dich
beleidigt hie, und gleich als wahre Frommen, dir
beugen ihre Knie.

6. Wer hätte sollen dencken in der betrübten
Zeit, daß sich auch sollen lencken die, so mit Herzenleid dich ohne End beladen; daß sie nun kommen all, und flehen dich um Gnaden, und dir
thun den Fußfall.

7. Drum singe deine Lieder, Zion, mit groser Freud, such dein Verlohrnes wieder, so dir
von GOtt bereit: auch thu nicht länger zagen,
dein Trost komm in der Eil, bist du von GOtt
geschlagen, er wird dich machen heil.

8. Und bauen deine Mauren, daß du wirst
sicher seyn vor denen, die da lauren, in dich zu
bringen ein. Nichts wird dir können schaden,
weil dich dein GOtt geliebt: du bist bey ihm in
Gnaden, drum sey nicht mehr betrübt.

9. Bald wird mit Lust geschauet, so schön
mans wünschen kan, Jerusalem erbauet auf einem weiten Plan. Die Pforten stehen offen,
man gehet aus und ein, der hat sein Glück getroffen, so da ist kommen ein.

10. Die Fenster sind Crystallen, Rubin der
Thore Pracht, drum wird nicht auf sie fallen die
Dunckelheit der Nacht. Der HErr ist ihre
Sonne, voll Glanz der Herrlichkeit, der Auser-
wehlten Wonne, so sie ohn End erfreut.

11. Von Gold sind ihre Strassen, die Mauren Sicherheit, wer wird wohl können fassen die
grose Herrlichkeit. Da wird gantz seyn vergeß-
sen das viel gehabte Leid, wo man betrübt-geses-
sen in der vergangnen Zeit.

12. Die Bürger, so da wohnen, besitzen stoltze Ruh: GOtt wird in Güte lohnen ihr Glück
blüht immerzu, was soll man weiter sagen? die
grose Gütigkeit, die GOtt uns läst auftragen,
hat weder Ziel noch Zeit.

13. Drum sey nicht mehr betrübet, Zion, in
deinem Leid, du bist von GOtt geliebet, die grose
Seligkeit, so dorten wird erscheinen nach deinem
Trauer-Stand, wird nehmen hin dein Weinen,
so nur ist GOtt bekant.

14. Dort siehet man lauter Sachen, die ohne
End bestehn, der Trauer-Mund wird lachen, die
Freud nicht mehr vergehn. Wohl glücklich ist
auf Erden, der sich bemühet hat, ein Bürger da
zu werden in dieser schönen Stadt.

15. Rund um desselben Pforten werden seyn,
weit und breit die Völcker aller Orten zu deinem
Dinst bereit: vom äusern End der Erden, die
bringen Gaben dar, die rein geopffert werden auf
Gottes Creutz-Altar.

16. O was ein schöne Mitte! in dieser gold-
nen Stadt, da siehe man Gottes Tritte, der sie
erbauet hat. Kein Tempel ist zu sehen, weil
Gottes Wesenheit da wird erbauet stehen in alle
Ewigkeit.

17. Wer

17. Wer seiner gantz entkommen, und von sich gangen aus, wird dorten eingenommen in dieses Tempel-Haus. Da sind die reinen Geister, die GOtt ohn End und Zeit, als weisestem Baumeister zu dienen sind bereit.

18. Die Priesterschafft wird stehen als wie ein Gottes-Braut, nicht aus dem Tempel gehen, weil sie mit ihm vertraut. Dem Altar wird gedienet im allerreinsten Geist, dabey wird ausgesühnet, was noch verlohren heißt.

19. So lange wird es währen, daß wird zu schaffen seyn, bis alles wird aufhören, was Sünde Druck und Pein. Je eines nach dem andern wird werden ausgesöhnt, und zur Gesellschafft wandern, die sie zuvor verhöhnt.

20. Da wird man Gottes Sitten erst lernen recht verstehn, weil anderst nichts als Frieden daselbst wird seyn zu sehn. Im kommen wird sich beugen, was abtrünig zuvor, die Heil'gen selbst sich neigen, als wie ein Priester-Chor.

21. Und so den Willkom machen nach Gottes Art und Weiß, daß sind die schöne Sachen, womit man ihm gibt Preiß. So müssen Priester pflegen des Altars stets für GOtt, sich selbst zun Füssen legen für jene böse Rott.

22. So werden ausgesöhnet auch die Abtrünigen, dem Guten angewöhnt, und aus dem Kercker gehn. Was wird man sehn vor Sachen, wann Gottes Freundlichkeit allem ein End wird machen, was von ihm war geweyt.

23. O was ein güldnes Prangen wird man da hörn und sehn! wann alle, die gefangen, aus ihrem Kercker gehn. Posaunen wird man blasen von allen Orten her, daß über alle Maßen erschreckt das Höllen-Heer.

24. Der Tod wird aufgehoben, die Höll wird nicht mehr seyn, ob sie gleich gränlich toben, die da Einwohner seyn. Der Ruf wird sie erschrecken von dem Posaunen-Schall, kein Berg wird sie bedecken, weil kommen ist ihr Fall.

25. Wie schön wird alles stehen, wann es ist wiederbracht, und in der Ursprung gehen, wie GOtt es je bedacht. Die Priester werden legen ihr Amt vor dessen Thron, der dessen selbst thät pflegen als Heiland Gottes Sohn.

26. Ist unterthan nun werden das Priesterlich Geschlecht, so höret auf der Orden, auch Stadt-und Bürgerrecht. Die Thronen sind verschwunden, die Herrschafft abgethan, es hat sich eingefunden, was niemand sagen kan.

27. Der Priester-Fürst von allen, als wahrer Menschen-Sohn, wird selbsten niederfallen vor seines Vatters Thron, das Reich ihm lassen werden, so er in Niedrigkeit erworben hier auf Erden in der betrübten Zeit.

28. Dann wird seyn, was gewesen von Ewigkeiten her, all's andre ist vergessen, versenckt ins tiefe Meer. Dann wird GOtt leben, weben, wie er sonst ist und war, sein edles Bild erheben ohn Ende Zeit und Jahr.

29. Drum sey getreu auf Erden, Zion, in deinem Leid, du wirst verherrlich werden in jener Ewigkeit. Viel Glück wird man ansagen der, die so sehr betrübt, weil sie thät alles wagen, und bis in Tod geliebt.

30. Wohlan, ists dann gelungen, so geht man freudig ein, wo Tryumph wird gesungen nach der verliebten Pein. O süßes Freuden-Leben! so währt ohn End und Zeit, da man wird GOtt erheben in alle Ewigkeit.

274.

O der unversehnen Drangen! überdie, (nebst vielem Leid) alle Wetter sind ergangen; O! der sehr betrübten Zeit: Auch das Schifflein war bedecket gantz mit Wellen rund umher, weil sich Gottes Gunst versteckt in dem Boden-losen Meer.

2. Ach! wo hab ich es versehen, dacht ich oft in meinem Sinn; sollen dann die viele Wehen nehmen mich letzt gar dahin? Hab ich nicht von gantzem Hertzen stets gesucht das höchste Gut; nunmehr wil der stete Schmertzen schwächen Kraft und Helden-Muth.

3. Wurd ich nicht in meiner Blüthe, in der zarten Jugend schon öfters von viel Seuffzen müde, weil ich trugt meinen Hohn? Kummervolles Hertzens-Quälen war zu jeder Zeit mein Brod, viel Betrübnus meiner Seelen must ich klagen meinem GOtt.

4. Ach! wo ist dann seine Güte, die mich sonst

so.

so zärtlich hat in meiner Jugend-Blüte öft gelabt so süßiglich? Weil mir scheint in so viel
Wehen, als ob ich verstoßen wär, und von Elend
müßt vergehen in dem tiefen Jammer-Meer.

5. Doch, das Füncklein, so mir blieben, heißt
Gedult in vielem Leid, und weil die ins Herz geschrieben, werd ich dann und nun erfreut: Dieses ist mein Trauer-Speise, dieses macht mich
dorthin sehn, wo mein dürr-und magres Reiße
wird in voller Blüte stehn.

6. Bin ich dann damit berathen, wird die
Hoffnung bringen ein, wo ich aller Sorg entladen, u. so vieler Liebes-Pein: Wird es endlich noch
gelingen, daß nach so viel Weh und Leid werde
dort Lob-Lieder singen in der sel'gen Ewigkeit.

7. Drum sey still, O liebe Seele! hab Gedult und leide dich, du entgehst der Trauer-Höhle, und das Wetter leget sich: Ich seh schon im
Blick erscheinen, nach der langen schwarzen
Nacht, wo zu End das lange Weinen, und man
zu dem Ziel gebracht.

8. O! wie werd ich endlich loben, nach so vielem Weh und Leid, Gott nach so viel Wunder-
Proben, in der frohen Ewigkeit. Jezund will
ich leiden, tragen, wärs auch schon die größte Pein,
bin ich schon noch hart geschlagen, dort wird alles
anders seyn.

275.

Du seligs einsam Leben! da all das Ge-
schöpfe schweigt, wer sich Gott so hat ergeben, daß er nimmer von Ihm weicht, hat das beste Ziel getroffen, und kann leben ohn Verdruß;
Glauben, Dulden, Lieb und Hoffen sind gekommen zum Genuß.

2. Andre mögen nun stolziren in der eiteln
Wohllust Freud: ich thu hier was bessers spüren,
das verzehret keine Zeit. Meine Lust ist nun gefallen auf das ewig-leibend Gut: drum kann ich
im Frieden wallen, weil es mir gelingen thut.

3. Denn hier werd ich recht gebunden an das
Creutz Immanuel, wo wird alles überwunden,
Welt und Teufel, Sünd und Höll: weil sie gantz
kein Wesen finden, in der Abgeschiedenheit, dann
da muß sich alles enden, was verändern kann
die Zeit.

4. Alle eitle Müh und Sorgen werden gantz
zu nichte gemacht, Gott giebt Raht auf jeden
Morgen, sorget selber Tag und Nacht. O!
da ist ja großer Frieden, wo man aller Sorgen
los: gantz von allem abgeschieden, und so ruht
in Gottes Schoos.

5. Ach! es ist nicht zu ermessen, was vor Ruh
und Süßigkeit und vor Frieden wird besessen in
der Abgeschiedenheit: Niemand weiß davon zu
sagen, als wer kommen auf die Spur, daß er
JEsu Creuz thut tragen in der Göttlichen Natur.

6. Denn da wird das alte Leben gantz in Christi Tod versenckt: und auf ewig hingegeben, daß
man sein nicht mehr gedenckt. Der ist frey von
allen Lasten, so gefunden diese Bahn: wo nichts
mehr ist zu betasten, das der Welt gefallen kann.

7. Hier sieht man weit offen stehen die so enge Lebens-Thür: da sonst Niemand kann eingehen, als wer seine Lust-Begier abgeschieden von
der Erden, und von aller Creatur. Der kann
eingelassen werden, so gefunden diese Spur.

8. O du seligs einsam Leben! da sich selbst der
Schöpfer zeigt: und sich da thut denen geben,
wo die Welt und alles schweigt. Nun hab ich
die Spur gefunden, wo sich endet aller Streit:
und man wird mit Gott verbunden in der Zeit
und Ewigkeit.

276.

Du tiefe Gottes-Liebe! fließ in meine Seel
hinein: zünde an viel Liebes-Triebe, daß
mein Herze keusch und rein, mit viel Eifer der
nachjage, mich als dir verlobet trage, daß dein
süßer Lebens-Saft gebe meiner Seelen Kraft.

2. Bind auch fest in dir zusammen deine liebe heil'ge Zahl: die mit mir von Dir her stammen, halten mit das Abendmahl, um zu essen von
dem Brode, das erlöset von dem Tode, und auch
trincken, HErr! dein Blut, das vergossen uns
zu gut.

3. Halte stets in deinen Schrancken deinen
Saamen, großer GOtt: laß ja nimmer von
Dir wancken, die erlöset durch den Tod; und
das Blut des Lamms erkauffet, die mit Geist
und Kraft getauffet: lasse stehen HErr bey Dir,
dein zu bleiben dort und hier.   4. O!

4. O! ſo werden täglich ſchallen Lieder aus dem innern Grund, Opfer, die Dir, GOtt, gefallen: weil erfüllet Herz und Mund mit dem reinen Gottes-Leben, das Du ſelbſt in uns gegeben, durch des Geiſtes Feuers-Kraft, der ein neues Leben ſchafft.

5. Und auch ferner noch darneben durch die ſtarcke Liebes-Macht treibe an zum heil'gen Leben, daß Dir werd Lob, Ehr gebracht: ſchenck auch geheime Kräfte, daß wir treiben dein Geſchäfte, die dein treuer Gottes-Raht weislich uns verordnet hat.

6. Drum wird oft aufs neu beſchloſſen, um zu bleiben Dir getreu, von uns, deinen Bunds-Genoſſen, bis wir dort mit Dir aufs neu, und der lieben ſel'gen Schaar, ewiglich und immerdar werden in dem Himmels-Saal halten mit das Abendmahl.

277.

O Du tiefe Liebe Gottes! wie ſüß labeſt du deine Freunde? wie angenehm macheſt du dich deinen Liebhabern?

2. Es iſt deiner Angenehmheit und dein Genuß, der von dir kommt, nichts zu vergleichen: du biſt über alles, und zu allem herrlich, lieblich und ſchön.

3. Drum wohl denen, die da wohnen in deinem Hauſe, und ſehen deine ſchöne Geſtalt.

4. Die werden gelabet und geſpeiſet mit deinen Gütern, und genieſen das Gute ihres Gottes.

5. O was Gutes, und über alles Gutes findet man in GOtt und ſeinem Weſen! O was groſe Vortrefflichkeiten kommen aus ſeiner Fülle her.

6. O wie tief iſt doch das unerſchöpfliche Meer Gottes und ſeiner Liebe!

7. O wie wohl hat der gefunden, der ſich drinnen verloren hat! O wer will ausdencken! was alda vor Tiefen gefunden werden?

8. Wir verlieren alle Sinnen, und können nicht ausſagen, ob wir ſchon viel Rühmens davon machen.

9. Je tiefer, je tiefer wird die Tiefe, je lieber, je lieber wird die Liebe.

10. Je mehr man ſein verlanget, je mehr man ſein begehret, je mehr man ſein empfindet, je mehr will man ſein haben.

11. O was hat der vor ein tiefes Meer gefunden, der ſein Tröpflein Ich und Selb verlohren hat!

12. Er kann die Schäze ſeiner Reichthümmer nicht ermeſſen, noch der Güter ſeines Erbes Ziel und End erreichen.

13. Darum müſſe Lob, und Danck, und Ruhm jezt und in Ewigkeit geſungen werden von uns und allen die Er hat ſo reich begabet.

14. Hallelujah! das ſey der Stimmen ſtettgs klingen. Heil, Preiß, Danck und Ruhm werde Ihm in alle Ewigkeit.

278.

O Ew'ge Glut! was vor ein Brennen iſt bey den Heil'gen hier auf Erd, die ſich GOtt ſo lang zuerkennen, biß jeder iſt, wie Gold, bewährt: daß durch unabläſiges Hizen im Tiegel hell und rein geſezt; O was ein langwühriges Schwizen? biß daß man göldne Kronen trägt.

2. Wie mancher meynt, es ſey verlohren, wann ihn die Glut hat ſchön gemacht, da doch nur, was zum Tod erkoren, zu ſeinem Ziel und End gebracht. Das macht, weil wir im Wähnen ſtehen, das Wolmeynen ſey ſchon genug: diß bringt ſo viel und manche Wehen, biß wir geſezt von allem Trug.

3. Ach GOtt! wie ſauer fällt das Fegen, in dem hohen Bewährungs-Stand; was ſich im Guten nur thut regen, muß fühlen deine ſchwere Hand. Wann ich bedencke, wie das Fegen ſo manchen Tag und Jahr gewähret, thu ich mit allem drauf zulegen, daß bald aufs allerreinſt bewährt.

4. Doch ſind die Zeiten eingehüllet in des ſo weiſen Schöpffers Raht, biß daß des Leidens Maaß erfüllet, und iſt, was er beſchloſſen hat. O! wol, wer ihm nicht unter Händen zerſchmelzet, als wie gar dahin, wird ſeine Leidens-Frucht ſchon finden mit vielem Segen und Gewinn.

5. Drum will in dieſem hohen Handel mit allem Fleiß drauf legen zu, daß auch der unſchul-

digſte

183

digste Wandel nicht werd besteckt mit Fleisches-Ruh. Mit vielem Wachen und Gebäten will ich unendlich halten an, daß mich GOtt selber woll vertreten auf dieser Schmelz- und Feuer-Bahn.

6. Wer sich wolt aus dem Feuer setzen, worinnen man so rein gesetzt, müßt selbst das Höchste Gut verletzen, das stetig Sorge vor uns trägt damit nichts werd von dem verloren, was Er aus vorbedachtem Rath beschlossen. über die erkoren, zu seyn ein Werckzeug seiner Gnad.

7. Die thut er auf das lauterst setzen, daß sie nicht etwa wie ein Rohr sich lassen hin und her bewegen, wann ein Bewährungs-Stand kommet vor. O selig! wer so Gottes worden, daß keine Trübsal ihn macht weich; der hat erlanget solchen Orden, die dort als Könige im Reich.

8. Drum wil nicht aus der Schule lauffen, die Schmelz muß währen biß ins Grab. Die Wahl geht biß zur Blutes-Tauffe, da kommet man erst seiner ab. Dann das Gerichte so lang zu währen, biß unser Ich mit allem Seyn im Feuer thut als Stroh verzehren, eh daß man geht zum Himmel ein.

9. Drum ist das Schmelz-Feur hoch zu schätzen, weil es setzt rein zum Paradeis: wer drinn bewährt, hat sein Ergetzen, solt es auch brennen noch so heiß. O seligs Glück! dem dieses worden, daß es getreu darinnen heißt: besitzt den höchsten Gottheits-Orden, ist hin zur andern Welt gereist.

279.

O! Geist der Ewigkeit, mach mich in dir genesen; zieh mir dein Röcklein an, daß diß die Sache sey, warum schon lang zuvor so sehr verliebt gewesen, und dabey angewandt die aller größte Treu. O! könt ich doch einmal den hohen Zweck erjagen, daß mich die Ewigkeit thät selber heben, tragen.

2. So wär mein Zeit-vertreib dem leeren Wahn entnommen, wo man nur Dinste thut, da keine Wesenheit: und ich wär albereit schon als wie hingenommen, wo man ist eingebracht zur stillen Ewigkeit. Diß wär mir eine Sach, wo mich könt wol gehaben, und mein Gewissen selbst sich könt unendlich laben.

3. Es wär mir selber wol, und wüste nichts von Sterben, wo man so manche Noht empfindlich führen muß: was aus der Welt und Zeit, würd nach u. nach verderben, samt allem, was gemacht so mancherley Verdruß. Wär ich nur überthan, und mir selbst abgenommen, so wäre ich nach Wunsch zu meinem Zweck gekommen.

4. Dann was mich auch noch kränckt, und öffters thut beschweren, ist die Beschaffenheit, so man nennt Eigenschaffte des Menschen, der thut offt so seine Zeit verzehren, wo doch nicht kommet ein, was gibt der Seelen Krafft. Und wär nur diß die Sach, womit ich um thu gehen, daß alles, was ich thät, auch könt mit dort bestehen.

5. So möcht ichs haben gern, daß wär in Krafft verbunden was Wahrheit und dabey in Ewigkeit besteht; so hätte ich nach Wunsch den Zeit-vertreib gefunden, also in meinem Ruhn kein eitler Wind mehr weht. Die unsichbare Krafft aus GOtt woll selbsten geben, daß Ihm könn Tag und Nacht zu Dinst und Ehren leben.

280.

Der 88. Psalm.

GOtt! mein Heil, hör doch mein kläglich Schreyen, weil Tag und Nacht sehr hart bedränget bin: hör mein Gebät, laß mich vor dir gedeyen, neig doch dein Ohr zu meinem Flehen hin. Dann voller Jammer meine Seel, drum ich dir meine Noth erzehl; mein Leben ist bedränget im Herzen, weil ich beklemmt mit Höllen-Schmerzen.

2. Dann ich bin gleich den, die zur Hölle fahren, und wie ein Mann, der keine Krafft mehr hat; ich liege unter Toden voll Gefahren, als wie Erschlagene ohn Hülff und Raht, als derer GOtt vergessen hat, gesondert ab von seinem Raht: die Grube hat mich wie verdecket, daß ich von Finsternuß erschrecket.

3. Dein Grimm ist über mich daher gefahren als eine Fluht, so thäte brausen sehr; weil meine Freund, die sonst die liebste waren, sehr fern von mir, ob sie schon um mich her. Ich lieg gefangen, wie ein Mann, der gar nicht mehr auskommen kan: diß machet mein Gstalt verfallen

fallen für Elend, HErr, in meinem Wallen.

4. Den ganzen Tag hab ich die Stimm erhoben, und breite meine Hände aus zu dir, werden dann deine Macht die Todten loben, und die Verstorbenen brechen herfür? daß sie erzehlen deine Ehr, und sich dadurch dein Ruhm vermehr; wird man dann wohl bey Todes-Sterben dein Gut erzehlen im Verderben.

5. Wird man dann die Wunder da erkennen, wo Finsterniß, und dein nicht wird gedacht? kan dein Gerechtigkeit man da aussinnen im Lande, wo es allzeit schwarze Nacht? Aber ich schreye, HErr, zu dir, und mein Gebät bricht früh herfür, wie kanst daselbe du verschmähen, und mir nicht lassen Hülf geschehen.

6. Ich bin ohnmächtig und elend in allen, weil so verstossen bin in meinem Stand, und Leid und Schrecken ist auf mich gefallen, daß wie verzagte unter deiner Hand. Dein Grimm geht über mich dahin, dein Schrecken drückt den blöden Sinn; ich bin den ganzen Tag umgeben, wie Wasser-Fluthen daher schweben.

7. Die mir verwandt und beste Freunde waren, die hast du ferne von mir weg gethan; die sich sonst thäten mir in Liebe paaren, die gehen nun gar eine andre Bahn. Drum trete ich vor den Altar, und bring mich selbst zum Opfer dar. Ach GOtt! du wolst in Güte walten, und mich durch deine Krafft erhalten.

281.

O Groses Heil! so einst alldorten wird erscheinen, wann man nach so viel Leid wird die Erlösung sehn, so hier auf dieser Welt verdeckt durch langes Weinen, und Zion alsdann wird aus seinem Kercker gehn. Dann wird die lange Trauer-Nacht, die öfters so viel Leid gemacht, vergessen seyn und ganz verschwunden, weil die Erlösung sich nun hat gefunden.

2. Erwünschte Zeit! brich doch herfür mit deiner Schöne, daß man die seh erhöht, die jetzt so sehr bedrängt, gib doch dabey, daß sich ein jeder so gewöhne, und lerne, was man dort vor schöne Lieder singt. So wird allmählich in dem Gang und dem so bittern Creutzes-Drang geboh-

ren aus, bey vielem Weinen, was dorten wird in jener Welt erscheinen.

3. O wie so wohl wirds dem zulezte noch gerathen! der seine Zeit allhier um Elend zugebracht, wie wird er plötzlich doch seyn aller Sorg entladen, weil er allhier hat GOtt gedienet Tag und Nacht. Es ist fürwahr ein groses Gut, wer allhier kämpffet bis aufs Blut, und thut es bis aufs Aeuserst wagen, der lernt zulezt von Gottes Güte sagen.

4. Wie selbe duldet und trägt bey so viel Niedrigkeiten, besonders denen, die sich auf das äuserst hin gegeben bis zum Tod in den betrübten Zeiten. O was ein groses Gut kommt ein mit viel Gewinn! Drum sind wir alle fleissig dran, daß jedes thue, was es kan, daß keinem fehl, wann man wird sehen, daß Zions Herrlichkeit wird schnell angehen.

5. Dann wird man Wunder sehn, die jezt nicht auszusagen, wann ein so grose Freud wird werden offenbahr: die hier auf dieser Welt so hart von GOtt geschlagen, sind dort das Allerschönst bey der so lieben Schaar. Drum ists mit denen wohl bestellt, die viel zu leiden auf der Welt, und lassen in dem Todt verderben, was dorten Gottes Reich nicht kan erwerben.

6. Die schwere Leidenschafft, womit wir sind umgeben, treibt oft den Geist so ein, daß alle Lust vergeht, drum ist kein Wunder, daß man öfters müd zu leben, und streckt sich aus nach dem, was uns alldort erhöht. O selig! wer diß stets betracht, der wird zum rechten Ziel gebracht, und kan nach den betrübten Zeiten, sich dort ohn End auf Zions Auen weiden.

7. Was ists dann Wunder, daß wir uns so innigst sehnen, daß Zions Herrlichkeit möcht werden offenbar, die vor so lang versteckt bey viel gehabten Thränen. O komm! ach komme bald! du frohes Freuden-Jahr. Die ganze Schöpfung stimme mit an: Ach GOtt! löß bald den schweren Bann, so thut die Creatur beschweren, daß mög das ängstlich Harren bald aufhören.

8. Wir sind ja stets bereit, um würdig zu erscheinen mit allen Heiligen vor deinem Angesicht,

A a   drum

drum höre das gebät, das oft mit so viel Weinen vor dem Genaden-Stuhl nach deiner Hülf ge- richt. Doch ob wir schon so hart beschwert, daß wir oft sind wie ausgezehrt; so halten wir doch an mit Flehen: laß Zion bald aus seinem Ker- cker gehen.

282.

HErr der Kräfften! theile aus dein Wort in reiner Klarheit, daß wir ein reines Got- tes-Haus in unverfälschter Wahrheit: schaff selbst die volle Richtigkeit durch deines Geistes Lauterkeit in Wort und Werck und Lehre: daß keine Pest im Finstern schleich, noch auch die helle Mittags-Seuch den lautern Sinn bethöre.

2. Wir sind ja nichts ohn deine Gnad, dein Wort muß selbst uns lehren; sonst kan der bösen Wercken That den Sinn von dir abkehren: dein Geist woll selbsten legen bey, was Lauterkeit und Wahrheit sey, die uns kan wohl berathen: damit das reine Glaubens-Licht, so aller Falschheit Krafft durchbricht, selbst zeug von unsern Thaten.

3. Die Lauterkeit erwirbet GOtt, wird weder mild noch träge: wer die besitzt, wird nicht zu Spott auf seinem Glaubens-Wege: drum hal- ten wir inständig an: sey selbst das Licht auf uns- rer Bahn, und thu den Wandel ziehren mit dei- nes Geistes Reinigkeit, dann wo du selbst an unsrer Seit, so können wir nicht irren.

4. Indessen bleibet uns der Trost in unser Herz gesprochen, daß wir durch deine Macht er- löst, die alle Feind gerochen. Der Glaube gie- bet Tapfferkeit, und macht, daß wir in GOtt erneut schon hier auf dieser Erden: die Hoffnung hält uns aufgericht, daß wir in Gottes Wunder- Licht alldort verherrlicht werden.

283.

HErr, du starcker Held! bau doch dein Zi- ons-Feld, das ist verwüstet; sich, wie der Feind so gar wider die fromme Schaar ist aus- gerüstet.

2. Sieh doch, wie deine Braut, die du dir selbst vertraut, so sehr geschwächet: weil Babels hoher Prache an Zions Niederträchte so hart sich rächet.

3. Drum gehe sie sehr betrübt; ob sie schon heißt geliebt und Gottes Werthe. Dann die betrübte Zeit bringt manches Weh und Leid der kleinen Heerde.

4. Drum rufft der Geist aufs neu: Zieh an dein erste Treu, thu nicht verzagen. Bist du gleich als verheert, und must seyn wie verstört, vom Feind geschlagen.

5. GOtt wird doch dencken dran, was du auf deiner Bahn zuvor erlitten: da du trugst deine Schmach, verhöhnt den gantzen Tag, und hart gestritten.

6. Drum wird sein Liebes-Herz auflösen dei- nen Schmerz in viel Erbarmen: und dich in Freundlichkeit, nach viel gehabtem Leid, in Güt umarmen.

7. Wann deine Schmach versöhnt, so wirstu seyn gekrönt, nach so viel Zagen. Trägstu jetzt deinen Bann, bald drauf wird jederman von Wunder sagen.

8. Wie dich dein GOtt erneut, nach der be- trübten Zeit, alhier auf Erden. Du selbst wirst Wunder sehn, wie dich GOtt wird erhöhn nach den Beschwerden.

284.

O Himmlische Wollust! O Göttliches Leben! das JEsus in heilige Seelen gegeben: die gäntzlich vor Liebe im Hertzen entbrennen, weil seine Lieb heimlich zu ihnen geronnen.

2. Wie freudig wird jetzo schon von mir ge- sungen, weil himmlische Liebe mein Hertze bezwun- gen zum Göttlichen Leben schon hier auf der Er- den, daß man es kan sehen an Sinn und Geberden.

3. Drum soll mich nunmehro kein Ding mehr aufhalten, weil feurige Liebe läßt nimmer erkalten: dann ich leb in JEsu, so kan mirs nicht fehlen, und was ich auch vor und nach wolte erwählen.

4. Das find ich in Ihme, durch brünstigs Ver- langen, ja scheinets oft verlohren: so kommt Er gegangen, und träncket mich reichlich mit götti- chen Strömen, daß also kan Gnade um Gnade ich nehmen.

5. Und läßt er mich oftmal schon seuftzen und klagen: so kan er doch nimmer sein Ja-Wort ver- sagen.

fagen. Er läßt mich empfinden in bitteren Schmerzen sein feurig' und brünstige Liebe im Herzen.

6. Ja Wolcken und Dunckelheit muß uns oft geben den himmlischen Regen zum Göttlichen Leben: damit wir erweichen nicht weiter erhärten, und also wird fruchtbar die Paradies-Erden.

7. Und könt ich nicht lieben in Leiden und Freuden: so wär ich nicht sicher, daß Schmerzen mich scheiden von meiner Herz-Liebe, die JEsus mir schencket, die mich oft erquicket, wenns Herz ist geträncket.

8. Und scheinets zuweilen, nun ist es verloren, gar plötzlich wird wieder was neues geboren: daß man oft von Herzen in Liebe mag scherzen, läßt Er uns empfinden die bittersten Schmerzen.

9. Und wann so im Leiden die Seele bewähret, und also kein Schmerze noch Wehmuth beschwehret: so ist sie erhaben und gänzlich entnommen, ja Freund und Feind hat sie nunmehro bezwungen.

10. Sie singet und springet mit freudigem Leben, dieweil ihr der König des Himmels gegeben viel reine Wohllüste, die nimmer kein Ziele: weil dieses der Christen ihr tägliches Spiele.

11. Die Thränen, so oftmal das Herze zerschnitten, seynd nunmehr besänftigt, der Feind ist bestritten: dieweil ich in Freuden und Leiden zugleiche, ja nimmer, von meinem Verlobeten weiche.

12. Die Liebe, die öfters mich hatte betrogen, ja fälschlich von meinem Herzliebsten gezogen: die ist nun ersäufet im Göttlichen Meere, weil all diß ihr Brennen verloschen nunmehre.

13. Dann Leiden und Lieben das hat mich bezwungen, mich ganz zu ergeben an meinen lieb-Frommen, samt meiner so theuer erworbenen Seele, mich gänzlich Ihm bleibend zu eigen vermähle.

14. Und hätt Er nicht um mich so feurig geworben, gewißlich ich wäre schon längstens verdorben, dieweil mir die Töchter der unteren Welt-let gar viele gefährliche Netze gestellet.

15. Dann himmlische Liebe die hat mich bewogen, weil Jungfrau Sophia hat an sich gezo-gen den inneren heimlich verborgenen Willen um selben ganz brünstig in Liebe zu füllen.

16. Drum bin ich nunmehro den Netzen entgangen, die mich gar betrüglich oft hatten gefangen: ja gar mich verführet vom richtigen Wege, daß öfters ist alle Kraft worden mit träge.

17. Denn falsche Ohnmächte verführische Kräfte berauben und hindern des HErren Geschäffte: und machen uns matt im Lauffe, daneben verlieret man Gnade und Göttliches Leben.

18. Dieweil ich nunmehro bin aufwärts geflogen, und himmlische Liebe mich gänzlich bewogen: um so zu entfliehen den irrdischen Welten, damit ich könn' ruhen in himmlischen Zelten.

19. Und werd ich oft dürre und trocken gehalten, die reine Lieb lässet sich nimmer erkalten: dann bin ich nur gänzlich von Eigenlieb leere, so so fliesen stets Ströme vom Göttlichen Meere.

20. Befeuchten und wässern das magere Herze, und machen vergessen die bitteren Schmerze: dann die, so im Leben sich einmal ergeben, die können nicht weichen im Tode und Leben.

21. Nunmehro so bleibe ich ewig verbunden Ihm, meinem Herzliebsten, ich habe empfunden, daß wie seine Sorge so treulich hält Wache, und wenn auch mein Lichte wird dunckel bey Nachte.

22. Ihr Kinder der Weisheit, kommt alle gezogen, macht scharffe die Schwerdter und spannet die Bogen: und schiesset dem Feinde ins Herze die Pfeile, so könnet ihr leben im Göttlichen Theile.

23. Und könnet hell jauchzen mit lieblichem Singen, zu Ehren Dem, Der es uns lässet gelingen. Er sieget, Er herrschet, hilft alles bezwingen; drum wollen wir alle mit Freuden lobsingen.

24. Kraft, Ehre, Macht, Herrlichkeit sey Dir gegeben von allen, die nur zu gefallen Dir (führen ein heiliges) leben: die müssen Dich rühmen mit Göttlichen Weisen, und deine Macht, Güte, und Wunder hoch preisen.

† †

25. Ja Amen, wir rufen und stimmen zusammen, zu loben einträchtig den herrlichen Namen: der Ehre einleget nach seinem Gefallen, und lässet die Seinen mit Segen fort wallen.

26. Zu

26. Zu gehen mit Freuden die richtigen Wege, und hilfet durchdringen des Fleisches Geheege: ja alle, die so sind durch Leiden erhoben, die müssen Ihn preisen und ewiglich loben.

285.

JEsu! meiner Seelen Lust, Dir hab ich mich ergeben; mir sey nichts ausser Dir bewust du allerreinstes Leben: wer Dich geneußt, hats höchste Gut geschmecket, seiner Seel zu gut bist Du ein Opfer worden.

2. Von Dir ich lasse nimmermehr, ich will seyn angebunden an deine Lieb, O treuer HErr! ich hab in Dir gefunden, was meiner Seelen Labsal ist, das alles Du mir selber bist, O allerliebste Liebe!

3. Du küssest mich mit deinem Kuß, O allerreinster Munde! all andre Freud dir weichen muß: Du machst das Herz gesunde. Mit deiner Weisheit Liebe-Ström befeuchtest du das Herz, nachdem es innigst nach Dir lechzet.

4. Wie wird mein Mund noch Rühmens-voll sich inniglich befleissen, daß mein Herz auch noch singen soll auf wunderbare Weise: und so mit vielen in die Wett, bis man mich träge zur Grabes-Stätt, und ich den Lauff vollendet.

5. Kein Zeit will ich nicht sparen mehr, dir täglich Opfer bringen, zu trotz dem alten Sünden-Heer will ich Dir Lieder singen. Sind gleich der Feinde noch so viel, so gehts doch, wie's GOtt haben will, des freu ich mich ohn Ende.

6. Sie toben, schnauben immerhin, ich ruh in süßer Stille: ihr Stich und Neid ist mein Gewinn, denn das ist Gottes Wille, daß seine lieb-und treue Knecht dadurch bewähret schlecht und recht, stets ihre Gänge zieren.

7. Ich sags, und bleibe fest dabey, dem HErren anzuhangen ist meine Lust, ohn Heucheley thu innigst ich umfangen die theure Lieb, das Gottes-Lamm, indem es mir am Creuzes-Stamm erworben Heil und Leben.

8. Ihr Kinder einer Mutter kommt, kommet und helft mit singen: ein jedes such, was ewig frommt, um gänzlich zu bezwingen, was eure Lieb gebunden hält allhier in dieser falschen Welt, nichts soll euch nunmehr scheiden.

9. Habt ihr bisher noch was geliebt, das eure Kraft verzehret, entwerdet solchem falschen Trieb, die Lust in GOtt einkehret: so werdet ihr bald nehmen zu, und bringen eure Seel in Ruh, da zu viel Guts geniesen.

10. Er ist und bleibet ewig treu dem auserwählten Saamen, Er hält und schützt ihn, was auch sey: gibt ihn'n den neuen Namen, mit Kraft des Geistes Zeugnüß sich an ihnen äusert kräftiglich, zum Licht und Heil der Menschen.

11. Drum seyd nur keck in eurem GOtt, für nichts nicht thut erschrecken: in Creutz und Pein, in Noth und Tod wird Er euch wohl bedecken. All eure Feind zerschmeissen gar, wenn kommen wird das frohe Jahr, wornach ihr steht im Warten.

12. Habt immer einen Helden-Muth, zum Schrecken eurer Feinde, und wagt daran all Gut und Blut, damit es sehn die Freunde: und freuen sich der Gottes-Macht, die bisher Sieg und Heil gebracht, zu Lob und seinen Ehren.

13. Stimmt an mit mir, seyd rühmens-voll, und thut mit mir erheben, mit Leib und Geist und reiner Seel, dem grosen GOtt zu Ehren: das Lob und Hallelujah bringt, zum Opfer Ihm euch gantz bezwingt, O! das wird GOtt gefallen.

286.

JEsu! reine Lebens-Quell, thu Dich in mich ergiesen, damit in mir Geist, Leib und Seel mög gantz in Dir zerfliesen: so daß zum reinen Opfer werd ich noch allhier auf dieser Erd, und also könn gefallen Dir in meinem Leben noch allhier.

2. Und zünd zugleich auch mit mir an die Zahl von deinem Saamen mit deines Geistes Feuer-Flamm, damit wir all zusammen fort wachsen hier in deiner Kraft, auch trincken deinen Lebens-Saft: und also fort sey unser Thun, nur auszubreiten deinen Ruhm.

3. Damit auf jeden Winck und Nu wir unsre Opfer bringen: und so, daß wir auch noch darzu Dir täglich Lieder singen in reinem Geist, der aus sich reißt, da man Dich um die Wette preiße, und dringt in dein Gezelt hinein, da Du uns schenckest Freuden-Wein.

4. Halt.

4. Halt an mit deiner Geistes-Zucht, bring näher uns zusammen: auf daß ein jedes bringe Frucht, damit dein Gottes-Namen gepriesen und verherrlicht werd von deinem Volck noch hier auf Erd, das sich Dir ganz ergeben hat zu wandeln, HErr, nach deinem Raht.

5. Kein Weichen wollst Du lassen zu, laß uns in Enge bleiben: damit wir treu, und noch dazu uns täglich neu verschreiben: indem wir trincken, HErr, dein Blut, durch welches Du das höchste Gut geschencket uns, in deinem Geist, der sich mit Kraft in uns erweißt.

6. Laß ferner auch zur Nahrung seyn auf unsern Glaubens-Wegen dein Lebens-Brod, den Freuden-Wein wollstu inzwischen geben, den Wein vom wahren Reben-Saft, der uns giebt öfters neue Kraft, damit wir können wandeln fort, und gehen ein zur Himmels-Pfort.

7. Die Tag und Nacht wird offen stehn dem auserwählten Saamen: gib, daß wir täglich weiter gehn, damit wir zusammen ererben deines Vaters Reich. Ach laß doch keines werden weich! in unverfälschter Bruder-Treu zu stehen fest, trotz was auch sey.

8. Laß deine reine Feuers-Kraft uns durch und durch entzünden: und auch dabey den Lebens-Saft mit voller Kraft empfinden: so fallen alle Schlacken weg, die oft gemachet faul und träg, und wir empfinden, daß dein Geist mit Kraft sich voll an uns erweißt.

9. Den Lebens-Strom aus deinem Stul laß nimmermehr versiegen: der eignen Liebe Sünden-Pfuhl muß ewig in uns siegen. So wird der große Name dein gepriesen, auch in Wort und Schein, so gar, daß auch der Blätter Zierd gesund die Heiden machen wird.

10. Lob, Preiß und Ehr sey deinem Nam, Du großer GOtt von Ehren: von deinem Saamen Abraham wird man ohn Ende hören das loben deiner Wunderthat, dieweils dein Raht beschlossen hat, daß man nun bald in aller Welt von deiner Wunder-Macht erzehlt.

11. Wann alle Völcker nah und fern zusammen kommen werden, und so, daß sie von Herzen gern Dir Opfer bringen werden; so wird dein große Wunder-Macht, die alles hat so wohl bedacht, gepriesen werden weit und breit, ohn End, ja in die Ewigkeit.

287.

O! Ihr Kinder einer Mutter, singt zusammen, brennt in Flammen, stimmt das Hosianna an: unser erstgeborner Bruder kommt entgegen, bringet Segen, Kraft im Lauff zur Creutzes-Bahn.

2. Eure Feinde werden schrecken mit viel Zagen, Furcht und Klagen: wenn der König briche herein, wird ihr Angesicht bedecken Schaam und Schande, in dem Lande, da geglänzt ihr Heuchel-Schein.

3. Dann sehr viel zu diesen Zeiten, die mit losem Wort-Gepränge schmücken ihre Lampen schön: und, bey solchem falschen Gleissen, sind sie Wölfe aus der Hölle, weils nur Tand und Wort-Gethön.

4. Ob sie zwar sich weltlich schmücken, schön sich zieren, und hofieren, JEsu! deinem Namen hier: sind es doch nur Ränck und Tücke, weil ihr Leben sich ergeben der verdorbnen Lust-Begier.

5. Und die mit mehr Ernst nachahmen, daß sie lauffen zu den Hauffen, die in reiner Wohllust gehn: haben bald den Kätzer-Namen, weil ihr Handel und ihr Wandel sich nicht schicken will ihn'n.

6. Die in Lust und Eitelkeiten in dem Herzen oft noch scherzen mit des Fleisches Lust-Begier: haben endlich nach den Zeiten ihrer Wohllust diesesLebens,Angst,Quaal,Schmerz undLeid dafür.

7. Aber die in Angst und Leiden sind gesessen, und vergessen haben allen Glanz und Schein: wird erquicken dort viel Freude, und sie werden, nach Beschwerden, ewiglich in Ruhe seyn.

8. Freuet euch drum derowegen ihr Erkauffte, Auserwählte, und Berufne allzumal, und laßt euch seyn angelegen: Fried und Liebe, reine Triebe sind der Schmuck zum Hochzeit-mahl.

9. Und vergesset, was dahinden, lasset fahren, was mit Jahren und der Zeit verschwinden kann: soll die Seele Ruhe finden, im Gewimmel und

Getüm-

190

Getümmel ist nichts, das sie laben kann.

10. Sehet den frohen Tag von ferne, thut bey Zeiten euch abscheiden von den Bildern mancherley: Er hat euch von Hertzen gerne, der sich zeiget, zu euch neiget, und euch macht von Lasten frey.

11. Singet: Triumph! und gehe entgegen eurem König, der nicht wenig seiner Kosten zugericht't: wünschet darzu Glück und Segen seinen lieben Braut-Gespielen, denen niemals Oel gebricht.

12. Traget die Lamp in Hertz und Händen Ihm entgegen: himmlisch Leben ist der Lampen Glantz und Schein. Wer damit ist wohl versehen, darf nicht lauffen, um zu kauffen Oel wenn Christus bricht herein.

288.
Jesajä 12.

O Komm doch bald erwünschte Zeit! darinn wir können sagen: ich dancke dir in Ewigkeit, weil du mich hast geschlagen mit deinem Zorn und starcken Hand, und sich derselbe umgewandt, und mich mit Trost umgeben.

2. GOtt ist mein Heil, ich bin erfreut, frag nichts nach jener Wercke, weil Er mich selber angekleidet mit Sicherheit und Stärcke: Er ist mein Psalm, mein Heil, mein Schutz, der wider aller Feinde Trutz mich hat mit Krafft umgeben.

3. Nun schöpffen wir mit grosser Freud Wasser aus dem Heil-bronnen; es hat die lang gewünschte Zeit das Glück uns zugewonnen: drum dancken wir ihm ins gemein, und pred'gen von dem Namen sein, der groß und hoch zu nennen.

4. Sein Thun werd aller Orten her den Völckern angepriesen: verkündigt zu seins Namens Ehr, was er an uns erwiesen. Lobsinger ihm mit hohem Pracht, was an uns thut sein Wunder-Macht, machts kund in allen Landen.

5. Jauchzer und rühmer weit und breit, wer in Zion thut wohnen, weil die so lang gewünschte Zeit uns thut mit Segen lohnen: weil selbsten GOtt in seiner Stell, der Heilige in Israel, bey dir nun groß ist worden.

289.

O! Mein Täublein reiner Liebe, laß mich deiner Augen Lust brünstig ziehen, durch die Triebe reiner Wohllust, deine Brust leg zu meinem Munde, daß ich werd gesunde in der reinen Gottes-Kraft, die dem Hertzen Leben schafft.

2. Laß die Ströme reiner Liebe, die aus deiner Ungrund-See, fliesen aus, daß nichts betrübe meinen Geist in Leid und Weh: Dir allsters zu leben, gäntzlich seyn ergeben, in der keuschen Liebes-Lust, fremder Buhlschaft unbewußt.

3. Führe mich in deinen Garten, daß ich deiner Blumen-Zier, tausendfacher vieler Arten, könn geniesen mit Begier: daß ich so im Leiden, gleich wie in den Freuden, mich könn laben süßiglich, und im Hertzen küssen dich.

4. Laß mich nichtes von Dir trennen, noch verhindern meinen Lauff: solten es auch so zu nennen, die mit mir in gleichem Lauff ringen, daß sie deine, aber doch nicht reine in der keuschen Liebes-Art, die sich nur mit Liebe paart.

5. Alles muß sich von mir trennen, was nicht reine Liebe hegt: wär es auch schon fromm zu nennen, scheidets doch vom Himmels-Steg. Wenn in keuschen Hertzen reine Lieb thut schertzen: kann der Heuchel-Sinn nicht stehn, sondern muß von hinnen gehn.

6. O! wie will ich mir noch pflegen in der reinen Wohllust-See, wenn ich mich werd niederlegen, und vergessen Leid und Weh: gäntzlich in den Armen deiner Lieb erwarmen, stetig trincken deine Brust, die mir giebet Himmels-Lust.

7. Alles, alles will ich melden, was beflecken will den Geist, und auch gäntzlich mich abscheiden, was auch oft unschuldig gleißt: sich vielmal verstecket, und zuletzt beflecket. In der Unschuld-vollen Lieb find ich oft vermischte Trieb.

8. Reine Taube keuscher Seelen, die mit JEsu sich gepaart: und mit denen weit vermählen, die von deiner Liebe Art truncken in dem Hertzen, weichen nicht in Schmertzen, und so gleich in aller Pein gäntzlich Dir ergeben seyn.

9. Laß mich stetig in Dir bleiben, und so gleich in reiner Brunst, gantz in Dich mich einverleiben, alles andre sey umsonst: was sich Liebe nennet,

nennet, und dich nicht erkennet, die von aussen nur im Schein gleissend dir ergeben seyn.

10. Reiner Spiegel reiner Liebe, laß dein Bild auch in mir sehn, und zerstör vermischte Triebe, hell und rein vor dir zu stehn: daß in meinem Handel leucht ein reiner Wandel, und so gleich in allem Thun nur in deiner Liebe ruhn.

11. Alles, was ich bin und habe, brenne stets in reiner Brunst: niemal nichts zur Nahrung habe fremder Kräfte, daß umsonst sey ihr an sich ziehen, damit sie sich mühen mir zu rauben meine Kraft, die ein wahres Wesen schafft.

12. Wann ich dann in reinem Lieben deinen Gängen folge nach: so kann mich kein Leid betrüben, noch, was sonsten Trauren macht. Dann in Liebe Herzen heilet alle Schmerzen, in der Lieb verwundet seyn, ist so viel als selig seyn.

13. O du Liebe meiner Liebe! zeuch mich ganz in dich hinein: was nicht geht aus reinem Triebe, laß in mir vergraben seyn. Du bist doch die Meine, weil ich bin der Deine, und genieß aus deiner Brust viele keusche Liebes-Lust.

14. Ewig bleib ich dir verbunden, nichts soll stören meine Treu: in Dir hab ich Ruh gefunden, deine Lieb wird öfters neu. Auch in bittern Schmerzen fühlt man in dem Herzen den geheimen Liebes-Sinn, der nimmt allen Kummer hin.

15. Tauche mich, in deinem Namen, tief in deiner Gottheit-See, damit alles Ja und Amen unverrückt in Dir besteh: daß, zu deinen Ehren, man von mir mög hören Lob und Danck und Rühmens viel, trotz dem, der mirs wehren will.

290.
O Mutter aller Dinge! ich schrey in dich hinein; bey mancherley Gedränge, so mir gemessen ein: könt ich mir selbst entwerden und dem, was Grämen macht, ich wär schon hier auf Erden als wie zurecht gebracht.

2. Dann über mich ist kommen so manches bitters Leid; ich wär gern hingenommen schon in der Sterblichkeit: damit ich einst entladen, was mich so sehr beleid, weil dahin meine Thaten von so viel Niedrigkeit.

191

3. O wär ich Jungfrau worden! als ein recht Mutter-Kind, so wär erlangt der Orden, wo GOtt sich mit verbindt. Alsdann hätt ich gefunden, was ich so lang gesucht bey so viel Trauer-Stunden, da nehmen musst' die Flucht!

4. Als ich die Freud der Erden, und alle Ding versagt, und habs (was dort möcht werden) aufs enserst hin gewagt. Biß aller Trost verschwunden, und nichts als Herzenleid sich täglich eingefunden, wo GOtt im Sieg gewinnt.

5. O was betrübte Tage hatt' ich in meinem Stand! ob gleich viel davon sage, es wird doch nicht erkannt; dann kaum läßts dahin kommen ein einig Menschenkind sich sey so gar entnommen, wo GOtt im Sieg gewinnt.

6. Und weil dahin gekommen, daß geben muß dahin, auch selbst das liebste Frommen, samt Göttlichem Gewinn. Jetzt gilt erst JEsus Lehre: selig, wer geistlich arm: auch, wie Er pfleg und nähre, und sich in Güt erbarm.

7. Jetzt muß es erst gelingen, weil meine Niedrigkeit kann ihre Lieder singen nach vielem harten Streit. Wer kommen an sein Ende, unter so viel Geduld, lässe walten Gottes Hände, und lebt in seiner Huld.

8. Ist dann dis mein Heimkommen, daß werden so gering; so sey du selbst mein Frommen O Mutter aller Ding! Ich bleibe dir ergeben im kleinen Kinder-Sinn; du wirst mich tragen heben, wann falle schier dahin.

9. Pflegst du mein dann in Güte, wie man sonst Kindern thut, so schencke, wann bin müde, in Schwachheit neuen Muth; so kan ich sicher wallen in meiner Einsamkeit, weil du mein Wohlgefallen in Zeit und Ewigkeit.

10. Doch wil noch etwas sagen: in aller meiner Noth thu mich selbst heben tragen, weil du mein treuer GOtt. Mein Theil ist doch verfallen alhier auf dieser Welt, muß wie ein Fremdling wallen, weil dirs also gefällt.

11. Dis war mein hefftig Sehnen, daß nach so manchen Syd, auch lang und viele Thränen mein ganze Lebens-Zeit, daß mir mein Theil möge werden, was GOtt vor mich ersehn, nach den so
vie.

viel Beſchwerden, und vielen langen Wehn.

12. Da dann wird ſeyn vergeſſen der hart und ſchwere Drang, wo man betrübt geſeſſen, daß trauren für Geſang. Dis wird zuletzt geſchehen, wann es iſt Gottes Zeit, daß werd zur Ruh eingehen nach ſo viel Hertzenleid.

13. Dann ſieht man andre Sachen als je gedacht zuvor, der Trauer-Mund wird lachen, hebt Hertz und Haupt empor. Der Urſprung iſt gefunden, ſo war von Ewigkeit, was trauren macht, verſchwunden, man lebt in lauter Freud.

14. Man wird nicht können ſagen, was vor ein Tiſch bereit, und Koſt wird aufgetragen in der Erquickungs-Zeit. Der Vorblick macht ſchon gehen ins ewig Nichts hinein, die viel und lange Wehen, ſo mir gemeſſen ein.

15. Dis Traum-Geſicht ſoll währen, die übrig Lebens-Zeit, weil ich noch leb auf Erden, wann kommt ein harter Streit, der mich wolt drängen, preſſen auf meiner Glaubens-Bahn, ſo wil ich nicht vergeſſen, was GOtt an mir gethan.

16. Der mich ſo hat getragen, durch ſo viel Elend hin, in meinen Trübſals-Tagen, o ſeliger Gewinn! wer GOtt kann laſſen walten, wie hart und ſaur es geht, weil dort iſt vorbehalten ein Gut, das nicht vergeht.

17. Drum ſol mein übrigs Wallen dorthin gerichtet ſeyn, was Gottes Wolgefallen mir dann wird meſſen ein. Muß ich ſchon oft noch zagen in trüb-und dunckler Zeit, ich wils der Mutter klagen, ſie lohnt mit tauſend Freud.

291.

O Sanffte Winde die da wehen im Bette der Zufriedenheit! o! was Vergnügen, auch im Gehen, wer ruht im Schooß der Ewigkeit. Man hat die Füll, iſt einig ſtill: ob gleich viel leere Winde wehn, man läſt ſie ſo vorüber gehn.

2. Nun muß mir alles Andre frommen, wie widerwärtig es auch ſchein; weil ich vom Weinen wieder kommen, kommt mir die Ernd mit Hauffen ein. O! was vor Freud ſchon in der Zeit kommt ein, wer ſuche, was GOtt gefällt: was wirds erſt ſeyn in jener Welt!

3. Die Trauer-Saat in viel Betrüben, bringt

ein, was man nicht ſagen kan: wer nie gehöret auf zu lieben, noch war gewichen von der Bahn, hat alle Füll, in ſüſſer Still, und lebt vergnügt nach ſo viel Streit in Gottes Allgenugſamkeit.

4. Was nicht von da, muß mir nur ſchweigen, ich gebe keinem Wind Gehör, wie er auch brauſt, was nicht macht beugen, und ſagt mir von des Schöpffers Ehr: bleib weit hindan, ich hör nicht an, was nicht ausrufen kan von Gnad, die GOtt an ihm erwieſen hat.

5. Verläumder geh, und lerne lieben, und haſſe deine eigne Tracht, ich hör nicht an, was macht Betrüben, noch was man über andre ſagt. Sag deinen Fehl, und dann erzehl, was Gottes groſe Gut und Gnad, ſchon offt an dir erwieſen hat.

6. Was ſonſten angeht meine Sachen, ich jage nach der Ewigkeit, laß alles andre nur ſo machen, daß nicht verſäume meine Zeit. So bleibt mein Hertz ohn allen ſchmertz entladen von des Nächſten Fehl, wann ich mein eigne erſt erzehl.

7. Kurtz, wann ich ſol von Dingen ſagen, die mir vertreiben meine Zeit: ich thu ſo nach dem Himmel ſagen, und nach der ſtillen Ewigkeit; da muß vergehn, was nicht kan ſtehn, wann kommen wird der groſe Tag, worinn kein Fleiſch beſtehen mag.

8. Ja dieſes war mir angelegen, warum ſo manche Zeit und Jahr gewandelt auf ſo rauhen Wegen, in ſo viel Nöthen und Gefahr. Nun iſts geſchehn, daß ich kan gehn gemach zur ſtillen Ewigkeit, alwo vergeſſen alles Leid.

9. O was ein ſanfft und ſtilles Wallen kommt ein, nach der betrübten Saat! wo man nach Gottes Wohlgefallen gekrönet wird mit lauter Gnad. O! was ein Heil wird dem zu Theil, der nie gewichen iſt zur Seit, in ſo viel Müh und Hertzenleid.

10. O wol dem! der ſo heim iſt kommen, und achtet keiner Winde mehr, wo ſie auch brauſen und herkommen; ſondern gibt GOtt allein Gehör: auf jeden Winck ich mich erſinck, und warte auf den Unterricht, was GOtt und Wort im Hertzen ſpricht.

11. So leb ich nun in meinem Wallen vergnügt in meiner Einſamkeit; mein Brod iſt Got-

tes Wohlgefallen, mein Waſſer die Zufriedenheit.
Der lange Streit, hat mich verneut: ich leb in
einer andern Welt, ſuch nichts, als nur was
GOtt gefällt.

12. Und weil ich dann ſo wol berathen mit
Gottes Gut und Freundlichkeit, und aller eitlen
Sorg entladen, leb wie im Schooß der Ewigkeit.
In GOtt vergnügt, wie er es fügt: ſein Rath
und Wille bleibt mein Looß, zu ruhen in der
Weißheit Schooß.

13. Da trincke ich an ihren Brüſten, das
macht mich ſeſt zur keuſchen Brunſt, wer ſich ſonſt
läſſet nicht gelüſten, kan bald erfahren ihre Gunſt.
Ich hab erwählt, was Ihr gefällt, drum bleibt ſie
mir mein Ehgemahl alhier, und dort im Himmels-Saal.

292.

O Seligs Vergnügen in himmliſchen Sachen! wer einmal gefunden, was lange geſucht;
wo man thut die Freude der Erden verlachen,
muß endlich einkommen die ſelige Frucht. O
Göttlichs Gedeyen! es läßt nicht gereuen, ob
man gleich geſeſſen in mancherley Schmerzen, es
machet geneſen im Geiſte und Herzen.

2. Jetzt gehen die traurigen Tage zu Ende,
die Freude des Himmels trägt andre Koſt auf;
der Helffer iſt kommen, und machet geſchwinde
ein anders, weil faſt wie ermüdet im Lauf. Jetzt
lernt man nachſagen, wie GOtt hat getragen in
denen ſo mancherley bitteren Schmerzen, die offt
wie ein Brand im Gewiſſen und Herzen.

3. Die Freude des Himmels macht ſeligſt genieſen, wo man zuvor lange geſeſſen im Staub;
das Göttlich Vergnügen macht alles vergeſſen,
wo man auch geweſen den Feinden zum Raub.
Jetzt kan man anzeigen mit heiligem Schweigen,
was andre in nichtigen Worten ausrufen, und
ſelbſt noch nicht kommen auf Göttliche Stuffen.

4. Dann wann ich erwäge die traurige Stunden als ſtete Conſorten dem himmliſchen Sinn;
und wie ſie daneben ſind alle verſchwunden, auch
was mir einkommen vor vieler Gewinn: ſo muß
ich ſtatt klagen viel Wunder ausſagen. Doch
wird mir das Beſte durch Still-ſeyn errathen,
weil gänzlich verrichtet die eigne Thaten.

5. Was vormals gar offte im Eiffer erloſſen
das wird mir anjetzo durch Stillſeyn einbracht;
und will es nicht glücken beyn Dulten und Hoffen, ſo wart ich der Stunden der dunckelen Nacht,
da wird mir im Schlafen viel mehr als durch
ſchaffen; und wann ich erwache, ſo wird man
bald ſagen: jetzt ſieht man das Kindgen auf Armen umtragen.

6. O Seliger Handel! unfruchtbarer Zeiten,
da man vor viel Schmach auch den Freunden
ein Spott; ſo gröſer ſind nachmal die himmliſche Freuden, wann andre, auch ſelbſten die Feinde, zum Spott. Jetzt muß es gelingen, ob ſuche
zu umbringen die Drache das Kindlein durch
mancherley Liſten; die Mutter entfliehet zu GOtt
in die Wüſten.

7. Da wird ihr gepfleget nach Göttlichem Willen, da eine Vorſorge dem Kindlein gethan, um
alſo das Wüten des Drachen zu ſtillen, wobey
man die Wunder des Höchſten ſehn kann. Jetzt
thut man umſagen, der Feind iſt geſchlagen: das
Kindlein erwächſet zum herrlichen Siegen, daß
Teuffel und Hölle muß an ihm erliegen.

8. O Seligs Gedeyen vergnügenter Stunden! wo alles zum Glücken und Segen aus-
ſchlägt; wo einmal die edele Perle gefunden, ein
jedes ſein Kindgen auf Armen umträgt. Jetzt
kann man gedeyen, unendlich ſich freuen; dieweil
es nach langem Verlangen gelingen, wo man
ſonſt zuvorhin ſo harte gedrungen.

9. Jetzt kann man das Kindlein mit Singen
erwiegen, worauf es entſchläfet in ſüſſeſter Ruh;
hier müſſen die ſtärckeſten Waffen erliegen, Trotz
wer ihm auch ſonſten mehr Schaden anthu. Es
duldet mit Freuden die übrige Leiden, die ſonſt noch
gehören zum Göttlichen Looß, ſonſt ruht es gar
ſanffte der Mutter im Schooß.

10. Nun werden vergeſſen die traurige Stunden, dieweil mir mein Glück wie vom Schlafe
erwacht; der klägliche Jammer iſt ewig verſchwunden, dieweil mich der Himmel ſo freundlich anlacht.
Erfreuliche Thaten, dieweil es gerathen, daß ſelbſten die Engliſchen Chöre aufwallen, und laſſen
viel liebliche Lieder erſchallen.

B b 11. Und

11. Und ich will in tiefester Stille mich beugen, und sagen: O Wunder! O ewige Gnad!
in stetem Zerfliesen den Willen hinneigen, wo
wahres Vergnügen nach Göttlichem Rath. Das
Trauren bringt Lachen, die himmlische Sachen die
machen in Hoffnung sich innigst erfreuen, weil
GOtt bald wird Himmel und Erde verneuen.

293.

O Sophia! du reines Licht und Glantz der E-
wigkeiten: wer dir vermählt, kan ewig nicht
mehr fallen oder gleiten. Dein Adel hat mich
dir verwandt, weil ich verliebet worden, daß aller
Welt wird unbekant durch deinen hohen Orden.

2. Bistu dann nicht die edle Braut der sehr
verliebten Geister? wer dich nur wie im Blick
anschaut, ist gantz nicht mehr sein Meister: die
Liebe treibt ihn stetig an zu lauter Wunder-Sachen, und Dingen, die auf dieser Bahn die Weißheit selbst thut machen.

3. Das Spiel muß währen immerhin, wer
einmal mit verflochten, dem kommt niemalen aus
dem Sinn, weil sie es selbst erfochten: da sie die
erste Blicke gab, O Wunder was thät werden!
man ließ die allergröste Haab hinfahren hie auf
Erden.

4. O reiner Glantz, du ewig Lichte, und Lust-
spiel meiner Seelen! bedenck, in was vor Eydes-
Pflichte ich mich, dir thät vermählen; da du die
erste Blicke gabst, wie ich ließ alles fahren, weil
du so GOtt-erfreulich labst, die sich einmal dir
paaren.

5. Dein Nam, der so ausbündig schön, kommt
nie aus meinem Hertzen, das stetig deinem Fuß
nachgehn, vertreibet alle Schmertzen: Wird
nur gerufen, Sophia! so thut mein Hertz aufwallen, als wann du selber wärest da, so wol thut
mirs gefallen.

6. Die Brunst, die ich im Hertzen trag, verlieret nicht ihr Brennen, trag ich schon Hohn den
gantzen Tag, ich thu mich Ihr bekennen: und
rufe darzu überlaut (es muß nicht seyn verheelet)
Sophia ist mein edle Braut, ich bleibe ihr vermählet.

7. Ihr Töchter, die ihr nim sie her, sagt mir

von ihrer Schöne: sie ist ein unerschöpfflich Meer,
gar lieblich ihr Gethöne. Wann nur ein kleines
Sausen hör, noch mehr wann kommen Blicke,
so kenne ich mich selbst nicht mehr, mich zum Um-
halsen schicke.

8. O Sophia! sey mir bewährt, und bleib mir
zu geneiget; wann ich muß seyn wie ausgekehrt,
und mir dein Trost-Wort schweiget. Gedencke
doch der viel Gefahr, die ich um dich erlitten, daß
offt in grösten Nöthen war, so daß beynah geglitten.

9. Dein Trost-Wort sey mir allzeit nah, wann
muß verlassen stehen: ist alles hin, bist du nur
da, diß heilet meine Wehen. Der Eyd ist ja
schon lang geschehn, drum kan ich nimmer weichen: bleibstu mir stets zur Setten stehn, werd
ich mein Ziel erreichen.

10. Dann wann mein Hertze dran gedenckt,
wie fein ich war geloffen, und was mir da wurd
eingeschenckt, so bald ihr Pfeil mich troffen, die
Herrlichkeit der Welt muß hin; drum preiß ich
Gottes Güte, und komme mir niemal in den
Sinn, daß ich sol verderben müde.

11. So ist der Schluß bey mir gemacht, der
wird wol bleiben stehen, muß ich schon offt bey
tunckler Nacht im Elend umher gehen: wann ich
nur führe keine Klag, und lern es recht gewöhnen, wird sie auf meinen Hochzeit-Tag mich so
viel schöner krönen.

294.

O Stille Friedens-Ruh in GOtt verliebter
Seelen! so hier auf jeden Nu von seinem
Lob erzehlen, und gantz von keinem Schein sich
lassen blenden mehr; so daß sie nur allein leben
zu seiner Ehr.

2. Die werden alle Tag tiefer hinein geführet,
wo Gottes Geist regiert, und nur mit Tugend
zieret, und lehrt die innre Weg der Abgeschiedenheit, da man gantz unverruckt bleibe Gottes
Winck bereit.

3. Der innre Geistes-Weg bleibt vielen hier
verborgen; die zwar mit allem Fleiß, auch vieler
Müh und Sorgen, demselben forschen nach durch
viel Bedencklichkeit, und haben noch dabey viel
harten Kampf und Streit.

4. Warum?

4. Warum? sie dringen nicht hinein ins wahre Wesen: wo man wird recht vergnügt, und kann in GOtt genesen. Das Haus der Phantasie wird nicht mit aller Macht bestürmet, und zerstört, und ganz zu nicht gemacht.

5. Man muß der Sinnen-Welt, und allem Schein ersterben: was nicht zum Wesen dient, muß ganz und gar verderben. Dann nur in dem Genuß der vollen Gottes-Lieb findt man die wahre Ruh, wo Seel und Geist vergnügt.

6. Dann aller Glanz und Schein, so nur von außen zieret, und doch kein Nahrung giebt, der iste, so uns abführet vom innren Geistes-Weg, wo man die rechte Spur kann finden, die uns bringt zur neuen Creatur.

7. O Seelen! lerner doch, euch selbst mit Macht bezwingen, und thut mit allem Ernst ins wahre Wesen dringen: da man ganz ohn Verdruß in stiller Herzens-Freud kann leben recht vergnügt bey vielem Kampf und Streit.

8. Erlernet in dem Gang das rechte heil'ge Schweigen, so wird das stille Lamm euch selbst die Wege zeigen: und führen treulich fort durch diese eitle Welt, worin so viel Gefahr, und manche Netz gestellt.

9. Wer nicht mit allem Fleiß auf JEsum selbst thut sehen, der kommet nicht hindurch, daß er kann weiter gehen im schmalen Creutzes-Gang durch so viel Noth-gedräng, da alles sehr beklemmet, und bleibet in der Eng.

10. Doch wann man JEsum hat hier selbst zu seinem Führer, und Leiter, Schutz, und Raht, daß Er der Seel Regierer auf diesem schmalen Gang, wodurch man gehet ein zur stillen Sabbaths-Ruh, da voll geschenckt wird ein, *

11. Der Becher reiner Lieb, und voller Süßigkeiten, so Kraft und Nahrung giebt in Schmerz und bittern Leiden, wodurch man ohn Verdruß kann treulich halten aus, bis auf die letzte Prob, und Blut, und Todes-Strauß.

12. So kann man wallen fort mit Freud auf dieser Erden, und zu der engen Pfort in heiligen Gebärden eingehen mit Gesang, und vollem Sieges-Pracht. Wohl deme, der so hier die eitle Welt veracht.

13. O was vor ein Genuß wird in der Seel empfunden! auch schon in dieser Zeit, wo man die Perl gefunden: der stille Friedens-Geist ist ganz in sich ersenckt, und wird ohn alle Maaß aus Gottes Meer getränckt.

295.

O süße Himmels-Lust der reinen Seelen! die sich mit JEsu selbst im Geist vertraut: ich kann mit Wunder-voll davon erzehlen, weil seine Schöne ich im Geist geschaut. Die mich umarmet, daß ich erwarmet: so oft mein Auge Ihn in Lieb anschaut.

2. Nun ist die eitle Welt bey mir vergessen, weil ich was Bessers funden, das mich labt: mein Herz ist Freuden-voll in GOtt genesen, weil JEsus mich mit reiner Lieb begabt; die mir im Herzen vertreibt den Schmerzen, so Andern öfters Geist und Seele plagt.

3. Ich kann nun diesen Schatz nicht mehr verlieren, weil Er mich um und um mit Lieb umstellt, wolt auch die höchste Lust mich von Ihm führen, so bleibt Ers doch, der mir allein gefällt. Denn mein Ergetzen kann nichts verletzen: und ob Er selber sich vor mir verstellt.

4. So bald sein Liebes-Aug mich nur anblicket, so fället aller Kummer ganz dahin: und wird Herz Seel und Geist in mir erquicket, so daß ich oft von Liebe truncken bin. Drum muß gerahten mit meinen Thaten, dieweil nun alles lauter Lust-Gewinn.

5. Was mir oft bitter scheinet in dem Munde, ist meiner Kehlen süßer Freuden-Wein: wenn Er mit Liebe rührt den Seelen Grunde, muß auch der bittere Myrrhen Zucker seyn. Die bittre Süße, die ich geniese, die dringet mir so tief ins Herz hinein.

6. Daß ich in Lieb verwundt, wenn ich soll sagen, wie mir im Herzen zu geschehen pflegt: so kann ich es in Bildern nicht vortragen, was mir allda vor Kost wird vorgelegt. Es heißt ein leben, das GOTT ergeben, und seine Liebe in dem Herzen trägt.

7. Ihr Töchter Zions, kommt herbey und sehet, wie euer holder Freund mit Lieb umhüllt:

B b 2   und

und wie in Liebes-Schmuck Er einher gehet; sein Herz und Augen sind mit Lieb erfüllt. Geht Ihm entgegen, und thut anlegen den reinen Liebes-Schmuck nach seinem Bild.

8. Er ziehet prächtig aus wider die Feinde, die euren Schmuck zu rauben sind bedacht: und streitet in der Lieb vor seine Freunde, so wird der Raht der Feind zu nicht gemacht. Drum bleibt im Lieben Ihm stets verschrieben, weil Er selbst Liebe pfleget Tag und Nacht.

9. Die sich einmal verlobet in dem Bunde, und gehen seinen Liebes-Tritten nach: so daß kein falscher Schein mehr in dem Grunde, die wissen ganz von keinem Ungemach, das sie sol scheiden, sie achtens Freuden, wann auf sie fället Schande, Spott und Schmach.

10. Die reine Braut-Lieb ist nicht zu bewegen von falschen Buhlern, die ihr schleichen nach: und solt der Liebste selbst mit Liebes-Schlägen sie streichen, es ist niemals eine Plag der Lieb zu lieben, auch im Betrüben, die Bitterkeit ist ihr nur ein Gemach.

11. Der süse Zucker-Mund und holde Wangen des Liebsten kann gar bald in einer Stund, sein Liebste zieren aus mit fröhem Prangen, nachdem viel Schmerzen ihr das Herz verwund: Drum bleibet stehen, in allen Wehen, die Lieb-Verliebte in dem Liebes-Bund.

12. Holdselig ist der Kuß in meinem Munde, du holder Freund und Schatz meiner Seel! [von meinem] du hast mein Herz verwundet in dem Grunde, [Er hat] drum ich so viel von [deiner/seiner] Lieb erzehl. Doch will nun schweigen, mich vor [Dir/Ihm] beugen, und legen gänz in [deiner/seiner] Wunden Höl.

296.

O Süser Fried! O edle Ruh! wo man die Augen schliesset zu, der äusern Sinnen Sinnlichkeit, in lang gehofft-erwünschter Zeit.

2. Nun kommt die Seele zum Genuß: die lang geführte strenge Buß ist sanft durchs innre Gnaden-Wort. Man gehet ein zur [Lebens/engen]-Pforte.

3. Was ist denn wohl, das den besiegt? wo alles ganz zu Boden liegt: was kann vergnügen in der Zeit, und lebt im Nun der Ewigkeit.

4. Wohl dem! der dis gefunden hat, nach dem geheimen Gottes-Rath: der endlich alles bringt zum Ziel, wie Er es selber haben will.

5. Die viele Bande sind entzwey, man ist von allem Kummer frey: man kann nicht sagen den Genuß und Segens-vollen Ueberfluß.

6. O selige Vollkommenheit! O lang gewünschte Seligkeit! die mit so vielem Schmerz und Müh ich hab gesuchet spat und früh.

7. Da mir die Zeit oft worden lang, und oft must trauren vor Gesang in so viel Müh und bittrem Leid, und manchem harten schwehren Streit.

8. Nun ist gefunden, was gesucht: die süß und innre Geistes-Frucht wird nun gesammlet in der Still bey der so reichen Gnaden-Füll.

9. Ich kann nicht sagen, was es ist, das mir mein bittres Leid versüßt: ich muß vergessen, was eh war in so viel Noth und viel Gefahr.

10. Ich lebe nun, und weiß nicht wie: mein Gutes kommt mir ohne Müh, ich leide nur, und halte still, wie GOtt es selber machen will.

11. Der weiß wohl zu-und abzuthun, bleib ich nur so in Ihm beruhn, das Wehthun leiden in der still bracht mich zum rechten End und Ziel.

12. Ich habe doch ein Werck in mir zu schaffen, das ich nicht verlier: den edlen Stand von dem Genuß, der mir erworben durch die Buß.

13. Und viele Geistes-Engigkeit, in vieler Müh und hartem Streit: bis ich gekommen an die Thür, wo JEsus ruft: kommt her zu mir!

14. Ich bin der Weg zur wahren Ruh, das eigne Thun thu ich immer zu: wer mich nur hören kann bey Zeit, erlangt die wahre Seligkeit.

15. Dis ist geschehn in meinem Sinn, ich gab Ihm meinen Willen hin: der hat gethan, was ich begehrt, und mir die wahre Ruh beschert.

297.

O Süses Glück vergnügter Stille! wer so mit Segen heim gebracht: genüset aus gar reicher Fülle, was GOtt ihm selber zugedicht. O lang gehofft erwünschte Stunden, warinn man sich so sehr bemüht: wobey sich endlich eingefunden zeit, was uns verheissen GOttes Gut.

2. O Wol! weil ich in denen Tagen der traurig und betrübten Zeit, mein Creutz in viel Gedult getragen, und nie gewichen hin zur Seit.
Drum hat die Güte mich beraten, und mein gedacht in so viel Noht, des vielen Kummers mich
entladen, und pflegt mein, als ein treuer GOtt.

3. Die Leidens-Tag sind schnell vergangen,
gleich wie der Rauch im Wind verwehr; doch
kam mir ein nach so viel Drangen ein Gut, so
nimmermehr vergeht. Ach! was ein seliges Gedeyen, wann Gottes Gut und Freundlichkeit uns
nach Betrüben thut erfreuen, und hilfft uns aus
so manchem Leid.

4. Viel Glück komme ein nach viel Betrüben,
o selige Zufriedenheit! wo man nicht aufhört
GOtt zu lieben, in so viel Müh und bitterm Leid.
Das Creutz muß selbst zuletzt vergehen, daß man
kan gehen grade zu, wo lauter sanffte Winde
wehen, so führen ein zur wahren Ruh.

5. Man wird wol niemand können sagen,
was allda wird gemessen ein, und was GOtt thut
vor Kost vortragen, bey dem vergnügten stille
seyn. Da höret man kein wildes Brausen,
noch eitle Wind von Ehr und Lehr, noch was
sonst prächtig scheint von aussen, man gibt von
innen GOtt Gehör.

6. O lang erwünschte Freuden-Tage! o lang
von GOtt erflehtes Heil! wer wird mir glauben,
wann ich sage, was worden mir zu meinem Theil.
Doch will mit Schweigen und mts Dencken anzeigen es vor jederman, was GOtt zuletzt dem
thut einschencken, der nie gewichen von der Bahn.

7. Nun walle ich in stetem Frieden, und achte
nicht auf einig Ding, weil ich von aller Welt geschieden, und was auch sonst vor leer Gepräng.
Mein Still-seyn hat ein Dach und Hütte, so
mit der Ewigkeit vereint; der von GOtt lang erwünschte Friede komme ein, wann lang genug-
geweint.

8. Nun will ich mich in Güte laben an meines Gottes Freundlichkeit: ich kan doch sonst
nichts mehr haben, worinnen sich mein Herz erfreut. O Ungrund! wer in dich versuncken,

B b 3

hat genug und übergnug an dir, ist wie in Gottes Meer ertruncken, ob er gleich noch im Leben hier.

9. Wer wird dann können wol ermessen, was
man da schenckt vor reinen Wein dem, der einmal
in GOtt genesen, und in die Ruh gegangen ein.
Nun sitz ich unter Jovah Schatten, und labe mich
an seiner Gut, da die Ruhe für die Abgematten, und
die auch sonst von Seuffzen müd.

10. Nun soll dis bleiben mein Behagen, mein
Leben sey in GOtt versenckt; wil keine andre Läste
tragen, als die GOtt über mich verhängt. Dann
ist mein Weinen recht getroffen, wann ich um
GOtt betrübet bin, und wird zuletzt nach langem
Hoffen, auch dieses nehmen mit dahin.

11. Viel Glück der lang erwünschten Zeiten,
wo man zuletzt wird eingebracht, da man in so
viel Niedrigkeiten, nach dem erwünschten Ziel gebracht. O wol! ich kan nun süsse schlafen, mein
Bett ist Gottes Gütigkeit, weiß sonst nichts anders mehr zu schaffen, als was in jener Welt erfreut.

12. Ob gleich kein Boden ist zu finden in diesem tiefen Ungrunds-Meer; so thu ich mich doch
unterwinden, und ruf nochmalen aus, O HErr!
sey du mein Athem, Leben, Weben, so lang noch
lebe hier auf Erd; damit ich bleibe dir ergeben,
biß ich aldort verherrlicht werd.

298.

O Ungrund! der gewesen von Ewigkeiten her,
mach mich in dir genesen, damit, was um
mich her, mich ja nicht mehr entführe von deiner
Wesenheit, noch anderwerts abirre durch einig
Ding der Zeit.

2. Ich kann mich nicht enthalten, ich schrey
in dich hinein, mach schöne Angestalten, die wie
dein Wesen seyn. Ich kann mir doch nicht rathen, wann nicht spür Wesenheit, daß meiner
selbst einladen und von dir angekleidt.

3. Wie wohl wär mir geschehen, wenn mein
verliebter Sinn sich überkleidet könt sehen, genommen gantz dahin; also der Ungrund waltet, so
war von Ewigkeit, und alles drin veraltet, was
sonsten Welt und Zeit.

4. Drum lasse dich erbitten: o bodenloses
Meer! bring mich in deine Mitte, daß du seyst

um

um mich her; so wird bald seyn getroffen, wo
mein verliebter Geist so lang darnach geloffen,
und von sich ausgereist.

5. O Mutter aller Dinge! Kleid mich in dich
hinein; und in dein Wesen bringe, es wird bald
anders seyn: dann alles zu geringe dem sehr verliebten Geist, was nur geschaffne Dinge, und
nicht mit Wesen speist.

6. Was ich auch sonst thu machen in dem verliebten Sinn, sind lauter solche Sachen, was
dorten bringt Gewinn. Drum mich so sehr be-
strebe, daß alle meine Sach, ich sterbe oder lebe,
Frucht bring auf jenen Tag.

7. Vielleicht wird noch getroffen, wohin mein
Sehnen steht, wann ist zu End geloffen, was
mit der Zeit vergeht: dann werden meine Thaten,
die zwar gering und klein, zu einem mal gerathen,
wann geh zum Himmel ein.

8. Kommt mir ein das Gedeyen aus GOtt,
vom Himmel her, so wird mich nichts gereuen,
was offt so saur und schwer. So sey dann nun
zufrieden, du sehr verliebter Geist, weil GOtt
dich thät behüten vor dem, was trüglich gleißt.

9. Jetzt bistu aufgenommen in Schooß der
Ewigkeit, da wird dein Glück einkommen, so dir
von GOtt bereit. Dann Er hat angesehen dein
viel Elend und Noht, geheilet deine Wehen als
ein getreuer GOtt.

10. Drum wil nicht weitr zagen in dem verlaßnen Stand, sind Sachen schwer zu tragen, so
mach ichs GOtt bekannt, weil Er mein Helffer
blieben mein gantze Lebens-Zeit, drum wil ich Ihn
auch lieben in alle Ewigkeit.

299.

O! Was ein hohen Preis hat meine Blüte,
da auch die Alten jung, so vormals müde;
der liebliche Geruch so edler Zeiten, thät sich von
fern und nah sehr weit ausbreiten.

2. Kein Alter war so greiß, das nicht thät
lauffen; Jüngling und Jungfrauen kamen mit
Hauffen: Der sehr verliebte Sinn kont alles
wagen, auch alle Lust und Freud der Erd versagen.

3. Die Herrlichkeit der Welt war gantz vergessen, die schöne Zions-Freud macht wie genefen. Was man auch nah und fern sah umher
tragen, war nur allein dem Himmel nach zujagen.

4. Wer nicht von solchem Sinn, blieb weit
dahinten, so, daß er auch zuletzt nicht mehr zufin-
den: Indessen sammleten sich viel zu Hauffen,
die hier der ew'gen Lieb thäten nachlauffen.

5. Ein Jungfräuliches Heer von lieben Seelen, die sich dem keuschen Lamm wolten vermählen; Man sahe anders nichts als lauter Sachen,
so machen allen Glantz der Welt verlachen.

6. Der Himmel war allein das Wolgefallen,
und aller Seelen Lust in ihrem Wallen. Die
Sorgen dieser Welt waren verschoben; statt dessen fing man an den HErrn zu loben.

7. Der schönen Engel Chör thäten mit schallen, der Himmel selbsten hat ein Wolgefallen:
Die Paradieses-Sonn gläntzt auf der Erden, daß
viel bey sich gedacht: was wird das werden?

8. Die Sinnen waren voll von lauter Sachen, was dort in jener Welt man erst wird machen: Ein jedes wolte hier sein Hochzeit sparen
auf das, was nicht vergeht mit Zeit und Jahren.

9. Die Welt war wie zerstört, sing an zu zagen, man thät es hie und da einander klagen: die
grosen wurden feig, die kleinen schliefen, die mit-
telmäßige sie weit ausriefen.

10. Seht doch das Wunder an von so viel
Seelen, die sich dem keuschen GOtt in Lieb vermählen: drum hört man sie gar schön wie Engel singen; und ihre Jungfrauschafft dem Lamm
darbringen.

11. Was offt vor ein Gepräng, war nicht zusagen, dieweil sie reine Lieb im Hertzen tragen:
so bald im Heiligthum thäte darreichen der Priester Brod und Wein als Creutzes-Zeichen.

12. So hörte man die Chör der Jungfrauen
klingen, dem Schöpffer aller Welt Loblieder singen: Und wann die Priester-Schaar die Knie
nur beugen, so thut das Rauchwerck schön zu
GOtt aufsteigen.

13. Vor dem Genaden-Stul um zu versöh-
nen die kleinen, so da stehn mit vielen Trähnen.
Jetzt freuet man sich sehr der frohen Zeiten, rühmt
Gottes Herrlichkeit vor allen Leuten.

14. Man

14. Man gehet aus und ein in hohen Ehren, und rühmt der Weißheit hohe Wunder-Lehren. Doch wird, eh mans vermeynt, ein Stral gesehen, die Dunckelheit der Welt macht viele Wehen.

15. Die Sonn wird schwarz, der Mond fing an zu bluten, jezt fällt der Muth zu dem verliebten Guten: der Kinder-Sinn thät wiederum einschlaffen, es wurden hingelegt die Geistes-Waffen.

16. Jezt lehrt des Monden Schein der Nacht Geschäffte, dieweil ermattet sind die Lichtes-Kräffte: das Paradieses-Spiel hat sich verloren die Lieb von Kält und Frost ist zugefroren.

17. Jezt träumet man von nichts als leere Sachen, ein jedes thut vor sich sein eignes machen. So fing die Harmony an zu zerbrechen, und jedes thäte sich am andern rächen.

18. Wo man im Liebes-Sinn vor war verbunden, macht man sich jezt davor blutige Wunden. Man thut in Hefftigkeit einander schlagen, dieweil der Liebes-Sinn zu Grab getragen.

19. Deswegen viele sind verdrossen wörden, um dort zu gehen ein zur engen Pforten: darum der Führer selbst es muß entgelten, und fingen an ihn hie und da zu schelten.

20. Daß er die Ursach wäre von dem Gramen, weil er uns hat gebracht so nah zusammen. da unsre Eigenheit kam ins Erliegen, und unser Eigensinn sich solte biegen.

21. Der stolze Frevelmuth fing an zu bluten, erstorben war der Sinn zu allem Guten. Jezt fänge der Welt Gericht mit an zu rauchen, weil ihrer Aehnlichkeit man thut nachlauffen.

22. Drum wird man auch alsdann mit ihnen zagen, die Hände überm Haupt zusammen schlagen: Wann alle vor dem Richterstul erschrecken, und ruffen aus: ihr Berg thut uns bedecken.

23. Dis ist das loos und Ziel, so die erreichen, so aus der Liebes-Kett und Enge weichen: Wo vor das Paradieß so schön thät blincken, müssen in Abgrund sie nun tief einsincken.

24. O Weh! wer hat versäumt der Jugend Blüte, und so bald worden träg auch faul und müde. der harte Eigensinn war nicht gebrochen,

drum muß er in der Höll noch seyn gerochen. 199

25. Deswegen freuet euch, ihr lieben Herzen! die ihr geblieben treu in allen Schmerzen: Der Paradieses-Baum ist nicht erstorben; ob schon der Eigen-Sinn daran verdorben.

26. Die Sonne scheinet noch in Gottes Garten, macht Blummen schön aufgehn von manchen Arten. Ob sie schon gleich zuvor was schwarz geschienen, so muß um so viel mehr zur Freude dienen.

27. Wann sie in Dunckelheit uns thut anblicken, den schwach-und blöden Sinn wieder erquicken. In diesem Frühlings-Schein muß wieder grünen, was denen thut zur Lust und Freude dienen.

28. So kommen aus der Schwemm nach viel Betrüben, im Tod auch nicht gehöret auf zu lieben. Ich habe wol gehört das bittre Klagen, daneben auch dabey die Seyten schlagen.

29. Die nach dem Trauer-Thon gar herrlich klingen, jezt fangen wieder an lieblich zusingen: die schon von langem her vor denen Zagen dem keuschen Lamm vermählt mit Schmach zu tragen.

30. Alhier auf dieser Welt vor andern allen, damit sie Ihme nur allein gefallen: Sie halten sich bereit zu gehn entgegen, damit sie algemach den Schmuck anlegen.

31. Wann etwa solt die Stimm ruffen mit Schalle: ihr Jungfern seyd bereit, und schmückt euch alle: der Bräutigam ist da zum Hochzeit-Feste, drum müssen fertig seyn, was auch nur Gäste.

32. Wer sich versäumet hier mit viel Verweilen, der kommt alsdann zu kurz, muß draussen heulen. Jezt ist die Tauben-Zahl die Braut zu nennen, weil sie auf dieser Welt thäten bekennen.

33. Wie sie erkauffet wären von der Erden, und Menschlichen Geschlecht um so zu werden die reine JEsus-Bräut, die Ihm vermählet, eh der Welt Grund geleget dazu erwählet.

34. Jezt fall nur alles hin, was auf der Erden, die Zeit ist da, da wir verherrlicht werden: diß frohe Freuden-Fest wird ewig währen, daß auch noch Zeit noch Jahr es wird verzehren.

35. Drum werden wir nicht müd bey so viel Zagen,

Zagen, und thun es ferner hin aufs euserst wagen: die frohe Freuden-Zeit machet vergessen, wo wir auf dieser Welt betrübt gesessen.

300.

O Was herrliche Gänge findet man bey den jungen Schaf-Hürden Christi: wo das Lamm mit den Gespielen und Jungfrauen im Reihen einher geht.

2. Da treten die Söhne und Töchter unsers Gottes im reinesten Schmuck einher, und laben sich in süser Stille.

3. O was herrliches Gethön von Lob- und Freuden-Gesängen wird alsdann gehöret, wann die angenehme Hirten-Stimm ihres obersten Königs aufwacht.

4. O wie gehet alsdann die gantze Schaf-Hürde Christi so Freudenreich einher! wann das Lämmlein sie selbst mit seinen Augen leitet.

5. Da höret man in ihrem Gehen viel liebliche Lieder von der Huldreichen Gunst ihres treuen Hirten-Stimm.

6. Die Ströme und Bäche von dem Wasser, das aus dem Stul Gottes fliesset, machen gesund und fruchtbar die reine Weide der Schaf-Hürde Christi und des Lämmleins.

7. Daselbst fliesen auch Wasser und Brünnen von den Bergen herab, und befeuchten und wässern dasselbe gantze Land.

8. O was vor gnädige Regen fallen daselbst auf das dürre Erdreich von den sanften Winden und Sausen des Geistes.

9. O wie wohl und herrlich ist der Gang dieser reinen Schaf-Hürden Christi, wann man sie an dem Strom des Lebens wandeln sieht.

10. Da siehet man lagern die Jungfrauen des Lammes auf grünen Weiden, und im Thal sich hertzen in der Liebe ihres Bräutigams.

11. Da ist die Heerde Christi Braut und Jungfrau worden: und erfreuet sich in des Bräutigams schönen Gestalt.

12. Was ist dieses vor ein Wunder über alle Wunder, wenn die Schafe sich mit dem Hirten vermählsen?

13. Sind sie seine Heerde, so ist Er ihr Hirt: sind sie seine Braut, so ist Er ihr Bräutigam.

14. So kommet dann, ihr Söhne und Töchter der Jungfrauen, wir wollen unserm Lamm nach gehen, weil wir seines Geistes Erstlinge sind.

15. Wir sehen der Könige Töchter prangen im göldnen Stück, und Kräntze tragen in der schönen neuen Welt.

16. Auf dem Berge Zion ist die Zahl der Hundert und vier und viertzig Tausend, die den Namen des Vaters an ihren Stirnen tragen.

17. Diese sinds, die den Tritten des Lammes hier nach gangen: diese sinds, die ihr Bett nicht befudelt haben.

18. Darum sind sie unsträfflich vor dem Stuhl Gottes und des Lammes, dieweil sie ihre Leiber und Geister rein ohne Flecken und ohne Mackel bewahret.

19. O wie erfreuen sich die Englische Thronen, Herrschaften und Gewalten über der Herrlichkeit der reinen Braut und des Bräutigams.

20. Dann sie singet und spielet schön von dem herrlichen Sieg des Lamms mit Harfen an dem gläsern Meer: und breitet aus die grosen Wunder Gottes und des Lamms.

21. O wie wird alsdann der Tau Gottes in der neuen Welt sich so weit ausbreiten, und die Kirche Gottes und Braut des Lamms so fruchtbar machen.

22. Dann wird sich das heilige Geschlecht vermehren in die viel tausend mal tausende, und wird die neue Erde erfüllen mit dem Saamen der Erstlingen.

23. Alsdann ruhet die Braut mit ihrem Bräutigam in der allerreinsten Kammer und genieset die Früchte und den Lohn von ihrer Arbeit.

24. Das ist das Loos des Geschlechts von dem Saamen der reinen Jungfrauen-Zahl, die das Lamm sich auserkauffet mit seinem Blut aus den Geschlechten und Sprachen der Menschen-Kinder.

25. Lobet unsern GOtt, alle seine Knechte beyde klein und gross die Ihn fürchten. Amen Halleluja.

Ehre sey GOtt.

O Was

301.

Was vor enge Pfad find't man in solchen
Orden! wo man die Wege geh't, da nur des
Geistes Worten gefolgt wird in der Still, nach
dem geheimen Raht, den Gottes tiefe Lieb in sich
beschlossen hat.

2. Bringt es gleich süse Ruh und stilles Herz-
Vergnügen: so daß auf jeden Nu man kann
den Feind besiegen: so ist man doch noch hier in
einem fremden Land, da man auch-ost noch wird
den Freunden unbekant.

3. Drum wird der arme Geist noch ost sehr
hart geklemmet: daß er vor Noth nicht weiß,
was ihm den Außfluß hemmet der sanften Gottes-Lieb, die sonsten ihm so wohl gethan, und ihn
vergnügt, ganz Fried-und Freuden-voll.

4. Man ist enbunden zwar aller Gefahr und
Stricke: was vor ein Hindrung war, und hielt
den Geist zurücke, daß er nicht konte gehn mit
Freuden seinen Lauf, der't ist man nun befrey't,
daß man kan steigen auf

5. Zur stillen Ewigkeit, da alles sich verkläret,
was auch noch in der Zeit uns ost mit Tugend
zieret: das muß man geben hin, und gänzlich sagen ab, damit es komm in Tod, und werd versenckt ins Grab.

6. Doch, wann man so befrey't, und aller Last
entbunden, so höret auf der Streit, der sichre
Fried ist funden. Obwohl der Feind noch ost dagegen sich verstellt: so hat er doch kein Recht,
weil man versagt der Welt.

7. Indessen steh ich still, und thu genau auf-
mercken, was allein Gottes Will, in Ihm kann
ich mich stärcken, zu gehen in dem Weg, denn seine Liebes-Treu im Geist gesprochen ein, daß ich
sein eigen sey.

8. Es kann mir fehlen nicht, weil GOtt mich
hat bezwungen, daß ich mich Ihm verpflicht, so
daß es mir gelungen noch bis auf diese Stund
wider die Feind ohn Zahl, die auf mich schossen
los, um bringen mich zu Fall.

9. Ich halt bey meiner Treu, die mir ins Herz
gesprochen, daß ich Gott's eigen sey, das wird
nicht mehr gebrochen: weil seine Liebes-Hand mir

tief gedrücket ein, daß ich nun iimmerhin sein
Eigenthum soll seyn.

10. Ich bleib gebunden stehn nach seinem
Raht und Willen, und will die Wege gehn, worinn ich kann erfüllen den theuren Gottes-Ruf,
wodurch ich auserwählt, in ein ganz sondern
Grad gezogen von der Welt.

11. Man kann es sagen nicht, was diß vor
Sterbens-Wege, wo man der Liebes-Pflicht so
folgt, und wird nicht träge: dann alle Lebens-
Lust, sollens auch Tugend'n seyn, muß man versagen, und sencken ins Grab hinein.

12. Doch stehet in dem Tod ost auf ein neues Leben, weil man sich nun an GOtt so ganz
hat übergeben, drum ist Er auch allein der Seelen ihre Freud, die sich geschieden ganz von aller
Eitelkeit.

302.

Der 32. Psalm.

O! Was vor Gunst und grose Gnad ist solchem Mann geschencket, dem GOtt sein
Sünd bedecket hat, und der'r nicht mehr gedencket. Wie selig ist ein solcher Mann? dem
GOtt nichts mehr zurechnen kann: fürwahr diß
ist ein reinen Geist, dem GOtt so viele Gnad
erweißt.

2. Doch da ich wolt verschwiegen seyn, und
nichtes davon sagen: verschmachteten mir mein
Gebein, daß ich es nicht kont tragen. Denn seine Hand und grose Macht war schwer auf mir
zu Tag und Nacht: daß mein Saft trocken ausgezehrt, wie es im Sommer dürre wird.

3. In solcher Angst und grosen Noth trat ich
vor GOtt mit Bären, und sprach: mein HErr
und treuer GOtt! hilf mir aus meinen Nöthen.
Denn meine Sünd und Missethat ist groß, erzeig mir deine Gnad, erzeig mir dein Barmherzigkeit, daß ich werd wiederum erfreut.

4. Da nahm Er meine Sünd dahin, und
machte die vergessen: so daß sie ganz aus meinem
Sinn, als wär es nichts gewesen. Die Sünde, die kein Wesen hat, nimm GOtt hinweg
durch seine Gnad, so wird das Herze wieder still,
und ruhe in Gottes Raht und Will.

C c   5. Die

5. Die Zeit ist kommen, daß auch der, so treu in GOtt erfunden, sich beugen muß, wann kommt daher die Macht der Prüfungs-Stunden, und rufen aus: mein HErr und GOtt! hilf mir aus meiner grosen Noht! vor Dir kann ja kein Mensch bestehn, wann Du wilt ins Gerichte gehn.

6. Ja alle Heil'gen groß und klein die werden. diß bekennen: daß keiner ist zu achten rein, noch ohne Fehl zu nennen. Drum müssen sie Dir alle stehn, wann sie vor Dir, HErr, wollen stehn: doch wird der keinen treffen nicht, wann bricht herein dein Zorn-Gericht.

7. Du bist mein Schirm und starcke Wehr, thu mich vor Angst behüten: laß mich zu Schanden nimmermehr, noch rauben meinen Frieden. Errette mich von aller Schmach, die mich umgeben Nacht und Tag, so werd ich froh und frey gemacht, und rühme frölich deine Macht.

8. Der HErr ist meine Zuversicht, drum werd ich nimmer fallen: Er gibt mir selber Unterricht, den rechten Weg zu wallen. Er führet mich nach seinem Raht. der Frommen und Gerechten Pfad: und, wenn ich falle oder gleit, Er mich mit seinen Augen leit.

9. Seyd nicht wie Roß und Mäuler, die man anders nicht kann zwingen, mit an Gebiß und Zaum, um sie also an sich zu bringen. Drum hat der Gottlos seine Plag auf jede Stund und jeden Tag: doch wird umfahen Gut und Gnad, den, der auf GOtt sein Hoffnung hat.

10. Es freuen sich, und rühmen sehr all die Gerechten Frommen, und geben GOtt Danck, Ruhm und Ehr, wann sie zusammen kommen. Es rühmen GOtt mit aller-Macht, die Er also zusammen bracht: daß sie hoch preisen seine Gnad in seinem Tempel früh und spat.

11. Der frohe Hallelujah-Schall muß freudig da erklingen, wo die Gerechten allzumal mit Freuden GOtt lobsingen: daß sie Ihm geben, mit viel Freud, viel Danck, viel Lob, und Herrlichkeit, und breiten aus vor jederman, was GOtt an ihnen hat gethan.

303.

O! was vor verborgne Kräfte fliesen ein, wo man rein von der Welt Geschäffte: wo man alles übergeben, mit GOtt lebt an Ihm klebt in dem gantzen Leben.

2. Wer in seiner stillen Kammer in Ihm ruht, sonst nichts thut, der ist frey von Jammer: dann da wird oft eingenommen aus dem Saft wahrer Kraft, und dem wahren Wesen.

3. Niemand kann es hier aussagen, was ein Seel in der Still thut im Hertzen tragen: die gehalten aus die Proben, durch viel Leid zubereit, ihren GOtt zu loben.

4. Kaum kan sie ein Frommer kennen, dieweil die meisten hie ihre Zeit zubringen in des Fleisches Vorgehege, da man bald wird erkalt auf dem Glaubens-Wege.

5. Aber, die hinein gegangen in den Ort, da man Wort kann von GOtt erlangen: müssen sich gantz rein enthalten aller Ding, wann sie stehn, und ihr Amt verwalten.

6. Und wann sie des Altars pflegen, daß sie GOtt ihre Noht im Volcks vorlegen: thun sie Unterricht empfangen, so das sie spat und früh bleiben an Ihm hangen.

7. Wann das Rauchfaß sie in Händen, das sie stehn, vor GOtt stehn: so thut Er sich wenden, und zündt an ihr Opfer-Gaben, die sie rein, ohne Schein, zubereitet haben.

8. O was vor ein Göttlich Leben haben die, so sich hie GOtt zu eigen geben! in dem Innersten zu bleiben, und zum Haus nicht gehn aus, Gottes Werck fort treiben.

9. Diese sind selbst Gottes eigen, drum thun sie schon allhie seinen Raht anzeigen auch dem übrigen Geschlechte, das da hält vor der Welt ihres Gottes Rechte.

10. Auch ist ihn'n zum Erbe worden ein groß Theil, GOtt. ihr Heil hat mit Eydes-worten Sich zu eigen ihn'n versprochen, dieses wird Er, mein Hirt, halten unverbrochen.

11. Drum will ich auch frey bekennen, das Er mein, und ich sein, niemand soll uns trennen. Thut die Welt mich schon zertretten in den Koth, so wird GOtt mich daraus erretten.

12. Alles

12. Alles leiden, alle Plagen, will ich gern meinem HErrn gantz getrost nachtragen: Er wird an dem frohen Morgen seinem Knecht schaffen Recht, drum laß ich Ihn sorgen.

13. Dann ein Seel, die sich ergeben, daß sie GOtt bis in Tod kann zu Ehren leben: wird alhier gehaßt verschoben, Spott und Hohn ist ihr Lohn, und viel Leidens-Proben.

14. Wer die Welt mit ihren Schätzen hier verlacht, wird veracht: doch kann nichts verletzen den in GOtt ergebnen Willen, der bereit jederzeit, selber zu erfüllen.

15. Alles Dencken, alles Dichten ist gemein und nur Schein: was die thun verrichten, so der Hütten Dienst nur pflegen, erben nichts, was verspricht GOtt vor reichen Segen.

16. Denen, so hinein gegangen, wo man wacht, Tag und Nacht nur an GOtt zu hangen: und dem innern Altar dienet, mit Gebät an der Stätt, wo wird ausgesöhnet

17. Das, was man auch nicht thut dencken, und doch oft, eh mans hofft, Hertz und Geist thut kräncken: Drum muß alles stille schweigen, wann sie stehn, vor GOtt stehn, sich vor Ihme beugen.

18. Alles liegt zu ihren Füßen, solts auch seyn Schmertz und Pein, GOtt genießen; ja! ihr Glück wird ewig währen in der Stadt, die sich hat GOtt erbaut zu Ehren.

19. O du Nazaräer-Leben, wer dich hat in der That, und sich gantz hingeben: nimmer aus dem Tempel gehet, vor GOtt wacht Tag und Nacht, ewig vor Ihm stehet.

20. Hat das beste Theil und Erbe, weder Noth noch der Tod kann ihn mehr verderben: er ist durch den Vorhang gangen, trägt davon eine Cron, wird drinn ewig prangen.

304.

O Was wird das seyn! wenn ich gangen ein zu den stillen Salems-Pforten, da der Frieden aller Orten über mir wird seyn, wenn ich gangen ein.

2. Sicherheit und Ruh wird seyn immerzu: da die Zions-Bürger wohnen, thut GOtt über

E e 2

ihnen thronen: Darum muß die Ruh bleiben immerzu.

3. Denen noch gefällt diese Lust der Welt, erben nichts von denen Gaben, so die Himmels-Bürger haben: weil sie sich erwählt diese Lust der Welt.

4. Aber denen, die mit viel Angst und Müh ihre Saat hier ausgespreitet, ist die wahre Ruh breitet: weil sie suchen die mit viel Angst und Müh.

5. Auserwählt Geschlechte, halte bey dem Rechte deines Gottes auf Erden: es wird dir dein Theil schon werden. Sey nur schlecht und recht, auserwählt Geschlecht.

6. Aber jenem Hauf (mercke eben drauf) die das Unrecht in sich sauffen, und der eiteln Lust nachlauffen: folget bald darauf ihre Quaal mit Hauf.

7. Zions kleine Heerd trägt noch viel Beschwerd hier auf ihrer Pilger-Straassen, aber GOtt kann sie nicht lassen: dann so wird bewährt Zions kleine Heerd.

8. Geh nur immer fort, folge seinem Wort, daß Er selbst in dir thut sprechen, Er wird schon die Feinde rächen. Geh nur immer fort, traue seinem Wort.

9. Wie kanns anders seyn? wilt du gehen ein in die stille Ruhe-Kammer, wo vergessen aller Jammer: so must du erst drein; wie kanns anders seyn.

10. Zage du nur nicht, wenns schon oft geschicht, daß du must im Leid zerrinnen, und am Kummer-Faden spinnen: GOtt hats so gericht, darum zage nicht.

11. Traue du nur GOtt; Er wird deine Noth und dein Leid zergehen lassen, und dich in die Arme fassen: helffen aus der Noth, darum traue GOtt.

12. Denn Er weiß gar wohl, wie er dir thun soll, daß dich zur Seligkeit bereiten, drum laß dich nur von Ihm leiten: denn Er weiß gar wol, wie Er dir thun soll.

13. Hättest du den Stand selbst in deiner Hand, wo du meinest wol zu fahren du brächst dich selbst in Gefahren: darum muß dein Stand seyn in Gottes Hand.

14. Weñ

14. Beug nur deinen Sinn Ihm zun Füsen hin, Er weiß schon in allen Sachen etwas guts daraus zu machen: darum gib Ihm hin deinen gantzen Sinn.

15. Gehts zur Höllen-Pfort, halt dich an sein Wort, Er kann durch sein mächtigs Sprechen aller Höllen Macht zerbrechen: daß mit einem Wort weicht der Höllen Pfort.

16. O was grose Freud folget nach dem Leid! O süse Himmels-Wonne! O was vor ein voller Lohne folget nach dem Leid! O was grose Freud.

17. Ich bin darum still, ruh in Gottes Will: es wird mir mein Theil schon werde, nach dem Leiden und Beschwerden: Ich bin darum still, ruh in Gottes Will.

305.

O Wesenheit! aus Gottes Krafft, tingire mich von aus und innen. O Wesenheit! die alles schafft, wenn sonsten alles thut zerrinnen? bist du nicht da, so bleibet unser Thun verlohren, hät man auch sonst vor sich das Beste auserkohren.

2. Die Wesenheit schenckt Kräffte ein, wordurch die Jungfrauschafft erworben; hält man sich auf mit leerem Schein, ist auch das schönste Spiel verdorben: wann diese da, so ist's, was hie und dort zu werden, man wird erkauffet aus den Menschen und der Erden.

3. Was nicht von da, macht mehr abirren von GOtt und seinem reinen Wesen; thut man sich schon aufs schönste ziern, so kommt man doch nicht zum Genesen. Wann Jungfrauschafft an uns ist wie zum Wesen worden, so ist auch hergestellt der rechte Priester-Orden.

4. Hier findet man, was GOtt anschaut, und sich zu seiner Lust erkohren; so bald des Hohen-Priesters Braut steht da, so werden ausgeboren die Kinder, so sonst kein Geschlecht allhier auf Erden, drum werden sie in Majestät verherrlich werden.

5. Wann ihre Weysenschaft zu End, wird man erst sehn, was sie gewesen, da sie oft kaum ein Freund gekennt; und waren doch von GOtt erlesen: drum wolt er ihre Schönheit dort erst lassen sehen, wo alle Welt wird drüber in Erstaunen stehen.

6. Diß ist das Göttliche Geschlecht, womit der Erden-Krayß gerichtet: jetzt sieht man sie als wie geschwächt, weil ihre Hoheit hier vernichtet. O wol dem! wo das Priesterthum allhier ist worden, der wird so gleich vermählt dem reinsten Jungfrauen-Orden.

7. Dann wo nicht ist das Priesterthum, läßt Sophia sich gar nicht sehen, weil dieses ist ihr höchster Ruhm, wo man nur hielt der Sünden-Wehen: drum fliehet sie, wo man thut richten und verdammen, weil diß in Ewigkeit mit ihr nicht stimmet zusammen.

8. Dann wer nur liebt die Jungfrauschafft, und hegt nicht Priesterliche Sitten, kömmt nicht zu ihrer Tugend Krafft, hät er auch Tod und Welt bestritten: wie dort des Priesters Weib muß seyn ein Jungfrau rein, so muß der Jungfrau eben ihr Mann ein Priester seyn.

9. Drum fordert es nur Wesenheit, allwo man alles hat beysammen, wer Eins nur hat, der bleibt gezweyt, kan nicht aus Gottes Lieb herstammen. Drum liebe ich, was Aarons Priesterthum thut zieren, so wird Melchisedech die Jungfrau mir zuführen.

306.

O Weisheit! fahre fort mit deiner scharfen Zucht bey deinen Kindern hier, die öfters lang gesucht mit Sorg und groser Müh und mancherley Gefahren den Weg zum Heiligthum, bis daß sie einst erfahren.

2. Wie deine grose Lieb so treulich Sorge trägt, da sie nicht mehr beywang, was sich im Herzen regt vom alten Sünden-Gräul, samt vielen Neben-sachen, die dem verliebten Geist nur Gram und Leiden machen.

3. O reine Himmels-Lieb! O treue Gottes-Huld! du gesöhnet aus der Deinen Sünd-und Schuld: Drum müsse nun so fort Dir alles seyn ergeben, was Dir nur wohl-gefällt in ihrem gantzen Leben.

4. Damit sie deiner Zucht in treuer Liebes-Pflicht ergeben, und so gantz zu deinem Dienst gericht.

gericht: und also nur allein nach deinem Willen leben, auch in der schärffsten Zucht dir bleiben stets ergeben.

5. Bis deine Liebes-Hand sie voll bereitet aus, und also bringen wirst in ihres Vatters-Haus: da dann der frohe Tag sie machen wird vergessen der dürren Thränen-Saat, da öfters sie gesessen.

6. In Kummer und Beschwerd und mancherley Gefahren, da sie gedrückt, geklemmt und sehr gedränget waren: und weil sie dann in Dir die wahre Ruh gefunden, so ist die Trauer-Saat auf ewig hin verschwunden.

307.

O! Wie thut mein Geist sich sehnen nach dem Ziel der Ewigkeit, um zu gehen bald mit denen, die erquicket nach dem Streit: und in hohen Ehren Gottes Lob vermehren. Da man auch der Trähnen-Saat ewiglich vergessen hat.

2. Dann ich hab im Geist vernommen, daß ich mit der sel'gen Schaar, die aus grosem Trübsal kommen, Ihm werd loben immerdar. Und dann wir am Reigen gehen ohne Schweigen, stimmen an des Lamms Gesang schön mit Gottes Harfen-Klang.

3. Was wird vor ein Lob erschallen, wenn die gantze Christen-Schaar wird gesammlet seyn aus allen, wo sie vor zerstreuet war: es wird seyn vergessen, wo man oft gesessen unter Babels Spott und Drang, da die Zeit ist worden lang.

4. Und weil ich noch bin umpfangen mit dem Band der Eitelkeit: drum thu ich mit Ernst verlangen nach der frohen Ewigkeit: will dabey im Leben GOtt so seyn ergeben, daß mich auch kein Schmertz noch Noth scheiden soll bis in den Tod.

5. Und will alles fahren lassen, was mich hindert in dem Lauff: wenn ich geh die Pilger-Straasen, damit michs nicht halte auf, was im Wege stehet, und nicht weiter gehet: Solts auch gleissen schon im Schein, muß es doch vergessen seyn.

6. Und will mich mit Ernst befleissen, GOtt zu bleiben recht getreu, daß ich auch ohn alles Gleissen Ihm so gantz ergeben sey: und, ohn einigs Wancken, bleibe in den Schrancken der verlobten Liebes-Treu, die mich macht von Kummer frey.

C c 3

7. Wann ich dann so in dem Leiden meinem Liebsten folge nach: so daß mich auch nichts kann scheiden, wenns auch schon durch Spott und Schmach gehet, daß michs drücket, den Geist nieder bücket, und so tief gebeuget muß seyn, schenckt Er mir danckbar ein

8. Von den innern Geistes-Säften, die einfliessen in der Still, weil ich gantz mit allen Kräften einersenckt in Gottes Will. Drum kann ich genesen in dem wahren Wesen: wodurch man wird fett und starck, daß davon Geist, Seel und Marck.

9. Gantz durchdrungen und begossen von dem vollen Gottes-Strom, der vom Tempel komme geflossen auf die, so hier keusch und fromm: und sich so ergeben, in dem gantzen Leben, zu gefallen nur dem Lamm, ihrer Seelen Bräutigam.

10. O! was vor ein Liebes-Leben finden jetzt schon im Genuß die, so alles übergeben, und ohn einzigen Verdruß es mit JEsu wagen, helfen nach zutragen seine Schmach, Verachtung, Spott, ohne Scheu bis in den Tod!

11. Und weil ich im Geist erblicket, was vor Ehr und Herrlichkeit all zusammen dort erquicket, nach der Ueberwindungs-Zeit: drum werd ich bewogen, und durch Lieb gezogen, daß die starcke Eifersucht alle Eitelkeit verflucht.

12. Und ersenck mich in das Sterben meines Liebsten so hinein: daß auch möge gantz verderben, was nicht lauter ist und rein: Damit alles Meinen und betrüglichs Scheinen werde mit geleget ab, und versencket in das Grab.

13. O! was Stille, Ruh und Frieden findet man auf dieser Spur: wo man so ist abgeschieden von dem Glantz der Creatur: Niemand kann ermessen, was da wird besessen: wo man aller Sorgen loß, und so ruht in Gottes Schooß.

14. O! ihr auserwählter Saame, schmücket euch, und seyd bereit: geht entgegen unserm Lamme, ziehet an das Hochzeit-Kleid. Keines werde träge, es ist auf dem Wege, zu empfangen seine Braut, daß sie werd mit Ihm vertraut.

15. Dann die Ihm hier nachgegangen, und die eitle Welt veracht: siehet man dort herrlich prangen

prangen in dem weissen Kleider-Pracht. Da
das Lamm sie weidet, selbsten führt und leitet zu
den Wassern, die gantz rein aus dem Stuhl geflossen seyn.

16. Aller Schmertzen wird verschwinden, alles
Seuffzen fallen hin; aller Jammer bleibt dahinden, endet sich mit viel Gewinn in ein Freuden-
Leben, das uns GOtt wird geben, nach so vielem Weh und Leid in der sel'gen Ewigkeit.

308.

O wie werden wir uns freuen! wann des grossen Schöpffers Macht alles, alles wird verneuen, und wird seyn zurecht gebracht. Alles
was im Widerstreben wider GOtt, das höchste
Gut, sich oft gräulich thät erheben, lässet fallen
nun den Muth.

2. Dann die Herrschaft ist verschwunden, und
die Sünde abgethan, was zuvor sehr hart gebunden, ist befreyt von allem Bann. Eines wird
dem andern weichen, wann GOtt seine Zeit ersehn, was erhöht, sehr tief sich beugen, und dem
kleineren nachgehn.

3. Viele Wunder wird man sehen, wann von
allen Orten her Schaaren-weiß die Völcker gehen, ruffen aus die neue Mähr: was von Ewigkeit ersehen, ist nun an den Tag gebracht, drum
muß alle Welt erhöhen Gottes grose Wunder-
Macht.

4. Niemals hätt man können sagen vormals
in vergangner Zeit, noch mit Worten es vertragen, was gebracht der lange Streit: Da oft
muß der Weise schweigen bey der Stolzen Fre-
vel-Muth, müssen sich die Hohen beugen nun vor
GOtt, dem höchsten Gut.

5. Der von Ewigkeit ersehen aller Dinge Ziel
und Zeit, hin bis an die letzte Wehen, nach be-
schränckter Ewigkeit: die beschlossen ist zur Rache, und zur Straf dem Sünden-Heer, bis sie,
nach so langer Plage, ihrem Schöpffer geben Ehr.

6. O wie werden sie sich neigen denen! so von
GOtt gekrönt, und sehr tief vor ihnen beugen,
weil sie Sie zuvor verhöhnt. Die Pairenschaft,
so von denen, die von ihnen warn veracht, müssen helffen sie versöhnen, daß sie mit zurecht gebracht.

7. Jetzund sieht man andre Sachen, die so
hier im Frevel-Lauf thäten jene nur verlachen,
setzen ihnen Krohnen auf: daß die Herrlichkeit
erweitet, worzu sie von GOtt ersehn; und sich
mehr und mehr ausbreitet, um von hinten
nach zu gehn.

8. Diese Weise wird nun währen immer und
in Ewigkeit, daß die Stolzen stets vermehren jener Ehr und Herrlichkeit, die allhier in langem
Hoffen, in viel Schmertzen zubereit, und zuletzt
das Ziel getroffen zu der wahren Seligkeit.

9. O du Freuden-voll Ergetzen! O du hohes
Gut aus GOtt! das uns wird in sich versetzen
nach viel ausgestandner Noht: die Gebäre müssen währen unablässig mit Gesang vor die, so uns
fast anziehren, und uns anthun vielen Drang.

10. Dann das Blat wird sich schon wenden,
wann GOtt seine Zeit ersieht, und aus Zion Hülff
wird senden, worin man sich hat bemüht. Unaussprechlich sind die Sachen, wann uns GOtt
wird dort erhöhn, weilen, die uns hier verlachen,
müssen unsern Fuß nachgehn.

11. Viele werden schamroth stehen, die sonst
hoch gesessen seyn, und den Erstlingen viel Wehen hier auf Erd geschencket ein. Solte ferner
sich mas zeigen, das erhaben im Gesicht, müßte
es sich plötzlich beugen vor der Heil'gen Wunder-Licht.

12. Ich weiß keine größre Freude, als die
Wiederbringungs zeit, steht mir Gottes Gut zur
Seite, wird mein Hertz in GOtt erfreut: wolt
auch selbst die Hoffnung sincken, und der Glaube werden schwach, ich laß mich die Gnade lencken, da ist mein gerechte Sach.

13. Gottes Gut, so ewig währet, wird nicht
zeitlich seyn zu kurtz, wird mein eigner Wahn verzehret, kehr ich mich bald innenwärts, da ich ich
das Land erweitert, alle Enge löst sich auf, und
der Geist wird aufgeheitert zu dem frohen glaubens-lauf.

14. Scheinet mir die Zeit veraltet, und mein
Leben wär dahin, such ich Lieb, die nicht erkaltet,
da ein ewiger gewinn. Wolt mein Muth noch
ferner sincken wegen der Vergänglichkeit, baß thu
ich

ich daran gedencken, was in jener Welt erfreut.

15. Schrecket mich des Todes Rachen mit der finstern Welt Gerichte, ich kan ihren Hohn verlachen, weil ein anders Gesicht aus der Höhe mir gegeben, da ich seinen Untergang seh, samt allem Widerstreben, das gemacht so manchen Drang.

16. Fängt die Hölle an zu toben mit der finstern Fürsten Macht, fauge ich an GOtt zu loben, der ihr Thun zu nichte macht. Wolt sie ferner mich anrennen, schwächen meinen Helden-Muht, fang ich an GOtt zu bekennen, troze auf des Bundes Blut.

17. Mit Erstaunen muß erbleichen Tod und Teufel, Hölle, Welt, wann erscheint das Sieges-Zeichen, wodurch ihre Larv zerschelle. Weil der Pracht der finstern Welten ist zu lauter Hohn gemacht durch die grosen Creuzes-Helden, so gesieget in der Schlacht.

18. In dem Alterthum der Zeiten sind die Helden ausgeborn, daß sie locken, führn und leiten, was zuvor noch war verlorn. Gibt es ferner junge Helden, so wird bald die ganze Schgar Zions Herrlichkeit anmelden, die so lang verborgen war.

19. Dann der Kirchen Creuzes-Drangen eilen nun zu ihrem End, da sie wird mit Kronen prangen, wann sich die Erlösung finde: Weil der Tag der letzen Rache ist sehr nahe vor der Thür, da GOtt wird der Armen Sache geben eine offne Thür.

20. Wann das Friedens-Reich erscheinet auf der Erden weit und breit, wird man haben ausgeweinet nach der trüb-und dunckeln Zeit: dieser Ruh-tag macht vergessen den gehabten Creuzes-Drang, und wo man betrübt gesessen, da oft Zeit und Weile lang.

21. Dieses ist die frohe Erndte, so die Erstlinge einbracht, und was sonst noch in der Ferne, muß durch gar ein lange Nacht, so der Ewigkeiten pfleget, da noch Ziel noch End zu sehn, bis ist alles ausgefeget durch die viel und lange Wehn.

22. Endlich wird es Lösung geben, wann die lezt-Posaune blast: stehet auf, geht ein zum Leben, eure Zeit ist abgefast. Alles wird die Stimme hören: kommt heraus aus dem Verhafft, thut des Schöpfers Ruhm vermehren durch sein hohe Allmachts-Krafft.

23. Drum will ich mich tief ersencken in des grosen Schöpffers Rath, der es alles so wird lencken, wie er es beschlossen hat. Steht mein Hoffen schon im Wehen allhier in der Sterblichkeit, wird es anders doch aussehen dort in der Erquickungs-Zeit.

24. Dann wann ich nur thu gedencken an das Ende aller Ding, muß verschwinden alles Kräncken, samt viel andrer Noht-gedräng. Drum such ich nichts mehr auf Erden hier in dieser Leidens-Zeit, als mit GOtt einträchtig werden hier und dort in Ewigkeit.

309.

O! Wie wol bin ich gemacht, weil die Jungfrau mir gegeben einen Kuß in tunckler Nacht, da gemeynt oft kaum zu leben; biß in dem betrübten Stande mir wird ihre Lieb bekannt.

2. Wunder-voll war mir die Zeit, daß mich schwerlich drein kont schicken, biß sie selbsten mich erfreut, mit viel süssen Liebes-Blicken, dann da wurd mir offenbar, was vor eine Sach es war.

3. Dann mein Schmerzen kam daher, daß sie so auf mich gedrungen: doch, obs gleich fiel saur und schwer, wurde ihr doch Lob gesungen; dann, wann sie schenckt Güte ein, meynt man es wär lauter Pein.

4. Da sie selbst in Kindes-Wehn, meynte ich es wär mein Schmerzen, daß auch schien, ich müst' vergehn, doch gieng es ihr selbst zu Herzen: drum gar bald eh mains bedacht, wurd das Kind zur-Welt gebracht.

5. In der Mitternachtes-Zeit ward das schöne Kind geboren, und mein Herz in GOtt erfreut, da sonst alles schien verloren. O du süsse Himmels-Luft! wer trinckt an der Mutter-Brust.

6. Dieses Kind ist nicht ein Knab, so die Heyden hat zu richten; hier ist ganz gebracht zu Grab, wo so vieler Streit zu schlichten. In der Jungfraun Kirchen-Zeit weiß man nichts vom Schwerdt noch Streit.

7. Weil

7. Weil uns nach der Mutter-Art nun ein Kind zur Welt geboren, dann dieselbe blib verwahrt, wo so vieles gieng verloren, da auch kan ein andrer Brauch durch der Bösen Schlangen-Hauch.

8. Wo der Mann das Ruder führt, mit Gewalt herrscht u. regieret, von dem Höchsten Gut abirret, wodurch alle Welt verführet. Nun ist da, was GOtt erkorn, weil Himmel ist zu Mägdlein geborn.

9. O du lang erwünschte Zeit! wo dis süsse Glück erwachet, jezund ist zu End der Streit, da der Engel Mund auch lachet. Dann der Mutter Töchterlein führt uns in den Braut-Saal ein.

10. Wo das Knäblein Blut geschwitzt, und so muß die Kriege führen, dieses Kind von Golde blitzt, dabey thut den Himmel zieren. Jezt ist funden, was verlorn, weil dis Mägdlein ist geborn.

11. Dis wird bleiben schön zu Haus, wann andre zu Felde ziehen, weiß aus den Raub theilen aus ohne einiges Bemühen. Dieses Kindes Herrlichkeit war vor aller Welt und Zeit.

12. Alhier sieht man keine Schmach, weil dis Jungfräulein geboren, noch auch des Bluträchers Rach, wie es in der Zeit zuvoren: dann das Knäblein hat den Spott abgebüßt durch seinen Tod.

13. Jezt bricht an das Friedens-Reich, weil der Kinder Werck und leben, als ein Paradieses-Zweig, Gottes Wunder-Macht erheben. Kinder und Jungfrauen rein sinds, die dort zu sehen seyn.

14. Alhier gilt kein Regiment, wo man herrschet und regieret, dieses neu geborne Kind wunderbar den Scepter führet; wolt man sehn der Wunder viel, so ist es ein Mägdleins Spiel.

15. O wie froh bin ich gemacht! weil mir dieses Kind geboren in der Stund der Mitternacht, da sonst allen schien verloren. Mein Geist hüpfset freudig auf über dieser Zeiten lauf.

16. Dieses Knabes Sitten seynd, wie dort jene Welt regieret: wer wir heiße ein Gottes Freund, wird zur Schul hinan geführet, daß er lerne den Bescheid, wie GOtt war von Ewigkeit.

17. Sing ich gleich ein Lied davon, was mir dieses Kind einbrachte, klingts doch als ein Trauer-Tohn, wann ich nachsinn und betrachte, was noch wird zu schaffen seyn, biß sein Reich wird brechen ein.

18. Dann da wird nicht bleiben stehn auch ein kleines von den Sitten, wo die Menschen mit um gehn, da bald dis bald jens bestritten. Dieses Kinder-Reich ist mir schon das schönste Vorspiel hier.

19. Dann da tuhn die Töchter schön in dem Regiment hertreten, daß erfreulich anzusehn, was vor hohe Majestäten bey der Jungfraun Kirchen-Tracht, so hier allen Mann veracht.

20. Dieses ist die Kirchen-Zeit, wo der alten Welt vergessen, und die Jungfrau ist gefreyt, die so lang betrübt gesessen; dennoch hat sie keinen Mann, man geht da ein andre Bahn.

21. Dann sie sind den Engeln gleich, wissen keine andre Sachen; in dem jungfräulichen Reich weiß man anders nichts zu machen; was der Engel steter Brauch, trieben jene Heil'gen auch.

22. Jezund bin ich auch dabey, weil gehuldigt diesem Orden, wolt man wissen, was ich sey, ich bin Kind und Jungfrau worden. Dieses Mägdleins Kirchen-Zeit währt in alle Ewigkeit.

310.

O Wie wohl und herrlich ist dein Gäng, du Tochter des Königes! unter den Gespielen, darum loben dich die Mägde, und die Jungfrauen folgen dir.

2. Das Liebliche des HErrn ist ihnen zum Erbtheil worden, und ihre Gespielen und Gespielen haben eitel Wohllust.

3. Der Tau Gottes ist ein Tau eines grünen Feldes: deine Heerde gehet daselbst einher und weidet sich.

4. Da lagern sich die Jungfrauen des Lammes: an der Seiten des Stroms ist Holz des Lebens, und die reine Träncke machet sie fruchtbar auf der Ebene.

5. Sie tragen Zwillinge: auf der Höhe und Bergen breiten sich ihre Aeste und Zweige auf, und ihr Geruch dienet den Mägden.

6. Dort

6. Dort kommen die Töchter meiner Mutter, und der Aufgang der Morgen-röthe bringet seine Kinder mit herbey.

7. Ihr Töchter und Gespielen! sehets und vernehmets, und ihr Jungfrauen merckets, und sehet eure Brüder von Ferne kommen.

8. Sehet! wie sie einher gehen, wie sie einher gehen in der Kraft dessen, der da ist, was er ist: der da ist die Krone seiner Schaar, und der Schmuck und Zierrath seiner Braut.

9. Stehe auf! siehe auf! denn Er kommt selber, die Zeit des Schlafs und der harten Kälte und Frost ist vorüber: jetzt sehen wir das rechte Leben.

10. Die Braut ist nicht mehr allein, sie träget nicht mehr ihren eigenen, sondern den Schmuck dessen, der in sie verliebet ist.

11. Sie stehet nun zur Rechten des Hirten und des Königes, welcher Schmuck ist Heiligkeit und ihre Zierde reine Liebe.

12. Wer ist dann die, so als die Sonne leuchtet, und die, so als die Sterne blincken: das liebe Volck, das liebe Geschlecht.

13. Sagets nach! machets kund in der Nähe, breitets aus in der Ferne: wer hats gedacht, wer hats gemeint, daß des Hirten Stimm der Königin der Königin Töchter Schmuck bereitet.

14. Sie steiget höher, sie gehet auf, die Frühlings-Sonne, der Blumen Zierde u. schöne Farben blincken, der liebliche Geruch von Rosen und Lilien bricht aus ihrer Mitten hervor.

15. Sie gehen Schaaren-weiß dem Geruch dessen, der unter den Dornen geruhet nach, sie weiden sich daselbst in reiner Liebe.

16. Daselbst gehet auf das Herz Davids, dem das liebliche des HErrn zu einem Erbtheil verheissen.

17. Da muß blühen seine Krone, das liebe Volck, das liebe Geschlecht, das so geschmücket einher geht in seiner Kraft.

18. Sie tretten auf höhere Stuffen, und folgen dem Gang seiner Mutter, und haben ihre Freude an der Tochter inwendigem Schmuck.

19. Sie sind erhöhet in seiner Ehre und fro-

locken in seinem Sieg. Die Verachtete ist gekrönet, und die Krone der Fremden ligt zu boden.

20. O wie herrlich und lieblich ist dein Gang! und O wie angenehm und holdselig ist deine Gestalt!

21. Dein Thron-Sitz müsse ewig bleiben, und alle deine Kinder müssen ewiges Leben und reine Wohllust geniessen. Und so blühet das Liebliche des HErrn in seinem Erbtheil, und sein Saame und Kinder müssen vor Ihme gedeyen, und seiner Gnade und Gabe die Fülle haben.

Ehre sey GOtt.

311.

Wo ist mein Bräut'gam blieben, meiner Seelen bester Freund? hat Er aufgehört zu lieben die, wo es so herzlich meynt? seine Thore sind verschlossen, seine Sonne scheinet nicht: tausend Thränen mich begossen, daß mir Zeit und Kraft zerbricht.

2. Seine Sorge läßt Er fahren für mich, und läßt mich allein, daß ich in so viel Gefahren meynt, ich werd nicht sicher seyn von den Feinden, die umgeben meine Seele ängstiglich, daß ich umsah nach demselben, das zuvor erquicket mich.

3. Aber da war nichts zu finden, das der Seelen Nahrung war. O ich arm-gejagte Hindin gosse fast ein Thränen-Meer! weil ich sahe mich umgeben mit des Feindes Grimmen-Wuth, daß ich dacht: wie kann ich leben? weil der Streit ging bis aufs Blut.

312.

HErr aller keusch-verliebten Seelen, ich hab erblicket deinen Schein, drum will ich mich mit dir vermählen, damit ich bleibe keusch und rein, von aller fremden Liebe Kräfte, die oft bethöret meinen Sinn, und durch ihr zaubrisch Geschäffte mir meine Kraft genommen hin.

2. Ich will mich nun aufs neu verbinden, dir, meiner Lieb, getreu zu seyn: ich weiß, ich werd noch überwinden, und kostets auch schon Schmerz und Pein. Die Liebe muß ja etwas haben, woran sie ihre Treu versucht: sie ruhet

ganz

Gang in feinen Gaben, hält Probe in der schärf-
sten Zucht.

3. Die Weisheit prüfet ihre Kinder, legt ihnen Band und Fessel an: hält sie in Eng, als
wär'n sie Sünder, daß sie nicht weichen von der
Bahn. So wird die Liebe oft probiret, ob sie
auch lauter keusch und rein, damit man sich nicht
selbst verführet durch falschen Trug und Heuchel-
Schein.

4. Die reine Jungfrau kann nicht leiden, daß
ihr ein Andre an der Seit: drum muß man sich
von allem scheiden, eh sie das keusche Bett bereit, wo man kann reiner Liebe pflegen mit ihr im
keuschen Jungfraun-Sinn. Wer sich kann in
diß Bette legen, der ist befreyt von Adams-Sinn.

5. Und thäte sie nicht selber wachen, ihr Bett
das würd nicht bleiben rein: weil so viel andre
Neben-Sachen, die oft auch einen keuschen Schein,
und doch im Grund nur trüglich gleissen, daß
schon verführet manches Herz. Wann sich das
Fleisch schon thut anpreissen, wird man belohnt
mit bitterm Schmerz.

6. Wie ist die Weisheit so verborgen oft ihren liebsten Kindern hier: doch lässet man sie selber sorgen, so giebt sie eine offne Thür zu gehen
ein in ihre Kammer, da sie eröffnet ihren Schatz,
und macht vergessen allen Jammer, weil da der
Seelen Ruhe-Platz.

7. Ich weiß, es wird mir wohl noch werden,
was mir versprochen hat ihr Mund: wenn ich
nur alles, was auf Erden, verlasse in dem tiefsten
Grund, so wird sich diese Spur schon finden,
daß ich werd ruhn in ihrem Schooß. Da will
ich mich mit ihr verbinden, so werd ich aller
Sorgen loß.

8. Denn sie mir einen Eid geschworen, der
wird gebrochen nimmermehr: da ich sie mir hab
auserkoren, zu folgen ihrer reinen Lehr. Sie
thut mir ihre Zusag halten, die ihr gegangen aus
dem Mund: läßt mich in Lieben nicht erkalten,
wenn schon der Schmerz mein Herz verwundt.

9. Sie steht mir bey in allen Proben, thut
Mutter-Recht, und pfleget mein, drum bleib ich
ihr in Lieb gewogen, weil sie mir Alles ist allein:

und thut vor mich stets Sorge tragen, daß nichts
bethöre meinen Sinn, drum kann ich es wohl
auf sie wagen, daß ich ihr gebe Alles hin.

10. Sie hat ja lang um mich geworben, bis
sie erfahren, daß ich treu: sonst wäre ich wohl
gar verdorben, wann sie mir nicht gestanden bey
wider die mancherley Geschäffte, die sich verliebt
in meinen Sinn, und durch der falschen Liebe-
Kräfte oft meine Kraft genommen hin.

11. Ich bin verliebt, ich kanns nicht hälen,
O reine keusche Himmels-Braut! ich will von
deiner Lieb erzehlen, die sich mit mir im Geist vertraut: denn deine Treu hat mich bewogen, daß
ich dir gebe alles hin; du hast mich ganz in dich
gezogen, und hingenommen meinen Sinn.

12. Du reiner unbefleckter Spiegel, laß herzen mich an deiner Brust, und drück mir auf
das volle Siegel, daß ich mit voller Liebes-Lust
dich könn geniesen ohne Maaße, weil ich in dich
verliebt bin, und sonsten alles fahren lasse, was
dir nicht ist nach deinem Sinn.

13. Denn deine Treu, die mich bewogen,
und mich erhalten wunderbar, da ich von fremder Lieb gezogen, mich hat errettet aus Gefahr:
und machte allen Schein zu nichte, der sich ver-
kleidet in dein Licht, die hielte in mir das Gewichte, daß ich blieb stehen aufgericht.

14. Drum soll der Schluß nun ewig stehen,
daß ich verbunden bin mit dir: solt ich etwa nach
andern sehen, so halt du wache an der Thür, daß
keine fremde sich einschleiche, und dir einnehme
deinen Platz. Hältst du mich fest, daß ich nicht
weiche, so bleibest du mein schönster Schatz.

313.

Prediget von den Gerechten, daß sie's werden
haben gut, weil sie biß zum Tod verfechten
ihr Heil, durch des Bundes Blut:] und getragen seine Schmach mit viel Hohn den ganzen
Tag. Darum wird sie GOtt erfreuen, und zuletzt noch gar verneuen.

2. Die betrübt einher gegangen in viel Creutz
den ganzen Tag, bey gar viel und manchem Drangen JEsu so gefolget nach. Auch gesparet keine Müh GOtt zu dienen spat und früh, und si-
man

manchen bittern Nöthen, treu geblieben biß zum Tödten.

3. O! Was wird noch erst einkommen dort in jener neuen Welt denen, die mit allen Frommen nur gethan, was GOtt gefällt. Die betrübte Trauer-Saat wird gekrönt mit lauter Gnad; und das lang betrübte Leben wird GOtt aus dem Staub erheben.

4. Die mit Weinen hingegangen, und viel Leid den ganzen Tag, werden dorten herrlich prangen vor ihr Leid und Ungemach, die in dieser Jammer-Zeit ausgekehrt von aller Welt. Weil sie hier in ihrem Wallen nur gesucht GOtt zu gefallen.

5. Darum werden die Gerechten es dort freylich haben gut, die mit Tod und Hölle fechten, und durchkämpffen biß aufs Blut. Von der Erden ausgekaufft, und mit Geist und Blut getaufft. Darum sie auch vom Gelingen aldort ihr Triumphs-Lied singen.

6. Jetzund wollen wir uns freuen, weil uns GOttes Gütigkeit würdigt, als seine Getreuen, Ihm zu dienen stets bereit; dabey uns bereiten recht, als ein vorerwählt Geschlecht, das erst, nach so langen Wehen, GOtt wird dort so hoch erhöhen.

7. Darum trage deinen Jammer in Gedult alhier auf Erd, dorten ist die Ruh-Kammer, wo dein langer Schmerz aufhört. Darum dencke wieder dran, wie auf deiner Trauer-Bahn dich dein GOtt offt thät erfreuen, wann er wolt sein Gut verneuen.

8. O! Wie süsse wird man rasten nach so manchem Weh und Leid, und so vielen Tages-Lasten hier, in der betrübten Zeit. Jetzund säet man nicht mehr aus; sondern bringt die Frucht nach Haus, da die frohe Ernde wird geben ew'ge Freud und ew'ges Leben.

314.

Quill aus du reiner Geist von Sophia erboren, dein Hauchen ist die Krafft zur ew'gen Jungfrau-Hafft: die von so langer Zeit im Schlaf gienge verloren, da Adam hat verscherzt derselben edle Krafft. Wir sind schon deines Segens voll, weil du uns hast bedacht so wol, ein Vorspiel drauß zu machen, was sey die edle Jungfrauschafft, und ihrer hohen Tugend Krafft und noch viel Neben-Sachen.

2. Die der so reine Geist in den verliebten Seelen einflößet, wann sie sind im allerreinsten Sinn darauf bedacht, um sich Sophia zu vermählen; der Schlangen Wollust-Freud zum Tod gegeben hin. Die werden in den reinen Geist gewahr, was vor ein Sach es heißt, der Jungfrau seyn vermählt, da Adams Ehebruch mußte ins Grab, weil aller Lust gesaget ab, was Fleisch und Blut verheelet.

3. Drum thu, O reiner Geist! in uns zum Segen grünen, daß deine Wunder-Krafft siegprächtig da erschein, wo man in lauter Lust dir thut im Segen dienen, und in viel süsser Freud mit dir so seyn gemein. Was wird wol seyn der hohe Preis, wann auf des Höchsten Geheis, der Jungfraun Schaar wird stehen auf Zions Höh gar schön erbaut, als eine reine Gottes-Braut, gar prächtig anzusehen.

4. Und wie ein neues Lied gar schön zusammen singen von Gottes Gnad und Gut, die sie so hoch erhöht, und dem Jungfrauen-Sinn noch lassen so gelingen, daß sie mit Pracht nun auf dem Berge Zion steht. Viel Jungfrauen sind um sie her, wie Schaaren an dem gläsern Meer, das Lamm wird sie selbst leiten zur reinen Tränck, daß man wird sehn, wie prächtig sie einher thun gehn, von reinen Himmels-Freuden.

5. Drum komm, O reiner Geist! und mache Bäche fliesen vom Lebens-Wasser, die aus GOtt geflossen her; und alle Bitterkeit der Schöpffung gantz durchfliessen, damit der Gottheit Krafft gleich wie ein gläsern Meer seye der Jungfrau Segenhalt, worin die ew'ge Lieb aufwallt, und breite aus den Saamen der Braut, vom Jungfrauen Geschlecht, die Kön'gin über Knecht und Mägd all's in Jehöva Namen.

6. So bald die Braut wird seyn in ihrem Pracht erhoben, so kommt das Königreich auf keinen andern mehr, auch ist zum End gebracht der

der vielen Völcker Toben, weil hin und abgethan das gantze Sünden-Heer. Auch ist zu Ende aller Bann, weil sie umgeben allen Mann, müssen die Drohnen fallen in dieser und in jener Welt, weil alles Ihr zun Füssen fällt mit krachen und mit knallen.

7. Jetzt ist der letzte Feind, als Tod, mit hin verschlingen, und aller Fluch und Bann auf ewig abgethan; weil es der Jungfrau ist an ihrem Mann gelingen, der sich durchs-geben hin geöffnet diese Bahn. Weil sie geblieben schön zu Hauß, kann sie den Raub so theilen aus, auch Jungfrau ist geblieben, die nie erkennet einen Mann, gehalten aus ihrer Bahn, wann sie der Tod wolt sieben.

8. O Hocherhöhter Geist! dir muß die Krone werden aldort, in jener Welt; was heiset dein Geschlecht, die du dir ausgeborn gantz ohne Mann auf Erden, erzogen mit viel Müh, bloß auf dein Mutter-Recht. Da offt ihr armer Waysen-Stand niemand als dir allein bekannt, wann sie hin mußten gehen, als ob kein Trost noch Helffer wär, und alles, was sonst um sie her, ihnen macht lauter Wehen.

9. Diß ist nun das Geschlecht, das dort so hoch erhoben, weil sie im Elends-Zahl gewaschen sind so rein; dabey in so viel Leid offt hin und her gezogen, eh sie mit so viel Freud giengen zum Himmel ein. Diß ist der Jungfrauen Geschlecht, so hier auf Erden hat kein Recht, weil sie den Männ versaget, der alhier hat sein Reich im Schein, weil sie nicht wolt betrogen seyn, hat sies also gewaget.

10. Drum gehn wir auch so hin annoch mit vielem Weinen, biß unsre Niedrigkeit aldort erhöhet werd: wir sind O Mutter! ja alle die liebe Deinen, weil wir berufen und erkauffet von der Erd. Ob wir gleich hier im Waysen-Stand, so ist es dir doch wol bekannt, daß wir so sind die Deinen: drum wird die grose Seligkeit hinnehmen unser vieles Leid und unser langes Weinen.

11. Waß diese Kirch erwacht, also die Mutter pfleget der Kinder, die da aus dem reinen Geist geborn; der selbst ein Jungfrau heißt, und allen Fluch hinleget, den der Mann bracht, da er die Jungfrauschafft verlorn. O! ewig, ewig reiner Hauch, jetzt geht es, wie dein alter Brauch von Ewigkeit gewesen. Jetzt lebet all's von deinem Wind, weil alle Creaturen sind wieder in GOtt genesen.

315.

WIll aus, O Lebens-Brunn! und wässre unsre Wiesen; die Blummen stehen welck, das Gras ist abgemäet: wir möchten deiner Huld gern wiederum genüsen, eh unsre Lebens-Krafft und alle Freud vergeh. O wol uns! wann Ströme und Bäche ausfliesen, und wässern die dürre und magere Wiesen.

2. Man hat schon lang verlanget der reinund lautern Quelle, die fliesset aus zum Heil den Seelen die betrübt; erquick, was müde heißt, vertret die Trauer-Stelle, die hier auf ihrer Bahn sich fast zu Tod geliebt. So würden die dürren Gebeine ausgrünen, und unser unfruchtbares Wesen ausführnen.

3. Wie lieblich würd' es stehn, wann thät imlich erscheinen, ein neue Kirchen-Zeit vom Aufgang aus der Höh, wann GOtt selbst wachte auf über die liebe Seinen, daß man es wiederumben bey allen Leuten seh; wie Gottes Erwählte im Segen erhaben, wann andre in nichtigen Dingen sich laben.

4. Wir wollen uns dann nun zusammen hoch erfreun, weil wir im Geiste sehn die neue Kirchen-Zeit; da man versammlet sieht die lieben und Getreuen, die GOtt sich selber hat zu seinem Dinst bereit. Jetzt wollen wir dulden viel Leiden und Proben, so können wir dorten Ihn ewiglich loben.

N.

316.

REcht betrübt in vielem Schmertzen gehet Zion aus und ein; sehr verwundert in dem Hertzen, um den schönen Frühlings-Schein, der in den vergangnen Zeiten sich so weit hat ausgebreit, daß die Insulen der Heiden hat ihr schöner Glantz erfreut.

2. Nun.

2. Nun muß sie in vielen Drangen gehen sehr betrübt einher, und muß seyn als wie gefangen, daß ihr oft fälle saur und schwer. Ihre Kinder gleicher massen gehen traurig hin und her, als ob sie von GOtt verlassen, und er nicht ihr Helfer wär.

3. Mit viel Trauren thut sich kräncken die so sehr Verlassene, wann sie nur thut dran gedencken, wie der Aufgang aus der Höh ihr so herrlich thät einmessen den so hohen Freuden-Schein, daß auch ewig schien vergessen aller Schmertzen Druck und Pein.

4. Nun muß sie im Elend gehen in der sehr betrübten Zeit: wer wird wohl die viele Wehen heilen samt dem bittern Leid? Ihr Verlangen stehet im Sehnen, daß der Glantz der Ewigkeit ihre vielgehabte Thränen nehme hin, samt allem Leid.

5. Doch kan sie in Hoffnung sagen, daß GOtt ihre Zuversicht, und in allen Trübsals-Tagen er ihr Trost und Lebens-Licht. Muß sie gleich die Zeit verbringen in so manchem bittern Leid, kan sie doch ihr Lob-Lied singen, wann GOtt selbst ihr Hertz erfreut.

6. Ist der Trost gleich oft verborgen in dem schweren Trauer-Stand, sie befiehlet GOtt die Sorgen, weil sie ist mit ihm verwandt; ist der Schmertzen unermeßlich, daß nicht zu ertragen sey, wird sie doch niemal vergeßlich in des grosen Gottes Treu.

7. Ich muß seyn als wie verwesen, weil mich Zions grosses Leid machet aller Freud vergessen in der sehr betrübten Zeit. Könte ich nur Zion sehen blühen, grünen, wie zuvor, müsten schwinden alle Wehen, das Gedrückte käm empor.

8. Ob gleich Zion die Geliebte und vermählte Gottes-Braut, heisset sie doch die Betrübte: rund um, wo man sie anschaut, siehet man nichts als lauter Sachen, die mit Schmertzen überhäufft, wolt man gleich was anderst machen, bald ists wie im Meer ersäufft.

9. Was ein Wunder ist zu sehen, die doch sonst so hoch geliebt, stetig muß verlassen stehen, und von Hertzen seyn betrübt. Hat sie dann sonst was verbrochen, das betrübt das höchste Gut, daß sie so hart wird gerochen, wie man sonst den Sündern thut.

D d 3

10. Doch sieht man gar schöne leuchten, zwar noch fern, die Morgenröth; thut ihr Thau das Land befeuchten, bald darauf die Sonn aufgeht. Nunmehr muß das Dunckle weichen, und das schwere Zorn-Gericht muß als wie im Tod erbleichen, weil uns scheint das Gnaden-Licht.

11. Hochbeglückte, Hochgeliebte, es vergeht dein Trauerstand, du bist nicht mehr die Betrübte, dann dein dürr und trocknes Land fänget lieblich an zu grünen, als ein schönes Blummen-Feld, das zur grosen Freud muß dienen; schöner als ein neue Welt.

12. Deine Kinder, die gefangen, gehen freudig aus und ein, weil an stat der harten Drangen, gläntzt der Paradeses-Schein. O betrübte Zions-Kinder! sehet, es ist lichter Tag: die Geduld macht Ueberwinder, daß vergessen alle Klag.

13. Sammlet euch zu vielen Hauffen, sehet das grose Gottes-Heil, thut der ew'gen Lieb nachlauffen, die nun worden euer Theil, dann das Trauren ist vergangen, samt der hart-und schweren Zeit, wo man war so lang gefangen in so manchem bittern Leid.

14. Lasset euer langes Weinen, leget ab das Trauer-Kleid, sehet was GOtt hat den Seinen vor ein hohes Gut bereit. Ach? wie froh ist Zion worden, weilen sie von GOtt getröst, ihre Kinder aller Orten sind von ihrem Drang erlöst.

15. O du selig Trauer-Leben! wie auch kümmerliche Zeit; wer kan dich genug erheben, weil so grose Seligkeit GOtt in dich hat eingehüllet, die nunmehr wird offenbar, wann des Schöpffers Raht erfüllet, der so lang verborgen war.

16. Seh die Beylag, die dein Grämen dir von deinem GOtt erbeut, wenn er gantz hinweg wird nehmen dein so viel gehabtes Leid. Lieblich muß die Bottschafft thönen, wann der Ruf von diesem Heil laut erschallen wird zu denen, so GOtt worden ist ihr Theil.

17. Kommt betrübte Zions-Töchter, lasset fahren allen Graß, samt der Menschen Erbgeschlechter, und der Erden schwere Last. Die kann man Erkaufte nennen auch dort vor des Vatters Thron, wo ein ewigs Liebe-Brennen zwischen euch und Gottes Sohn.

18. Das

18. Das ist die verlobte Eine, so dem König aller Welt ist vermählet; O wie reine wird sie ihm zur Seit gestellt! Jetzund loben alle Thronen die vermählte Taubenschaar: GOtt wird ihre Schmach belohnen ewig, ewig immerdar.

317.

Seele, schließ dich ein, dring ins innre ein, wo die angenehme Stille, und so reiche Gnaden-Fülle. Dring ins Innre ein, Seele schließ dich ein.

2. So erlangest du die verlangte Ruh, die dir in so viel Beschwerden nicht zu deinem Theil kont werden. In dem stillen Nu wohnt die wahre Ruh.

3. Dann dein vieler Schmerz, so gekränckt dein Herz, ist nun gantz hinweg genommen, daß du zum Genesen kommen: weil ohn allen Schmerz nun erquickt dein Herz.

4. Wie ist mir so wohl, wenn ichs sagen soll, ich kans nicht vor Liebe nennen, was in mir vor Brunst thut brennen. Wenn ich sagen soll: ich bin Liebe voll.

5. Der Genuß in GOtt hilft aus aller Noth. Es kans Niemand gnug erheben, was da wird ins Herz gegeben: wo man in der Noth bleibet fest an GOtt.

6. Dann die innre Still reichet dar die Füll, wo sich Seel und Geist kann laben. O was süße Himmels-Gaben fliesen in der Füll ein in süser Still.

7. Man geht ein und aus in dem Friedens-Haus, nimmer nimmer kann es fehlen: man kann es nicht gnug erzehlen, was das Friedens-Haus theilt vor Segen aus.

8. Alles wird verheert, was den Frieden stört: alles, alles muß vergehen, was in GOtt nicht kann bestehen, und in Ihm bewährt, alles wird zerstört.

9. Ein beständigs Lob in der Leidens-Prob muß in diesem Grund aufsteigen, und desselben Früchte zeigen: weil die Leidens-Prob bringe ein stetigs Lob.

10. O du süse Frucht! durch die Geistes-

Zucht in der Creutzes-Schul erworben, wo die Liebe dran gestorben (wo der Sünden Macht verdorben) O du süse Frucht! O du scharfe Zucht.

11. Darum schließ dich ein, Seele, halt dich rein, weiche nimmer von der Stätte, da das sanfte Ruhe-Bette: dring ins Innre ein, halt dich keusch und rein.

12. Dann so kanst du stehn auch in allem Weh'n, und wird dich kein Leid mehr rühren: und dabey im Hertzen spühren, daß in allen Wehn du wirst ewig stehn.

13. Angenehme Still, O du reiche Füll! wo man kommen zum Genesen und dem wahren innern Wesen; O du reiche Füll! halt mich in der Still.

14. Damit ich in dir bleibe für und für. O du ohn-unendlichs Leben! laß mich dir so seyn ergeben, daß du meine Zier bleibest für und für.

15. Nimmer gehn hinaus in das Welt-Gebrauß: sondern ewig bleibe wohnen, wo der Friedens-Geist thut thronen, in das Welt-Gebrauß nimmer gehn hinaus.

318.

Seel, was ist schöners wol? als das höchste Gut: ist dein Hertze Traurens-voll, weil die Feuers-Glut in der Trübsals-Hitz dich brennet, daß dich auch kein Freund mehr kennet. Habe guten Muth, hoff das höchste Gut.

2. Wie verirrt muß seyn ein Herz, das niemal erbleicht? und im allergrösten Schmerz nicht von JEsu weicht. Wann die Trübsals-Wellen prallen, daß der Muth will nider fallen, und in allem Schmerz brennt als eine Kertz.

3. Hoffnung trägt den schwersten Stein: wenn man nur gebückt auf sich nimmet die süse Pein, wo man sehr gedrückt. Wen dort soll der Himmel ziehen, müssen hier viel Schmerzen rühren: geht man schon gebückt, dort wird man erquickt.

4. Wann die Süssigkeit der Welt dort bringe Schmerzen ein, schenckt GOtt dem, der ihm gefällt, hier denselben ein: wann die Seel das Glück ersehen, so wird werden nach den Wehen, ist ihr Schmerz und Pein süser Freuden-Wein.

5. Wann

5. Wann der Schmerzen überwiegt deinen blöden Sinn: steh im Glauben aufgericht, laß ihn fallen hin. Will der Muth noch ferner sincken, laß dich Gottes Liebe lencken, so wird fallen hin dein so blöder Sinn.

6. Es kann doch nichts schöners seyn, als das höchste Gut, geht der Schmerz oft tiefer ein, laß die Liebes-Glut allen Wahn in dir verzehren, was nicht thut die Seele nähren, so wächst dir der Muth in der Liebes-Glut.

7. Laß dir lencken deinen Sinn, wie es GOtt ersehn: er wird alles nehmen hin, was dir machet Wehn. Wo das bleibend Gut gefunden, da ist aller Schmerz verschwunden, und die viele Wehn müssen gantz vergehn.

8. Was ich lieb, wird nicht gesehn hier auf dieser Welt, mein Verlöbnuß bleibet stehn, ists, daß die hinfället; so wird alles anders gehen, und man wird mit Augen sehen, was ich mir erwehlt hier auf dieser Welt.

319.
SEht die edle Schaaren weiden, seht die reinen Geister gehn, und das Lamm, das sie thut leiten, auf dem Berge Zion stehn. Höret, wie sie in dem Gehen Gottes Wunder-Macht erhöhen, und mit vielen schönen Weisen Ihn ohn Zeit und Ende preisen.

2. Sonst wird kein Geschrey gehöret, auch kein Schmerzen mehr gesehen. Ihre Hochheit wird vermehret, so oft sie gebeuget stehn vor GOtt und des Lammes Throne, der hell leuchtet, wie die Sonne. Alles Weinen ist vergessen, wo sie vor sind in gesessen:

3. O wie kan so sicher rasten allda das erwählt Geschlecht! weil sie, ohn alle Lasten, haben Stadt- und Burger-Recht. Weise Kleider, güldne Cronen trägt man da, wo GOtt thut thronen: diß ist dort der Lohn der Frommen, die aus grosem Trübsahl kommen.

4. Freuet euch, Ihr lieben Herzen! Freuet euch nun allzugleich! die ihr traget Creuz und Schmerzen, werdet weder träg noch weich: dann das Lamm, so überwunden, hat den Sieg am Creuz gefunden, wodurch Es, so hoch erhöhet, auf dem Berge Zion stehet.

5. Mit so grosem Sieges-Prangen vor der ganzen Creuzes-Schaar: die Ihm hier sind nachgegangen in so mancherley Gefahr. Wann die Feinde so erhizet, daß sie mit Ihm Blut geschwizet: und, wann sie geschienen träge, truncken sie vom Bach am Wege.

6. Dieses hat sie mit erhoben zu des Lammes Herrlichkeit, da sie GOtt ohn Ende loben mit so groser Sieges-Freud, und nach vielen Schmerz und Wehen thun sie so am Reihen gehen, auf den angenehmen Weiden, da das Lamm sie Selbst thut leiten.

7. Und sie träncket aus dem Brunnen, der vom Stul des Lebens fleußt, und so haben sie gewonnen, weil sie nun dahin gereist: wo die Bäume ewig grünen, und die Blätter müssen dienen zum Genesen aller Heiden, die das Lamm noch letzt wird weiden.

8. Unsre Hoffnung muß uns krönen schon hie in der Sterblichkeit, weil wir auch gezählt zu denen, die das Lamm sich zubereit: daß sie dorten vor Ihm stehen, und mit an dem Reihen gehen, mit der Schaar, die GOtt erheben, und Ihm Preiß und Ehre geben.

9. Unser Creuz, das wir hier tragen, träget uns zu GOtt dahin: darum sind die Trübsahls-Tagen lauter Seegen und Gewinn. Wann wir hier ans Ziel gekommen, werden wir mit allen Frommen erben, was uns GOtt wird geben dort, in jenem Freuden-Leben.

320.
Jesaiä 42.
SIehe, das ist mein Knecht, den ich mir hab erwehlet, an welchem meine Seel ein Wohlgefallen hat: mein Geist soll ruhn auf ihm, den ich ihm zugesellet, damit er mache kund den Heiden meinen Rath. Er wird nicht gehn in Heuchelen, noch rufen aus mit viel Geschrey, was ihm ist zugemessen, was sehr zerstosen und verkleint, das Tocht, so wie verloschen scheinet, wird machen er genesen.

2. Er wird das Recht in Kraft und Wahrheit lernen halten: und dabey niemal müd noch werden abgematt, bis daß sein Recht auf Erd

wird

wird aller Orten walten, daß auch die Inſulen warten auf ſeinen Rath. So ſpricht der groſe GOtt und HErr ein Starcker und Allmächtiger, der ſchaffet und ausbreitet die Himmel, und die Erd dabey ziert mit Gewächſen mancherley in ihrem Schmuck gekleidet,

3. Der dem Volck, ſo drauf iſt, Leben und Othem giebet; und denen, die drauf gehn, den Geiſt des Lebens mit. Jehovah iſt es, der dich hat ſo hoch geliebet, und durch Gerechtigkeit beruffen hat in Güt: der bey der Hand gefaſſet dich, dabey behütet gnädiglich, und dich zum Bund gegeben, daß du ſolt ſeyn der Heiden Licht, den Blinden öffnen das Geſicht: die G'fangenſchafft aufheben,

4. Und führen aus, die ſind im Kercker hart verſchloſſen; Jehovah iſt ſein Nam; Er wird ſein groſe Ehr nicht geben andern hin, die ſich daran zu ſtoſſen, noch ſeinen groſen Ruhm der falſchen Götter Heer. Was kommen ſoll, ſagt er vorher: zu ſeines Namens Ruhm und Ehr, läſt er uns neues hören, eh es in ſeinem richt geht auf, und wann es komme in ſeinem Lauf, muß ſich ſein Lob vermehren.

5. Singet ein neues Lied, thut ſeinen Ruhm ausbreiten bis an das End der Welt, und aller Orten her: machts kund in Inſulen, und unter allen Helden, auch die in Schiffen ſind, und fahren auf dem Meer. Ihr Städt' und Wüſten! rufet laut, ſamt Dörffern, ſo daſelbſt erbaut, wo Kedar innen wohnet. Es müſſe frölich jauchzen thun, und rufen aus mit ſtarcker Stimm, was hoch auf Bergen wohnet.

6. Daß ſie dem HErrn die Ehr geben mit groſer Freude, und in den Inſulen ausrufen ſeinen Ruhm: dann Er wird als ein Rieß ausziehn mit Sieges-Beute, und als ein Kriegesmann die Länder kehren inn; er thöne und jauchzet wie ein Held; er wird beſiegen alle Welt. Weil er vorher geſchwiegen, und ſich enthalten lange Zeit, wird er nunmehro, wie im Streit, mit viel Geſchrey obſiegen.

7. Ich will (ſpricht Er:) ſie alle ganz und gar verſchlingen, verwüſten alle Berg und Hügel kehren um, und alles Graß will ich verdorren und umbringen: und Waſſer-Ströme, die ſonſt flieſen weit herum, mach ich zu Inſuln hin und her, und trockne aus das greſe Meer zu denenſelben Zeiten. Aber die Blinden werden gehn im Wege, den ſie noch nicht ſehn, weil ich ſie ſelbſt will leiten.

8. Ich will ſie führen ſelbſt die Steig, die ſie nicht kennen, und will die Finſternuß vor ihnen machen Licht. Das Krumm und Höckericht, will ich als eben nennen: ſolchs will ich ihnen thun, und ſie verlaſſen nicht. Aber, die ſo auf Götzen ſich verlaſſen, daß ſie ohne mich zum ſtummen Götzen ſagen: Ihr ſeyd die Götter, die uns hör'n, die ſollen allzurücke kehr'n, und ihre Schande tragen.

9. Höret, ihr Tauben, an, und ſchauet her, ihr Blinden, wer iſt auch wohl ſo blind, als mein getreuer Knecht, und wer iſt wohl ſo taub, als mein Bott, den ich ſende? Wer iſt ſo blind als der vollkommen und gerecht. Man predigt viel, ſie haltens nicht; ſie hören nicht, was man auch ſpricht: doch thut er wohl an ihnen, um der Gerechtigkeit und Pracht, die ſeine Lehre herrlich macht, worinn man ihm kan dienen.

10. Dann es iſt ein beraubt geplündert Volck zu achten, in Hölen ſehr verſtrickt, in Kerckern tief verſteckt: ſie ſind zum Raub worden, daß man ſie nicht thut achten, weil kein Erretter da, der ſich an ſie erſtreckt. Wer iſt wohl, der zu Ohren nimmt? und mercket drauf, wie GOtt beſtimmt, was hernach erſt ſoll kommen. Wer hat den Jacob überbracht zu plündern, und zum Raub gemacht, und aller Freud entnommen.

11. Der HErr hats ſelbſt gethan; dann ers zuvor beſchloſſen, dieweil geſündiget wir wider unſern GOtt: und wurden auf dem Weg kald müde und verdroſſen, gehorchten auch dabey nichte ſeinem weiſen Rath. Drum hat er ſeinen groſen Grimm geſchüttet aus mit Ungeſtümm; und ſeines Zornes Machten: und ſie gezündet umher an, wer mercket wohl, was Er thun kan, und thut es recht betrachten.

Siehe

321.

Esajä Cap. 53.

Siehe mein Knecht wird glücklich seyn, erhöhet und sehr hoch erhaben werden, schenckt man ihm gleich viel anders ein in seiner Niedrigkeit allhier auf Erden. Dann, viele im Erstaunen stehn, weil er so heßlich anzusehn, ja mehr dann andre Menschen-Kinder.

2. Da wird man viele Heyden sehn, die so von Ihm besprenget, und daneben werden auch Könige vor Ihm stehn, den Mund zuhalten, und Ihm Ehre geben. Dann die nie was davon gehört, oder verkündigt war ein Wort, werdens mit Lust ansehn und mercken.

3. Doch aber, wer hält diß vor wahr, daß er recht glaube unser Predigt Stimme, und wem wird wohl recht offenbar des HErren Arm, daß er es recht vernehme. Er scheußt auf, als ein dürres Reiß, wo GOtt allein behält den Preiß, und grünet aus gar dürrer Erde.

4. Gantz finster schwartz und ungestalt an Schöne wie verdorret und verwesen, sehr heßlich fremd und wie veralt, und nicht wie Menschen-Kinder es erlesen: Drum war Er auch so sehr veracht, von jederman wie nichtes geacht, weil Er nicht war wie andre Leuthe.

5. Er war, mit Schmertzen sehr umstellt, mit Kranckheit um und um sehr hart beladen, daß jederman das Aug abhält, weil Er trug vieler Bürd und Sünden-Schaden. Und ob Er gleich war ohne Schuld, hielt Er sich doch an Gottes Huld und Rath, der über Ihn beschlossen.

6. Drum mußte Er leiden solche Noth, weil er mußte unsre Sünd und Kranckheit tragen, da Er geschlagen sehr von GOtt, thät Er auch nicht ein Wörtlein darzu sagen. Weil Er verwundet war so sehr um unsre Missethaten schwer; sieht man an Ihme nichts als Plagen.

7. Die Straf, so GOtt auf Ihn gelegt, ist unser Friede, wann wir mit Ihm sterben, die Wunden, die Er an sich trägt, machen uns heil, daß wir auch mit Ihm leben. Wir gingen alle irr herum, wie Schafe, die gantz stumm und dumm, ein jeder sah auf seine Wege.

8. Aber der HErr ließ unsre Last und Missethat allein auf Ihn kommen, und da ihm dieses Blut auspraßt, hilt Er sich sanft und stille gleich den Stummen: gleich wie ein Lamm zur Schlacht-Banck geht, und wie ein Schaf dem Schärer steht, so keine Widerred im Munde.

9. Doch wird Er aus der Angst und Eng und dem Gerichte samt aller Last entnommen, wer wird wohl seines Lebens Läng ausreden, wann Er wiederum wird kommen, da wo Er weggerissen war in so viel Nöthen und Gefahr, da Er hat unsre Sünd getragen.

10. Sein Grab war zwar sehr wohl bestellt bey Gottlosen, doch dabey seine Höhen den Reichen wurden zugesellt, weil Er niemanden jemals thäte schmähen: weil kein Betrug in seinem Mund und hielt selbst den Eyd und Bund ohn Wider-Red und Widerstreben.

11. Aber es war selbst Gottes Rath, der Ihn mit Kranckheit so hat wollen schlagen, ob er gleich nichts verschuldet hat: wann er sein Leben an das Holtz getragen, so wird man seinen Samen sehn, der in der Läng nicht wird vergehn, und wird dem HErrn durch Ihn gelingen.

12. Weil seine Seel gearbeit hat, wird Er in vieler Lust die Fülle haben: wo seine Erkäntnus findet statt, werden Gerechte viel in reichen Gaben: dann er trägt ihre Missethat nach meinem weisen Sinn und Rath, drum will Ihm viel zur Beute geben.

13. Die Starcken sollen seyn sein Raub, weil er sein Leben hat dahin gegeben, und wurde drüber stumm und taub, den Uebelthätern zugezehlt daneben. Und hat getragen vieler Sünd, da man an ihm doch keine findt, und vor die Häßer selbst gebäten.

322.

Saget jenen Wanders-Leuten, die ermüdet auf dem Weg, dort sind die Erquickungs-Zeiten, drum muß man nicht werden träg. Nach der langen Trübsals-Nacht ist die frohe Zeit erwacht, wo die Wandrer süsse rasten, nach so vielen schweren Lasten.

2. Nur getrost, ihr alten Streiter, ob ihr schon

E e   seyd

seyd worden müd; algemach kommt man auch
weiter, und erfähret Gottes Güt. Muß man
gleich offt stille stehn, und sich hin und her
umsehn; plötzlich, eh man es thut meynen, wird
GOtt helffen aus den Seinen.

3. Ich will achten kein Betrüben nunmehr,
in der letzten Zeit; vielmehr mich unendlich üben,
daß ich stündlich sey bereit; wann es heißt: nun
ists gethan auf der lang und rauhen Bahn.
Kommt ihr müden Streiter sehet, was uns dort
entgegen gehet.

4. Die das Leben thäten wagen, ob sie schon
offt werden schwach, sieht man Ritter-Kronen
tragen, weil gekommen ist ihr Tag. Seht die
Helden Hauffenweis, wie sie geben GOtt den
Preiß, wo sie offt in ihren Kriegen beynah musten wie erliegen.

5. So ists doch jetzt gelungen, nach der langen Wanderschafft, da man offt sehr hart gedrungen, und zum Siegen wenig Krafft; doch muß
werden alles gut, wann man fasset neuen Muth;
gibts gleich müde Füß und Hände, man hofft auf
ein gutes Ende.

6. Dort, auf jenen Zions-Höhen ist die schöne Stadt erbaut, wo die Wanderer eingehen, so
sich hier mit GOtt vertraut. Ist man gleich offt
abgematt, man ruht unter kühlem Schatt. Wird
der Himmel wieder heiter, man kommt alle Tage weiter.

7. O! wie süsse wird man rasten, wann man
da wird gehen ein, man legt ab die Tages-Lasten,
wird erquickt mit neuem Wein. Vor die lang
und schwere Reiß gibt man nun GOtt Lob und
Preiß. Was man sonsten siehet machen, das
sind lauter Wunder-Sachen:

8. Die man jetzund nicht kann sagen, weil
man noch ist auf der Reiß: zwar, kann man wol
was vortragen, nach art prophetischer weiß. Kommet nur getrost heran, die ihr müde auf der Bahn;
sehe die Thore offen stehen, und wie freudig sie
eingehen.

9. Jetzund wollen wir uns freuen, frolockend
entgegen gehn, daß wir kommen, zu den Reihen,
die still vor der Pforte stehn, und sich sehen nach

uns um: drum ists Zeit, daß jedes komm, weil
sie Hauffen-weis eingehen, ewiglich GOtt zu
erhöhen.

323.

Sieht man dann nicht erbauet stehn Jerusalem in Pracht und hohen Ehren? und auf
den Mauren umher gehn die Wächter, so die
Stimme lassen hören: daß sie vollends verfertigt
werd zu Gottes Lob und Ehr auf Erd. Damit
der Kön'ge hoher Pracht bald werd in sie hinein
gebracht.

2. Da scheinet uns ein ew'ger Tag, kein
Schattenwerck wird man daselbsten sehen. Da
wird man nach gemeiner Sag den Tempel schön
schön erbauet stehen; und freudig gehen aus und
ein, daß schön wird anzusehen seyn; dieweil sie
zieren ihre Gäng mit Freuden und mit Lobgesäng.

3. Rund um dasselbe weit und breit werden
die Völcker mit viel Hauffen kommen, und seyn
zu dessen Dinst bereit, weil sie den lauten Schall
und Ruf vernommen. Und bringen ihre Gaben dar gar willig hin, auf den Altar. Alsdann
wird man die Priester sehn, so nimmer aus dem
Tempel gehn.

4. Der Frieden wird in aller Welt erschallen,
und weit ausgeruffen werden. Das Recht wird
seyn im Thor bestellt, in hohem Ruhm, auf dieser gantzen Erden. Da wird man sehen nah
und fer viel Ströme fliessen hin und her: und in
der Höh und in der Fläch viel angenehme Wasser-Bäch.

5. Gerechtigkeit wird seyn die Zierd, womit
die Völcker werden seyn geschmücket; in aller
Welt man sagen wird, im HErrn ist unser Heil,
daß wir erquicket. Dann wird die Erde bringen auf, daß sich versammlen wird zu Hauff,
an allen Orten weit und breit, Güt, Friede und
Gerechtigkeit.

6. Kein bös Geschrey wird mehr gehört, in
aller Welt thut man den Frieden lehren: ein jedes Ding den Schöpffer ehrt, was lebt und webet, thut sein Lob vermehren. Kein reissend Thier
wird seyn zu sehn, die Wölffe mit den Lämmern
gehn: in lauter Fried und Einigkeit gehn Küh
und Bären an der Weid. 7. Ach

.7. Ach treuer GOtt! hör mein Geschrey, bedenck, was Seuffzer schon an dich ergangen, in dieses Lebens Wüsteney, bey so viel Leid und unerhörten Drangen, daß bald mögt werden offenbar, was schon so lang verheissen war, daß man ohn Scheu in seinem Thun sanfft könn in seiner Hütten ruhn.

8. Mein Warten hat ja lang gewährt bey den betrübten bittern Trauer-Tagen, daß offt von Kummer aufgezehrt, so daß mit Worten kaum ist auszusagen. Doch hat in der betrübten Zeit der Hoffnungs-Baum sich ausgebreit. Der Glaube steht im Schauen ein, was nun bald offenbar wird seyn.

9. Die Fürsten werden stehn bereit, als Fürsten, und in Gut das Volck regiren: und auf der Erden weit und breit wie Pfleger-Mütter ihren Scepter führen. O lang gehofft-erwünschter Tag! wo gantz vergessen alle Klag; und man in lauter Gütigkeit zu Dienst einander ist bereit.

10. Jetzt wird das Volck in Willigkeit mit grossen Hauffen bringen seine Gaben den Priestern, so da stehn bereit, die ohne Fehl sich selbst geopfert haben. Jetzt hört man kein mühsam Geschrey, die Creatur ist worden frey; man ist auf jede Stund und Zeit einander stets zum Dienst bereit.

11. Der Throhn-Sitz zu Jerusalem wird sich in Herrlichkeit gar schön ausbreiten: die zwölf erwählte Jacobs-Stämm kommen zu Hauff und stehn zu beyden Seiten. Und wünschen Glück zum Wohlergehn, daß mög erbaut und fertig stehn Jerusalem die Wehrte, zu Lob auf dieser Erde.

12. Ihr Mit-beruffne alzumal, auf, seyd bereit, und tretet auf die Stuffen: und steh noch in der Brüder-Zahl als Zeugen, die dazu von GOtt beruffen. Thut Fleiß da mit zu kommen ein, wo all zu Hauff versamlet seyn, zu geben Preiß dem starcken GOtt, der sie erlöst aus aller Noth.

13. Jetzt will ich nimmer stille stehn, und meinen Fleiß und Treu mir lassen gelten: biß daß ich werd gebauet sehn Jerusalem, und ruhn in ihren Zelten. So kan ich auch mit gehen ein, wo Priester und Propheten seyn, und GOtt zu

dienen stehn bereit in alle Läng der Ewigkeit

324.

SInget! lobsinget dem König dort oben, rühmt und erhebt Ihn mit frohem Gesang, denn Er ist prächtig und herrlich erhoben: lasset erschallen mit lieblichem Klang; singet mit Hertzen und Munde zusammen, brennet im Feuer der liebenden Flammen.

2. Lasset erschallen weit unter den Heiden, saget den Völckern von ferne und nah, seine Gewalt und Macht weit auszubreiten, rühmet mit frölichem Halleluiah, daß seine Rechte werd in uns erhoben, und alle Völcker zusammen Ihn loben.

3. Ewig und ewig sey nimmer kein Schweigen, Kinder der Liebe, geht immer voran; gehet, die Wege fein lieblich im Reigen, machet wohl riechend die heilige Bahn, so wird das Lob und Danck freudig erschallen, und eurem König die Lieder gefallen.

4. Haltet die Tage der Feste mit Freuden, lasset erthönen mit lieblichem Hall; so wird viel Rühmens von allerley Leuten lieblich erklingen mit frölichem Schall: Lob, Ehre bringet dem Höchsten dort oben, mit Freuden-Lieder ohn End Ihn zu loben.

325.

SO bald das Lamm wird auf dem Berge Zion stehen, mit der erwählten Schaar in grosser Sieges-Freud; die an der Zahl zwölfmal zwölf tausend ihm nachgehen, die es mit seinem Blut erkauft zu einer Beut. Dann wird ein groß Geschrey vom Engel-Ruf erschallen, nun ist die grosse Hur von Babilon gefallen.

2. Weil sie mit ihrem Wein geträncket alle Heyden, wird ihr mit grosem Grimm geschencket werden ein. Dann GOtt der Mächtige wird ihr viel Weh bereiten, so daß auch nimmermehr wird was zu sehen seyn von ihrem hohen Pracht, und Frevel hier auf Erden, da sie die Heiligen beleget mit viel Beschwerden.

3. Jetzt sieht man grose Ding, die Sieg-prächtig erscheinen, dort steht ein andre Schaar an jenem gläsern Meer, die hier das Thier besiege in

E e 2 man

manchem Drang und Weinen, da sie belagert
offt das gantze Höllen Heer; nun höret man sie
schön mit Gottes Harffen spielen, weil sie das Vorzugs-Recht erlangt unter so vielen.

4. Wie schön wird nun alda des Lamms Gesang gesungen, und Mosis Lied dabey, von Gottes Wundermacht, weil ihnen ist der Sieg an
grosen Thier gelungen: drum kan ihr Gottes
Dienst auch währen Tag und Nacht. Weil sie
nun das Gericht und Urtheil Gottes preisen,
drum klingt auch ihr Gesang mit so viel Wunder-Weisen.

5. Jetzt geht der Tempel auf, man siehet heraus gehen die Engel, die zuletzt als Botten sind
gesandt; die allerletzten Wehen, die GOtt beschlossen hat, der Welt machen bekannt. Jetzt
gibts ein böß Geschrey, von vielen argen Drüsen; noch schrecklicher wird seyn, wann sie aus-
trincken müssen:

6. Den Becher voller Grimm, der ihr voll
eingeschencket, von dem Allmächtigen, der ihrer
nun gedacht: weil seine Heiligen sie hat mit Blut
geträncket, und dabey ausgekehrt und nur als
Koht geacht. Der Centner-schwere Stein wird
auch noch auf sie fallen, dann wird ihr Muth
vergehn von Krachen und von Knallen.

7. Jetzt gibts ein groß Geschrey: sie ist, sie ist
gefallen, mit ihrem Huren-Pracht, die grose Babylon; ihr hoher Muth ist hin, und schwülstiges
Aufprahlen: nun hat sie ew'ge Schand und
Schmach zu ihrem Lohn. Der Frevel ist gebüßt,
nun wird ihr eingeschencket der Becher voller
Grimm, daß sie daraus geträncket.

8. Nun wird ein starcke Stimm vom Himmel her gehöret, geht aus von ihr, mein Volck;
rühret kein Unreines an: damit, wann ihr Gericht und Plage sich vermehrt, daß euch nicht
mit ergreiff der schwere Fluch und Bann: Weil
ihrer Sünden-Macht zum Himmel ist gestiegen,
wird man im Schweffel-Pful sie sehn begraben lieen.

9. Jetzund wird Weh geschrien von ihren
Handels-Leuten, und alle, die mit ihr gehurt,
und noch dabey in Ueppigkeit gelebt, werden viel

Reu bereiten, weil ihr Gericht und Fall ist kommen schnell herbey. Dann ihr Kauffhandel ist
verraucht, und gantz verschwunden, u. wird in
Ewigkeit nichts mehr davon gefunden.

10. Jetzt hört man ein Geschrey vom Himmel
hoch erschallen, von Stimmen vieles Volcks, so
geben Preiß und Ehr GOtt, dem Allmächtigen,
weil Babel ist gefallen, und kommen ins Gericht
das alte Sünden-Heer. Weil sie den ew'gen
Bund der Heiligen gebrochen, drum wurde jener
Blut von ihrer Hand gerochen.

11. Ein wunderbar Gethön thut von dem
Thron ausgehen, als Stimmen vieles Volcks
und starcken Donner-Knall, die mit viel Danck
und Ruhm des Höchsten Macht erhöhen, weil
sich sein Reich ausbreit auf Erden überall. Jetzt
thun die Heiligen mit Freuden hoch aufspringen,
weil endlich kommen ein, ihr Triumphs-Lied zu
singen.

12. Es scheinet gar, als wolt der Hochzeit-Tag
einbrechen, des Lammes Weib hat schon den schönen Schmuck bereit: dann wird man weit und
breit von grosen Wundern sprechen, wann sie
wird stehen da so herrlich angekleidt. Jetzt wird
geschrieben an: wie selig sind die Gäste des grosen Abendmals und frohen Hochzeit-Feste.

13. Jetzt geht der Himmel auf, und lässt viel
Wunder sehen, siehe, ein weises Pferd, der drauf
saß, heisset treu. Die Kriege, die er führt, machen die Welt vergehen, man sagt, wie daß sein
Kleid im Blut getauffet sey. Sein Nam ist
Gottes Wort, den er mit sich thut führen; doch
kann ihn niemand sonst gar leicht im Munde
führen.

14. Die Krieges-Heer, so Ihm folgen auf
weisen Pferden, auch Wunder-schön mit weissen
Kleidern angethan, sind seine Helden, die dort
mit Ihm siegen werden, weilen sie mit ihr Schlacht
traten auf seiner Bahn. Sein scharffes Schwerd,
das Ihm aus seinem Mund thut gehen, die Heyden richten wird mit vielen bittern-Wehen.

15. Jetzt wird er fangen an die Kelter selbst
zu treten, daß seiner Feinde Blut bestecken wird
sein Kleid, weil er sich umgesehn in Zorchen-
und

und in Nöthen, sah er niemanden, der zu helffen Ihm bereit. Drum hat er auch den Sieg allein davon getragen, weil er der Feinde Macht zu boden hat geschlagen.

16. Jetzt rufft ein Engel-Fürst mit stärcker Stimm und Schalle zu allen Vögeln, die im Mittel-Himmel seynd: daß sie nun in der Eil zu Hauffen kommen alle, das Fleisch zu essen auf, als allerletzern Feind. Jetzt wird das böse Thier den Streit noch einmal wagen, doch wird man bald darauf es hin zu Grabe tragen.

17. Des Lammes Ritterschaffte wird seine Macht besiegen, und greiffen an das Thier mit seinem gantzen Heer, und werffen hin, wo es im Schwefel-Bad muß liegen, so daß es kann verführn die Heyden nimmermehr. Der Schmertzen und die Quaal wird in die Länge währen, daß weder Zeit noch Jahr dieselbe mehr verzehren.

18. Jetzt ist das Lamm erhört mit allen Creutzes-Schaaren, die hier auf dieser Welt dem Himmel nachgejagt; und offt den gantzen Tag als wie erwürget waren, in Kummer, Angst und ihr Leben hin gebracht. Nun wird sie GOtt aldort mit Sieges-Freud belohnen, und werden ewiglich in Gottes Hütten wohnen.

326.
SO können wir dann nun im Seegen wallen dorthin, nach jener schönen neuen Welt: weil GOtt, nach seiner Güt und Wohlgefallen, uns hat geliebt und Ihme auserwählt. Wir freuen uns, und rühmen seinen Namen, und preisen seine Güt und Wunder-Macht: weil Er, durch seines Geistes Feuer-Flammen, uns hat in solche heisse Lieb gebracht: daß wir zu jederzeit sein Lob vermehren, und Ihme Herrlichkeit und Ehre geben.

2. Wir haben nun das rechte Ziel getroffen: weil Gottes Güt und Liebe unser Theil. Wol uns! es stehet uns der Himmel offen, und haben nun an Christi Erbe-Theil. Die Herrlichkeit, die dorten wird erscheinen, wird alles Leiden von uns nehmen hin, und wird vergessen machen alles Weinen, mit reichem Seegen und mit viel Gewinn. Drum ruhen wir in seiner Liebe Ar-

men, die uns umgeben mit so viel Erbarmen.

3. Und weil wir nun den besten Schatz gefunden: daß unser Hertz so reichlich ist getröst: so bleiben wir auch ewig Ihm verbunden, weil wir durch seine Wunder-Macht erlöst. Wir essen nun aus Gottes reinem Wesen, und trincken aus dem reinen Wollust-Meer: die Liebe machet uns in GOtt genesen, wer wird uns von derselben scheiden mehr? diß wird wol bleiben unser Theil auf Erden, bis daß wir dorten einst verherrlicht werden.

4. So ist uns unser Theil schon hier beschieden, ob zwar noch in dem Leib der Sterblichkeit gnug, daß wir wohnen in demselben Frieden, der bey uns bleiben wird in Ewigkeit. Wir tragen zwar noch Lasten hier auf Erden, doch sehen wir mit Geistes-Augen hin, allwo wir einst davon befreyet werden: erlangen unsern Lohn mit viel Gewinn. Der Nutzen von dem Leid und Trauer-Leben wird dorten ew'ge Freud und Ruhe geben.

5. Drum sind wir auch so wol in unserm Wallen, weil wir mit so viel Freud und Trost erfüllt: und weil wir also unserm GOtt gefallen, ist aller Zorn und Hader gantz gestillt. Und weil wir dann mit so viel Gut umgeben, und unser Gang mit Gottes Huld versehn: so werden wir auch in die Länge leben, wann sonsten alles andre wird vergehn. So löhnt uns dann die Hoffnung mit den Freuden, die GOtt in jener Welt uns wird bereiten.

327.
SO lebet man in GOtt, wenn alles im Ersterben, und aller Lust-Gewinn muß in dem Tod verderben; wo alles untergeht, und kommet ins Gericht, da wird ein neuer Mensch im Hertzen aufgericht.

2. Der Glaub hält diese Prob, er läßt sich nichts verderben, er gibt sein Bestes hin, und läßt mit Christo sterben; so ist sein Ziel gesteckt, er weiß kein ander Gut, als wo man alles gantz in GOtt verlieren thut.

3. Das ist der größte Schatz, so mag gefunden werden, wer den besessen hat, da ist die Freud der Erden erstorben im Gericht, und ewig abge-

than,

than, und stehet auf vom Tod ein rechter Wunder-Mann.

328.

Soll ich dann nicht von Wundern sagen?
wie GOtt alhier der Seinen pflegt, wanns
scheint, als wärn sie wie-geschlagen, ists nur,
daß er sie hebt und trägt. Der Kinder-Sinn
hält für Gewinn, wann uns die liebe Zucker-
Wein auf ihrem Schoose schencket ein.

2. Doch, wann man kommt zu mehrern Jahren, setzt uns die Mutter ab vom Schoos, da
thun wir dann erst recht erfahren, was heißt, zu
kommen zu dem Loos des Kindes-Recht, so nicht
ein Knecht, da freylich anders eingeschencket, als
wann man auf dem Schoos getränckt.

3. Jetzt fangen an die Trauer-Tage auf der
betrübten Himmels-Reiß, wer wird mir glauben,
wann ichs sage, wie offt die Sonne brennt so
heiß, und was im Weg vor viel Gehäg, wo man
reist nach dem Himmel zu, und so erjagt die
ew'ge Ruh.

4. Ist auch der Felsen schon geschlagen, daß
man des Höchsten Wunder sieht, so ist es doch
schwer zu ertragen, weil man noch nicht das Ende sieht der rauhen Bahn nach Canaan, weil
noch so viele starcke Feind dem armen Geist entgegen seynd.

5. Jetzt gibt es gar betrübte Sachen, weil
kommen gar verschlagne Feind, und den garaus
thun denen machen, die müd und matt geworden
seynd auf ihrer Bahn nach Canaan. Hier muß
der Himmel tragen Leid über die sehr betrübte Zeit.

6. Doch wurde Amaleck gerochen von GOtt
über vierhundert Jahr, weil dieses Ihm sein Herz
gebrochen, weil schon sein Volck in viel Gefahr
in rauher Wüst, da alle Lust dahin, (in dem betrübten Stand) war auf dem Weg zum Vatterland.

7. Jetzt kommen noch viel andre Sachen,
weil Balack herruft Bileam, der Gottes Volck
ein End soll machen durch seine böse Magiam.
Doch, Gottes Treu ging nicht vorbey, und macht
den bösen Rath zu nicht, den Balack hatte an-
gericht.

8. Jetzt kommen andre Neben-Sachen, Baa-
lam gab einen bösen Rath, was vor die Magie
nicht kont machen, brachten sie selbst ins Werck
und That. Ihr eitler Sinn gab sich so hin, daß
auch biß an den Fürsten-Stand geschlagen Gottes schwere Hand.

9. Was GOtt hie ware überblieben, das seine
Ehre hat verfecht, wird tieff ins Denck-Buch
eingeschrieben, dabey ein ewigs Priester-Recht,
zu seinem Theil, weil er mit Eil gerettet Gottes
Ehr mit Pracht, und so dem Trug ein End gemacht.

10. Diß sind die Vorbilder und Weisen dem
nachkommenden Israel, die auf dem Weg zum
Himmel reisen, und kommen seynd an jenes Stell:
bey so viel Zwang und hartem Drang geführet aus Egyptenland, auch worden der Welt
unbekannt.

11. Die müssen freylich mit viel Weinen offt
traurig gehen hin und her, wann sie so hart geschlagen scheinen, als ob GOtt nicht ihr Helffer
wär. Von vielem Leid wie aus der Zeit, da
man nicht mehr daran gedenckt, was GOtt eh-
mahlen eingeschenckt.

12. Da man so freudig konte sehen (als man
hin ging durchs rothe Meer,) wie Pharao thät
untergehen mit seinem gantzen Sünden-Heer:
Der Lobgesang währte nicht lang, bald war noch
Brod noch Wasser da, da sang man kein
Halleluja.

13. Doch kann die Hoffnung Lieder singen,
wann jener Helden Glaubens-Geist uns vorsprach
thut auch vom Gelingen, vom Sieg als wie vom
Brod gespeißt. Fällt Jericho, so wird man froh,
und länder mit viel Freuden an in dem verheißnen Canaan.

14. Da wird alsdann erbauet stehen Jerusalem, in dessen Mitt, auch freudig aus und ein da
gehen in lauter Segen, Heil und Fried. Jetzt
ists gethan, die Trauer-Bahn ist hin samt der
betrübten Zeit in alle läng der Ewigkeit.

329.

So manchen Tag so manche Jahre hab ich
im Elend zugebracht, in manchem Drang
und

und viel Gefahre, weil ich hatt' alle Ding versagt. Wie manches Leid und harten Streit ich
trug dahin auf dieser Bahn, kann ich alhier nicht
zeigen an.

2. So bald ich mich mit ernst befliessen um
meinem GOtt getreu zu seyn, wurd ich ins Elend
hin verwiesen, als solte gantz verstossen seyn. In
was für Noth und manchem Tod ich ginge öffters hin und her, macht mir noch heute saur
und schwer.

3. Dann wann erwege in dem Hertzen, wie
kümmerlich ich hab gelebt, so setzt es mich in solchen Schmertzen, daß mein Geist bodenlos um-
schwebt: dieweil mein Leid, auch noch biß heut,
mich kaum verlässet eine Stund, daß nicht biß
auf den Tod verwundt.

4. Wann nicht ein Füncklein wär geblieben,
so heißt im Tod getreu zu seyn, gewiß, ich wär erkalt im Lieben, wegen der vielen bittern Pein, da
ging verwundt so manche Stund, da auch kein
Trost-Wort wurd verspürt, das mein verwundet
Hertze rührt.

5. Diß sind die lange Trübsals-Täge, die ich
auf Erden hin gebracht, ob ich gleich vieles davon sage, kaum ist ein Mensch, ders je bedacht,
weil man von Spott und Leid, auch noch biß heut,
und zu Nichts gemacht, ob man gleich GOtt
diene Tag und Nacht.

6. Der Schmertzen, den ich stets umtrage,
auf der betrübten Wanderschafft, macht mir offt
lange Nächt und Täge, verzehrt mir allen Lebens-
Safft: daß auch offt bin wie gar dahin, weil auch
die Hoffnung und der Muth beynah geschwächt
am ewgen Gut.

7. Doch ist mir dieses übrig blieben, da ich
versager alle Ding, wird ich von GOtt ins Buch
geschrieben, da niemand worden so gering, dem
nicht sein Theil und grosses Heil aldorten erblich
beygeleat, alwo man göldne Kronen trägt.

8. Drum wird mein Flämmlein mir auch
scheinen biß an die Stund der Mitternacht, da
dann zu End mein langes Weinen, und alles ist
zum Ziel gebracht. Der Wächter Schall vom
Freuden-Hall ruft laut, der Bräutgam ist da:
drum ist die Hochzeit auch sehr nah.

9. Diß hohe Fest wird mich erfreuen und allen Jammer nehmen hin, auch mithin alle Ding
verneuen; diß wird dann erst sein der Gewinn;
von so viel Leid und Traurigkeit; und weil so bin
zum Ziel gebracht, so sag ich ewig gute Nacht.

10. Dem viel gehabten langen Jammer, der
mir offt Zeit und Krafft verzehrt, und geh in
meine Ruhe-Kammer, alwo mir GOtt mein
Glück bescheert. Jetzt bin ich still in aller Füll;
vergeß mein viel gehabtes Leid in alle Läng der
Ewigkeit.

330.

SO muß die Hoffnung dann das Leiden wieder krönen, nachdem wir lang gebückt und
traurig umher gehn; und wer in viel Gedult und
Langmuth seine Thränen läßt fliesen mit dahin,
wann er vor GOtt thut flehn: und sein und andrer Noth und Elend thut vortragen, wird offt sehr
wunderbar mit Kräfften angethan, daß er im
Demuths-Sinn kan alles auf ihn wagen, wärs
auch der gröste Schmertz; er geht kein andre Bahn.

2. Obs sich schon offt in Noth und Elend
läßt ansehen, als ob die Hoffnung aus und wäre
gantz dahin, so thut doch oftermal ein neuer Trost
aufgehen, wenn unsre Leidens-Frucht einbringet
den Gewinn: Der lang und viele Schmertz,
der in Gedult ertragen, bringt uns viel Süsigkeit und Gottes Trost herbey. O selig! wer es
kan in Noth aufs äuserst wagen, und bleibet seinem GOtt bis in den Tod getreu.

3. Kein gröser Gut kan uns noch hier noch
dorten werden, als wer ohn alle Maaß hier seinen Jammer trägt: dann Gottes reiner Geist
macht freundliche Gebärden: so offt die Traurigkeit den Muth darnieder schlägt. Wer seinen
Trost allein auf Gottes Hertz hin sparet, wenn er
verlassen steht, und keinen Helffer hat, dem wird
sein edler Schatz in Gottes Huld bewahret, bis
daß er wird zuletzt aus seiner Fülle satt.

4. Geh hin, O liebe Seel! und trage deinen
Jammer, die Güte Gottes wird dir endlich helfen
aus, und bringen heim zu sich in deine Ruhe-
Kammer, nach viel gehabter Müh und so viel
hartem Strauß. Was dir aldorten wird in
deinem

deinem Trost erscheinen, ist hier in so viel Schmertz
und Leiden eingehülle; und wann wird seyn zu
End dein lang und vieles Weinen, so ist dein langer Wunsch zu einem mal erfüllt.

5. O was vor Süßigkeit wird in der Seel
empfunden! wenn man nur einen Blick thut in
das Wohl hinein, wo unser vieles Leid, und langer Schmertz verschwunden, der uns so oft gebracht viel bittre Todes-Pein. Unendlich ist die
Saat, die uns zum Heil erworben, wenn unsre
Leidens-Frucht im Segen grüner aus. Und
was auch scheinet oft gar in dem Tod erstorben,
bringt seine reiffe Frucht in unsers Gottes Haus.

6. Drum bin ich Freuden-voll, und trage meinen Jammer, weil mir viel reicher Trost daneben
eingeschenckt. Ich gehe doch zuletzt in meine
Ruhe-Kammer, allwo in Ewigkeit man des nicht
mehr gedenckt. Wie wird der reiche Trost, der
oft so tief verborgen alhier im Creutzes-Thal, so
wunder-schön aufgehn! Drum freu ich mich so
sehr auf jenen frohen Morgen, wo all mein vieles Leid nicht mehr wird seyn zu sehn.

331.

Sophia bleibt verlassen in der betrübten Zeit;
ich selbst geh meine Straßen in grosser Traurigkeit, muß vielen Kummer tragen, dieweil ihr
reines Licht so gar in Wind geschlagen, soll mich
das schmertzen nicht?

2. Ihr klug-und weiser Handel ist worden wie
zum Spott, der reine Liebes-Wandel verbleicht,
geht ab mit Tod. Die Sinnen sind erstorben
zum himmlischen Lauf, drum ist das Spiel ver-
dörben, so sie gerichtet auf.

3. In unsrer Zeit und Tagen was Wunder
sahe man? wer kont nicht alles wagen auf der
verliebten Bahn: nun siehe man andre Sachen,
weil selbst ihr Erbgeschlecht thut ihr Spiel nur
verlachen, gibt auf sein Bürgerrecht.

4. Ich hätte nie gemeinet, daß dieser edle Glantz,
der vor so hell geschienen, so wird verdunckelt
gantz. Ach! ach! wie viele Schmertzen und
grose Traurigkeit muß tragen in dem Hertzen,
so trägt darüber Leid.

5. Wie hat der Schmuck der Liebe verändert

die Gestalt? wie sind die Feuer-Triebe verloschen
und erkalt: Sophia steht verlassen, muß seyn als
Kinderloß, ihr Schönheit thut erblassen bey diesem harten Stoß.

6. Weil selbsten ihr Geschlechte sich hat von
ihr gewandt, verachtet ihre Rechte und geistlichs
Eheband: was soll man doch nun sagen bey diesem Trauer-Spiel? viel Wunden sind geschlagen, das macht der Schmertzen viel.

7. Doch will den Schmertzen tragen, der mich
so sehr beleidt in denen Trübsals-Tagen und groser Traurigkeit: bin ich schon Wittwe worden,
muß einsam umher gehn, wird doch der reine Orden dort so viel schöner stehn.

8. Gehab dich wohl, du Holde, du bleibest
meine Braut, dort gläntzest du von Golde, das
wird im Geist geschaut. Thut schon mein Glück
nicht scheinen in der Unfruchtbarkeit: werd ich
doch, nach viel Weinen, dort so viel mehr erfreut.

9. Sophia wird mir leben, wann andre To-
des-Fäll sehr schlechte Losung geben, bleibt sie an
ihrer Stell: sie thut mir nicht veralten, ihr
Schönheit nimmt nicht ab, wann andre todt erkalten, und müssen in das Grab.

10. Mein Glück wird schon erscheinen auf
meinem Hochzeit-Tag, muß ich schon oft jetzt
weinen bey so viel Ungemach: nach vielem
Schmertz und Quälen, und so viel bittrem Leid,
wird sie sich mir vermählen in jener Ewigkeit.

11. Obschon ihr eigne Kinder sie treten in den
Koth, so will ich doch nicht minder treu bleiben
bis in Tod. Sie lässet nicht gerathen in Thorheit meinen Sinn, dann ihre Helden-Thaten ziehn
mich stets zu ihr hin.

12. Muß ich schon Schmertzen leiden, weil
sehe um mich her so viele von ihr scheiden und
ihrer reinen Lehr: die doch vor denen Tagen, die
nunmehr sind dahin, thäten fast alles wagen um
ihren reinen Sinn.

13. Ob ich schon bin beladen mit Schmertzen
um und um, so thu ich doch einladen, daß jedes
nochmal komm: so sich vor denen Jahren, in
groser Freundlichkeit thäten in Liebe paaren in der
so güldnen Zeit.

14. Komme

14. Kommt wieder, kommt gegangen, weil ihre Liebes-Treu in so viel bittern Drangen bisher gestanden bey. Ihr Lob thut nicht veralten, sie bleibet, wie sie ist, sie thut auch nicht erkalten, ob man schon ihr vergißt.

15. Nun will ich mich ersencken in unsre erste Treu, des Jammers nicht gedencken, wie groß derselbe sey. Sie wird es schon noch machen, daß ich ohn End und Zeit werd ihrer dorten lachen in jener Ewigkeit.

16. Jetzt will ich mich ihr üben in treuer Ehe-Pflicht, und achten kein Betrüben, wie mir auch sonst geschicht: die Treu wird nicht veralten, ich bleib in ihr erfreut, die Lieb wird nicht erkalten bis in die Ewigkeit.

17. Dann wann ich thu gedencken der vielen Zeit und Jahr, was sie mir thät einschencken in mancherley Gefahr: so werd ich in Gebärden ganz außer mir gestellt. O was wird mir erst werden an ihr in jener Welt.

18. Weil in so vielen Wehen sie mir geblieben treu, wann ich schien zu vergehen, mir hat gestanden bey. Was soll mich dann mehr scheiden von diesem reinen Stand, ich achte Leid wie Freude in unserm Ehe-Band.

332.

SO zeuch dann hin, mein Herz, geh ein zu denen Schaaren, die hier die Jungfrauschafft auf dieser Welt bewahren, und einzig nur allein dem reinen Lamm nachgehen in keuscher Liebes-Zucht und bittern Leidens-Wehen. Wol dann! du liebs Geschlecht, ich komme euch entgegen, euch Ehre, Schmuck und Kron euch zu den Füßen legen.

2. Wie selig ist der Tag, darinn ich eingenommen zu dieser reinen Schaar der wahren Gottes-Frommen, die als die Lämmer gehn vereint auf süßen Weiden, allwo das keusche Lamm sie thut unendlich leiten. O seliger Gewinn! wer da ist eingegangen, weil sie mit Heiligkeit im innern Tempel prangen.

3. Wie still kan nicht ein Herz daselbst von innen werden, weil ganz vergessen sind die Sorgen dieser Erden: nun ist mein Herz vergnügt, weil ich da eingenommen, wo mein verliebter

Ff

Sinn zu seinem Ziel gekommen. Wol dann! das süße Glück wird mir mein Theil erwerben, daß ich in Ewigkeit werd nimmermehr verderben.

4. Fahr hin, O süße Welt! mit deinen leeren Brüsten, mich soll nun nimmermehr, nach deinem Dunst gelüsten: du schenckest zwar oft ein, viel bittre Süßigkeiten, wodurch du dir zuletzt wirst tausend Weh bereiten. Wann du aufs Höchste kommst, wird dich der Wind verwehen, und ich werd nimmermehr aus Gottes Tempel gehen.

Die Kirche.

5. Willkomm du werthe Braut! wir stimmen alzusammen, und geben unser Ja in Liebverliebten Flammen: der Weißheit Liebe-Brunn muß nun unendlich fließen, und alle Bitterkeit durch Gottes Huld versüßen. So sind wir nun gepaart im Geist der reinen Taube, trotz wer uns unsre Kron und Jungfrauschafft beraube.

6. Die Welt ist uns ein Born, der bitteres Wasser quillet, wer daraus wird getränckt, wird mit dem Tod umhüllet. Wie rein ist unsre Quell, so aus dem Herzen fließet, das JEsus Liebe heißt, und unser Leid versüßet. So sind wir dann getränckt mit Gnade Huld und Liebe, und unsre Quelle wird in Ewigkeit nicht trübe.

333.

STill geheim, und sehr verborgen ist mein Wandel nun für GOtt: sorge uur vor heut, was morgen, kan leicht gehen ab mit Tod. In der stillen Einsamkeit, außer Menschen Welt und Zeit, findet man das rechte Leben, das GOtt selbst ins Herz thut geben.

2. Wann der stille Lebens-Wandel ist der Seelen Aufenthalt, kan der Menschen toller Handel machen weder träg noch kalt. Wer aus dieser Fülle satt, wird hinfort noch müd noch matt. Dann die Einheit in dem Leben, bleibe unendlich GOtt ergeben.

3. Lebt man still und abgeschieden, bleibe dem Menschen unbekannt, kommet ein ein solcher, Frieden, der da heißt, mit GOtt verwandt. Ist ein Wesen ohne Schein, dringt man nur stets tiefer ein, wird sich nach und nach verlieren, was gemacht von GOtt abirren. 4. Drum

4. Drum will gantz verborgen leben, daß ich werde unbekannt, wolt was anders mir was geben, muß es seyn mit GOtt verwandt. Ich bin alles dessen müd, was nicht schmeckt nach Gottes Güt, dann der Menschen bestes Meynen ist meist nur ein trüglich Scheinen.

5. Ich hab mich so satt gegessen an der Menschen Trügerey, weil nichts kont in GOtt genesen, biß ich davon worden frey. Was auch sonst wolt Göttlich seyn, war doch nur betrogner Schein: und weils an mir selbst erfahren, ließ ich endlich alles fahren.

6. Dann das Best, das nur so scheinet, ist Betrug und leerer Wahn, ohn, wer sich zu Tod geweinet, auf der schmalen Himmels-Bahn. Was ists Wunder, wann mein Stand wird den Menschen unbekannt, weil mich selber muß aufgeben an dem GOtt-betrognen Leben.

7. Dann auch dieses war nicht troffen, wo der allertreuste Sinn mit viel Fleiß darnach geloffen, Hand-kehr um war alles hin. Was ists Wunder, daß genug kriegt hab an dem leeren Trug: weil des Besten Thun mit Dornen ausgespicket hint und vornen.

8. Was ist wunder, daß ich weiche, wo doch aller Fleiß umsonst, und als mein Ziel erreiche, wo kein Trug noch blauer Dunst blendet mehr den reinen Sinn, der um GOtt gab alles hin, wodurch das Verlorne funden, und Ihm also bleibt verbunden.

9. Dis ist meine Beylag worden, GOtt zu bleiben ewig Treu; rufet man schon aller Orten, daß verführt und irrig sey: machet mirs nur meine Sach richtiger auf jenen Tag. Weil GOtt dem, der ausgeseget, dort sein Erbtheil beygeleget.

10. Still, verschwiegen muß mein Handel nunmehr seyn vor aller Welt, und mein gantzer Lebens-Wandel müsse GOtt seyn zugesellt. Muß man gleich den gantzen Tag dabey tragen seine Schmach. Gut genug, wer GOtt erworben; obs gleich scheint, man wär verdorben.

11. Iezund will ich mehr mit Wincken, und mit Still-seyn zeigen an, was GOtt denen thut einschencken, die treu blieben auf der Bahn.

Geht man aus und gehet ein, heists, mit GOtt vereinigt seyn. Ist dabey ein stetigs Sterben, wird man Gottes Reich ererben.

12. Was man so umher thut tragen, wo der Wandel stets mit GOtt, läßt sich nicht mit Worten sagen, ob man gleich ist aller Spott. Das Gewissen hat die Beut, weil erlangt die Seligkeit, die gesucht mit so viel Sehnen, unter viel und langen Trähnen.

13. O! Wie wol läßt sichs nun schlafen, nach so lang-geführtem Streit, weil man nur mit GOtt zu schaffen, und so zubringt seine Zeit. Iezund schweiget der Sünder Rott, weil sie worden GOtt zum Spott, der nun alle wahre Frommen hat in seinen Schoos genommen.

T

334

Teuer GOtt! wie hast du mich, auf der Welt geführet, und mein Herz gebracht an dich, wo man sonst abirret. Hätte nicht dein Gerichte mich mir selbst entnommen; ich wär nicht durchkommen.

2. Aber, so hat Gottes Rath meinen Wahn vernichtet, was durch eigne Werck- und That solte seyn verrichtet: nahm er hin, daß mein Sinn von mir abgeneiget, und vor Ihm gebeuget.

3. Iezund ist es wol bestellt, weil ich mir entworden, wird gethan was GOtt gefällt in dem reinsten Orden, da gewöhnt, ausgesöhnt, was auch nicht wolt wallen, um GOtt zugefallen.

4. Dieses Priesterambt wird stehn, biß daß alle kommen, und aus ihrem Kercker gehn hin, zur Schaar der Frommen. O! was Freud, nach dem Streit, die als dann wird werden, nach so viel Beschwerden.

5. Dieses hat mich so beryd't, und an GOtt verbunden, daß auch die getrrt zur Seit, werden eingewunden durch das Loos, so im Schoos dessen, der gestorben, und am Creutz erworben:

6. Solche grose Seligkeit, die nicht auszusagen, und nur denen ist bereit, die es thäten wagen, wo erbeut in dem Streit, da der Keuschheit-Krone, so der Weisheit-Lohne.

7. Diß.

7. Diß ist meine schwere Sach, so nicht auszusagen, daß mir GOtt auf jeden Tag aufgelegt, zu tragen, daß auch die, so alhie alles nur
verhöhnet, werden ausgesöhnet.

8. Dieser schwere Priester-Stand hat gantz
nichts zu klagen, weil er ist mit GOtt verwandt,
muß er diß abtragen, wo am End ausgesöhnt,
was auch nur thät lachen über Gottes Sachen.

9. Diß ist meine schwere Last, die ich hab zu
tragen, weil es GOtt so abgefaßt, daß wirs müssen
wagen, wies der Rath Gottes hat es in sich beschlossen, der nicht umzustossen:

10. In die lange Ewigkeit, biß ihm ist einkommen, was von Ihme war gezweyt, und dem
Heil entnommen. Muß ich schon hier den Lohn
mit viel Trauren singen, dort wirds besser klingen.

335.
NEuer Heyland JEsu Christ, der für uns gecreutzigt ist, du hast ein berufne Zahl, zu dem
grosen Abendmahl.

2. Aber ach! wie viele seyn, wo der Ruf gering und klein ist geachtet, weil die Welt sie so
sehr gefangen hält.

3. Daß sie diese hohe Wahl achten nur als
einen Schatz, der wie Wind vorüber geht, und
darnach nicht weiter weht.

4. Darum gehen sie so hin, achten nur, was
bringt Gewinn, so in dieser Welt beglückt, als
wodurch der Ruf erstickt.

5. Vielerley Profession, die da bringen grosen
Lohn, setzt den Ruf sehr weit hindan, so geht man
die alte Bahn;

6. Wo das Ende ist der Tod, und kein Trost
in letzter Noth. Dann der Ruf zum Abendmahl ist hin, bey dem schweren Fall.

7. Der Verächter Zahl ist groß, darum kommen die ins loos, die wie Koht geachtet seyn,
und als Sünder und gemein.

8. Dann der Staat und Ehr der Welt noch
das Vorzugs-Recht behalt; weil die rechte berufne Zahl ist ein gar geheime Wahl.

9. Die hier alle Ding versagt, und dabey wie
nichts geacht, selbst von Frommen, die im Schein
auch mit hin gezählet seyn.

10. Doch dabey nicht weiter gehn, als Mo-
ralität kan stehn: Dann der Acker ist das loos
daß noch bey der Welt macht groß.

11. Dann wer dem gesaget ab, muß mit JE-
su in das Grab; und wer vor die Armuth hält,
wird mit an das Creutz gepfählt.

12. Soltens auch nur Ochsen seyn, machet
es doch einen Schein, daß die Welt es sehen kan,
daß man noch auf ihrer Bahn.

13. Und der hohe Ruf geacht, als ein Licht-
lein in der Nacht, das bald hin und leicht vergeht, wann ein kleines Windlein weht.

14. Kommt das Weiber-nehmen dann auch
mit vor auf dieser Bahn; das ist so ein grose
Sach: Himmel-Ruf, trag deine Schmach.

15. Da ist kein Entschuldigung wegen der
Verhinderung: es ist recht, der Ruf kan gehn,
weil von hinten her nach sehn.

16. Jetzund thut man laden ein, die auf Strasen und an Zäun liegen, hin und her zerstreut.
Seht die Wunder-Hochzeit-Leut.

17. Blinde, lahme sind die Gäst, so der König rufen läßt, diese machen voll die Zahl zu dem
grosen Abendmahl.

18. Kommt, Verächter, kommt und schauet
sehr, die schöne JEsus-Braut? Diesen Staat
und Hochzeit-Freud zieren lauter arme Leut.

19. Weil ihr habt den Ruf versagt, und der
Welt nur nachgejagt, werdet ihr in dieser Pein
von GOtt hinverwiesen seyn:

20. In dem bösen Engel-Fürst, wornach ihr
so lang gedürst: weil der Ruf euch nur ein Hohn,
wurde auch ein solcher Lohn.

21. Daß geworffen ihr hinaus, ausgekehrt
von Gottes Haus: mit der bösen Engel-Schaar
leiden Qual sehr manche Jahr.

22. Diß wird seyn der Gäste Lohn, die den
Ruf gemacht zum Hohn, dabey Gottes Rath
veracht, und dem eitlen nachgesagt.

23. Diß ist meine gröste Freud, weil elend
und arme Leut machen voll den Hochzeit-Saal,
bey dem grosen Abendmahl.

24. Vielleicht komm ich auch hinein, weil ich
hier gering und klein, und verworffen auf der
Welt,

Welt,

Welt, auch gesucht, was GOtt gefällt.

25. Darum geh ich nur so hin, frag nicht viel, was mein Gewinn. Wache nur, daß recht bereit, wann man ruffe zur Hochzeit-Freud.

26. Aecker, Ochsen sind dahin, Weiber nehmen aus dem Sinn. Rufet man zur Hochzeit auf, eil ich schneller fort im Lauf.

27. Dann gar lang der Welt versagt, und dem Himmel nachgejagt: auch darinn geblieben treu, in des Lebens Wüsteney.

28. Da getragen meine Schmach, und viel Hohn den ganzen Tag, weil ich hielte den Bescheid, in dem GOtt gethanen Eyd.

29. Der geschworen ist vor die, so da sparen keine Müh, daß sie stetig drauf bedacht, Ihm zu dienen Tag und Nacht.

30. JEsus ist der Wunder-Mann, der mir hat gezeigt die Bahn, die uns bringt zur Himmels-Pfort, wer nur treulich wandelt fort.

31. Drum, O JEsu! bring mich ein, wo die vorerwählte seyn, die erhalten ihre Wahl, zu dem grosen Abendmahl.

᛭ ᛭ ᛭

32. Nun müssen alle draussen übernachten, die ihren Ruf thäten alhier verachten: und ob es schon ehrliche Leut, weil aber sie die Schmach gescheut, so müssen sie noch erst aldort dieselbe tragen, wo sie der andre Tod im Zorn-gericht wird nagen.

33. Die brafen Leut sind dorten nicht die Beste, weilen dergleichen nicht beym Hochzeit-Feste! Sie sind nur braf auf dieser Welt, deswegen auch wann die zerfällt, wird all ihr Ruhm und hoher Staat mit hin verfallen, da sie dann selbst vergehn mit krachen und mit knallen.

34. Diß ist der Spötter Lohn samt vielen Wehen, wann sie mit viel Geschrey von aussen stehen, und heulen über den Verfall, weil sie verscherzt das Abendmahl. Diß werden ihre gröste Schmerzen seyn, auch Wehen, wann jene arme Leut so herrlich anzusehen.

Tröster, tröstet meine Lieben, die da gehen schwarz gekleidt: sagt, wie sie ins Horn ge-

336.

schrieben seyn von Gottes Freundlichkeit. Ihr Erlöser ist sehr nah, und die frohe Zeit ist da, wo GOtt wird Erquickung geben, ewge Freud und ewges Leben.

2. Dann GOtt selbst hat sich versprochen, daß ein Helffer in der Noth, dieses hat sein Herz gebrochen, weil Er als ein treuer GOtt hat dein Elend angesehen, weil du so zu Ihm thätst flehen, um zu klagen deinen Schmerzen, den du trugest in dem Herzen.

3. Nun ist dir ein Trost aufgangen nach der hart und tunckeln Zeit, damit nach so langen Drangen du von deinem GOtt erfreut. O du lang erwünschter Tag, wo vergessen alle Klag! und sich die Erlösung funden, da der lange Schmerz verschwunden.

4. Lasse uns preisen Gottes Güte, die wir seine Traurige: sind wir offt von Seuffzen müde, sehr den Aufgang aus der Höh! der uns wie im Blick erfreut, durch des Schöpffers Freundlichkeit, und uns in den Nöthen liebet, wann wir biß in Tod betrübet.

5. Alles Weinen, alles Klagen bringet seine Ernde ein, dann nach denen Trübsals-Tagen wirds um so viel besser seyn. O wie froh wird man gemacht nach der langen Creutzes-Nacht! da muß schweigen alles Klagen von den vielen Trauer-Tagen.

6. Sehen wir dann nicht die Blüte, die so Wunderschön anbricht, sind wir gleich des Jammers müde, diß erfreuet das Gesicht. Kommet der Trost vom Himmel her, ist es so erfreulicher, weil ill einem mal vergehen unsre viel gehabte Wehen.

7. Jezund werden, die gesessen in dem Staub der Niedrigkeit, alles ganz nnd gar vergessen, Schmerz, und viel gehabtes Leid. O ein lang-erwünschtes Heil! das so kommt in schneller Eil: lasst uns preisen Gottes Güte in dem Herzen und Gemüthe.

8. Saget den verzagten Herzen: seyd getrost, der Helffer kommt, und wird heilen eure Schmerzen, schaffen, was euch ewig frommt. Er wird sich drin nehmen an, thun, was man nicht sagen

kan,

kan, helffen aus mit seinen Armen, sich in Güte
dein erbarmen.

9. Sagt auch jenen armen Waysen, und der
Witwen Kinder-Zahl, die den Weg zum Him-
mel reißen, dort, nach jenem Freuden-Saal, ihre
Hoffnung sey gekrönt, sie ist lang genug verhöhnt;
vor die Schmach, die sie getragen, sol sie nur von
Güte sagen.

10. O so kommet dann mit Freuden, o ihr
arme Wayselein! sehet euer Glück bereiten, so
der Himmel schencket ein. Jetzt bricht ein die
Freuden-Zeit, vor dein viel-gehabtes Leid: dein
Trost, der vom Himmel kommen, hat dein Weinen weggenommen.

11. Jetzt hält Zion Freuden-Tage, ruffet aus
das grose Heil: machet davon eine Sage, was
ihr worden ist zu Theil: weil sie GOtt so reich
getröst, und aus aller Noth erlöst. Drum wird
sie, mit schönen Weisen, ewig Gottes Güte preisen.

U

337.

UM alles das ich schon zuvor erlitten auf meiner langen Wanderschafft, hat michs doch
lassen noch niemal ermüden, weil nicht vorlohr
mein erste Krafft. Damit der Weisheit Brust
gesäugt, und ihre Schönheit mir gezeigt; daß so
verliebt in ihren Adel, der ausbündig schön ohn
Tadel.

2. Als ich erwachte nach viel und langem Zagen, da thät mein lang-verliebter Sinn bald
wieder nach derselben Schönheit fragen, die mir
mein Hertz genommen hin. Jetzt fühl ich erst
die reine Brunst, die vormals offt nur wie ein
Dunst. Sie greifft nun selber nach dem Hertzen zu lösen auf den langen Schmertzen.

3. Ich will sie nunmehr als wie Mutter ehren, der Kinder-Sinn hats doch gethan; der
gab Gehör den hohen Wunder-Lehren, die mir
gezeigt die edle Bahn. Jetzt mache kein ander
Ding mich satt, als mir zu folgen ihrem Rath;
so bald ich merck ihr lieblich Wesen, ists eben das,
was ich erlesen.

4. Das Flämmlein, das in mir nach ihr thut

brennen, hat es mit mir gebracht dahin, daß ich
zu Ihr mich thu ohn scheu bekennen im allerreinsten Jungfraun-Sinn. Trägt man dabey schon
seine Schmach mit Schmertzen hin den gantzen
Tag; der Tugend Krafft aus ihrem Wesen
macht, daß mans stündlich kan vergessen.

5. Wann mir zu eng und lang auf allen Seiten, gedenck ich meiner Jugend Blüt, da sie so
freundlich mich thät führn und leiten, geschenckt
ein Göttliches Gemüth. Doch meine Brunst
blieb rein bewährt an allem, was auf dieser Erd.
Wann auch viel Unfugs mich wolt drängen, so
thät ich Jungfraun-Lieder singen.

6. Diß war so ein gar sehr-verliebter Handel,
daß viele andre um mich her, verdächtig hielten
diesen reinen Wandel, weil es so ein gantz neue
Mähr, so die Gewohnheit gantz hinnimmt, wo
alle Welt drinn umher schwimmt. Die Fürsten, so in Lüfften schweben, machen den Jungfraun-Sinn offt beben.

7. Diß ist der schwere Streit alhier zu nennen, den der verliebte Jungfraun-Sinn muß tragen um, weil er thut GOtt bekennen, der Ihm
sein Hertz genommen hin. Jetzt sind viel Kräfften um ihn her, die machens Leben saur und
schwer; der Stern-Geist brauche Gewalt und
Machten, doch thut die Jungfrau sein nicht achten.

8. Der schwere Streit, womit alhier beladen
auf dieser Welt der Jungfraun-Sinn, wird kaum
ein Menschen-Kind können errathen, ohn, wer
geht selber so dahin, der Welt und allem abgesagt,
dabey ihr böses Thun verlacht; der wird gar bald
den Handel mercken, an ihrem bösen Thun und
Wercken.

9. Indessen wil ich länger nicht verweilen in
dem Vorhofe dieser Welt; dem hohen Ruf der
Jungfrauschafft nacheilen, weil seh, daß alles
Fleisch verstelle. Drum steh die Mutter innigst an, lös bald auf allen Fluch und Bann;
mein Hertz sehnt sich in vielen Wehen, um bald
dein Angesicht zu sehen.

10. Es ist kein Schertz, laß doch bald seyn getroffen, damit zum End die viele Wehn, das Ziel
erreicht, wornach so lang geloffen, daß könt in

Ff 3   Schoos

Schoos der Ruh eingehn. Zerschmelz, was Ich-
und Eigenheit, daß ich einhole die Gleichheit, was
solte seyn im Anfang eben, als ich verliebt ins
Jungfraun-Leben.

11. Ich habe alle Höh der Welt bestiegen,
fand aber nichts als leere Spreu; was auch gab
Schein, warn nur gemachte Lügen, drum sucht
ich meine erste Treu; da mit so starcker Liebes-
Macht gezogen, ohn daß hätt gedacht, was noch
zuletzt daraus wird werden, weil ganz versaget,
was auf Erden.

12. Drum suche ich den Geist der Jugend
wieder, der mir gebracht ein solches Licht, wo man
erblickt die reineste Gemüther, die nach der Weisheit Spür gericht. Ich möchte gern die Probe
sehn, daß würd gesagt: Es ist geschehn. Es ist
dem Jungfraun-Sinn gelungen, wornach so
manche Jahr gerungen.

338.

Urgrund voller Liebe, deine Allmachts-Triebe
sind des Geistes Leben; deine reine Kräffte
seyen die Geschäffte, wo ich innen schwebe.

2. Laß mich dich verspühren, thu mich durch-
tingiren; O was vor ein Stöhnen! um recht
dein zu werden. O was viel Beschwerden! auch
wohl bittre Trähnen.

3. Alle meine Gänge halten mich in Enge,
wo ich nicht kan mercken, daß du mein Bewegen
und des Geistes Regen bist in meinen Wercken.

4. Könt ich anders leben, und mich überhe-
ben, daß ich nicht ganz Deine, ich wär überhoben vieler Leidens-Proben; doch, das wär nicht feine.

5. Ach! wie manche Schmerzen trug ich in
dem Herzen um dich, O mein Leben! bis in deinem Wesen ich kont recht genesen, und mit Ruhm
erheben

6. Deine grose Güte in Herz und Gemüthe:
nun muß alles frommen; weil nach so viel Trähnen, und des Geistes Sehnen, mir mein Glück
einkommen.

7. Daß ich mich vergnüge, an den Brüsten
liege, seligst mich zu weiden an dir, süses Leben!
bleib in mich ergeben, bis ich werd abscheiden.

8. Lang verlangte Stunden! nun hab ich ge-

funden die so grose Beute; wer sich diß erlesen,
wird in GOtt genesen mit viel süser Freude.

9. Nun ist alles Zagen und die bittre Klagen
ganz als wie verwesen, und die eigne Kräfte,
mancherley Geschäfte, mithin ganz vergessen.

10. Hier in dieser Fülle ist die ew'ge Stille,
das Ganze gefunden: wer sich dahin wendet,
Heil und Segen findet, bleibt mit GOtt verbunden.

339.

Unser Leben ist verborgen, unser Wandel GOtt
bekannt; der weiß alle unsre Sorgen, und wie
es um uns bewandt. Wann das sehnende Verlangen siehet seine Vatters-Treu, so kommt seine
Hülff gegangen, und steht unsrer Schwachheit bey.

2. Wo wir altser sind beladen mit so manchem Drang und Leid, thut Er selbst dem Elend
rathen, und hülfft uns zur rechten Zeit. Seine
Treu läßt nimmer wancken währt der Schmerz
auch bis in Tod: seine Obhut hält in Schrancken, und erlöst aus aller Noth.

3. Darum blühen unsre Cronen hier im Thal
der Niedrigkeit: die uns dorten werden lohnen in
der stillen Ewigkeit. Diß ist Freude, die wir haben, wann wir auch sonst traurig gehn; diß sind
unsre Opffer-Gaben, die wir bringen, wann
wir flehn.

4. Und, weil wir sind eingegangen, wo der
reinen Lämmer Schaar in dem innern Tempel
prangen, und GOtt dienen immerdar: werden
wir ohn End erfreuet in des Lammes Niedrigkeit,
und Herz, Seel und Geist erneuet: daß vergessen alles Leid.

5. So blühet unser Leben wieder, das in GOtt
verborgen heißt: und wir singen neue Lieder,
wann uns Himmels-Manna speiset. Wohl
dann! weil uns GOtt erlesen Ihm zu Eigen in
der Zeit, können wir in Ihm genesen hier und
dort in Ewigkeit.

340.

Unsre Hoffnung muß uns crönen dort, in jener neuen Welt: weil wir sind gezehlt zu denen, die Sich GOtt hat auserwählet: daß sie
dort, mit vielen Freuden, sich in reiner Wollust
weiden, und GOtt, ohne End und Zeit, leben
in die Ewigkeit.   2. Dann

2. Dann wird man mit Augen sehen, was
uns hier so klein gemacht: da wir unter so viel
Wehen wurden gantz gering geacht. Wann
das Leben wird erscheinen, das so unter langem
Weinen tief in GOtt verborgen war, wirds recht
werden offenbar.

3. Diß ist unsre Freud auf Erden, diß ist uns
rer Hoffnung Lauff: weil GOtt bey so viel Beschwerden in dem müden Lebens-Lauff, unsre Geister oft entzücket, daß sie werden hingerücket, und
im Schauer sehen ein, was dort offenbar wird seyn.

4. Welches nie ein Aug gesehen, noch ein
menschlich Hertz versteht, wird auch bleiben ewig
stehen, wann sonst Alles untergeht. O wohl
dann, du seeligs Hoffen! weil du dieses Ziel getroffen: wo dein Schmertz und langes Leid endlich wird zu lauter Freud.

5. Darum wallen wir mit Freuden hin zur
frohen Ewigkeit: und vergessen alles Leiden, weil
GOtt unser Hertz erfreut. Allhier fremd und
Unbekannte, dorten Gottes Anverwandte: hier
verworffen auf der Welt, dorten von GOtt auserwählt.

6. Wohl dann nun! weil wir beleget mit so
reichem Ueberfluß: den uns Gottes Gut zuträget mit viel Segen und Genuß. Wann uns
seine Liebe träncket, und viel Himmels-Most ein-
schäncket; sind wir auf der rechten Bahn, wo uns
nichts mehr schaden kan.

7. Und, weil wir des Freude haben, (wie uns
auch wird eingeschänckt) ob Er uns mit Himmels-Gaben, oder Bitterkeiten, tränckt. Wird
uns auch noch Schmertz noch Leiden mehr von
Seiner Liebe scheiden: obs auch wär des Todes
Pein; dorten wirds schon anders seyn.

341.

Unverhoffte Fülle, lang erwünschte Stille, die
sich eingefunden, nach den Trauer-stunden:
O was ein erwünschte Zeit, nach so lang-geführtem Streit!

2. Ich bin voller Freuden, Schmertzen Creutz
und Leiden sind nun gantz vergessen, weil sie wie
verwesen. Es ist alles worden still in der selgen
Gnaden-Füll.

3. Nun ist meinen Thaten auf einmal gerathen, weil in meinem Frommen GOtt darzwischen kommen, machte mich auffhörn zu thun,
und von meinen Wercken ruhn.

4. Diese Sabbats-Stille bracht mir ein die
Fülle, wo in frohem Prangen man in GOtt eingangen. Diß ist ein gar göldner Stand, der
gar wen'gen wird bekant.

5. Da sind andre Sachen, als was wir sonst
machen; es wird aufgetragen, was man nicht
kan sagen. Es ist eine solche Füll, man muß
nur so schweigen still.

6. Was man es bedeuten, was vor Innig-
keiten, kanns niemand verstehen, ohn, er müste
gehen, fragen: was ist Wesenheit? wo das Hertz
in GOtt erfreut.

7. Ob ich gleich vergessen; bin ich doch genesen, leb in stetem Frieden, von der Welt geschieden. Frage mich jemand, was ich thu?
ich bin in der Sabbats-Ruh.

8. Was da wird besessen, kan niemand ermessen; wolt man gleich drum fragen, kans doch
niemand sagen: Ist man ausser Welt und Zeit,
heissts die stille Ewigkeit.

N

342.

NAch ich gehe hin, wo nicht werd wieder kommen, die Wanderschafft ist aus, mein harter Streit zu End. Zu einem mal hat GOtt so
gantz dahin genommen, wo ich so manchen Tag
und Jahr gesessen bin. Da viel betrübte Täg
und Nächt dahin gegangen, von kümmerlichen
Brast offt schier wär gar vergangen.

2. Die sehr betrübte Zeit hat so viel Heil erworben, daß nun kann geben hin, wo niemal wieder kommn. Wer nicht also geübt, ist schon zuvor verdorben, das ewig-sprechend Wort bleibt
ewig in ihm stumm. Im GOtt-geheimen
Sinn ist wol ein wiederkommen, da man die Probe bringt mit allen wahren Frommen.

3. Sonst geht man so dahin, wo ewig bleibt
vergessen die sehr betrübte Saat, die man hat ausgestreut; da man must geben hin, was schien das
wahre

wahre Wesen; das hiese freylich eine sehr betrübte Zeit: Doch macht die Erndte nun die Trauer-Saat vergessen, wo man so manchen Tag und
Jahr betrübt gesessen.

4. Und weil ich kommen heim nach den betrübten Tagen, wo ich bin gangen hin in so viel Her-
genleid, und meine edle Saat mit Schmergen
must umtragen, eh mir der Freuden-Erndt von
meinem GOtt erfreut: so kann auch so viel mehr
der Ruhe recht geniesen, weil GOtt mein langes
Leid mit Freude thut versüsen.

5. Kommt Menschen, kommt herbey, und se-
het einen Streiter, der seine Beut erjaget in so viel
Niedrigkeit. Wer angefangen hat, geh alle
Tage weiter, damit Er nicht im Kampff abtret-
ten mögt zur Seit. Wer um die Jungfrauschafft sich in den Streit wil wagen, der muß
nicht geben auf, wanns scheint, er wär geschlagen.

6. Hier wird der Sieg erbeut, wo alles scheint
verloren, und alle eigne Krafft zu Staub und
Asch gemacht; aus dieser Asche wird ein neuer
Mensch erboren, alsdann ist, was verlorn, mit
Freuden wieder bracht. Jetzt ist man heim zu
GOtt in seinen Ursprung kommen, der lang und
viele Schmerz auf ewig weg genommen.

343.

VEreinte Lieb! laß mich in dir zergehen, und
bringe mich von aller Vielheit ab; daß ich in
mir kein fremdes Leben hab: bring mich aus mir,
laß mich in dir bestehen: zeuch mich aus mir in
dich, dein Wesen, hin, daß mein Verlangen
voller Lust-Gewinn.

2. Mein Leben ist, O Lieb! ohn dich verkehret, nimme Aufenthalt in Dingen, die nicht rein,
und welcet sich in falscher Lüste Schein: so daß
dein Spiel sehr oft in mir zerstöret, und also deiner reinen Liebe Kraft verschwindet und in mir
wird weg gerafft.

3. O Lieb! wie schmachten meine innre Kräfte und strecken sich nach deinem Wesen hin: wie
sehnet sich mein ausgeleerter Sinn nach dir,
mein Heil! und deiner Lieb Geschäffte. Ich
wolte gern gang übernommen seyn, und also gang
in dich gekleidet ein.

4. Ich wäre gern gang in dich eingenommen,
damit ich überkleidet würd von dir, und sich die
Blöß und Nackendheit verlier: damit ich also
mir würd einst entnommen, und deine Kraft
mich also nehme hin, allwo ich Segen-voll mit
viel Gewinn.

5. O daß mein Geist schon wär dahin gekommen, wo die vereinte volle Liebs-Natur, und man
zu End ist auf derselben Spur: So wird mein
Wandel sich mit allen Frommen vereinen hier
und dort in jener Welt, und gehen ein ins frohe
Himmels-Zeit.

6. Die Glaubens-Kraft kann mich zwar wohl
hin ziehen, wenn ich im Geist in voller Liebe bin,
und der Genuß mich gang genommen hin: daß
ich auch werd ohn einziges Bemühen Vergnü-
gens-voll in reicher Segens-Lust, so bleibet doch
was bessers noch bewußt.

7. Die rechte Rein-und Einheit gang zusammen, daß unverändert ich in ihr bekleib, damit sie
werd mein reiner Geistes-Leib: worinnen ich kann
grünen, wurglen, stammen. Diß ists, worinnen ich so meinen Lauf geendigt seh, und gang
genommen auf.

8. Das Ehebeit der Liebe zu dem Leben ist
in der reinsten Kammer beygelegt, besonders dem,
so keusche Liebe hegt: dann deme wird zur Zeit
noch wohl gegeben, daß er kan liegen bey in reiner Lust, wo gang kein Mackel mehr wird seyn
bewußt.

9. Ich könte wol von Liebe etwas sagen, wo,
da mein Herz noch in Caressen stund, und also
wurde oft so hart verwundt von ihrem Pfeil, daß
ich sont alles Wagen, und ruhen gang von Lieb
in ihrem Schooß; so wär ich doch nicht von mir
selber loß.

10. Die Liebe gieng auf geistliche Interessen,
und viel Gewinn in jener Ewigkeit, auch vielen
Vorschmack schon in dieser Zeit: so wurd der
wahren Herz oft vergessen, die anders nicht, als
nur zu lieben weiß ohn Ziel und End nur bleß
auf ihr Geheiß.

11. Nun aber, da ich gern wär näher kommen, und gang zur Liebe wär hinüber bracht,

werd

werd ich auf höhre Pflicht in mir bedacht: damit ich ganz und gar werd übernommen, und angethan mit GOtt durch alles hin, mit allem was ich hab und was ich bin.

12. So würde ich im Frieden können schlafen, wann alle Lust in GOtt hinein gewandt, und komm zum rechten sel'gen Ruhestand: da man kann legen hin die viele Waffen, und endigt sich der viel und harte Streit mit Ruh in lang gehoffter Seligkeit.

13. So ruhe dann, mein Heil, in dessen Armen, der dich aus Lieb zu sich gezogen hat, und machet dich aus seiner Fülle satt: halt dich nur fest in seiner Lieb Erbarmen, so wirst du ganz in Ihn gekleidet ein, und ewig da in seiner Ruhe seyn.

14. Ich will nun bleiben stets an Ihm behangen, und außer Ihm nichts anders suchen mehr, ohn daß ich gebe seinem Winck Gehör: der wird mich machen können frölich prangen in stolzer Ruh und stiller Sicherheit, und hab erlangt die wahre Seligkeit.

314.

Verschwiegenheit ist mein Pantry thut Wunder-Kost vortragen, bin ich gleich stumm, so redet GOtt, was sonst niemand kan sagen: ich achte nicht der Wort Gedicht, die nur von GOtt entfernen, mein Ohr ist nur dahin gericht, der Weisheit Sprach zu lernen.

2. Verborgenheit ist meine Burg, wo ich kan sicher rasten, kommt GOtt mit ein, so muß vergehn, was sonst auch schwere Lasten. Beym Stille-seyn lernt man verstehn die Wort vom wahren Wesen: wem einmal diese Winde wehn, ist wie in GOtt genesen.

3. Ich habe doch kein ander Gut, als daß ich GOtt geniese, die Freundlichkeit aus seiner Huld macht alles Bittre süse. Kommt gleich ein Sturm von ausen an, um mich in Noth zu setzen, ich weiche nicht von meiner Bahn, so kan mich nichts verletzen.

4. Ist sonst noch was auf dieser Welt, das mir wolt machen Grämen; ich bin vereint mit Gottes Krafft, die läßt den Muht nicht nehmen. Ihr Nahme heißt Verborgenheit, wann die her-

an thut wehen, so muß der Kummer dieser Zeit gar bald wie Rauch vergehen.

5. Drum lebe ich, wie GOtt mich lehrt in seinem stillen Himmel, und achte nichts den leeren Wahn bey nichtigem Getümmel. Mein Still-seyn heget nicht Verdruß, man kan gar sicher wallen, es zeiget, wie man wandeln muß, wann man will GOtt gefallen.

6. Und wann ich still und sage nicht, was in mir vor thut gehen, kan ich mir besser mercken auf, was mir vor Winde wehen. Mein Thun hat anders nichts zu seyn, als nur in GOtt zu wesen, wann andre lieben leeren Schein, kan ich in Ihm genesen.

7. Verschwiegenheit hat diese Kunst; sie kan ohn Worte sagen, was sonsten mit so viel Gepräng offt wird zu Marck getragen. Doch wann sie Worte bringt herfür, so sind es lauter Sachen, so kommen aus der offnen Thür, die Schlechtes besser machen.

8. Wie bin ich doch so innig wohl, weil mich nicht mehr verführet das Mund-geschwätz im leeren Wahn, so nie ein Herz berühret. Muß gleich der Mund zu seiner Zeit von Gottes Wundern sagen, so thut er doch mit Unterscheid die Sache selbst vortragen.

9. Die gröste Kunst, so GOtt uns lehrt, ist Stille-seyn und Leiden, wann Ungemach uns weher an, kan Stille-seyn es bestreiten. Verschwiegenheit hat solchen Preiß, sie kan den Tod bezwingen: wolt ihr die Hölle machen heiß, ihr Mund kan frölich singen.

10. Verborgenheit wächst mit heran, das wird niemand errathen, was darin wird geleget bey: es ist die Schul der Gnaden. Hier leget sich der Wellen Macht, die offt im Sturm aufwallen, man wird zu seinem Ziel gebracht, wo man kan GOtt gefallen.

11. Drum bin ich still, und mercke nur, wie Er mich will belehren, sein Wincken giebet mir Bericht, wo ich mich soll hinkehren. Jetzt halt ich mich an meinen Pol, laß mich sonst nichts verpflichten, Er weist mir, wie ich wandeln soll, thut mich selbst unterrichten.

12. Mein Still-seyn ist kein Müßiggang, ich laß GOtt mit mir machen, und bleib ich Ihm so zugekehrt, Er lehrt mich Wunder-Sachen. Heißt mein Thun gleich Verschwiegenheit, GOtt kann schon machen sagen, die Frucht der stillen Einsamkeit in Worten vor zu tragen.

13. Diß ist bey mir nun so bedacht, mein Still-seyn hat erworben, daß ich zum rechten Ziel gebracht, sonst wär ich längst verdorben. GOtt ist mir worden, wie Er wil, ich bleibe Ihm gelassen, wer sein nicht pflegt in tiefer Still, wird dieses schwerlich fassen.

14. Ich gehe hin, ich gehe her, doch wird kaum jemand rathen, was mir mein Still-seyn bringet ein, noch was desselben Thaten. Kein kluger Redner wird gewahr, was da-wird eingemessen, weil man so manche Zeit und Jahr zuvor betrübt gesessen.

15. Diß ist die süße Leidens-Frucht, in viel Gedräng errungen, wem tiefer Adel beygelegt, dem ists sehr wohl gelungen. Bin ich gleich still, und sage nicht, wie mir so wohl geschehen, so werde ich doch nimmermehr aus Gottes Tempel gehen.

16. Da muß im innern Heiligthum der Geist sein Amt verwalten, damit, was sonsten schläfrig stumm, nicht mög vollends erkalten. Da muß das ew'ge Priesterthum die Andacht stets nähren, und, wird dasselbe weder Zeit, noch Tag noch Jahr verzehren.

17. Was Still-seyn und verschwiegen helffen, wird, GOtt gekennt mit Namen, was nicht von da aus, wird verzehrt wie Stoppeln in den Flammen. Drum lieb ich die Verschwiegenheit, weil die mein Ehren-Sitz worden, und trägt in alle Ewigkeit den reinen Priester-Orden.

345.

Bezückendes Leben, vergnügende Stunde, worinnen die traurigen Nächte verschwunden: wann himmlische Liebe tritt freudig heran, und machet-voll Jauchzen die blutige Bahn, so müssen-verschwinden die mancherley Wehen, was drücket, wie Rauch in dem Winde vergehen, was scheinet ersterben thut wieder aufstehen.

2. Die Sonne des Himmels belebet nun wieder die vorhin von Schmerzen erstorbene Glieder; die Sinnen, so lang wie zu Grabe gebracht, sind nun in der Freude des Himmels erwacht. O! seligs Gedeyen der traurigen Stunden, als wo sich die Freude des Himmels einfunden, was Grämen und Schmerzen, auf ewig verschwunden.

3. So bald man von Freuden des Himmels kan sagen, sind nichtige Sorgen zu Grabe getragen: die Schmerzen, so öfters die hohen gebeug', die liegen in Zügen und sind wie geschweiget. O! seliger Handel, wann alles verschwunden, was öfters gemacht so tödliche Wunden, dagegen ein himmlisches Leben sich funden.

4. Was hört man nicht täglich vor Lieder absingen, wann Herzen von himmlischer Liebe aufspringen; so bald sich der Himmel selbst neiget herab, sind nichtige Sachen versuncken ins Grab. So geht es, wann Seelen einmal ausgeschlafen, und nur mit dem Braut-Schmuck des Himmels zu schaffen, daneben versehen mit Göttlichen Waffen.

5. So bald man die Vorkost des Himmels genüset, so werden die mancherley Schmerzen versüßet; der Braut-Schmuck bereitet mit Gold ausgestickt, die Herzen von himmlischer Liebe entzückt. Die Freude des Himmels kan alles versagen, macht Göttliche Liebe im Herzen umtragen, und lehrens in allem aufs ernst hin wagen.

6. Die Chöre des Himmels die schauen hernieder zu sehen die Wunder der neuen Gemüther, dieweil sie am Tage kein Schmerzen bereicht, in dunckelen Zeiten die Feuer-Seul leucht. Doch wird bald in allem der Wechsel vergehen, die Dunckelheit kan nicht im Lichte bestehen, man siehet die ewige Sonne aufgehen.

7. Was wird man noch weiter vor Wunder erleben; wir wollen indessen die Geister erheben, und sagen von einer so glücklichen Reiß, die bisher gelungen aufs Höchsten Geheiß. Wir sehen die Pforte zum Eingang geschmücket; O selige Seelen! die also beglücket, so daß sie zumal sind dahin wie entzücket.

8. Was Freude thun jetzt in dem Herzen schon fühlen, die alles verleugnet hier unten so vielen;

sen; was Wunder, daß sie offt von Liebe entzücket, daß Hertze und Geiste und Seele erquicket. Und weil sie nun also in GOtt sind gewesen, ist alles (wo sie auch sonst traurig gesessen) dahin und zu ewigen Segen vergessen.

346.

Viel Schmertzen und Leiden ist über uns kommen, weil Zion der Freuden und Ehren entnommen; was vorhin gewesen ihr Sieges-Gepräng, sieht nunmehr in Trauren und vielen Gedräng. Die Herrlichkeit, wo sie zuvor in erhaben, ligt nun in dem Staube und Asche begraben, verschwunden des Geistes inwendige Gaben.

2. Der Eifer so vieler und tapferer Helden, die sonsten zuvor sich so ernstlich anstellten, verlöschet, daß wenig mehr davon zu sehn, fast jedes thut seinen Gedancken nachgehn: was aber noch übrig, ist Kleinheit und Zagen, in tiefestem Beugen und bitteren Klagen, weil man thut viel Schmertzen im Hertzen umtragen.

3. Diß machet, daß alles in Zweifel gerathen, weil gantz sind verschwunden die eigne Thaten, drum gehen die Seinen auf andere hin, verachten, verschmähen den niedrigen Sinn. So bleibet die Jchheit und Meinheit erhoben, man thut sich nicht beugen in Göttlichen Proben, worin man kan lernen GOtt dancken und loben.

4. Was soll man nun sagen in so viel Beschwerden? die auf uns gekommen, was wird noch draus werden: das eigene Leben erhebt das Gesicht, verdunckelt das reine und Göttliche Licht. Wie ligt nicht der Weinberg der Liebe verstöret? die himmlische Sinnen sind abwärts gekehret, so werden die leidende Schmertzen vermehret.

5. Bey denen, so heimlich voll Seufftzen und Klagen, und tödliche Wunden im Hertzen umtragen: weil Einheit und Kleinheit, als beste Haab, verschwunden, vergessen, versuncken ins Grab. Zertheilte Sinnen in eignen Gedancken gehn nimmermehr richtig in Göttlichen Schrancken, und machen nur Zagen und hin und her Wancken.

6. Zwahr ist uns ein Weniges übrig geblieben, so auch in dem Tode nicht aufhört zu lieben, diß heisset man Glauben, der ewig besteht (durch Liebe) wann alles sonst andre vergeht. So muß sich doch endlich in diesem Grund zeigen, wie alles verstummen und stille muß schweigen, wo innige Hertzen zusammen sich beugen.

7. So fest sich verbunden in stetem Verlangen, wann kommet die Hülffe aus Zion gegangen: damit wir erlöset von so viel Gedräng, wo Hertze und Geiste in stetiger Eng. O JEsu! ach hilf uns aus unseren Wehen! und laß uns, den Deinen, doch Hülfe geschehen, damit wir bald können zur Ruhe eingehen.

8. Da werden wir alle nur singen und sagen von Güte und Gnade, wie sie uns getragen, geleitet, geführet den richtigen Weg, wenn alles geschienen zu werden seyn träg. O wohl uns! es werde nun alles vergessen, wo wir sind so lange in Schmertzen gesessen, dieweil wir im Göttlichen Wesen gewesen.

347.

Psalm 101.

Von Gnad und Güte will ich dir, HErr, singen, weil selbe ich verspür in allen Dingen. Dein Recht und Lob wird nimmermehr vergehn, drum will ich deines Namens Ruhm erhöhn.

2. Ich will fürsichtig seyn in allem Handel, damit aufrichtig sey mein gantzer Wandel bey denen, die mir zugetheilet seyn in Gottes Haus, da wir gegangen ein.

3. Kein böse Sach wird in mir fürgenommen, damit ich bleib im Looß der wahren Frommen. Wer übertritt, und bleibet nicht auf der Bahn, sich gantz zu mir nicht gleichen kan.

4. Ein Hertz, so thut verkehrte Wege gehen, laß ich nicht mehr an meiner Seiten stehen. Kein Böser darf in meiner Hütten ruhn: drum wird auch sonst mir nichtes Schaden thun.

5. Wer mit Verleumden thut den Nächsten schmähen, muß gantz hinweg, und kan nicht bey mir stehen. Wer hohen Muth, und sich in Stoltz anbeut, seh ich nicht an zu stehn an meiner Seit.

6. Mein Auge siehet stets nach den Getreuen, die eil ihr Thun thut neben mir Gedeyen. Ich

liebe

liebe nur, die fromm, einfältig, schlecht, daß sie
ins HErren Hause treue Knecht.

7. Die Falschen müssen plöglich von mir
weichen, die Lügen-Mäuler ganz und gar erbleichen: dann die von solcher Art, gedeyen nicht,
das Dunckle weichet vor dem hellen Licht.

8. Sehr früh wird GOtt vertilgen die Gottlosen, der Uebelthäter ihren Rath umstosen, damit sie ganz und gar gekehret aus von Gottes
Stadt und seinem Tempel-Haus.

9. Gelobt sey GOtt, der Vater aller Frommen, weil er in Güt zu uns hernieder kommen:
und in derselben uns so wohl bedacht, daß alles,
was verloren, wiederbracht.

348.

VOn Herzen will ich lieben den, der mich erst
geliebt: will achten kein Betrüben, werd ich
schon oft gesiebt: wann alle Macht der Höllen
mich schwächen wolt und fällen, wird ich mir
mehr geübt.

2. Zu lieben ohne maasen, fällt es schon oft saur
und schwer, in dieser Liebes-Straaßen geht JE-
sus selbst vorher: erleichtert uns die Lasten, daß wir
oft sanffte rasten im stillen Friedens-Meer.

3. Wie schön ists anzusehen, wenn man die
Liebes-Schaar, dem Lamme sieht nachgehen, obs
schon erwürget war: ists doch erhöht mit Freuden, die folgen auf die Leiden, und mancherley
Gefahr.

4. Zuletzt wird voll Vergnügen, wer sich auf
diesem Gang recht bücken lernt und schmiegen,
ob Zeit und Welle lang in den betrübten Zeiten,
da Schmerzen, Noth und Leiden und Trauren
für Gesang.

5. O was vor Süsigkeiten werden geschencket ein, wo man getreu im Leiden, und allem
Schmerz und Pein! man kan es kaum vorra-
gen, noch es mit Worten sagen: doch heißts
recht selig seyn.

6. Unendlich ist der Segen, der da thut fliesen ein, so bald in diesen Wegen Herzen vereti-
nige seyn: die Schmerzen müssen weichen, die
Macht des Tods erbleichen, man schenckt mir
Liebe ein.

7. Diß ist das Gnaden-Leben im neuen Bundes-Blut, das JEsus uns thut geben. O was
ein hohes Gut! das an dem Creutz erworben,
da er daran gestorben, gedämpfft der Höllen Glut.

8. Was wird die Seelen scheiden? die so
vereinet stehn auf denen Himmels-Weiden, dem
Lamme nur nachgehn, in sanften Liebes-Tritten,
wo es vor uns gelitten, geheilet unsre Wehn.

9. Das selige Gedeyen kommt uns vom Him-
mel her: kommt alle ihr Getreuen, und rühmet
Gottes Ehr, der uns in Gnad begossen, mit
Strömen überflossen aus seinem Liebes-Meer.

10. Der Segen muß uns krönen, wir sind
in GOtt vereint: die Liebe macht uns sehnen nach
unserm liebsten Freund, der selbsten unsre Schmerzen wird heilen in dem Herzen, wenn seine Hülf
erscheint.

11. Mein Herz ist voller Freuden, ich leb in
GOtt vergnügt: nichts wird mich von ihm scheiden, wärs auch das schwerst Gewicht. Thut
schon der Liebes-Schmerzen oft kräncken in dem
Herzen, ich stehe aufgericht.

12. Was wird zuletzt erwachen, ist ohne Maaß
und Ziel; wann heißt es ist gut nach in diesem Liebes-Spiel, so ist das Herz genesen, erlangt
das wahre Wesen aus Gottes Gnaden-Full.

B

349.

Jesaiä 60.

MAch auf, und brich im Licht herfür, weil dein
Licht kommt entgegen dir, und thut in Herrlichkeit aufgehen. Wann Finsterniß die Erd
bedeckt, und Dunckelheit die Völcker sa reckt, wirst
du mit großen Freuden sehen, wie Gottes Glanz
und Herrlichkeit sich über dir so schön ausbreit,
der dir nun aufgegangen.

2. Die Heiden werden in dem Licht, das über
dir so hell anbricht, mit großer Freude dir nachgehen. Auch Könige werden dir aufstehn, wann
sie den schönen Glanz ansehn, der nun thut über
dir aufgehen. Sieh nun mit Augen rund umher, wie sie sich alle um dich her in deinem Schooße
sammlen.

3. Da

3. Da wirst du sehen von dem HErrn, daß deine Söhne dir von fern gesammlet und zu Hauffen kommen: und deine Töchter, die bereit, erzogen dir an deiner Seit, als ein Geschlecht der wahren Frommen. Dann wird in vieler Lust und Freud dein Herz ausbrechen zu der Zeit, und Gottes Wunder preisen.

4. Wann sich die Menge an dem Meer zu dir wird sammlen um dich her, und zu dir kommt die Macht der Heiden: wann dich der Kameelen Menge dich bedecken wird, da werden sich eröffnen dir die frohe Zeiten. Die Läuffer kommen schnell voran, von Epha und aus Midian, mit Lust dich anzuschauen.

5. Aus Saba werden kommen all mit grosser Freud und Jubel-Schall, dich mit Geschenck und Gaben ehren: Gold, Silber, Weyrauch tragen dar, vor dir und deiner gantzen Schaar, dem grosen GOtt zu Lob und Ehren. Die Heerden Kedar gros und klein die gehen alle bey dir ein, und sammlen sich mit Hauffen.

6. Auch sind die Böcke Nabaioth dir zugedacht von deinem GOtt, daß sie dir gern und willig dienen: die reißt du opffern williglich auf meinem Altar ewiglich, als ein Geschenck mich zu versühnen. So wird mit hellem Ehren-Schein das Haus des HErrn gezieret seyn, weil es darzu erbauet.

7. Wer sind dann die, so fliegen her als Wolcken und ein Tauben-Heer, und nun zu ihren Fenstern eilen? dann alle Insuln hin und her, auch grose Schiffe in dem Meer, die harren mein ein lang Verweilen: zu bringen deine Kinder her, samt Gold und Silber, und was mehr zu ehren meinem Namen.

8. Dann wirst du deine Wunder sehn, wann alles dir zu Dienst wird stehn, und Fremde deine Mauren bauen, und Kön'ge werden noch darzu dir dienen in gar stiller Ruh, daß es mit Wunder anzuschauen. Dann wie durch meines Zornes Hand geschlagen dich in deinem Stand, thu ich mich dein erbarmen.

9. Die Thor sind offen Tag und Nacht, daß durch sie werde eingebracht die Füll und gantze Macht der Heiden; und ihrer Kön'ge hoh't Pracht wird nun zu dir hinein gebracht, daß sie bey dir sich können weiden. Dann welche Königreiche sich dir nicht ergeben williglich, sollen vertilget werden.

10. Die Herrlichkeit von Libanon, der Cedern-Bäume Schmuck und Kron, wird mit viel Ehren an dich kommen; auch Tannen, Büchen, noch dabey Buchs-Bäum, so daß nichts schöners sey, weil alles Trauren weg genommen. So wird GOtt mit viel Preiß und Ruhm schön schmücken aus sein Heiligthum und Stätte seiner Füße.

11. Auch werden kommen sehr gebückt zu dir, die dich zuvor gedrückt, und all, die dich gelästert haben: die werden fallen dir zu Fuß, daß jederman sich wundern muß, weil du so hoch von GOtt erhaben. Man wird dich nennen er die Stadt des HErrn, (ein Zion) der dich hat so wunderschön erbauet.

12. Statt wo du must verlassen stehn, und deine Hasser vor die sehn, als ob dein niemand hätt geachtet: wird dich dein GOtt zur Pracht und Zier und Freude machen für und für, weil du bist wärth für ihm geachtet. Dann wird dein Herz mit Trost erfreut, und wirst in vieler Süßigkeit Milch von den Heiden saugen.

13. Der Kön'ge Brüste werden dich säugen gar süß und mildiglich, daß du erfahren sollt und sehen, daß ich dein Heiland bin und HErr, ein Starcker und Allmächtiger, der dich erlöst von allen Wehen. Du wirst mit Gold bereichert seyn, statt Ertz wirst du es nehmen ein, und Silber statt des Eisen.

14. Ertz wird dir seyn an Holtzes statt, Eisen für Stein nach meinem Rath, den ich hab über dich beschlossen. Die Fürsteher, die nun bey dir, die lehren Frieden für und für, und halten den gantz unverdrossen: auch deine Pfleger werden stehn, Gerechtigkeit dich lassen sehn, und ob derselben halten.

15. Kein Frevel wird gehöret mehr in deinem Lande um dich her, noch Schaden mehr in deinen Grenzen. Weil leb ich in den Thoren Pracht, und

und Heil bey deiner Mauren Wacht in diesem
schönen neuen Lentzen. Die Sonne wird nicht
mehr bey dir scheinen des Tags in ihrer Zier,
noch auch der Mond dir leuchten.

16. Der HErr ist selbst dein ewigs Licht, das
dir zum Heil ist aufgericht, und deinem Preiß in
deinem Lande. Dann wird dein Licht und Sonnen-Schein, und Mond nicht mehr im Wechsel
seyn, in dein von GOtt verheißnen Stande.
GOtt ist dein Licht in Ewigkeit, die Tag des Traurens und viel Leid sollen ein Ende haben.

17. Fromm' und Gerechte werden seyn dein
Volck, sa bey dir gangen ein, und werden ewiglich besitzen das Erdreich wie ein Gottes-Zweig,
den er gepflantzt in seinem Reich zu seinem hohen
Preiß und Nutzen. Der Kleinste wird in tausend Zahl, und der Geringste überall ein mächtig
Volck wird werden.

18. Diß wird GOtt, als ein starcker HErr,
ein Schrecklicher und Mächtiger durch seine
Hand in Eil ausrichten: wann seine Zeit zu End
wird seyn, so wird er plötzlich brechen ein, der
Völcker Thun und Land zernichten. Diß ist
der Wunsch der kleinen Heerd, damit doch bald
erfüllet werd, was GOtt so lang verheissen.

350.

WAnn alles ist in mir vollbracht, daß ich kann
freudig sagen: GOtt hat durch seine grose
Macht die Höllen Macht geschlagen, so werd ich
singen noch diß Lied von Gottes Gnad und
Wunder-Gut.

2. Der HErr hat grose Ding gethan durch
seiner Finger Wercke, wo sonsten niemand rachen kann, thut Ers durch seine Stärcke. Zeigt
sich als einen Wunder-GOtt, und hilft den Seinen aus der Noth.

3. Drum soll mein Hertz zu jeder Zeit von
meines Gottes wegen, zu stehen seinem Dinst bereit: weil Er mir bey thut legen, daß seine Gut
und grose Treu an mir muß werden täglich neu.

4. Er heisset wohl recht wunderbar ein GOtt,
der kann erretten aus aller Angst, Noth und Gefahr: auch in den grösten Nöthen hat sein Raht
schon zuvor bedacht, daß dem Leid werd ein End
gemacht.

5. Und weil Er als ein treuer GOtt sich meiner angenommen, und ließ in keiner Seelen-Noth
mich fallen noch umkommen: drum danck ich
Ihm zu jeder Frist, weil Er mein GOtt und
Helfer ist.

6. Als ich noch in Egyptenland sehr hart im
Dinst verbunden, hat Er durch seine starcke Hand
mich doch daraus gewunden: und legte Phara-
onis Heer darnieder in dem rothen Meer.

7. Daselbsten gieng Er vor mir her, und
thät mich selber leiten: ob ich schon wor in Nöthen schwer, half Er mir doch bestreiten die Zwei-
fel-Burg durch seine Macht, und rund so hindurch gebracht.

8. Drum kann ich singen dieses Lied, und
will, zu seinen Ehren, mit Hertz und Seele und
Gemüth sein Lob in mir vermehren: und rühmen
seine Wunder-That, die Er an mir erwiesen hat.

9. Dann Er führt seine treue Knecht gar ungemeine Wege, daß sie erfahren seine Recht, auch
nimmer werden träge: ob sie schon oft mit vielen
Weh'n hier durch die rauhe Wüsten gehn.

10. Er sendet Brod vom Himmel 'rab, läßt
Manna auf sie fallen, und schiens auch schon,
es ging ins Grab: läßt er sie doch nicht fallen,
ja oft muß auch ein Felsen-Stein zum Heil Trost-
Wasser schencken ein.

11. Doch hätt' ich hier gestrauchelt bald, daß
ich bey nah geglitten, wenn GOtt sich stelle so
hart und kalt, und sich nicht läßt erbitten: Doch
wann Er wie ein Felsen-Stein, so muß die Hülf
am nächsten seyn.

12. Drum ist die Aergernüß dahin, GOtt
hat sie selbst gerochen, der harte Fels hat meinen
Sinn zermalmet und zerbrochen: weil Er sich
hat gestosen an, wo niemand über kommen kann.

13. Drum singen wir das neue Lied des
Lamms mit Gottes Weisen: dann in dem Hertzen wohnt der Fried, wo man Ihn so thut preisen. Wer nicht thut gehen diese Bahn, der kann
diß Lied nicht stimmen an.

14. Ich will in dessen nimmermehr von Gottes Wundern schweigen, dieselbigen je mehr und
mehr

mehr den Menschen hier anzeigen: bis daß ich von aller Gefahr entrissen werden ganz und gar.

15. Da ich noch oft in vielem Leid und Trauren bin umgeben, und unter manchem schweren Streit im Elend muß umschweben: und oft muß weinend umher gehn, wann die Versuchungs-Winde wehn.

16 Doch soll mein Herz nun stille seyn von meinen Leidens-Sachen: ich weiß, es wird schon anders seyn, wenn GOtt ein End wird machen von meinem Leid und Jammer-Stand, der Ihm am besten ist bekannt.

17. In dessen singet doch zuletzt mein Herz im Glauben Hoffen: daß ich noch werde wohl ergetzt, wenn ich mein Ziel getroffen. Hier will ich tragen meine Schuld, dort werd ich erben Gottes Huld.

18. In Canaan ist erst der Ort, wo meine Seel wird rasten, da sie nach dem Verheissungs-Wort kan Feind mehr wird antasten: drum soll mein Herz allhier im Schein an Gottes Lob zufrieden seyn.

19. Bis ich gekommen an das Ziel, wo alles still muß schweigen: denn was allhier nur als ein Spiel, wird dort sich völlig zeigen. Kein Leid wird da mehr seyn zu sehn, und ich werd mit viel Freuden stehn.

20. Und dann erst recht mit vollem Thon das Hallelujah singen: da allzusammen vor dem Thron GOtt ihre Opfer bringen, und also stetig seyn bereit, zu loben GOtt in Ewigkeit.

351.

WAnn alles zu Pulver und Aschen verwesen, da kan man im Göttlichen Wesen genesen: das sterbende Leben macht richtig den Handel, verkläret die Herzen zum Göttlichen Wandel.

2. Wo Herzen und Sinnen zum Sterben hingeben, da fangen die Seelen an himmlisch zu leben: das wahre Vergnügen wird nimmer gefunden, wo Seelen an etwas auf Erden verbunden.

3 Die eitele Dinge sind nichtige Sachen, drum himmlische Seelen diß alles verlachen: die eigene Liebe in Sünden erboren wird gänzlich verrauchet und ewig verloren.

4. O Herzens-erwünschete selige Stunden! wir haben das wahre Vergnügen gefunden: wir leben geschieden von allem auf Erden; drum muß uns die himmlische Glorie dort werden.

5. Der heilige Wandel in Gottes-Begehren kan in uns das wahre Vergnügen gebähren: wir wollen treu bleiben dem, wo wir ergeben, um gänzlich nach seinem Gefallen zu leben.

6. Die viele inwendige Leiden und Wehen um nichtige Sachen die müssen vergehen: wir haben nun alle ein Bessers gefunden, weil wir sind mit Göttlicher Liebe verbunden.

352.

WAnn die Krafft von JEsu Worten unsre Geister recht durchgehe, und in unsern Bundes-Orden Gottes Wunder-Macht erhöh: alles andre muß sich neigen, wann der große Wunder-Mann thut des Höchsten Rath anzeigen, und die wahre Lebens-Bahn.

2. Seine Wort sind Geist und Leben, theilen Krafft und Wesen mit, wer sich denen übergeben, wird mit Segen überschüttt: wodurch das verboßte Leben, und der alte Sünden-Greul wird zum Tode hingegeben, und erlangt das wahre Heil.

3. Was ist beßers wohl zu finden allhier auf der ganzen Welt? als sich Gottes Rath verbinden, so wie ers beschlossen hält: seine Lehr und seine Worte zeigen uns die rechte Bahn zu der wahren Lebens-Pforte, worauf niemand irren kan.

4. O wie muß nicht alles schweigen! wann der Geist ins Herze prägt, was das äuße Wort will zeigen, so den Muth nur niederschlägt: da wird Amen, was ersehen GOtt in seinem weisen Rath, und die Sünd muß untergehen, so wie ers beschlossen hat.

5. Wänn die Krafft im Wesen schencket, was das äuße Wort sonst spricht, wird der alte Mensch erträncket, und auf ewig hingericht: da kan selbst das Wesen zeigen, was so lang im Schein geblühet, und der leere Wahn muß schweigen, und der Mensch nun was anders sieht.

6. Ob Gesetz und äuße Worte manchen Unterricht uns schencket, so wird doch die enge Pforte nicht eröffnet, noch zersprengt: weil der Mensch mit

mit seinen Thaten sich nur in dem Weg thut stehn, daß ihm GOtt nicht selbst kan rathen, wie man da hinein thut gehn.

7. O wie mancherley Gestalten bringe das äusre Wort hervor! wo die Liebe thut erkalten, und das innre Geistes-Ohr nicht ist offen zu vernehmen, was des Geistes Rath und Sinn, der das Fleisch nicht nur thut zähmen, sondern gantz will richten hin.

8. Obgleich viele Winde brausen, machen offt ein starck Gethön, daß sich jederman von ausen dabey schmücket trefflich schön: sind es leider doch nur Dinge, die vergehen mit der Zeit, und dabey viel zu geringe zu dem Looß der Ewigkeit.

9. Nimmer wär ein Babel worden, noch so mancherley Gepräng, wann man hätt des Geistes Worten nachgefolget in der Eng. O wie still muß alles werden! wo das innre Wort selbst spricht, alles, was auf dieser Erden, wird zu Grunde hingericht.

10. Da thut man den Frieden lehren, die Gerechtigkeit ausfä'n, ihre Saat muß sich vermehren, und wird nimmermehr vergehn. O wohl dem! der diß getroffen, bringe dort seine Garben heim, hat das höchste Gut zu hoffen, gehet mit zum Himmel ein.

11. Alles andre ist verloren, ob man sich schon darum kränckt, was den Frieden nicht erkoren, wird viel Schmertzen eingeschenckt. Wo das alte Sünden-Leben bleibt in seiner Wurtzel stehn, ist ein stetigs Widerstreben wider die, so GOtt nachgehn.

12. O wie ist die Welt zertheilet in den Sinnen mancherley! jedes seinen Weg fort eilet, fraget nicht, wo der doch sey, den die Heiligen gegangen durch die Welt in Gottes Reich, und bey so viel Creutzes-Drangen wurden weder matt noch weich.

13. O du seliges Absterben! so uns lehret Gottes Wort; wer nicht will also verderben, wird gequälet hier und dort: wann das Wort selbst zu uns redet, und anzeiget seinen Rath, wird der alte Mensch ertödtet, und erworben GOttes Gnad.

14. Fahr nur hin, du leeres Prangen, das noch Geist noch Wesen hat: ich bleib an dem Creutze hangen, weils GOtt so beschlossen hat. Könten wir alldort eingehen ohne Schmertzen, Creutz und Hohn, GOtt hätt es uns lassen sehen, und erfüllt an seinem Sohn.

15. Dann so bald GOtt selbst thut reden, und sein Wort ins Hertze spricht, muß der alte Mensch erröthen, wird auf ewig hingericht. Dann es kan nicht anders werden, wollen wir zum Himmel ein, müssen wir verneuet werden, und diß bringet Schmertz und Pein.

16. Solches wird noch endlich gehen über Himmel, Erd und Meer, wann die Welt die letzten Wehen treffen werden rund umher: wann die Himmel werden knallen durch des grosen Schöpffers Macht, wird die Welt zu boden fallen, ehe sie sich darauf bedacht.

17. Dann wird auf der gantzen Erden Schrecken, Angst und Furcht enstehn: und die Elementen werden von sehr groser Hitz zergehn: alsdann wird der Sünder seyn wie Stroh um Flammen her, und der Schmertzen, der sie troffen, ist ein unerschöpflich Meer.

18. Dieses zeigen uns die Botten, die GOtt in die Welt gesandt, und von den Gottlosen Rotten von der Erden ausgebannt. Die Apostel und Propheten zeigen uns die rechte Bahn, die uns kan vom Tod erretten, und dem grosen Fluch und Bann.

19. JEsus stehet in der Mitten, breitet seine Arme aus an dem Creutz, und schaffet Frieden, daß erbaut ein GOttes-Haus. Diß ist unser Trost zu nennen hier schon in der Sterblichkeit: wer den thut am Creutz bekennen, ist von Tod und Höll befreyt.

20. Drum wohlan es muß gelingen, wer den treuen Helfer hat, wird sein Triumphs-Lied dort singen in der neuen Zions-Stadt. Gehen schon die kleine Wehen oft sehr tief ins Hertz hinein, wird er uns doch dort erhöhen, und ohn Zeit und End erfreun.

Wann

353.

WAnn dir der HErr wird Ruhe geben von deinem harten Dinſt und Drang, daneben aus dem Staub erheben, dem Zeit und Weil offt werden lang: dann wirſtu ſagen zu der Zeit von Gottes Güt und Freundlichkeit.

2. Ich wil dem HErrn die Ehre geben, und preiſen ſeine Güt und Gnad, die er in meinem ganzen Leben mir hat erwieſen früh und ſpat. Er ließ mich nie ſo fallen hin, wie ich es hatt in meinem Sinn.

3. Auch jetzt noch bey ſo vielem Zagen, daß mir geſchienen aus zu ſeyn, und wann gedacht, es nach zu jagen, ſchenckt er mir dafür Güte ein. Wer nur kan harren in Gedult, erfähret zuletzt ſeine Huld.

4. Wer wird dann können wol ermeſſen den Segen nach betrübter Zeit, ſo wird am Ende eingemeſſen, der nie gewichen iſt zur Seit. Ich ſinne nach, was da geſchehn, da Er mir half aus ſo viel Wehn.

5. Ach GOtt! wie ſchön wird da geſungen, wann kommt der Troſt vom Himmel her, und daß man rufft: es iſt gelungen! ſeht doch, die neue Wunder-Mähr! jetzt bin ich wie vom Schlaf erwacht, weil allem Leid ein End gemacht.

6. Nach dieſem Sieg muß ſtets aufſteigen das Rauchwerck vor dem Gnaden-Throhn; das prieſterliche Knie-beugen wird Gottes Erbe durch den Sohn. O ſeligs Loos! nach ſo viel Wehn, wo man alzeit vor GOtt thut ſtehn.

7. Und nimmer aus dem Tempel gehet, darinnen diener Tag und Nacht, und vor die ganze Schöpffung ſtehet, daß alles werd zurecht gebracht. O hohe Gnad! nach ſo viel Leid erworben in betrübter Zeit.

8. Jetzt will ich preiſen Gottes Güte, der mein ſo treu gepfleget hat, und nie wurd des Erbarmens müde: O ew'ge Lieb! o ew'ge Gnad! die mich zuletzt hat heim gebracht nach der ſo langen Creutzes-Nacht.

9. Die Lampe muß nun ewig brennen, daß nimmermehr verlöſch ihr Schein: wil ich mich meinem GOtt bekennen, ſo muß ich ganz ſein einigen ſeyn: und bleiben ſeinem Winck bereit, nach Art der ſtillen Ewigkeit.

10. Drum muß ja freylich alles gehen und ſtehen gar ſehr weit hinan, was nicht vermag in GOtt zu ſtehen, auf der geheilten Liebes-Bahn. O ja! dis iſt ſchon lang bedacht, da ich hab alle Ding verſagt.

11. Mein Leben bleibt in GOtt verborgen, mein Thun iſt voll Beſchwerlichkeit; doch, läſt man ſeine Langmuth ſorgen, die hilfft aus viel und manchem Leid. Erhält man nur die reine Brunſt, ſo bleibt man in der Liebe Gunſt.

12. Bleibt nur das Feuer in den Kräfften, wo ſtets das Rauchwerck aufgelegt, ſo ſind geſegnet die Geſchäffte des Prieſters, ſo des Altars pfleget; im Schmuck, das heilig iſt, und heiſſt, geſalbt mit Gottes reichem Geiſt.

13. Das ſind Gebäte, die nicht trügen, ſo durch das Prieſter-Amt gepfleget, im hohen Staat, und Knie-biegen, das Rauchfaß ſtets in Händen trägt. Dis wird dann währen bis der Tod iſt ganz verſchlungen und zum Spott.

14. Ich dringe in in Gottes Weſen, wo ſich die Kräffte bieten an, ſo machen uns in Ihm geneſen und ſtetig bleiben auf der Bahn. Dis Amt behält die Prieſter-Tracht, biß alles iſt zu GOtt gebracht.

15. Dis Prieſter-Amt muß ewig währen, und bey dem Ende aller Ding wird das Geſchöpff den Schöpffer ehren, daß es Ihm ſeine Erſtling bring. Jetzt trägt der Prieſter-Stand davon ſein Erb, wo GOtt ſelbſt iſt ſein Lohn.

16. Jetzt iſt das Prieſter-Amt gekrönet, weil alle Dinge wiederbracht, und durch daſſelbe ausgeſöhnet, ſo, wie es Gottes Rath bedacht. Jetzt ruht man ohne allen Streit im Nun der ſtillen Ewigkeit.

354.

WAnn ein Geiſt iſt in GOtt verliebt, ſo kan ſein Herz geneſen: daß Ihn kein Leiden mehr betrübt, wo er ſonſt in geſeſſen. Wohl dann, dieweil wir ſolchen Sinn, der Alles Andre nimme dahin! drum wird uns weder Schmerz, noch Leid berühren mehr in Ewigkeit.

Hh   2. Die

2. Die eitle Welt, mit ihrem Schein, ist ewig hin vergessen: weil uns viel reiner Liebes-Wein von GOtt wird eingemessen. Wol uns! wir sind nun kommen hoch, dieweil wir tragen Christi Joch: und seines Geistes Niedrigkeit ist unser Trost in Traurigkeit.

3. Wir preisen Gottes Gut und Gnad, und wollen stets erheben: was Er an uns erwiesen hat in unserm gantzen Leben. Weil Er uns hat durch seine Huld getragen in so viel Geduld, und uns von Sünd und Tod befreyt, allhier, und dort, in Ewigkeit.

4. Was Freud und Wonne muß aufgehn in Lieb-verliebten Hertzen, wann GOtt geheilet ihre Wehn und Lieb-verliebten Schmertzen. Da wird sonst kein Geschrey gehört, als nur was Gottes Liebe nährt: und, weil wir damit angefüllt, ist aller Zorn und Haß gestillt.

5. Das Erbtheil ist uns beygelegt in viel Gedult und Hoffen, wenn Gottes Huld und Langmuth trägt, da ist das Ziel getroffen. So sind wir dann damit gespeißt, bis unsre Hoffnung hingereißt: da steter Fried und Sicherheit und Ruh wird seyn in Ewigkeit.

355.
Eine Ausbreitung über den 126. Psalm.

WAnn GOtt sein Zion lösen wird, und ihr Gefängniß wenden, und, als der grose Menschen-Hirt, wird seinen Raht vollenden: dann wird der Tag seyn wie die Nacht, wenn man von seinem Schlaf erwacht, durch Träum-Gesicht von GOtt erfreut. O komm, erwünschte Seligkeit!

2. Wie wird alsdann der Trauer-Mund erfüllet seyn mit Lachen? wie wird der neue Liebes-Bund so hell und klar auf machen? (sich machen) und unsre Zunge mit viel Ruhm erfüllet werden um und um, um aus zu breiten weit und breit die übergrose Seligkeit.

3. Das grose Wunder wird alsdann die Heiden machen sagen: der HErr hat grose Ding gethan, und seiner Kinder Plagen verkehret in viel Lust und Freud, und in so grose Seligkeit. Wie

haben wir des Wegs verfehlt, daß wir nicht sind dazu gezehlt?

4. Ob wir sie schon mit Spott und Hohn belegt auf dieser Erden: hat ihnen doch ihr Theil und Lohn von GOtt noch müssen werden. Der unser Thun zu nicht gemacht. Ob wir sie schon verhöhnt, verlacht: so ist doch auf sie kommen hin, was veracht in unserm Sinn.

5. Was grose Ding hat GOtt gethan an uns durch seine Stärcke, deß rühmen wir vor jederman: denn seiner Finger Wercke beweisen solches im Gericht, wie Er es alles ausgericht. Deß sind wir frölich, und sehr wohl, und aller Lust und Freuden voll.

6. Allein, es ist noch nicht erwacht, was dann wird seyn vorhanden; drum rufen wir auch Tag und Nacht: löß uns von unsern Banden: mach dem Gefängniß, HErr, ein End, und unser Leid von uns abwend: verschaff uns Heil, hilf uns, ter Sach, wie Du austrocknest einen Bach.

7. Der gegen Mittag sich ergießt in dürr- und trocknen Landen: so flehn wir auch zu dieser Frist: löß uns von ihren Banden. Doch weil die dorten nur gekrönt, die hier verlacht, verspott, verhöhnt: so können wir nicht gehn vorbey, zu tragen diese Liebereyn.

8. Die Freuden-Ernd wird schon zuletzt an uns erfüllet werden: ob wir mit Thränen schon benetzt allhier auf dieser Erden. So wird doch dort ohn End und Zeit die übergrose Seligkeit vergessen machen allen Zwang, da wir gefangen warn im Drang.

9. Wir gehen hin, und weinen zwar, und tragen deinen Saamen: wovon die gantze fromme Schaar gezeugt, und von Dir kamen. Drum wird im Wiederkommen seyn ein grose Zahl von der Gemein, die hier mit Weinen säten aus, was sie nun bringen mit nach Haus.

10. Drum wird uns GOtt die Thränen-Saat in reichem Maaß vergelten durch seine Gunst und grose Gnad, und wären tausend Welten: so nützts doch nicht zu achten seyn gegen dem grossen Freuden-Schein, der sich alsdann wird breiten aus, wann man die Garben bringt nach Haus.

11. Was

11. Was Freude wird man hören und sehn, wann all zu Hauffen kommen: und jauchzend da wird einher gehn die gange Schaar der Frommen, und also rühmen Gottes Macht, Der nun dem Leid ein End gemacht. Die grose Freud und Seligkeit wird währen in die Ewigkeit.

356.

WAnn ich mein Herz mit GOtt kan stillen, so werd ich froh und frey gemacht; und Er kan selber das erfüllen, wodurch ich werd zurecht gebracht. Wann ich nur geben kan verloren mein Bestes, so vermeyn zu seyn, eh ich aus seinem Geist geboren, um so zu gehn zum Himmel ein.

2. Ach GOtt! behandle mich daneben so, wie es dich dünckt recht zu seyn; ich kan ja sonsten doch nicht leben, wann ich auch würde Engel-rein, und doch dabey nicht Friede worden, daß mein Gewissen seiner los, so find ich Jammer aller Orten, auch selbsten in der Mutter Schoos.

3. O! wär ich einmal dem entladen, was Sünd und Tod in mich gebracht, so könt GOtt meiner Sachen rathen, daß wär zum rechten Ziel gebracht: dann wär das schwer Gericht zum Ende, und des Anklägers Krafft dahin; die ausgestreckte müde Hände könten sich sanfft zurücke ziehn.

4. Dann wär mein Still-seyn Gottes Segen, mein' Regen hieß, in GOtt erfreut; wolt mich sonst anders was bewegen, ich blieb in der Zufriedenheit. Mich dünckt, mein Hartes will erwelchen, es bricht herein die ewge Gnad; werd ich dann so mein Ziel erreichen, so bin aus seiner Fülle satt.

5. Jetzt kan ich bald ein Leben führen, nach Engel reiner Tauben-Art; werd ich nur selbst nicht mehr abirren, so bleib ich rein in GOtt bewahrt. Mein Still-seyn hält das Herz im Frieden, geneußt die Vorkost jener Welt; was GOtt nicht ist, bleibt mir geschieden, so kan ich seyn, wies Ihm gefällt.

6. O! was vor lang erwünschte Stunden! wo man von seinem Bann erlöst, die ewge Gnade ist gefunden, die nach so langen Schmerzen tröst. Was dieses heist, kan niemand sagen; es ist das Glück der Ewigkeit, man

thut ein solches Gut umtragen, so heiset GOtt-Zufriedenheit.

7. Wann das Gewissen könt auslassen, was ihm vor Guts einkommen ist, kaum wird es jemand können fassen, weils die Verborgenheit einmisst. Es ist ein so mit-theilend Wesen, das alle Sinnen übersteigt, und machet seyn in GOtt genesen, wo sonsten aller Schmerzen weicht.

8. Jetzt sind die Berge überstiegen, die man chen Schweis gepresset aus, der Starcke thut zu Boden ligen; man wohnt im stillen Friedens-Haus: Die Mutter thut der Kinder pflegen, man geht im Segen aus und ein, biß daß man sich wird niederlegen im Friden, ohne Schmerz und Pein.

357.

Jesajä Cap. 49. Vers 14.

WAnn in sehr groser Traurigkeit, in schwerer und betrübter Zeit Zion scheint ganz verlassen, und gar vergessen seyn bey GOtt, in ihrer grosen Leidens-Noth; so thut er sie umfassen, und spricht: kan auch ein Mutter-Herz vergessen ihres Kindes Schmerz, daß sie nicht solt erbarmen über den Sohn des Leibes sich? und ob es wär, will ich doch dich fassen mit meinen Armen.

2. Und dich vergessen nimmermehr, ob du gleich scheinst verlassen sehr; in meine Liebes-Hände ich dich mir hab gezeichnet ein, daß du mein Eigenthum solt seyn, und mich nicht mehr abwende von dir, daß jederman wird sehn, daß deine Mauren für mir stehn, Trotz den'n die dir zuwider. Dann deine Bauleut sind nicht träg, und die Verstörer fliehen weg, und kommen nimmer wieder.

3. Drum mach dich auf und sieh umher, wie sie von allen Enden her mit grosen Hauffen kommen. So wahr ich lebe, spricht der HErr: du solt mit diesem gantzen Heer, als einem Schmuck der Frommen dich kleiden an wie eine Braut, die sich dem grosen GOtt vertraut: dann wird zu enge werden dein wüstes und zerstörtes Land, und das zerbrochne in dem Stand der Niedrigkeit auf Erden.

4. Wann der Verderber fern wird seyn, und dir

H h 2

dir das Land geräumet ein, werden einhellig sagen die Kinder dein'r Unfruchtbarkeit, die du, in der betrübten Zeit, im Herzen hast getragen: der Raum ist noch zu eng für mir, rück hin, damit ich kan bey dir in deinem Schatten wohnen. Dann wirst du im Erstaunen stehn, wann du wirst deine Kinder sehn, womit dir GOtt wird lohnen.

5. Und sagen wirst: wer hat mir die gezeuget, daß sie mit viel Müh zu mir mit Hauffen kommen. Ich mußt unfruchtbar und allein verstossen und vertrieben seyn, und aller Freud entnommen. Wer hat dann diese aufgebracht? ich war ja einsam und veracht, wo sind dann die gewesen? So spricht der HErr, durch meine Hand den Heiden wird mein Nam bekannt gemacht, die ich erlesch.

6. Die werden deiner Söhnen Zahl und deine Töchter allzumal auf Arm und Achseln tragen; und bringen alle mit herzu, damit sie bey dir finden Ruh, in deiner Füll sich laben. Könige werden Pfleger seyn, und Fürsten schencken ein, und an den Brüsten säugen, und fallen im gebognen Sinn aufs Angesicht zur Erden hin, und rief vor dir sich beugen.

7. Und noch daben mit letzten Raub anflecken deiner Füß Staub, für deine Schmach auf Erden. Dann wirst du sehn, daß ich der HErr: und wie ich lasse nimmermehr an mir zu Schanden werden, die in der grossen Traurigkeit geharret mein in allem Leid. Kan man auch einem Riesen den Raub hinnehmen oder kan jemanden des gerechten Mann Gefangene auflösen.

8. Aber so spricht der grosse HErr: nun soll dem Starcken um ihn her sein Raub genommen werden. Auch werden die Gefangenen dem Riesen gantz genommen hin, gebracht zu deinen Heerden: und deine Haderer will ich verfechten selbst, damit sie dich nicht mehr bestreiten sollen. Und deiner Kinder gantze Zahl will ich erretten: allzumal, nach Wunsch und Wohlgefallen.

9. Und deiner Schinder Speiß soll seyn ihr eigen Fleisch, und als mit Wein vom Blute truncken werden. So wird erfahren alle Welt,

daß meine Herrschafft hat umstellt den gantzen Krayß der Erden. Weil ich ein Heiland bin und HErr, ein Stärcker und ein Mächtiger in Jacob, da ich wohne, und ein Erlöser, so daß ich zu seiner Zeit sehr mildiglich theil aus den rechten Lohne.

358.
WAnn meine Seel in GOtt erfreut, so kann ich leben ohne Kummer, und ist mir alle Bitterkeit gleich einem sanfft und süsen Schlummer: des grosen Gottes Wunder-Macht hat mich der eitlen Welt entnommen, und mir dagegen zugedacht mein Theil mit allen wahren Frommen.

2. Drum blüht mein Glück in jener Welt: ob ich schon hier auf dieser Erden so, wie es meinem GOtt gefällt, trag viel und mancherley Beschwerden. Mein viele Müh und hartes Leid, das mir wird täglich eingemessen, bringt mir die wahre Seligkeit, wo alles auf einmal vergessen.

3. Ist schon mein Schmerzen übergroß, den ich muß steig umher tragen: bin ich doch aller Sorgen loß, weil GOtt mein Trost in allem Zagen. Wer willig leidet seine Noht, und trägt sein Creutz auf dieser Erden: wird von dem grosen Wunder-GOtt alldort dafür verherrlicht werden.

4. Drum setz Gedult die Pilgerfahrt sehr freudig fort, in Lieb und Hoffen; wo langmuht sich mit Liebe paart, da ist das rechte Ziel getroffen. Mein bestes bleibet mir so dann in vieler Noht und Herzens-Enge: weil GOtt das beste geben kann nach so viel Leid, und viel Gedränge.

359.
WAnn meine Tag und Jahr zu Ende, die ich gelebt in dieser Zeit, so ruhen meine müde Hände nach so viel Müh und bitterm Leid: setz will ich meinen Jammer tragen, währt auch mein Schmerzen bis in Tod; dort werd von Gottes Güte sagen, weil er geholffen aus der Noth.

2. Der Schmerzen, der mich zeitlich quälet, ist so von Gottes Huld ersehn, und würde ich auch wie entseelet, dort wirds um so viel besser stehn: muß ich schon oft als wie erblassen in meinem.

nein hohen Leidens-Stand, so kan mich doch GOtt nicht verlassen, weil mir ist seine güt bekannt.

3. So manchen Tag, so manche Jahre hab ich im Schmerzen zugebracht: so bald der Welt entrissen ware, hatt ich mein Elend Tag und Nacht. Ach GOtt! laß bald zu Ende gehen den Leid-und harten Jammer-Stand: es sind ja dir die viele Wehen, die ich erlitten, selbst bekannt.

4. Ach wie in so viel Trübsals-Hizen muß der in GOtt verliebte Sinn auf dieser Welt oft ängstlich schwizen! bis alle Schlacken fallen hin. So bald ich in dem Elends-Ofen bin siebenmal, wie Gold, bewährt, so ist zu End das lange Hoffen, und bin in JEsu Lieb verklärt.

5. Indessen soll Gedult mich speißen, bis GOtt ersehen seine Zeit, die mich wird aus dem Elend reissen, wo ganz dahin mein langes Leid. Diß ist mein Trost in meinem Zagen, daß ich zulezte lern dabey von Gottes Güt und Wundern sagen, und was ein treuer GOtt er sey.

6. Was wird alsdann vor Freud erwachen, wann aller Jammer ist dahin, und alle meine Leidens-Sachen gelöset auf mit viel Gewinn: dann werd von vielen Wundern sagen, wie Gottes Huld und Freundlichkeit in viel Erbarmen mich gezogen durch seine grose Gütigkeit.

7. Drum will in allen meinen Sachen warten seinen weisen Rath, und ihn in allem lassen machen, wie er es selbst beschlossen hat: es wird mir schon mein Glück noch werden, nach lang-und viel gehabtem Leid werd ich in GOtt verherrlicht werden alldort in jener Ewigkeit.

360.

WAnn meine Zeit erreiche, wo aller Kummer schweigt, so werd ich gehen ein, wo Gottes Lieben seyn.

2. Diß ligt mir stetig an, weil noch nicht wissen kan, was die Gesellschafft sey, die mich aldort erfreu.

3. Die Nazaräerschafft gibt zwar ein wenig Krafft, doch weiß ich nicht wie viel, so lauffen nach dem Ziel.

4. Jezt bin ich wie geschwächt, weiß nichts um mein Geschlecht, weil meistens muß allein ohne Gesellen seyn.　　H h. 3.

5. Doch hab ich diß betracht, und fleisig nachgedacht, ob nicht Melchisedech der Stamm von dem-Geschlecht.

6. Das mir dort zugesellt, weil er auf dieser Welt, noch Volck noch Königreich, das Ihm kont werden gleich.

7. Jezt hab ich meinen Mann, dem ich geschworn zur Fahn; diß Priesterthum ist breit, reicht in die Ewigkeit.

8. Nun wird es seyn an dem, daß ich werd angenehm, weil dieses Priester-Recht ein Königlich Geschlecht.

9. Fruchtbare Jungfrauschafft kommt aus des Priesters Krafft, weil er der Mannheit Macht hat an das Creuz gebracht.

10. Jezt find ich mein Geschlecht, weil ich mein irrdisch-Recht auf dieser Welt versagt, und dem nur nachgejagt.

11. Der hier nicht so viel Gut, wo nur das Haupt auf ruht. So müssens Leute seyn, so gehn zum Himmel ein.

12. Jezt wird man dorten sehn, mit grosen Hauffen gehn die, so gering und klein alhier gewesen seyn.

13. Das ist die schöne Schaar, so hier verborgen war mit so viel Schmach bedeckt, daß ihr Kleid nicht besteckt.

14. Jezt gibt es einen Laut, kömmt, seht des Königs Braut! wie sie so wunder-schön thut vorn ain Reihen gehn.

15. Ein ganze neue Mähr, ich seh die Nazarär, dies hier so weit gewagt, und alle Ding versagt.

16. Weil sie sich GOtt vertraut, sind sie der Schmuck der Braut: Sie dienen Ihr zu Bett, da alles rein und nett.

17. Wann klingt des Königs Ehr, so sind sie um sie her, mit wunder-schönem Staat wies GOtt beschieden hat.

18. So wird die Braut geehrt, daß sich ihr Ruhm vermehrt; die Zierd der Nazarär, ist allzeit um sie her.

19. Sie sind verlobte Leut, die keine Schmach gescheut, drum sind sie auf der Erd, gleich als wie ausgekehrt.　　20. Sie

20. Sie heisen Sonderling, ein andrer flieht die Eng, so nicht hat ihre Tracht, noch auch der Welt versagt.

21. Jetzt ist mein Ziel erreicht, der Zweiffel ganz geschweigt, weil funden meine Wahl in der verlobten Zahl.

22. Drum will auch noch zur Zeit, in meiner Niedrigkeit, Ihr meine Dienste thun, wann andre sanffte ruhn.

23. Das ist mein Bürger-Recht, daß ich hier kein Geschlecht; so bald die Braut ziehet ein, werd ich auch umher seyn.

24. Und nach des Höchsten Rath ausziehen mit im Staat. Jetzt ist die Braut erhöht, zus Königs Rechten steht.

25. Der sitzt auf dem Throh, und theilet aus den Lohn; wer alhier kein Geschlecht, der kommt zu seinem Recht.

26. Jetzt wird der Priester Würd, und auch der Jungfrauen Zierd, so lang verdeckt mit Schmach, recht kommen an den Tag.

27. Wer hier wie ausgespeyt, wird dort mit mir erfreut, weil funden mein Geschlecht im Braut-und Priester-Recht.

28. Fahr hin mit deinem Hohn, O blinde Babylon! auch Jericho mit dir. Dein Fall ist vor der Thür.

29. Melchisedechs Geschlecht kommt nun zu seinem Recht, die Braut-und Tauben Zahl ist höchst in dieser Wahl.

30. Jetzt ist der Priester Ehr, und Jungfräuliches Heer, mit Ehr und Majestät von GOtt sehr hoch erhöht.

31. Vielleicht ist diß die Zeit, wo nach so manchem Leid, die Kirche wird gekrönt, die vor so lang verhöhnt.

32. Da sie den ganzen Tag getragen ihre Schmach, weil sie auf dieser Welt gesucht, was GOtt gefällt.

33. Jetzt gehe ich mit ein, wo Gottes Lieben seyn, genüse mit der Freud ohn Ende, Ziel und Zeit.

34. Ob gleich in meinem Stand annoch im fremden Land, die Hoffnung saget mir, das Heil sey vor der Thür.

35. Drum bin ich Tag und Nacht unendlich drauf bedacht, daß recht mögt seyn bereit zu dieser frohen Zeit.

36. O! Wie bin ich so froh, weil selbst das A und O mich hat so wol bedacht, daß ich zurecht gebracht.

37. Die Unschuld hat Gedult, erwartet Gottes Huld, biß daß erwacht die Zeit der frohen Ewigkeit.

38. Da ich erlange mein Loos in meiner Mutter Schoos. Jetzt werd ich eingeweyht zur stillen Ewigkeit.

361.

WAnn mein Jammer abgewogen, wär ich hin zu GOtt gezogen, lebte in gar süser Rast. So muß vieles dulten tragen, daß auch darff kein Wörtlein sagen, wärs auch schon die schwerste Last.

2. Ganz unendlich ist der Schmerzen, den ich trage in dem Herzen, weil mein Wunsch nicht kan geschehn, daß die schönen Zions-Pforten geöfnen sich aller Orten, wie es vormals war zu sehn.

3. Hör ich gleich die Lieder singen, muß ich doch die Zeit zu bringen in viel Herzens Engigkeit: weil sonst alles, was sch machen, nichts als lauter solche Sachen, die vergehen mit der Zeit.

4. Wer das Höchste Gut erlesen, ist bey vielen wie vergessen, muß einsam verlassen stehn, weil ihm alles abgeneuget, wird er rief vor GOtt gebeuget, muß in vielem Elend gehn.

5. Viele auch der besten Gönner sind nur Schein-und Mund-Bekenner, hangen an der Nichtigkeit. Was soll man noch weiter sagen? viele Wunden sind geschlagen, drum such ich die Einsamkeit.

6. Ganz unmeßlich ist mein Stöhnen, unaufhörlich meine Thränen, die oft wie ein tiefes Meer mich bedecken und umgeben, weilen lauter Widerstreben sch von allen Orten her.

7. Ach! du seliges Betrüben, wer nicht höret auf zu lieben in des Lebens Bitterkeit: wer in Hoffnung nicht verzaget und es bis aufs euserst waget, wird zuletzt von GOtt erfreut.

8. Wer

8. Wer aushält in allen Pressen, wird zuletzt in GOtt genesen, bringet seine Ernde ein; aber wer nicht treulich handelt, und auf zweyen Wegen wandelt, ist bereit viel schwere Pein.

9. O wie viele sind geloffen! die das Ziel doch nicht getroffen, weil sie haben diß versehn, und nicht bey dem einen blieben, dabey aufgehört zu lieben: sieht man sie nun rückwerts gehn.

10. Ach! der toll-und blinde Handel schwächt den reinen Lebens-Wandel, diß ist ein betrübe Sach. Wer sich nicht in GOtt kan fassen, sich und alles fahren lassen, hat viel Reu auf jenen Tag.

11. Diß soll bleiben meine Krone, GOtt zu lieben ohne Lohne, weil er selbst so gethan. Wer einmal das Ziel getroffen, der ist recht und wohl geloffen hier auf seiner Glaubens-Bahn.

12. Drum will leiden, was mich grämet, und vertragen, was mich zähmet: weil man so wird zubereit zu dem rechten Freuden-Leben, das uns GOtt alldort wird geben in der stillen Ewigkeit.

362.
WAnn mein Ziel ist recht getroffen, habe ich ein Gut zu hoffen, das in jener Welt besteht: allhier will ich dulten, leiden, weil das Eitle dieser Zeiten plötzlich wie ein Rauch vergeht.

2. Bin ich einsam und verlassen, und weiß keinen Trost zu fassen, ruh ich in der Liebe Schooß: die mein Herze hat bewogen, daß ich wird dahin gezogen, wo man aller Sorgen loß.

3. Wann mein Herz in Lieb zerflossen, wird ein solches Gut genossen, das die Sinnen übersteigt: alles Elend wird vergessen; wo ich sonst betrübt gesessen, sich ein ander Leben zeigt.

4. Haben Andre vielen Jammer, ruh ich sanfft in meiner Kammer, und vergesse Welt und Zeit. Bin ich still und abgeschieden, führet mich derselbe Frieden ein zur stillen Ewigkeit.

5. Wann diß sanfft-und süse Sausen thut in meinem Herzen brausen, spür ich Lufft der neuen Welt. Wann die Paradieses-Sonne gehet auf mit ihrer Wonne, kann ich thun, was GOtt gefällt.

6. Wann die Blumen vieler Arten gehen auf in Gottes Garten, eß ich Brod der Seligkeit. kan ich Welt und Zeit vergessen, wird mein Herz in GOtt genesen, und erfreut in Ewigkeit.

7. Drum bin ich sehr wol berathen, weil an Welt und Menschen-Thaten ich bin still und heim gebracht: darum muß es mir gelingen, ich kan meine Zeit verbringen, GOtt zu dienen Tag und Nacht.

363.
WAnn sich das Glück der Zeit mir tefflich will anpreisen, flieh ich davon, und thu zur andern Welt hin reisen: und ruht der Kummer schon mich oftmal zeitlich plagen, und muß des Todes Pein im Herzen umher tragen.

2. So sagt die Hoffnung doch, dort ist ein ander Leben, das dir der gute GOtt nach so viel Leid wird geben. Bin ich schon oft beschwert durch hin und wieder Dencken, so muß der Himmel selbst mir tausend Gutes schencken.

3. Wann mir die Hoffnung schenckt, was die Gedult erlossen, so hat mein blöder Sinn sein rechtes Ziel getroffen. Hier wächst der Glaubens-Baum auf unter vielen Leiden, dort eß ich seine Frucht mit vielen tausend Freuden.

364.
WAnn Zion wird entbunden seyn von ihrer Müh und Tages-Lasten: so wird sie freudig gehen ein zur Ruh, da sie sehr sanft wird rasten, und da geniesen ihrer edlen Frucht, die sie im Leiden hat allhier gesucht.

2. Daselbst wird steter Friede seyn, und wird auf ewig seyn vergessen: wo sie in so viel Schmerz und Pein im Leiden ist zuvor gesessen. Es wird nichts mehr von allem seyn zu sehn, wo sie sonst muste betrübt und traurig gehn.

3. Die viele Müh und schwere Last, die sie den ganzen Tag getragen: wird enden sich in lauter Rast und Lust, daß sie nicht mehr wird zagen, noch scheuen sich vor Gottes Zorn-Gericht; weil GOtt sie hat vom Staube aufgericht.

4. Und sie erquicket nach dem Stand, da sie mit so viel Leid umgeben: und fühlte seines Zornes Hand, daß sie oft müde war zu leben, ganz ohne Trost und Rathlos mußt um gehn, wann sie

sie kont keine Hülf noch Rettung sehn.

5. Die lange Nacht ist bald dahin, man singet schon vom lichten Tage im Geist, nach dem
geheimen Sinn, daß Zion soll von aller Plage
entbunden, und im HErren freudig seyn über
das grose Licht und Freuden-Schein.

6. So Ihr aufgangen ist von GOtt im Elend,
da sie fast verschmachtet: und mußte seyn der
Völcker Spott, und von den Heiden g'ring geachtet. Man wird es bald an allen Orten sehn,
daß Zions Reich und Herrschaft wird angehn.

7. Der vollen Knospen offne Blüth geht schon
auf von der Frühlings-Sonnen: den Feigen-
Baum man wachsen sicht, und hat viel Blätter
schon gewonnen, vom reinen Saft des Geistes
aus der Höh, der ihr verschafft, daß sie mit Freuden steh.

8. Und heb das Haupt sehr hoch empor, zu
sehen das, was GOtt beschlossen in seinem Raht
schon lang zuvor, der nun mit Strömen komme
geflossen: und zeiget an, daß Zion sich bereit zu
gehen ein in seine Herrlichkeit.

9. Die nun im Vorspiel gehet an bey denen,
die sich GOtt erkoren, und man mit Augen sehen
känn, daß sie aus seinem Geist geboren: diß zeiget an, daß Philadelphia erbauet werden soll,
und stehen da.

10. Die rechte treue Brüderschafft ist nunmehr schon zum Vorschein kommen: die wahre
Lieb wird siegehaft, und machet, daß muß alles
frommen. Wo die Gedult am Lebens-Wort
ist fest, da thut sich zeigen auf das allerbest.

11. Daß Philadelphia erbaut, und man mit
voller Kraft kann sehen die, so sich GOtt hat ausgeschaut, daß sie im letzten Kampf bestehen: wann
die Versuchungs-Stund wird machen heiß, und
gehn über den ganzen Erden-Krays.

12. Die Macht der Liebe wird alsdann des
Zornes Fluthen wohl zerbrechen: da sonst beste-
hen wird kein Mann, wann GOtt den Erden-
Kräys wird rächen. O! was vor Freud und
volle Sieges-Kraft erwirbt alsdann die wahre
Brüderschafft.

13. Die an dem Leibe JEsu Christ vereiniget

als wahre Glieder: und dabey sich zu jeder Frist
im Truck und Leid gebeuget nieder, und so die
reine Liebes-Harmonie geliebt, und hoch gehalten
je und je.

14. Wo ist denn nun die Brüderschafft? der
so viel ist von GOtt verheißen: und dabey hat die
kleine Kraft, so daß kein Feind sie soll zerreißen.
Sie wohnet in der Eng auf weitem Raum,
vernünftlich Liebe wird sie wohl sehen kaum.

15. Doch näget sie ein Zeichen an, das Andren nicht ist angeerbet: die Lieb den Haß bezwingen kann, der sonsten so viel hat verderbet. Wer
eigner Lieb abstirbet im Gericht, der zeiget bald
an seinem Angesicht:

16. Daß er gekommen an den Ort, wo Philadelphia man nennet: und die Gedult am Lebens-Wort fest wird in GOtt, und niemals tren-
net von dem vereinten treuen Bruder-Sinn, der
allen Eigenthum nimmt ganz dahin.

17. Ich freue mich der Brüderschafft, weil
GOtt mich hat darzu gesellet: die Lieb erwirbet Leidens-Kraft, so wird das Recht im Thor bestellet. Daß alles Andre fallen muß dahin, was
nicht ist nach dem reinen Liebes-Sinn.

18. Ihr treuen Brüder allzusamm, die ihr
von GOtt darzu erwählet, und wärthe Schwestern, die dem Lamm nachfolgen, und mit Ihm
vermählet: freut euch mit mir, und machet euch
bereit, wir werden bald eingehn zur vollen Freud.

19. Da wir den Segen unsrer Saat, die
wir alhier im Schmerz und Leiden gesäet aus
nach Gottes Raht, einbringen mit viel Sieges-
Freuden. Wir wollen nun das treue Bruder-
Band noch fester machen durch des HErren Hand.

20. So wird man an uns hörn und sehn,
daß Philadelphie bey uns grüner: und werden
allesamt bestehn durchs Lammes Blut, das uns
versühner. Es bleibe fest und unverrückt dabey,
daß jedes unter uns sein eigen sey.

365.

WAs hab ich mein Tage vor Wunder gesehen, ohn was mir noch täglich thut wachsen heran; wie viele, so thäten dem Himmel nach
gehen, sind wieder ermüdet auf selbiger Bahn!

Und

Und werden mit mancherley Schmertzen durchstochen, dieweil sie den theuren Eyd wieder gebrochen, vergessen, was GOtt hat so treulich
versprochen.

2. Was Schöne, von Göttlich-und Himmlischen Sachen, weil GOtt sich thät selber so nahen heran! ob Höhner und Spötter schon solches verlachen, so thät sich doch öffnen die Para-
dies-Bahn. Nun sieht man zurücke nach Sodoms Verwanten, vergisset der vorigen lieben Be-
kanten, die sich doch zum Himmel mit Eyde ver-
banden.

3. Wer hätt sollen dencken in vorigen Tagen,
da alles so eifrig dem Himel nachlief, u. thäten die
Liebe im Hertzen umtragen: daß alles solt wiederum sincken so tief. Auch Helden, so Schilde
und Pantzer getragen, die sind, wie ermüdet, zu
Boden geschlagen, daß Freunde und Feinde es
können nachsagen.

4. Egypten und Sodom erbauet sich wieder,
Jerusalems Pforte stehn öde und leer: die Hohen sind selber geschlagen darnieder, u. geben
der Lufft und den Sternen gehör. So werden
die Schätze des Himmels vergraben, weil man
sich an Sodoms Brust wieder thut laben, vergessen, verschwunden die himmlische Gaben.

5. Die Faulheit des Fleisches im sündlichen
Bette heist Ruhen im Schoose der ewigen Ruh.
Ists anders, so schmidt man die sündliche Kette
zum Leben der Eitelkeit näher hinzu. So lässet
man die Zeiten und Tage verwesen in Nichtigkeit, wobey des Himmels vergessen, der doch nur
alleine macht seligst-genesen.

6. Die Paradies-Steige sind greulich verwüstet, die Wege des Todes sonst trefflich gebahnt:
ein jeder erwählet, was ihne gelüstet, so meynt
man, es wäre ein güldener Stand. O trauri-
ger Handel betrübter Sachen! wo man lässt den
Welt-Geist so gantz mit sich machen, den man
doch zuvor thät verspotten, verlachen.

7. Der himmlische Brautlauf ist wieder vergessen, man suchet Vergnügen und Ruhe auf
Erd; wo man sonst in Hoffnung ist traurig gesessen, biß daß man alldorten verherrlichet werd.

Da sieht man hergegen nur leere Geschäffte, m
Faulheit vermenget, verloren die Kräffte zum
rechten Verliebt-seyn in Himmels-geschäffte.

8. Es haben Jerusalem viele verlassen, die
Wege nach Jericho gangen dahin: geschlagen,
verwundet auf selbigen Strasen, und gleichwol
meynt man, es wär lauter Gewinn: weil man
ist entkommen Jerusalems Lehren, wo Göttliche
Sprach man im Tempel thut hören, so lässt man
sich lieber die Selbheit bethören.

9. So bald man die Wege der Weißheit verlassen, und bauet sich Nester im sündlichen Bett,
so kan man sich Höhen und Tiefen anmassen, als
ob man gefunden die heilige Stätt. O Antichrist! gehe, du bist nun verrathen, mich bsenden
nicht deine betrügliche Thaten, weil ich mich hab
deiner Sprach schon längsten entladen.

10. Wann du dich thust selber im Tempel anbäten, so bin ich zerflossen im Göttlichen Meer:
es wird dich doch endlich des HErren Geist töden,
so geb ich mit Freuden dem Schöpffer die Ehr;
und lern mich daneben im Still-seyn ersencken,
wie GOtt mich nach seinem Gefallen wil lencken und thu mich um Nichtigkeit nimmermehr
kräncken.

11. Nun will ich innhalten von Dingen zu
sagen, die selber vergehen und fallen dahin: dann
GOtt thut nun andere Kosten auftragen, die
eintzig vergnügen mit vollem Gewinn. Und
muß ich schon öffters noch Sachen ansehen, die
alle zerfallen und selber zergehen, so werd ich doch
bleiben und ewig bestehen.

12. Ich habe mein Bestes im Himmel zu
hoffen, die Freude der Erden gegeben dahin: was
lange erwartet in Dulden und Hoffen, wird endlich einkommen mit vielem Gewinn. Jetzt will
ich erlernen mich dazu gewöhnen, wann Freunde und Feinde zusammen mich höhnen, GOtt
wird schon abwischen die mancherley Trähnen.

13. Mein Hoffen, mein Glauben, mein Leiden mein Dulden, wird schon noch erwerben die
Göttliche Beut: wann auch muß ertragen, was
Andre verschulden, und Schmertzen und Grämen hinnehmen die Zeit. So bleib ich im Lei-

J i

den und lieben erhoben, und trage mein Elend
in mancherley Proben, biß daß ich GOtt ewig
alldorten werd loben.

366.

WAs hilfe mich dann mein Lieben, das ich
hab angewandt, es macht mir nur Betrüben, weil sie so unbekannt sich stellet gegen mir,
die doch die schönste Zier und meiner Seelen Leben und einige Lust-Begier.

2. Mein Dichten und mein Sinnen war gantz
zu Ihr gericht, mein einziges Beginnen auf ihren Dinst verpflicht: ich habe Tag und Nacht
auf ihren Dinst getracht, wie manche liebe Stunde hab ich drin zugebracht.

3. Ich thät mich Ihr verschreiben, der Ein-
laß in der Welt, ihr ewig treu zu bleiben, hatt
ich mir auserwählt; aber der viele Schmertz thät
kräncken mir mein Hertz, weil ich nicht wurd ge-
sättigt von ihrem Liebes-Schertz.

4. Es wird sich wohl noch finden, daß ich erlang die Gunst, mich näher zu verbinden mit ihrer keuschen Brunst: Sie bleibt mir doch allein die
Allerschönst und fein, von Schönheit und von
Tugend gantz auserwählet rein.

5. Die Lieb, so ewig bleibet, hat mich zu ihr
gebracht, und mich ihr einverleibet, daß ich darauf bedacht; zu bleiben bey ihr, als meiner
schönsten Zier, weil sie mich hat gezogen mit reiner Himmels-Gier.

6. Wänn wird es dann geschehen? daß ich
vermählet: ach wenn heisset sie mich gehen zu sich
in ihr Gemach: daß ich könt liegen bey rein ohne
alle Scheu, damit einmal bewähret, daß ich ihr
eigen sey.

7. Soll dann die Treu vergehen, die ich so
lang verübt? soll es dann ewig währen, daß ich
muß seyn betrübt: ich hab ja so viel Fleiß gethan
um ihren Preiß, denselben nie gesparet auf viel-
und manche Weiß.

8. Ihr Name selbst ist worden mir auserwählt
und schön, drum ich den Liebes-Orden mit ihr
suche an zu gehn: und so verbunden sey zu bleiben ewig treu in ihrem Dinst zu leben von allen
Sorgen frey.

9. Drum thut es mich so schmertzen, von ihr
verlassen seyn: ich mögte sie gern hertzen, und
gantz ihr eigen seyn. Sie ists, die mir gefällt,
drum ich sie mir erwählt vor vielen andern allen
auf dieser gantzen Welt.

10. Es ist ja überjahret unsre Verlobungs-
Zeit: ich mögte seyn gepaaret, und sehn das Bett-
bereit der reinen Liebes-Lust, die meinem Geist bewust, in voller Maaß zu trincken aus ihrer reinen Brust.

11. Ich könt vor Lieb vergehen, wann ich nicht
bald beglückt: ich könte kaum bestehen, daß ich
nicht würd verrückt. Ich förchte die Gefahr,
die öfters in mir war, daß ich durch fremde Liebe
würde verleitet gar.

12. Es wird mir wohl noch werden, was ich
so lang gesucht, daß ich noch auf der Erden genieß der edlen Frucht von meiner liebsten Braut,
die ich mir hab vertraut in rein-und keuscher Liebe
auf sie mein Schloß gebaut.

13. Ob sie mich schon verlassen sehr oft gar
lange Zeit, daß ich fast thät erblassen bey so viel
schwerem Streit: so hielt ich doch an Ihr zu-
bleiben mit Begier in unverruckter Treue, als
meiner schönsten Zier.

14. Nun hab ich wieder funden ihr erste Liebes-treu, da ich mich ihr verbunden, daß ich ihr
eigen sey. Sie bietet sich mir an auf meiner
Trauer-Bahn, mir treue Hülf zu leisten, daß ich
nicht fallen kann.

15. Nun muß gantz seyn vergessen die Leids-
und Trauer-Zeit, da ich einsam gesessen in vielem
schwerem Streit: die Tage sind dahin, der Tod
ist mein Gewinn: das Sterben ist mein Leben
nach dem verlobten Sinn.

16. So solls dann dabey bleiben, weil die
Verlobung da, will ich mich ihr verschreiben auf
ewig ewig ja. Ihr Nam ist wohl bekannt: ich
reich ihr meine Hand, so ist der Schluß gemä-
chet zu unserm Ehestand.

17. Nun will ich erst recht lieben sie, meine
schönste Lust, weil nach so viel betrüben sie mir
aus ihrer Brust mit reichem Maaß einschencket,
daß ich daran gedäncke, und also werd vergessen,
wo ich vor war gekränckt.   18. So

18. So lege dich nun schlafen, du meine Liebes-Lust, hab anders nichts zu schaffen, als daß dir sey bewust, zu halten dich recht nah, bey deiner Liebsten da, so bleibest du verbunden mit JUNGFRAU SOPHIA.

367.

Was ist doch bessers wol auf dieser Welt zu finden, als sich dem keuschen GOtt in reiner Lieb verbinden: Ich leid, ich leb, ich dule, bin freudig in dem Hoffen; doch ist bey diesem all das Ziel noch nicht gen offen.

2. Wo Langmuth keine Pein, und Hoffnung ohn Beschwerden, ist Tod und Höll besiegt, sammt aller Freud der Erden. Wo andre ihre Freud an Schein und Bildern haben, kan sich ein Herz in GOtt und seiner Liebe laben.

3. Wie süß ist der Geschmack, der aus dem Herzen fliesst der Liebe, die mir mein so vieles Leid versüset: so bald ich komme heim in meiner Mutter Kammer, so werd ich seyn befreyt von allem Leid und Jammer.

4. Bin ich schon noch so blöd in meinem langen Hoffen: so wird doch endlich noch das rechte Ziel getroffen. Wann die vereinte Krafft aus GOtt mich ganz durchdrungen: sing ich das neue Lied: GOtt Lob! es ist gelungen.

368.

Was ist doch liebers wol auf dieser Welt zu meinen? als wann ein Herze stets dem Himmel zugethan: diß ist die Brunst, die mir thut in den Herzen brennen, und mich stets treibet fort auf meiner Glaubens-Bahn.

2. Drum such ich höchste Gut, ob zwar noch nicht gefunden, was mich in meinem Sinn in solche Brunst gebracht: doch bin mit Geist und Herz zu treuer Lieb verbunden zu warten an der Thür bey Tag und auch bey Nacht.

3. Die Tage gehen hin, die Zeit kan mir nicht geben, was mich vergnügen kan alldort in jener Welt: und könte ich auch schon hier in die länge leben, so finde ich doch nicht, was meinem Geist gefällt.

4. Ich habe zwar allhier sonst keine andre Freude, als die mir Gottes Geist in reiner Liebe schencket: doch ist mir diß dabey noch eine gröste Beute, wenn mein verliebter Sinn aus JEsu Herz geträncket.

5. Die Liebe hat mich schon dem Wesen einverleibet, so in der Weißheit Licht als Wunder wird erkennt: und wann der reine Geist in mir sein Uhrwerck treibet, so wird die Seel erhöht und ihrem GOtt verwandt.

6. Die holde Mutter-Treu wird schön ihr Herz aufschliessen, und in sich nehmen ein dem lang-verliebten Sinn: und mein gehabte Müh und langes Leid versüßen, da ich noch fremde war und nun ihr eigen bin.

7. Wol dann! du süses Glück, das mir alldort muß blühen, wann diese eitle Welt wird fallen und vergehn: so wird kein Fleisch vor GOtt und dem Gericht entfliehen, und ich werd mit viel Freud die Wunder Gottes sehn.

8. Wie Er zu einem mal das Kleine wird erhöhen, das Hohe setzen ab und treten in den Koht: dann werd ich nimmermehr aus Gottes Hause gehen, weil kommen an ihr Ziel die viele Leidens-Noth.

369.

Was wird dann wohl ein solches Herze können scheiden von Gottes Huld und seiner reinen Liebes-Krafft? so ganz geschieden ist von Welt und allen Leuthen; und stetig grünet aus des Paradieses Safft. Kein Alterthum der Zeit kan dessen Muth verletzen, weil er bey Tag und Nachte an GOtt hat sein Ergötzen.

2. Jetze geht man aus und ein, und wartet seiner Sachen, hat anders nichts zu thun, als seyn darauf bedacht, was selbst die ewg'e Lieb in allem vor thut machen, das ist sein Gottes-Dienst bey Tag und auch bey Nacht. Was weiter seine Sach, so merckt er auch aufs Wincken, wann etwa GOtt dem Volk viel reichen Trost einschencken.

3. Das ist die höchste Pflicht, die er hat abzutragen; damit ers nicht verseh, wann GOtt ihm Blicke gibt: ob man im Guten sonst es auch sehr weit kan wagen; so kommts doch nicht bey, wo man also geübt. Diß ist die Schul, so nur die Lieblinge studiren, wers sonst wolt ma- chen

Ji 2

chen nach, würd sich nur mehr verirren.

4. Die, so gegangen hin mit, Trauren und mit Weinen, und wiederkommen sind nach so viel bittrem Leid: die sinds, wo Gottes Güt sehr oftmal thut erscheinen, und ihnen Blicke gibt in grofer Freundlichkeit. Dann die nur gangen hin, und noch nicht wiederkommen, haben noch nicht die Prob der GOtt-bewährten Frommen.

5. Diß ist nun meine Freud, die mir ist übrig blieben nach dem betrübten Gang, da gehen mußt dahin, verwiesen seyn von GOtt, als ob zu viel thät lieben; ich hät mich selbst gesucht in dem verliebten Sinn. Doch kont nicht geben auf, ich wolt so lieber sterben, als w ichen, und hernach so in der Höll verderben.

6. Da hat das Vater-Herz mein Elend angesehen, und mir in Gütigkeit gelöset auf mein Leid; jetzt brauch ich nimmermehr mit Weinen hin zu gehen, weil wieder kommen bin mit so viel süßer Freud. Nun ist das Gottes Brauch, wann er will Güt einschencken, so gibt er einen Blick, und thut mit Augen wincken.

7. Jetzt freu ich mich, weil ich hab dörffen wiederkommen, und Gottes Gütigkeit mich hat genommen an, und mir mein vieles Leid auf einmal weggenommen, und speißt in Güte mich auf der verliebten Bahn. Jetzt wart ich allezeit in meinem gantzen Leben bloß auf den Unterricht, den er mir selbst thut geben.

8. Bin ich schon oft dabey sehe klein, gebückt, geschlagen; hab wenig Aufenthalt von so viel Niedrigkeit: so thut mich seine Güt doch auf den Händen tragen, hilfft meiner Kleinheit auf zur rechten Stund und Zeit. Diß wird wohl seyn mein Trost, dieweil ich leb auf Erden, bis dort in jener Welt werde verherrlicht werden.

370.

WEil die Wolcken-Säul aufbricht, die GOtt Israel zum Licht vorgestellet, drauf zu sehn, wenn sie sollen weiter gehn.

2. Darum legt die Hütten ein, und gebt acht auf ihren Schein, zu verfolgen unsre Reiß auf des Höchsten Geheiß.

3. Es ist Zeit, wir wollen gehn, und nicht länger stille stehn: weil die Säule geht voran und uns leuchtet auf der Bahn.

4. Wer nun würde stille stehn weil die Wolcke fort thut gehn: würd sich scheiden von dem Band und von GOtt verheißnem Land.

5. Nun wir Mara sind vorbey, in der grosen Wüsteney: wird mit vieler Segens-Lust nun erfüllet Herz und Brust.

6. Doch, wenn wir nicht halten Wacht auf die Säule in der Nacht: die im Feuer leuchtet für den Weg, so verlieren wir.

7. Doch weil es nun ist an dem, daß wir wieder angenehm unserm GOtt, zu seinem Preiß, kommen wir auf sein Geheiß.

8. Und erwarten seinen Raht, wie Er es beschlossen hat, und auf weitern Unterricht, wie und wozu wir verpflicht.

9. Soll es währen noch viel Jahr, daß wir durch so viel Gefahr müssen wallen in dem Stand auf dem Weg zum Vaterland.

10. So woll jedes bleiben treu in der langen Wüsteney, dencken, daß nicht Gottes Schuld, sondern vielmehr seine Huld.

11. Die uns durch so lange Jahr selbst will machen offenbar, was in unserm Herzen ist; und wie bald man sein vergißt.

12. Wann es geht nach unserm Sinn, meinen wir, es sey Gewinn: und vergessen Gottes Eid, und die grose Seligkeit.

13. Darum schenckt GOtt anders ein, als wir es vermuthen seyn: speißt uns erst mit Bitterkeit, eh er unser Herz erfreut.

14. Darum sammle dich aufs Neu, Israel, und sey getreu: folge seiner Zeugen Licht, das Er in dir aufgericht.

15. Sieh jenes Israel an, die gereist nach Canaan: wie sie GOtt so lang versucht unter seiner scharffen Zucht.

16. Vierzig Jahr sie mussten gehn in so viel Versuchungs-Weh'n: oft ohn Wasser, oft ohn Brod, bald geschlagen seyn von GOtt.

17. Bis sie alle fielen hin, und verdurben in dem Sinn der Gedancken, nach dem Bild, womit ihr Lust erfülle.

18. Da

18. Da sie nach so vielerley lüstern wurden ohne Scheu, sich zu weiden ohne Noht, wurden sie gestrafft von GOtt.

19. Daß der grosen Sünden Macht Ihn zum Eiser hat gebracht: und Er sie umkommen ließ durch der feurgen Schlangen Biß.

20. Alles dieses ist geschehn ein Exempel, dran zu sehn dem nachkomm'nden Israel, so betreten diese Stell.

21. Auf uns zielet dieser Raht, den man dort gesehen hat: da inzwischen Gottes Treu, in der grosen Wüsteney,

22. Sich erwiesen in dem Bund, machte sein Erbarmung kund: that sie heilen von dem Biß, da Er sie ansehen ließ.

23. Ein erhöhtes Schlänglein der so treue Diener sein hat empfangen den Befehl, und gebracht auf ihre Stell.

24. Sieh, O währtes Israel! der du bist an jenes Stell aufgekommen, dencke dran, was doch dieses lehren kann.

25. Und wie du auf deiner Reiß bißher auf so manche Weiß dich verschuldet im Gericht wider deine Bundes-Pflicht.

26. Und durch deine Ungeduld dich vergriffen mit viel Schuld: da du dich sehr hart gestellt wider Den, so GOtt erwählt.

27. Und mit Höhnen Ihn verspott gleich der bösen Sünder Rott; die nicht achten Gottes Ehr, und nicht folgen seiner Lehr.

28. Der vor dich getragen Leid in so vielem härten Streit: mußt von dir verachtet seyn unter so viel Trug und Schein.

29. Der doch träget deine Last, und dabey hat wenig Rast: und vertrit dich im Gericht, wenn des HErren Zorn anbricht.

30. Der dir so viel Guts gethan auf dem Weg nach Canaan: und mit Gottes Lehr und Raht dich sehr oft erquicket hat.

31. Der dich aus der finstern Nacht hat zu Gottes Licht gebracht: von Egyptens Dienstbarkeit und Pharaons Macht befreyt.

32. Daß dir drauf ist worden kund der so theure Gnaden-Bund, durch die Tauffe in dem Meer, da ersäufft Pharonis Heer.

33. Wurde dorten jederman heil, der nur that schauen an die erhöhte ehrne Schlang, was solt dir dann machen bang.

34. Weil des Menschen Sohn erhöht, und zu deinem Heil da steht: wer Ihn ansieht ohn Verdries, wird geheilt vom Schlangen-Biß.

35. Der sehr viele hat verwundt, daß sie so viel Jahr und Stund noch nicht bracht die wahre Frucht, die doch GOtt all Tage sucht.

36. Dieses hat dir zugedacht, der zum öftern sonst veracht: der dich liebet und vertrit, und bey GOtt um Gnade bitt.

37. Sehet, sehet, sehet an! sehet, sehet an den Mann! der von GOtt erhöht ist, der ist unser HErr und Christ.

38. Der sagt uns beständig für: kommet her, und folget mir, ich bin euer bestes Theil wodurch ihr könt werden heil.

39. Er ist die erhöhte Schlang bey dem rauhen Weg und Gang, durch die wird gezeiget an, wodurch man genesen kann.

40. Wann wir dann genesen seyn, wird das Eiger wieder rein: und des HErren Gegenwart kann uns leiten auf der Fahrt.

41. Und der Wolcken-Säulen Gang machen einen rechten Klang: daß es schalle und erthön, und ausrufe, fort zu gehn.

42. Diese Bahn ist uns gezeigt von GOtt Der sich zu uns neigt, richtet auf sein Hütt-und Stadt unter uns aus lauter Gnad.

43. Sind wir denn mit GOtt versehn, so wird unser Thun bestehn, und wir werden mit der Zeit gehen ein zur Seligkeit.

44. Darum freue dich aufs Neu, Israel, und sey getreu: bleibest du auf dieser Bahn, so erreichst du Canaan.

371.

WEr die Liebe aufgezehret, daß er nichts von sich behält, dem hat GOtt sein Theil bescheret, kan verlachen alle Welt.

2. Wer nicht alles hingegeben, was in dieser Welt beglücket: der kommt nicht zum wahren Leben, wird zuletzt wohl gar erstickt.

3. Es muß alles seyn verlassen, wo sich zeigt die Lebens-Bahn: und die Lieb- und Friedens-Straa-

Straaßen, da man Ruhe finden kan.

4. Wo noch was am Hertzen klebet von der Welt, da hilfft es nicht: ob man auch schon englisch lebet, es wird doch nichts ausgericht.

5. Alles, was die Augen sehen, und das Hertze wünschen thut in der Welt, wird nicht bestehen, wann der Tag anbrechen thut.

6. Der da wird das Stroh anzünden, und die Stoppeln nehmen hin: und die eitle Lust der Sünden fegen aus nach Gottes Sinn.

7. Drum will ich von Hertzen hassen, was all hier auf dieser Welt: und will alles fahren lassen, was so bald zu Boden fällt.

8. Bringet es schon Schmertz und Leiden, leb ich doch in Gottes Huld: Er wird mir schon helfen streiten, zu ertragen mit Gedult.

9. Das vernünfft'ge Schlangen-Sprechen, so nichts weiß als lauter Nein: GOtt wird schon ihr Urtheil rächen, u. mich von ihr machen rein.

10. Er hat schon im Vorschmack geben seiner Liebe Ueberfluß: und schafft mir ein neues Leben, daß das Alte weichen muß.

11. Wann der Tod ist aufgehoben, und als letzter Feind besiegt: so werd ich GOtt ewig loben dort vor seinem Angesicht.

12. Hier will ich die Gunst nicht haben, daß er mir so wohl thun soll, es möcht sich sonst daran laben, was doch in mir sterben soll.

13. Ich will gern mein Urtheil tragen, weil ich leb in dieser Zeit: bin ich schon von GOtt geschlagen, es hilfft nur zur Seligkeit.

14. Dann der Tod muß in mir herrschen, weil noch etwas Leben hat: und die Schlang sticht in die Fersen, bis die volle Gottes-Gnad.

15. Meiner gantz ist mächtig worden, so daß ich auf sein'm Altar bin zu einem Opfer worden, ihm zu dienen immerdar.

16. Wann ich hätt die Krafft von oben, die mein Hertze wünschen kan: so würd ich in allen Proben stehen als ein Sieges-mann.

17. Muß ich schon durchs Feuer gehen, und mein Hertz in Angst und Noth will im Leiden gantz zergehen, grau't mir doch nicht vor dem Tod.

18. Dann es kan sonst nichts hinsterben, als was außer Gottes Rath lebet: es muß doch verderben, was GOtt nicht gebauet hat.

19. Ich wart ohn das mit Verlangen auf die letzte Todes-stund: da der alte Mensch gefangen, und geschlagen in den Grund.

20. Dann wolt ich sein Grab-Lied singen, u. mit Freuden stimmen an: und von grosen Wunder-Dingen sagen, was ich vor ein Mann.

21. Doch ich weiß, es wird nicht fehlen, ich seh schon sein Bett bereit: wo ihn GOtt selbst wird entseelen zu dem Tod in Ewigkeit.

22. Nun es stimmen aller Orten die vereinte Chör mit an: und, was treue Bunds-Consorten, sagen nach, was GOtt thun kan.

23. Der die Sünd darnieder schläget, und des alten Menschen Rath gantz und gar zu Boden leget, was er je gebauet hat.

24. Von den Wundern werden singen alle Heiligen zur Zeit: wann GOtt wird in allen Dingen alles seyn in Ewigkeit.

372.

WEnn das sanfte Gottes-Sausen tief in meiner Seelen weht, so verschwindet, was von aussen nur in falschem Schein besteht: und ich kann mich laben mit viel Himmels-Gaben, und geniesse Gottes Lust aus der süsen Liebes-Brust.

2. O! was vor geheime Kräfte fliesen da zusammen ein, wann man von der Welt Geschäffte so geschieden ist und rein: daß man sich ergeben, in dem gantzen Leben, der vereinten Liebes-Krafft, die ein wahres Wesen schafft.

3. Wer nicht alles will vergessen um das edle einig'ge Ein: der kann nicht in GOtt genesen, sondern muß in Schmertz und Pein, mit viel Müh und Rasten, da man nie kann rasten, seine Zeit verbringen zu in der irdischen Unruh.

4. Aber wer sich hat ergeben der vereinten Liebes-Macht, so daß er sein gantzes Leben nur allein darauf bedacht, wie er mög vor allen seiner Lieb gefallen: der kann leben ohn Verdruß, durch den steten Liebs-Genuß.

5. O! ich freu mich seiner Liebe, damit ich verbunden bin, weil sie durch die reine Triebe gänglich mich genommen hin: daß ich mich ergeben

geben ihr allein zu leben, und dabey zu jeder Zeit bleiben ihrem Winck bereit.

6. O du Meer der lautern Liebe! laß durchbrechen deine Dämm, daß der Flüsse starcke Triebe nichts mehr ihren Ausfluß hemm: daß sie in uns fliesen, alles Leid versüsen, damit wir in dem Genuß, durch der Liebe Ueberfluß,

7. Gantz beschwemmet und begossen, daß wir tief ersincken ein in den Wassern, die gestossen aus dem Meer der Liebe rein: und auch noch das neben werd in uns gegeben, daß von Innen fliesen aus Ströme aus dem Hertzens-Haus.

8. Und wenn so in reiner Liebe wir zusammen fliesen ein, so muß aller Heuchel-Triebe ewig mit vergraben seyn: und wir werden heilig, züchtig und jungfräulich unserm Liebsten dargestellt, vor den Augen aller Welt.

9. Und das reine Jungfraun-Leben wird recht wol den offenbar an uns, weil wir gantz ergeben dem Lamm, Das erwürget war: denn die, so nachgehen, sieht man dorten stehen, mit dem reinen Jungfraun-Heer spielen an dem gläsern Meer.

10. O ihr treu-verlobte Seelen! die ihr mit verbunden seyd, euch dem Lamme zu vermählen, bleibet seinem Winck bereit: folget seinen Tritten, lernet heil'ge Sitten. O! so wird der Tugend Schein eurer Seelen Nahrung seyn.

11. O du keusches Jungfraun-Leben! nimm mein gantzes Wesen ein: damit ich so sey ergeben, daß mich weder Schmertz noch Pein niemals von dir trenne, und ohn Scheu bekenne, daß ich dir verlobet sey, ohne alle Heucheley.

12. O ich freu mich schon im Gehen! weil im Geist gesehen ein, daß hier schon dem Lamm nachgehen, die mit mir verbunden seyn: weil sie es gewaget, Allem abgesaget, und den keusch-verliebten Sinn GOtt zu eigen geben hin.

13. O was vor ein Liebes-Leben hat das Lamm gestöset ein in denen! die sich Ihm ergeben, daß sie keusch geblieben seyn: so daß sie gantz heilig, züchtig und jungfräulich Ihm nachfolgen nach im Gang, mit viel schönem Lobgesang.

14. Drum will ich das Lamm verehren, seinen Tritten folgen nach, täglich seinen Ruhm

vermehren, achten weder Spott noch Schmach: weil es mich erwählet, und zur Zahl gezehlet, die Ihm geben, mit viel Freud, Preiß und Danck in Ewigkeit.

373.

WEnn der reine Lebens-Geist seine Krafft in uns eingeust: so wird alles wieder wohl, und die Hertzen Freuden-voll.

2. Wann die reine Brüderschafft wird erfüllt mit seiner Krafft: so muß werden offenbar, wo die rechte Christen-Schaar.

3. Denn es ist sein alter Brauch, daß sein reiner Liebes-Hauch blase, und da mache Wind, wo des HErrn Gesalbte sind.

4. Er kan ihnen rathen wohl, und sie machen Freuden-voll: daß sie seine Wunder-Macht müssen rühmen Tag und Nacht.

5. Wer von seiner Krafft empfäht, wird ein Priester und Prophet: redet Wunder-Sachen aus in des HErren Tempel-Haus.

6. Alles Schwere wird dann leicht, wann er seine Wunder zeigt: so die Augen sehen ein, bey dem hellen Lichtes-Schein.

7. Abraham ersah den Tag, der doch noch sehr ferne lag: und war dessen hoch erfreut, weil er einsah nah und weit.

8. Wer nur ein Prophete heißt, wird erfüllt mit diesem Geist: und von dessen Wind-gehör kommt hervor die reine Lehr.

9. Kommt, ihr Kinder einer Schaar, lasset werden offenbar: daß ihr voll von diesem Wind, damit sich nicht Klage sind.

10. Und die rechte gesunde Lehr bey euch finden kan Gehör: und ihr also mit theilhaffte dieses reinen Geistes Krafft.

11. Kommt, wir wollen wieder dran, daß wir gehen diese Bahn: um zu folgen diesem Geist, der die rechte Wege weißt.

12. Dieser Geist kan machen rein, wo wir noch bemackelt seyn: kan verneuen unsern Sinn, und den alten nehmen hin.

13. Er kan alle machen gleich, ein zu sehn in Gottes Reich: er kan alle machen klein, daß sie Gottes eigen seyn.

15

14. Er kann allen machen wohl, daß sie seiner Liebe voll: wo sie nur mit dem Begehr geben
seinem Winck Gehör.

15. So vollenden wir den Lauff, bis wir
ganz genommen auf, werden zu der Zahl gezehlt, die vorm Thron des Lammes steht.

16. Und mit grosser Sieges-freud rühmen
GOtt in Ewigkeit. Wir sind wieder worden
froh, Amen, es gescheh also.

374.
Wenn himmlische Liebe die Herzen gezogen,
so werden wir alle mit Eifer bewogen, mit
Freuden zu lauffen den Göttlichen Weg: und
werden nicht müde, noch matte, noch träg. Ob
gleich schon viel Feinde uns Mühe anrichten,
durch falsches-Ersinnen viel Lügen erdichten: so
wird doch GOtt ihre Anschläge vernichten.

2. Drum wart ich im Hoffen mit schmerzlichem Sehnen, daß ich bald erlöset von Babels
Verhöhnen: und werde entbunden der Leiden
und Schmerz, so öfters mich klemmen, und drücken das Herz. Indessen so will ich doch nimmermehr schweigen der Huren zu Babel ihr Sünd
anzuzeigen, und ob sie schon suchet mich nieder
zu beugen.

3. So werd ich doch stehen im Glauben und
Hoffen, bis daß sie sehr plötzlich die Schmerzen
getroffen: die über sie kommen ganz ohne vermuth, wenn GOtt nun wird rächen der Frommen ihr Blut: O selige Seelen! die also bestehen, so daß sie nicht weichen in Leiden und Wehen, bis daß sie den Untergang Babels einst sehen.

4. Ich werde mich freuen im himmlischen
Lichte, wenn alle wird treffen des HErren Gerichte: die so sich vergriffen an seinem Geschlecht,
und haben verkehret das Göttliche Recht. Drum
müssen sie alle mit Schanden bestehen, wann sie
nun wird treffen viel Schmerzen und Wehen,
und Zion wird herrlich zur Freude eingehen.

5. Ihr Kinder der Liebe, von oben geboren,
daneben zum Göttlichen Leben erkoren: werde
innigst entzündet, und tretet mit an, mit Freuden zu lauffen die Göttliche Bahn. Dann
wann wir zusammen in Liebe so wallen, und lassen viel Dancken und Rühmen erschallen: so
werden wir unserem König gefallen.

6. Das Leben im heiligen Göttlichen Lichte
wird machen das Urtheil der Feinde zunichte;
drum lasset uns lieben in heiliger Brunst, so bleiben wir stets in des Königes Gunst. Der wird
uns die Leiden durch Lieben versüssen, und machen die Herzen in Eines einfliessen, damit wir
viel innere Kräfte geniessen.

7. O Brüder und Schwestern! ich werde bewogen, durch Göttlichen Eifer von innen gezogen, euch allen zu ruffen: ach, werdet nicht weich!
daß jedes im Siege die Krone erreich, die alle
erworben, so JEsu nachgängen, und wurden erfreuet nach langem Verlangen, so daß sie im Triumph dort ewiglich prangen.

8. Drum gehet entgegen ganz freudig behende,
und sehet, wie alles schon eilet zum Ende. Die
Erndte rücke näher, sie kommet herbey die Stund
der Erlösung, da alles wird frey vom Dienste
der Eitelkeit, die uns gefangen, darin wir noch
seufzen in stetem Verlangen, damit wir bald völlig zur Freyheit gelangen.

9. O JEsu! ich seufz mit verwundertem Herzen, laß eilen zum Ende die Leiden und Schmerzen: dieweil wir gebeuget, und tragen Dir nach
dein Creuz mit Verachtung, Verspottung, und
Schmach. Doch, was Du beeydet, wird nimmer gebrochen, der Huren ihr Urtheil ist längstens gesprochen, drum wird sie auch plötzlich einst
werden gerochen.

10. Ja, amen! ich warte mit grosem Verlangen, bis daß Du vertilgest den gottlosen Samen:
der truncken ist worden von der Heiligen Blut,
gesuchet zu rauben ihr'n Göttlichen Muth.
Drum wollen wir alle mit Freuden fort wallen,
bis daß wir gehöret, daß Babel gefallen: so können wir helfen ihr Urtheil bezahlen.

375.
Wenn JEsus Brunnen überlaufft, und fliesst
in unsre Herzen, und wir in Gottes Meer
getaufft, so schwinden alle Schmerzen: und wir
empfinden Himmels-Lust, die aller Welt ist unbewußt, rühmen das theure Gottes-Lamm, das

ist

ist erwürgt am Creutzes-Stamm.

2 Und ruhen sanft in Gottes Schoos, in tief-
ersunckner Stille, die uns macht aller Sorgen
loß: dieweil nun Gottes Wille ist worden unser
Speiß und Tranck, zu bringen Ihm Preiß, Lob
und Danck, weil Er uns, aus besondrer Gnad,
zu eigen Ihm erwählet hat.

3. Daß wir hinfort nur gantz allein zu Ehren
Ihme leben, in Schmertzen, Leiden, Noht und
Pein Ihm bleibend seyn ergeben, und also werden zubereit, daß seine Macht und Herrlichkeit
sich wundervoll an uns erweißt, damit wir auf
die schönste Weiß.

4. Erheben unser Hertz und Mund in voller
Lieb zusammen, und machen seinen Namen kund;
dieweil wir aus Ihm stammen: und Er uns,
aus bedachtem Raht, zu seinem Volck erwählet
hat, daß an uns werde offenbar, was lang zuvor
verheißen war.

5. Daß GOtt in dieser letzten Zeit die Erde
wöll erfüllen, mit Licht und Recht und Herrlichkeit, nach seinem Raht und Willen, Er solches
lässet werden kund den Seinen in der letzten Stund,
die sich zu eigen Ihm vertraut, als seine auserwählte Braut.

6. Drum mercket drauf, und nehmet wahr,
die ihr seyd mit erwählet, gebracht zur frommen
Gottes-Schaar, die wundervoll erzehlet von seinem Geist, in vollem Licht, das Er in mitten aufgericht, wo Er sein Volck versammlet hat, zu rühmen seine Wunderthat.

7. Die Er an uns macht offenbar, um ferner aus zu breiten dem Volck, das mit entschlafen war, als JEsus seine Seiten geöffnet seiner
wehrten Braut: die sich in keuscher Lieb vertraut,
und gantz in Ihn gelebet ein, weil sie aus seinem
Fleisch und Bein.

8. Dieweil nun JEsus unser Mann, wird
nichtes uns verletzen, wenn treffen wird der Fluch
und Bann die, so mit blosem Schwätzen viel andre und sich selbst verführt, mit falschem Schein
die Schrift glossirt, erlogen Wort und bös Gedicht, die sie sehr künstlich zugericht.

9. Drum ist des HErren Zorn entbrandt ü-

ber die Rott der Bösen, und falschen, die in Sand
und Tand sich seiner Worte trösten: Er rüstet
seine Knechte aus mit Geist und Kraft, zu gehen
aus, zu offenbaren seinen Raht, den Er in sich
beschlossen hat.

10. Drum wird nunmehr kein Schweigen
seyn bey Gottes treuen Knechten, die Welt und
Bösen anzuschrey'n: dieweil sie seine Rechten
verkehret und zu nicht gemacht, und immer sind
darauf bedacht, daß sie, bey falschem losen Schein,
sich rühmen Gottes Volck zu seyn.

11. Auf! auf! ihr Brüder allzumal, die ihr
seyd Gottes Zeugen, ermanet euch, und seht den
Fall der Huren, thut nicht schweigen, zu zeigen
ihre Sünde an; ein jeder stehe als ein Mann,
wenn sie des Todes Urtheil fäll't, sich scheußlich
gegen euch verstellt.

12. Erzeiget euch als treue Knecht, die GOtt
zu seinen Ehren Ihm auserwählt, damit sein
Recht man nah und fern mög hören: und solches werde offenbar, gestellt zu einem Zeugen dar,
der wider sie das Urtheil führt, wenn sie in falschem Schein sich ziert.

13. Wohl mir! ich stimme auch mit an, mit
Geist, mit Kraft und Leben, der Welt ihr Sünd
zu zeigen an: weil GOtt in mich gegeben den
Glantz von seinem hellen Licht, das wider sie ein
Zeuge ist, zu strafen ihren falschen Schein, wenn
sie rühmt Gottes Volck zu seyn.

14. Der Lügen Kraft und falscher Schein ist
nun aufs höchste kommen, drum muß der Trug
entblöset seyn, durch Gottes wahre Frommen:
die gantz von Hertzen abgesagt der Welt und ihrem Huren-Pracht, samt ihrer falschen Trügerey,
im lichtes-Glantz durch Heucheley.

15. Drum ist der Fall auch vor der Thür,
der lang zuvor beschlossen über die Hur: geht aus
von ihr, die ihr seyd Bunds-Genossen: und von
dem HErren ausgerüst, der über sie das Urtheil
spricht, ihr Leid und Weh zuschencken ein, und
solt ens Hirten-Knaben seyn.

16. Die ihren Stolts und Frevel-Muht vergelten und bezahlen, sie stürtzen, daß von ihrem
Blut viel Länder sich bemahlen: und Hunde da-

von

L K t

von werden satt, mit welchen sie geburet hat, und
so wird aller Babels-Schein nun ewiglich vergessen seyn.

376.

WEnn mein Geist ist in GOtt genesen, so kann
ich Leid und Weh vergessen: und kann vernehmen in der Still, was sein geheimer Raht
und Will.

2. Dann wann ich mich Ihm gantz ergebe,
und nur nach seinem Willen lebe: so wird mir
aller Schmertz und Peitz zu letzt zu lauter Freuden-Wein.

3. Man kann offt viel in guten Tagen von
Gottes Treu und Liebe sagen: doch bringt das
selben erst an Tag, was lang zuvor verborgen lag

4. Im Hertzens-Grund sehr tief dannieden,
da man in selbstgemachtem Frieden gedienet GOtt
nach eignem Sinn, das nimmt das Trübsals-
Feuer hin.

5. Und schmeltzt die eigene Gedancken, die doch
nur hin und wieder wancken: und ob sie schon
gut in dem Wahn, so stieh'n sie doch die rechte Bahn.

6. Und wählen eigne Form und Weissen, zu
dienen GOtt in fremdem Gleissen: darin verbirgt
sich die Natur, und wird verfehle die rechte Spur.

7. Wo man, in Geistes-Niedrigkeiten, von
GOtt sich selber läst bereiten zu seinem Dinst,
da man allein Ihm erst kann recht gefällig seyn.

8. Das rechte Leben GOtt zu dienen thut nach
dem Sterben erst ausgrünen: und unter vielem
harten Streit wird man erst recht dazu bereit,

9. Zu dienen GOtt im reinen Wesen, so wie
Er es selbst auserlesen: denn wo man gantz zunicht gemacht, wird man zum rechten Ziel gebracht.

10. Da man kann leben ohne Stärcke, ohn
eigne Kraft, ohn eigne Wercke: und alles, was
sonst war Gewinn, thut fasten gantz zu Boden hin.

11. So wächset auf das rechte Leben, das
GOtt den Preiß und Ruhm thut geben: und
was noch was will seyn geacht, wird dann erst
recht zu nicht gemacht.

12. Drum will ich rühmen seinen Namen,
der mich gebracht so nah zusammen: daß ich zernichtet gantz und gar, was ich wolt seyn, und
was ich war.

13. Ich lebe zwar in einem Leben, das Er aus
Gnaden mir gegeben: doch so ich es wird heissen mein, so müssts zur Stund zernichtet seyn.

14. Das eigne Leben kann nicht erben, drum
muß es in dem Tod verderben: und ist ihm auch
in Ewigkeit kein Auferstehung zubereit.

15. Drum soll das Nicht-mein seyn mein Leben, weil es ist selbst von GOtt gegeben: die Creatur und Eigenthum weiß nichts von diesem hohen Ruhm.

16. Es ist das gröste das kann werden, wer
Nichts besitzt auf dieser Erden: und auch das
kleinste auf der Welt, das wird zum Wunder
dargestellt.

17. Wer alles hat, hat nichts gefunden, wer
Nichts hat, ist mit GOtt verbunden: wer Etwas hat, komme nicht zum Ziel, dann Etwas ist
dem Nichts zu viel.

18. Wer diese Armuth hat gefunden, hat Höll
und Teufel überwunden: und lebet in dem grosen All, ist reich und arm in gleicher Wahl.

19. Sein Leben ist ein lautres Sterben: dieweil der Tod kann nicht verderben was Leben
heißt, und ist und war, es wird nur drinnen
offenbar.

20. In dieser Schule hat studieret der Mann,
so uns zu GOtt hin führet: sein Name heisset
JEsus Christ, der aller Schüler Meister ist.

21. Der hat den Tod am Creutz gerochen; da
ihm sein Liebes-Hertz durchstochen: und mußt sein
Leben geben hin, nach dem geheimen Raht und
Sinn.

22. Der über ihn sehr lang beschlossen von
GOtt, den niemand kont umstossen: doch wurd
im Tod erst offenbar das Leben, so verborgen war.

23. Dann dieses mußte nur hinsterben, wo
Gottes Reich nicht kont ererben: am Creutze wird
zunicht gemacht, was uns in so viel Leid gebracht.

24. Drum hab ich auch mein eignes Leben in
seinen Creutz-Tod hingegeben: da soll es mit begraben seyn, so wird der Tod mein Leben seyn.

25. Und werde mit Ihm hoch aufsteigen, wo
Tod und Hölle still muß schweigen: und zu Ihm
gehen in sein Reich, daß ich erette mit zugleich

26. Dis

26. Die Seligkeit, die GOtt versprochen, wann Teufel, Welt, und Sünd gerochen: daß sie zu ihrem Ziel gebracht, und ewig sind zu nichte gemacht.

377.

WEr das höchste Gut besitzet, und den treuen Helffer hat, der alldorten Blut geschwitzet, und erworben Gottes Gnad: der hat seine Zeit erreicht, alle Angst und Kummer schweiget, und kan ruhen im Ermatten unter des Geliebten Schatten.

2. Es ist freylich nicht zu sagen, was Genuß und hohe Gnad Seelen in dem Hertzen tragen, die GOtt dienen früh und spath: aller Jammer ist dahin, der in GOtt verliebte Sinn ist nun kommen zum Genesen, wo er sonst betrübt gesessen.

3. Selbst der Himmel muß sich neigen, wenn verliebte Hertzen stehn, und vor GOtt die Knie beugen, ihn um seine Huld anstehn. O was reicher Ueberfluß! und für Segen und Genuß, wann GOtt selbsten Freud im Weinen schencket ein den lieben Seinen.

4. Nichts ist bessers auf der Erden, noch zu finden auf der Welt, als voll Gottes Liebe werden, und zu thun, was ihm gefällt: dann dieselbe ist ein Licht, das gibt steten Unterricht, wann die Kräffte selbst erkräncken, und sich in den Schlaf ersencken.

5. Kommt, ihr Lieben und Getreuen, tret't mit Freuden diese Bahn: Gottes Lieb wird uns verneuen, lösen auf den harten Bann, so in Dunckelheit der Welt uns bisher noch hart verstellt. Gottes Lieb wird uns berathen, aller Sorgen gantz entladen.

6. Wann der finstern Welt Geschäffte machen unsre Geister trüb: kommen diese Lichtes-Kräffte, so da heissen Gottes Lieb, schaffen in dem Dunckeln Licht, daß die finstre Nacht zerbricht. So kan Geist und Krafft und Leben uns sehr hoch in GOtt erheben.

7. Was wird ferner uns mehr scheiden von dem hohen Liebes-Sinn, der zuletzt mit so viel Freuden uns nimmt allen Schmertzen hin. O was ein vergnügter Stand! wer also GOtt zu-

gewandt: nichts kan solchen mehr bethören, der sich läßt die Liebe lehren.

8. Diese Liebe wird genennet Gottes hoh-Wunder-Krafft: wer den dort am Creutz bekennet, dem ist Sieg und Heil verschafft. Dann da hat die Lieb erbeut ein so grose Seligkeit: O GOtt-Liebe! schenck uns allen, dir in deine Arm zu fallen.

378.

WEr die ew'ge Schätz will finden, muß auf Erden werden arm, und sich an das Creutz hin binden, daß GOtt seiner sich erbarm, in Entblösung aller Dingen, was durch eitle Lust bethört: wer es sucht dahin zu bringen, wird zuletzt des Guten werth.

2. Denn da müssen gantz vergehen alle Sorgen dieser Welt: was nicht ewig kann bestehen, endlich mit der Zeit hinfällt. Aller Mühe wird vergessen, und was sonstin Trauren macht. Wer recht will in GOtt genesen, muß ihm dienen Tag und Nacht.

3. Wo der wahre Grund geleget zu der innern Geistes-Still, muß das Hertz seyn rein geseget von der Creaturen Füll: was Geschrey u. Grämen machet, muß rein aus dem Wege seyn. Wer die eitle Lust verlasse, geht zur engen Pforte ein.

4. Denn das innre wahre Leben, das in GOtt bestehen thut, muß in Trübsals-Hitzen schweben, und in heisser Feuers-Glut, rein gefeget und bewähret, soll es bleiben ewig stehn. Was die Feuers-Glut verzehret, kan zuletzt der Wind verwehn.

5. O du Lust! die nie vergehet, die erworben aus dem Tod. O du Leben! das besteher nach viel ausgestandner Noth! wer den Reichthum hat gefunden in Entblösung aller Ding, wird zuletzt mit GOtt verbunden, weil ihm dieses zu gering.

6. O du angenehmes Leben! wo GOtt selbst den Tisch bereit, niemand hat dem was zu geben, dessen Hertz in GOtt erfreut. Klein und niedrig auf der Erden bringet alle Hoheit ein, heißt mit GOtt verherrlicht werden, macht zunichte den eitlen Schein.

7. O vergnügtes Marter-Leben! O du selge Sclaverey! wer sich GOtt so übergeben. O du sel-

Kk 2

ge Armuthey! wo man gantz ist ausgeleeret von
dem Glantz der eitlen Welt, und von Hertzen zu-
gekehret, nur zu thun, was GOtt gefällt.

8. Sterbend fängt man an zu leben, steigt
mit Freuden aus dem Grab: alles wird dahin gegeben, was sonst scheint die beste Haab. O erwünschte Todes-Stunden! wo wird alles überwunden, was uns
hat gezwect von GOtt.

9. Aber ach wie viele Schmertzen dringen auf
den Geiste zu! und wie manche Wund im Hertzen, eh er kommt zur wahren Ruh: weil er in
der Fremde wallet, u. offt seyn muß unbekannt,
daß der muth zu Boden fället auf dem Weg zum
Vaterland.

10. Wann die Seel daran gedencket, so mächt
sie vor Leid zergehn, weil sie so oft wird geträncket
mit viel Schmertzen, Leid und Wehn, und ohn-
abläßigen Nöthen, da das Leben wird gekräncket,
und ihm viel geheime Töden werden täglich eingeschenckt.

11. Doch sind die Erquickungs-Zeiten nach
dem Sterben zubereit: wer sich so läßt zubereiten,
gehet ein zur Seligkeit, in die stille Ruhe-Kammer, nach viel ausgestandner Noth, da vergessen
aller Jamer, und Genesen ist in GOtt.

12. Wo die wahre Ruhe grüner, und das
sanffte Bett bereit, da wird GOtt nicht mehr gedienet nach den Bildern dieser Zeit: weil man
zu dem Wesen kommen, und genuß, der kommt
aus GOtt, drum ist gantz dahin genommen
die unselge Sterbens-Noth.

13. Alles muß nun gantz vergehen, und sich
scheiden davon ab: was in GOtt nicht kan bestehen, wird geleget in das Grab. Nun wird erst
im Fried gesäet die Frucht der Gerechtigkeit: wan
das Unkraut abgemähet, kommt die Ueberwindungs-Zeit.

14. O was vor ein seligs Sterben zeucht es
von hinten nach, wer sein Leben läßt verderben,
trägt mit Christo seine Schmach. Da wird nunmehr wieder funden das in GOtt verlohrne Gut,
und der Teufel überwunden, samt der Macht der
Höllen-Glut.

179.

WEr die Liebe Gottes ehret, und der Weisheit
Brüste trincket, wird vom höchsten Gut er-
nehret, O was wird da eingeschenckt! Ob sich
schon mein Hertz muß kräncken, so lang mein Verlangen währt, wird sie mir doch noch einschencken, was mein langer Wunsch begehrt.

2. Ich such nichts auf dieser Erden, als mein
Heil in jener Welt: drum muß mir mein Glück
noch werden, wann es meinem GOtt gefällt.
Muß ich schon verlassen stehen, aller Freud vergessend seyn, wird mir doch, nach vielen Wehen, mein GOtt anders schencken ein.

3. Hätte ich mein Glück gefunden, wo mein
Hertz vergnüget heißt, ich wär ewig GOtt verbunden, hin zur andern Welt gereißt. Aber
nun muß ich umschweben oft in mancherley Gefahr, und in steter Sorgen leben, daß oft Zeiten-
Tag und Jahr.

4. Mir zu eng und lang auf Erden, weil
mein Glück noch nicht erreicht: wo mir wird
mein Erbtheil werden, und mein langer Schmertz
geschweiget. Drum ich sinck in Hoffnung nieder,
und will warten in Gedult: dorten sing ich neue
Lieder, preise ewig Gottes Huld.

180.

WEr einmal um sich selbst gebracht, dabey
sonst alle Ding versagt: ja dessen Reichthum
nimt nicht ab, und seine Allheit weiß kein Grab.

2. Was ihn zuvor so hart bekriegt, nunmehr
zu seinen Füßen lige: auch selbst die hohe Ritterschafft muß weichen dieser Wunder-Krafft.

3. Sein Reichthum ist das grose All, so ging
verlohren bey dem Fall. Sein Armuth weiß noch
Ziel noch Zeit, reicht in die lange Ewigkeit.

4. Kein Dieb wird daselbst brechen ein, allwo
dergleichen Schätze seyn. Der nackend an dem
Creutz geschlacht, hat uns dieser vom Himel bracht.

5. Da kont man keinen Reichthum sehn, als
nur wie GOtt pflegt zu erhöhn, die wurden hier den
Kindern gleich, u. nicht wissen, was arm u. reich.

6. Wie wunder-voll ist diese Haab, die ewig ewig
nicht nimmt ab. Ich weiß schon jetzt noch Maaß
noch Ziel von der so reichen Gnaden-Füll.

7.

7. Geh hin, du lang verlogne Pein, GOtt schenckt dir nun gantz anders ein: weil voll und leeres du versagt, wurd ein so hohes gut ersagt.

8. Was sonst die Freude dieser Erd, ist nicht einmal der Mühe werth zu dencken dran, was ihr gewinn, weil sie selbst fähret so dahin,

9. Als was, so nie gewesen ist, O wol! wer ihr zuvor vergißt, und es nicht spahret, bis zur Zeit, wann alles Weh und Kummer schreyt.

10. Der Creaturen leerer Dunst blende mich nicht mehr, es ist umsonst, was man mir auch wolt bieten an, ich bleib auf meiner Wunder-Bahn.

11. Wo nichts, u. man doch alles hat, weil man aus Gottes All ist satt. Wer kommen ist zu diesem Loos, ruht schon der Ewigkeit im Schooß.

12. Wollan, diß ist nun meine Kron, daß aller Creaturen Hohn, weil nichts besitz auf dieser Erd, im ew'gen Nichts verherrlicht werd.

13. Dabey ist diß die gröste Haab, daß ich mir selbst bin kommen ab, weiß auch von keinem schmerz u. Pein, weil in mein nichts gegangen ein.

14. Der hohe Thronsitz der gedult hat mir erworben Gottes Huld: dann mein im nichts gesundne Haab zu Ewigkeit nicht kommt ins grab.

15. Der Gottheit Ungrund da erscheint, wer sich vor Lieb zu tode weint. Jetzt blüht der Armuth hoher Muth, weil funden das verlorne Gut.

381.

WEr kann verdencken mir, daß ich ein Lebensführ von Menschen abgekehrt, es hat mich so gelehrt

2. Die grose Noth und Klag, die öfters in mir lag, wenn meine Lebens-Kraft war in mir weggerafft

3. Von denen, die im Schein auch wolten Christen seyn, und nur bey leerem Wahn mit giengen diese Bahn.

4. Allein es hieß verstellt, das Hertz hieng an der Welt: die Worte solten nur gnug seyn zu dieser Spur.

5. Das leere Maul-Geschwetz war das betrüglich Netz, das viele Hertzen hat geführt von Gottes Rahe.

6. Daß sie den rechten Pfad verfehlet in der

K f 3

That: nichts hatten als den Thon von JEsu Gottes Sohn.

7. Die Zunge führt den Schein, ins Hertze kommt nichts ein, weil solches war umstellt mit eitelem Trug der Welt.

8. Da war so viel zu thun, man hat nicht Zeit zu ruhn, noch dem zu forschen nach, was zu der Seel Gemach.

9. Alle Bedencklichkeit gieng nur auf diese Zeit: der Anfang und das End war nur dahin gewendt.

10. Daß man kont leben wohl, damit nichts mangeln soll, so wird dann alle Zeit verschwendt mit viel Arbeit

11. Nur um das irrdisch Brod, die Seele bleibet todt, da ist kein Zeit noch Raum daran zu dencken kaum.

※ ※ ※

12. O! was ein Christenthum, O! was ein eitler Ruhm, wenn noch das Joch der Welt sogar gefangen hält.

13. Was soll ich sagen doch? man dancket GOtt wohl noch, daß man so leben kann bey diesem Fluch und Bann.

14. Wo ist doch Gottes Rahe gebliben in der That? wenn es im Worte heißt: thut trachten allermeist

15. Nach dem, was nicht vergeht, allein auf das nur seht, gebricht es schon an Brod, es hat darum nicht Noth.

16. Man wird nicht davon satt, daß man viel Güter hat: das Lebens-Wort aus GOtt kann retten wohl aus Noth.

17. Diß ist so aus der Acht, da wird nicht an gedacht: man bleibe beym alten Brauch, und diener nur dem Bauch.

18. Der wahre Christen-Stand ist nicht also bewandt: man lebe nach Christi Lehr, gibt seinem Geist Gehör.

19. Drum will ich wallen fort, und folgen diesem Wort, das mir gesprochen ein wider den Trug und Schein.

20. Ob schon der rechte Weg und schmale Lebens-Steg ist kommen aus der Acht, und gantz zu nicht gemacht:

21. So

21. So ist Er doch mein Theil, und meiner Seelen Heil, mein Bestes auf der Welt, das ich mir hab erwählt.

22. Bin ich dabey schon klein, es wird wohl anders seyn, wenn kommen ich zum End, und meinen Lauff vollend.

23. Hier trag ich Christi Joch, dort werd ich kommen hoch: hier bin ich nur ein Gast, dort sind ich meine Rast.

24. Sein Leben und sein Lehr sind meine beste Wehr wider der Menschen Wahn, so nicht geht diese Bahn.

25. Was frag ich nach dem Dunst der Menschen, die umsonst hie leben, weil die Welt sie vor ihr Theil erwählt.

26. Die Welt wird nicht bestehn, und wer ihr nach thut gehn, wird fallen mit dahin, O! eiteler Gewinn.

27. Und ob schon viel sich mühn, mich suchen an zu ziehn mit vielem schönen Schein, ich lasse mich nicht ein.

28. Bis daß ich sehen kann, daß sie von jederman verworffen auf der Welt, und thun, was GOtt gefälle.

29. Ob schon die Worte schön, so kann man doch bald sehn: wer GOtt oder die Welt zu seinem Augmerck hält.

30. Dann, wer mit ihr nur hat zu schaffen früh und spat, der hat schon da sein Theil erwählt zu seinem Heil.

31. Sonst könt sein Herz nicht ruhn, er müßte, anders thun, und suchen, daß er frey zum Dienste Gottes sey.

32. Wohin das Herz gerichte, wohin man sich verpflicht: dem muß man folgen nach bey Nacht und auch bey Tag.

33. Diß zeiget an den Mann, daß man ihn kennen kann, wenn er die ganze Zeit zu Dienste stehe bereit.

34. Ists Herz nach GOtt gerichte, so ist das seine Pflicht: daß er auch früh und spat mit GOtt zu schaffen hat.

35. Und stehet jeder Zeit zu seinem Dienst bereit: und thut nur hangen an, was vor GOtt recht gethan.

36. So bringt er seine Zeit mit Mühe und Arbeit in Gottes Segen zu, bey stiller Herzens-Ruh.

37. Und dienet seinem GOtt, fragt nicht, was seine Rott im Herzen von ihm ticht, wann sie das Urtheil spricht.

38. Er führet keine Klag, wenn sie schon sieben Tag, sein Herz ist in der Still, er ruht in Gottes Will.

39. Hält sie ihn schon vor Thor, er singt GOtt Lob davor: so wird ihm diese Zeit zur frohen Ewigkeit.

Sela.

40. Das ist ein frommer Mann, so gehet diese Bahn; mit diesem wall ich fort bis zu der Himmels-Pfort.

41. So bleibt mein Herz bewahrt, wenn ich bin so gepaart mit denen, die GOtt recht dienen als treue Knecht.

42. Und wär ich ganz allein, so würd doch einer seyn, der mich vergnügen kann auf dieser Lebens-Bahn.

43. Fragstu mich: wer der ist? Er heisset JEsus Christ: Der ist der best Gefährt den Seinen hier auf Erd.

382.

Wer ohne eitlen Schein in GOtt gegangen ein, besitzt ohn End u. Zeit die wahre Seligkeit.

2. Gehet gleich hin u. her, als ob er es nicht wär; es sieht sich nur so an, es ist ein andrer Mann.

3. Die Traurigkeit der Welt ist hin u. wie entseele, die Freudigkeit in GOtt macht auch den Tod zum Spott.

4. Wer GOtt sitzt in Gnad, wandelt nach seinem Raht, kan Sachen zeigen an, die man nicht sagen kann.

5. Was da vor ein Genuß, wann kommt die Frucht der Buß: es heißt GOtt-Wesenheit, besteiger Welt und Zeit.

6. Der Himmel ist erneut, die Erde ist befreyt vom schweren Fluch u. Bann, weil GOtt ihn abgethan.

7. GOtt hat mich heim gebracht, drum ist mein Ziel erjagt, was er thut schencken ein, ist nicht gemeiner Wein.

8. Ich leb in ihm vergnügt, er ist mein Unterricht

riht, läßt mich nie Hilf-loß stehn, noch Rath-loß umher gehn.

9. Er gibt mir weisen Rath, gebriche es an der That, ich darf mich nur umsehn, so hilfft er aus den Wehn.

10. Ich hätt es nie gedacht, eh ich zurecht gebracht, daß Gottes Wesenheit so hilfft aus allem Leid.

11. Ich weiß von keiner Müh, wann ich mich selber flieh, zieht mich sein Wesen an, so ists, was ich seyn kann.

12. Ich gehe ein und aus, er hält stets selber Haus, wann ichs nur mercken kan, er zeigts mit Wincken an.

13. Wann er gibt Unterricht, so ist er selbst die Pflicht, und stellt im Wesen dar, was sonst zu sagen war.

14. GOtt ist ein reiner Geist, wer seiner Gnast geneußt, hat steten Unterricht aus seinem reinen Licht.

15. Wer sich darinnen übt, da wird nicht ausgeliebt, scheine man gleich ausgeleert, dadurch wird man bewährt.

16. Meint man, es sey gethan, fange er einanders an, so wird man wieder neu, daß auch nichts schöners sey.

17. Ich bin so froh gemacht, wann ich die Sach betracht, ists meine Geistes-weid; doch heißts Verborgenheit.

18. Wann ich geh tief hinein, und wolt inwendig seyn, ist er um mich herum, bis ich hinauswärts komm.

19. Bau ich dann da mein Haus, so zieht er wieder aus, und kehrt in mich hinein, um dabey mir zu seyn.

20. So ist er meine Pfleg, wann mich auch niederleg, und steh ich wieder auf, so merckt er eben drauf.

21. Daß ich mich nicht vergeh, und so in ihm besteh, wolt sonst was reden drein, so heißts, ich wäre sein.

22. So leb ich dann in GOtt; ob man gleich meiner spott, ich achte nichts den Hohn, weil GOtt nun selbst mein Lohn.

23. Verliert sich mir die Zeit, die stille Ewigkeit ist meiner Mutter Haus, da ich geh ein und aus.

24. So bin ich dann daheim, wann ichs nur nicht versäum, so heißts: schweig alle Noth, ich ruhe nun in GOtt.

383.

WEr von Hertzen hingegeben, was in dieser Welt beglückt, und stets traurig thut umschweben, wird zuletzt von GOtt erquickt. Wohnt er gleich in Mesechs Zelt, und verborgen aller Welt, wird man doch mit Augen sehen, wie GOtt pfleget zu erhöhen.

2. O! was vor ein innigs Prangen, und vor reiche Gnaden-Füll, wer ins Innre eingegangen, und GOtt dient in tiefer Still. Alles, was sonst macht Geschrey, ist vergessen und vorbey; noch das best bey diesem Handel ist der Enochische Wandel.

3. Wo man stets mit GOtt umgehet, u. pflegt dessen Tag u. Nacht, wo auch nur ein Windlein wehet, daß es wird hinein gebracht in das innre Heiligthum, allwo alles still u. stumm, u. sonst anders keine Sachen, als die GOtt selbst machen.

4. Was vor Stimmen da gehöret, schallt nicht in der Sinnen Ohr; wann die Andacht wird vermehret, tritt man in den innern Chor: da wird kein Geschrey gehört, das ie Andachts-brunst verstört: wolte sie auch gar einschlaffen, thut man etwas neues schaffen.

5. Wolt auch Enochs Wandel fincken, wo man ist mit GOtt gemein, thut man sich zur Jungfrau lencken, die einschencket neuen Wein. Jetzt tritt auf ein höher Chor, daß geöffnet wird das Ohr, zu vernehmen Wunder-sachen, die sie in der Stille machen.

6. Alhier sind die Engel Diener; bey der Jungfrauen Kirchen-Zeit treten auf die viel Versühner, und vereinen, was gezweyt. Was diß seyn wird vor ein Fest, und was werden seyn vor Gäst, lässet sich alhier nicht sagen, noch mit Worten es vortragen.

7. Wann die Jungfrau schläfrig scheinet, such ich Enochs Wandel auf, da wird man mit GOtt vereinet, diß ists, wo stets mercke drauff. Ist die Jungfrau wieder da, bin ich so gleichwol noch

noch so nah, als wie sie nur eingeschlafen, und
gemacht mit GOtt zu schaffen.

8. Dis sind neue Wunder-Wege, die im innern Heiligthum kommen vor; wann scheine
träge, ist bald was um mich herum. Ist es
GOtt oder die Braut, worauf sonst mein Schloß
gebaut: kann ich mercken an den Sachen, die
man mir nun vor thut machen.

9. Ist es GOtt, so macht es leben, daß von
aussen kein Geschrey, ists die Jungfrau, die kanns
heben, daß man nicht zu stille sey; dann ihr
Wesen hat sich so, ist sie da, so wird man froh,
daß man allerdings muß sagen, was man thut
im Hertzen tragen.

10. Die nur in dem Vorhof dienen, wo man
GOtt mit viel Geschrey sucht sein Leben auszu-
führen, kommen nicht an diese Reih. Dann da
ist man Gottes Brod, das erlöset vom ew'gen
Tod. In dem Vorhof der Gedancken ist nur
hin und wieder Wancken.

11. Drum ist diß mein einzig Leben, daß ich
bin mit GOtt gemein, wolt sich auch ein Sturm
erheben, dring ich nur noch tiefer ein in der Jungfrau Kabinet, alwo alles rein und nett; dann da
thut kein Windgen wehen, wolts auch seyn, es
müsst vergehen.

12. Dieses ist die ewge Stille, wo sonst keine
Stimm erschallt, ohne, wo die Gottes-Fülle in
dem reinen Geist aufwallt. Diß macht einen
solchen Ton, daß verherrlicht Gottes Sohn, der
dis grose Heil erworben, weil er ist am Creutz gestorben.

13. Da thut wiederum ausgrünen, wo vertrocknet ist der Safft; alles muß zum Segen
dienen durch des Höchsten Wunder-Krafft. Was
auch sonst geworden alt, und geschienen ungestalt,
thut dis Heiligthum verneuen, daß sich jung und
alt erfreuen.

14. Hier ist die erwünschte Stille, und ver-
borne Herrlichkeit; hier ist aller Dinge Fülle, die
verendert keine Zeit. Hier grünt Arons Ruthe
schön, daß sehr freudig anzusehn. Wolte sich
sonst was verkleiden, sagt man ihm von Ewigkeiten.

15. O! Erwünschtes Freuden-Leben; O Un-

grund ewiger Gnad; wer kann doch genug erheben? was GOtt selbst ersehen hat. Hier sind
alle, groß und klein zu der Ruhe gangen ein.
Wer noch anders was wolt wissen, such es bey
des Lammes Füssen.

384.

WEr wird dann können wol das Wunder
hier aussagen, so die Erlöseten im Hertzen
umher tragen? die kommen an das Ziel der GOtt-
Zufriedenheit, wo sie darnach gejagt bey so viel
schwerem Streit.

2. Nun thut die Gnaden-Sonn aufs neue
lieblich scheinen, die vor so hart verdeckt unter so
langem Weinen. Kaum hät: man es je zuvor
einmal gedacht, was die betrübte Zeit vor Segen nun einbracht.

3. Jetzt ist der Wandel nicht mehr nach dem
Ziel zu jagen, man thut den Himmel selbst im
Hertzen umher tragen. Wann andre suchen
GOtt auf mancherley Bescheid, sitzt man in tie-
fer Still in der Zufriedenheit.

4. Komm, lang erwünschtes Glück, bau deine Friedens-Zeiten im Segen auf, das ist mir
mehr dann tausend Welten. Diß ists was ich
gesucht in der vergangnen Zeit, daß mögt in
Hütten ruhn wo stoltze Sicherheit.

5. Wie alle Heiligen stehen mit mir im Sehnen, daß bald ein Ende werd der viel und langen
Trähnen. Die gantze Schöpffung selbst stimmt
hiemit überein, daß die Erquickungs-Zeit bald
brechen möcht herein.

6. Dann weil die Erstlings-Krafft die Heiligen durchdrungen, daß es im Vorspiel schon als
wie im Sieg gelungen. Und weil sie des gewöhnt so stehen sie dabey, daß alle Creatur bald
möchte werden frey.

7. Vom Dienst der Eitelkeit, wo sie so hart
gebunden auch selbst einträchtig schreyt nach den
Erlösungs-Stunden. Jetzt bringt der Hoffnungs-
Baum die Frühlings-Blüth herfür, die in dem
Vorbild zeigt, das Heil sey vor der Thür.

8. Sey froh, du traurige, die lang betrübt
gesessen, dann Gottes Güte wird dir anders nun
einmessen; vor deinen langen Drang und viel-
gehab-

gehabtes Leid wirſtu um ſo viel mehr von deinem GOtt erfreut.

9. O! komm, du groſes Heil, laß es bald lichte werden, daß deine Traurige einmal erquickt auf Erden; und der Welt-Krayß einſt könn dein Wunder ſehn, die über dein Geſchöpff und Heiligen aufgehn.

10. Ich ſelbſt will ſtimmen an, und ſagen von Verlangen, wo man mit Augen ſieht das groſe Heil aufgangen; daß auf der gantzen Welt ſonſt anders nichts zu ſehn, als wie der Völcker Schaar im Frieden einher gehn.

11. Das iſt die goldne Zeit, wo kommet eingeloffen, was alle Heiligen mit Schmertzen thäten hoffen. Da dann kein böß Geſchrey zu hören noch zu ſehn, weil der Gerechten Hütten ſchön erbauet ſtehn.

12. Jetzt ſind nicht mehr betrübt, die in ſo langem Stöhnen, diß groſe Heil erwart, unter ſo vielen Trähnen. Wann dieſe frohe Zeit wird werden offenbar, ſo wird man ſehen, was ſo lang verheiſſen war.

13. Dis machet mich annoch ſo manche Trähnen ſäen, damit doch balde möcht das groſe Heil aufgehen. Der lang und ſchwere Drang hat mich faſt übermocht, doch wird nicht ausgelöſcht das ſchwach und glimmend Tocht.

14. Komm! ſagt der Wächter Stimm: kommt alle ihr Getreuen: das Heil iſt auf der Bahn, GOtt läſſet ſich nichts reuen, was er verheiſſen hat den Elenden im Land, das wird nun offenbar und aller Welt bekannt.

15. Jetzt kann ich ſagen nicht, was bracht mein langes Hoffen, wann ſeh das groſe Heil ſo ſchleunig angeloffen. Schwerg ſtill, O Trauer-Mund! ſag nichts von deinem Leid, weil bricht ſo ſchnell herein die froh Erquickungs-Zeit.

16. Kommt alle Traurige, und ſeh die ſchöne Kronen, womit die ewge Gnad zuletzt wird belohnen, die nie ſind worden müd in der betrübten Zeit, drum läſſt er ſie auch ſehn die groſe Herrlichkeit:

17 Die nun vor unſrer Thür, nach ſo viel langem Weinen; zum Wunder aller Welt gar

plötzlich wird erſcheinen. Nunmehr ſind frohgemacht die Elenden im Land, weil Gottes Wunder-Macht wird aller Welt bekant.

18. O groſer GOtt! laß mir mein Theil auch daran werden; wann deine Herrlichkeit auf dieſer gantzen Erden den Völckern nah und fern wird werden offenbar, ſo dann wird ſeyn das Glück und groſe Freuden-Jahr.

19. Das iſt, und hat zu ſeyn der heilgen Väter Hoffen, und nun ſo unverſehn iſt kommen eingeloffen. Jetzt kann man ſtille ſeyn nach viel gehabten Leid, weil man iſt gangen ein zur ſtillen Ewigkeit.

385.

WER wird in jener neuen Welt, O HErr! wohl bey dir wohnen, und ruhn in deiner Hütt und Zelt, wo du thuſt ſelber thronen? Wer wird den Berg der Heiligkeit beſteigen, den du dir bereit? Sag mir, wer wird wohl ſeyn der Mann, der ſeine Höh beſteigen kann.

2. Wer rein u. ſauber worden iſt im Blut des Lams gewaſchen, u. wer auf ewig hin vergißt die Luſt von fremden Naſchen: wer einen reinen Wandel führt, und Licht und Recht denſelben ziert, und läßt nichts reden ſeinen Mund, was nicht iſt in des Hertzens Grund.

3. Wer nichts hinter den Wänden thut, u. läßt die Zung nichts reden, als nur was heilſam recht und gut, und thut ihrn Gräuel tödten, die ſie hinter dem Hertzen hat, wenn es verfehlet Gottes Rath. Wer nie ein Arges in dem Sinn läßt über Andre gehen hin.

4. Wer ſeinen Freund und Bruder liebt, u. thut ihn nicht verſchmähen, wann er an ihm was Sträflichs ſieht; ſondern vor ihn thut ſtehen. Wer die Gottloſen thut veracht, und ihren Handel gar nichts acht: wer hoch und werth die Frommen ſchätzt, iſt ſicher, und bleibt unverletzt.

5. Wer Treu und Glauben ewig hält, was er hat Guts geſchworen dem Nächſten, wann er auch ſchon fällt: der wird nicht gehn verlohren. Wer keinen fremden Handel treibt, wo man dem Böſen einverleibt, wer nicht einwilligt in den Rath, wo jemand nichts verſchuldet hat.

6.

6. Diß ist (der Mann, der dort bey mir in meiner Hütt wird wohnen: den werd ich segnen dort und hier, und über ihme thronen. Der ists, so ewig bleiben wird; ob er auch zeitlich schon abirrt: er wird mich sehen von Gesicht, weil sein Herz war auf mich gericht.

7. Preiß, Lob und Ruhm, Danck, Krafft und Ehr sey dir, mein GOtt, gegeben vor die heilsam und gute Lehr, die mir so nütz im Leben. Diß wird wohl hier mein Leben-lang mein Wahl-Spruch bleiben in dem Gang, bis ich in deiner Hütt-und Zelt erfreuet werd in jener Welt.

386.

Wie bin ich doch allhier so gantz und gar verlassen auf meiner Glaubens-Bahn und engen Leidens-Straasen: das Glaubens-Füncklein macht gar offte neue Flammen; doch will der schwache muth nicht treffen mit zusammen.

2. Allein seh ich dorthin, wo mit viel Freuden prangen, die hier in dieser Welt den schmalen Weg gegangen: so fängt mein Hertze an für Freuden aufzuspringen, daß ich in meinem Leid kan Hoffnungs-Lieder singen.

3. Trag ich schon manches Leid allhier auf dieser Erden, so wird mir doch alldort ein Beßers dafür werden: wann einst die Erndte wird die Trauer-Saat erfreuen, und GOtt, in jener Welt, wird alles gar erneuen.

4. Und ob mein Leid auch wär dem besten Freund verborgen: so weiß ich doch, es thut die treue Liebe sorgen. Wann meine Lebens-Kraft verschwunden scheint zu seyn: so schenckt dieselbe mir viel süse Freude ein.

5. So gehets auf und ab bey vielem Weh und Leiden, bis ich alldorten werd am Lebens-Strom mich weiden mit der erwählten Schaar, die hier auf dieser Erden dem Lamme giengen nach in himmlischen Gebärden.

6. Diß ist dann nun mein Looß, diß hab ich mir erwählet, daß ich des Lammes Schaar als Jungfrau zugezählet: drum geh ich so dahin, und trage meinen Jammer, bis ich werd gehen ein zur stillen Ruhe-Kammer.

387.

Wie erfreulich und gedeylich ist des HErren Gegenwart; doch noch reiner und, viel seiner ists, der Weisheit seyn gepaart.

2. O mein Leben! könt erheben ich dich stets nach Würdigkeit: was ein glücke? jeder Blicke wär zu deinem Dienst bereit.

3. O was Sehnen! viele Thränen goß ich aus um dich, mein Heil. Ja auch jetzund sagt dir mein Mund: sey mir nah, und zu mir eil.

4. Könt ich leben, daß nicht eben dir, mein Alles, zugeneigt: wär ich stille, und mein Wille wär so viel, als wie geschweigt.

5. Wers kan tragen, nichts zu sagen, wann er muß verlassen stehn: thut im Lieben sich nicht üben, weils ihm machet keine Wehn.

6. Zeigt das Lichte mir die Früchte meiner langen Thränen-Saat: O was Freude nach dem Leiden, so erworben Gottes gnad.

7. Ewge Liebe, mich so übe, daß dir bleibe zugekehrt: kan mein Wallen dir gefallen, so ists, was mein Herz begehrt.

8. Wann ich spühre, daß mich führe deine treue Gnaden-Hand, ist mein Handel und mein Wandel mit der Ewigkeit verwand.

9. Dieses Sehnen macht gewöhnen mich an deine Gegenwart: wo das Wincken macht sich lencken, daß man also dir nachart.

10. Diß sind Gänge, alle Enge muß zuletzt sich lösen auf: recht gedeylich und erfreulich wird der frohe Glaubens-Lauf.

11. Wer erlesen dieses Wesen, so man allgenugsam heißt: ist ersuncken und ertruncken, wo man gantz in GOtt einfleußt.

12. Da ist Leben, das kan geben, was den Willen stille macht: man kan singen vom Gelingen, und GOtt dienen Tag und Nacht.

13. Alles Sterben machet erben, was uns Gottes Güt verheißt. O wie selig! O wie frölich ist! wer heim zu GOtt gereißt.

14. Auch gibts Winde gantz gelinde, die da wehen sanfft und still. Diß gibt Wesen, macht genesen aus der tiefen Gottheits-Füll.

15. Ueberjahret und gepaaret heißt, wer so ist heim gebracht: ist verbunden, und gefunden,

was

was man kaum jemals gedacht.

16. Ey was Freude nach dem Leide? ich
seh mir zur Seitheit stehn die Verliebte, sonst
Betrübte, so gehellet meine Wehn.

17. Ach wie lange! manche Drange hatt' ich
um dich, O mein Hertz! bist du meine, und ich
deine, die gesuchet mit so viel Schmertz.

18. Im Umarmen werd erwarmen, wenn du
mein im Alter pflegst. Und im Sterben werd
ich erben, wo du deinen Braut-Schmuck trägst.

19. Gibstu Küsse, so geniesse deiner Huld u.
Freundlichkeit. Unser Lieben, unser Lieben, ist
nun ohne Ziel und Zeit.

20. Unsre Ehe hat kein Wehe, macht den
Morgen jener Welt: gibt Gedeyen zum Erfreu-
en ewiglich ins Himmels Zelt.

21. Jetzt sag Amen, in dem Nahmen Sophia, du Reine du: du gibst Wesen zum Genesen, bist der Hoof der ewgen Ruh.

388.

WIe fähret dahin mein irdischer Sinn: das
Ziele der Welt vergehet, ich dringe ins
himmlische Zelt.

2. Weg irdische Lust: es ist mir bewußt ein
Leben voll Freud, das nimmer verändert durch
Stunde und Zeit.

3. Weg weltlicher Pracht! dein Leben nichts
acht mein Göttlicher Sinn: er lässet dich fahren
mit vollem Gewinn.

4. Dein nichtiger Schein geht nicht in mich
ein, ich bleibe verstellt: so werd ich von deinem
Trug nimmer gefällt.

5. Du bleibest verlacht von mir, und veracht:
mein bester Gewinn ist, daß ich dich gänzlich laß
fahren dahin.

6. Du blendst mich nicht mehr, dein eitele
Ehr, ein nichtiger Tand, vergehet gar balde, und
hält keinen Stand.

7. Du schenckest zwar ein vom nichtigen
Schein viel eitele Lust: mir aber ist nunmehr ein
Bessers bewußt.

8. Dein nichtiges Spiel ist mir nun zu viel:
ich achte die Zeit viel höher dann alle vergänzli-
che Freud.

9. Der Schluß ist gemacht, ich sage gut
Nacht dem Leben der Welt, samt allem, was endlich zu Boden hinfällt.

10. Mein bester Gewinn fährt auch mit dahin: der zeitlich und leicht, und hindert, daß man
nicht die Krone erreicht.

11. Nun ist es gethan, ich gehe die Bahn ins
himmlische Zelt: da sind ich, was ich mir vor
jenes erwählt.

389.

WIe fein siehts aus? der harte Strauß ist
nun zu seinem End gekommen. O edle
Kron! mein Gnaden-Lohn wird mir nun mit
der Schaar der Frommen.

2. Ich bin erneut, von GOtt erfreut, mein
Glück hat schon sein Ziel getroffen: in jener
Welt, wenns Alte fällt, hab ich das wahre Gut
zu hoffen.

3. Der Weißheit Schein geht tiefer ein, macht
seicht der reinen Tugend Spiegel: ich trinck mit
Lust aus ihrer Brust, die mir druckt ein das volle Siegel.

4. Daß mir mein Recht bey dem Geschlecht,
so wird der Jungfraun-Chor genennet. O grose Freud! in Ewigkeit werd ich nicht mehr davon getrennet.

5. Diß ist mein Looß, in diesem Schooß werd
ich wol ohne Ende rasten. Die süse Ruh blühte
immer zu, weil ich befreyt von allen Lasten.

390.

WIe freudig und lieblich sind unsere Gänge,
wann JEsus erweitert die tödtliche Enge:
so gehen wir freudig die himmlischen Straasen;
ob wir sie schon öfters mit Tränen benassen.

2. Nun siehet man wiederum blühen die Rosen, die vorhin in Strenge und Kälte verschlossen: was lange in Schmerzen und Leiden gesessen, ist nunmehr in Freuden des Himmels genesen.

3. Wie würden die traurige Stunden so lange, da dunckele Nächte uns machen sehr bange:
weil alle Einflüsse des Himmels entzogen, die vormals doch unsere Hertzen bewogen.

4. Da jedes sich ihme zu eigen ergeben, um
also nur ihme zu Ehren zu leben. O Jammer!
was

£ 1 2

was Schmerzen wird öfters empfunden in denen betrübeten Zeiten und Stunden.

5. Die Pforte der Liebe war harte verriegelt, der Brunnen des Lebens verschlossen, versiegelt: in Schmerzen und Trauren mußt jederman stehen, so bald er nur dieses im Blicke ersehen.

6. Die vormals als brennende Fackeln im Scheinen, die möchten vor Schmerzen das Herze ausweinen: weil Schmach und Verachtung von Bösen und Frommen von nahe und ferne ist über sie kommen.

7. Wer solte nicht trauren in Zeiten und Tagen, wann Gottes Ergebne so harte geschlagen? was wird dann noch treffen der Sünder Gemeine, die denen Betrübten verdoppelt das Weinen.

8. Doch wollen wir schweigen von Schmerzen und Wehen, dieweil uns die Sonne thut wieder aufgehen: was vorhin so harte in Kälte verschlossen, wird nunmehr mit himmlischen Thauen begossen.

9. Wir können nicht sagen, was uns ist gefunden, weil unsere tödliche Schmerzen verbunden: das sanffte Aufkommen gibt seligs Gedeyen, drum können wir alle von Herzen uns freuen.

10. Ach JEsu! du treuer und holdester Buhle, bleib du doch Berather in unserer Schule: verlasse uns nimmermehr, gib uns Gedancken, daß alle in Ewigkeit nimmermehr wancken.

11. Der Segen, womit dich die Salbung begossen, komm reichlich auf jedes von innen geflossen: so können wir zeigen die liebliche Blüthe an Herzen und Geistern, an Sinn und Gemüthe.

12. Du hast uns, O Holder! selbst an dich gezogen, so daß wir sind alle in Liebe bewogen: und also entkommen der Freude der Erden, damit wir nur deine Ergebene werden.

13. Drum wollen wir deiner in Liebe nur warten, damit wir derselben in allem nacharten: und ob wir schon öfters vorhero versehen, soll jedes doch deinem Fuß treulich nachgehen.

14. Und wirst du in unsern Gezelten verbleiben, so können wir stetig dasselbe Werck treiben: wo jedes das Schönste und Liebste will werden, so wie du bist selber, an Sinn und Gebärden.

15. Und weil wir sind deinem Geruche nachgangen, so werden wir alle den Segen erlangen: wo stetes Umarmen im reinesten Lieben, und jedes dem Lamme auf ewig verschrieben. ✠

16. So sind wir dann wieder aufs neue beraihen, der vielen Gebresten und Sorgen entladen; das heimliche Aechzen und Krächzen verschwunden, daneben die Freyheit des Himmels gefunden.

17. Drum wollen wir bleiben das Wunder der Zeiten, zur Hochzeit des Lammes uns alle bereiten, als Jungfern und Bräute im lieblichen Prangen, bis daß uns kommt JEsus entgegen gegangen.

18. Und wird uns in himmlischen Braut-Saal einleiten, daselbsten die kostbarsten Tafeln bereiten: er wird sich aufschürzen, den Liebsten zu dienen, wer wird wohl die Schönste seyn da unter ihnen?

19. Indessen muß Freude und Wonne aufgehen bey allen, die allhier dem Lamme nachgehen: bis daß wir erlangen das sel'ge Gedeyen, da JEsus uns alle wird gänzlich erneuen.

391.

Wie innig kan ein Herz in Gottes Liebe rasten, so einmal ganz befreyt von Welt und Tages-Lasten: der Friede muß sich da gleich einem Meer ergiesen, und die gehabte Müh und vieles Leid versüsen.

2. Diß wird wol kein Gedicht noch Menschen Raht ermessen, was da in süser Still vor Gutes eingemessen: holdselig ist der Ort, wo solches Herz in wohnet, weil Gottes reine Lieb darinnen selbsten thronet.

3. O angenehme Kost! in so viel Leid erworben, da öfters meine Krafft von Schmerzen gar erstorben. O theure Gottes-Huld! unendlich hoch zu loben, die mich erhalten hat in so viel schweren Proben.

392.

Wie ist mein Leben doch so bald verschwunden, O Menschen-Kinder! werdet klug und dencket dran: wer meint, er hätt den edlen Schatz gefunden, und bleibet doch nicht richtig auf der
engen

engen Bahn, kan plötzlich, eh ers mercken kan,
des Richters Stimme werden: thu Rechenschafft
von deinem Thun, wie du gelebt auf Erden.

2. Wo wird der arme Geist wohl übernachten? wann diese Hütte fällt der äusern sterblichkeit, drum wohl! wer dieses fleißig thut betrachten, wie er den Wandel führ all seine Lebens-Zeit.
Wer Gottes Langmuth und Gedult sich nicht
läßt gehn zu Hertzen, kan sich bald überfallen sehn
mit vielem Weh und Schmertzen.

3. Nun hat sich meine Fahrt glücklich geendet,
weil ich das wahre Gut gesucht auf dieser Welt:
drum hat sich auch mein Schmertzen umgewendet, weil stets gesucht zu leben, wie es GOtt gefällt. Gar früh in meiner Jugend Blüh sucht
ich das Liebst im Leben; allein, ich mußt, eh ichs
vermeint, in vielem Elend schweben.

4. Doch ward mein Liebes-Sinn nicht aufgehoben; ob schon viel Schmertzen mich umgaben wie ein Meer: nun werde ich alldort GOtt
ewig loben, wann seine Macht erhöht von allen
Orten her. Drum wohl! wer hier sein Leben
lang nichts anders sucht auf Erden, als wie er
dort in jener Welt mög Gottes Erbe werden.

5. Ich habe freylich oft in vielem Stöhnen
umgangen hier in vieler Noth und Traurigkeit,
dabey mein Heil gesucht mit vielen Thränen, und
also zugebracht die gantze Lebens-Zeit. Nun a-
ber hab nach Gottes Wahl mein Elend abgela-
den: gut Nacht, ihr Frommen allzumahl, ich
ruh im Schooß der Gnaden.

393.

Wie kan doch:/: ein Hertze nicht loben den
lieblichen Herrscher den König von oben:
das alles Vergnügen in Ihme gefunden, und
bleibet Ihm zeitlich und ewig verbunden.

2. Kommt alle :/: Ihr liebende Seelen, wir
wollen zusammen die Wunder erzehlen des, der
uns gibt Segen und stetigs Gedeyen, daß Hertze
und Geiste und Seele sich freuen.

3. Kein Zagen:/: werd immer gefunden, dieweil wir mit Göttlicher Liebe verbunden. Das
Wehen des Geistes hält alle zusammen, dieweil
wir vereinet in liebenden Flammen.

L l 3

4. Wie lieblich:/: sind unsere Gänge, wann
die sich erweiten nach vielem Gedränge! wo zeit-
lich-vergnügende Freude verschwunden, da werden die himmlische Schätze gefunden.

5. Drum können:/: wir alles vergessen, wo
wir auch in tödlichen Schmertzen gesessen: dieweil wir die selige Früchte geniessen, die unsre
bittere Leiden versüßen.

6. Nichts kan uns:/: den Himmel versagen,
dieweil wir das Creutze im Hertzen umtragen:
O selige Wegfahrt! wer damit versehen, wird
dorten mit Freuden zum Himmel eingehen.

7. Drum hoffen:/: wir alle zusammen, wir
werden alldorten den Segen erlangen. Das
lange Erwarten in Schmertzen und Jammer
macht endlich eingehen zur stillen Ruh-Kammer.

394.

Wie kän mein Hertze nun so sanffte in Ruhe
rasten: weil GOtt mich hat befreyt von so
viel schweren Lasten. Ich gehe zwar dahin in
Leiden, Dulten, Hoffen; doch wird zuletz noch
wol das rechte Ziel getroffen.

2. Dann meine Zeit ist hin, die eitle Lust verschwunden: der Seelen stille Ruh wird nach und
nach gefunden. Wie werd ich seyn so froh, wann
alles gantz vergessen: wo meine Seel zuvor in
so viel Leid gesessen.

3. Diß ist nun meine Freud, die mir Gene-
sung giebet, weil meine Seele wird von meinem
GOtt geliebet. O reicher Trost! was Huld,
die mich bringt zum Genesen, wo ich zuvoren war
in so viel Leid gesessen.

4. So ruhe dann, mein Hertz! in deiner stillen Kammer: weil dich dein GOtt befreyt von
allem Leid und Jammer: dann innig eingekehrt,
seyn still, und abgeschieden bringt alle Völle ein,
und den erwünschten Frieden.

395.

Wie kindlich und hertzlich läßt sich es ansehen,
wann Seelen dem reinesten Lamme nachgehen; geschmieget, gebeuget nach Göttlicher Art,
daneben in reinester Liebe gepaart. So müssen
schön klingen die lieblichen Lieder, die also anstimmen die reinsten Gemüther: Sophia stimmt
selbst mit von oben hernieder.   2. Nichts

2. Nichts schöners auf Erden wird jemals gesehen, als wañ man vereinte Hertze sieht gehen, die anders nichts suchen als einzig allein in reinester Liebe vereinigt zu seyn: die Freude des Himmels muß blühen auf Erden, wann Göttliche Hertzen verherrlichet werden, und stetig erscheinen in reinen Gebärden.

3. Was Freude in diesem Jungfräulichen Orden, weil Sophia Mutter und Schwester ist worden, und alle zusammen ein Göttlich Geblüt, jungfräulich gesinnet in Hertz und Gemüth. Ach! laß uns doch ewig in diesem Sinn stehen! und also dir stetig, O Lamme! nachgehen, und ja nicht erbleichen in Schmerzen und Wehen.

4. Die Sonne des Himmels thut wiederum scheinen nach vielem Betrüben und schmerzlichem Weinen, da alles gebeuget im niedrigen Sinn, weil aller Schmuck, Ehre war gänzlich dahin. In Wolcken, betrübten und dunckelen Zeiten, thut unsere Liebe den Braut-Schmuck bereiten, so stehts so viel schöner in Göttlichen Freuden.

5. Die Liebe von oben bringt tödliche Schmertzen, wovon Seelen dieselbige tragen im Hertzen, da müssen erkrancken die Stunden der Zeit, weil selbe von himmlischer Liebe geweyt. Wie lieblich hergegen läßt es sich ansehen, wo gänzlich erstorben die irrdische Mühen, und sonsten nichts anders als Liebe zu sehen.

6. Der Braut-Schatz des Himmels wird da erst erworben, wo Seelen den irrdischen Sinnen erstorben: wo himmlische Liebe erödtet den Sinn, erwachet ein neues mit vielem Gewinn. O Schönheit! wo irrdische Liebe begraben, da können sich Hertzen am Himmlischen laben, wo niemand was bessers kan finden noch haben.

7. O himmlische Schönheit! O Mutter der Liebe! scheuß deine verliebte Straalen hernieder: du bist es doch, die uns alleine gefällt vor allen sonst andern alhier auf der Welt. Ach laß uns doch nimmermehr werden gezweyet, durch deine Einflüsse wird alles verneuet, verbunden, versammlet, was sonst war zerstreuet.

8. Und ob sich schon wenige lassen hier finden, die sich mit dir lauter in Liebe verbinden:

so brennets doch stetig auf unserer Brust, daß uns keine andre als deine bewußt. Dein süßes Anlocken macht alles vergessen, wo wir auch in tödlichen Schmerzen gesessen, dieweil du einschenckest das wahre genesen.

9. Du hohe Gebieterin Göttlicher Seelen, die dich nur alleine zum Braut-Schatz erwehlen: gib Hertzens-Vergnügen in reinester Brunst, laß fremde Zuneigung sich regen umsonst, damit uns kein andere Lockung bethöre, die Sinnen verblende und von dir abkehre: dagegen die reine Lieb in uns vermehre.

10. Laß toben die Sinnen im irrdischen Himmel, wir können nur spoten dem leeren Getümmel, dieweil uns sind andere Sachen bewußt, als die uns nur schmerzen auf unserer Brust: dein Anzug muß stetig im Grunde verbleiben, der kan schon die fremde Geschäffte vertreiben, daß wir den Getreu-und Ergebene bleiben.

11. Diß bleibe geschrieben, und werde gesungen, daß es dir an uns ist zum Segen gelungen. Drum bleibe, O Fürstin! in unserm Gebiet: wir opffern dir Hertze, Geist Sinn und Gemüth. Sind wir dann nun deine Ergebene worden, so kanst du stets walten in unserem Orden als reine Jungfräuliche Bundes-Consorten.

396.

Wie lange soll mein Hertz in dem Verlangen brennen, bis mein so treuer Hirt mich wird sein eigen nennen? die Liebe lässet mich zwar nimmermehr erkalten; doch will derselben Krafft oft vor der Zeit veralten.

2. Ich hange zwar ohn End der Weißheit an dem Hertzen, die mich in sich erhöht, und heilet meinen Schmerzen: doch ist mir nicht genug, daß ich kan dieses wissen, ich mögte gern das Liebst, den Bräutgam selber, küssen.

3. Und weil sein Liebes-Blick mir so ins Hertz gefallen, daß Er mir bleibt der Liebst für tausend andern allein: so wirds noch wol geschehn, daß Er mich wird umfassen, drum will ich Ihn auch nun und ewig nimmer lassen.

397.

WIE

WJE lieblich iſt der Gang der reinen Seelen, die allezeit mit Gottes Huld verſehn: und in der Welt kein ander Gut erwählen, als einzig nur dem Lamme nachzugehn. Man ſiehet anders nichts als ſchöne Sachen, weil Gottes Freundlichkeit ſelbſt zieret den Gang: und wann die Liebe ihnen vor thut machen, ſo preiſen ſie den Schöpffer mit Geſang, und wandlen freudig fort auf denen Wegen, wo Gottes Gut ſie thut im Schooße pflegen.

2. Wir ſind gekrönt nach denen Trauer-Tagen, und gehen wieder freudig unſern Gang; wo wir betrübt, daß wirs nicht dörffen ſagen, preiſen wir nun die Liebe mit Geſang. Wir freuen uns der groſen Gnad und Güte, weil uns nun thut ein reicher Troſt aufgehn: die Schmerzen ſind geheilt, wir ſind nicht müde; die Wunden ſind verbunden, ſamt den Wehn. Wir ſind getröſt, weil wir, ohn alles Klagen, gar manchen Braſt im Hertzen umgetragen.

3. Drum werden wir auch nimmermehr vergeſſen, was Gottes Gnad und Güte eingeſchenckt; da wir zuvor ſo lang betrübt geſeſſen, und nun ſo reich am Gnaden-brunn getränckt. Wohl uns, dieweil wir nun ſo wohl verſehen mit Gnade, Güte, Huld und Freundlichkeit, drum wird der Schmerzen, ſamt den vielen Wehen, vergeſſen mit der harten Trauer-Zeit. Und weil wir dann ſo wohl in Gut berathen, ſo können wir uns aller Sorg entladen.

4. Der Segen, womit Gottes Güte träncket, gibt öfters hohen Muth und neue Krafft: ſo bald man deſſen nur in Lieb gedencket, wird man getröſt auf ſeiner Wanderſchafft. Wir wollen unſers Gottes Güte preiſen unendlich ſchon hier in der Sterblichkeit: und dabey hören laſſen neue Weiſen, wordurch wir täglich werden mehr erfreut in unſrer Wanderſchafft ſchon hier auf Erden, bis wir in jener Welt verherrlicht werden.

5. Drum ſehnen wir uns auch in unſerm Wallen nach unſerm Glück, und eilen dort hinan, ſo werden wir nach Gottes Wohlgefallen niemal ermüden auf derſelben Bahn. So leben wir in ſeiner Huld und Gnade, und laben uns an ſeiner

Freundlichkeit, weil er thut ſelber unſerm Elend rathen, drum bleiben wir ſtets ſeinem Winck bereit: der uns bringt heim nach ſo viel Tages-laſten, wo wir gar ſanfft in ſüſer Ruhe raſten.

6. Wir wollen nun der Sterblichkeit vergeſſen, und ſehnen uns nach jener Ewigkeit: wann kommen wir, daß wir in GOtt geneſen, ſo iſt erſt recht vergeſſen Welt und Zeit. Was hier betrübt, muß wie ein Rauch vergehen, die Freud der Erde fähret mit dahin; drum achten wir auch nicht der eiteln Wehen, der Kummer bringe viel Segen und Gewinn. Wer Wohl und Weh gleich aufnimmt hier auf Erden, dem wird in jener Welt ein Beſſers dafür werden.

398.

WJE lieblich iſt der Gang, der uns zur Ruh hinleitet, noch lieblicher der Ort, wo ſelbe iſt bereitet. Fahr hin, O meine Seel! geh ein zu deinen Freuden, die harte Zeit iſt aus, es iſt zu End das Leiden.

2. Nun ſiehe es anders aus, als in den Trübſals-Tagen, da ich zwar allezeit von Gottes Huld getragen. Nun werd ich meine Saat in vieler Ruh genieſen! der Friede nach dem Streit wird alles Leid verſüſen.

3. Wie manche Zeit und Jahr, wie viel betrübte Stunden mußte gehen ich dahin, bis mir mein Schmerz verbunden. O ſeliger gewinn! wo ich nunmehr anlände, die harte Zeit iſt aus, und alles Leid zu Ende.

4. Doch war mir diß ein Schmerz annoch zu denen Zeiten, weil, eh ich es vermeint, mußte von hinnen ſcheiden: dann dieſes war mein Wunſch, noch länger hier zu leben mit der verlobnen Schaar, die ſich dem Lamm ergeben.

5. Wie lieblich war der Gang, den wir zuſammen hatten, weil ein ſo groſe Gnad uns hat ſo wohl berathen. Wie manche Liebes-Luſt ward in betrübten Zeiten vom Himmel eingeſchencket in unſern Niedrigkeiten.

6. Diß war mein gröſte Freud, weil ich gelebt auf Erden, mich ſo vereint zu ſehn mit denen Kämmer-Heerden. Vor alle Bitterkeit, womit wir oft geträncket, ward uns viel reicher Troſt.

7. O wann ich dran gedenck! was GOtt
gab zu genieſen vor reichen Himmels-Troſt in
unſern bittern-Druſen: ſo iſt kein Wunder, daß
Betrübnuß macht zu ſcheiden von der ſo edlen
Schaar, die ſo verliebt im Leiden.

8. Nun gehe ich dann hin, und wünſche
meinen Lieben, (der gantzen Schweſterſchafft,
die mir ins Hertz geſchrieben,) zu bleiben treu
an GOtt, und ſeinen lieben Frommen, ſo werden wir alldort wieder zuſammen kommen.

399.

WIe macht die Lieb ſo ſchöne Weiſen in dem
vereinten Kinder-Sinn? wer wird dann
wol diß Band zerreiſſen, das uns gebracht zu
GOtt dahin? Wir leben wol und ſind berathen
aus GOtt und ſeiner Fülle her, trotz was uns
ſonſten könne ſchaden: weil Liebe unſer Bruſt-
Gewehr.

2. Drum können wir im Frieden wallen:
weil wir gekommen auf die Bahn, wo täglich
neue Lieder ſchallen, und Jedes ſie thut ſtimmen
an. Es müſſe bleiben eine Weiſe, daß wir ſo
loben unſern GOtt, auf der beglückten Himmels-
Reiſe getreu zu bleiben bis in Tod.

3. Die Liebe wird uns wol noch lohnen in
jener ſchönen neuen Welt, wo GOtt wird Selber innen thrönen, und jedes thun, was Ihm gefällt. Wir gehen hin, beſitzen Frieden, den alle
Welt nicht geben kan: und wallen ſo gantz ohn
Ermüden die ſtille Lieb-und Friedens-Bahn.

4. Wir ſind erquicket in dem Hertzen, weil
wir durch Lieben ſind befreyt von allen alten
Sünden-Schmertzen, und was uns har von
GOtt gezeuyt. So iſt uns dann das Ziel getroffen: weil wir ſo gehn die rechte Bahn und
haben unſer Theil zu hoffen in dem verheiſſen
Canaan.

400.

WIe ſeelig iſt die Fahrt, die glücklich ange-
länder auf der mühſamen Reiß zur frohen
Ewigkeit, das ausgeſchlaffue Glück hat alles umgewendet, weil es erwachet iſt nach der betrübten
Zeit. Nunmehr iſt vergeſſen das Klagen und

Zagen, was in ſo viel Schmertzen ich thäte
umtragen.

2. Wie viel Bekümmernuß, betrübte-Zeit
und Stunden hab ich auf dieſer Welt im Elend
zugebracht: die ſchwere Kelter-Preß hat mich oft
zugewunden, daß wie beſtürtzet ſtund von Traurigkeit der Nacht. Doch was mir in dieſem
Stand übrig geblieben, ließ mich nicht aufhören
unendlich zu lieben.

3. Dann Er mich hat-bedacht, daß ich alldort
ſoll werden ein Erb in Gottes Reich nach dem ſo
müden Lauf: und weilen ich verſagt die Freude
dieſer Erden, bin ich nach ſo viel Leid von Ihm
genommen auf in ſeligſter Wonne mit allen Lieb-
Frommen, die all aus viel Elend und Trübſal
ſind kommen.

4. Wohl dann! es iſt vollbracht, mein Schiff
iſt angelänter nach der ſo ſel'gen Fahrt zur ſtillen
Ewigkeit: wie wohl iſt dem geſchehn, der ſo den
Lauf vollendet, und überwunden hat des Lebens
Nichtigkeit. Ihr Liebſten-im Leben, habt Liebe im Leiden, dort wird man belohnet mit himmliſchen Freuden.

401.

WIe ſchön und herrlich iſt der Gang, wann
Seelen in vereintem Geiſte wallen: wie
thun nicht oft im ſchwerſten Drang die allerbeſt'
und ſchönſte Lieder ſchallen. Die Einheit iſt
das Wunder-Spiel, ſo Gottes Geiſt das Paradieß aufſchlieſer, diß iſt des. reinen Geiſtes Füll,
die oft die gröſte Bitterkeit verſüſer.

2. Wer in der Selbheit Willen ſteht, und dienet GOtt nach eigner Wahl und Meinen, wird
plötzlich, wie vom Wind, verweht, ſo bald die
Krafft im Weſen thut erſcheinen. Die-Probe
von dem reinen Lichte, aus Gottes Geiſt und ſeiner Füll geboren, iſt, daß ſie dieſen Wahn zernicht,
den ſich der Selbheit Sinn aus ſich erkoren.

3. Des abgefallnen Menſchen Stand iſt, ſich
und ſeinen Sinn als GOtt erheben: drum kan
er auch dem Bruder-Band, ſo JEſus Rath uns
lehrt, die Ehr nicht geben. Die Selbheit iſt der
Sünden Krafft, worin die Welt wird zum Gericht erhalten, und wen ſie einmal in Verhafft,

der

der muß an Leib und Seel und Geist erkalten.

4. Wo dieser Greuel abgethan, da grünet aus dem Tod ein ander Leben, und bricht herfür ein andre Bahn, worin Gelassenheit kan GOtt erheben. Die Eigenheit gibt GOtt wol Preiß, wo sie kan in sich selbsten seyn erhoben; gehts anders als wie ihre Weiß, so kommt hervor ein unversöhnlichs Toben.

5. Die Einigkeit, so Liebe hat, ist unsre Quell, aus Gottes Herz entsprungen: wer thut verachten diesen Rath, ist von der Sünd und alten Feind bezwungen. Das Himmelreich wird offenbar, wo Liebe ihren Thron-Sitz aufgerichtet: und wo der reinen Kirchen Schaar in Einheit steht, ist aller Greuel vernichtet.

6. Kommt her, und seht den hohen Staat, worin man sieht die reinen Geister stehen, vereinet nach des Höchsten Rath: in reiner JEsus-Lieb dem Lamm nachgehen. Weg Eigenheit, dein fremdes Schild kan allhier nicht auf eine Stund bestehn: wo das vereinte Einheits-Bild, erbleichest du, und must zu Grunde gehen.

7. Nichts schöners ist auf dieser Welt, als wo man sieht das Paradieß ausgrünen: was Ein-und Reinigkeit darstellt, da ist das schöne Himmels-Bild erschienen. Viel Freundlichkeit vom Himmel her läßt sich hernieder auf die Lieben, so gehn im Jungfraun-Schmuck einher, auf ewig hin dem keuschen Lamm verschrieben.

8. Was wird diesen schönen Glanz hinführo auch wol können mehr bemackeln, weil selbst der Weisheit Perlen-Kranz daselbsten scheint als reine Lichtes-fackeln? O schöner Schmuck in solchem Stand! den diß Geschlecht in Niedrigkeit thut tragen. Zuletzt wird man mit GOtt verwandt, wo man um seine Lieb thut alles wagen.

402.
Die sind doch meine Tage so verkürzet, die Schwestern, Brüder, Freunde stehn bestürzet: ich selbst wolt GOtt erst in die Arme fassen, mußt aber plötzlich gehn die Todes-Straaßen.

2. Wie ist mein Schmerzen doch so bald vergangen? da ich mich sehne mit so viel Verlangen in GOtt genesen seyn annoch zu Zeiten,

M m

und mußte doch so bald von hinnen scheiden.

3. Wie mancher Schmerz und Leid hat mich umgeben in der betrübten Zeit und kurzen Leben. Was wird die Ruhe seyn nach so viel Leiden? Ich werde schauen GOtt mit vielen Freuden.

4. Die Schmerzen sind dahin, nach viel Verlangen, nun wird mich Gottes Gut erst recht umfangen: weil er der Sünden Sold selbst wollen büßen, und meinen Todes-Schmerz dadurch versüßen.

5. So scheide ich nun hin, ihr Schwestern alle, seyd meiner ein Gedenck zu tausend malen: vergeßt des Jammers nicht allhier auf Erden, so könt ihr dorten mit verherrliche werden.

403.
Wie sind wir nun so innig wohl in Gottes Huld beysammen: weil unsre Herzen Freuden-voll in heißen Eintrachts-Flammen. Die Liebe macht uns Engel-rein, und heilig an Gebährden; damit wir, ohne Trug und Schein, mit Ihm vereinigt werden.

2. Sag! Wer hat wohl ein besser Theil in dieser Welt gefunden: als so, mit Gottes Liebes-Seil, zusammen seyn gebunden. Wir wissen doch kein ander Gut, das uns hat dort zu werden: als in so reiner Liebes-Gluth vereinigt seyn auf Erden.

3. GOtt hat uns angenehm gemacht durch seine Gunst und Gnade: weil Er uns so zusammen bracht, daß Er dem Elend rathe. Es ist uns wohl bey diesem Sinn, wir werden nimmer sterben. Die Liebe lohnt mit viel Gewinn, und läßt nicht mehr verderben.

4. So ist dann unsre Freud vereint mit GOtt und Himmels-Triesen. Wohl uns! weil wir desselben Freund: wird uns kein Leid betrüben. Wir sind ja alles Guten voll: weil GOtt selbst unsre Sachen in allem läßt gerathen wohl, und thuts aufs Beste machen.

5. Wohl dann! Wir leben so dahin nach unsers Gottes Willen, der lohnet uns mit viel Gewinn, thut allen Schmerzen stillen. Und, weil wir dann sein Erb und Theil allhier, auf dieser Erden: so wird das allergröste Heil uns dort, nach diesem, werden.

6. Und

6. Und weil wir dann so wol versehn mit Gottes Gnad und Güte: so wird auch unser Thun bestehn, ohn daß wir werden müde. Wir bleiben dann dem zugekehrt, wo GOtt uns Selbst hinlencket: auch gibt, was unser Herz begehrt, und Freuden-Wein einschencket.

404.

ACh sind wir nun so wohl, durch Engel-süsse Liebe von Oben angefüllt, mit GOtt vereintem Triebe. Die Eintracht ist die Flamm, daß unsre Brunst vermehret: wir sind in Seiner Huld, drum macht uns Nichts mehr trübe.

2. Was wird uns scheiden mehr von dem vereinten Band, das uns gefangen hält in Lieb-verliebten Weisen. Wir sind im Glauben treu, und geben stetigs Lob der reinen Liebes-Macht, ohn Trug und falsches Gleisen.

3. So sind wir dann daheim, und haben den Genüß aus Gottes reiner Huld und süser Lieb erworben. Wir trincken reinen Wein, und essen Gottes Brod, das uns das Lamm erheischt, da Es für uns gestorben.

4. Die angenehme Huld aus Gunst von Oben her, nimmt unsre Sinnen ein, und schaffet stetten Frieden. Wir leben, wie es GOtt durch Seine Gunst zutheilt, und uns mit Liebe nährt im Jammer-Thal hienieden.

5. So sind wir dann begabt aus Gottes reiner Gut, die uns an sich gebracht durch die vereinte Liebe. Wir leben dann dahin, wie seine Gunst zutheilt: weil wir nun sind bewährt durch reine Gottheits-Triebe.

6. Drum muß der Lebens-Lauf dorthin gerichtet seyn, nach jener Freuden-Welt, die sich alsdann wird zeigen, wann wir zum Ziel gebracht, und gantz in GOtt erhöht, und Ihn in Ewigkeit besingen ohne Schweigen.

405.

WIe tief liegt doch in uns verborgen der edle Zweig und Lebens-Baum, wie viele Müh wie viele Sorgen es kostet, bis derselbe Raum gefunden, wo das Reiß ausgrünet, das uns das Paradies aufschleußt, erfährt, wer GOtt im Geist nur dienet, und Himmel-Brod die Seele speist.

2. Und ob er schon gar schön ausblühet, und offenbar in Gottes Reich, daß man auch seine Früchte siehet, als wie ein Paradieses-Zweig, so stehe die Wurzel doch im Grunde, annoch in dieser Sterblichkeit, da nichts als Schmerzen alle Stunde die gantze übr'ge Lebens-Zeit.

3. Das Aufwerts sehen ist beschwerlich dem Fleisch, so an der Erden klebt, ob gleich die Zweige noch so herrlich, und daselbst alles lebt und webt, so kan die Wurzel doch nicht leuchten, weil sie mit Dunckelheit bedeckt, und thut sie gleich ein Thau befeuchten, so bleibt sie doch wie vor versteckt.

4. Wann Fleisch und Blut will Rosen brechen, so wendet sichs zur Erden hin, wo nichts als Fluch und Dornenstechen, und Schmerzen dem verliebten Sinn, weil er nicht weiß, daß ihm sein Leben in einer andern Welt ausgrünt, und was Sichbar uns nicht kan geben, was zu dem heil'gen Sattseyn dient.

5. Drum hat die Weißheit aufgesiegelt ihr Lustspiel hoch vom Himmel her, das vor den Zeiten hart verriegelt, doch nun um so viel trefflicher sich preiset an und lässet sehen: was Gottes Rahr in sie gesäet: Wir wollen ihrem Fuß nachgehen, so bleibet unser Horn erhöht.

406.

ACh thut die Lieb so wol, sie machet Freudenvoll: sie schmecket Himmel-süß, bringt uns ins Paradies.

2. Sie ist der Gottheit Krafft, die neues Leben schafft: gibt einen Kinder-Sinn nimmt alles Alte hin.

3. Die Lieb ist unsre Cron, sie heisset Gottes Sohn, auch Ehr und Schmuck dabey; sag! Ob was bessers sey?

4. Sie giebet Kraft im Kampf, vertreibt der Sünden-Dampf: gibt einen Helden-Muth, zu streiten bis aufs Blut.

5. Sie ist die Kraft im Lauff, sie muntert freudig auf: wann es an Rath gebricht, so gibt sie Unterricht.

6. Sie ist der Weisen Stein, sie macht uns Engel-rein: wer ihr bleibt zugekehrt, wird wie das Gold bewährt.

7. Wir

7. Wir sind ihr zugesellt, sie hat uns auserwählt: in siebenfacher Prob-bereit zu Gottes Lob.

8. Wir sind nicht mehr wie vor, dann sie hat Herz und Ohr mit solchem Sinn erfüllt, der aus der Liebe quille.

407.

WIe traurig siehet man die müden Wanderer gehen nach jener Zions-Höh, wo man wird laden ab. Wer sol nicht tragen Leid, wann man es thut ansehen, weil aller Hoffnung Blüt hin, und gefallen ab. Doch muß der Trauer-stand auf den betrübten Wegen noch Freude bringen ein, wann man siehe dort hinan, wo sich das viel Gedräng wird alles niederlegen, und man am Ende ist auf der betrübten Bahn.

2. O! was vor grose Freud wird alsdann dem erwachen, der auf der Trauer-Bahn treulich gehalten aus: der sehr betrübte Mund wird dan von Freuden lachen, der nach so langem Leid gekommen heim nach Haus. Dann wird vergessen seyn das kümmerliche Sehnen, da auf der mühsam Reiß man offt sehr abgematt, auch wol geflöset aus gar viel und manche Thränen, weil man offt ging dahin gang ohne Hülff und Rath.

3. O Brüder! dencket dran, wie eurer Jugend Blüthe ein lieblicher Geruch war auf der ganzen Welt; ob ihr gleich von viel Drang worden im Reisen müde, so ist der Sieg doch, was GOtt selbsten wohl gefällt. Er gibt den Müden Krafft, daß sie nicht gang erliegen, ob sie gleich wie dahin auf der bedrängten Bahn, ist gleich der Kampff offt schwer, so hilfft er selbst zum Siegen, daß der geringst im Streit auch nimer falle kan.

4. Ich selbsten geh so hin, will warten meiner Sachen, was ferner Gottes Güt mir zeigen wird im Gang; und will in allem ihn nur lassen also machen, und ob ich schon dabey hab manchen schweren Drang. Und weil ich weiß die Noth, so Wanderer zu tragen, die reisen dort hinan nach jener Zions-Höh, so thu ichs alle Tag aufs neue wieder wagen, damit ich nicht erlieg, oder gar stille steh.

5. Kommet nur tapffer nach, wir sehen schon die Kronen, die dorten beygelegt auf jener Zions-

Höh, womit der Herzog selbst die Streiter wird belohnen, so ihm geblieben treu in allem Leid u. Weh. Man kan offt Wunder sehn, wañs scheint, man wär geschlagen, und dabey wie ermüdt auf seiner Glaubens-Bahn; gar plöglich kan man es aufs neue wieder wagen, so rückt man endlich an ins frohe Canaan.

408.

WIe wirds zulezt so schön aussehn, wann aller Jammer gang wird seyn verschwunden? wie werden nicht die viele Wehn vergessen seyn, und bleiben gar dahinden. Obschon die Traurigkeit der Nacht mir oft viel Schmerzen zugedacht, daß alle Hoffnung hin, so wird doch endlich meine Saat, durch Gottes reiche Güt und Gnad, einbringen den gewinn.

2. Muß ich jezt schon in vielem Leid und Elend seyn als wär ich gar vergessen: thut mir doch Gottes gütigkeit aus seiner Füll mich reichen Trost einmessen: und wann der Schmerz mir schencket ein viel bittre Weh'n und Todes-Pein, ich weiß kein ander Ziel. Wann die geduld die Hoffnung nährt, und Langmuth recht in GOtt bewährt, da ist es nie zu viel.

3. Mein Elend gehet mir zwar nach, in allen meinen Tritt' und Wander-Schritten trag ich des Leibes Ungemach. Ach wie so viel muß seyn allhier gelitten! doch ist der Trost ins Herz geprägt; obschon der Kummer niederschlägt den tief gebeugten Sinn. GOtt weiß schon seine Stund und Zeit, wann er des leidens Bitterkeit wird nehmen gang dahin.

4. Drum will ich jezt so gehen hin, und tragen meinen Schmerzen, Leid und Jammer: dort blüht mein Heil mit viel Gewinn, wann ich werd gehn in meine Ruhe-Kammer. Drum ist mein Herz in GOtt erfreut, weil dort das Glück der Ewigkeit mich wird in sich erhöhn. Da wird ein Ende der Gefahr, die Herrlichkeit, so offenbar, wird nimmermehr vergehn.

409.

WIlkomm! du holde Gottes-Lieb, wir kommen dir mit groser Freud entgegen, weil du durch deinen Gnaden-Trieb uns thust mit neuer

Krafft

Krafft und Gut belegen: Wie froh sind wir, weil deine Freundlichkeit uns wieder heimgesucht nach so viel bittrem Leid.

2. Wir freuen uns in deinem Heil, o grofer GOtt! weil wir doch sind die Deinen: und du selbst unser Erb und Theil, und Zuversicht in Nöthen, wann wir weinen. Wir preisen, was dein grose Gut und Gnad bißher an uns so Wunder-voll erwiesen hat.

3. Ach! sollen wir nicht dencken dran? wie deine Güte uns so treulich führet auf unsrer Leid- und Trauer-Bahn; wann auch ein Herz in Nöthen schon abirret: so bistu da, mit deiner holden Treu, und zeigest an, daß unser Schmerz der deine sey.

4. So werden wir mit Trost erfüllt, weil du so mütterlich thust unser pflegen, und das Verlangen wird gestillt, daß sich muß aller Schmerzen niederlegen. O Mutter-Herz! gib einen Kinder-Sinn, daß wir uns können geben dir zu eigen hin.

5. Wir wollen gern die Deine seyn, weil du so treulich vor uns Sorge trägest: sind wir getränckt mit Trauer-Wein, so zeigst du, wie du unser also pflegest, wie Mütter, die den Kindern ihre Lust also entwöhnen von der süßen-Liebes-Brust.

6. Daß sie gewöhnen starcke Speiß zu essen, wie sonst Wachsenden gebühret, damit auf ihrer Pilger-Reis die Knöchel fest, wer etwa je abirret. O Mütter! pfleg uns dann, wie dirs gefällt, wir haben doch sonst keinen Trost mehr auf der Welt.

7. Indessen bleibe diß unser Trost, daß wir dir mit viel Freud entgegen kommen, und stehen, daß wir bald erlöst von allem Zwang, wo wir oft hart gedrungen. Wen du anblickst mit deiner Freundlichkeit; kan bald vergessen alles Leid und Traurigkeit.

8. Wir wissen keine beßre Tracht, als dir getreu zu seyn, in unserm Wallen; trifft uns schon manche Trauer-Nacht, hat jedes doch an dir sein Wolgefallen. Scheint es gleich oft, als wären wir dahin; so stärckestu gar bald den blöden Kinder-Sinn.

9. Wann deine Huld nur Blicke gibt, so sind

wir gleich als wie von Liebe truncken; und wer nicht wird also geübt, der ist gar bald in Traurigkeit versuncken. Ein kleiner Fehl, eh man es kaum bedacht, umstellt uns bald mit einer schwarzen Trauer-Nacht.

10. Drum sind wir auch so herzlich froh, weil deine Huld so treulich Sorge träget, ob man gleich meynt, es wär nicht so, wann Traurigkeit den Muht darnieder schläget: so wachestu doch stets vor unser Thür, und brichst, eh mans vermeynt, mit deiner Hülff herfür.

11. Wir stehen deine Huld und Gnad, laß uns nicht gehen irr auf deinen Wegen, wenn uns gebricht an Muth und Rath, so wollstu selbst den Zweiffel niederlegen: und lösen auf den sehr gebeugten Sinn, der deinem Rath sich leget zu den Füßen hin.

12. Dann unser Muth ist aufgezehrt, und unsre Kräffte sind in Schlaf versuncken, doch werden wir aufs neu bewährt, wenn wir als wie im Traum von Liebe truncken. Wir sind getrost, weil deine Gütigkeit geholffen aus so viel und manchem harten Streit.

13. Wir dencken nun nicht mehr daran, wo wir so lange Zeit im Staub gesessen, weil du geöffnet hast die Bahn, daß wir sind hoch erfreut und neu genesen. Drum wallen wir mit Freuden unsern Gang, und rühmen Ihn mit viel und schönen Lobgesang:

14. Alhier, in unsrer Nidrigkeit, biß wir aldorten mit viel Wunder-Weisen in der so sel'gen Ewigkeit Ihn werden ohne Ziel und Ende preisen. Drum sind wir auch mit allem Fleiß bedacht, daß wir auch schon alhier Ihm dienen Tag und Nacht.

410.

WIr freuen uns in unserm GOtt, der Völcker Hohn ist wie zu Spott, wir sehen andre Sachen. Wo wir zuvor gedruckt, gedrängt, wird uns ganz anders eingeschenckt, der Trauer-Mund kan lachen. Drum kommen wir öffters nur Freuden zusammen, ermuntern einander in liebenden Flammen.

2. Man sieht nun eine andre Tracht, der Völcker

cker Hohn iſt wie verſchmacht, wir ſingen neue Lieder; wann ſich ihr Hohn noch mehr ausbreit, ſo werden wir in GOtt erfreut, und fallen vor Ihm nieder; und laſſen bewölckte Gebäre auf ſteigen mit Dancken und Loben in tiefeſtem beugen.

3. So muß der Hohn verſchwinden gantz wie Nebel von der Sonnen-Glantz, der Muth wächſt im Erliegen; die Ehr wächſt auf, in vieler Schmach, die man umträgt den gantzen Tag im Schmiegen-und im Biegen. O wol uns! die weil wir ſind wieder berathen, und aller Gebreſten und Sorgen entladen.

4. GOtt Lob! weil uns die Zeit erwacht, daß unſre Hoffnung wieder lacht, nach den betrübten Tagen; die Freude, ſo aldort erſcheint, wann man wird haben ausgeweint, wird niemand können ſagen. Drum werden die Zeiten des Traurens vergeſſen, dieweil wir ſind ſeligſt in Ihme geneſen.

5. Jetz wächſet auf ein neues Reiß, ſo GOtt in Ewigkeit gibt Preiß, weil wir ſind wieder kommen, der Hingang war in vielem Leid, das Wiederkommen lauter Freud, das Trauren weg genommen. Nun iſt uns der Siege im Klein ſeyn erworben, die Ichheit und Selbheit im Tode erſtorben.

411.

WIr leben gantz vergnügt, ſind aller Sorg entladen: wir haben GOtt zum Freund, trotz was uns könne ſchaden. Der Kummer iſt dahin, und gantz vergeſſen, weil wir ſind Freuden-voll in GOtt geneſen.

2. Wir ſind zuſammen ein ins Heiligthum getreten; um da vor GOtt zu ſtehn mit heiligen Gebären. Da muß der reine Sinn zu GOtt auf ſteigen vor dem Genaden-ſtul in tiefſtem Beugen.

3. Wir ſind nun komen heim, weil wir den Ort gefunden, wo wir auf ewig hin bleiben mit GOtt verbunden. Wir gehn nicht mehr hinaus, es iſt geſchehen, wir bleiben GOtt vereint, und vor ihm ſtehen.

4. GOtt iſt nun unſer Lohn u. eigen Erbtheil worden, weil er auf uns gelegt den heilgen Prieſter-Orden. Da muß der Gottesdienſt ohn En

de währen, den weder Zeit noch Jahr mehr wird verzehren.

5. Drum iſt uns worden wohl, weil wir den Schatz gefunden, wo wir auf ewig hin bleiben mit GOtt verbunden. Diß iſt das beſte Theil, das uns kont werden, drum wird vergeſſen gantz die Freud der Erden.

6. Da ſoll es bleiben bey, es wird nicht mehr gebrochen, was GOtt uns zugeſagt, und ſelbſt mit Eid verſprochen. Was wird uns dann hinfort mehr können ſcheiden? weil er uns hat beglückt mit ſo viel Freuden.

7. Iſt uns dann unſer Looß von GOtt nun ſelbſten worden, daß wir ihm bleiben treu in ſeinem heilgen Orden: ſo hoffen wir noch das, was dort wird werden, wann wir erlöſet ſind von dieſer Erden.

412.

WIr leben in viel Hertzens-Freud, weil GOtt uns ſo beglücket, und in des Geiſtes-Niedrigkeit ſo manchen Troſt zuſchicket. Es iſt der Sinn gericht dorthin, nach jenen wahren Freuden, die GOtt uns wird bereiten.

2. Ob wir zwar wohl ein armer Hauf, veracht, gehaßt, verſchoben; ſo wird doch unſer Glaubens-Lauf, nach ſo viel harten Proben, uns bringen hin zu dem Gewinn, da ewig hin vergeſſen, wo wir einſam geſeſſen.

3. Sind wir gleich elend, arm und bloß, von jederman verlaſſen: GOtt ſchenckt uns Troſt vons Himmels-Schooß, wann wir es können faſſen. Es iſt kein Leid in dieſer Zeit, das nicht zuletzt bringt Wonne, und ſeinen vollen Lohne.

4. Drum bleibet unſer beſter Troſt uns hier im Creutz verborgen: wir warten, bis uns GOtt erlöſt von aller Müh und Sorgen. Sind wir ſchon klein, es muß ſo ſeyn, ſo lang wir hier auf Erden: dort wirds ſchon beſſer werden.

5. Drum iſt der Schluß bey uns gemacht, zu tragen unſre Laſten: wenn wir zum rechten Ziel gebracht, werden wir ſicher raſten. Die Trauer-Zeit bringt lauter Freud in jener Welt: dort oben, da wir GOtt ewig loben.

M m 3   413.   Wir

Wir leben wol, und sind voll Danck und Loben, weil wir errettet sind aus so viel Proben: durch Gottes Macht und starcke Wunder-
Hand, wodurch Er uns bisher gethan Beystand.

2. Sein Gnad und Güte werden hoch gepriesen, die Er zu jederzeit an uns erwiesen: durch
seine Gnad und treue Gottes-Huld, uns hat getragen mit so viel Gedult.

3. Wann unser Leben nah war an der Höllen,
that Er bald allen Schmertz und Jammer stillen:
und hat geholffen aus so viel Gefahr, durch seine
reiche Güt sehr wunderbahr.

4. Wann wir geschienen gantz und gar ver-
lossen, so that Er uns mit reicher Güt umfassen:
und halff uns aus dem hart-und schwehren Streit,
damit vergessen würde alles Leid.

5. Drum können wir auch Seiner nicht vergessen, weil Er uns so viel Gutes eingemessen.
Wir sagens nach, und rühmen seine Macht, die
uns so wunderbar zurecht gebracht.

6. Von Kind zu Kindes-Kind wird man
Ihn preisen, Ihm geben Lob und Ehr mit schönen Weisen. Wir freuen uns, sind froh in
unserm GOtt, der uns zuletzt noch hilfft aus
aller Noth.

414.
Wir sitzen nun in tiefer Still bey der so reichen Gnaden-Füll, die GOtt uns eingemessen. Wir haben einen neuen Sinn, weil GOtt
den alten nahm dahin, daß wir in Ihm genesen.
O wohl uns! wir haben gefunden hienieden den
inneren heimlich verborgenen Frieden.

2. Wir sind gantz anders als zuvor, dieweil
wir in den innern Chor des Heiligthums eingangen: also was reine Opffer bringt, und stetig neue Lieder singt, vor GOtt in stillem Prangen. Das seelige Dencken in heiliger Stille
bringt wahres Vergnügen in Göttlicher Fülle.

3. Die Andacht steiget stetig auf vor GOtt,
in diesem Geistes-Lauff, in reiner Liebe-Brennen.
Der reine Orden geht einher, gezieret mit Heiligkeit und Ehr, die all den HErren kennen, und
geben Lob Ehr mit innigem Beugen, wann sie
so die Andacht der Hertzen anzeigen.

4. Da findet man des Glaubens Gold, welches des Priester-Ordens Sold, wo GOtt sie
mit begabet: dabey das reiche Salbungs-Oehl,
wovon erquickt der Krancken Seel, und Geist
und Hertze labet. Wer damit begossen, ist seligst
genesen, und von GOtt zum Eigenthum innigst
erlesen.

5. Da flieset auch der lautere Strohm auf die,
so heilig, keusch und fromm, und da seynd eingetreten. Da grünt des Geistes Fruchtbarkeit,
die sich daselbsten schön ausbreit, wann sie den
HErrn anbäten, erzeigen Ihm Ehre in reinen
Gebärden: bis daß sie dort mit Ihm, verherrlichet werden.

6. Drum sind wir auch innig so still, weil
mit so reicher Gnaden-Füll wir sind von GOtt
begabet: in Seines Tempels Heiligthum, wo
steter Friede inn und um, und Hertz und Geist
sich labet. O wohl uns! wir haben gefunden
das Leben, das GOtt wird zu ewigen Zeiten erheben.

415.
WO die vereinte Krafft der Geister dringt
zusammen, wird aller Wahn verzehrt, wie
Stoppeln in den Flammen. Die Einheit ist die
Krafft, wo Zweyheit dran verschwindet, und
das verdoppelt Ein, so GOtt u. Mensch verbindet.

2. Besieget alle Höh, Gestalten, Form und
Weisen gehn in ihr Wesen ein, und thun das
Schöpffer preisen: weil nichtes so gering u. klein
auf dieser Erden, wo nicht des Schöpffers Macht
tönt dran verherrlich werden.

3. Die Viel- und Zweyheit ists, so alle Ding
verkleinet, und durch Getheiltheit so des Schö-
pfers-Macht verkleinet: weil nichts ohn Ursprung ist,
was kan gesehen werden. Von GOtt kommt
alles her, was auf der gantzen Erden.

4. Wann auch das Böse selbst sich scheinet
zu verlieren, muß seine Ursach doch mich zu
dem Schöpfer führen. Drum wohl mir, wann
ich hab die Eintracht wieder funden, dann ist
der müde Geist mit Gottes Lieb verbunden.

416.
WOhlauf, ihr Lieben, dencket dran, es bricht
der schöne Frühling an, es kommt die Zeit,

daß wir mit Freud bald mit Augen werden sehen eine andre Welt aufgehen, da den grosen Freuden-Schall man wird hören überall.

2. Wann Babylon kriegt ihren Rest, werden die Freund und Hochzeit-Gäst, die lang verhöhnt, schön seyn gekrönt: und darneben wird erscheinen, vor ihr viel und langes Weinen, was die lang-und schwartze Nacht nimmer hätt hervor gebracht.

3. Wohl dann! du lang Verlassene, dein Glück blüht dir nach so viel Weh, es ist erwacht, nach langer Nacht, dein erwünschtes Freuden-Leben, das dich wird vom Staub erheben, da die rauhe Winters-Zeit dir gebracht so manches Leid.

4. Wer hätte wohl zur selben Zeit, da du ge- schwebt in so viel Leid, wohl diß gemeint, das jetzt erscheint: Babylon, die dich verhöhnet, muß nun sehn, wie du gekrönet und erfreut von deinem GOtt, nach so viel gehabter Noth.

5. So sey nun diß dein hoher Staat, dieweil des weisen Gottes Raht es gar behend hat um-gewendt: da dich Babel noch wolt stürtzen, mußte sie selbst plötzlich flüchten, und dich lassen deinem GOTT, der dir half aus aller Noht.

414.

Wohl dem! der's kan anjetzt so wagen, und lerne die dornen Krone tragen, dem wird schon werden seine Beut in jener frohen Ewigkeit. Wer trägt sein Creutz allhier auf Erden, der wird alldort verherrlicht werden; trägt er gleich stündlich seine Schmach, verlacht, verhöhnt den gantzen Tag: sein Glück wird ihm alldorten loh-nen, allwo man träget gôldne Kronen.

2. Drüm nur Gedult in langem Hoffen, ist es gleich heut noch nicht getroffen, so kans doch morgen anderst seyn, wann bricht herfür ein neuer Schein: Die Trübsals-Tage sind die Fünden, die uns mit Gottes Huld verbinden; wer nur hat Demuth und Gedult, erwirbet Gnad, wenn was verschuldt. Dann wer getreu im Creutz und Leiden, kan nichts von Gottes Lie-be scheiden.

3. Wer thut die eitle Welt versagen, um so den Himmel zu erjagen, der sey getrost, wanns nicht, gehe fort; man kommt nicht eh zur engen

Pfort, bis man erst aller Ding entladen, dann eher kan uns GOtt nicht rathen: soll man dem-nach da gehen ein, muß man erst werden klein, klein, klein. Die enge Thür steht allen offen, die kommen so heran geloffen.

4. Jetzt will ich mich auch dessen freuen, weil mir mein loos mit den Getreuen, die Christi Schmach den gantzen Tag tragen umher ohn alle Klag. Gedult und Hoffen sind die Kronen, womit GOtt wird alldorten lohnen. Wer sei-ner Kleinheit pfleget wohl, bekommt dort seine Scheuren voll von viel Getrayd nach so viel Leiden, die GOtt belohnt mit tausend Freuden.

415.

Der 1. Psalm.

Wol recht glücklich ist zu nennen, der von der Gottlosen Rath weichet, und sich thut ab-trennen, auch nicht tritt auf ihrem Pfad. Flie-het von der Spötter Rott, die des Frommen Sa-chen spott: thut dagegen dem nachjagen, was Ihm GOtt ins Hertz thut sagen.

2. Wol dem, der all seine Freude am Gesetz des Höchsten hat, und als seiner Seelen Weide sich drinn über früh und spat. Der wird alzeit blühen schön, wie die Bäum gepflantzet stehn, und viel reiffe Früchte bringen, daß muß hie und dort gelingen.

3. O! Ein Göttliches Gedeyen, wer also ge-pflantzet steht, Himmel, Erde muß sich freuen, weil sein Thun, nicht mehr vergeht. Seine Blätter bleiben grün, Kält und Frost ist sein Gewinn: seine Frucht thut nicht veralten, weil er nimmer thut erkalten.

4. Alle seine Werck und Thaten haben ein gut End und Ziel, GOtt lässt alles wol gerathen, weil er lebt aus seiner Füll. Aber da siehts an-ders aus, wo die Gottlosen zu Haus, dann die müssen schnell vergehen, wie der Wind thut Spreu verwehen.

5. Darum werden sie nicht bleiben bey der heiligen Gemein, die da Gottes Werck fort trei-ben, ob sie gleich geschrieben ein. Dann GOtt kennt der Frommen Pfad, weil sie folgen seinem Rath. Aber der Gottlosen Sachen muß ver-gehn, was sie auch machen.

6.

6 Nun muß werden dår geleget Lob und Danck
vor Gottes Gnad, der so treulich Sorge träget
vor die seinen früh und spat: gibt gedeyen ihrem
Stand, t daß sie als ein fruchtbar Land lieblich
grünen hie auf Erden, und auch dort verneuet
werden.

416.

WUnder-voll sind unsre Zeiten, wer sich nur
kann so lassen leiten, der wird bald andre
Sachen sehn; wo es schien, es hieß verloren,
wird nun was neues außgeboren, weil thut ein
andre Sonn aufgehn. O! ein erwünschte Zeit,
nach so viel langem Leid; wann das Grämen so
schnell vergeht, und abgemäet, als ob es wär vom
Wind verwehe.

2. O! was angenehme Gänge, wann man
erweitet sieht die Enge, dort, auf dem Weg zum
Himmel hin. Wo man sonst betrübt gesessen,
heißts, nun bin ich in GOtt genesen: weil mir
einkommen mit Gewinn, daß nunmehr wieder
Tag, nach schwerer Niederlag; und die Schwachen, so wie ermatt ohn Hüff und Rath, sind
froh, weil GOtt geholffen hat.

3. Wer solt sich dann nun nicht freuen? dieweil GOtt wieder gibt Gedeyen, daß man sieht
grünen unsre Saat. Wer sich nur recht weiß
zu schicken, dem wird es schon zur Zeit noch glücken durch den sehr weisen Gottes-Rath; der ohne eitlen Schein nun wieder bricht herein; wie
zu sehen, daß albereit schon da die Zeit, daß Zion
wiederum erfreut.

4. Die, so traurig war gesessen und meynte,
GOtt hätt ihr vergessen, bey dem so langen
schweren Drang: nun nach so viel harten Proben, fängt an GOtt wiederum zu loben, mit
vielem schönen Lobgesang. Daß wiederum erfreut die traurigen zur Zeit; wer kanns rathen?
was GOtt schencket ein vor süssen Wein nach
der so bittern Liebes-Pein.

5. Darum wollen wir uns freuen, weil GOtt
uns wieder gibt gedeyen, daß unsre dürre Saat
grünt aus; auch auf unsre magre Wiesen lässe
GOtt viel Segen nun ausfliessen zur grosen
Freud in Gottes Haus; da man geht aus und

ein, ohn Trug und leeren Schein, GOtt zu Ehren, nach so viel Leid und schwerem Streit, O
lang gehofft erwünschte Zeit!

6. Jetzt hält Zion Freuden-Tage, und machet
davon eine Sage, daß GOtt sie hat so reich getröst: und sie wieder lässet genüsen, was thut ihr
langes Leid versüssen, daß sie von allem Drang
gelöse. Nun schenckt man Friedens-Wein in
Gottes Kirche ein, die erbauet aufs Bundes-
Blut, das uns zu gut erworben hat das ew'ge gut.

Z

417.

ZAge nicht, du kleine Heerde, wann du must
verlassen stehn, dort wirds Alles anders werden, wann dich wird dein Freund erhöhn. Hier
veracht, gering und klein, heisset dort verherrlicht seyn.

2. Sey nur froh, es wird dir werden, was
du hast so lang gesucht, dann dein Jammer li-
auf Erden bringe alldorten seine Frucht. Gehe
dein Schmerz noch tiefer ein, dort wirds so viel
besser seyn.

3. Halte deine Krone feste, laß den Jungfräulichen Schmuck bleiben dir das Allerbeste, sehe ja
nicht mehr zurück. Wenn du lang genug geweint, wird dein allerliebster Freund

4 Dich erlösen von dem Bande, und dem
Bild der Sterblichkeit, nennen seine Anverwandte: vor dein viel gehabtes Leid dir unendlich
schencken ein dort viel süsen Freuden-Wein.

418.

ZAge nicht so sehr mein Leben, über deinen
Trauer-Stand, GOtt wird aus dem Staub
erheben, wer einmal mit Ihm verwand; aber
doch thuts schmerzlich weh, wenns muß heisen:
ich vergeh, weil kein andrer Rath als Weinen,
biß ihm Heil und Trost erscheinen.

2. Ob dir gleich dein Trost vergangen, wo
doch alles untergeht, was der Menschen trüglich
Prangen, und nicht in die läng besteht: aus dem
Sterben und dem Tod komme herfür, was taugt
für GOtt: Drum laß fallen deinen Schmerzen,
es geht GOtt noch mehr zu herzen.

3. Thut

3. Thut dein Weinen bitter scheinen, Er trägt dich und andre ab; es ist nur ein trüglichs Meinen, wann man meint, man läg im Grab: dann da wird erst GOtt erhöht, wo das Unsre untergeht; wo man nichts mehr weiß zu machen, da sind es erst Gottes Sachen.

4. Aber ach wie viele Schmertzen muß der arme Geist durchgehn! und wie manche Wund im Hertzen, bey so vielen bittern Wehn, wann die gröste Treu veracht, von GOtt als wie nichts geacht; ja als obs nur trüglichs Scheinen; O was viel und bittres Weinen!

5. Wo man schon zuvor verlassen ist von aller Creatur: wer solt sich wohl können fassen auf der bodenlosen Spur, auch wo aller Trost dahin, was auch hieß zu seyn Gewinn, sonderlich wo man sein Leben hat mit allem hingegeben.

6. O was ein betrübtes Sterben! wann auch dieses mit vergeht, wo man hat gemeint zu erben, was in Ewigkeit besteht: da komt die betrübte Saat noch erst vor nach Gottes Raht, da man hier mit so viel Weinen auf das hin, so wird erscheinen

7. Dort in jenem Freuden-Leben in der seeligen Ewigkeit; wer sich allhier GOtt ergeben unter so viel bittrem Leid, bringt dort seine Erndte ein, wo man GOtt ohn leeren Schein wird besitzen im Genesen, da dann alles Leid vergessen.

8. Da man bey so vielem Zagen oft ging traurig hin und her, weil man thäte alles wagen um des grosen Schöpfers Ehr: welches bracht so manche Noht, oft auch bis zum bittern Tod. Alles diß ist wie verschwunden, weil das ewge Gut gefunden.

419.
Zeuch hin nach deiner Heimat zu, dein Tagwerck ist vollendet: O was ein angenehme Ruh hat dir GOtt zugewendet! Dein kümmerliche Tages-Last, die du allhier getragen, hat funden ein so süse Rast, daß kaum ist auszusagen

2. Ist dann die Zeit gekommen an, daß soll erlöset werden von meinem kümmerlichen Bann, den ich trug hier auf Erden. Vom Tage an, da GOtt in Müh mich hieß aus Sodom gehen, hatt ich mein Elend spath und früh, samt kümmerlichen Wehen.

N

3. Wie esmal ging ich hin und her betrübt auf meiner Strasen, auch nebst viel Fluthen wie ein Meer vom Engel-Trost verlassen. Diß sind nun vierzig sieben Jahr, daß diese Jahre gewähret, und in so mancherley Gefahr im Elend hin verzehret.

4. Wann alle Welt sah um mich her in vielen Freuden leben, mußt ich gleich wie in einem Meer in lauter Elend schweben. Der Himmel war gewickelt ein, die Freud der Erd verschwunden, wer solt ein Trost-Wort schencken ein in den betrübten Stunden.

5. Ohn Weinen kan kaum dencken dran, wie in den Trauer-Tagen auf der so sehr betrübten Bahn der Kummer mich thät jagen: und ließ mir kaum ein Stündgen Rast, daß ich mich kont erquicken; bald hatt ich wieder meine Last anstatt der Liebes-Blicken.

6. Indessen brach doch oft hervor ein Blick von Zions Freuden, als wolt der schöne Engel-Chor mich schmücken und ankleiden; allein es dauret gar nicht lang, wann es auf Andre kommen, so hatt ich Trauren für Gesang, weil es hinweg genommen.

7. Doch wurde mein verliebter Geist gar offt so überwogen, daß er wie auser sich gereißt, und gantz dorthin gezogen. Wann ihm ein Trost-Wort zugedacht aus Gottes reicher gnaden, wurd er der schwartzen Trauer-Nacht entbunden und entladen.

8. Wenn aber wolte Hütten baun, weil meine es wär gefunden, da ließ der glantz sich nicht anschaun, und war als wie verschwunden, und war bald wieder wie allein auf der betrübten Strasen, das bracht mir wieder lauter Pein, daß ich mich kaum kont fassen.

9. So stieg ich auf, so stieg ich ab: so bald ein Trost-Wort funden, mußt es mit Schmertzen in das grab, gar offt mit vielen Wunden. Nun ist das Sterben mein gewinn, weil da ausgrünt das Leben, wo man so alles geben hin, was uns sonst kont erheben.

10. Ewiger GOtt! ich hang an dir, dein Trost hat mich erhalten in meinen Trübsals-Tagen

N n
gen

gen hier, daß nicht konte erkalten. Wann oft
gemeiner zu vergehn, weil es kaum zu ertragen,
bald thäest du heilen meine Wehn, und mich
auf Händen tragen.

11. Diß ists, was mein gepfleget hat in den
betrübten Zeiten; O ewge Lieb! O ewge Gnad!
die mich bewahrt vorm Gleiten. Das nehm ich
mit in jene Welt, weil du mich hier auf Erden
gelehrt zu thun, was dir gefällt, dort wird mir
schon noch werden.

12. Was mit so vieler Müh erjagt in meinen Trauer-Tagen, da ich hab alle Ding versagt,
und thärs aufs äuserst wagen; hat freylich deine
Gütigkeit dem Kinder-Sinn gepfleget, daß ich
nicht wurde vor der Zeit gar in das Grab geleget

13. So sey dann ferner diß dein Raht und
einzigs Wohlgefallen, daß du durch deine ewge
Gnad mein Leit-stern in dem Wallen. So werd
in deinem Willen ruhn, wie der sich dreh und
wendet; und wird mir nichtes mehr schaden thun,
bis ich den Lauf vollendet.

420.

Zeuch hin, und nimm dein Erbe ein, u. lasse
deine Ruh-Statt seyn, von aller Welt geschieden: was auch offt schön und lieblich klingt,
und doch kein Lied von Zion singt, und stillem
Gottes-Frieden, muß werden wie albere Dinge
verlassen, sonst kan es das heilige Still-seyn nicht
fassen.

2. Ich hab der Welt gesaget ab, die eitle Lust
gebracht ins Grab, mein Leben ist ein Schauen
und Umsehn, wies allda zugeht, wo man mit
Wachen und gebät thut Andachts-Hütten bann,
da stete gebäte im Geiste aufsteigen in stiller Einsenckung und heiligem Schweigen.

3. Daselbst wird kein Geschrey gehört, damit
die Andacht nicht verstört, der Gottesdienst muß
währen ohn Mund-geschrey und leer gepräng,
dabey kein eiteles Gesang, man kan dem Sausen
wehren. Allhier wird im heiligen Still-seyn erworben, was öfters durch Rennen und Lauffen
verdorben.

4. Hier gibt es rechten Unterricht zum Gottesdienst u. Amtes-pflicht, so der Versöhnung pfle-

get, wo man brennt selbst auf dem Altar, und also
bringet sein Opfer dar, und Rauchwerck hinzu leget. Das sind die gebäre, so vieles versöhnen;
obgleich die Verächter schon solches verhöhnen.

5. Jezt dienet man im Heiligthum ohn fremden Schmuck und eitlen Ruhm, so nur thut
Schatten machen. Der Wandel selbst muß seyn
mit GOtt, was nicht von da, geht ab mit Tod,
der geist hält an im Wachen. Hier müssen aufhören die Förmen und Weisen, samt allem was
nur thut von außen so gleißen.

6. Hier ist der angenehme Ort, wo redet das
inwenge Wort, und Unterricht darreichet, was
selbst dem HErren angenehm, im innern Heiligthum bequäm, wodurch das Ziel erreichet zum
heiligen Dienste andächtiger Flammen, wo schläget das Feuer der Liebe zusammen.

7. Kommt, ihr Verächter, seht mich an, wo
mich hat hingebracht die Bahn, da ihr seyd
Spötter worden. Ich bin nun still, und bleib
in Ruh, kein Schlaf drückt mir die Augen zu,
in diesem heilgen Orden muß alles zum selgen
gedeyen hin schaffen, und ob man auch thäte
aufs süseste schlafen.

8. So bin ich froh und heim gebracht, weil
GOtt selbst über mich gewacht, daß der Gefahr
entkommen, wo man im Vorhof Dienste thut, u.
Haus hält nur mit fremdem Blut, entfernt vom
wahren Frommen. Jezt seh ich mein Mageres
und Dürres ausgrünen, da vorher sehr ängstlich im Vorhof mußt dienen.

9. Mein guts kommt mir mit Hauffen ein;
bey diesem heilgen Stille-seyn thut man das Beste haben: man lebt, und ist wie heim gebracht,
hält über sein gepflüges Wacht, und kan an
GOtt sich laben. Des Vorhofs geschäffte sind
zeitlich verschwunden, drum hat sich das heilige
Still-seyn gefunden.

10. Mein Ruh-Bett ist mir nun bereit, daß
mir einbrachte die stille Zeit, hab anders nichtes
zu schaffen, als ruhen in der Liebe Schooß, von
allem falschen Schmucke loß, drum kan ich süß
schlafen. O seligs Vergnügen! dieweil sich eine
funden, daß alles geräusche auf ewig verschwund

II.

11. Jetzt wandelt man mit GOtt gemein, die Freundschaffte muß das Liebste seyn, von aller Welt geschieden. Wer ganz versagt sein Sinnen-Thier, das sonsten abirrt für und für ohn einiges Ermüden: hat alles erjaget, das Beste gefunden, und bleibet mit GOtt hin auf ewig verbunden.

421.

Zeuch hin, O liebe Seel! vergiß die Freud der Erden, dein wahres Vaterland blüht dort in jener Welt; da wirst du mit viel Freud in GOtt erhöhet werden, in grosser Herrlichkeit vor seinen Thron gestellt. Dein lang-gehabte Müh und schwerer Jammer-Stand eilt nun zu seinem End, es geht ein andre Bahn, und ob ich schon dabey den Menschen unbekannt, so bleibet mir doch GOtt mein Schutz und Helffers-Mann.

2. Diß ist mein Lebens-Brod auf denen rauhen Wegen, wenn mir viel reicher Trost von oben eingeschenckt: so muß sich nach und nach der lange Schmerzen legen, daß man desselben auch zuletzt nicht mehr gedenckt. Wie sanfft und stille wird alsdann der müde Geist, wenn seine Glaubens-Fahrt gekommen an sein Ziel: wie wohl hat der gewählt, der aus sich hingereißt, und endlich kommen heim, wo alles sanfft u. still.

3. Ich gehe dann so hin, erwarte mit Verlangen, was mir in jener Welt von GOtt ist beygelegt, da, nach so vielem Leid, mit grosem Sieges-Prangen, ein jedes seinen Schmuck und göldne Krone trägt. Doch muß der süse Fried, der Gottes Langmuth heißt, die angenehme Ruh und Kost der Seelen seyn: so lebe ich vergnügt, wenn ich aus mir gereißt, und schon in dieser Welt in GOtt gegangen ein.

422.

Herrlich ist es anzusehen, wann das jungfräuliche Heer thut sehr schön am Reihen gehen, rufen aus die neue Mähr: wie des grosen Schöpfers Macht alles hat zurecht gebracht. Wo sonst noch was zu verlachen, siehet man nunmehr Wunder-Sachen.

2. Drum muß sich nun alles freuen, weil man sieht, wie Wunder-schön GOtt nun alles thut verneuen, daß sie jauchzend einher gehn. Wer hat solches je gedacht, daß GOtt, nach so langer Nacht, würde solche Wunder zeigen, daß auch fast kein Mund wird schweigen.

3. Weil die grosen und die kleinen nunmehr Gottes Macht erhöhn, und, nach so viel langem Weinen, Wunder-schön mit Hauffen gehn. Weil die grose Herrlichkeit, die verdeckt bey so viel Leid, unter Glauben, Dulten, Hoffen, nun so schleunig eingeloffen.

4. Jezund siehet man andre Schaaren kommen dort von fernen her, die in mancherley Gefahren aufgesuche des Schöpfers Ehr. Darum muß auch ihr Gesang, nach dem müden Creutzes-gang, schallen bey den Jungfrau-Chören, daß mans nah und fern wird hören.

5. Aus der Tiefe und den Höhen kommen sie von fernen her, dieses Wunder anzusehen, damit sie auch zu der Ehe dieser Heiligen gebracht durch des Schöpfers Wunder-Macht, dem es alles muß gelingen, daß die Chör sehr lieblich singen.

6. Wer sol sich dann nun nicht freuen, solche Schöne anzu sehn, wo GOtt alles wird verneuen, da die Jungfern voran gehn, daß die grose Herrlichkeit, die GOtt hat von Ewigkeit schaffen wollen und bereiten, werd gesehn von allen Heiden.

7. Daß sie alle mit viel Freuden kommen Hauffen-weiß herbey, und es nah und fern ausbreiten, was diß vor ein Wunder sey, welches brach so schnell herein mit so hellem Lichtes-Schein; weil sich Gottes Braut läßt sehen, und sehr prächtig da thut stehen.

8. Dieses ist, was GOtt erkohren vor den Zeiten dieser Welt, und mußt seyn, als wie verlohren, da die Jungfrauschaffte entseele durch den Ehbruch, der geschehn, und gemacht so lange Wehn, da der Mann die Braut verlassen, u. ging auf Lucifers Strasen.

9. Dieses ist noch also heute hier auf dieser ganzen Welt, alle Völcker, alle Leuthe haben Adams Sinn erwählt: der den jungfräulichen Leib hat verscherzt ums irrdisch Weib. Dieser Meng ist nicht zu zehlen, so sich diesen Trug erwehlt.

N n 2

10.

10. Darum hat sich auserkohren diese Jungfrau einen Mann, der selbst war aus GOtt gebohren, aufzulösen diesen Bann; bracht des A-
dams Leib in Tod, daß versöhnet wurde GOtt.
Jezund kan die Jungfrau singen ein neu Lie-
de vom Gelingen.

11. Was es aber noch zu sagen, biß daß ihr
diß ganz Geschlecht GOtt wird in den Schose
tragen, da ihr himmlisch Mutter-Recht wird erlangen solche Ehr, daß sich ihr Geschlecht vermehr in die Meng, die nicht zu zehlen. Diß
wird heisen GOtt vermählen.

12. Alle Völcker, Leut und Zungen werden
dieser Braut zustehn; gleichwie Alte und die Jungen alhier Adams Trug nachgehn, halten fest
an seiner Sach, voraus wann sein Hochzeit-tag.
Also wird man dorten sagen von der Jungfern
Hochzeit-tagen.

13. Alles andre ist verlohren, wär es auch
schon Engelrein, was die Jungfrau nicht erkoren, gehe, dort nicht zur Kirche ein: weil das
jungfräulich Geschlecht hat alhier kein Bürger-
Recht; drum muß alles lassen fahren, wer sich
will der Jungfrau paaren.

14. Wann die frohe Zeit erscheinet, wo die
Jungfrau-Königin, wird man haben ausgeweinet,
weil einkommen mit Gewinn die so schöne
Kirchen-Zeit, welche GOtt von Ewigkeit sich
zum Lust-Spiel auserkoren, eh auch etwas hieß
verloren.

15. Drum ist lieblich anzusehen, wann man
siehet Hauffen-weiß dort dem werthen Lamm
nachgehen, daß sie geben GOtt den Preiß, der
sie hat so hoch erhöht, und mit Ehr und Majestät angethan ohn trüglichs Gleisen, Ihn also
aufs schönst zu preisen.

16. Darum wirds gar lieblich klingen in
der Jungfern Kirchen-Zeit, wann mit Hausen
gehn und singen aller Orten, weit und breit, die
das Lamm sich hat erkaufft, und im Geist u.
Blut getaufft, daß sie also Ihm vermählet,
und zur Braut-Zahl hingezehlet.

17. Diese sind alhier auf Erden ausgekehrt
von aller Welt, daß sie so verherrlicht werden

dort im schönen Zions-Feld. Darum bringt der
Creuzes-Gang so viel schönen Lobgesang: die
dem Lamm sich hier vermählet, sind zu dieser
Zahl gezehlet.

18. Jezund gilt es um die Sachen, weil wir
noch in Mesechs Zeit, was uns wird so herrlich
machen dort in jener neuen Welt. Wer hier seine
Trauer-Zeit aushält, bis ihn GOtt erfreut;
wo er sonst auch hart gedrungen, heißts nun
doch: es ist gelungen.

423.

Zieh nun hin, O liebe Seele! du häst einen
Kampff gekämpfft mit der finstern Tode-
Hölle, wo die Sünden-Macht gedämpfft, und
des Glaubens Helden-Thaten dir zulezt den Sieg
einbracht: und nun in der Schul der Gnaden
GOtt kanst dienen Tag und Nacht.

2. Solte man nicht Freude haben nach so
lang geführtem Krieg, weil das Herz sich nun
kan laben von den Beuten durch den Sieg, da
man oft sehr hart gerungen mit dem Tod und
Höllen-Macht, und in Schwachheit durchgedrungen, bis der Sieg ein End gemacht.

3. Den so viel und schweren Kriegen, da oft
fiel der Helden-Muth, und der Stärckst oft mußt
erliegen, wann der Kampff ging bis aufs Blut.
Aber da die Schwachheit kommen ist sehr hoch
vom Himmel her, hat sie mir hinweg genommen, was den Kampff gemacht so schwer.

4. Nun ist das verlangte Sehnen kommen
ein mit vieler Beut, und die viel und lange Thränen sind belohnet mit lauter Freud. Ob man gleich
in vielem Zagen auf der langen Wanderschafft
oft ging hin, als wie geschlagen, bracht die
Schwachheit neue Krafft.

5. Dieses ist die grose Beute, wo man Gottes Ruhm erhöht, und wie er selbst steht zur Seite, wo man seinem Fuß nachgeht. Alles andre
muß zerfallen, ob man gleich ist auf der Bahn,
um zum Himmel hin zu wallen, es erreiche nicht
Canaan.

6. Darum kan ich sicher wallen, weil mit
Tod und Höll besiegt, und nach Gottes Wohlgefallen, alles sonst zu Boden liegt. Drum kan
ich

ich mit so viel Freuden GOtt nun dienen Tag
, und Nacht, der durch so viel Niedrigkeiten mich
zum rechten Ziel gebracht.

424.

Zierlich und lieblich ist es an zu sehen, wann in
dem Lauf das frohe Ziel erreicht, und die so
viele Noht und Kummer schweigt: auch abgethan
die lang und viele Wehen. Was vor ein Heil
alsdann allda erwacht, wird ganz mit keinen
Worten ausgesagt:

2. Der süße Fried, so in dem Herzen trohnet,
geht über Sinn, Gedancken, Ziel und Zeit,
weil man von allem Zwang und Drang befreyt:
auch GOtt nun selbsten in dem Herzen wohnet,
und bringt den Feyer-Abend also ein, daß man
kan also wohl zufrieden seyn:

3. Wer nicht erjagt sein Ziel in Dulten Hoffen, und so gehalten aus den langen Drang; da
freylich öfters Zeit und Weile lang, der ist bey
allem Fleiß umsonst geloffen: die Gnade, die erquickt bey so viel Leid, bleibt ihm zurück in seinem schweren Streit.

4. Nun aber mir mein Glück ist eingekomen,
nach vieler Müh und lang-geführtem Streit;
so daß ich habe überwunden weit: ist mir mein
Stoß mit allen wahren Frommen schnell kommen ein schön hier in dieser Zeit, das Best bleibt
noch gespart in jene Ewigkeit.

5. Drum wird GOtt mein auch nun im
Alter pflegen, und führen mich nach seinem weisen Raht, weil nun aus seiner reichen Fülle satt:
drum werd ich mich zur letze niederlegen, und
ruhen in dem Schooß der Ewigkeit, allwo zu
End der lang und schwere Streit.

6. Da werd ich meine schöne Erndte sehen,
die hier mit so viel Schmerzen ausgesäet, da mir
so mancher rauher Wind geweht; und werd nach
so viel Leid zur Ruh eingehen, da dann erscheinen wird die Herrlichkeit, so währen wird in
alle Ewigkeit.

425.

ZIon blühet und grünet wieder, singet neue
Hochzeit-Lieder: weil die Vorkost schencket ein
schön allhier auf dieser Erden, was in jener Welt
wird werden, da es recht wird anders seyn:

5. Die zuvor im Staub gesessen, und geschienen ganz vergessen von der Huld und Freundlichkeit ihres Gottes, der sie liebet, sieht man nun
nicht mehr betrübet, weil sie Gottes Gut erneut.

3. Sey nun froh, du kleine Heerde, die erkauffet von der Erde durch des reinen Lames Blut:
siehe, wie dein Heil dich krönet, wo du warst zuvor verhöhnet, speiset dich nun das höchste Gut.

4. Die Gestalt der Welt vergehet, Zions Reich
nun ewig stehet, ihre Herrschaft für und für: dann
man siehet aller Orten offen stehen deine Pforten den, die suchen Ruh in dir.

5. Deine Schmach, die du getragen, wird vergessen nach zu sagen, weil dich Gottes Gut erfreut,
die dein Dunckles macht vergehen, daß nichts mehr
davon zu sehen seyn wird dort in Ewigkeit.

6. Die erhöhte Glaubens-Flügel, das vereinte
Gottes-Siegel seines Geistes, seiner Braut, müssen neue Kräfte geben, wan wir in dem Dunckeln
schweben, wo man nichts mit Augen schaut.

7. Ob wir schon noch müssen schweigen, es mit
Worten an zu zeigen, was der Geist in uns ertönt: wird es so viel schöner heissen, wann wir
dort mit neuen Weisen singen, u. von Gott gekrönt.

8. Freu dich, Zion, du geliebte, freu dich, Zion
du betrübte, weil dein Glück nun höher steigt, als
in den vergangnen Zeiten, da in so viel Niedrigkeiten du gering und klein gebeugt:

9. Seh die viel und schönen Kronen, womit
dir dein GOtt wird lohnen vor dein Leid auf dieser Welt: da sehr einsam und verlassen du oft gin-
gest deine Straßen, weil dich GOtt ihm auserwehlt.

10. Komt, Gespielen, laßt uns gehen! kommt,
laßt uns die Schöne sehen unsrer Mutter, Schwester, Braut, die zum Heil uns eingeladen, u. bisher so wohl berathen, und zu Gottes Lob erbaut:

11. Wohl dann! so wir worden Kinder, werden wir dann auch nicht minder in der Mutter Haus
eingehn, da man lehrt die schönsten Weisen, rein
ganz ohne einig Gleissen unbefleckt vor GOtt
thut stehn.

12. Haben wir nun Kindes-Rechte, und sind
worden das Geschlechte, wo die Mutter Gottes

Braut.

Braut: muß ihr Glantz uns herrlich zieren, und
uns zu der Schaar hinführen, die GOtt seinem
Sohn vertraut.

13. Sind wir dann die Taube worden, so
blüht auch der Jungfrauen-Orden mitten unter
dem Geschlecht, so den reinen Wandel zieret, und
ein Göttlich Leben führet nach der Weisheit Kin-
der-Recht.

14. Was ein Schmuck und hohes Prangen,
wann so komt einher gegangen die so reine Zions-
Heerd: so die schönsten Weisen singen, und sich
hin zu GOtt aufschwingen, der ihr Leid in Lust
verkehrt.

15. Was kan lieb- und schöners heissen, wañ
man siehet ohne Gleissen die verlobte Jungfrauen-
Zahl mit dem Braut-Schmuck schön gezieret, wo
sie mit wird eingeführet zu des Königs Hochzeit-
Mahl.

16. Lob und Danck muß da erschallen, wo,
nach Gottes Wohlgefallen, Zions Herrlichkeit
anbricht: wo der Glantz der Welt zernichtet, u.
auf ewig hingerichtet durch das helle Wunder-Licht.

17. Wohl dann nun, es wird uns werden,
was wir hoffen hier auf Erden in des Geistes
Niedrigkeit. Zions Reich wird ewig währen, das
wird keine Zeit verzehren in die Läng der Ewigkeit

426.

ZION geht schwartz umher, gantz einsam und
verlassen von groser Traurigkeit, viel Zähren
sie benässen: weil sie im fremden Land, da sie gantz
unbekannt, und oft von Feinden wird gejaget,
da niemand ist, der sie beklaget.

2. Und hält sie jederman, als wäre sie beflek-
ket, dieweil ihr Glantz und Schein mit Schmach
und Hohn verdecket: statt der erwünschten Freud
trägt sie ein Trauer-Kleid, und muß im Elend
umher gehen, in vielen Schmertzen, Leid u. Wehen.

3. Sie singet in Hoffnung zwar von denen frohen Zeiten, da alles Leid belohnt mit vielen tausend Freuden. Doch bringt ihr das kein Rast, weil
sie noch als ein Gast, und Fremdling ist auf dieser Erden, u. muß noch tragen viel Beschwerden.

4. Sie bringt noch ihre Zeit mit Seufzen u.
mit Klagen zu, weil sie wird verhöhnt, dabey

muß Sünden tragen, die sie doch nicht verschuldt;
doch trägt sie mit Geduld, und wartet, bis die
Zeit wird komen, da GOtt wird retten seine Fromē.

5. Doch fällts ihr oft so schwer, daß sie es
kaum kan tragen, wenn ihre Feind mit Spött u.
Hohn zu ihr thun sagen: sag, wo ist nun dein
GOtt? der dir hilft aus der Noth. O das bringt
ihr viel Noht und Schmertzen, und viele Wunden in dem Hertzen.

6. Doch läßt sie GOtt nicht gantz in Traurigkeit versincken, erinnert sie, daß er noch thut
daran gedencken, was er beschließt hat, daß Zion,
Gottes Stadt, nun bald soll auferbauet werden, zu seinem Lob hier auf der Erden.

7. Und Zions Herrlichkeit sich nah und fern
ausbreiten, daß ihre gantze Zahl, mit vielen tausend Freuden, werden gehn ein und aus in Gottes Stadt und Haus. Dann wird auf ewig
seyn vergessen, wo sie in Schmertz u. Leid gesessen.

8. Die Zeit rückt schon herbey, die lang von
GOtt beschlossen, daß Zion wird erlößt, wer
will den Raht umstosen? Drum ziehe aus das
Kleid der Schand und Traurigkeit, das du getragen in dem Stande, da du ein Gast im fremden Lande.

9. Man höret ein Geschrey sehr weit vom
End der Erden, daß Zion nun soll bald mit
Macht erlöset werden. Dabey hört man den
Schall der Wächter überall, die Tag und Nacht
nicht stille schweigen, daß sie das grose Heil anzeigen.

10. Ihr starcker Ruf und Stimm muß sich
sehr weit ausbreiten, bey aller Völcker Sprach,
sehr weit unter den Heiden: damit die gantze
Schaar, wo sie zerstreuet war, allhier auf dieser
gantzen Erde, zu Hauffen bald gesammlet werde.

11. Die Knechte sind schon dran, daß sie die
Stein bereiten zum neuen Tempel-Bau; obschon
der Hauf der Heiden, mit Hohn u. stoltzem Pracht,
ihr Arbeit nur verlacht: so wird man es doch
bald ansehen, daß ihre Mauren fertig stehen.

12. Drum auf! und säume euch nicht, ihr lieberwehlte Frommen, und schlaget Hand mit an,
dieweil die Zeit ist kommen: daß Zion werd geschaut als eine Stadt, erbaut mit lauter auser-

wehlten

wehlten Steinen, die gantz geschieden vom Gemeine

13. Dann Zion soll nun nicht mehr eine Wittwe heissen, noch einsam, weil sie GOtt selbst sein Gemahl wird heissen: und sich ihr nehmen an, weil er ihr Herr und Mann, drum wird sie sich nicht weiter kräncken, noch ihrer Wittwenschafft gedencken.

14. So singet meine Seel hier in den Leidens-Tagen, wann ich geh schwartz einher, und muß das Creutze tragen: doch freu ich mich dabey, daß bald wird werden frey die Tochter Zion, die gefangen, da sie noch wartet mit Verlangen.

15. Bis sie mit vollem Pracht in GOttes Stadt eingehet, und in des Königs Saal zu seiner Rechten stehet, mit Gold und schöner Seid sehr herrlich angekleid. Dann wird man bey den Leuthen sagen: wer meints, daß sie vor wenig Tage

16. So heßlich angethan, vom Volck geachtet worden als wie ein unrein Weib, wie sind sie nun Consorten der'r, die so gehn in Pracht, und wir die sie verlachte, haben das Ziel im Lauf verfehlet, weil wir zu Sündern sie gezehlet.

17. Wie sind sie nun von GOtt zu Kindern aufgenommen: ihr Theil und Erbe ist im Looß der wahren Frommen. Drum haben wir verfehlt des Wegs, den sie erwehlt, weil uns das Licht nicht hat geschienen, so aufgegangen über ihnen.

427.

ZION hat im Geist vernommen, daß GOtt bald rufen wird die Frommen allhier auf dieser gantzen Welt: damit sie gesammlet werden zu Hauffen schön wie eine Heerden, und so vor seinen Thron gestellt. Drum suche sie ihr Geschmeid, und machet sich bereit, ein zu gehen ins Königs Saal, da sich die Zahl der Braut wird sammlen allzumal.

2. Grose Dinge wird man sehen, wann alle Frommen werden gehen mit Hauffen ein in Gottes Stadt, aller Orten wird man sagen: die sinds, so ehmals hart geschlagen um ihre Sünd und Missethat: da sie gefangen sehr, mit Mühe u. Beschwer einher gingen. Wer häts gemeint? daß sie so seynd die anserwehlte Gottes Freund.

3. Dann es ist im Rath beschlossen, der wird

auch nimmer umgestosen, daß GOtt in dieser letzten Zeit seinem Saamen wird verleihen, daß er wird wachsen und gedeyen, damit ihm werde zu bereit ein Volck zum Eigenthum, das seinen grosen Ruhm stets ausbreite. O heilge Wahl! O Jungfrauen-Zahl! schmück dich im Geist zum Hochzeit-Mahl.

4. Die, so lang im Druck gesessen, und meinten, GOtt hät ihr vergessen, die wird er bringen auch herbey: ihr Gefängnüß wird er wenden, aus Zion ihnen Hilfe senden, und machen sie von Banden frey. Drum auf! und sey gerüst, die du gefangen bist: weil wird kommen in schneller Eil, gantz ohn Verweil, was dir wird werden noch zu Theil.

5. Dann wir haben es gehöret, wann aller Heiden Macht zerstöret, daß Zion wird seyn hoch erbaut: und den Tempel wird man sehen nach feiner Weise prächtig stehen, das haben wir in ner Weise prächtig stehen, das haben wir im Geist geschaut. Drum mercke eben drauf, du aus-erwehlter Hauf, mach dich fertig, die Zeit ist da, wir sehen ja den Glantz aufgehen fern und nah.

6. Auch wird man mit Augen sehen, daß da mit Haufen werden gehen aus allen Stämmen Israel: damit sie gesammlet werden von allem Ort und End der Erden, daß jeder Gottes Lob erzehl: der sie zusammen bracht durch seine grose Macht, die wird werden schnell offenbar, wann kommt das Jahr, so ihnen lang verheissen war.

7. Mirjam wird den Reihen führen, und Benjamin das Volck regieren, mit samt den Fürsten allzugleich: die aus Juda Saam herstammen, und Naphtali Geschlecht und Saamen, die herrschen alle in dem Reich. O was vor Lob-Gethön wird man da hören und sehn! wann wird gehen bey Paar und Paar die gantze Schaar, wann solchs wird werden offenbar.

8. Auch werden die Mägde gehen von hinten nach, daß man sich sehen, wie sich ihr Saame ausgebreit't: die dem grosen GOtt zu Ehren auch helfen mit sein Lob vermehren, daß man wird hören, weit und breit den Klang vom Paucken-Hall mit frohem Jubel-Schall, das wird thönen. O was vor Freud hat GOtt bereit den seinen in der letzten Zeit.

9.

9. Auf, ihr heilger Saamen, alle, erhebet
GOtt mit frohem Schalle, und rühmet seine
Wunder-Macht: jedes sey mit Ernst beflissen,
weil er uns solches lassen wissen, daß ihm werd
Danck und Ruhm gebracht schon hier auf dieser
Welt, bis wir auch dargestellt zu den Haufen,
die sich bereit in dieser Zeit, daß sie GOtt lob'n
in Ewigkeit.

428.

ZJON ist erhöht: Ehr und Majestät ist ihr
Schmuck und hohes Prangen, weil sie hier
am Creuz behangen, wird in Majestät sie von
GOtt erhöht.

2. Zion wird verneut: die Verheissungs-zeit
bringet ein die süse Beute, vor ihr viel gehabtes
Leide wird sie nun erfreut, und von Gott erneut.

3. Hat die lange Nacht ihr viel Leid gebracht,
wird es so viel schöner stehen; wann sie jederman
wird sehen gehn im Lichtes-Pracht nach der langen Nacht.

4. War ihr Wittwenstand schon mit GOtt
verwandt allhier, bey so viel Beschwerden; was
wird erst aldorten werden, wann es umgewandt
im Erquickungs-Stand.

5. Schön, wie Rosen stehn, ist sie anzusehn:
wann ihr Glantz thut höher steigen, thut sich ihre Schöne zeigen: lieblicher zu sehn, als die Rosen stehn.

6. Der Propheten Sinn gehet auf dich hin:
deine Schöne macht sie grünen, daß dir muß
zum Segen dienen, was ihr hoher Sinn auf
dich deutet hin.

7. Wann dein Glantz wird seyn wie der Sonnen-Schein, dann wird über dir aufgehen, was
im Dunckeln sie gesehen ohne Lichtes-Schein,
was wird schöners seyn?

8. Tritt nun auf die Höh, dich sehr weit umseh, wie von allen End der Erden nun zu dir
versammlet werden. Drum tritt auf die Höh,
dich sehr weit umseh.

9. Alle, die dir feind, und zuwider seynd,
werden kommen, tief sich neigen, und vor deiner Höh sich beugen alle, die dir feind, und zu
wider seynd.

10. Dein gehabtes Leid in betrübter Zeit, wo
du warst so lang gesessen, wird auf ewig seyn vergessen. O was grose Freud folget nach dem Leid!

11. Deine Jungfrauschafft, die lang in
Verhafft, da du mustest traurig gehen, die Verächter um dich sehen: bricht aus der Verhafft
durch des Geistes Krafft.

12. O wie schön wirds stehn! und seyn anzusehn, wenn dein Liebster selbst wird kommen,
der den Schmerzen weg genommen, samt den
vielen Wehn. O wie schön wirds stehn.

13. Dann wird dir zu Theil ein so grofes
Heil, weil dich GOtt ihm hat ersehen, ist, nach
so viel Leid und Wehen, ein so grofes Heil worden dir zu Theil.

429.

ZJON träget schöne Krohen nach dem schweren Creuzes-Gang: GOtt wird ihre Schmach
belohnen, und den harten Zwang und Drang.
Nun sieht man gantz andre Sachen, als in der
vergangnen Zeit: GOtt weiß alles so zu machen,
daß viel Friede nach dem Streit.

2. Rechte erfreulich ist zu sehen, wann man Gottes Wunder sieht, weil er nach so vielen Wehen
lohnt mit lauter Huld und Güt. Wann es scheint,
es wär verlohren, und die Hoffnung aus zu seyn,
wird ein neues Licht erbohren, schenckt uns tausend Freude ein.

3. Hätte man wohl sollen dencken in der harten Kelter-Preß, wie GOtt es kan alles lencken,
und hinbringen in Vergeß: bey so viel und
schweren Drangen, die offt über uns ergehn, wird
der alte Mensch gefange, u. der neu muß auferstehn.

4. Darum schallen neue Lieder: als der
schönen Frühlings-Sonn blühet das Erstorbne
wieder uns zur grosen Freud und Wonn: nun
so sieht man Zions Mauren wiederum erhöhet
stehn, und die Feinde, so da lauren, müssen
fallen und vergehn.

5. Die da treten aus der Enge, wann die
Saat in Schmerzen steht, kommen in viel Noth-
Gedränge, wann Zion zur Freud eingeht: Angst
und Schrecken, Noht und Klagen ist der Lohn
der eitlen Freud, Zion sieht man Kräntze tragen
nach

nach so viel gehabtem Leid.

6. Freue dich, du kleine Heerde, du wirst
bald mit Freuden sehn hier auf dieser gantzen Erde Herrlichkeit und Lob aufgehn. Dann wird
deine Freud erwachen nach der trüb- und duncklen Zeit, und dein Trauer-Mund wird lachen,
weil dich Gottes Güt erfreut.

7. Man sieht schon dein Heil aufgehen, dann
du bist sehr werth geacht, darum werden deine
Wehen alle gantz zunicht gemacht: aller Orten
wird man sagen von der grosen Herrlichkeit,
die hier in den Leidens-Tagen dir von deinem
GOtt bereit.

8. Drum kommt alle, ihr Getreuen, sehe den
schönen Glantz aufgehn, und was seliges Gedeyen GOtt gibt nach den vielen Wehn. In den
vielen bittern Drüsen wird man fähig und bereit, was GOtt giebet zu geniesen hier schon
in der Niedrigkeit.

9. Wann die Paradieses-Kräfte dringen durch
die Sinnen aus, müssen alle Welt-Geschäfte weichen, und von da hinaus. Wann die Himmels-
Sonne leuchtet, muß, was dunckel, gantz vergehn, und der Morgen-Thau befeuchtet unsre
dürre Geistes-Wehn.

10. Nun wohlan, jetzt kommt ein Grünen,
aus der Paradieses-Sonn, alles muß zum Segen dienen, und zur höchsten Freud und Wonn:
alles Trauren ist vergessen, weil man sieht die
Rosen blühn, und dabei ein GOtt-Genesen nach
vielfältigem Bemühn.

11. Darum bringen stetig Früchte jene Bäum
am Lebens-Strom, diß erfreuet das Gesichte derer, die hier keusch und fromm. Die dem Lamm
in seinen Tritten folgen nach allhier auf Erd, so
in dieser Welt gelitten, daß Zion verherrlicht werd.

12. Güldne Kronen sieht man tragen dort in
der Erquickungs-Zeit die, so alles thäten wagen
allhier in der Sterblichkeit. O ein herrlichs schönes Prangen! das an denen ist zu sehn, die allhier in allen Drangen nur des Lames Fuß nachgehn.

13. Was ist wunder, wann auf Erden schon
in dieser Sterblichkeit oft muß alles anderst werden, wann uns Gottes Güt erfreut. Sind wir

gleich in vielen Wehen, daß oft scheinet aus zu
seyn, plötzlich thut ein Trost aufgehen, und schenckt
uns viel süßes ein.

14. Darum sey nicht mehr betrübet, weil du
bist von GOtt erhöht, und von Ihm so sehr geliebet, wann sonst alles untergeht, wird dann
erst dein Heil erwachen, Zion, in viel groser
Freud, und dein Trauer-Mund wird lachen dort
in der Erquickungs-zeit.

430.

ZIon werde hoch erfreut, weil die Tage
kommen, wo wird alles seyn verneut, und
GOtt seinen Frommen geben wird den Gnaden-
Lohn, da sie oft getragen Druck, Verachtung,
Spott und Hohn, und sehr hart geschlagen

2. Von den Feinden, die mit Macht oft auf
sie getrungen, sie verschoben und verlacht, auch
wohl gar bezwingen: daß sie mußten traurig gehn
mit verwundtem Hertzen, ihre Saat in Thränen säen, und mit vielen Schmertzen.

3. O was vor Gefährlichkeit! O was rauhe
Wege! O was harten Kampf und Streit!
O wie viele Schläge müssen tragen! die allhier
fremd und Pilger worden; doch die volle Liebs-
Begier nach den Salems-Pforten.

4. Kan versüßen alles Leid in den Trauer-
Tagen, weil sie nach vollbrachtem Streit werden Kräntze tragen in der schönen neuen Welt,
die GOtt wird bereiten vor die, so er auserwehlt
durch viel Creutz und Leiden.

5. Drum muß werden alles gut, und mit
Freud sich enden, weil GOtt Hülfe unvermuth
wird aus Zion senden: und den Leid- und Trauer-Wein viel Freud versüßen, so daß wird
vergessen seyn, wo sie haben müssen.

6. Dienen in dem fremden-Land, da sie warn
gefangen hart in Fesseln und in Band, warten
mit Verlangen auf den schönen Freuden-Tag,
der bald wird anbrechen, da man jauchzend singen mag, und von Wundern sprechen.

7. So die volle Gottes-Treu ihnen hat erwiesen, in der Noth gestanden bey, daß sich
wundern müssen alle, die zusammen bracht, unsern GOtt zu loben, der dem Leid ein End gemacht,

macht, nach viel Glaubens-Proben.

8. Drum ist meine Seel bereit, freudig fort zu lauffen nach der frohen Ewigkeit, weil ich zu den Hauffen werd gesammlet und eingehn, nach vollendten Proben, und vorm Thron des Lams stehn, ewiglich GOTT loben.

9. O! ich freu mich schon im Gang hier auf meiner Reiße, und rühm, mit viel Lob-Gesang, auf die schönste Weiße, Gottes Güt und Wunderthat, die er mir erwiesen, daß sein Treu und grose Gnad werd von mir gepriesen.

10. O! was Freud und Lobgesang wird man sehn und hören, wann sie alle in dem Gang Gottes Lob vermehren: und eingehn in die Stadt, die sich GOtt erbauet vor die, so in Thränen-Saat hier im Geist geschauet

11. Solche grose Herrlichkeit, die er hat bereitet nach der Ueberwindungs-Zeit, da man wird gekleidet schön mit weisser reiner Seid, prächtig einher gehet in Licht und Gerechtigkeit, und vorm Stuhle stehet.

12. Da sie alle rund umher tief sich werden beugen, und, dem theuren Lamm zu Ehr, ewig ohne Schweigen, mit viel Danck und Ruhm-Geschrey werden Lieder singen auf die schönste Melodey, daß es hell wird klingen.

13. O ihr Himmels-Bräut! thut sehn, seht den vollen Lohne, wie sie alle einher gehn mit viel Freud und Wonne: darum ziehet prächtig aus, geht dem Lamm entgegen, daß ihr freudig kommt nach Haus, thut den Schmuck anlegen.

14. Und stimmt an das neue Lied mit viel schönen Weisen, thut in Hertzen und Gemüth unsern König preisen mit sehr hoch erhabnen Thon, und mit hellem Schalle, damit ihm, dem Jungfraun-Sohn, euer Lob gefalle.

15. Haltet den verlobten Sinn jungfräulich im Gehen: gebt der Welt das ihre hin, daß ihr könnet stehen, wann sie euch verführen will durch ihr Lock-Geberden. Habt vor Augen euer Ziel, weil ihr von der Erden.

16. Durch des reinen Lamms Blut theuer auserkauffet: das muß kommen euch zu gut, wañ ihr ihm nachlauffet in dem reinen Jungfraun-

Sinn, der sich ihm vermählet. Gebet alls um alles hin, weil ihr seyd gezehlet

17. Zu der keuschen Jungfraun-Zahl, die er neu gebohren, und aus gantz geheimer Wahl, vor sich auserkohren. Drum so stimmen all zusamm mit viel schönen Weisen, damit wir das werthe Lamm können ewig preisen.

431.

Zuletzt muß werden gut, wenn alles Leid zu-Ende, ich sehe schon im Geist die Hoffnungs-Bäume blühn: zuletzt siehts anders aus, da ruhn die müde Hände, die sich hier auf so viel und manche Weiß bemühn.

2. Thut schon der Schmertzen offt durch Geist und Seele dringen, so daß der schwache Muth will sincken auf der Bahn: wird doch der Hoffnungs-Baum noch seine Früchte bringen, wañ der Gedeyen gibt, ders Beste geben kan.

3. So gehe ich dahin in mancherley Beschwerden, die GOtt mir zugedacht allhier in dieser Welt: alldorten wird es schon auf einmal besser werden, wann ich werd gehen ein insfrohe Himmels-Zelt.

432.

Zuletzt, nach wohl vollbrachtem Lauff, geht an das rechte Leben: zuletzt hebt man die Hände auf, nimmt hin, was GOtt gegeben: zuletzt erlanget man die Kron, die in Gedult erlesen; zuletzt kommt ein der Gnaden-Lohn, erwartt durch langes Hoffen.

2. Zuletzt wird allem Leid ein End, wenn lang genug gelitten; zuletzt wird alles umgewendt, wenn alle Feind bestritten: zuletzt sieht es gantz anders aus, als in betrübten Zeiten; zuletzt theilt GOtt den Segen aus, u. lohnt mit tausend Freude.

3. Zuletzt kommt man zu seinem Theil, ererbt, was lang verheissen; zuletzt wird GOtt uns in der Eil aus allem Elend reissen. Zuletzt sieht man ein andre Welt, als hier auf dieser Erden. Zuletzt, wann es GOtt gefällt, wird alles anders werden.

4. Drum muß die Hoffnung bleiben fest in allem Leid und Jammer, hier sind wir fremde Wander-Gäst, dort ist die Ruhe-Kammer: der

Jam-

Jammer, der uns zeitlich plagt, muß doch zuletzt
verschwinden, und wo ein Creutz das andre jagt,
bleibt beydes mit dahinden.

5. Was grose Freud und Seligkeit wird
dann zuletzt noch werden? was Ruhe nach so vielem Leid und Jammer hier auf Erden: und
weil uns GOtt so wohl versehn mit Glauben,
Dulden, Hoffen, so werden wir zuletzt noch
sehn, daß unser Ziel getroffen.

6. Diß ist des Geistes Bitterkeit, wann auch
dahin das Hoffen; doch was uns Gottes Gnad
andeut, wird in Gedult erlosten. Drum will ich
preisen Gottes Huld, mein Glück ruht in Beschwerden, und will erwarten in Gedult, was
mir zuletzt wird werden.

433.

Zuletzt will noch einmal die Sayten rühren,
und sagen, was die ewge Lieb an mir gethan,
da sie so treulich mich thät leiten, führten auf meiner langen und betrübten Trauer-Bahn. Wann
es war sinster um mich her, so macht sies leicht,
wanns ging zu schwer, und thäte bey der Hand
mich leiten, daß ich nicht fallen kont zur Seiten.

2. Und weil ich kommen heim nach so viel
Zagen auf der mühsamen Reiß u. langen Wanderschafft, so will ichs auch an allen Orten sagen,
was mein so langes Leid ein grosel Heil verschafft. Der Friede, der gleich einem Bach geflossen kam auf einen Tag, der tränckte meine
magre Wiesen, daß ich kont Gottes Huld genießen.

3. Drum höre auf, mein müder Geist, zu
klagen, vergesse deinen lang gehabten schweren
Drang, der dich beklemmt in deinen Trauer-tagen, und singe nun dafür ein neuen Lobgesang.
So wird man hören weit und breit, wie Gottes grose Gütigkeit zuletzt erhöhen thut die Kleinen, und tröstet sie nach so viel Weinen.

4. Kan ich im Trauer-Thal schon hier nicht
schweigen, zu rühen aus, was Gottes Güte und
Genad erweisen thut, nach so viel Knie-beugen,
dabey erlangt das Ziel, so er gestellet hat. Kaum
wird man können sagen nach, was dieses vor
ein Freuden-Tag, der kam so schnell heran, geloffen, nach so viel langem Dulten, Hoffen.

D

5. Jetzt gehe man nicht mehr hin in so viel
Weisen, weil ist gekommen ein die frohe Erndte-
Zeit, wo mehr so beklemmt die liebe Kleinen, da sie gegangen hin in so viel bittrem Leid.
Diß war die lang betrübte Sach, biß mir kam
ein der frohe Tag, drum will mich ferner nicht
mehr kräncken, weil GOtt nun anders thut einschencken.

6. Als sonst in den betrübten Zeit und Tagen, da alles offt war schwarz und sinster um
mich her, weil ich sucht durch Fleiß den Himmel zu
erjagen, mußte ich gehn zur Zeit so traurig hin
und her. Wohlan so sey dann diß der Schluß,
von meiner langen strengen Buß, was ferner
hin mich noch wolt schrecken, wird wohl die E-
wigkeit bedecken.

434.

Zuletzt wird dieses noch von mir gesungen, ich
mache meinen Abschied von der Welt und
Zeit, samt allem, was mich hat so hart gedrungen; mein Ruh-Bett ist mir schon von längsten
her bereit. Dann Sophia, die mich geübt, wann
mir das Leben bitter sauer werden, diewel ich al-
zusehr verliebt war in den allerreinsten Jungfraun-Orden.

2. Die hat mein nun gedacht in meinem Zagen, weil ich nun alt u. abgelebt. Auf dieser Bahn,
und lässet mir viel Heil und Trost ansagen, dieweil sie allzeit thät gar fleißig dencken dran, was
ich in meiner grösten Treu vor manchem Drang
in viel Gedult erlitten, drum wolt sie mir gern
legen bey den Treu-Schatz, der zur Zeit so saur
erstritten.

3. Drum will zur letzt noch ein Danck-Lied singen, und sagen, was die ewge Lieb an mir gethan; und läßts nach so viel Leid zuletzt gelingen,
erzeigt mehr Huld und Gunst, als daß man sagen kan. Wann ich durch Kleinheit abgetret, u.
meint, es war geschehen um mein Leben,
so würd ich bey der Hand geführt, daß ich nicht
länger durfft im Elend schweben.

4. Diß sey den Nächkomen zur Lehr geschrieben, daß sie vom ewgen Bund ja weichen nimmermehr, wanns trüb hergeht, nicht hören auf zu
lieben

o 2.

lieben, wären die Bürden auch schon öfters Centner-schwer. Die Ruh, so folget nach dem Streit, hat so viel Preiß, man kan es nicht aussagen: erlangt man nur die Seligkeit, so kan mans schon aufs äuserste hin wagen.

5. Ich will indessen noch einmal berühren, was meine Wanderschafft zulezt mir eingebracht, wann alles um mich her scheint abzuirren, so pfleg ich Gottesdienst bey Tage und bey Nacht. Mein Ziel, das mir war vorgesteckt, ließ mich keinmal in einem Ding erkalten, und was auch oft die Kleinheit schreckt, macht mich nur jünger, wenn schein zu veralten.

6. Die Jungfrauschafft ertheilt den Preiß zum Leben, wann alles abgelebt als wie ein dürrer Baum, so thut sie neue Krafft und Odem geben, und sezt den müden Geist wieder auf weiten Raum. Da grünet aus der edle Zweig, der lang zuvor erstorben und erfroren, zeigt seine Frucht in Gottes Reich, so ist gefunden, was zuvor verlohren.

7. Was auser diesem Odem lebt und waltet, hält keinen Stich, vergeht, eh daß man sichs versieht, auch oft in schönster Blüth ist es veraltet, so ist ein leerer Schein, worum man sich bemühet. Sophia aber nimmt nicht ab, ihr Leben weiß von keinem Tod noch Sterben, wolt man sie legen gleich ins Grab, so kan sie auch nicht in dem Tod verderben.

8. Drum wird mich weder Zeit noch Jahr veralten, weil meiner Jugend Blüth mit Sophia vermählt, die mich im Lieben niemal ließ erkalten; wanns noth, so predigte sie mir von jener Welt. Drum soll mein Abschied seyn gemacht von allem, was allhier mir Thorheit pfleget, so bin ich wohl und heim gebracht, wo mich in Ewigkeit nichts mehr beweget.

435.

Zulezt wird GOtt Zion erlösen von ihrem lang gehabten Leid; zulezt macht GOtt ein End dem Bösen, das offt in der betrübten Zeit die Tage kümmerlich verzehret, wann sie ging traurig hin und her, dabey der Spötter Hohn sich nähret, als ob GOtt nicht ihr Helffer wär.

2. Wie viel betrübte Zeit und Tage hat sie im Elend zugebracht, wann bey der schweren Niederlage sie noch darzu verhöhnt, verlacht, daß sie vor Leiden könt vergehen bey dem so sehr verlassnen Stand; doch machten sie die viele Wehen zulezte seyn mit GOtt verwandt.

3. Hier trägt sie in der Schwach viel Kronen, die ihr von GOtt sind zugedacht, womit er ihr zulezt wird lohnen, wann sie ist lang genug verlacht. O was vor Ruhe nach dem Leiden! u. was vor Friede nach dem Streit, die nach so vielen Niedrigkeiten ihr dorten sind von GOtt bereit.

4. So bald die Tage sind vergangen, die sie im Schmerzen zugebracht, wird man sie sehen herrlich prangen, da niemand hätt zuvor gedacht, daß der, so lang im Staub gesessen in der so sehr betrübten Zeit, nun wird von Oben eingemessen so grose Freud und Herrlichkeit.

5. Drum kommt zulezt eingeloffen das lang gehofft erwünschte Glück: zulezt wird das Ziel getroffen, so bleibt der Jammer ganz zurück; sind dann die Tage nun vergangen, die sie verbracht in so viel Leyd, sieht man sie so viel schöner prangen vor GOtt in der Erquickungs-Zeit.

6. Drum bleibt mir ihre Freud im Zagen, weil es zulezt wird anders seyn, muß sie schon hier den Kummer tragen, der ihr ohn Maaß gemessen ein: so wird sie doch niemalen müde in dem betrübten Trauerstand, und preiße unendlich Gottes Güte, weil all ihr Leiden GOtt bekannt.

7. Drum läßt das Hoffen nicht verzagen, weil GOtt zulezt schenckt anders ein, als hier in den betrübten Tagen, in so viel bitter Liebes-Pein. O wohl! die Tage gehn zu Ende, das Glück der Hoffnung eilt heran, wir strecken aus die müden Hände nach dem, was GOtt darreichen kan.

8. In den betrübten Trauer-stunden sieht freylich alles anders aus, als wann sich Gottes Güt einfinden nach manchem harten Todres-strauß. O wie erfreulich ists zu sehen! wann man bringt seine Erndte ein, und wie die viel gehabte Wehen in Ewigkeit vergessen seyn.

9.

9. O wohl! wer in betrübten Tagen, in dieses Leibes Niedrigkeit, sein Creutz mit viel Gedult getragen, weil man zuletzt von GOtt erfreut. Drum muß der Schmertz und Kummer weichen, wann kommt, was GOtt verheissen hat; zuletzt thut man das Ziel erreichen. O Heil! O unverdiente Gnad.

10. Gedult, Gedult, betrübtes Hertze, trag deinen Kummer noch ein weil: bedenck, wie es GOtt selbsten schmertze, daß er dir deine Wunden heil. Du wirst schon deine Lust noch sehen, wann er mit seiner Güt aufwacht, dann wird zu einem mal vergehen, was dich so viel Leid gebracht.

436.
ZU Nachts, wenn Vieh und Menschen schlafen, und mit der Todtes-Larv umstelle, hab ich mit meinem GOtt zu schaffen, um nur zu thun, was ihm gefälle: und zwar, wann solte Stimmen hören, auf dieses ist die letzte Nacht. Diß mache mich zu mich selber kehren, wie ich mein Leben zugebracht.

2. Diß macht mir öfters nasse Wangen, und kommt mir schwerlich aus dem Sinn, weil meine Tag dahin gegangen, daß oft nicht wußte, was ich bin. Drum zehle ich die Augenblicke, laß keine Zeit vom Wind verwehn, damit mir ja u dits bleib zurücke, wann ich muß von hinnen gehn.

3. Drum kan ich nicht so sicher schlafen, als wo man meint, es wär gethan; ich hab beständig was zu schaffen, daß nicht werd träg auf meiner Bahn. Wann andre schaffen, daß sie leben allhier auf dieser eitlen Welt, thu ich mich meinem Gott ergeben, mit mir zu thun wies ihm gefällt.

4. Ich weiß kein besser Theil auf Erden, als meine Zeit so bringen zu, um Gottes Eigenthum zu werden, verachten Welt und Fleisches-Ruh. Und seh nicht drauf, was andre machen, die dem Gemache gehen nach; ich sorge nur vor meine Sachen, daß ich bereit auf jenen Tag.

5. Drum thu ich Tag und Stunden zehlen, daß keine müßig geh vorbey: das übrig thu ich Gott befehlen, daß er selbst mein Berather sey. Daneben muß ich stetig wachen, daß nicht verkürze mei-

ne Zeit, wann etwa GOtt ein End zu machen dem Leben meiner Sterblichkeit.

6. Diß ligt mir stetig auf dem Hertzen, auch mein Gewissen schläfet nicht, weil es trägt stetig viele Schmertzen, um zu bestehn vor Gottes Gericht. Diß macht mich so viel Sorge tragen, daß nicht kan träg noch schläfrig seyn, zumal wanns scheint, ich wär geschlagen, wann GOtt einschencket Myrrhen-Wein.

7. Drum thu ich oft zu Nachts aufstehen, daß ich betrachte Gottes Rath, u. halte an mit vielem Flehen um seine Güte u. Genad; daß sie mich selber wolle führen und leiten, wie es ihm gefällt, um ewig nicht mehr abzuirren um einig Ding auf dieser Welt.

8. Die Tage sind dahir gegangen auf meiner langen Wanderschafft, in vielem Leid u. manchen Drangen, daß oft dahin war alle Krafft. Drum möcht gern sehn mein Ziel getroffen, wornach ich mich so lang bemüht, u. manche Jahr darnach geloffen, um zu erlangen GOttes Güt.

9. Auch jetzt in dieser Stunde eben steh ich: ach GOtt! schencke Güte ein; du bist mein einiger Trost im Leben, wie könt ich sonst der Deine seyn. Hier bin ich, lasse auf mich fliesen viel Ströme deiner Freundlichkeit; thu alle Bitterkeit versüßen, daß ich aus deiner Füll erneu.

10. Laß mich nicht seyn umsonst geloffen, O treuer GOtt! ich halte an, daß sey mein rechtes Ziel getroffen, wann ich zu End auf meiner Bahn. Daß dein Gezelte mich bedecke, wann ich allhier sol scheiden ab, und mich des Todes Larv nicht schrecke, wann man mich träget in das Grab.

11. So kan ich dann mit Freud erwachen, wann deine Todten herfür gehn; weil du selbst Richter meiner Sachen, mit Freudigkeit vor dir zu stehn. Diß sey mein Trost in meinem Wallen, wann scheine hier verlassen seyn, weil dort nach deinem Wolgefallen werd gehn in dein Gezelt hinein.

12. Der Wandel bleibe stets erhoben vor GOtt zu stehen Tag und Nacht: auch ohne Stimmen will ich loben, daß ich nur werd zurücke gebracht. Dort wird man andre Sachen sehen, als hier in dieser Sterblichkeit: die Heilgen werden GOtt er-

höhen

435.

Um Ziel zu kommen ist nicht schwer, legt man
nur ab die Lasten, die uns gedrückt schon
lang vorher, daß man niemal kont-rasten. Und
weil sie nun gelegt dahin, wird man bald sehen
den Gewinn, wie leicht man ist zu lauffen.

2. Also das Glück in jener Welt in viel Gedult erloffen; ob man gleich oft zu Boden fällt,
man stärcket sich im Hoffen: und lässet sich nicht
werden weich, damit man so sein Ziel erreich,
wo das Kleinod erjaget.

3. Kommt gleich ein Kampf darzwischen an,
der uns was wolt abrechten, man hält sein Ziel
auf seiner Bahn, schickt sich dabey zum Fechten:
verläßt sich auf den Hinterhalt, der nicht läßt
werden matt noch kalt, um ferner fort zu lauffen.

4. Und weil matralles abgelegt, was in dem
Lauf verhinder, dabey das Schwerst in Händen
trägt, ein Pfand der Ueberwinder: So wird gesieget auf der Bahn, damit man wieder lauffen
kan mit Lust und großer Freude.

5. Zuletzt wird aller Feinde Macht mit Spot
und Hohn vergehen; wann man zum rechten
Ziel gebracht, wird man mit Freuden stehen, u.
sagen von dem großen Heil, das allen worden ist
zu Theil, die es also erloffen.

6. Es wird wohl bleiben eine Sach, daß die
das Ziel erjagen, so abgelegt der Welt Gemach,
samt ihren eiteln Plagen: Jetzt bin ich froh, dieweil sehr nah mein Ziel, wo alles lauter Jah,
was dorten wird erscheinen.

436.

Nur letzt ist mir dieses noch einkommen, nach
meinem vielen Leid u. langen Wanderschaft,
daß von der Mutter selbst bin auf den Schooß genommen, damit ich werd getränckt mit neuer Lebens-Krafft. Doch, als ich ihr an Brüsten lag,
sagt sie, diß wär noch nicht die Sach, sie hät was
anders zu erzehlen, es wär nun Zeit sich zu
vermählen.

2. Indessen thät die Kammer-thür aufgehen, gar
bald erblickte ich die Jungfrau Sophia, um welche
ich gehabt so viele Wehen; u. weil das Ziel erreicht,
so ist sie selber da: u. zeigt mit Wincken, daß die

Zeit, wo mir das Braut-bett zubereit, ich soll nur
leißling mich einlegen, so könten wir der Liebe pflege

3. Die Trauer-tage sind nunmehr zu Ende,
drum hat die Mutter dich gesetzt auf den Schooß,
damit dein Herz an meiner Brust anlände, u. wer-
dest deiner viel u. langen Sorgen loß. Ich hab gar
oftmals dein gedacht in deiner langen Creutzes-
Nacht, und selber Sorg vor dich genommen,
daß du doch nicht zu kurz möchst kommen.

4. Ich hab gar fleißig acht darauf gegeben, was
du vor Fleiß gethan in deiner Jugend Blüth; da
dein verliebter Sinn so alles hingegeben, daß du
erlangen möchst ein jungfräulich Gemüth: So
war dein langer Trauer-stand mir selber auch gar
wohl bekannt, die viele Thränen, die vergossen,
kamen mir in den Schooß geflossen.

5. Wie froh bin ich, daß deine Zeit zu Ende,
und sich die Mutter selbst dein hat genommen an;
ich hab gar oft gesehen die müde Hände auf deiner
langen u. betrübten Trauer-bahn. Nun, als die
Mutter selbst erwacht, daß deinem Leid ein End gemacht, thät sie mich selbsten nun anblicken, um
dich nun an mein Herz zu drücken.

6. Ich wil nun dein, wie in der Jugend, pflegen, du hast nun lang genug betrübte Tag gehabt:
drum darffst du dich getrost ins Bette legen, wo
meine holde Gütt die müden Seelen labt. O ewig,
ewig, ewig wohl! weil wir nun alles Guten voll,
und der Erschaffer aller Dingen es lassen hat zuletzt gelingen.

7. Nun ist mein Glück mir wieder zugefallen,
weil vor so lange Jahr muß wie ein Wittwe seyn:
weil an den Menschen all mein wohlgefallen, ist mir
mein Wohl durch vieler Trübsal kommen ein. Daß
GOtt, der uns geliebet hat, hat es durch seinen
weisen Rath gebracht, daß wir uns können herzen; da dann zu Ende aller Schmerzen.

8. O Sophia! diß sol mein Endschluß bleiben,
weil kommen nun zu dir in deine Kammer ein, daß
ich mich wil aufs neue dir verschreiben, um ferner
hin auf ewig, ewig dein zu seyn. Jetzt ist mein Lauf
zum Ziel gebracht, wornach ich hab so lang gejagt,
den Treu-Schatz wird GOtt selbst bewahren, wo
kein Ziel mehr von Zeit und Jahren.

432.

Eine geheime und Erfahrungsvolle Ausbreitung über
die Schrifft Hiskiä, Esai. XXXVIII.

Ur Zeit, da Bitterkeit und Todes-sterben mich
um und um als wie ein Kleid umgab, und zugerichtet schiene zum Verderben, wodurch versencket wurde in das Grab. Da wand mein Angesicht zur Wand: es ist dir ja, mein GOtt, bekant,
wie ich vor dir gewandelt eben allhier in meinem
gantzen Leben.

2. So rief ich laut in meinem Drang u. Zagen, und weinete vor GOtt mit vielem Flehn: da
ließ er mir viel Heil und Trost ansagen, u. wie
er hat mein Weinen angesehn. Vermehrte meiner
Tage Läng, u. that erweitern meine Eng: die Zeit,
so wolte mit mir hinfliehen, that er im Wort zurücke ziehen.

3. Doch wil ich erst in viel Gedräng vortragen, und sagen von Betrübniß meiner Seel, u.
was mir preßten aus die bittre Klagen, ich nunmehr wie in einem Lied erzehl. Ich sprach: nun
ist es um mich geschehn, zur Höllen-Pfort muß ich
eingehn; ich bin beraubet meiner Jahren, die mir
sonst zugetheilet waren.

4. Ich sprach: nun werd ich nimmer dörfen
sehen den HErrn im Lande der Lebendigen mit denen, die im Hause GOttes stehen, weil meine
Zeit dahin, und wolt vergehn: dann sie ward von
mir weg geführt, wie eine Hütt von einem Hirt.
Gleichwie ein Faden abgebrochen, so wird mein
Leben auch gerochen.

5. Ich dacht bey mir in meinen schweren Sorgen, da ich beklemmet auf das äuserst hin; ach
möcht ich leben nur biß an den Morgen! da war
es aus mit mir und gar dahin. Dan er zermalm-
te mein Gebein, und schenckt mir wie ein Löwe ein,
daß an dem Abend meine Sachen, als wolts mit
mir ein Ende machen.

6. Ich winselte, gleichwie ein Kranich eben,
und schrie, gleichwie die junge Schwalben thun,
ich kirrete wie Tauben um zu leben, weil gantz ermüdet war ohn einigs Ruhn. Ich leide Noht,
HErr, seh auf mich, und werde selber Bürg für
mich, so werd von deinen Wundern reden, und
wie geholffen du aus Nöhten.

7. Nun wil ich alle meine Tag und Jahre
gantz feyerlich begehen, weil er mich errettet aus
so mancherley Gefahre, und pfleget meiner so ge-
nädiglich. Dann davon lebet man, O HErr!
wo du thust helffen wunderbar. Drum magst
du nur in Güte strafen, weil es thut so viel Gutes schaffen.

8. In Bitterkeit war mir um Trost sehr bange;
du aber nahmst dich meiner Seelen an, daß nicht
verdürbe ich bey so viel Drange, nahmst weg der
Sünden Meng und schweren Bann. Die Höll
vergißt dein im Gerichte, man rühmt dich auch
im Tode nicht; und die da in die Grube fahren,
vergessen dein mit Zeit und Jahren.

9. Alleine, die da leben, können sagen von
deinem Ruhm, wie ich auch jetzund thu: der
Vater wird den Kindern selbst vortragen, was
Wahrheit sey, u. wie sie schaffet Ruh. Der HErr
hat mir geholffen aus, drum wil in GOttes Stadt
und Haus mein Leben lang Lob-Lieder singen, und
dir Danck-Opffer willig bringen.

10. Ich werde wohl all meine Tag gedencken,
was GOttes Güte hat an mir gethan; da er
mir that in Noht mein Leben schencken, u. nahm
sich meiner Sach so treulich an. Drum wil ich
auf dem Danck-Altar, die mir geschenckte Zeit
und Jahr, die Andacht lassen stets auffsteigen,
und seine Gut nicht mehr verschweigen.

11. Und wil mit Ruhm vor allen Leuten sagen, was seine Güte hat an mir gethan; da ich
ihm thäte meine Noht vortragen; ging er gar
bald mit mir ein andre Bahn: und half mir
aus so vieler Noht, that mich erretten von dem
Todt. Drum werd ich nimmermehr verderben,
und dorten GOttes Reich ererben.

440.

Ur Zeit, wann wird die letz Posaune blasen,
werden die Völcker rund umher versammlen
sich, von allen Gaß und Straaßen, auf Erden
und dem tiefen Meer. Damit sie all gebracht zu
Hauf, um was sie hier geübet aus bey GOttes
Huld, und sich nicht lassen rathen, was er auch
bott an vor Heil und Gnaden.

2. Jetzt gehn die Kammern auf, die lang verschlossen

schlossen, das Meer gibt seine Todten her, die bis
hin zum Gerichte von GOtt verstosen. O was ein
grosses Sünden-Heer! die seine Langmut hier veracht, und nur dem Eitlen nachgejagt. Nun ist
der Tag gekommen, der beschlossen von GOtt,
daß jeder werd zur Höll verstosen.

3. Auch selbst die Gräber werden schnell aufs
brechen, wann dieser Ruf von GOtt ertönt,
und allen wird das rechte Urtheil sprechen, die
sonst zuvor GOtt nur verhöhnt. Jetzt kommt
das letzt und schwer Gericht, daß jedem nach der
Wercke Pflicht gemessen ein, wie ihm allhier beliebet, da er das höchste Gut so sehr betrübet.

4. Auch Sodom und Gomorra wird erscheinen, und mit aufstehen zum Gericht über die, so
dem allergrösten Kleinen versalzen seine Amtes-
Pflicht: Diß ist der Tag, wo GOttes Ehr erscheint an seinem Blutes-Heer, die mir gefolget
hier in Schmach auf Erden, darum sie auch so
hoch erhaben werden.

5. Weil GOtt sie nach so viel u. langem weine
in Herrlichkeit so hoch erhöht: weil sie gefolget nach
dem Rein- und Kleinen, wo man der Ehr der
Welt entgehe. Jetzt ist das grosse Heil erwacht,
wovon man sang zuvor gesagt; die Freud und
Herrlichkeit wird ewig währen, und wird sie weder Zeit noch Jahr verzehren.

441.

Zwar hät kein Mensch zuvor gedacht, was nach
der langen Creutzes-nacht einkommen vor ein
grosses Heil, so worden denen ist zu Theil, die hier
auch sonsten alle Ding versagt: und also nur dem
Himmel nachgejaget.

2. O! was vor Freud u. Lobgesang folgt nach
dem schweren Creutzes-gang; die Hoffnung zu dem
ewigen Gut stärckt in dem Leiden oft den Muth,
dieweilen hier der Trübsal Feuer-Heerd, die Auserwehlten macht wie Gold bewährt.

3. O wie bin ich so froh gemacht! daß mich
die lange Creutzes-Nacht im Elends-Ofen rein
gefegt, wo die Bewährung Kronen trägt: und
wann der Trübsals-Kelch getruncken aus, so
wird man gehen ein in GOttes Haus.

4. So bald man da gegangen ein, so wird e-
wig vergessen seyn der schwere Druck und lange
Drang, da öfters Zeit und Weile lang, auf der
so sehr betrübten Himmels-Reiß, die öfters ausgepreßt blutigen Schweiß.

5. O was ein rauhe Wanderschafft! da oft
kein Tröpflein Lebens-Safft, und man gantz ohne Hülf und Raht verstosen scheint von GOttes Gnad; da alle Hoffnung wie zu Boden ligt:
O wer kont tragen dieses schwer Gericht!

6. Doch wacht das Füncklein wieder auf in
dem so müden Lebens-Lauf, und zündt den ersten
Eifer an auf der so rauhen Himmels-Bahn, so
grünt man aus in seiner ersten Blüt, wo man
sonst abgemattet und ermüd.

7. Jetzt setzt man wieder freudig an auf der
verliebten Himmels-Bahn: so bald der edlen Jugend Kraft im Alter wiederum aufwacht, so ist
dem End der Anfang wieder gleich, zu gehen ein
mit Freud in Gottes Reich.

Hier endigen sich die Lieder des in GOTT ehrwürdigen Vaters
Friedsam Gottrecht, Auffsehers der Gemeine JEsu
Christi in EPHRATA und zugehörigen
Orten.

Zweyte

Zweyte Abtheylung,
Enthaltend (wehnige ausgenommen,) die Lieder der Gesellschafft der ehrwürdigen einsamen Brüder.

1. *Jv. Jacbrz*

ICH komme bald! mein Freund, in deinen Garten, dann sonsten zeitigen die Früchte nicht: mir ist oft bang bey viel und langem Warten, weil mein Gemüth allein auf dich ge-richt. Hat mich die schwartz-Trau-er-Nacht schon heßlich ungestalt gemacht; so hal-te ich doch an mit Flehen, dein schönstes Ange-sicht zu sehen.

2. Mein Freund ist treu, dann in den Trüb-sals-Tagen hat Er zur festen Mauer sich gemacht, und pflegte Muth und Blut im Kampf zu wagen, damit das Hertz nur werd zurecht gebracht. Ich zweifle nicht an seiner Treu, daß sie Ihm beygele-get sey von GOtt, da Er sein theures Leben vor Andre hat dahin gegeben.

3. Mein Freund hat seinem treusten Freund versprochen, daß Er im Streit nicht wolle lassen nach, bis daß Er alle unsre Feind gerochen, und gäntzlich aufgehoben unsre Schmach. Drum sagt Er oft und viel davon, mit was vor reichem Gna-den-Lohn GOtt wird die Seinen einstens loh-nen, wann sie erlangen ihre Kronen.

4. Die Unschuld zieret Ihn in seinem Gehen. Wo Andre reden, ist Er stumm und blind: wo andre blind sind, kan er trefflich sehen, weil seine Au-gen licht und lauter sind. Ich hab mich längst von Ihm gewandt, wann nicht mein Hertze diß erkannt, weil oft in schweren Trübsals-Fällen die Liebe sich mir fremd thät stellen.

5. Ach aber ach! wie ist's so schwer zu tragen? wann seine Gunst dem Hertzen sich entzeucht: man kan im Wohlstand viel vom Guten sagen; hier a-ber wird das Hertz erst recht gebeugt. Es heißt hier: gehe nur allein, und laß dir das das Beste seyn, weil falschen Trost du eingesogen, hat er dir seine Brust entzogen.

6. Doch bleibt der Trost noch in dem Hertzen grünen, es sey das Ziel auch noch so sehr entfernt, so muß sein Vorgang mir zum Muster dienen, woraus der Weisheit Lust-spiel wird erlernt. Ob-schon sein Wandel gantz verdeckt, so sind doch an-dre angesteckt, dem unbefleckten Unschulds-Le-ben mit Hertz und Geist sich zu ergeben.

7. Die Schmach, die er von außen an sich träget, die machet Ihn zwar schwartz und un-gestalt; doch wer nur reine Liebe zu Ihm heget, versteht und mercket dieses gar zu bald, daß, wo die Schmach am schwertsten ligt, Sophia ihme zu-gericht, ein reines Braut-bett auserkoren, da Kinder werden ausgeboren.

8. Und hät man nicht zuvor in jenen Tagen diß hohe Wunder einst im Geist erblickt: so wäre nun, bey so viel Drang und Zagen, das Hertz zum Lieben gäntzlich ungeschickt. Wer hofft auf diesen frohen Tag, der folg nicht frem-der Buhlschafft nach, und bleibe einsam in dem Gehen, so wird er einst diß Wunder sehen.

9. So lobe Ihn dann mit mir, all ihr Ge-spielen, die ihr mit Lieb von oben seyd entzünd: es kommt von ihm, daß wir allein vor vielen als Königs Kinder ausgezieret sind. Von au-ßen zwar sieht man die Schmach; doch wann man ihm so gehet nach, wird endlich doch der frohe Morgen vergessen machen alle Sorgen.

2. *Jv. Agonum.*

ALle, die im Geist erhoben, die sollen unsers König

Pp

König loben mit aller Macht von Hertzens-grund,
Tag und Nacht ihm Ehr erweisen, mit Lobes-
Lieder ihn stets preißen, und sonderlich zu solcher
Stund, wann sie versammlet seyn in seiner heili-
gen G'mein, ihm zu dienen; drum tret heran
nun jederman, und bät den GOtt der Götter an.

2. Alles thut sich vor ihm neigen, in Demuth
vor sein'm Thron sich beugen, was da aus seinem Geist geborn, und zur heiligen Zahl gezehlet,
eh der Welt Grund gelegt, erwehlet; drum selbst
freywillig hat geschworn, zu dienen unserm GOtt,
dem grosen Zebaoth, und zu leben in Heiligkeit,
Gerechtigkeit, die gantze übrig Lebens-Zeit.

3. Und nun vor ihm ist erschienen, im Geist
und Wahrheit ihm zu dienen, zu üben sich in seinem Bund: darin wir seynd eingenommen, zu
dienen mit den heilgen Frommen, indem er uns gemachet kund den Weg ins Heiligthum; drum wir
sein Eigenthum, wollen steigen zu ihm empor im
schönsten Flor, zu loben mit dem obern Chor.

4. O wie herrlich wirds erschallen! wann Gottes Geist wird in uns wallen, und in den Innern
richten zu Psalmen, Lieder, Lob-Gedichte, zu preisen Gottes Wunder-G'schichte, und rühmen ihn
auf jeden Nu: drum bringe ihm willig dar, zum
reinen Liebs-Altar, eure Gaben, die heilig, rein,
geschieden seyn von dem, was unrein und gemein.

5. Dann die nur der Hütten pflegen, empfangen
zwar den äusern Segen, doch bleibet ihnen unbewußt, was diejenigen bekommen, die mit den heilgen wahren Frommen im Innern dienen GOtt
mit Lust: dann denen wird zu Theil das allergröste
Heil, das erworben durch seine Gnad und weisen
Rath, weil sie ihm dienen früh und spath.

6. Darum schwingt empor die Geister, und
jauchzet unserm HErrn und Meister, mit aller
Macht im Heiligthum: singet laut und in der
Stille; denn das ist unsers Gottes Wille, daß Zion ihm so gebe Ruhm, und vieles Wort-Gethön,
im Innern, das klingt schön: doch daneben auch
stimmen an im hohen Thon zu loben den GOtt
von Zion.

3.   Ditto

Auf! und machet euch bereit, all ihr Hochzeit-
Gäste: fliehet alle Schläfrigkeit, wachet, ste-

het feste: Munterkeit, Tapferkeit, werd in euch
gefunden alle Zeit und Stunden.

2. Denn der König rufft euch zu, und die
Wächter schreyen, damit ihr auf jedes Nu, euch
mit den Getreuen fertig halt, weil gar bald er
herein wird kommen, zu besehn die Frommen.

3. Wird dann jemand drunter seyn, der sich
hat verstellet, und aus lauter Heuchel-Schein zu
der Zahl gesellet, die da seyn heilig, rein, und
sich gantz ergeben, JEsu nur zu leben:

4. Solchem wird es schrecklich gehn, wer
ein Heuchler funden, er wird müssen draußen
stehn, Händ und Füß gebunden, wo viel Leid ist
bereit, in die Finsternissen werden hin verwiesen.

5. Welcher aber ist geziert mit dem Hochzeit-
Kleide, wird mit JEsu eingeführt zu der grosen
Freude in den Saal, wo die Zahl der Erwehlten
sitzet, die mit Golde blitzet.

6. So sich nun noch findt an euch was vom
alten Leben, und ihr noch nicht JEsu gleich, müßt
ihr euch bestreben mit Gewalt, daß ihr bald möget
gereiniget werden, weil ihr noch auf Erden:

7. Dann, wer hier nicht völlig rein und ge-
läutert worden, der kan dort nicht gehen ein mit
den heilgen Orden, die mit Macht Tag und Nacht
ja ohn Ende loben ihren König droben.

8. O drum wacht! und seyd bereit, daß ihr werdet funden munter, und schön angekleidet, zu derselben Stunden, wenn erscheine unser Freund, u.
zur Hochzeit führet alle, die geziert.

9. Mit dem hochzeitlichen Kleid, weil sie hie
verlacht alle Lust der Eitelkeit, über sich gewa-
chet: diese seyn nur allein zu der Zahl gezehlet,
die sich GOtt erwehlet.

D

4.

Das wahre Vergnügen und Ruhe der Seelen verwechsele mit Zeiten und Stunden allhier, und solt ich sonst auch nach der Länge erzehlen, ich könts nicht beschreiben, was ich oft ver-
spühr: es heißt nur Erfahrung, was Seegen und
Nahrung im Geiste des Glaubens wird allhier empfunden, so daß man in Göttlicher Liebe,
wie truncken.   2.

2. Wie thöricht sind wir doch in Adam geworden, zu suchen die Schätze im eiteln Reich: es stehen ja offen die ewige Pforten, der himmlische König uns ladet zugleich, sich ihm zu ergeben er ist ja das Leben, in welchem die Göttliche Fülle thut wohnen, des freuen sich Engel und himmlische Thronen.

3. GOtt ist nun uns Menschen so nahe geworden, dann Christus die Quelle des Lebens allein ist unser Verwandter und Bundes-Consorte, wir gehen durch ihn in das Heilige ein, zur Ruhe der Seelen, allwo sich vermählen die innige Seelen in heiligster Stille, O das ist des Höchsten sein Göttlicher Wille!

4. Daß alle zum Lust-spiel des HErren Erwehlte zur Ruhe gelangen im Göttlichen Schooß, dieweil sie zur Hochzeit des Lammes gezehlet, und keines versäume sein himmlisches Loos. Des Esaus Geschlechte verscherzet sein Rechte, und Jacobs Verwandten erhalten den Segen, thun Ehr, Kron und Scepter zum Throne hinlegen.

5. Des Königs der Himmeln, der sie hat erkauffet aus diesem Getümmel der untern Welt: er hat sie im Lichte und Geiste getauffet: sie tragen sein Zeichen, weil sie gezehlt zu Bundes-Consorten, drum sind sie auch worden sein Erbe, das ewig alldorten wird stehen, und helffen das grose Lob Gottes erhöhen.

6. Jetzt will ich mein Lebenlang singen und sagen von Wundern der Seelen, dies Beste erwehlte, und was sie hier stündlich im Herzen umtragen, dieweil sie zur Braut-Zahl des Lammes gezehlt. Der himmlische Wandel macht richtig den Handel, um dort zu erscheinen mit Göttlichen Ehren, die Freude des Himmels wird ewiglich währen.

5. *Jr. Agonius.*

DEM HErren jauchzt im Heiligthum, und gebet ihm Lob, Preiß und Ruhm, und seinem grosen Namen, die ihr aus Gottes Samen gezeuget und gebohren seyd in Wahrheit u. Gerechtigkeit für ihm einher zu gehen, auf eurer Hut zu stehen, und ihm zu singen Tag und Nacht: drum seyd auch jetzt darauf bedacht, weil

ihr vor ihm erschienen seyd; drum machet euch im Geist bereit, mit Dancken ihn zu loben.

2. Laßt eure Geister munter seyn, und bringe ins Innere hinein, woselbst man GOtt thut hören, so wird sein Geist euch lehren, und selbst der Psalmen-Dichter seyn: alsdann wird klingen hell und rein die Harff in Gottes Ohren, weil ihr zum Loberkehren, und traget auch des HErrn Geräth; drum tretet vor ihm mit Gebät, u. opfert ihm die Herzen dar, so wird er an euch machen wahr, was er euch hat verheissen:

3. In Christo, seinem liebsten Sohn; drum tretet freudig vor den Thron mit heiligem Gebärden, damit die Herzen werden voll Gottes Liebe angeflammet, mit seinem reinen Geist besaamet, um sein Lob aus zu breiten jetzt und zu allen Zeiten, zu Ehren seinem grosen Nam; drum seyd beflissen all zu samm, daß ihr ihm rechte Opfer bringt, im Geist und Wahrheit fröhlich singt von Gottes Gnad und Liebe.

4. Die reichlich widerfahren euch; drum singt und lobet allzugleich, und laßt nicht nach zu preisen den HErrn mit Liebes-Weisen, in rechter Geistes Harmonie, daß die Gemeinschafft völlig blüh, und Früchte trag zu Ehren dem HErren aller HErren, nach Art der ersten Christenheit, weil GOtt in dieser letzten Zeit das Licht wiedrum hat aufgesteckt, das lang verdunkelt und verdeckt, nun aber hell thut scheinen.

5. Und wird mit voller Kräffte nun bald sich offenbahren, daß es schalle nah und fern untern Heiden, so sehr wird sich ausbreiten die volle Warheit, weil sehr nah des HErren Tag, wir sehen ja den Feigenbaum schon blühen, drum soll'n wir uns bemühen, dieweil wir die Erstlinge seyn, beruffen, daß wir keusch und rein vor unserm GOtt stets wandeln fort, damit an allem End u. Ort wir als die Lichter scheinen.

6.

DEM HErren singet allzugleich ein neues Lied in seinem Reich, von Herzens Grunde mit dem Mund, und machet seinen Nahmen kund, ihr Heiligen, die in seiner Gemein von ihm zu Kindern angenommen seyn.

300 2. Israel freue sich des HErrn, und preise ihn von Hertzen gern: dann er ists, der dich hat gemacht, und aus der Finsternuß gebracht zum Licht, daß du mit dem Volck von Zion dem Kö-nig jauchzen kanst im hohen Thon.

3. Dann Zion seinem Nahmen soll lobsingen Fried- und Freuden-voll im Reigen, ja mit Paucken-Schall, und Harffen-Spielen überall; dann ihm die Ehr, der Ruhm und Preiß geühret, weil er sein armes Volck so herrlich führt.

4. Auch Wohlgefallen an sie hat, und offen-bahrt ihn seinen Rath: den Elenden er Hülff er-zeigt herrlich, und sich zu ihnen neigt, mit Gnade, Liebe und Barmhertzigkeit und Trost er sie im Elend oft erfreut.

5. Darum die Heiligen allzeit solln frölich seyn in Herrlichkeit, froleckend rühmen Gottes Macht, auf ihren Lagern auch bey Nacht, so wohl als wie bey Tag, und schweigen nicht, zu bringen Gottes Wunder an das Licht.

6. Ihr Mund soll stets erhöhen GOtt, den grosen starcken Zebaoth, auch sollen Schwerder habeii sie in ihren Händen je und je, die da geschärffet sind und zubereit, wann sie nun ziehen in des HErren Streit.

7. Zu üben aus vor ihm die Rach unter den Heiden allgemach: die Völcker straffen auch mit Recht und Macht, weil sie des HErren Knecht, den er gegeben hat solche Gewalt, zu üben untern Völckern dergestalt.

8. So gar, daß ihre Könige mit Ketten sollen binden sie, und ihre Edlen auch dabey mit starcken Fesseln ohne Scheu: damit von ihrem Stoltz und grosen Pracht sie werden klein und demüthig gemacht.

9. Das ist das Recht, davon geschrieben, so habeii sollen, die GOtt lieben, zu üben aus dasselbige an Völckern und an Könige, zu thun an ihnen gleich Gericht und recht, wie sie geübt hier aus an Christi Knea't.

10. Was grose Ehr und Herrlichkeit ist dem-nach denen zubereit, die hier gelebt heilig u. rein, und sich mit nichts gemacht gemein? die werden dann mit Christo herrschen dort, und mit Ihm also leben fort und fort.

11. Halleluja! singe unserm GOtt, ihr Heiligen, die ihr sein Gebott lieb habet, und dieselben halt, dem Himmelreich auch shat Gewalt: lobsinget GOtt, lobsinget ihm mit Krafft, weil er uns hat zu seinem Reich gebracht.

7.

DEr HErre groß und hoch berühmet, wird in unsers Gottes Stadt, von jeni'm Volcke wie sichs ziemet, stets erhaben früh und spath, und auf seinem heilgen Berg da erzehlt man sei-ne Werck, die er an uns hat gethan, daß sich wundre jederman.

2. Der Berg Zion ist ein Gegend, die sehr schön und lieblich sich, das gantz Erdreich wird beweget, wann sein heller Glantz ausbricht: weil des grosen Königs Stadt GOtt darauf gebauet hat herrlich, schön und voller Pracht, an der Seit zur Mitternacht.

3. GOtt selbst wohnt in den Pallästen, da er zu geniesen gibt seinen auserwehlten Gästen, und der Seele, die ihn liebt, Segen, Gnade, Wonn und Freud: dabey auch zu jeder Zeit zeiget, daß er sie ihr Schutz wider aller Feinde Trutz.

4. Ob man gleich versammlet siehet Könige, die vorüber ziehn, auch viel Volcks mit ihnen ziehet, die sich allesamt bemühn, zu zerstöhren diese Stadt; doch zernicht GOtt ihren Rath, daß sies müssen lassen stehn, und mit Schand vorüber gehn, und der Höchste, der drin ist, sie mit Kriegs Volck ausgerüst.

5. Drum sie sich verwundert haben, als sie solches angesehn, so daß sie die Flucht gleich gaben, weil ihr Rath nicht fort wolt gehn; ob sie sich im Grimm entsetzt, sind sie selbst dadurch verletzt, und zu ihrer eignen Schand sind gestürtzet, wie bekannt.

6. Zittern ist sie auch ankommen, Angst wie ein Gebährerin, so bald als sie nur vernommen, daß die Heiligen wohnen drin: die als Gottes Eigenthum stets erzehlen seinen Ruhm, und hoch preisen dessen Macht, der da sieget in der Schlacht.

7. Drum, Jehovah, solt du werden von uns, deinem Volck, geehrt; dann dein Macht allhier auf Erden wird gesehen und gehört; ja auch auf dem Meer sieht man, was dein starcke Hand thun.

лан.

kan, die da grose Schiff zerbricht, und der Helden Macht zernicht.

8. Solches haben wir gehöret, sehens auch an deiner Stadt, wie du hast die Feind zerstöret durch dein Macht, HErr Zebaoth; dann dieselbe bleibet stehn, daß mit Augen man kan sehn, wie du selbst sie thust erhalten: über sie mit Gnaden walten.

9. GOtt! wir warten mit Verlangen deiner Güte allezeit; weil du in uns angefangen, und dir selbsten zubereit, einen Tempel dir zum Haus, welchen du stets zierest aus, daß du d'innen könnest wohnen, herrschen, schalten, walten, thronen.

10. Wie dein Nam groß und erschrecklich, also ist auch, HErr, dein Ruhm, herrlich, prächtig und vortrefflich; darum auch dein Eigenthum stets erzehlet deine Recht von Geschlechte zu Geschlecht: ja bis an der Welt ihr End rühmt die Wercke deiner Händ:

11. Der Berg Zion muß sich freuen, Juda Töchter frölich seyn! wann sie jauchzend gehn am Reigen, weiß gekleidet sind und rein, HErr, in deiner Gerechtigkeit, darum sie auch weit und breit stets von deinen Reichen singen, und dir Freuden-Opffer bringen.

12. O! ihr aller liebste Seelen, machet euch um Zion her, daß ihr könnt die Thürne zählen, die GOtt selbst zu seiner Ehr sich um seine Stadt gebaut, daß ein jeder, der sie schaut, sich verwundre ihrer Schöne, und ihn preiß mit Lob-Getöne:

13. Darum lasset uns Fleiß anlegen, jedes zeige seine Treu, weil der HErr mit Kraft und Segen uns bisher gestanden bey: O! daß man doch bald möcht sehn Zions Mauren fertig stehn, und die Palläste bereiten, daß davor man könn mit Freude streiten.

14. Auch bey denen, die nachkommen, sagen von der grosen Gnad, die GOtt hat erzeigt den Frommen, so ihm dienen früh und spath, und daß er sey unser GOtt, der uns hat aus aller Noth so gewaltiglich gerissen: und dabey mich lassen wissen.

15. Daß er ist, der uns mit Tugend zieret und mit Krafft ausrüst, u. uns führet wie die Jugend; so daß uns zu keiner frist unsrer Feinde grose Macht, ob wir gleich gering geacht, könne schaden

P y 3

den noch umbringen: drum laße uns zu Ehren singen:

16. Heil, Preiß, Ehre, Macht und Stärcke sey dem, der da ewig leb; lober, rühmet seine Wercke, seines Namens Ruhm erhebt, schweiget nun und nimmer nicht, weil er in uns aufgericht eine Wohnung, die besteht ewiglich und nie vergeht.

8.
Der Glaubensgrund ruht auf dem Gnadenbund, den Gott im Wasserbad mit uns anrichtet, da wir uns ihm zu seinem dienst verpflichten, zu bleiben ihm getreu von Hertzens-Grund im Gnadenbund.

2. Eh dieser Bund von GOtt uns worden kund, da waren wir als die verirrte Schafe, und lagen fest im tiefen Sünden-Schlafe, und wußten nichts von Gottes Gnaden-Bund in ihrem Grund.

3. Der Antichrist hat uns durch list ohn unser Wissen mit sein Bild gezeichnet, wovon wir konten werden nicht entreignet, weil seine falsche Lehr und grosen list sehr kräftig ist.

4. Da aber Gott nach seinem Liebes-Rath in uns that offenbahren seinen Willen, und uns mit Lichte und Klarheit that anfüllen, da sah ein jeder in dem Lichtes-Schein die Warheit ein.

5. Und machte sich auf in Eil mit schnellem lauf Egyptens Fleisch und Babelslehr zu lassen, und die verruchte Hur mit Ernst zu hassen, weil ihre lehr nichts ist, als Menschen-Tand, gegründt auf Sand.

6. Und wie die Lehr, so ist denn auch daher ihr Leben böß, ihr Hertze falsch im Grunde und lästert GOtt, da zu mit ihrem Munde; veracht, verspottet seinen Gnaden-Rath mit Wort und That.

7. Dennoch so bricht mit Macht nun an das Licht die Warheit, und wird kräftig widerstehn der lügen, daß es jederman wird sehen, wie alle Falschheit wird zernicht durch dieses Licht.

8. Drum komme herbey getrost, und ohne Scheu, die ihr noch bis daher im Ruf geblieben, doch aber nicht in Christi Tod verschrieben, gebt seinem Leben, u. auch seiner lehr Kraft Ruhm u. Ehr.

9. Und wer dir klein, dringt mit Gewalt hinein ins Reich der Himmeln durch die enge Pforte, folg länger nicht der Schlangen klugem Worte, die euch bisher

10. Es ruft euch GOtt durchs Creutz in Christi Tod, daß ihr euch solt mit ihm versöhnen lassen, u. seinen Friedens-Bund zu Hertzen fassen, weil in ihm liegt der Grund der Seligkeit auf den bescheid

11. Daß man Gehör geb seinem Wort und Lehr, und laß sich mit ihm durch den Tauff begraben, und so darauf empfang des Geistes Gaben, die GOtt dem Glauben theur verheissen hat auf solche That.

12. Es kan das Heil uns werden nicht zu Theil, es sey denn daß wir folgen Christi Leben, und uns in seinen Creutz-tod, einergeben, zu tragen ihm sein Creutze willig nach durch Spott und Schmach.

13. Diß ist der Rath, den Gott beschlossen hat, den selbst sein liebster Sohn auch mußt erfüllen, zu offenbahren uns des Vatters Willen, und daß allein der Weg zum Vatter ist durch Jesum Christ.

14. Wer dieses hört, der ist von GOtt gelehrt, und kan ins Leben imer höher steigen, weil er sich unter Gottes Rath thut beugen, und läße versöhnen sich mit seinem GOtt durch Christi Tod.

15. O selig ist demnach in jeder Frist! der also wird mit seinem GOtt versöhnet, ob er gleich drob wird von der Welt verhöhnet; so folgt doch drauf hier und in Ewigkeit die Seligkeit.

9.

DIe Bruder-Lieb hält wahre Treu, ob gleich Versuchung mancherley: sie steht im Leiden, wie in Freud, diß stillt des Hertzens Bangigkeit.

2. Die Bruder-Lieb wird immer grün, im Leiden ist diß ihr Gewinn: daß sie im Zagen nicht versagt, sie hat es auf den HErrn gewagt.

3. Die Bruder-Lieb hat festen Grund, das wird erst in dem Leiden kund: bricht der Natur-Gewalt entzwey, so wird die Bruder-Liebe frey.

4. Dann bricht die Bruder-Lieb herfür, weil GOttes Gnade leuchtet ihr: sie bricht durch alle Finsterniß, so wird die Bruder-Liebe süß.

5. Die Bruder-Liebe dringt hinein in JEsu-Hertz auch bey der Pein: wird sie oft wund, so heilet der sie wieder, der ihr Mann und HErr.

6. Die Bruder-Lieb hat viele Pein, doch oft im Weinen Zucker-Wein: ihr Hertzens-Tränen steigen auf, und helffen fördern unsern Lauf.

7. O Bruder-Liebe! brich herfür, und brenne doch auch recht in mir: mach mein Hertz recht zum Brand-Altar, so brenn ich mit, doch ohn Gefahr.

8. Brenn Bruder-Lieb brenn immer fort in JEsu oder GOttes Wort: so brennt das Hertz, verbrenne doch nicht, diß ist ein wunderbahr Gesicht.

9. Darob sich Moses hat entsetzt, so uns im Bruder-Geist ergetzt: erzittert man im Geist dafür, so brich du doch in mir herfür

10. O Bruder-Liebe! brich herfür, ich förchte mich gar nicht vor dir: Gebären bringet Zittern ja, auch Freude wenn die Frucht ist da.

11. Wir ringe nach der Bruder-Lieb gibts gleich so manche freche Dieb, und Feinde, die sie rauben gern, so stehet sie fest in dem HErrn.

12. Die Bruder-Lieb wird oft gedrückt, im Lieben, doch niemal erstickt: der Palm-Baum wird zur erd gebeugt, u. wieder nach der höh geneigt.

13. Die Bruder-Liebe wechselt ab, jetz heißt es: an das Creutz und Grab, dann bricht sie wieder neu herfür, O Bruder-Liebe GOttes Zier.

14. Heut ist die Bruder-Liebe schwartz, bis morgen licht-hell istenwarts: seht stehend in der Brüder Grund, da stehet fest der Creutzes-Bund.

15. Die Bruder-Lieb fließt nach dem Maaß der Gnad in ein geheiligt Faß, u. wieder aus zu Gottes Ehr, so ist die Liebe ja nicht schwer.

16. Die Bruder-Lieb geht enge her, und ist in GOtt erweitert sehr: sie wird jetz eng, bald wieder weit, so steht die Liebe, liebe Leut.

17. Die Bruder-Liebe dringt durch Noth, meint man schon öfters, sie sey todt: dann dringet sie ins Leben ein, so muß die Bruder-Liebe seyn.

18. Die Bruder-Lieb wächst in der Zeit, ihr Bann steht in der Ewigkeit: drum wird sie nimmermehr vergehn, das werden treue Brüder sehn.

19. Die Bruder-Liebe wird bestehn, wann andre wie ein Schneck vergehn: dann sie erhält in JEsu Steg bey allem blutgen Kampf und Krieg.

20. Sie ist ein unverweßlich Gut, diß macht den Brüder-Hertzen Muth: sie waget es auf Gut und Blut, seht was die Bruder-Lieb nicht thut.

12. Sie ist ja stärcker als der Todt, und fest auch in der Höllen-Noth: das hat dein JEsus liebes
Herz

Herz erwiesen in dem bittern Schmerz.

22. Sieh seine brüderliche Treu, und wag's darauf, er stehet bey: verzage nicht im Bruder-
Kampff, er gehet über wie ein Dampff.

23. So gehet es im Bruder-Lauff, jetzt geht es
hinunter, dann hinauf: bald in die Tief, bald in
die Höh, jetzt in das Wohl bald in das Weh.

24. Jetzt heißt's: die Liebe ist erstickt, bald: sie
hat meinen Geist erquickt. Jetzt scheint sie wie erstorben ieder, bald hilfft sie wieder dir und mir.

25. Dann wird das Feuer angezündt, das war
ein kleine Weil geheim: jetzt brennt die Flamme Lichter
loh, verzehret Holz, Heu, Stoppfel, Stroh.

26. Seht, was die Bruder-Liebe kan, seht welchen
Wald sie zündet an: vermag die falsche Zunge diß,
vielmehr. die wahre Lieb gewiß.

27. Ich fasse hierzu auch ein Herz, und suche
sie, wär's auch in Schmerz: sie läßt sich finden in
der Zeit, und liebet fest in Ewigkeit.

28. Sie ist die Frucht vom Höchsten Gut, die
Flamm des HErrn ist reine Glut: wer böse ist,
bleibt nicht an ihr, sie ist verzehrend für und für.

29. Den frommen Herzen machet sie ganz
leichte all ihr Glaubens-Müh: sind sie wie kalt, O
wie so warm ist doch der Bruder-Liebe Arm!

30. Umfangend ist die Bruder-Lieb; doch
nur den Treuen nicht für Dieb: Ach seelig! wer sie
hat und hält, der ist wie über alle Welt.

31. Ach wär ich doch von dir entzündt! du
Bruder-Lieb, ja GOttes Kind: GOtt, du Flamm des HErrn, wer dich hat, wird
verzehret gern.

32. Wer dich nicht hat, ist stets in Noth, man
meint zu leben und ist todt: man hält sich und
verliert sich doch; ach diß ist ja ein schweres Joch.

33. Viel schwerer als der Berge Stein, ein immer Leid und Noth und Pein nicht lieben in der
Brüder-Zahl ist einmal ein recht Todten-Thal.

34. Diß dringt mein armes Herze so, und wär
gern aller Brüder froh, durch Bruder-Lieb in reinem Grund, wo Liebe einspricht JEsu Mund.

35. Drum Bruder, O beschneide dich, und
hilf, daß ich beschneide mich: kein unbeschnitten
Herz kan seyn in treu u. wahrer Brüder-Gmein.

36. Der HErr beschneidet uns im Geist, er

macht, daß Bruder-Liebe fleußt: so gibt es Reben
und auch Wein, diß haben wir im HErrn gemein.

37. Wer will den Einfluß hindern so, daß wir
nicht solten werden froh: wir trincken all
aus einer Quell genannt Jesus Immanuel.

38. Da trincken wir und werden satt, und ob
sie wären noch so matt: kommt, liebe Brüder sehet
diß, hier wächset auf das Engel-Süß.

39. Davon sie essen gleich wie wir, dieweil sie
unsre Brüder hier: sie trincken mit uns Zucker-
Wein, wann wir den Creutz Kelch trincken sein.

40. Sie heissen Brüder, und sinds auch, es
ist bey ihnen der Gebrauch, daß sie einander flammen an, so thun sie bey uns nun und dann.

41. Damit wir sollen seyn bedacht, und nehmen
dieses wol in Acht: daß Liebe werd durch Lieb entzündt, und jedes werde ein GOttes-Kind.

42. So ist die Lieb nicht nur im Mund, sie flammet auch im Herzen-Grund: so wächst die Frucht
am Lebens-Baum dabey ein ewig weiter Raum.

43. Die Eigen-Lieb schnappt auch darnach, und
bleibt bey ihrer alten Sag: sie will Lieb aber nicht
am Creutz, drum reit sie in der Noth beyseits.

44. Für alle Brüder in der Lieb HERR JESU
diese Liebe gib: sie brenn und flamme wie du wilt,
mir ist nicht wohl, wo sie nicht quille.

9.

DIE Jungfrauschafft trägt manche Schmach,
sie wird verhöhnt den ganzen Tag in ihrem Lauf auf Erden: doch wird es so viel schöner
stehn, wann GOtt sie wird so hoch erhöhn nach
den so viel Beschwerden. O was vor Ehr u.
Herrlichkeit ist schon von Ewigkeit bereit!

2. Dem ganzen Jungfrauen-Geschlecht, so
haben hier kein Burger-recht, in ihrem Lauf
auf Erden: drum werden sie mit so viel Freud,
alldort in jener Ewigkeit, so hoch erhoben werden. Dieweil ihr viel und langer Hohn alldorten trägt ein güldne Kron.

3. Die Jungfrauschafft ist hoch geehrt, sie
machet rein in GOtt bewähret, und daß man
hingezählet zur Braut-zahl, die dem Lamm vertraut, ja, gar aus seiner Seit erbaut, und selbst
mit GOtt vermählet. O! was vor grosse Ehr
und

und Freud nach der so sehr betrübten Zeit.

4. Sie ist der Glanz der Ewigkeit, auch wieder macht in GOtt erneut, wann man ist müd zu leben: sie ziert das Alter mit der Kron, vor den so lang gehabten Hohn, thut aus dem Staub erheben den sehr betrübten Jungfraun-Sinn, der alles um sie geben hin.

5. Sie ist ein Hauch von Ewigkeit, die ganze Schöpffung wird erneut, so bald sie spricht: es werde, so wird die alte Welt vergehn, ein neuer Himmel seyn zu sehn, samt einer neuen Erden. Jetzt ist die Jungfrau oben an; doch ist sie weder Weib noch Mann.

6. Der Ungrund so von Ewigkeit, auch sonsten alle Ding verneut, hat sie selbst ausgebohren; darum sie auch so hoch geacht, weil durch sie alles wiederbracht, was auch sonst hieß verlohren. Nun siehet man erst, was sie kan, weil sie auflöset allen Bann.

7. Jetzt ist mein sehr-verliebter Sinn, der alles um sie gab dahin, zu seiner Völle kommen: weil sie mich selber heim gebracht, nach meiner langen Creutzes-Nacht, und ganz hinweg genommen den Gramm und viel gehabtes Leid so hat gewährt sehr lange Zeit.

8. Dann sie hat selber dran gedacht, als ich die eitle Welt versagt, wie sauer es mir worden, daß mir einst mein erwünschtes Heil mögt kommen ein zu meinem Theil, aus dem Jungfrauen-Orden. Jetzt ists, das man nicht sagen kan, wie sie sich mein genommen an.

9. Sie hat der Jugend Blummen-Zier machen aufwachsen schön herfür, daß ist zur Reise kommen ihr, als der Jungfraun, edle Saat, die sie in mich gesäet hat, als ich den Blick vernommen; da mir ein Strahl von ihrem Licht mein Herz auf ihren Dienst gericht.

10. Wie freudig ging ich aus und ein, vermeint, es würd bald Hochzeit seyn, weil ich die Welt versaget: allein es ging ganz anders her, ich muste erst durchs rothe Meer; doch war ich unverzaget: der Helden-Muth nechst vielen Wehn, macht freudig durch die Wüste gehn.

11. Jetzt kommt der Sieg nach hartem Streit, dabey kommt ein die reiche Beut, weil Sisera geschlagen. Jetzt gehn die Mutter-Kriege an auf der verliebten Jungfraun-Bahn, man siehet zu Grab getragen die Fürsten Seb, auch allen Streit besiegt der Jungfraun-Kirchen-Zeit.

12. Jetzt ruh ich in der liebe Arm, die Jungfrau hält mich allzeit warm, läßt mich nicht mehr erkalten. Sie macht mir selber nun das Bett, und allerreinste Lager-stätt, und läßt mich nicht veralten. Jetzt pfleget sie mein, wann bin ermatt, mache mich aus ihrer Fülle satt.

11. *Dr. Agonib*

DIE Freud am HErrn ist unsre Kraft und Stärcke, wir freuen uns in seinem Heil: denn groß an uns sind seine Liebes-Wercke, indem er worden unser Theil.

2. Wir glauben, darum singen wir von Wahrheit, von Gnade und Gerechtigkeit, und wandeln fort im Licht Göttlicher Klarheit besitzen Frieden allezeit.

3. Die Feinde müssen alle vor uns fliehen, die weil der HErr mit uns im Streit, und uns die Waffen-rüstung thut anziehen, ja stehet selbst an unsrer Seit.

4. Der Josua, der alle Feind geschlagen, der gehet selbsten vor uns her, wer solte auf ihn nicht dürffen wagen? und fürter wancken hin und her.

5. Drum kommt, ihr Kinder, kommt und samlet Kräfte in unserm Weinstock JEsu Christ, damit ihr treiben könt des HErrn Geschäffte, und von ihm werdet ausgerüst.

6. Ihr seyds die ihr des HErrn Geräthe traget, habt eure Seele rein und keusch: seht wie fast niemand nach dem HErrn mehr fraget, fast alles lebt jetzt nach dem Fleisch.

7. Selbst viel, die von dem HErren sind geruffen zu seinem grosen Abendmahl, die werden träg, ohnmächtig und entschlaffen, wie wenig ist doch deren Zahl:

8. Die ihre Lampen mit den Klugen schmücken drum wender desto mehr Fleiß an, weil unser Heil thut täglich näher rücken, uns ziehet mit neuen Kräften an.

9.

9. Wir sind ja nicht von denen, die da schlafen, noch truncken sind von Welt-Lieb mehr, drum laßt uns brauchen unsre Geistes-Waffen, weil wir gezählt in GOttes Heer.

10 Drum jauchzet frölich und erhebt den HErren, ihr Heiligen im Heiligthum, und singet ihm zu Lob und hohen Ehren, die ihr nun seyd sein Eigenthum.

11. Von nun an sey euch allen viel zu wenig, was nicht gehört in GOttes Reich: nichts nichts, als loben euren GOtt und König werd hinfort mehr gehört von euch.

12. So gehn wir alle jauchzend in dem Reihen, und rühmen uns der GOttes-Kräffte, der unsern Weg in Christo läßt gedeyen, und uns in ihm mache siegehafft.

13. Er ist und bleibet König HErr und Meister, und macht zu nicht der Feinde Heer, er bricht die Kraft der Rott-und falschen Geister, drum werde ihm Lob, Preiß und Ehr.

14. Jetzund und auch in Ewigkeit gegeben von uns und seiner ganzen Schaar: die heilig, keusch und reine vor ihm leben, die jauchzen in ihm immerdar.

II.

Die liebes Gemeinschafft der Göttliche Seelen, die täglich die Wunder des Herren erzehlen, die wächst u. vermehrt sich von Zeiten zu Zeiten, und thut sich vortrefflich im Geiste ausbereiten.

2. So daß man die Blumen und Früchte kan schauen in Thälern, wo lagern des Lammes Jungfrauen, die da sind entzündet vom Liebsten zu lieben, und völlig sich in der Gemeinschafft zu üben.

3. Sie steigen von Zeiten zu Zeiten auf höher, um also zukommen dem Bräutgam noch näher, damit die Gemeinschafft bestehn auch im Leiden, worüber mein Herze offt jauchzet für Freuden.

4. Denn wenn ich erwege, wie JEsus gezogen die Seelen zusammen in Liebe bewogen, um sich zu ergeben einander von Herzen, damit sich versüßen die Leiden und Schmerzen:

5. So wird auch mein Herze entzünder vor Liebe, daß ich mich in solcher Gemeinschafft so übe

ihm mit zu genießen die Freude der Seelen, die sich nur alleine mit JEsu vermählen.

6. Dann Reinheit und Einheit durchdringen mein Herze, so daß ich viel süßes empfind auch im Schmerze, und acht nicht was Leiden mir solte zukommen, dieweil ich vereinige mit solchen Lieb-Frommen.

7. Die alles verlassen aus Liebe zur Tugend, ja haben verdammet die Lüste der Jugend, und gänzlich sich JEsu mit allem ergeben, zu folgen im reinen und heiligen Leben.

8. Daß er sie mit seiner Lieb stets mög umfassen, drum haben sie alles um alles verlassen, und achten geringe Schimpf Spott Schmach und Schande, ja wenn es auch wär'n Gefängniß und Bande.

9. Damit sie treu bleiben dem der sie geruffen, und führet sie täglich auf höheren Stuffen: wer soll nicht hoch schätzen im Reihen zu stehen mit denen die JEsu, dem Lamme, nachgehen.

10. Und suchen hier völlig gereinigt zu werden, damit sie erscheinen dort unter den Heerden, so spielen a-s Harffen am gläsernen Meere, und geben dem Lamme Danck, Preiß, Ruhm und Ehre.

11. Dieselbe Gesellschafft muß sie wohl bewegen, zun Füßen des Lammes sich nieder zu legen, weil es sie gewürdiget zur Zahl der Erkohrnen gezehlet zu werden als Erstgebohrnen.

12. Drum jauchzet mein Herze, wenn es thut empfinden, wie sie sich zusammen in Liebe verbinden mehr ernstlich zu werden im Lieben u. Leiden, damit sie kein Schmerzen von JEsu kön scheiden.

13. So wachsen sie täglich in Liebe und Warheit, und werden erfüllet mit Tugend voll Klarheit, als Bränte des Lamms, das sie theuer erworben, da es an dem Creuze vor sie ist gestorben.

14. Und hat sie gar lieblich geruffen zusammen, entzündt sie auch öfters mit himmlischen Flammen, O! wer kan aussprechen, was sie denn empfinden, wenn sie sich auf neue mit JEsu verbinden.

15. Die Paradies-Ströme, die in sie dann fliesen, ihr brennende Herzen gar sanffte begiesen: so daß sie besänfftigt inwendig sich kehren, daß sich nicht die innere Kräffte verzehren.

16 Kein Herze verstehets, es sey denn zerschla-

zen, kein Sinnen begreiffen's, wenn man es thut sagen, was Seelen empfinden, die sich nur bestreben gewaltig zu dringen ins innere Leben.

17. Wenn sie so ersuncken in heiliger Stille, und haben genossen von Göttlicher Fülle, hört man sie bald wieder auffsteigen zum Loben, da wird denn der König recht herrlich erhoben.

18. Mein Hertze wird inniglst zur Demut bewogen, dieweil ich in solche Gesellschafft gezogen von JEsu, drum muß ich mit ihnen anstimmen, von Liebe, von Gnade, von Warheit zu singen.

19. So kömt denn, ihr Seelen, ich bin mit verliebet in JEsum, der uns hat bishero geübet in seiner Creutz-Schule durch Leiden und Schmerzen, geschmolzen zusammen im Feuer die Hertzen.

20. Damit wir einander im Grund recht umfassen, und nimmermehr eines das andere hassen: zum Lieben, zum Lieben sind wir ja erkohren, weil GOtt, der die Liebe, uns neu hat gebohren.

21. Drum lasset uns täglich zunehmen im Lieben, weil wir uns schon offt zum Lieben verschrieben, auch habenden König der Liebe zum Führer, der unsere Hülffe, Schirm, Schutz und Regierer.

22. Ich will mich auffs neue gantz feste verschreiben, euch allein von Hertzen getreu zu verbleiben, so lange ihr bleibet an JEsu fest kleben, und täglich euch übet im heiligen Leben.

23. Als Jungfraun, die einzig dem Lamme nachlauffen, verlassen die Heuchler und gottlosen Hauffen, weil JEsus von solchen euch theuer erkauffet, euch kräfftig mit Feuer und Geiste getauffet.

24. Drum laßt uns zusammen auffs neu uns verschreiben, um JEsu bis in den Tod treu zu verbleiben, und stehen als Häuser auf Felsen gebauet, dieweil wir mit JEsu uns haben vertrauet.

25. Er wird uns zur Hochzeit nun balde einführen, drum thut er uns täglich mehr schmücken und zieren: ein jedes sich beuge, dem Lamme geb Ehre, zun Füßen sich lege, sein Lob stets vermehre.

26. Dieweil es uns leiter als Schäflein der Weide, erfüllet uns inniglst mit göttlicher Freude, so wächst die Gemeinschafft im Lieben und Leiden, und bleiben einander treu bis wir abscheiden.

27. O jauchzet! O lobet! O rühmet den König! der uns sich vermählet, alls sey viel zu wenig, was unsere Zunge mit Stimmen kan singen, wir wollen zum Loben ins innere dringen.

28. Wo GOtt wird verehret im Geiste und Warheit, der unsre Seelen erleuchtet mit Klarheit, damit wir inwendig im Geist ihn erheben, und alda ihm Ehre u. Herrlichkeit geben. *v. Nathan.*

12.

DIE Süße, die mich träncket aus JESU Liebes-Brust, und mir dabey einschencket viel reine Himmels-Lust: die hat mein Herz gezogen, und gantz genommen ein, daß ich durch Lieb bewogen ihr ewig treu zu seyn:

2. O Heilig-reines Wesen! wie hast du mich beglückt: so bald ich dich erlesen, wird ich von dir erquickt; drum soll mich nichts mehr trennen, noch stöhren meinen Sinn, den ich im Liebe-Brennen dir gab zu eigen hin.

3. Du wirst mich wohl hinführen zu deiner reinen Schaar, die dorten triumphiren ohn Ende Zeit u. Jahr, die selbst das Lamm wird leiten am Strom des Lebens schön, mit viel erwünschten Freuden, die nimmermehr vergehn.

4. O Liebe! die mich nähret schon hier in dieser Zeit, u. dort ein Gut bescheret, so bleibt in Ewigkeit. Du bist mein Ehr und Krone, mein Siegel in der Hand, mein Lustspiel ohne Lohne, und mein Versicherungs-Pfand.

5. Mit dir kan ich eingehen, wo man vor GOttes Thron in groser Freud wird stehen, wie die Sonn. Wohl dann! ich will ohne Zagen dir folgen nach auf Erd, bis ich ohn alles Klagen alldort verherrliche werd. *v. Agonius.*

13.

ERmuntert euch, ihr Kinder unsrer Liebe, die ihr von GOtt gezogen seyd: auf! folget doch des Geistes wahrem Triebe, halt euch in Demuth stets bereit, damit euch GOtt je mehr und mehr ausrüsten.

rüsten kan zu seiner Ehr, so ihr euch ihm gelassen geber, und nur nach dem, was himmlisch, strebet.

2. Ein Geist der da von allem abgekehret, was irrdisch ist und Creatur, der wird vom höchsten Wesen selbst ernähret, weil GOttes eigentlich Natur, daß er sich dem gern theile mit, der um das Irrdisch nicht bemüht, und nichts im Grunde thut verlangen, als seinem Schöpfer anzuhangen.

3. Erweget recht, O allerliebste Seelen! worzu euch GOtt berufen hat, und wie er euch aus Gnaden thut erwählen zu Bürgern seiner grossen Stadt, da ja niemand kan gehen ein, als der hier abgeschieden rein sich hält von allen Eitelkeiten, und schwingt sich in die Ewigkeiten.

4. Ach ja! die Herrlichkeit ist unermeßlich, die da besitzt ein GOttes-Kind: ach aber! wie sind wir so gar vergeßlich, und wenden-uns vielmal geschwind mit unsern Sinnen nach Natur, achten nicht gnug der Liebe Spur, bis mir es mit viel Leid und Schmerzen erfahren müssen in dem Herzen.

5. Drum ist es Zeit einander zu zu schreyen, auf, auf! ermuntert euch aufs neu, ermannet euch doch alle ihr Getreuen, sehet ihr nicht, wie schon rückt herbey der Breutigam, drum send bereit, und schmückt euch mit dem Hochzeit-Kleid, thut Fleiß und Mühe doch anwenden, die Heiligung hier zu vollenden.

6. Sucht euch je mehr u. mehr allhier zu reinigen von Creatur und Eigenlieb, damit sich GOtt recht kön mit euch vereinigen, und würcken durch seins Geistes Trieb zu euer Herz, Seel und Gemüth so werdt ihr schmecken GOttes Gut, und immer mehr verlangend werden zu fliehn und hassen, was auf Erden.

7. O selig! wenn wir also laufen werden, u. uns nach nichts mehr sehen um, so sind wir frey vieler Last und Beschwerden, und heissen rechte GOttes Eigenthum, die von der Erden ihm erkaufft, und er mit seinem Geist getaufft, zu seinem Dinste ihm erkohren, da er uns hat widergebohren.

8. Wann aber wir nicht Ernst und Fleiß anwenden, und wieder werden schläfferig, so nimmt uns GOtt das wieder aus den Händen, was er

uns gab, so gnädiglich, und geht's uns alsdann wie Loths Weib, die zum Gedächtnüs stehen bleib erstarrt, erstorben und erfrohren, ja bleiben ewig gar verlohren.

9. Ach! sag ich, laßt uns diß mit Ernst betrachten, und unser Herz durchsuchen recht, ob wir die Welt und Eitelkeit verachten, wie es gebühret Christi Knecht, und täglich nehmen zu in Kraft, die in uns ein neu Wesen schafft, denn stille stehn kan nicht bestehen, wir müssen täglich weiter gehen.

10. Doch ist in uns hiezu gar kein Vermögen, die Kraft kömt nur von oben her, drum lasset vor dem HErrn uns nieder legen, und zu ihm ruffen ernstlicher, als wie bishero ist geschehn, daß er mit Kraft uns woll beystehn, damit wir kämpfend überwinden, am End die Kron des Lebens finden.

11. Denn weil wir hier in diesem Leben wallen, so hört gewiß der Streit nicht auf, und ob gleich viele Feind vor uns gefallen, so machen sie sich wieder auf: und könen sie nichts mit Gewalt, so könen sie mit Schmeicheln bald, und suchen uns ins Netz zu reissen, da sie viel Freyheit uns verheissen.

12. Drum heist nun unser liebster JEsus wachen, daß uns der Feind erschleiche nicht? ach! laßt uns geben acht auf unsre Sachen, ein jeder denck, wie er verpflicht, zu streiten einen guten Streit, daß er ergreiff die Seligkeit, drum laße in allem, was wir machen, ach liebste Seele! uns doch wache.

14. Ev. Jnthro

ERsencke dich, mein Herze, nieder in einem tief gebeugten Will, dann Gottes Liebe stärckt dich wider, auch wo die Schmach oft in der Still drückt deinen Sinn, doch ist's Gewinn, wann man sich nicht läßt halten auf, bis daß erfüllet ist der Lauff.

2. Worinn man oft sehr hart beladen mit viel Gefahr und schwerem Drang; doch hilft GOtt selbst dem Elend rathen, und machet mich gewiß im Gang. Die kurze Zeit, die man hier leidt, erwirbet GOttes Gut und Huld, zu warten sein'in viel Geduld.

3. O lang-verlängtes Liebe-Leben! wie sehnet sich nach dir mein Herz, weil du aus Lieb dich hingeben, zu lösen mich von allem Schmerz; da ich verirrt, hat er, mein Hirt, geführet mich zu seiner

Herd,

4. Mein Leben ist zwar hier verborgen, auch oft der Wandel unbekañt; doch thut GOtt selbsten für mich sorgen, bringt mich zum waren Vater-land: allwo fürwahr die reine Schaar, so hier mit Flehen und Gedult erworben hat des Lammes Huld.

5. Da grünet mir in reichem Segen das Leben in der Niedrigkeit, das GOttes Geist mir bey-thut legen, wann Er mit Manna mich erfreut. Der Ueberfluß in dem Genuß ziehe öfters meinen Geist dahin, daß ich vergesse, wo ich bin.

6. Nun wird ohn alles Widerstreben mein Herz zu seiner Pflicht gewöhnt, wo man GOtt dient im innern Leben, und alles ganz ist ausge-söhnt: was man verschuldt, weil JEsus Huld erquicket meinen Geist und Sinn, und nimmt den Jammer ganz dahin.

7. Drum bleibe ich in Lieb verbunden mit der vereinten Glieder-Zahl, die hier durchs Creutze überwunden, und halten mit das Abendmahl in reiner Seid, O edlers Kleid! das uns erworben JEsus Christ, da Er am Creutz gestorben ist.

8. Für seine keusch-verliebte Glieder, die hier im Geist verbunden seyn, und stimmen an die neue Lieder, wann sie ins Innre gehen ein: allwo sie seynd in Lieb vereint, u. geben Ehre Lob und Preiß auf eine ganz geheime Weiß,

9. Dem keuschen Lamm, das sie erwählet zu seinem Lob allhier auf Erd, und mit zur Braut-Zahl hat gezehlet, dieweil sie rein sind und bewährt hier in der Zeit, O Seligkeit! so rufet aus das keusche Heer, und gibt dem grosen GOtt die Ehr.

15.

ES ist des Leidens zwar sehr viel; doch tröst uns GOtt oft in der Still: und führt uns durch das Jammerthal, da Dornen wachsen ohne Zahl.

2. Die Zusag, die er hat geredt, in unser Herz, sehr feste steht: da stehen wir in Nöthen hin, wann Finsternuß bedeckt den Sinn.

3. Die Hoffnung, die nach jenem Land des Lebens unser Herz gewandt: die speiset öfters das Gemüth, mit GOttes Treu und Wunder-Güt.

4. Oft seufzen wir: O treuer HErr! wie wird das Reisen nicht so schwer. Gedencke unser grosen Schmach, die wir ertragen Nacht u. Trag.

5. Dann ist sein Herz zu uns gericht, und kan sich länger bergen nicht. Der Trost, der flieset da heraus, treibt alle Finsterniß hinaus.

6. Steh auf! du sehr gedruckter Sinn, die Hoffnung ist nicht gar dahin: es lebet noch der Hel-fers-Mann, der uns vom Tod erretten kan.

7. Ach GOtt! wie ists so wol gethan, daß du uns hast geholffen an aus Creutz, und dabey unsre Schuld hast zugedeckt mit deiner Huld.

16. *Fr. Eleazar*

ES ziehe uns der Liebs-Magnet, des Kraft durch alle Herzen geht: daß wir vertiefen uns in Ihn, und brünstig seyn in unserm Sinn, Dann es sind die Freuden dieser eitlen Zeiten ganz und gar in uns verschwunden, weil die Lieb uns so gebunden.

2. Drum ist uns auch der weg bereit zur wahren Geistes-Fruchtbarkeit, weil wir sind ganz in ihn verliebt: ob wir schon oft noch sind betrübt, und mit leid umgeben hier in diesem Leben. Dann nach viel und langem Sterben werden wir den Ort ererben.

3. Allwo auf herrlich-schöner Weid das Lamm der Lämmer Heerde l it, die ihme folgen willig nach, bis sie erlangt den frohen Tag: da die reine Schaaren sich in liebe paaren, und mit Freuden in dem Gehen auf der Mutter Vorgang sehen.

4. Drum ist mein Herz auch ganz erneut durch diese süse Himmels-Freud, weil ich vermerck in mei-nem Sinn, daß ich auch mit gesammlet bin in unsrer Mutter Haus, da gehen ein und aus die reine Lämmer die in Chören des Lammes lob und Ruhm vermehren.

5. Dann es muß billig aller Mund sein lob vermehren alle Stund: weil es den Himmel hat verfagt, und sich vor uns in Tod gewagt. Drum ihr Lämmer reine! dencket auf diß Eine, daß in allen Liebes-proben nur sein lob werd hoch erhoben.

F.

FReuet euch nicht, meine Feinde; ob ich schon
danider lieg, daß auch traurig gehn die Freunde,
der HErr wird verschaffen Sieg: meine Hoffnung
stehet fest, daß der HErr mich nicht verläst; ob
ich gleich im Finstern sitze, und im Elend ängstlich
schwitze.

2. Ich muß tragen meine Schulden; den
Hohn meiner Jugend hörn; doch will ich es gerne dulten, bis der HErr zu mir wird kehrn sein
Genadenreich Gesicht, und mir läst aufgehn
sein Licht, diesen Trost mir Niemand raubet, ob
der Feind schon heftig schnaubet.

3. Denn ich sehe schon ausziehen JEsum,
meinen Held im Streit, darum müsset ihr bald
fliehen, ohne Sieg und ohne Beut: ihr seyd zu
früh worden froh, habt gerufen da, da, da, und
gejauchzet nah und ferne; ach! das hätten wir
längst gerne.

4. Weil die Warheit euch gebissen, und das
Zeugnuß hart gedrückt, war't ihr stets darauf beflissen, daß sie würde bald erstickt: aber wisse
Gottes Rath; der es so regieret hat, daß zu meinem Nutz und Frommen über mir zwar leiden
kommen.

5. Doch bleibt Gottes Warheit stehen, und
vergehet nimmermehr, daß es jederman kan sehen,
wie GOtt rettet seine Ehr: ob er gleich schlägt
seine Knecht, und sie nicht läst haben recht, damit
sie sich nicht erheben; sondern ihm die Ehre geben.

6. Müssen dennoch seine Feinde saufen seinen
Grim u. Zorn, obs gleich scheinet, daß die Freunde
wären ganz und gar verlohrn, scheinet ihnen doch
das Licht, wenn vorbey ist das Gericht, wenn sie in
dem Grund erfahren, wie daß GOtt von langen
Jahren,

7. Hat geführet seine Knecht, die getragen seinen Zorn, u. so ausgeführt ihr Rechte, daß kein
einzigs Wort verlohrn: und sie ihre Lust gesehn an
der Gnad, die fest bleibt stehn denen, die in Proben halten, und im Leiden nicht erkalten.

8. Meine Feinde werden sehen, und mit
Schaam bedecken sich, die sich jetzund hoch aufble-
hen, zu mir sagen frevenlich: wo ist nun dein

HERR und GOtt, daß er dir helf aus der
Noth? doch bleibt dieser Trost mir stehen, daß
ich werd mit augen sehen.

9. Wie die Feinde ganz zertretten, als Koth
auf der Gassen seyn, wenn der Herr mich wird erretten, und zu Zion nehmen ein: dann man wird
sie nun bald sehn, zubereitet fertig stehn, weil man
schon die Mauren bauet, solches wird im Geist
geschauet.

10. An dem Tag wird sich ausbereiten Gottes
Wort sehr weit und fern: man wird predgen allen
Leuten, wie man lieben soll den HErrn. Darum
Zion freue dich, denn bald wirst du sehn, daß sich
viele Völcker zu dir kehren, daß sie GOttes Lob
vermehren.

18.

FRoh bin ich, weil ich gezählet zu der Zahl, die
GOtt vermählet seinem Sohn zu einer
Braut: die ganz von der Welt geschieden, und
besitzen grosen Frieden, weil sie nun mit GOtt
vertraut.

2. Daß sie ihm zu Ehren leben, sich von Herzens-
Grund bestreben, ihm zu folgen ganz allein durch die
Wüsten dieser Erden in viel Leiden und Beschwer-
den, ihm allzeit ergeben seyn.

3. Die des HErren Bund fest fassen, und denselben nie verlassen, daß sie bleiben ihm getreu, O! die
wird GOtt selbst regieren, und mit Krafft und Tugend zieren, daß sie gänzlich werden frey.

4. Von dem Creuz, das sie offt drücket, daß
sie gehe sehr gebücket auch noch bis auf diese Stund:
ja die eigne Haus-Genossen mühen sich ganz unn-
verdrossen, machen offt das Herz verwundt.

5. O mein GOtt! ich bitt von Herzen, steh
mir bey in allen Schmerzen, hilf mir überwinden
weit, daß ich in den Trübsals-Tagen meine Seel
davon mög tragen durch den Sieg als eine Beut.

6. Ja ich such von Grund der Seelen, (und
kans länger nicht verhelen (daß ich möge werden
frey von den eignen Würcksamkeiten, hilf durch
deinen Geist bestreiten, seine Krafft stets in mir sey.

7. Laß mein eigne Krafft verschwinden in mir,
daß

daß nichts mehr zu finden sey, von ihrer Eigen-schafft, die mich lange hat, betrogen, und mein Hertz von GOtt gezogen, daß verdrocknet aller Safft.

8. Mach die Eigenlieb zu nichte in uns HErr, durch dein Gerichte, also daß sie eine Last in uns allen möge werden, daß wir loß von den Beschwerden, und so mögen finden Rast.

9. Diese schnöde Eigenliebe hindert oft des Geistes Triebe, weil sie stehet in dem Weg, hemmet das zusammen-Fliessen, daß wir nicht der Krafft geniessen können, wo es uns an läg.

10. Daß wir in des HErrn Geschäften unverhindert von den Kräften, die uns oft gehalten auf; drum will ich mich selber hassen, diesen Greuel fahren lassen, weil es hindert meinen Lauff.

11. Nun aufs neue ich anfange fort zu gehen, und verlange gantz von mir zu werden loß, daß sich alles mög verlieren, und ich's könn im Hertzen spühren, daß ich ruh in GOttes Schooß.

12. Ich wills nur auf JEsum wagen, ihm sein Creutz nach helfen tragen, gehen mit vors Lager aus: anderst nichts mehr hier zu suchen, alle Nichtigkeit verfluchen; achten nicht der Feinde Strauß.

13. Weil mein JEsus vorgegangen mit der dornen Krohne Prangen, will ich folgen treulich nach: er hat mich zu ihm gezogen, und durch seine Lieb bewogen nach zu tragen seine Schmach.

14. Ich hab mich ihm fest verschworen, weil gesucht er, was verlohren, mich sein' arme Creatur: drum kan ich nicht von ihm weichen, bis ich werd das End erreichen zu der Göttlichen Natur.

15. Die mir JEsus hat erworben, da er ist am Creutz gestorben, wenn ich ihm so werde gleich: achte weder Schmach noch Schande, kein Gefängniß Schläg, noch Bande, keine Trübsal mich macht weich.

16. Ich hab mir fest vorgenommen, mit den rechten glaub'gen Frommen fort zu gehen ohne Scheu, wider aller Feinden Toben: GOtt hilfft mir aus allen Proben, daß ich bleiben kan getreu.

17. Weil ich öfters mich verloffen, und das rechte Ziel nicht troffen, ob ich schon mit allem Fleiß meiner Meinung nach gegangen, war es doch

betrüglichs Prangen, weil das Hertz nicht war erweicht.

18. Aber nun ist es zerbrochen, GOtt hat diesen Feind gerochen, weil ers treulich mit mir meint, macht mich klein in meinen Augen, läßt die Zähren die aussaugen, bis die Sonne wieder scheint.

19. Nun ihr meine Hertzens-Brüder, die wir an dem Leibe Glieder, dessen Haupt erhöhet ist: laßt uns doch mit Ernst bestreben, daß wir gantz zu Ehren leben unserm Heiland JEsu Christ.

20. O! ihr Schwestern allzusammen, die wir uns von GOtt herstammen, und in Lieb verbunden seyn, fort zu gehen ohne Wancken in den keuschen Tugend-Schrancken, bis wir gantz verneuet seyn.

21. Laßt uns freuen derowegen, weil uns GOtt schon thut beylegen seinen Segen hier auf Erd, daß wir können auf ihn trauen, weil wir seine Wunder schauen, und er sich zu uns gekehrt.

22. Daß wir frendig seinen Namen können mit dem heil'gen Saamen rühmen noch allhier auf Erd, bis wir alle werden kommen zu der Zahl der wahren Frommen, da ein Hirt und eine Heerd.

Fr. Martin G Bremer

19.

GOtt, der du mich hast auserkohren zu deinem Lob in dieser Zeit, und mich aus deinem Geist gebohren, daß ich zu deinem Dienst bereit allhier im Gang mit Lob-Gesang, bis ich dort mit viel Sieges-Freud dich rühmen werd in Ewigkeit:

2. Mit allen meinen Bunds-Genossen, die hier gelebt keusch, heilig rein, und auch gefolgt gantz unverdrossen dem Lamme nach ohn allen Schein, durch Creutz und Noth Schmach, Schand und Spott, bis das der Streit gebracht zum End, u. alles Leid in Freud gewendt.

3. Die werden dort am Reigen gehen, und stimmen schön die Harffen an, und bey dem Lamm zur rechten stehen mit weisser Seiden angethan in G'rechtigkeit, O schönes Kleid! das uns erworben hat das Lamm, da es geschlacht am Creutzes-Stam.

4. Drum will ich folgen seinen Tritten, damit ich komme auch dazu, und treu verbleiben, bis
bestrit-

bestritten die Feind, so kan ich gehn zur Ruh, wo Abraham den ganzen Saam wird zu sich sammlen in den Schooß, und machen aller Sorgen loß.

5. Ich will mich nun aufs neu befleissen, zu dienen ihm ohn Heucheley, ja gar ohn einigs trüglichs Gleissen verbleiben bis in Tod getreu: so kan ich dort zur Friedens-Pfort eingehen in die neue Stadt, die lauter güldene Gassen hat.

6. Und will auch nimmer stille stehen allhier auf meiner Pilger-Reiß, bis daß ich kan die Thürne sehen, so kan ich geben GOtt den Preiß der sie erbaut vor seine Braut, die sich allein mit ihm vermählt, weil sie erkaufft aus dieser Welt.

7. Wohl denen, die sich darin finden, und nicht beflect mit fremdem Weib; da will ich mich aufs neu verbinden, als Christi jungfräulicher Leib: damit die Zahl zum Hochzeit-Mahl erfüllet werd zu rechter Zeit: drum auf! der Bräutgam ist nicht weit.

H 20.

HErr Jesu Christ, du höchstes Gut, und Lustspil meiner Seelen: was deine Huld für Wunder thut, will ich mit Freud erzehlen.

2. Bin ich schon nur ein glimmend Tage, und sehr gering auf Erden: dort wird der Heilgen Nidertracht in GOtt erhöht werden.

3. Drum reise ich im Segen hin in meinem Trauer-Stande: dort blühe mein Heil mit viel Gewinn in dem verheissnen Lande.

4. Alwo das Hoffen kommen ein der Lieb-Erwählten Frommen: wo alzumal zu sehen seyn, die aus viel Trübsal kommen.

5. Weil sich geendet alles Leid, und Elend hier auf Erden, wird es in jeder Freuden-Zeit um so viel besser werden.

6. Drum ist mein Herz durch GOttes Güt und Liebe hoch erhaben: weil er im Herzen und Gemüth mich thut unendlich laben.

7. Des Bundes Blut, so theur und währt, hat meiner Sünde Schaden geheilt, erkaufft mich von der Erd, aus unverdienten Gnaden.

8. Und mir erworben einen Ort in GOttes

Haus zu Ehren: wo GOttes Kinder fort u. fort ewig sein Lob vermehren.

9. Was grose Freud und Saligkeit wird als-dann erst aufwachen: wann alle Frömen seyn befreyt vons Todes Grim und Rachen.

10. Kommt ihr verlobten in dem Bund, die mit mir auf dem Wege: seyd GOtt getreu mit Herz und Mund und werdet nimmer träge.

11. Weil GOttes Lieb unendlich groß, die JEsus thät vortragen: da er verließ seins Vaters schooß, und ließ ans Creuz sich schlagen.

12. Aus lauter Lieb und Gütigkeit umsonst dahin gegeben: ins Todes Grimm und Bitterkeit, sein unschuldiges Leben.

13. Drum wollen wir stets dencken dran, was wird alldorten werden: nach der gebrochnen Creutzes-Bahn, und leiden hier auf Erden.

14. Dann was ein jeder säet aus in diesem kurzen Leben: so bringt er eine Frucht nach Haus, des Lob wird ihm gegeben.

15. O Wohl demnach! wer seine Saat im Segen thut ausbereiten, den wird die unverdiente Gnad mit grosem Heil ankleiten.

16. Zu GOttes Ehr und Herrlichkeit, da man mit schönen Weisen Ihn in die Läng der Ewigkeit wird unaufhörlich preisen.

17. Dann wird die Freud und hohe Würd recht klar gesehen werden, die nie ein menschlich Herz berührt allhier auf dieser Erden.

18. Was Wunder? wann am Reihen gehn die Jungfrauen sehr schöne; und auf dem Berge Zion stehn, mit vielem Lob-gethöne.

19. O was vor eine grose Schaar! die Siegespalmen tragen, die kommen aus so viel Gefahr, u. heissen Trübsals-Tagen.

20. Was grose Freud wird da gesehn an denen Lamms-Jungfrauen: die nimer aus dem Tempel gehn, ohn GOtt anschauen.

21. Ach ja es ist die Herrlichkeit, die nimmer thut aufhören: weil sie in alle Ewigkeit wird ohne Ende währen.

21.

J

Ich

312 JCh armer Staub, den du erwählet, O groser
GOtt! von Ewigkeit, aus Gnaden und
Barmhertzigkeit zu deiner Kinder Zahl gezählet,
der wirfft sich hin zu deinen Füßen in tiefster
Hertzens-Demuth hin; laß auf mich deine Gnade
fliesen, zu beugen meinen harten Sinn.

2. Ich weiß, mein GOtt. ich muß zu nichtes
von deiner Hand werden gemacht, auch von mir
selbsten so geacht, soll anders aus mir werden ichtes;
drum will ich alles gerne leiden, was dein Rath über
mich verhängt denn wer geniesen soll der freuden,
muß werden hier gedruckt, gedrängt.

3. Doch wie so sanft thun deine Schläge dem
Geist, ob's gleich dem Fleisch thut weh, der Geist
wird wie ein munters Reh, zu lauffen fort die
Creuzes-Wege, die du bist selber vorgegangen mein
JEsu hier auf dieser Welt; drum laßt mich anders
nichts verlangen, als nur allein was dir gefällt.

4. Leg mir nur auf das Creuz zu tragen, damit
es mich recht niederbeugt, denn du ja selber mir
gezeigt, daß ich muß werden hier geschlagen, auch
selbst von meinen liebsten Freunden, bekleidet mit
viel Schmach und Spott: was Wunder, daß ich
von den Feinden werd gar getreten in den Koth.

5. Ich wüst ja nichts von wahren Freuden,
wann nicht das Leiden vorher gieng; drum achte
ich viel zu gering, was mir wird angethan für Leiden.
Ich ruhe sanft in deinem Willen, und lege mich
in deinen Schooß, du kanst ja bald den Jammer
stillen, und machen von Beschwerden los.

6. Ich leugne nicht, ich habs verdienet durch
meine Schuld und Missethat, daß du entzeuchst
mir deine Gnad, doch, weil dein Sohn hat ausgesühnet den Zorn den Sünder sollen tragen, so
leg ich mich in Demuth hin: will dulten die heil-
samen Plagen, in einem tief-gebeugten Sinn.

7. Ein Schaf erstummt ja vor dem Scherer,
ein Lamm nicht aufthut seinen Mund, wenn man
es hinwirft auf den grund, und schlachten will; soll
dann Beschwerden und Leiden mich unruhig machen, wo bliebe dann die Lammes-Natur; laßt sperren
auf den Wolff den Rachen, er treibt mich fort
auf JESU Spur.

8. Denn so ich soll zu JEsu Heerden gezählet

werden, und gestelle, muß ich schon hier auf dieser
Welt ein sanftes Lamm u. Schäflein werden,
das sich läßt schlagen und verwunden; giebt hin die
Woll, ja Fleisch und Blut, den Wölffen, Bären
u. den hunden, leid'e alles mit gar sanfftem Muth.

9. Ja, so weit muß es mit mir kommen in der
Verleugnung und Absag. daß ich auch führe keine
Klag, und solten auch die wahre Frommen mich
scharff urtheilen und verdammen, so muß, im innern Seelen-Grund, mein Herz in lichter Lohe
flammen, und dringen in den Liebes-Bund.

10. Nun liebster JEsu, sey gepriesen vor dein
Liebe Hirten-Treu, daß du mich als dein Schäflein frey, den Weg zum Leben hast gewiesen, ja
leitest mich mit deinen Augen, und tröstest mich
mit deinem Stab: ach! laßt mich deine Gnade
saugen, weil ich von dir das Leben hab.

Dr. Janbutz.   23. Nov. V. F.
JCh bin gedrückt und doch nicht unterdrücket von
dem Gericht, das mir hat beygelegt mein GOtt
der mich und alle Dinge trägt: so lang ich war
in seinem Dinst verstricket, hab ich zum Bau des
Tempels ins gemein getragen bey die allerschwerste
Stein. Dann da ich erst darzwischen kam, und
solche Lasten auf mich nahm, ward GOtt gelöst
und ich bezwungen, in Ihm ist mirs, und Ihm
durch mich gesungen.

2. Doch war ich öfters blöd und voller Zagen,
das Gute sagt mir an, ich wuste nicht, daß, we-
sich GOtt und Menschen hat verpflicht, auf
beyden Achseln müsse lernen tragen, in welchem does
und reinen Priester-Sinn ich nun ein GOttes-
Träger werde bin. O selig! wer nie höher steigt,
als daß sein Fuß die Erd erreicht: dann dessen Höh
bleibe ohnbesieget, der seinem Bruder zu den
Füßen lieget.

3. Concepten, Frommen, Bilder, Weisen,
Schranken, die andern bauen ihren Himmel auf,
die sind vernicht in meinem Glaubens-Lauf:
dann was sich formt nach menschlichen Gedan-
ken, das ist noch lang das wahre Gute nicht,
das sich nach keines Menschen Bildern richt.
Bey mir ist eines groß und klein, ich pflege
jedem so zu seyn, wie er mich sucht, und bleib

gekot

gelassen, drum kan mich keiner mit der Selbheit fassen.

4. Und wär noch eine Tiefe zu ergründen auf meiner lang-gehabten Wander-fahrt, gewiß ich hätte keine Müh gespahrt, und mich nicht denen rauhen Creutzes-Winden zu einem Spiel so gar gegeben hin, daß ich nun mir ein Wunder worden bin. So ist mir dann nun kein Verlust auf meiner Reise mehr bewußt, und wann es scheint, es sey verlohren, so wird ein Phönix aus der Asch gebohren.

5. Die Eintracht meiner im gelassnen Willen mit GOttes Rath hat mich dahin gebracht, daß ich mir selbst in allem abgesagt, drum kan stets reine Liebe aus mir quillen. O welch ein hoch-beglückter Ehren-Stand! wer also GOtt ist kommen in die Hand, daß er sich nach ihm lenckt und drehet, und ihm nicht mehr im Wege steht. In diesem Lust-Spiel ist verschwunden der Jammer vieler mißvergnügter Stunden.

6. Und hätt ich nicht diß Räzel bald-errathen, gewiß ich hätte meinen Stand verletzt, als mich die Mutter von dem Schooß gesetzt, und ließ mich in dem Jammer-Wasser baden, daß ich als wie entseelt in vieler Schmach oft in den letzten Todes-Zügen lag. Und ob sie sich schon hart gestellt; so hab ich mich doch nicht gesellt zu fremden Mägden und zu denen, die neben ihr nach fremder Lieb sich sehnen.

7. Drum ist der Hader endlich bald geschlichtet, es ist geschehn, die Wercke folgen nach, und werden endlich bringen an den Tag, wann dieses Welt-Gebäu wird seyn vernichtet, was hier dem Creutz so nahe war verwandt, und unsern blöden Augen unerkannt. Dann wird, wer mich zuvor gedrückt, mich selig preißen und beglückt, weil im gecrönten Priester-Orden zur Ausgeburt der reinen Liebe worden.

24. Zu Philemon

JCH hab das höchste Gut erblickt, nach GOttes weisem Rath, das mir Hertz Seel und Geist erquickt aus unverdienter Gnad.

2. Diß Gut hat mich gezogen hin, und tief genommen ein, daß ich nach dem verliebten Sinn sein Eigenthum kan seyn.

3. Die Vorsprach die mich JEsus lehrt, erfreuet Hertz und Mund: drum wird in mir sein Lob vermehrt all Zeit und Tag und Stund.

4. In dessen Vorbitt und Gebet ich tief verbunden bin, samt seiner gantzen Liebes-Kett, die Er nach seinem Sinn,

5. Und sehr geheimen GOttes-Rath erkauffet aus der Welt: gebracht zur neuen Zions-Stadt, und vor sich auserwehlt.

6. O freue dich! du keusches Heer, und jung-fräulichs Geschlecht: und geb dem keuschen Lamm die Ehr vor sein erworben Recht.

7. Und lasse deine Weisen hör'n, so wie es ihm gefällt: bis du dort wirst sein Lob vermehrn in jener neuen Welt.

Zv. 25. Jonl

JCH hasse alle falsche Wege, bemühe mich mit allem Fleiß, daß ich nicht weich vom schmalen Stege, damit ich meine Pilger-Reiß mit Freuden noch erfüll auf Erden, weil meine Zeit nun bald zum End, und GOtt mein Leiden und Beschwerden alsdann in lauter Freude wendt.

2. Drum eil ich, daß ich werd entbunden von dem, das mich so oft-geblendt, ja gar verführt, und überwunden, wann ich schon aller ...eiß anwendt: ich will hinführo mich befleissen, de...ch mir selbsten sage ab, und aller eignen Lieb e...reissen, ja gar verfluchen bis ins Grab.

3. Und will mich hin zu JEsu wenden, weil er es ist, der helffen kan, mit Freud dasselbe zu vollenden, was er in mir gefangen an: dann es ist auch sein Rath und Willen, daß ich dir dch Creutz ihm ähnlich werd, drum thut er selbsten mich anfüllen, daß ich ihm folgen kan auf Erd.

4. Mein Kleid ist schwartz, das ich hier trage, mein Glantz und Schein ist gantz verdeckt, wann auf mich fället Schmach und Plage, daß es den Geist darnieder drückt; doch wird man nur das durch gebeugt, daß man die Perle nicht verschwendt, wann unser Hoffartes-feu'r auffsteiget, das nur in eigner Liebe brennt.

5. Denn wer mit Kronen denckt zu prangen dort nach der Ueberwindungs-Zeit, der muß allhier am Creutze hangen mit JEsu in viel Schmertz und Leid: nichts wollen, wissen noch begehren

als

als ihm allein zu werden gleich, so wie er selber uns
thut lehren: habt lieb einander, sag ich euch.

6. Wer seinen Bruder noch beschwehret, und
sein Mitglied im Geiste drückt, der ist noch
nicht zu GOtt bekehret, und noch in Falschheit
gantz verstrickt: sein Thun ist nur betrüglichs Gleissen, sein Hertz nicht auf der rechten Bahn: drum
will ich mich mit Ernst befleissen, zu fliehen diesen
falschen Wahn.

7. Ich will mich lieber selber richten, und meinen
Bruder lassen frey, die eigne Lieb im grund zernichten, beweisen, daß ich recht getreu mit denen ich in
Lieb verbunden, so werd ich aller Glieder Freund,
und hab den besten Schatz gefunden, den mir nicht
rauben kan der Feind.

8. Und ob auch meine liebste Brüder sich gegen
mir verstellten hart, so senck ich mich in Demuth
nieder, dieweil ich kenn der Liebe Art: in Schärffe
meiner sie's am besten, weil sie entdeckt den Heuchel-
Schein: ihr Saltz heilt Wunden und Gepressten,
ihr Feuer macht das Hertze rein.

9. Wer sich ist selber abgestorben, den quält
die eigne Lieb nicht mehr: das Heil wird nur im Tod
erworben, drum will ich geben GOtt die Ehr,
und meine eigne fahren lassen, so achte ich das
Schmähen nicht, und kan vertragen, wann derma-
sen mich auch der liebste Bruder richt.

10. Ihr Kinder unsrer Liebe kommet, und folget
mit mir JESu Lehr: verlasset alles, was nicht frommet, so werd't ihr frey von dem Beschwer, wo
man einander oft thut lasten und Bürden dabey
laden auf, auch nimmer kan in Ruhe rasten, und
hindert nur ein Lebens-Lauf.

11. Laßt eure Geister tief einfliesen in GOttes
Meer der Liebe rein, das wird die Bitterkeit versüsen, so oft gekränckt die Liebs-Gemein, und wird
die Bruder-Liebe grünen, der alle Blätter schön sich
breiten aus, und zum Genuß der Heiden dienen,
die Ernde bringt die Früchte nach Haus.

12. Ich freue mich schon in dem Hertzen auf
den vereinten Liebes-Sinn, der alle Bitterkeit und
Schmertzen versüßen wird und nehmen hin, und
machen uns in eins einfliesen so, wie es ist der liebe
Brauch: wer diesen Schatz mit thut geniesen,

den trifft nicht mehr der Schlangen Hauch.

26.

ICH sehe in dem Geist, daß sich zur Ernde
zweist, wo man empfähet die Früchte seiner
Saat, die man durch GOttes Gnad hier ausgesäet.

2. Drum eile ich zum End, damit ich bald vollend den Lauff mit Freuden; weil JEsus selbst mich
führt als wie ein treuer Hirt, und mich thut leiten.

3. Den schönen Himmels-Weg, und schmahlen
Creutzes-Steg gantz ohn Ermüden. Ich folge treulich nach, bis kommt der frohe Tag der sichre Fried.

4. Mein lieb-verliebter Sinn giebt sich zu eigen
hin den lieb u. werthen, daß ich werd zubereit in
Demuths-Niedrigkeit noch hier auf Erden.

5. Dann ich so manche Jahr von GOtt geschieden war und seiner Liebe, weil ich dem Eigensinn
nur folgte immerhin, und seinem Triebe.

6. Drum will ich geben hin ihm meinen gantzen Sinn, und will nachgehen der sanfften Lämmer-
Art, die sich mit Liebe paart, und fest thut stehen,

7. In Creutz, Verachtung, Schmäch, da man
den gantzen Tag muß traurig gehen. Drum will ich
bleiben treu, weil er mir stehet bey in Leid u. Wehen.

8. Und mich auch mit erwählt, daß ich zur Zahl
gezählet der lieben Seelen, die er sich zubereit in Demuths-Niedrigkeit, ihm zu vermählen.

9. Drum ich mich innig freu, weil seine grose
Treu mich angezogen mit reiner Himmels-Lieb, daß
durch die starcken Trieb mein Hertz bewogen,

10. Zu halten treulich aus in allem Kampf und
Strauß, ohn einigs Wancken; weil er mich hat beglückt, und mir mein Hertz erquickt; drum will ich
dancken.

11. Allhier mein Leben lang, und preisen mit
Gesang den grosen Namen des Herren, der mich hat
gebohrn durch seine Gnad aus Abrams Saamen.

12. Drum werd ich gehen ein zu denen, die gantz
rein vorm Throne stehen mit grosser Sieges-freud,
die wird in Ewigkeit nicht mehr vergehen.

13. Dn mit-erwählte Schaar, merck auf, es
kommt das Jahr der frohen Zeiten, das kam ist auf
dem Weg: O werdet ja nicht träg! thut euch bereiten.

14. Es machet uns die Bahn, damit wir Canaan nun bald betreten, die Feinde weichen schon, u.
ziehen.

Rehen aus mit Hohn von ihren Städten

15. Denn Josua der Held, den GOtt hat auserwehlt die Feind zu schlagen, der gehet selbst voran
und machet uns die Bahn, daß wir es wagen.

16. Mit gantz getrostem Muth zu streiten bis
aufs Blut, und hilfft siegen, bis aller Feinde
Macht wird seyn zu nicht gemacht, und mir liegen.

17. Und wer den auf der Bahn den Fried- und
Sieges-Fahn mit Freuden schwingen, und mit viel
Danck und Preiß auf gantz besondre Weiß, Lob-Lie-
der singen.

18. Drum freu ich mich so sehr, weil ich im Geiste spür, daß bald wird komen der schöne Freuden-
Tag, da alles Ungemach ist weg genommen.

19. Die Thränen-Saat ist hin, die man nach
GOttes Sinn hier thät aussprenen: man bringt die
Frucht nach Haus, so hier gewachsen aus ir-
Schmerz und Leiden.

20. Die schöne Sieges-Kron ein jeder trägt davon nach vollem ringen, und wohl vollbrachten
Streit, da sie in Ewigkeit Lob-Lieder singen.

21. Und in der Freuden-Bahn einander zeigen
an, wie sie geführet allhier in dieser Zeit, da sie viel
Schmerz und Leid oft hat berühret.

22. Und werden gehen all mit frohem Jubel-
Schall bey Paar und Paaren, und rühmen GOttes
Macht, der so zusammen bracht die edlen Schaaren.

23. Preiß Lob und Ehr sey GOtt, dem starcken Zebaoth, von uns gesungen. Wir wollen
schweigen nicht, bis uns von ihm geschicht, daß es
gelungen.

24. Und wir den Gnaden-Lohn auch tragen
mit davon, den er wird schencken; da wir dann alles
Leid bis in die Ewigkeit nicht mehr gedencken.

Zv. 27 Eleazar

JCH werde aufs Neue von Innen berühret,
dieweil ich die würckende Gnade verspüret, die
täglich ertödtet den irrdischen Sin, wo alles sonst
andre mit fället dahin. Die leidende liebe gibt stätigs
Gedeyen in sterbende Glieder den lieben Getreuen,
und thut sie von Innen und Ausen ernenen.

2. O seliges leiden! O Göttliches Sterben!
O selige Seelen! die also verderben, denn da wird
Welt, Teufel und Hölle besiegt, die Starcken ge-
Rr 2

bunden, die Hohen erlegt. O heiligs Ertödten! ertöd-
te mein leben, was noch nicht ist gäntzlich zum Opfer
gegeben: so kan dan der Höchste den Staube ergeben.

3. Und also sein Bilde aufs neue formieren, so daß
man von inen u. ausen kan spüren die Schmelzung
der liebe, die alles verschafft, und täglich einflöset erneuete Krafft. O selig! wer also im lieben kan prangen, durch stetiges Sterben dem Tode entgangen,
und also gestillet das lange Verlangen.

4. O seligs Vertiefen im liebenden leben, da
eines dem andern das Hertze kan geben in himmlischer Eintracht und göttlicher Füll, da jedes thut
lieben ohn Ende und Ziel. O heilige Eintracht!
O selige Stunden! wo Seelen sind also zusamen
verbunden, und werden im liebenden Leben
erfunden.

5. Die also vereinet, als Kinder nun wallen,
die müssen der oberen Mutter gefallen, die alle mit
tödlichen Schmerzen erborn, und also zum liebenden Leben erkohrn: auch täglich versüset die leidende Wehen, wann alles sonst andre zu Grunde
wird gehen, so werden die Kinder der Liebe bestehen.

Zv. 28. Nehemia

JCH will in Hoffnung gehen hin auf den betrübten Straaßen, bis sich, nach dem verliebten Sin,
mein Geist kan nieder lassen zur Ruhe, die GOtt hat
bereit den lieb-verliebten Seelen, die sich in dieser
Leidens-Zeit zu ihrem Theil erwehlen.

2. Das Creutz und vieles Ungemach, und
mancherley Beschwerden, so daß sie oft den gantzen
Tag sehr hart geklemmet werden: drum ist mein
Ziel dorthin gesteckt, wo sich wird alles wenden, wo
aller Jammer wird verdeckt, und bleiben gantz dahinden.

3. Dann GOtt ist meine Zuversicht in allen
meinen sachen, auf ihn ist stets mein Hertz gericht,
er wirds doch endlich machen, daß all mein Schmertz
und vieles Leid, mit dem ich hier umgeben, sich enden
wird zu seiner Zeit, wann er mich wird erheben.

4. Aus meinem Leid u. Jammer-Stand, den
ich allhier getragen, der ihm am besten ist bekannt,
weil ichs kan niemand sagen, mit was vor Noth
und Bitterkeit mein Hertz oft wird geträncket,
und wie so manches Weh und Leid den armen Geist
noch träncket.

29

29.

Jezt gehe man so hin mit vollem Gewinn,
Erwartet der Freud, die GOtt hat vorläng=
sten im Himmel bereit.

2. Die Freude der Erd ist besser nicht
werth; ich hab es betracht, derselben gegeben
auf ewig gut Nacht.

3. Das Trauren der Welt auch mit hin
zerfällt: ihr End ist der Todt, und wird noch
belohnet mit ewiger Noth.

4. Was lieblich und schön, muß auch mit
vergehn: bleibt nicht im Gericht, wann Himmel
und Erde und alles zerbricht.

5. Das Leiden der Zeit bringt Göttliche Freud:
viel Elend und Noth bringt endlich vergnügende
Freude in GOtt.

6. Es bleibet dabey, daß besser nichts sey, als
leben so hin auf das nur, was dorten wird bringen
Gewinn.

7. Das hat es zu seyn, sonst ist es nur Schein,
weil alles vergeht, auch endlich wie Spreuer im
Winde verweht.

8. Dann, was man hier sieht, und sich drum
bemüht: muß alles vergehn, und wär es auch
schöner als GOtt an zu sehn.

9. Was nur so erscheint, und nicht drum ge=
weint: muß wieder vergehn: was bleibet, bringt
dorten nur Schmerzen und Wehn.

10. O selige Tracht! wer dieses bedacht: gegeben
dahin, was allhier auf Erden nur bringet Gewinn

11. Jezt erndtet man ein ohn nichtigen Schein
die traurige Saat, die man ausgesäet nach GOt=
tes Genad.

12. O ewige Freud! nach so vielem Leid: da
nicht wird gesehn, was dorten erscheinet nach so
vielen Wehn.

13. Jezt ist es gethan, die blutige Bahn ist kom=
men zum End; die Freude wird währen ohn
Ziele und End.

30.

Jezund ist die Perl gefunden in der tiefen Un=
Grunds=See, alles Leid mit hin verschwunden,
samt dem vielen Schmerz und Weh. Jezt kan
man verlachen, was nur leere Sachen; dann
was aus dem Ungrund wallt, hat ein andere
Gestalt.

2. Schöpfft man Wasser aus dem Brunnen,
der vom Stuhl des Lammes fleußt, ist es auf
einmal gewonnen, weil alda aufwallt der Geist,
wodurch man genesen in dem wahren Wesen:
macht verschwinden allen Lug, und was nur ein
GOtt=betrug.

3. Jezund gibt es neue Leiber, weil die alten
abgethan, und die unbefleckte Weiber, die versaget
allen Mann: bringen ihren Saamen hauffen=weiß
zusammen, so da heisset Gottes Heer, und ihm
giebet Preiß und Ehr.

4. Kommt in Abgang das Geschlechte, wo
GOtt so viel Müh gemacht, gibt es andre Kirchen=
rechte, ihm zu dienen Tag und Nacht. Dann
was schien verlohren, hat sich GOtt erkohren, daß
sie halten bey dem Recht als ein Göttliches
Geschlechte.

5. Ist dann die Einsam nun worden Mutter
einer größern Schaar, als die, so des Manns
Consortin in so ängstlicher Verwahr. Wird
man nun bald sehen GOttes Kirch angehen,
daß der Welt=Kranz weit und breit sich zu
seinem Dinst bereit.

6. Jezund wird man aller Orten ruffen aus,
was GOtt gethan, der nach den Verheissungs=
Worten öffnet eine andre Bahn: die da heilig
heisset, und zum Himmel weiset. Jezund hat man
ausgeweint, wird auch Wolff und Lamm vereint.

7. Nun wird man GOtt Ehre geben auf der
Erden weit und breit; auch wird man kein
Schwerdt aufheben in der frohen göldnen Zeit.
Hauffen=weiß mit Schaaren gehen sie bey Paa=
ren, rühmen GOttes Wunder=macht, der dem
Leid ein End gemacht.

Sv. R. Joel

31.

Kommt all ihr lieben treuen Seelen, die ihr mit
mir verbunden seyd, wir wollen GOttes Lob
erzehlen, dann es bricht an die Frühlings=Zeit:
im Geist man sieht, wie alles blüht, und breit't
sich aus zur Fruchtbarkeit; drum ist die Erndte
nicht mehr weit. 2.

2. Der kalte Winter geht zu Ende, es rückt herbey das frohe Jahr, drum hebet auf Herz, Haupt u. Hände, weil nun wird hell u. offenbar, was lang verdeckt, und war versteckt: es bricht nun an der schöne Tag, darinn man jauchzend singen mag.

3. Gelobtes Land, ich seh dich grünen, und blühen weiß im schönsten Flor, auch Früchte tragen, die da dienen zur Speiß der reinen Engel Chor, ich mein die Braut, die sich vertraut dem Lamm allhier auf dieser Welt, und nur gethan, was ihm gefällt.

4. Die Blätter dieser Fruchtbarkeiten die dienen auch zur Artzeney, und zum Genuß der wilden Helden, damit sich alle Welt erfreu, und sehe klar und offenbar die Fruchtbarkeiten in dem Land, die uns macht Christi Geist bekannt.

5. In dessen Mitten ist erbauet das heilige Jerusalem vor die so GOtt sich hat vertrauet, Jacobs Geschlecht und ihre Stämm: die werden all mit frohem Schall, hell jauchzend rühmen in dem Gang, und singen schön des Lamms Gesang.

6. Das Heiligthum steht in der mitten in dieser neuen güldnen Stadt, allwo die Priester und Leviten GOtt zu dem dinst bestellet hat: daß sie der Hut warten vor GOtt, u. dienen ihm mit grofer Freud; weil sie von ihm dazu bereit.

7. Sie tragen all des HErrn Geräthe in reinem jungfräulichem Geist, und stehen an der heilgen Stätte in schönstem Schmuck, der helle gleißt(doch nicht im Schein, wie sonst gemein) klar wie ein Crystall weis und hell, sie stehen da auf ihrer Stell.

8. Und thun ihm stetig Opfer bringen auf seinem güldenen Altar, und Lieb-und Lobes-Lieder singen, GOtt und dem Lame immerdar: dabey sieht man schön angethan die Braut, die sich vorm König neigt, wenn er ihr seinen Scepter reicht.

9. Sie steht vor ihm in hohen Ehren, ihr Angesicht glänzt wie die Sonn, wenn sie sich so zu ihm thut kehren, setzt er ihr auf ein güldne Kron. O Herrlichkeit! die GOtt bereit den Seelen, die hier in der That ihm nachgefolget, Früh und Spat.

R r 3

10. Ich freue mich schon in dem Geiste, ob ich schon noch auf Erden bin, und will mich nun aufs allermeiste bemühen, daß ich komm dahin, zu dieser Zahl, die allzumal mit grofem Ruhm und Sieges-Freud erheben GOtt in Ewigkeit.

Zu. *L Agonius*

32.

1. Zie mich mein GOtt und HErz, ich geh sonst irre: dein Geist mich unterweise, lehr und führe. Ich armer Wurm bin voller Unverstand, und deine Weg sind mir sehr unbekannt.

2. Dann du die Deinen führst gantz wunderbarlich sehr hoch u. tiefe Weg, ich seh es klärlich: drum selig ist, der sich dir gantz giebt hin in einem niedrig und gebognen Sinn.

3. Und läßt sich gäntzlich deiner heilgen Führung, sich übergibt in Demuth dein'r Regierung, der wird gewahr, daß du ihn bringest durch viel enge Weg, aus aller Angst und Furcht.

4. Drum weil dein Rath schon alles hat beschlossen, wie es soll gehn, den niemand kan umstossen, so legt mein Hertz, mein Seel und Geist sich hin vor dir, in einem gantz gelaßnen Sinn.

5. Ich weiß zwar, daß ich dir oft widerstanden, doch, weil dein Licht mir klärer aufgegangen, werd ich hinfort auf dich allein nur sehn, und suchen keine andre Weg zu gehn.

6. O HERR! mein Geist zerschmelzt in deiner liebe, weil ich fühl deines Geistes starcke Triebe: was bin ich? daß du schätzest mich so hoch, und zählest in den Deinen; bin ich doch

7. Ein armer Staub, und du der grofe Schöpffer, zerbrechlich Thon, und du der heilge Töpffer, doch weil du mich nach deinem Bild gebildet zur neuen Creatur, so werd erfüllt.

8. An mir dein weiser Rath und heilger Wille, und führe mich recht in die Geistes-Stille, wonach mein Geist schon lang gesehnet sich, weil er findt nirgend Ruh, als nur in dich.

9. Drum sey dir mein Verlangen angelegen, und

und füll im innern mich mit Krafft und Segen, das mit ich gänzlich werd der Unruh loß, von allen Creaturen frey und bloß.

10 Dann kan ich erst im Geiste dir recht dienen, wann aus mir wird dein heiliges Leben grünen, das da geschieden ist von allem Ichts, und ruhe allein im puren lautern Nichts.

11. Mein Geist ist hoch erfreuet schön im Vorrath, dieweil er schauet ein die grose Genad, die du ihm schencken wirst, du höchstes Gut, weil er allein in deinem Willen ruhe.

12. Drum will ich mich dir gäntzlich anbefehlen, und auser deinem Willen nichts erwehlen: solt ja, auch kommen an ein groser Sturm, so weiß ich, du wirst retten deinen Wurm.

13. Und seinen Feinden nicht gar übergeben, weil du selbst in mir angezünd't dein Leben, das wirfft sich nun zu deinen Füsen hin, und opfert dir sich im gebeugten Sinn.

Inv. M. *Agabus*

33.

MEin eusers Leben steht in schrancken, das Inre ist versenckt in GOtt: ist diß ohn hin und wieder Wancken, so werd ich frey von aller Noth.

2. Ob ich schon offt muß traurig gehen, daß mir fast Leib und Seel verschmacht; wann nur thut GOttes Will geschehen, daß ich so werd zu recht gebracht.

3. Der Christen Sinn heißt: vieles leiden, so kömt der Geist zur Ruh in GOtt: der Nutzen lohnt mit vielen Freuden, drum übersteigt er alle Noth.

4. Dann wird die Hoffnung endlich geben, nach ausgestandner vieler Noth, alldorten ein gantz ander Leben, das heißt: genesen sehr in GOtt.

5. Dann werd ich preisen seinen Namen in jener stillen Ewigkeit: und wo die Frommen allzusammen ihn loben ohne End und Zeit: (da höret auf mein vieles Leid.)

34.

MEin gantzer Sinn sich gründlich kehret hin, aus aller Zeit ins Nun der Ewigkeit, gelassentlich im Grunde meiner Seelen, auf ewig mich dein Herren zu vermehlen.

---

2. Ich laß die Welt, u. was sie in sich hält, mit GOtt allein will ich zufrieden seyn: die Creatur soll mich nicht länger binden, was mir gebricht, kan ich im Hertzen finden.

3. Mein GOtt, nur du, mein Trost, mein Theil, und Ruh: du solst es seyn, den ich hier such und mein; ach! nimm mich hin, dein Mund mich gnädig küsse, entwöhne mich der Welt, doch daß ich dich geniese.

4. Diß laß allein mein Werck auf Erden seyn: zu sterben mir, u. nur zu leben dir, ich will mich dir zum Opfer übergeben, dein Liebes-Zug still alles Widerstreben.

5. Die Eigenheit bringe mir zwar manchen Streit, mein Wille will nicht seyn so eng und still: doch will ich ihn zum Opfer dir ergeben, dein Liebeszug still alles Widerstreben.

6. Du solt in mir mein König seyn hinfür; ich will, als Knecht, von dir abhangen schlecht, ach nimm mich gantz in deiner Macht gefangen! du siehest wohl mein hertzliches Verlangen.

35.

MEin Geist ist erfreut, weil GOtt mich verneut, und seine Genad zum Leben, das ewig, beruffen mich hat.

2. Die Göttliche Lieb mit mächtigem Trieb die hat mich berührt, und über den irrdischen Himmel geführt.

3. Da ich die Schaar vorm göldnen Altar, die bringen dem HErrn Lob, Ehre, Krafft, Weisheit und Herrlichkeit gern.

4. Ich hüpffe und spring für Freuden und sing mit ihnen das Lied des Lamms und Mose mit Hertz und Gemüth.

5. O selige Stund! nun wird auch mein Mund eröffnet zum Lob mit ihnen zu geben dein heiligen GOtt.

6. Der uns durch viel Leid und Trübsal bereit, gemachet recht neu von Banden und Trübsal und Aengsten gantz frey.

7. Nun kan uns nicht mehr das feindliche Heer der grimmigen Rott beängst'gen, weil sie sind gestürtzet von GOtt.

8. Sie werden gequält, und wir sind gezählt zu *Abrams*

Abrams Geschlecht, dieweil wir gehalten das Göttliche Recht.

9. Wir sind nun erlöst, und wir sind getröst, mit Segen gekrönt; drum jauchzet, daß Himmel und Erde ertöne.

10 Die Stunde ist da(singt Hallelujah!) daß alle gehn ein zur Hochzeit des Lammes, die heilig und rein.

11. Man ruffet schon laut der- himmlischen Braut: der König ist nah, er kommet, er kommet, singt Hallelujah.

Antwort der Braut.

12. Wir fühlen den Segen, und gehn ihm entgegen, und ruffen ihm zu: komm Liebster und bring uns zur seligen Ruh.

Zv. 36. *Agonius*

Mein Geist ist über sich gezogen, zu steigen in die Ewigkeit, weil JEsus liebe mich bewogen, zu fliehen die Vergänglichkeit, denn keine lust ist mir bewust, als nur zu folgen JEsu Spur in einer neuen Creatur.

2. Drum sehn ich mich stets in dem Geiste, zu achten nur auf Gottes Winck, und üb mich aufs allermeiste, daß ich in Demuth ganz ersinck in Gottes Kraft, die liebe schafft der Seelen, die sich ihm ergiebt, und über alles treulich liebt.

3. Dann ich kan aus Erfahrung sagen, was grose lust und Süsigkeit geniesen, dies mit JEsu wagen, und leben ihm in Freud und leid, in Creuz und Noth bis in den Tod; und achten weder Spott noch Schmach, zu folgen ihm getreulich nach.

4. Die werden wunderbahr geführet von Christi Geist im innern Grund, mit Kraft u. Tugend ausgezieret, daß davon überläuft ihr Mund: des Geistes Safft ist so schmackhafft, daß alles Aeusre sich verliehrt, wenn sie der Geist ins Innre führt.

5. Da hören sie das sanffte Sausen, wenn GOtt selbst in der Seelen spricht, da muß sich legen alles Brausen, sonst hören sie die stimme nicht der sanfften lufft, die lieblich ruffet der Seelen zu im Heiligthum, zu breiten aus des HErren Ruhm.

6. Dann sinckt die Seel in Demuth nieder, verdeckt, verhülle ihr angesicht; doch stärckt sie JEsus liebe wieder, so daß sie schaut ins lebenslicht:

R r 3

schwingt sich empor im schönsten Flor, und singt dem Schöpfer lob und Preiß auf eine ganz besondre Weiß.

7. Bald sinckt sie wieder in die Stille, und leget sich in Gottes Schooß, alda genieset sie die Fülle der GOttheit. O! Geheimnüß groß, da GOtt so spielt mit seinem Bild, und sich [der Seelen so dargibt, dieweil er sie in Christo liebt.

8. Er hat sie ihm zu eigen geben, als seine allerliebste Braut, weil er geopfert auf sein leben, da er sich ihr am Creuz vertraut: drum ist sie sein, und nicht gemein, er will sie haben ganz allein, drum muß sie keusch und heilig seyn.

9. Ihr Liebsten, weil ihr nun vermählet der allerhöchsten Königs Sohn, und mit zur Braut-Zahl seyd gezehlet, auch habt gehört die stimme schon: die da rufft laut der werthen Braut, daß sie sich halten soll bereit, weil bald, bald angeht die Hochzeit.

10. Hält euch bereit, und schmückt euch prächtig, der König schenckt euch selbst den Schmuck: er will euch machen recht andächtig, wenn ihr nur sehet nicht zurück, und rüsten aus in allem Strauß mit Glauben Muth, und Tapfferkeit, in liebe und Gerechtigkeit.

11. Mit Demuth wird er euch auch zieren, weil sie die Zierde an dem Kleid der Hochzeit, denn es will gebühren der Braut, zu stehn in Niedrigkeit stets für dem Thron des Königs Sohn, zu werffen sich zum Füsen hin in einem tief gebognen Sinn.

12. Seht, Liebsten, so müst ihr euch üben, und täglich mit dem Schmuck umgehn, und nichts auser JEsu lieben, so könnet ihr vor ihm bestehn, und gehn mit ein, ganz heilig rein, zu seinem grosen- Abendmahl mit der geheiligten Braut-Zahl.

37

Mein Geist verlangt zum Ziel mit aller Macht zu kommen, das mir ist vorgesteckt, wornach die wahren Frommen gelauffen jeder Zeit, bis sie erlangt die Kron, die ihnen beygelegt ihr Heiland, GOttes Sohn.

2. Ich hab denselben auch zu meinem schatz erkoh-

320 erfohren: weil er mich erſt geliebt, da ich doch war verlohren, ja, was noch mehr, er ward um meinet willen Fleiſch, daß er könt machen mich recht heilig, rein und keuſch.

3. Creuz trug er williglich, ſo lang er war auf Erden, er wolte auch verſucht, wie andre Menſchen, werden; O was vor Liebes-Treu, die unausſprechlich groß, daß du verließt auch deins liebſten Vaters Schooß.

4. Hab ichs um dich verdient? ach nein nur dein Erbarmen war Urſach, daß du mich in Liebe wollſt umarmen, und mich in deiner Braut erkauffen aus der Welt, daß ich als Jungfrau würd vor deinen Thron geſtellet.

5. Ach! drum iſt auch mein Geiſt ganz über ſich gezogen, weil deine Liebe hat mein Herze ganz bewogen zur wahren Gegen-Lieb, er will dir ganz allein, als ſeinem theurſten Schaz, hinfort ergeben ſeyn.

6. Er achtet all's gering, weil er dich hat erblicket, und du ihn oftmal auch mit deiner Lieb erquicket. O Himmels-ſüſe Luſt! davon die Welt nichts weiß: wer JEſu dich geneußt, der hat die wahre Speiß.

7. Lebt jemand dir allein, der weiß davon zu ſagen, was deine Liebe würckt, wie ſie kan alles tragen: ja ſelbſt das gröſte Creuz iſt ihm ein ſüſe Luſt; nichts, nichts, als Lieblichkeit, iſt ſolcher Seel bewußt.

8. Wohlan dann alle ihr, die ihr euch habt ergeben dem Bräutgam JEſu Chriſt, ihm ganz allein zu leben; ſein Geiſt der rufft euch zu: ich ſtimme mit ihm an: ach bleibet doch getreu dem keuſchen Ehemann.

9. O! haltet was ihr habt, daß niemand eure Kronen euch raube, denn es wird die Keuſchheit euch wohl lohnen: den Siegern dieſes Kampfs iſt beygelegt groß gut; drum ſtehet feſt, und laßt nicht ſincken euren Muth.

10. Laßt andre ihre Luſt in Fleiſches-Wolluſt ſuchen, ein Streiter JEſu Chriſt muß ſolches all's verfluchen, und überwinden weit aus Lieb zum Bräutigam, ſo krönet ihn alsdann das theure Gottes-Lamm.

11. Folgt fleiſſig deſſen Spur, laßt euch Niemand verrücken das Ziel, wornach ihr laufft; ob gleich mit vielen Stricken die Welt euch fangen will: verlacht all ihre Gunſt, bleibt JEſu recht getreu in reiner Liebes-Brunſt.

12. Auf ihn alleine ſchaut, er gibt euch Kraft zu ſiegen wid'r alle Teufels-Brut, er läſſet Keinen liegen. Wer ſich an ihn hält feſt, erfähret ſeine Treu, wie er die Seel erlöſt, und macht ſie völlig frey.

13. Ruh, Fried und Seligkeit thut ſie alsdann genieſſen, wenn JEſus auf ſie läßt die ſtröm des Lebens flieſſen: indem ſie nun ganz leer von aller fremden Lieb, an JEſu hanget feſt durch ſeines Geiſtes Trieb.

14. Tod, Leben, Engel, und was mehr mag ſeyn zu nennen, ja hoch-und tiefes auch mag ſie von ihm nicht trennen, ſie lebet nun in ihm ob gleich noch in der Zeit, ſo iſt doch ſolche Zeit ihr gleich der Ewigkeit.

Zv. 38. *Jethro*

MEin Herz iſt voller Troſt und Freud, weil GOTT mich thut unendlich laben mit ſeiner Huld und Freundlichkeit, und allerſüßten Himmels-Gaben. Ich ſehe ſchon ein ganze andre Welt, die mir der Weisheit Licht vor Augen ſtelle.

2. Drum geh ich freudig fort die Bahn auf den gerechten Pilger-Straaßen, als wie ein tapfrer Wanders-Mann, der nur das höchſte Gut thut faſſen. GOTT ſchencket mir viel neue Kräfte ein, daß ich kan ganz getroſt und freudig ſeyn.

3. Was Freud und Wonne gehet auf, wo man zum rechten Ziel gekommen, und, nach dem müden Lebens-Lauf von GOtt wird ſelber aufgenommen zur Frommen Schaar, die er ſich hat erſehn, daß ſie alldort zur Herrlichkeit eingehn.

4. Drum laßt uns fleiſſig folgen nach dem Lam auf dem geheimen Wege, damit in allem Ungemach ja niemand von uns werde träge: weil ſeine Huld ſo treulich ſchencket ein viel reichen Troſt und ſüſen Freuden-Wein.

5. Und hat sich auch zu uns gewandt, und unsre Kleinheit angesehen, u. ließ in unserm Trauer-Stand uns nie ohn Hilf und rathloß gehen, und uns in so viel Noth gestanden bey, damit ein jedes ganz sein eigen sey.

6. Des freuet sich die kleine Heerd, und schmücket sich in allen Wehen, daß sie bald zuberetet werd in GOttes Hause ein zu gehen. Du Jungfraun-Chor! seh deine Krone blühn: bald wird das Lamm uns alle zu sich ziehn,

7. In seinen hoch erhabnen Throhn, den ihm sein Vater selbst erbauet: da blüht der volle Gnaden-Lohn vor die, so sich mit ihm vertrauet. Wohl dann wir sind ihm alle zugezehlt, weil er uns hat erkauffet aus der Welt.

8. Nun Amen! es wird bald geschehn, was wir geglaubt im Dulten Hoffen: wir können schon im Geiste sehn, daß uns das rechte Ziel getroffen. Und weil wir sind mit ihm hier arm und klein, so werden wir auch dort mit gehen ein,

9. In unsre Neue Mutter-Stadt, wo die Erlößten innen wohnen: und GOtt, nach seinem weisen Raht, wird ewig über ihnen thronen: Und weil wir stehen unter seiner Huld, so warten wir auch sein in viel Gedult.

39.

MEin lieber Pilger, merck: auf, wie alles eilt mit schnellem lauf nach seinem Elemente zu: ach daß wir eilten auch hinzu zu unsers Geistes wahren Ruh.

2. Der Vogel in der Lufft sich freut, der Fisch im Wasser sich erneut, der Stein eile nach der Erden zu: ach daß wir eilten auch hinzu zu unsers Geistes stillen Ruh!

3. Die Erde ist ein runder Ball, wer sich drauf setzt, komme zu Fall: drum ruffet dir ja alles zu: ach eile doch du auch hinzu zu deines Geistes stillen Ruh.

4. Diß Leben ist ein Trauer-Spiel, wer viel drauf setzt, verlieret viel, drum hör ich in mir immerzu: schließ Augen, Herz und Ohren zu, so findest du in GOtt die Ruh.

5. Man mag mir geben Lob und Ehr, und mich erheben noch so sehr, so bleibt mein Wahl-

Spruch immerzu: was hilft mich dieses alles Nu, wann ich nicht find in GOtt die Ruh.

6. Man mag mir sagen, was man will von diesem oder jenem Spiel: so sag ich diß auf jeden Nu: was hilfft mich dieses doch dazu, wann ich nicht find in GOtt die Ruh.

7. Wann man mich schmähet und veracht, mein thun als Thorheit nur veracht, so nimt mir dieses nicht die Ruh, weil ich von selbst mit setze zu, und halt verdächtig, was ich thu.

8. Zwar wird der Welt Glück hoch geschätzt; mich aber dieses nicht ergetzt, mich treib ts im Herzen immerzu bey allem, was ich denck und thu, daß ich in GOtt möcht finden Ruh.

9. GOtt ist das allerhöchste Seyn, wer ihm anhangt, wird Engel-rein, darum so ruf ich immerzu in jedem Augenblick und Nu: GOtt! bring mich ein zur wahren Ruh.

10. Ein jeder liebe, was er will, ich suche nur allein diß Ziel, daß ich noch möchte werden so sanfft, innig still, im Herzen froh, wann ich im Willen GOttes ruh.

11. Ein andrer lauffe, was er kan, bey mir gehts lauffen nicht mehr an: ich muß mich stets ersticken so, daß jeden Augenblick und Nu mein Sinn in GOttes Willen ruh.

12. Ein jeder würcke, was er kan, mein Würcken heisset nichts gethan: drum schließ ich meine Augen zu, mein Herze wünschet immerzu, daß ich nur find in GOtt die Ruh.

13. Ein jeder streite, was er kan, wer leider, gehet Himmel on, erlange ich diß noch darzu, daß ich im Willen GOttes ruh, so kanns nicht besser gehen in.

14. Wann einer auch weissagete, und Wunder-Dinge redete, und hätte dieses nicht darzu, daß er in GOttes Willen ruh, so heißts: es taugt nichts, was ich thu.

15. Mein eignes Thun heißt nichts gethan, wie gut ichs immer fange an, so rufft mir JEsus immer zu: ohn mich find Niemand wahre Ruh, drum eil ich nur nach Ihme zu.

40.

Mein

322 MEin Herz ist wohl und voller Freuden, weil ich mit JEsu Lieb erfüllt, die in so vielem Weh und Leiden mir allen meinen Schmerzen stillt. O hohe Gnad! O weiser Rath! die mich so hat genommen hin, daß ich nun gantz sein eigen bin.

2. Drum will in meinem gantzen Leben befleissen mich getreu zu seyn, und ihm auch bleiben so ergeben, daß weder Trug noch Heuchel-Schein mich scheiden kan auf meiner Bahn, die geht dorthin nach jener Welt, wo aller Zeit ein End bestellt.

3. Des bin ich froh, und sehr gebeuget, weil GOtt durch seine grose Gnad mir diesen hohen Weg gezeiget, und offenbaret seinen Rath. Die Creutzes-Noth ist Himmel-Brod, weil man dadurch wird hell und weiß, zu gehen ein ins Paradeis.

4. Lob, Preiß und Danck sey dem gegeben, der mir durch seine grose Gnad geschencket hat ein neues Leben, daß ihm kan dienen früh und spat im reinsten Sinn, wann man gibt hin sein Liebstes hier auf dieser Welt, so wie es sich GOtt hat erwehlt.

5. Drum ist es fest bey mir beschlossen, auch in dem grösten Schmertz und Noth, zu folgen ihm gantz unverdrossen, und treu zu bleiben bis in Tod: weil seine Gunst so gantz umsonst mich hat zur reinen Schaar gebracht, wo man ihm dienet Tag und Nacht.

Jv. 40. *Nathanael*

MEin JEsu leite mich selbst deine Wege, damit kein Dornen-Stich mich mache träge. Werd ich von dir gewandt, so muß ich irren, drum muß mich deine Hand selbst lassen führen.

2. Viel eng und rauhe Weg muß ich durchgehen durch mancherley Gesträg und harte Wehen. Dann wann im meinen Stand dahin will kommen, daß ich werd GOtt bekannt und allen Frommen.

3. So muß versagen mich und meinen Thaten, sonst geh ich hinter sich, kann mir nicht rathen. Mein eigen Wohl und Seyn muß ich

verneinen, will ich in GOtt gehn ein, und zu den Seinen.

4. Wie heilig ist der Sinn der reinen Seelen, die alles geben hin, und sich vermählten dem lieb und werthen Lamm, für uns gestorben, und an dem Creutzes-Stamm das Heil erworben.

5. O JESU bleib gepaart mir in der Treue! daß deine Gegenwart mich stets erfreue: so bleib ich dir bewährt in reinen Schrancken, und dir stets zugekehrt ohn eintzigs Wancken.

6. Du bist mir doch mein Ein und Alles worden, mein steter Gnaden-Schein in deinem Orden: mein Tröster in der Noth und bittern Leiden, Aushelfer von dem Tod und trüben Zeiten.

7. Wie schön wirds sehen aus, wann ich, der Deine, in deinem Liebes-Haus, und der Gemeine, so eingepflantzet bin zum wahren Reben, unendlich da ausgrün im reinen Leben.

8. Des bin ich Freuden-voll, hab Fried im Hertzen, weil GOtt mir thut so wohl, und meinen Schmertzen genommen gantz dahin, auch viel Gefahren, vereinigt meinen Sinn den reinen Schaaren.

9. Des Lammes Jungfraun-Zahl, die es erwehlet, und hie im Creutzes-Thal mit sich vermählet: daß sie zu GOttes Lob die kleine Heerde, in siebenfacher Prob gereinigt werde.

10. Wie hoch wirds seyn geacht, wann die erscheinen im weissen Kleider-Pracht nach langem Weinen: das ist des Geistes Licht in dem Gedränge, wann uns die Hilf gebricht in unser Enge.

11. Die Hoffnung u. Gedult macht schon gelingen, daß wir von GOttes Huld Loblieder singen: wir sind nun doch erfreut, die Trübsahls-Stunden haben den Sinn erneut, und GOtt verbunden. Jv. *Salma* 41.

MUß ich schon oft traurig gehn, meine Saat mit Schmertzen säen: schenckt mir doch die Hoffnung ein, auf den bittern, süsen Wein.

2. Thut es schon oft schwer zugehn, unter so viel Leid und Wehn: geh ich doch gantz freudig fort, bis erlangt die Himmels-Pfort.

3.

3. Ich hab diß zum Trost erwählt, weil mich GOtt hinzu gezehlt: wo ihm gieber steten Ruhm sein erwehltes Eigenthum.

4. Dann ich bin in GOtt gewiß, daß, der ohne Hinderniß nur kan halten treulich aus, bringt zulezt die Frucht nach Haus.

5. Drum ergeb ich mich aufs neu, daß ich Gottes eigen sey weil sein grose Gut und Gnad mich an sich gezogen hat.

6. Soll ich auch in Schmerz und Leid bringen zu mein Lebens-Zeit: wird mir doch zu meinem Theil dort das allergröste Heil.

G. T. H. N

NUn lobet alle GOttes Sohn, der die Erlösung funden; beugt eure Knie vor seinem Thron, sein Blut hat überwunden: Preiß Lob, Ehr Danck Krafft, Weisheit, Macht sey dem erwürgten Lamm gebracht.

2. Es war uns GOttes licht und Gnad und Leben hart verriegelt; sein tiefer Sinn, sein Wunder-Rath wohl siebenfach versiegelt; kein Mensch, kein Engel öffnen kan: das Lämmlein thuts, drum lobe man.

3. Die höchste Geister allzumal nun dir die Knie beugen, der Engel Millionen Zahl dir Göttlich Ehr erzeigen, ja alle Creatur die schreyt: Lob, Ehr, Preiß, Macht in Ewigkeit.

4. Die Patriarchen erster Zeit den lang-verlangten grüßen, und die Propheten sind erfreut, daß sies nun mit genießen: auch die Apostel singen dir Hosanna mit uns Kindern hier.

5. Der Märtrer Kron von Golde glänzt, sie bringen dir die Palmen: die Jungfern weiß und schön gekränzt die singen Hochzeits-Psalmen, sie ruffen wie aus einem Mund: das hat des Lamms Blut gekont.

6. Die Väter aus der Wüsteney mit reichen Gaben kommen, die Creutzes-träger mancherley, wer zählt die andern Frommen? sie schreiben deinem Blute zu den tapffern Steg die edle Ruh.

7. Nun dein erkauftes Volck allhie spricht Halleluja Amen! wir beugen jezt schon unsre Knie, in deinem Blut und Namen: bis du

uns bringst zusammen dort aus allem Volck, Geschlecht und Ort.

8. Was wird das seyn? wie werden wir von ewger Gnade sagen? wie uns dein Wunder-Führen hier gesucht, erlößt, getragen, da jeder seine Harffe bringt, und sein besonders Lob-Lied singt.

9. Des freuen wir uns allzusamm im Creutzes-Thal hienieden, und folgen diesem holden Lamm, von aller Welt geschieden: da jedes stimmt sein Theil mit an, so gut es hat, so gut es kan.

Fr. Elkana 43.

ODu allerreinstes Wesen! so ich einzig hab erlesen mir zum Schatz und Eigenthum, daß ich ewig dein verbleibe, und so meine Zeit vertreibe, zu erzählen deinen Ruhm.

2. Dann ich thu mich inniglich sehnen, daß vereinigt werd mit Denen, die dem keuschen Lamm nachgehn: und erkauffet von der Erden, daß sie dort nach viel Beschwerden ohne Ende GOtt erhöhn.

3. Drum will ich der Lieb hingeben hier mein Liebstes in dem Leben: was ihr noch an mir mißfällt, muß seyn ganz und gar vergessen, sonsten kan ich nicht genesen, noch ihr werden zugesellt.

4. Dann ihr Rath läßt nimmer wancken; sondern hält in steten Schrancken den in sie verliebten Sinn. Bin ich mühsam und beladen, thut sie selbst dem Elend rathen, und nimmt allen Schmerzen hin.

5. Ganz Kind-herzlich sey mein Leben dir zu eigen übergeben, daß ich gar Sorgen loß. Dann du wilt nur Kinder haben, die sich an den Brüsten laben, und so ruhn in deinem Schooß.

6. Dann ich weiß sonst nichts zu machen, weil GOtt alle meine Sachen bringt zu einem guten End. In des weisen Führers Wegen seh ich lauter Gnad und Segen, die mir zugetheilet sind.

7. Drum sey auch, in meinem Leben dir viel Preiß und Danck gegeben, weilen du so manche Jahr hast mit deinen Liebes-Armen mich getragen mit Erbarmen, und

ge-

8. Die sich selbst mit GOtt verbunden, und so haben überwunden, durch des Lammes Blut im Streit: die GOtt wird mit Sieges-Kronen dort in jener Welt belohnen in der stillen Ewigkeit

Zv. 44. Philemon

O Freundlichs Umarmen! O gütigster Hirt! Ich schenck dir mein Herze, weil du mich geführt durch mancherley Nöthen, u. thätst mich erretten, wo ich mich auch öfters schon tödtlich verirrt.

2. Ach JEsu! mein Schönster, für allen erkorn, durch deinen Geist sind wir als Kinder geborn: dich ewig zu lieben, ohn einigs Betrüben, was von dir gefunden, wird nimmer verlorn.

3. Du rufest uns selbsten ins Herze hinein: ach laßt euch Nichts blenden mit eitelem Schein! Ich bin ja das Leben, das Ruhe kan geben, auf zeitlichs Vergnügen folgt ewige Pein.

4. Glückselige Stunden, zu hangen an dir, du wahres Vergnügen, gib, daß ich verlier mich selber in allen, so kan dir gefallen, mich also zu schmücken mit himmlischer Zier.

5. Den Göttlichen Hunger den hast du erweckt, viel herrliche Kronen zum Ziele gesteckt. Wer hier mit thut sterben, wird dorten ererben ein Leben, das nimmer vorm Tode erschreckt.

6. Es ist ja unschätzbar die ewige Freud, drum laßt uns vergessen das Leiden der Zeit: kein Auge kans sehen, noch Herze verstehen, was Gottes Liebhabern vor Gutes bereit.

7. Doch welche im Geiste des Glaubens anstehn, die können erblicken in mancherley Wehn, was dorten vor Süßen, und was zu geniesen, wo ewig das Angesicht Gottes zu sehn.

8. Wie sieht man nicht alles so herrlich erneut, wenn himmlische Geister da stehen bereit: und lassen sich hören mit lieblichen Chören, den Höchsten zu loben ohn Ende und Zeit.

Zv. 45. Jethro

O Himmlisches Wesen! O Göttliche Lieb! wie labst du die Deinen, die alles verneinen, was nicht ist aus deinem geheiligten Trieb.

2. Dein Wesen wird nimmer ohn Leiden erkannt in tiefestem Beugen, im Still-seyn und

Schweigen wird man erst befreyet vom Eitelkeits-Band.

3. Den da muß aufhören der trügliche Schein, das hin und her Sinnen muß alles zerrinnen, weil man wird geträncket mit Göttlichem Wein.

4. Die vielerley Sorgen die fallen dahin, wann man so ergeben, zu ehren, zu leben dem Lamme nach seinem verliebten Sinn.

5. O Liebe! wie labest Geiste und Herz: wenn man dich genieset, wird alles versüßet, was öfters gekräncket in Leiden und Schmerz.

6. Viel Freude und Wonne erquicket den Sinn, drum lob ich mit Halle und frölichem Schalle GOtt, dem ich zu eigen gegeben mich hin.

7. Er wird mich berathen, wenn Alles vergeht, wenn Alles verschwindet: wenn alles sich endet, so hab ich ein Leben, das ewig bestehet.

Zv. Joel 46.

O JEsu! Krafft der treuen Seelen, die sich dir gantz ergeben hin, und dir mit Ernst sich anbefehlen: so daß sie hier nach deinem Sinn, im engen Weg, und schmalen Steg mit ihrem Leben in gantz reiner Zier, daß sie allein gefallen dir.

2. Und allem haben abgesaget, mit vollem Ernst die Welt verflucht, sich selbst verleugnet, u. gewaget mit JEsu in die scharffe Zucht der Creutzes-Noth, bis in den Tod, zu folgen auch ohn allen Schein, daß sie ihm gantz ergeben seyn.

3. Die hat der Vater sich erkohren, gesammlet aus der gantzen Welt, in JEsu Christo neugebohren und gantz zum Eigenthum erwehlt zu einer Braut, die ihm vertraut, und sie mit JEsu Blut erbeut, da sie erbaut aus seiner Seit.

4. Wir sind nun fest mit ihm verbunden, zu halten aus bey seiner Treu, weil er den Teuffel überwunden, und macht uns von ihm loß u. frey: damit wir nur auf seiner Spur fort wandeln in dem Lebens-Weg. Ach werde doch ja keines träg!

5. Wir können Gottes Güte preisen, die er an uns erwiesen hat, daß er uns gantz ohn alles Gleissen gebracht zu solcher hohen Gnad: ja so, daß wir nur ihm allhier zu Ehren leben auf der Welt, bis wir vor seinen Thron gestellt.

6. Drum sollen wir GOtt stets erheben: weil er uns

uns aus bedachtem Rath gebracht zum reinen Gottes-Leben, gestellt in ein besondern Grad der Seligkeit, die er bereit den Seinen, die hier keusch und
rein zu eigen ihm ergeben seyn.

7. So daß sie in ihm haben Frieden in stiller
Ruh und Herzens-Freud, dabey sich gänzlich abgeschieden von aller Ungestümmigkeit: und also
fort, nach Gottes Wort, im Leben folgen früh und
spath, bis sie erreichen Salems-Stadt.

47 Zv. Jethro
JEsu! mein getreuer Hirt, wie hast du mich
geleitet, wenn ich im dunckeln Thal verirrt,
hast du den Weg bereitet: und mich geführet bey
der Hand, daß mirs durch deiner Hilff-Beystand
bishero ist gelungen.

2. Drum ich mich wieder in den Bund aufs
neue will verschreiben, weil du mein Herz mit Lieb
verwundt, dir ewig treu zu bleiben: und auch mit
denen, die erkohrn, und sich zu eigen dir verschworn,
dich loben hier auf Erden.

3. Und wann die Feinde drucken mich, daß sie
den Geiste kräncken, so stärcke du mich innerlich,
und thu mir voll einschencken vom Wasser, das
von deinem Stuhl ausfliesset so kan ich die Schul
des Leidens wohl aushalten.

4. Und werd in deinem Willen ruhn; ob schon
die Feinde toben, nichts wird mir können Schaden
thun: ja alle Leidens-Proben die werden mich in
deinen Bund noch tieffer führen in den Grund, wo
ich kan recht genesen.

5. Denn du mit deinem bittren Todt das wahre
Heil erworben, und hast gesiegt in Schmerz und
Noth, da du am Creuz gestorben: drum will ich
dir stets folgen nach in allem Leid und Ungemach,
so lang ich leb auf Erden. Zv. Agabus

48.
O stille Ewigkeit! wie tief bist du verborgen? ich
habe dich schon oft gesucht mit vielen Sorgen;
doch findet man dich nicht in seinem eignen Meinen:
wer worden ganz zunicht, kan sich mit dir vereinen.

2. Der Glaube hält sich fest, wo alles ganz
verschwunden: in diesem leeren Nichts wird erst
die Ruh gefunden. Diß ist der neue Weg, der bey
so vielen Sorgen in unserm Fleisch-Gehäg uns
bleibt so lang verborgen.

3. Bis Gottes Gnade kommt in unser Nichte
getreten, führt selbst die Sache aus, hilfst uns aus
unsern Nöthen: und endigt unser Leid, daß wir nach
so viel Drangen zur stillen Ewigkeit zu einem mal
gelangen.

Zv. Jethro 49.
Wohl dem! der gefunden hat sein bestes
Theil durch Gottes Gnad, daß er in allein
seinem Thun stets kan in Gottes Lie-be ruhn.

2. Der wird zum rechten Ziel gebracht, währe
schon der Kampf die ganze Nacht: die Leidens-
Prob schenckt endlich ein viel Trost und süsen Freuden-Wein.

3. Wohl mir! weil ich diß Gut erwehlt, drum
werd ich auch nicht mehr gefällt: die hart und rauhe
Winter-Zeit verändert sich in lauter Freud.

4. Nun spürt die Seele im Genuß den Gnaden-
vollen Ueberfluß: weil sonsten alles fällt dahin, was
nicht gericht nach Gottes Sinn.

5. Diß ist mein einzigs Ziel auf Erd, daß ich
mit GOtt vereinigt werd: und wandle in der
Niedrigkeit allhier die ganze Lebens-Zeit.

6. So wächßt der neuen Menschheit Zweig, in
JEsu Kirch und Liebe-Reich, in mir mit allem
Segen aus zur Freud in GOttes Tempel-Haus.

7. O selige Zufriedenheit! nach lang geführtem
Kampf und Streit. Was schöne Früchte siehet man
auf dieser neuen Friedens-Bahn.

8. Wir preisen das erhöhte Lamm; das so
erniedrigt zu uns kam, und lernen seine sanfte
Tritt, nach Liebe Art, auf jeden Schritt.

9. So fängt das rechte Leben an, das man in
ihm nur finden kan: und blühe der reine Jungfrauen-Sinn, der sich ihm gibt zu eigen hin.

10. O edler Zweig! O edles Reiß, das grünet
aus dem Paradeis! Nun gehet auf ein froher Tag,
worinn vergessen alle Klag.

11. Nun ruht die Seel ganz ausser sich in
Gottes Schooß, und labet sich, und kan vergessen
Welt und Zeit, und lebt im Nun der Ewigkeit.

12. Nun muß verschwinden alle Pein, weil man
in GOtt gegangen ein: der Frieden währt ohn
End und Zeit, schon hier, und dort in Ewigkeit.

P

Priester-fürst von oben! unsre Glaubens-Proben
sind sie bald zu Ende? eil' u. Hülfe sende: kanstu
unser Jagen in die Länge tragen: Unser Jammer
löst sich nicht, bis die alte Welt zerbricht.

2. Unser Seyn und Wesen hat nichts zum Genesen, Adams Leib der Sünden ist darin zu finden:
drum gibts so viel Sachen, die uns Weinen machen, weil die Wurtzel nicht verletzt von dem Gifft
der GOtt verletzt.

3. Und wann nur nicht würden, Priester, deine
Würden alle Tag vermehret, weil das wird genehret,
so durch Widerstreben sich pfleget zu erheben: dieses
bringt oft deine Krafft unters Böse in Verhafft.

4. Daß des Priesters Sitten werden nur gelitten,
wo des Adams Weitzen, die sonst heilig heissen; und
uns dennoch schaden, sind im Licht verrathen: dann
da wird der Priester-stand in der Noth erst recht
erkennt.

5. Was zwar sündlich klinget, Buß und Ernst
bezwingt; doch die dem entnommen, sind noch nicht
gekommen an des Geists Geschäffte, weil die künfti-
re Kräffte offt beneblen das Gesicht, daß nicht
scheint das gnaden-licht.

6. Diese dunckle Zeiten müssen uns, bereiten,
und wann, was zu hoffen, auch zu End geloffen,
so daß nichts in Händen mehr ist zu verschwenden,
dann bricht der Propheten-Schein in der Mitternacht herein.

7. O was Wunder-Sachen wird zuletzt GOtt
machen. O ihr Himmel! schauet, schaut das Weib
erbauet, die den Riß geheilet, u. den raub austheilet,
den ihr der hat zugebracht, der für uns am Creutz
geschlacht.

8. Schämt euch Mond und Sonne, diese Sonn
und Wonne machet durch ihr Lichte euer Licht zu
nichte: uns wird Tag veralten, das sie auf gehalten.
Dann die Wächter sagen frey, daß die Nacht vorüber sey.

9. Nun ists ausgesorget, da die war geborget
Adam zum vermehren, ist nicht mehr in ehren:
dann das Weib von oben, die so lang verschoben,

unsre Mutter bricht herein. O was könt wohl
schöners seyn.

10. Jungfern! Gottes Beute, auserwählte Leuthe: Priester und Propheten, ihr Anachoreten,
Väter und Bekenner, all ihr Glaubens-Männer,
und der Märtrer gantzer Chor hebet nun das Haupt
empor.

11. Dann die Schmach und Schande, die
euch in dem Lande von so vielen Jahren schon ist
wiederfahren, weil ihr Adams Sitten imer habt
bestritten, wird nun euer Ehren-kleid, wann die
Hochzeit ist bereit.

Nachklang.

Bald endet sich die Weysenschafft, weil uns die
Mutter neuen Trost gegeben: dann was uns
brachte in Verhafft, das öfnet uns die Thür zum
reinen Leben. O hoch-beglückter Ehren-stand! bald
wird sich enden deine Schand. Wer kan der Kinder
Zahl ermessen, die schon so manche Jahr im
Staub gesessen.

2. Nun ist des Adams Herrlichkeit, die er durch
seinen Abfall hat gerüget, da er in Mann u. Weib
gezweyt, durch Gottes Krafft als wie ein Dunst
besieget: drum hat uns nun die Mutter lieb, weil
wir besiegt Adams Trieb: sie weiß was schöners
uns zu geben, weil wir hier nicht geliebet unser
Leben.

3. Und dem gegeben gute Nacht, was sonsten
aller Welt die Augen blendet; und so dem Kleinod
nachgejagt, womit man in der Mutter Schooß
anländer: daß sie uns wieder pflegen kan, weil sie
umgeben allen Mann. Jetzt wird ihr Saame erst
gedeyen, den Himmel und die neue Erd erfreuen.

4. Nun ist was lang gehofft erwacht; die Trauer-
Tag sind kommen nun zum Ende; was man so
viel davon gesagt, machet nun Freuden-voll die
müden Hände. Nun wird der Mutter Ehren-
Stand sich breiten aus in alle Land: die Kirchen-
Zeit wird ewig währen, und wird sie weder Zeit
noch Jahr verzehren.

R

Sr. Agonius 51.

RUfft getrost, blaßt die Posaunen, setzt alle Völcker in Erstaunen, ihr Zions-Wächter allzugleich: ruffet auf die, so da schlafen, daß sie ergreiffen
ihre Waffen, dieweil nun bald zu seinem Reich der
Kön'g einziehen wird, und als der grosse Herr zu
sich sammlen, in sein Gezelt aus aller Welt, die
er zu Erstlingen erwählt.

2. Schweiget nicht, ihr treue Knechte, verkündigt unsers Gottes Rechte dem gantzen Hause
Israel: damit sich auch die Verlohrnen aufmachen
mit den Erstgebohrnen, und füllen ihre Lampen mit
Oel. Daß keines bleib zurück; sondern sich herrlich
schmück zu dem Feste, das Gott der HERR,
zu seiner Ehr, ausruffen läßt dem gantzen Heer.

3. Geht einher, erfülle mit Gnaden, als Knechte,
die zur Hochzeit laden, sehr freund- und liebreich anzusehn; damit viele lüstern werden, sich loß zu
machen von der Erden, um freudig mit hinauf zu
gehn, zur Stadt Jerusalem, alwo sich die zwölf
Stämm sammlen werden zum Hochzeit-Fest, damit die Gäst sich schmücken auf das allerbest.

4. Wollet auch mehr unterlassen zu gehen auf
der Helden Straßen, und ihnen machen auch
bekannt, daß der HERR voll Heil und Gnaden,
sehr freundlich läßt zur Hochzeit laden, und grosse
Kosten angewandt: drum wolte er auch gern, daß
aus der Näh u. Fern möchten kommen zu diesem
Mahl ein grosse Zahl nach Gott's geheim-und weiser Wahl.

5. Denn weil, die geruffen waren, den Herren haben lassen fahren, und ihr Aug auf die
Welt gericht, höhnen, schmähen seine Knechte,
verwerffen ihres Königs Rechte, und achten seiner
Gnade nicht: drum geht aus auf die Straaß, und
ladet ohn Ablaß alle Arme, so an den Zäun verlassen
seyn, von jederman geacht unrein.

6. Auch den Krüppeln, Lamen, Blinden thue
dieses grosse Heil verkünden, und nöthige sie mit allem
Fleiß, auch zu diesem Mahl zu kommen, das Gott
bereitet seinen Frommen, und laden läßt auf manche
Weiß: drum spahret keine Müh, es sey spaht oder
früh, an zu preisen diß grosse Heil, das in der Eil

wird werden Gottes Volck zu Theil.

7. Denn die Zeit ist schier verflossen, die Gott
in seinem Rath beschlossen, drum sendt er aus zum
letzten mal seine Boten seine Knechte, zu allerley
Volck und Geschlechte, damit nun werde voll die
Zahl, die er sich auserwählt, und sie dazu gezehlt:
darum kommet, ihr Hochzeit-Leut, es ist nun
Zeit, daß sich mach jederman bereit.

Sr. Theonis 52.

SEhe! wie der edle Zweig in Gottes Liebes-
Reich sehr sanft und milde ausgrünet, daß
man sieht, wie alles lieblich blüht in dem Gefilde.

2. Seh! wie die reine Schaar dorten bey
Paar und Paar im Reigen gehen: und wie sie in
dem Gang mit schönem Lobgesang das Lamm
erhöhen.

3. Im Geiste siehet man, daß wachsen schön heran die Liebes-Zweige: und jedes seine Kraft und vollen Lebens-Saft dem andern zeige.

4. Diß zeiget, daß die Zeit nunmehro nicht
mehr weit, da bald wird kommen der schöne frohe
Tag, wo alles Ungemach ist weg genommen.

5. Drum acht ich keinen Schmerz, so kräncket
mir mein Herz, weil ich vernommen die grosse
Seligkeit, die Gott hat zubereit vor seine Frommen.

6. Mein Herz ist innigst wohl, und eitel Segens-voll, weil ich genesen in Gottes Gnad und
Huld, der alle meine Schuld machet vergessen.

7. O du erhöhtes Lamm! das von dem Himmel
kam, und mir erworben so grosse Seligkeit in vielem
Schmerz und Leid am Creuz gestorben.

8. Drum soll mein Alles dir, Dallerschönste Zier!
nun seyn ergeben: es fall nur alles hin, was nicht
nach deinem Sinn, das muß nicht leben.

9. Die treue Gottes-Huld hat in so viel Geduld
mich lang getragen. Ach solte ich dann nicht mit
gleicher Gegen-Pflicht auch Alles wagen.

10. Viel Kronen sind bereit in jener Ewigkeit
den treuen Helden: die bis zum Blutes-Kampf wider der Sünde-Dampff sich freudig stellten.

11. Drum eile ich nun fort nach dem verheissnen
Ort, gantz ohn Ermüden: bin ich dabey schon klein,
so

so schenckt mir GOtt doch ein viel süßen Frieden.

12. Und ziehe dann so hin nach dem verliebten Sinn in Dulten Hoffen, bis nach so vielem Leid und manchem harten Streit mein Ziel getroffen.

Dr. Jaebez 53.

SO brich dann nun, O lang verdeckte Zier! O Lammes-Unschuld! aus dem Staub herfür: Die Creatur sich sehnt, und ist beflissen, Dich einst als ihren Bräutigam zu küssen.

2. Die Erde ist betrübt, der Himmel weint, weil aller Orten Lug und Trug erscheinet: Die Unschuld ligt besiegt in allen Thoren, und hat ihr Lust-Spiel unter uns verlohren.

3. Es kommt zwar selten an des Tages Licht, was deinen Lauf, O Weißheit! unterbricht: Doch wann man soll die Wahrheit frey bekennen, ist's Ich und Mein und Eigenheit zu nennen.

4. Als dieses Kind noch in der Mutter lag, verstund ein jeder noch des Geistes Sprach: Nun aber, da dasselbe ausgebohren, weint Bruder-Lieb, und Eintracht ist verlohren.

5. Wer hätte solches je zuvor gedacht, daß noch zulezt solt folgen solche Nacht: Und daß bey so viel hin und wieder Wancken zerbrechen solten gar die Weißheit Schrancken.

6. Gewiß, es ist gar bald das Ziel verfehlt, wann jedes Glied sich eigne Weg erwehlt: Das wahre Heil von GOtt wird nur gefunden, wo man sein Thun und Seyn hat überwunden.

7. Drum brich, O Geist! nun wiederum aufs neu die dir verhaßte Eintracht gar entzwey: laß Fleisch und Blut in seinem Thun erliegen, so wird die Unschuld wieder bey uns siegen.

8. Zwar als der Mutter noch im Schooße saß, und all mein Thun nach ihrer Regel maß: gedacht ich offt: was wirds zulezt noch werden? wann eingekleid in Englische Gebärden.

9. Allein ich kont nicht lange so bestehn, es hieß: du must auf eignen Füßen gehn: Und wär ich nicht so oft dahin gefallen, ich wär nicht klein gemacht in meinem Wallen.

10. Es ligt mir jezt im Sinn zu Tag und Nacht, daß ich werd von mir selber abgebracht: Und lern die Führungen der Weißheit fassen, die Niemand auf sich selbsten ruhen lassen.

11. Und was mich noch zulezt so sehr erfreut, heißt Jungfrauschafft, diß edle Perlen-Kleid ist mir bey meinem Jammer überblieben, weil ich den Mann vorlangst zum Tode verschrieben.

Dr. Amos. 54.

SO geh ich freudig fort die Creutzes-Bahn dorthin, nach dem verheißnen Canaan, u. ob mirs nech an Spott u. Schmach gebricht; so bin ich doch getrost und acht es nicht. Dann man findt nur im Lieben und im Leiden das, was uns dort vergnügt in vielen Freuden.

2. Wie herrlich ist die stille Friedens-Ruh, wer klein und niedrig wird, der kommt darzu: dann weil selbst GOttes Wesenheit so klein, so geht, was niedrig ist, zu ihme ein. Drum wie wir steigen ab und werden kleiner, so nahen wir auch GOtt und werden reiner.

3. Drum hat uns GOtt ein kleines Kind beschehrt, ein Kindlein, das man nun als König ehrt: weil es durch seine Kleinheit hat gemacht, daß Todt und Hölle in Verhafft gebracht. Was müssen nicht vor Klein- und Niedrigkeiten den Weg zu dieser Kleinheit uns bereiten?

4. Und dieser Meister nimmt ein kleines Kind, und spricht: daß diß des Reiches Erben sind: wie lieblich ist ein solcher Kinder-Stand, dann hier wird Gottes Geist und Krafft bekannt. O was vor Tiefen werden da gefunden! wo uns der kleine Sinn mit GOtt verbunde.

5. Und wann wird weder Hoch noch Niedrich seyn: wann Groß und Klein zu End, dann bricht herein des Geistes Einigkeit und Harmonie, die unterm Creutze ward gebohren hie. Dann wird die Ein- und Allheit Gottes grünen, u. in Versöhnungs-Amt die Welt versühnen.

6. Nun lobt die gantze Kirche Gottes Sohn, und jauchzet ihm, weil aller Feinde Hohn, so manche Schmach, so manche Hertzens-Preß ist abgethan, und kommen in Vergeß. Nun werden die, so weinend umher gingen, von Gottes Wunderthaten herrlich singen.

7. Auch ich bin nun in GOtt sehr hoch erfreut, weil bald zu End ist meine Lebens-Zeit. Das Sterben brachte mir so viel Gewinn, daß ich

ich nun in der Hoffnung seelig bin. Und wann
mir einst das Grab-Lied wird gesungen, so heißt:
nun ist was mich, bewährt, bezwungen.

Iv. Jaeber 55.

SO ist die Gnaden-Wolcke dann erschienen,
und hat das innre Heiligthum erfüllt: dann
der, so pfleget dem Altar zu dienen, hat durch sein
Amt nun alles Weh gestillt. Um ihn ist Licht,
in seinem Gang, erthönet schön der Schellen
Klang. Und wann er dienet in dem Duncklen,
pflegt Licht und Recht auf seiner Brust zu funckeln.

2. Der harte Streit, die Kummer-volle Stunden
die man im Jammer öfters zugebracht, sind gantz
dahin, und wie ein Rauch verschwunden, weil
unser wird in Gnaden nun gedacht. Drum ehret nur das Lilien-Kind, das man im Thal der
Rosen sindt, und klagt ihm eure Hertzens-Wehen,
so wird der Schmertz und Kummer bald vergehen.

3. Zwar pflegen viele nach dem Ziel zu lauffen;
doch wer zu diesem Amt soll seyn geschickt, den muß
die Menschen-Liebe theuer kauffen, und wann er
dann in dieses Netz verstrickt, setzt ihn die Mutter
auf den Schooß, und theilt ihm mit ein Priester-
Looß, dann grüne er aus und wird nicht minder
durch sie ein reicher Vater vieler Kinder.

4. So gehet er dann nicht die gemeine Wege,
dann wann ihm Rath in seinem Amt gebricht,
pflegt er sich vor den Gnaden-Stul zu legen, und
wird von seiner Mutter unterricht't: drum spricht
der Geist: macht allem Land diß hohe Wunder-
Spiel bekannt, wie daß ein König sey geboren, an
dem die alte Welt ihr recht verloren.

5. Jehova hat nun unser Horn erhaben, es sey
gesegnet jeder, der da ziere den Gnaden-Stul mit
seinen Opffer-Gaben: gesegnet sey, wer den Altar
berührt. Verachte niemand dessen Stand, dem
GOtt gefället hat die Hand: es wird kein
Anschlag ihm verheelet, des Priesters Lippen hats
noch nie gefehlet.

6. Drum, die ihr liebt den reinen Priester-
Orden, seyd Tauben-rein, verletzet nicht den Eid
damit ihr dem, der GOtt ist sauer worden, auf
ewig hin aus Hertz gebunden seyd: verdoppelt dem
nicht seine Müh, der vor euch sorget spath und früh

Z i

und wann euch ängsten, die euch hassen, so thut **329**
die Hörner des Altars umfassen.

Iv. Amos 56.

SO manche Trauer-stund, so viel betrübte
Tage, hab ich dahin gebracht auf meiner
Pilger-Reiß: obgleich sonst oft zur Zeit gar vieles davon sage, so wascht es doch nicht weg
den manchen bittern Schweiß, der ausgepreßt
zur Zeit, da bis aufs Blut gedrungen in viel und
mancher Noth, und schweren Anfechtungen.

2. Wann ich nur dran gedenck, wie so betrübt gesessen, da aller Trost dahin, im Himmel
und auf Erd: wo man wie ausgekehrt, und wie
von GOtt vergessen; da anders nichts zu sehn,
als was noch mehr beschwert. Der Hoffnungs-
Jd en zwar blieb GOtt am Hertzen hangen; doch
war der Muth sehr schwach wegen den bittern
Drangen.

3. Die Freude dieser Erd weiß nichts von
denen Sachen, so auf dem Himmels-Weg kommen geloffen an; wo man von so viel Leid weiß
anders nichts zu machen, als weinend gehen hin
auf der betrübten Bahn. Doch wann ein Windgen weht, so frischet an das Hoffen, so kan man
wallen fort, bis man sein Ziel getroffen.

4. Ist man dann kommen heim, so kan man
süße rasten, nach dem betrübten Gang und rauhen Wanderschafft: jetzt werden abgelegt die
schwere Tages-Lasten, da oft kein Athem mehr,
noch Tröpfflein Lebens-Safft. O wohl! wer
kommen heim, nach so viel Trauer-Stunden, wo
sich so gleich mit hat die ew'ge Ruh einfunden.

5. Da wird man freylich sanfft in süßer Ruhe rasten, gedencken nimmermehr der sehr betrübten Zeit. Die kümmerliche Fahrt bey so viel
Tages-Lasten wird gantz vergessen seyn in alle E-
wigkeit. O drum brich bald herein! erhör das
viele Sehnen, damit bald werd ein End der
viel und langen Thränen.

57. Iv. Kenan.

REis mich üben, GOtt zu lieben, soll mein
Wunsch und Wille seyn: und im Leben mich
ergeben JEsu Kirche und Gemein.

2. Daß aus Liebe mich so übe, daß ich allzeit
bleibt

bleibe so: ohne Wancken in den Schrancken, gantz
gelassen, still und froh.

3. So wird Freude auch im Leide weichen machen alle Pein: und der Friede im Gemüthe macht
aus Myrhen Zuckerwein.

4. GOtt von Hertzen, ohne Schertzen lieben
immer ohnverrückt: macht auf Erde, daß ich werde
endlich fertig und geschickt.

5. Ihn zu loben, nach viel Proben, ohner-
müdet allezeit: mit den Chören, die ihn ehren in die
Läng der Ewigkeit.

Dr. Philemon W
58.

WErkohr des Lammes, du himmlischer Chor,
du göttliche Wonne, verachtet zuvor, bald
wirstu florieren, u. ewiglich zieren den Himmel,
drum heb die Hertzen empor.

2. Nun wirst du gekrönet mit himmlischer Zier,
dieweil du in mancherley Proben allhier hast ohne
Erkalten den Glauben behalten: drum hat GOtt
sein Lusttheil und Freude mit dir.

3. Verbirgt sich auch oftmals in deinem Gemüth, die Sonne der Gnaden, so werde nicht
müd: dann in den Steine Ritzen das Täublein
muß sitzen, wan alles am Himmel verfinstert aussiehe.

4. Bald blickt dich der liebste Freund wieder
zum an, und locket dein Hertze, zu lauffen die
Bahn, in seinen Fuß-Steigen: bis du wirst erreichen die ewige Klarheit, da alles gethan.

5. Dann unser GOtt selbsten ist Sonne und
Schild, sein Antlitz erfreulich, erquickend, und
mild. O herrliche Thaten! die trefflich gerathen, wan einst wir erwachen nach Göttlichem Bild.

6. In Christo die Pforte geöffnet erscheint,
wer aus ihm gebohren, hat seligst geweint: weil
ängstliche Stunden sind endlich verschwunden. O
himmlische Zierrath! wer hät es gemeint?

7. O selig! wer dieses von Hertzen bedencket, daß
uns ist in Christo so vieles geschenckt: der lernet den Willen in Demuth zu stillen, wan er
sich in dieses Geheimniß ercket.

8. Da findt er die Rose und himmlische
Früchte, die blickend die Engel zu sehen gesüchte.

auch siehe er da wohnen viel himmlische Thronen,
die alle lobsingen in reinester Zucht.

9. Und weil wir sind heilig, jungfräulich und
rein, so sind wir vereinet mit dieser Gemein: u.
wollen mit ihnen Fuß-fällig bedienen den, dem
da gebühret die Ehre allein.

W
59.

WAnn eitele Sorgen und nichtige Sachen
mein Leben beschweren in mancherley Noth;
so halt ich mich stille, und laß es so machen,
was da zu erwarten, muß werden von GOtt.
Sinds Göttliche Sachen, so kan man sich freu-
en; sinds Traurige, muß es zum Besten gedeyen.

2. Drum hab ich mein Leben dem Himmel
verschrieben, obgleich hier auf Erden zum Lieb-
lein gemacht; und weil ich nur himmlische Sachen thu lieben, so werde ich täglich verspottet,
verlacht. Dann wer nur thut allhier dem Himmel nachjagen, den können die Menschen noch
dulten noch tragen.

3. Auch viele, die man sonst wohl Fromme
thut nennen, behangen doch meistens am irdischen Sinn: dann wer hier dem Guten thut fle-
tig nachrennen, dem bringers auf Erden gar wenig Gewinn. Drum wer will im Glauben
den Himmel erjagen, der muß erst sein eigenes Leben versagen.

4. Drum sich auch so wenige lassen gefallen,
daß sie es auch solten nur freundlich ansehn;
wo man thut so freudig zum Himmel hinwallen, um also zur engen Thür dort ein zu gehn.
Das eigene Leben, in Sünden erbohren, geht
lieber in eiteler Wohllust verlohren.

5. Drum will ich in Hoffen und Glauben
anhalten, wie schmertzlich auch sonsten das Sterben hergeht; die Liebe läßt keinen im Eiffer erkalten, man scheinet zu sincken, sie wieder aufwacht.
Wer nur nicht zwey Hertzen mit nimmt auf dem
Wege, der kommet schon über den schmalesten
Stege.

6. O selige Lauf-Bahn! die also betreten, womit so viel Eiffer der Himmel erjagt; das Zehr-
Geld

Geld/ so forthilfft/ heißt Singen und Bäten/ wo
andre in Wohlluſt die eitle Sorg nagt. O ſeligs Vergnügen ſchon hier auf der Erden! wo einem ſein Erbtheil im Himmel zu werden.

7. Wer alſo verſaget das zwey-ſeelig Leben/
und wallet im Glauben die himmliſche Bahn/
den wird GOtt mit ſo vielen Wundern erheben/
ſo daß ers vor Freuden kaum ausſagen kan. Jetzt
kommen die Helden entgegen gegangen/ die alle
mit güldenen Kronen ſchön prangen.

8. Die traurigen Tage ſind nunmehr zu En-
de/ weil Hoffnung und Glauben die Erndte einbracht; der freudige Ausgang macht ruhige Hände; jetzt ſieht man/ wie GOtt die ſo freundlich
anlacht/ die hier um den Himmel ſo vieles erlit-
ten/ der Sünden Gifft bis zu dem Todte beſtritten.

60.

WAnn ich in der Stille ſing/ und mit meinem
Geiſt eintring in das ſanffte Gottes-Weſen/
ſo kan Geiſt und Seel geneſen.

2. Dann da offenbahrt ſich GOtt/ wo die Creatur iſt todt: wo die Sinnen ſtill und ſchweigen/
da thut ſich der Schöpffer zeigen.

3. Ja er ſpricht ſein Lebens-Wort in der
Seelen alſo fort: weckt ſie auf zum GOttes-Leben/
thut ihr innere Kräfte geben.

4. Daß davon ſie wird recht klein/ dringet ganz
in ihn hinein/ und zerſchmelzt vor lauter Liebe durch
die ſtarcken Feuer-Triebe.

5. Die verzehren ganz u. gar/ was von Schlacken an ihr war: daß ſie mehr und mehr wird
kleiner/ und wie Gold im Feuer reiner.

6. Weil ich denn fühl den Genuß/ und den
ſüſen Liebes-Fluß/ der in meine Seele flieſet/ und
ſich allda ſtarck ergieſet.

7. Wenn ich in der Stille bin/ und Geiſt/ See-
le/ Herz und Sinn iſt in GOtt ganz aufgezogen/
werd ich mehr und mehr bewogen.

8. Nur zu folgen dieſer Spur/ daß der Göttlichen Natur ich theilhafftig möge werden/ weil
ich noch auf dieſer Erden.

9. Daß alſo vergöttet ich/ auch ſo möge tragen
mich als wie einer/ der erkauffet von der Erden/
und ſo lauffet/

10. Nach der ſelgen Ewigkeit/ und ſich ſtetig
hält bereit/ einzugehen in die Stadt/ die GOtt
ſelbſt gebauet hat.

11. Vor die/ ſo verleugnet hier alle Wolluſt/
Pracht und Zier dieſer Erden/ ja was mehr/ ſich
auch ſelbſt gehaſſet ſehr.

12. Mein Geiſt wird jetzt ſchon gewahr/ wie ſo
eine ſelge Schaar zur Geſellſchafft ich bekom-
men/ indem ich mir vorgenommen.

13. Eine ſolche hohe Reiß: darum geb ich
Ehr und Preiß unſerm GOtt/ der uns erkohren/
und aus ſeinem Geiſt gebohren.

14. Darum muntern wir uns auf/ und
verfolgen unſern Lauf: werden weder ſchwach noch
matt/ weil uns der geſtärcket hat.

15. Bey dem Kraft und viel Vermögen: wün-
ſchen dabey Glück und Segen/ die ſich dieſe Reiß
erwehlen/ und mit JEſu ſich vermählen.

16. Daß ſie bleiben ihm getreu/ bis daß ſie
mit uns aufs neu/ werden in dem Himmels-Saal/
halten mit das Abendmal. *L. Martin Bremer*

61.

Ein Gegenwurf des 32. Pſalms.

WEh dem Menſchen! der da wandelt in dem
Pfad der eigenheit/ der ſo viel hat mißgehan-
delt ſeine ganze Lebens-Zeit: dem ſein Sünd iſt
aufgedecket/ die er ausgeübet hat/ und ſonſt hinters
Licht verſtecket die unrein und böſe Art.

2. Weh mir! deſſen Miſſethaten zugerechnet
werden hier/ ich muß leiden groſen Schaden/
und vor Angſt verſchmachten ſchier: weil der Geiſt
iſt eingegangen in den falſchen Trug und Wahn/
und nur gleiſſend thäte prangen/ wo er was thäte
fangen an.

3. Zwar ich wolt es ſtets verheelen/ bis durchdrungen all Gebein/ und ob ich mich ſchon thät
quählen/ kont ich doch nicht ruhig ſeyn: dann
die Sünde in dem Herzen/ die zuvor verborgen
lag/ ward erregt mit vielem Schmerzen/ daß
ich ſeuffzte Nacht und Tag.

4. Nun des HErren Hand iſt kommen/ und
auf mich ſich legte hart/ hat mich gänzlich über-
nommen/ und zernichtet meinen Rath: daß
auch alle meine Kräfte ſind ganz trocken ausge-

ſehrt/

332 zehrt, und mein Thun und mein Geschäffte ist zermalmt, und umgekehrt.

5. Ich weiß nichtes mehr zu machen, als beweinen meine Sünd, und befehlen GOtt die Sachen, werden als ein kleines Kind: das sein Thun mit Ernst bereuet, bis das Vater-Herz die Schuld schencket, und die Sünd verzeihet: so erwirbt man Gottes Huld.

6. Endlich werd ich auch noch kommen schon in dieser Pilgrims-Zeit zu den Auserwehlten Frommen, die GOtt bitten in Wahrheit um Errettung, wann sich regen grose Fluthen, Angst, Trübsahl, und die Erd sich will bewegen, daß wir stehen ohne Fall.

7. GOtt allein ist mein Erretter, in der allergrößten Noth ist er allzeit mein Vertreter wider aller Feinde Spott: daß ich auch in allen Proben spühre seine grose Treu; drum will ich ihn rühmen, loben, weil er mir so stehet bey.

8. Seine Hand kan richtig führen auf des Creuzes schmalen Weg: immer will ich dem nachspühren, und darauf nicht werden träg; bis ich auch hindurch werd kommen zu der Ueberwindungs-Zeit, und zu Gottes wahren Frommen, die er nur mit Augen leit't.

9. Denn werd ich ihn erst recht loben, weil er oft so wunderbar mich geführt durch so viel Proben, und errettet von Gefahr: wann ich war wie Roß und Mäuler, wiedrig, rauh und ungeschlacht, hat er doch durch Liebes-Seiler meinen Sinn zurecht gebracht.

10. Und hat der Gottlosen Plagen väterlich von mir gewandt, und in Langmuth mich getragen, bis mein Herz ihn recht erkannt. Nun steht meine Hoffnung feste auf ihn, den gerechten GOtt, er soll bleiben mir die Veste, weil ich leb und nach dem Todt.

11. Darum freu ich mich des HErren, und will es verschweigen nicht, weil er mich zu solchen Ehren hat gebracht durch sein Gericht: daß ich kan mit seinen Frommen loben ihn und frölich seyn, werd auch nimmermehr entnommen seiner heiligen Gemein.

62.

WEnn ich hier mit meinen Thaten bin gekommen an das Ziel, so seh ich zu GOtt um Gnaden, der mir aus derselben Füll kan hinnehmen meine Schuld, im Erwarten in Gedult, bis er mir mit Liebes-Blicken wird mein mattes Herz erquicken.

2. Dann, wann öfters meine Sache durch und durch gefährlich scheint, und ich nicht weiß, was ich mache, kommt der allerbeste Freund: nimmt mich auf in seine Huld, und versöhnet selbst die Schuld; weiß mir Hilfe mit zu theilen, und den blöden Sinn zu heilen.

3. Der die Liebe noch nicht kannte, die in ihrer heissen Glut bis zum Todt am Creuze brannte, und sich meiner Seel zu gut, in der dunckeln Todes-Nacht hat zum Opffer dargebracht, und den Lohn, so ich verdienet, mit viel Schmerzen ausgesühnet.

4. Eile ich mit starcken Schritten nur in Gottes Kirch hinein, wo sich JEsus in der mitten alle Tage findet ein: und als Hirte tag und nacht über seine Heerde wacht, kan ich mit demselben prangen, u. bin Tod u. Höll entgangen.

5. Weil ich da mit allen Frommen nun kan steigen Himmel auf, und bin an den Ort gekommen, wo die Gnade ihren Lauf über Gottes ganzes Haus alle Tage führet aus, und als warme Sonnen-strahlen kan des Herzens Land bemahlen.

6. Da kan ich mich selbst vergessen, beyde was seyn wolt und war, weil mein seligstes Genessen nur darinnen offenbar, daß ich, was ich bin und hab, übergebe in das Grab: und weil ich hierzu erkohren, ist des Todtes Macht verloren.

7. Es wird keine andre Bürde hier an tragen aufgelegt, als ein Schaf in Christi Hürde und in seiner Heerde trägt: hör ich nur die Hirten-Stimm, bin ich sicher vor dem Grimm. Bleibet man nur ohne Wandel, so gefället GOTT der Handel.

8. Es bringt tausend Lust und Freuden, auf der Erden Nichts zu seyn. Auf der reinen Seelen-Weide geht man frölich aus und ein: drum will ich mein Leben-lang folgen meines Hirten Gang, weil er mich zur Zahl gezehlet, die er

sün

für sich auserwehlet.

9. Und so bin ich wohl berathen, weil ich mich vergessen kan; ob es gleich mit meinen Thaten wenig oder nichts gethan; die doch nur sich selbst gemeint, wo's aufs beste hat gescheint. Und weil ich mich GOtt ergeben, werd ich dorten ewig leben.

63. Jr. Agonius

WEnn JEsus die Hertzen entzündet mit Liebe, und in uns erwecket viel heilige Triebe: so lodern die Flammen, und schlagen zusammen, dieweil wir von Gottes Lieb-Feuer herstammen.

2. Dasselbe verzehret die Rauhe und Strenge, dieweil uns sein Zucht-Geist stets hält in der Enge: der schmelzet das Ertze und machet es lauffen, daß davon abfliesen die Schlacken mit Hauffen.

3. So bleibet im Feuer das Gold nur noch übrig, ich meine die Seele, so recht klein und niedrig: wer sich nicht will lassen so reinigen durchs Feuer, der wird von dem Winde zerstäubet wie Spreuer.

4. Drum kommet ihr Kinder, die ihr noch geblieben bishero im Feuer, und nicht aufgerieben vom Feinde, der oft mit Macht euch gesetzet, gesuchet zu sieben, und doch nur verletzet.

5. Kommt, lobet den Schmelzer, der euch hat behalten im Feuer, daß ihr nicht habt können erkalten: er ist unser König, heißt JEsus mit Namen; kömt lobet mit Levi u. Abrahams Saamen.

6. Denn darum hat er euch aufs neue geruffen, drum tretet im Geiste auf höhere Stuffen: verlaßt das, was bildlich, und dient GOtt im Wesen weil er euch zu solchem Dienst wärtlich erlesen.

7. Wir fühlen im Geiste, daß wir was gewinnen, wenn wir in das Sterben einführen die Sinnen: drum wolle sich jedes stets üben im Leben, das Wesen der Wesen im Geist zu erheben.

8. Dann weil wir aus Geiste und Wesen gebohren, und GOtt uns zum Dienste im Geiste erkohren: muß alles verschwinden, was auser uns schallet, damit der GeistGottes im Jnneren wallet.

9. Wenn der sich beweget, dann können wir singen, im Geist u. Gemühte recht Opfer GOtt bringen, und wenn er auch wolte die Zunge anstrengen zur auseren Musie mit Lobes-gesängen,

10. So halten wir stille, und lassen ihn schlagen die Saiten der Liebe um GOtt zu lobsagen: ja singen Lob-Psalmen, wie David gesungen im Geist und Gemühte mit Hertzen und Zungen.

11. Dieweil wir ja wissen, daß GOtt thut gefallen, wenn Kinder von Liebe entzündet so fallen: bis daß sie vollkommen ins Jnnere dringen, wo sich der Geist thut in das Heiligthum schwingen

12. Da wird dann gehöret von Kindern der Liebe, was Gottes Geist würcket aus Göttlichem Triebe, das ist dann nichts fremdes; weil GOtt selbst bewogen, das Hertz und die Zunge zum Loben gezogen.

13. Und weil wir deswillen nun wieder beysammen, zu loben und rühmen den herrlichen Namen des HErren, der uns aus den Völckern erkauffet, mit Feuer und Geiste im Lichte getauffet:

14. So lehre ein jedes inwendig die Sinnen, damit wir viel innere Kräfte gewinnen; so wird denn das Aeuste vom Innern ausschallen, und GOtt der da Geist ist, die Lieder gefallen.

15. O Brüder! mein Hertz ist erfüllet mit Freuden, den HErren zu loben, sein Ruhm auszubreiten, und wer die entzündet vom Feuer der Liebe, sich mit mir im Loben u. Dancken recht übe

16. Ein jeder betrachte, was GOtt uns erwiesen, damit doch sein Nahme werd von uns gepriesen: dieweil er sich unser aus Gnaden erbarmet, in JEsu, dem liebsten Sohn, freundlich umarmet.

17. Ja hält uns zusammen in Göttlichen Schrancken, daß weder in Leiden noch Proben wir wancken: so daß unsre Feinde sich dörffen nicht freuen, weil Wind uns noch Stürme nicht können zerstreuen.

18. Ihr Schwestern, die ihr auch Miterben der Gnade, und bisher treu blieben im leidenden Pfade: stimt an mit uns lieblich dem König zu Ehren, damit wir sein Lobe stets kräftig vermehren.

19. So werden die oberen Chöre mit singen, wenn wir uns inwendig ins Heiligthum schwingen: da wird dann recht schallen das Lob hier auf Erden, u. GOtt wird im Himmel verherrlichet werden:

20. Ich hör schon im Geiste uns lieblich ant-
worten, dieweil ich erblicket geöffnet die Pforten:
alwo wir zusamen bald werden eingehen, und
unseren König von Angesicht sehen.

21. Indessen so haltet im Grünen die Lichter,
daß man auch kan sehen an euren Gesichter:
wie freudig ihr gehet dem Bräutgam entgegen,
der euch hat erfüllet mit Liebe und Segen.

22. Es warten auf euch schon die himmlischen
Schaaren, dieweil ihr thut leuren Schmuck reinlich bewahren: drum haltet euch fertig, die
Stund wird bald kommen, daß ihr von GOtt
werdet zu ihnen genommen.

23. Dann werdt ihr empfangen den Lohn eurer Treue, ein jedes von Herzen sich mit mir erfreue, und hör nicht auf JEsum hierunten zu loben, bis daß wir zusammen ihn loben dort oben.

64.

WEnn mir das Creuz will machen Schmerzen, und die Versuchung auf mich dringt,
so fliehe ich zu JEsu Herzen, mein Geist sich ü-
ber alles schwingt: weil Gottes Rath beschlossen hat, daß, wer mit Christo leben will, muß
haben seines Creuzes viel.

2. Drum kommt, ihr Creuzes-Brüder, kommet, die ihr zur Fahn geschworen habt; ihr
wißt ja, daß das Creuz uns frommet: wohl dem,
den GOtt damit begabt: weil es macht zahrt,
was rauh und hart; zermalmet alle Eigenheit,
und uns von Eigenlieb befreyt.

3. Nehmt auf euch Christi Joch mit Freuden, und trägt sein Creuz ihm willig nach, ja
schätzet hoch all seine Leiden: dieweil Verachtung,
Spott und Schmach nur fällt auf die, so JE-
sum hie bekennen vor der Welt ganz frey, und
bleiben bis in Tode getreu.

4. Ihr Schwestern, die ihr mit im Bunde,
weil ihr auch Glieder an dem Leib: kein Unterscheid ist in dem Grunde, denn da ist weder
Mann noch Weib: drum weicher nicht von
eurer Pflicht, wie ihr euch JEsu habt vertraut,
als seine keusche werthe Braut.

5. Wir wollen uns aufs neu verbinden,
dem Bräutigam getreu zu seyn; es läß sich doch
an keinem finden Verstellung oder Heuchelschein:
prüfe euer Herz, es ist kein Scherz, dieweil
ein jedes Glied muß seyn an JEsu Leib keusch,
heilig, rein.

6. Nun JEsus, der uns eingeladen zu seinem grosen Abendmahl, und uns aus unverdienten Gnaden gebracht zu seiner Glieder-Zahl: damit wir all, ins Himmels Saal, mit Abram, I-
saac und Jacob, ihm geben Preiß u. ewigs Lob.

7. Dem stimmet jetzt hier allzu sammen ein
Lob-Lied nach dem andern an: entbrenne in lauter Liebes-Flammen, und seyd vereinigt wie ein
Mann, zu halten aus den Kampf und Strauß,
bis wir gehn ein zu seiner Freud, da weder Streit,
noch Schmerz, noch Leid.

8. Indessen haltet aus die Proben, wozu
ihr euch so oft verbündt, und achtet keiner Feinde
Toben, weil JEsus selber überwindt: u. schlägt
die Feind, weil er der Freund, der euren Seelen
sich dargibt, und euch bis an das Ende liebt.

65.

WER GOtt liebet und sich übet in der Lieb
getreu zu seyn, wird nicht müde, bis der
Friede nimmt sein ganzes Wesen ein.

2. O was Wonne bringe die Sonne in das
rechte Friedens-Haus! sie macht lichte das Gesichte,
treibt die Finsterniß hinaus.

3. Und macht helle jede stelle, die vor finster,
schwarz und trüb, sie erneuer und befreyet solches Haus von fremder Lieb.

4. Und gibt Wesen zum genesen jeder Seel
die sich so übt, und den Glauben nichts läst
rauben, sich zum Opfer GOtt dargibt.

5. Drum ihr Lieben, thut euch üben, und
folgt dieser Friedens-Spur, weil ihr kommen zu
den Frommen, die der Göttlichen Natur

6. Theilhaft worden, und zum Orden derer
Seelen zugezählt: die da heilig und jungfräulich
sich mit JEsu selbst vermähle.

7. GOtt gesuchet, und verfluchet alle Lust der
Eitelkeit, sich ergeben, um zu leben in der Zucht
und Heiligkeit.

8. Ob zwar wenig unterthänig diesem Geist
der reinen Zucht, sind doch viele, die das Ziele
mit

mit viel Schmerzen lang gesucht.

9. Und gestritten, viel erlitten in dem schweren Kampff und Streit, hart gedrungen, durchgedrungen, bis sie gänzlich sind befreyt,

10 Von den Lasten, und nun rasten in dem
reinen Liebes-Schooß, und der Höle, wo die
Seele wird von Creaturen bloß.

11. Darum singen sie und bringen unserm
GOtt Danck, Ruhm und Preiß, lassen hören
ihm zu Ehren Lieder auf die schönste Weiß.

12. Mein Hertz wallet, mein Mund lallet,
rühmt mit ihnen Gottes Gnad; weil er Kräfte
zum Geschäfte wiederum geschencket hat.

13. Und aufs neue seine Treue spühren läßt
im innern Grund: seine Güte im Gemüthe
schmäcken läßt der Seelen Mund.

14. Wer kan dencken, was zu schencken unserm GOtt vor solche Gnad: ich will geben hin
mein Leben, opffern mich ihm früh und spath.

15. Und im Schweigen tief mich beugen vor
der höchsten Majestät, einwärts kehren, allda
hören, was mein Lehrer und Prophet

16. Mich wird lehren, mein Begehren soll
nur hingerichtet seyn: wo die Fülle in der Stille
mir spricht Krafft und Wesen ein.

17. Das wird frommen, wann ich kommen
zu der stillen Sabbaths-Ruh: wo nach Leiden
ich in Freuden leben kan, und noch darzu

★ 18. GOtt genießen, und zerfliessen in der Liebe
Ungrunds-Meer, und dem HErren aller Herren geben Preiß, Danck, Ruhm und Ehr.

19. Mit den Frommen, die da kommen aus
Trübsal und grosem Leid, zu den Freuden, die
bereiten GOtt ein Lob in Ewigkeit.

66. Ev. Nehemia

WIe herrlich und lieblich wird dorten erscheinen des Lammes Braut; wann sich ge-
endige das Weinen: wann Seufzen und Schmerzen und Leiden dahinden, wird GOtt ihr viel
Frieden und Segen zuwenden.

2. O herrliche Zeiten! wo dieses erblicket, und
Herzen und Geister im Vorschmack entzücket,
zu schauen hinein in die ewige Stille, wo wahres
Vergnügen und Göttliche Fülle.

3. Und weil Er uns träncket am Brunnen der Gnaden, so wandeln wir freudig im
richtigen Pfade: und wenn wir ermüdet durch
Hitze ermatten, thut er uns bethauen und wieder
beschatten.

4. Das giebet erneuete Kräfte zu gehen durch
Leiden und Nöthen durch Schmertzen und
Wehen: und wann wir auf höhere Stuffen
gekommen, so werden wir tiefer in GOtt
eingenommen.

5. Da wird uns gezeiget im Geiste von innen, was man nicht kan sagen, noch fassen mit
Sinnen: und sehen im heiligen Göttlichen Werden, wo endlich verschwinden die viele Beschwerde.

6. Kein Munde noch Zunge kan reden noch
sagen, was da wird vor himmlische Kost aufgetragen: wo Seelen von allen sichbarlichen Dingen geschieden, und zu GOtt ins Heiligs-
thum dringen.

7. Ich werde zur innigen Demuth bewegen,
weil GOtt mich in solche Gesellschafft gezogen:
die also eindringen ins Göttliche Werden, wo
also vergessen die Sorgen der Erden.

8. Wie mußt ich mich oftermal drehen und
winden, eh daß ich die himmlisch Wege kont
finden: drum dring ich hineinwärts ins innre
Leben, da wird mir die Fülle des Geistes gegeb.

9. GOtt hat mir gezeiget die Quelle der Freuden, da hohl ich Erquickung in Schmerzen und
Leiden; und werde nicht müde, bis daß ich gekommen zum Göttlichen Erbe im Loose der Frommen.

10. Wo alle zusammen mit herrlichen Weisen und stetigem Leben ihm Ehre erweisen; und
also in Gottes Gezelte eingangen, allwo sie mit
Kronen in Ewigkeit prangen.

11. Und stehen da vor ihm im herrlichen Lichte, ach sehet die Wunder-erfüllte Geschichte! wo
GOtt sich mit seinen Geschöpffen vermählet, die
er sich zur heiligen Braut-Zahl gezehlet.

12. Ihr, meine Geliebte, die mit auf dem
Wege, ach werdet doch in Ewigkeit Keines mehr
träge! weil JEsus uns selber ist also vorgangen,
eh daß er im Tryumph allorten kont prangen.

13. Und ob wir noch einige Stunden zu streiten,

ten mit Wachen und Bäten zu dunckeln Zeiten: so werdet nicht müde, weil bald wird geschehen, daß unsere Jammer mit Schanden bestehen.

14. Und weil uns der Holde so richtig thut führen, so werden wir nimmermehr von ihm abirren: bis er uns erhöhet zum Göttlichen Schauen, vereint mit den reinesten Lammes Jungfrauen.

15. Die alles verlassen aus Liebe zur Tugend, und sich ihm vermählet in blühender Jugend: drum ist uns vergessen die Freude der Erden, dieweil wir alldorden verherrlichet werden.

Fr. Philemon 67.

Wer im HErrn geschlafen ein, muß ein Liebling Gottes seyn: des Gemüthes sanffte Ruh wächst und grünet immerzu.

2. Werden seiner Tage viel, so ist dieses sein Lust-Spiel: in des HErren Gegenwart leben so nach Kinder Art.

3. Weil sein Licht im Duncklen scheint, müssen weichen seine Feind; weilen sie das Licht erschreckt, das ein GOttes-Kind bedeckt.

4. Darum ist die Lieb sein Brod, welches ihm in Noth und Tod zugetheilt von GOttes Hand auf dem Weg zum Vaterland.

5. Wer mit dieser Lieb versehn, fürchtet keine Leidens-Wehn; ist vergnüget, wie GOtt will, weilen er weiß Maaß und Ziel.

6. O HErr! du bist sehr getreu, deine Güt ist ewig neu; leit und führe deine Heerd, daß sie dir gefällig werd.

7. Flöse in sie Muth und Krafft, daß dein Göttlich Eigenschafft sie bereiche in der Zeit, wie auch dort in Ewigkeit.

8. Da dann wird das Jungfrauen-Heer fröhlich singen Chör um Chör: Hallelujah sey dem Lamm, unserm Seelen-Bräutigam.

9. Das uns hat zu GOtt gebracht durch sein sanffte Liebes-Macht. Nun der Streit sich hat geendt, dienen wir GOtt ohne End.

68.

Wie schön gehts zu, wo man in stiller Ruh auch nichts mehr weiß, als daß man GOtt gibt Preiß. und sucht, in seinem gantzen Leben, in keinem Ding zu widerstreben.

2. O sichre Still! wer ruht in deiner Füll, dem wird die Zeit zum Nun der Ewigkeit: er weiß nicht mehr von eitlen Sorgen, auch nicht nur vor den andern Morgen.

3. Ich habs verspührt, mein Hertze ist gerühret: des Creutzes Kraft macht mich mit GOtt verhafft, bin ich dabey schon voller Brasten, ich kan im Schooß der Liebe rasten.

4. Nehm ich schon ab, geh täglich in das Grab: so ist der Tod, die viele harte Noth, ein Fortheil wir auf meinem Wegen, daß ich kan wallen fort im Segen.

5. Dort ist mein Glück, ich seh nicht mehr zurück, betrogner Schein, du gehst nicht in mich ein. Ich will GOtt in der Wahrheit dienen, so wird mein Leben schon ausgrünen.

6. Wann das erscheint, was man damit gemeint: das Wunder-Spiel trifft endlich doch sein Ziel, wir glauben, was wir jetzt nicht sehen, es mag sonst alles untergehen.

Fr. Theonis 3
69.

Zion wird nun bald erscheinen in sehr grosser Herrlichkeit, da ihr viel und langes Weinen wird verkehrt in lauter Freud. Deine viele harte Pressen, samt der schwartzen Trauer-Nacht, werden ewig seyn vergessen, weil dein Heil nun ist erwacht.

2. Deine viele Müh und Sorgen, und dein viel gehabtes Leid werden dir an jenem Morgen lohnen mit viel Himmels-Freud: wann der frohe Tag erscheinet, der von GOtt so lang ersehn, dann hat Zion ausgeweinet, wird aus ihrem Kercker gehn.

3. Dann wird sie in grosen Freuden und mit vielen Wundern sehn ihre Erndte sich ausbreiten, und in vollen Aehren stehn. Nun wird werden erst versüset ihr so bittre Thränen-Saat, weil sie nun dafür geniesset ewges Leben ewge Gnad.

4. Alles Seuftzen ist verschwunden, aller Schmertz ist gantz dahin, weil die lang gewünschte Stunden kommen ein mit viel Gewinn.

O

O wie wird die vor Betrübte in so grosen Freuden stehn! weil sie nunmehr die Geliebte, und
zehlet ihre Wehn.

5. Sie wird ohne Ende preisen das Lamm,
so von GOtt erhöht, und ihm mit viel Wunder-Weisen geben Ehr und Majestät. Drum
sind diß hochtheure Seelen, die allhier auf
dieser Welt sich dem Lamm am Creuz vermählen, und zur Braut-Zahl sind gezehlt.

6. O du lieb und werth Geschlecht! die sich
GOtt selbst zugedacht, und gelehret solche Rechte,
ihm zu dienen Tag und Nacht: dieses ist der
reinste Orden, der verlobten Jungfraun-Zahl,
dabey ganz sein eigen worden aus sehr tief geheimer
Wahl.

7. Wohl dann nun! es ist gelungen Zion,
der geliebten Braut, weil sie so ist eingedrungen,
und im Geiste den geschaut, der allhier am Creuz
erhöhet, dort zur Herrlichkeit gebracht; hier auf
dieser Welt verschmähet, und von jederman
veracht.

8. O wie brennet das Verlangen! Alle schönster,
nur nach dir; weil in so viel Liebes-Drangen
wir beklemmet sind allhier: da wir in so manchen Wehen und bedrängtem Geistes-Leid öfters
seufzend umher gehen in der trüb u. dunckeln Zeit.

9. Doch wir sind dir fest verbunden, und
der Eid ist längst geschehn, ob schon in manche Trauer-
Stunden dannoch über uns ergehn: warten wir
doch seiner Güte, wie uns die wird theilen aus,
nach der angenehmen Blüthe bringet man die
Frucht nach Haus.

10. Glauben, Dulten, Lieb und Hoffen sind
hier unse Reiß-Gefährt, wenn das Glück so
eingeloffen, wird von keinem Leid beschwert: dann
ists beste Theil gefunden, wenn des Holder-
Freundlichkeit wird ohn alle Maaß empfunden
in dem aller-grösten Leid.

11. Darinn frey: bist du Geliebte, muß du
schon ist traurig gehn; du bist nicht mehr die
Betrübte, wann dich wird dein GOtt erhöhn,
und mit groser Freud und Wonne bringen in
sein Haus und Stadt, vor dem gloriensen Throne preisen seine hohe Gnad.

12. Nun wird Zion ewig grünen, und in
GOtt erneuet stehn; weil ihr schöner Glanz erschienen, wird das Alte ganz vergehn. Nun stehn
ihre Thore offen aller Orten weit, und breit, und
ihr Glück kent kein eingeloffen in der frohen Ewigkeit.

Psalm. 77.

Zu GOtt hinauf hab ich geschrien und gebeten, am Tage meiner Trübsal steht ich ihm.
n. ü. Eilen halff er mir aus allen meinen Nöthen,
weil er gehöret meines Flehens Stimm; doch wurde ich zu Nachts erschreckt, da meine Hände ausgestreckt, daß ich kont keinen Trost mehr fassen,
weil meint auf ewig seyn verlassen.

2. Ich dächt an ihn in denen sehr betrübten
Tagen, ich schrie und bath, mein Geist sanck gar
dahin; mein Aug erstarrete, ich bin so gar zerschlagen, daß ich der Stummen gleich geachtet
bin. Da fiel mir ein die alte Zeit, da mich mein
Saiten-Spiel erfreut; ich sprach zu mir in meinem Wehen, mein Geist durchforschet, was geschehe.

3. Soll ich von seiner Gunst auf ewig seyn
verwiesen? und hat der Gnaden-Ausfluß aufgehört, daß seine Red nicht mag auf die Geschlechter
fliessen, hat sich dann seine Huld in Zorn verkehrt?
Doch, sprach ich, kränckt mich dieses nicht, daß
mirs an seiner Gunst gebricht, ich denck an seine
Wunderthaten, wie er zuvoren mich berathen.

4. Drum soll mein Geist dann nun nur seinen Wercken sinnen, und seine Wunder rühmen
nach Gebühr. Man findt nur seinen Weg im Heiligthum darinnen, da ist er groß den Seinen für
und für. Den Völckern hat er kund gethan, was
seine Rechte schaffen kan, indem er Jacob Heil
verliehen, und Josephs Feinde machen fliehen.

5. Denn, als die reine Wasserfluthe sich be-
wegte, und flohe, als von Angst getrieben sehr,
da brech die Tiefe loß, der Abgrund sich erregte, die
dicken Wolcken stürmten aus ein Meer. Er don-
nerte, die Erde bebt, es zittert alles, was da lebt,
vor seinen Pfeilen hin und wieder fälle, was erhaben ist, derneider.

6. Vergeblich ists, des HErren Sinn und
Thun ergründen; den nie ein Sterblicher ergrün-
det hat; man kan in tiefen Wassern seine Spur

337

Uu u   nicht

nicht finden, so bleibt verdeckt sein weiser Gottes-Rath. Er führt uns, seine treue Heerd, durch
seine treue Diener, die bewährt; durch ihre Hand sich
lassen leiten, heißt übersteigen diese Zeiten.

71.

Zuletzt wird doch das Ziel getroffen, wo nach
ich lang geloffen bin: nach vieler Müh und
stetem Hoffen fällt endlich alle Sorg dahin.
Wann alles ist dahin gegeben, was unser Auge
wünschen mag: so kommt man zu dem wahren
Leben, wo sich verlieret alle Klag.

2. Will man die Ritter-Kron erlangen,
so muß man kämpfen bis aufs Blut: mit JEsu
an dem Creutze hangen, eh man erlange das
höchste Gut. Im Creutz erlangt man Krafft
zum Siegen, wer darin treu an seinem Gott,
der wird auch nimmer unten liegen bis auf die
letzte Sterbens-Noth.

3. Die Zeit ist kurtz allhier auf Erden, da unsre
Buß durchs Creutz erhöht. O möcht ich treu
erfunden werden! bis mir die letze Krafft vergeht.
O HErr! thu mir doch selbst beystehen, und
hilf mir aus von aller Schmach, daß ich mög
deinem Fuß nachgehen bis auf den letzten Todes-tag.

4. Versalze mir mein Wohl auf Erden durch
deines Todes Bitterkeit: so kan der Geist geheil-
ligt werden annoch in dieser Lebens-Zeit. Und
weil des Creutzes Heimlichkeiten, und seine
Tiefen, hab ersehn: drum wird mich auch hinfort
nichts scheiden bis in die allerletzten Wehn.

5. Es muß doch alles gantz umkommen in
dieses Lebens Wüsteney: wird man schon aller
Ding entnommen, so wird der Geist zuletzt doch
frey, daß er sich kan hinaufwärts schwingen, weil
Alles gantz zu Boden liegt, und kan dem Tod
sein Grab-Lied singen, der ihn so manche Jahr
bekriegt.

6. Des bin ich froh und hoch erhaben, ob
ich schon oft noch unten lieg, weil durch des hohen Geistes Gaben uns schon ist zugetheilt der
Sieg. Wir wollen Gott unendlich loben mit
seiner gantzen Ritterschafft, die er durchs Creutz
so hoch erhoben zum Sieg, durch seine Wunder-
Krafft.

7. Wir wollen uns unendlich freuen, die wir
also in Eins gebracht, erweisen, daß wir die
Getreuen, so ihme dienen Tag und Nacht: Diß
sollen unsre Rechte heissen, so lang wir leben in
der Zeit: damit wir ihn ohn Ende preisen schon
hier und dort in Ewigkeit.

72.

Zum Ungrund, der gewesen von Ewigkeiten
her, kommt, wer in Gott genesen; auch
wird versenckt ins Meer, was heißt: der Menschen Sachen, es sey bös oder gut; weil Gott
nichts draus kan machen, das was zur Sache thut.

2. Hier heißts: seyn neugebohren aus Gott
vom Himmel her: sonst gehet man verlohren mit
jenem Sünden-Heer. Des alten Menschen Sayten, wie schön das Spiel gemacht, haben zu allen
Zeiten die Heiligen umgebracht.

3. Drum müssen alle Sachen, wie Göttlich
auch der Schein, sich selbst zu schanden machen,
wann kommt das wahre Seyn. Hier wird nichts
aufgenommen, was nicht gebohren heißt, und von
dem Himmel komen aus Gottes reinem Geist.

4. Der Schein, der nur so gleisset allhier auf
dieser Welt, uns nur noch mehr abreisset von dem
was Gott gefällt. O was vor edle Sachen! wo
man siehe Wesenheit, die Gott thut silber machen,
und giebet den Bescheid.

5. Jetzt ist, was Trug, gefället, und aller
Wahn zu End, weil Gott nun selbst darstellet,
was sonst die Augen blendt. Wann durch die
Wesenheiten Schein-Bilder abgethan, vergeht der
Dunst der Zeiten, man geht ein andre Bahn.

6. Jetzt thut sich offenbahren, was heißt: zum
Ziel gebracht; man kommt zu denen Schaaren,
die hier sich selbst versagt. O was wird eingemessen vor eine reiche Haab! wo aller Trug vergessen, und so gebracht ins Grab.

7. Wie schön wird da gesungen bey dieser edlen Schaar, weil es so wohl gelungen in mancherley Gefahr. Gott lob! man ist genesen, nach
so viel bitterm Leid; die Trauer-Zeit vergessen in
alle Ewigkeit.

73.

Zuletz:

Zuletzt geht man ein in jene Zions-Zeiten, wornach die Streiter hier so lang um GOtt gekämpfft: jetzt siehet man gekrönt die grosen Glaubens-Helden, so in der Niedrigkeit der Sünden Macht gedämpfft: Jetzt müssen erliegen, die Grosen im Scheinen, die jenen verdoppelt ihr Seufzen und Weinen.

2. O Brüder! haltet aus, der Sieg folgt auffs Erliegen; weil jene Zions-Höh nur in ½ der Niedrigkeit, im Glauben und Geduld, und manchem Leid bestiegen; wo man oft wie erliegt wegen dem schweren Streit. O selig! die also die Kronen erworben in mancherley Schmach, da sie geschienen erstorben.

3. Jetzt siehet man erhöht, die hier ihr Creutz getragen, in mancherley Gedräng gegangen so dahin; weil sie um GOttes Reich so thären alles wagen, und dabey geben hin, was allhier

heißt Gewinn. Jetzt siehet man nach so viel Betrüben sich freuen, die so viel erdulet als GOttes Getreuen.

4. O Brüder! dencket dran, was nach den langen Kriegen alldort in jener Welt uns vor ein Looß bereit; thut ja nicht vor der Zeit in eurem Lauf ermüden, bey dem so schweren Drang, und manchem harten Streit. Weil dorten einkommer das seligst Genesen, so ist auch der viele Drang ewig vergessen.

5. Jetzt ist der Schluß gemacht von denen Trauer-Zeiten, da man in Mesechs Zelt auf Erden hat gewohnt; sehr schwer und hart bedrängt von so viel bittern Leiden, weil nunmehr offenbar, wie selbe wird belohnt. O ewige Liebe! wie wird man dich leben alldorten? nach so vielen Leiden und Proben.

Das Bruder-Lied,

Oder,

Ein Ausfluß GOttes und seiner Liebe aus der himmlischen und Paradiesischen Gold-Ader, oder Brunnen des Lebens entsprungen. Aus der Brüderlichen Gesellschafft in Bethania entsprossen und herfür gebracht, betreffende den Inhalt von der unschätzbaren vom Himmel gebrachten Bruder-Liebe; als welche JEsus auf Erden gelehrt und dargethan: welche in sich hält die himmlische Weiblichkeit in dem Bilde der allerreinsten Jungfrau Sophia vorgestellt, aus welcher die Fruchtbarkeit der neuen Welt, oder das Göttliche Geschlechte, entsprossen; alles unter dem Bild der unschätzbaren Philadelphischen Bruder-Liebe an Tag gegeben. JESUS, als das von GOtt erhöhte Lamm, wolle über und in uns allen walten und geisten, bis Bruder-Lieb alldort in jener Welt in in der allerschönsten Schönheit u. Bilde der Jungfrau Sophia oder himmlischen Weisheit erscheinen wird. Ja, Amen, Halleluja.

Kommt Brüder, setzet all mit an, ein jeder thue was er kan: Und sehet diesen hohen Preis, wie Bruder-Liebe brennt so heiß.

2. Sie schmelzet alle Schlacken weg, die oft gemacht so finster träg: O wol! weil uns diß Feuer brennt, so uns die Bruder-Lieb anzündt.

3. Nun wird die hohe Ritterschafft, die durch

des Höchsten Wunder-Krafft: Geboren aus dem Bruder-Recht, als wie ein göttliches Geschlecht.

4. O was ein Wunder man da sieht! also die Bruder-Liebe blüht: Die JEsus selbst gepriesen an, und so gebrochen diese Bahn.

5. Dis Wunder wird sich weit und breit eröffnen in der göldnen Zeit: Was hier verdeckt

[war

verdunkelt war, wird dort in Klarheit offenbar.

6. Drum ist das Wunder auch so groß, weil Er verließ seins Vatters Schooß: Und wird in unsrer Niedrigkeit ein Bruder unsrer Sterblichkeit

7. Die Paradieses Bruderschafft erwirber seine Todtes-Krafft: Drum thut die wahre Bruder-Treu gebähren uns aus GOtt aufs neu.

8. Die Bruder-Liebe ist sehr währt, weil JEsus solums selbst gelehrt: Sie tödt den alten Bruder-Haß, des Cains Bild das Sünden-Faß.

9. O theuren Brüder allzumal! acht hoch die theure Bruder-wahl: Dann wäre keine Bruderschafft, wie blieben in dem Tode verhafft.

10. Der Erstgebohrne Bruder hat diß Band gestifft im Wasserbad: Der Größte da dem Kleinern weicht, und macht, daß so die Liebe leucht't.

11. Der Vorgang hats so weit gebracht, daß Er in seiner letzten Nacht den Brüdern waschen thät die Füß. O wie ist Bruder-Lieb so süß!

12. Da gab Er ein Gebott so neu, das lehrt was Bruder-Liebe sey. Zuletzt brachte Ihm die Liebes-Noth gar bis zum bittern Creutzes-Tod.

13. Diß Liebe-Feuer brand so heiß, daß es aufschloß das Paradeis: Wer solt nicht gern ein Bruder seyn in der so seligen Gmein?

14. Ja alles, was sonst angenehm, ist nichts zu achten gegen dem: Was diß vor eine hohe Krafft, wo eine solche Bruderschafft.

15. Dieweil der König aller Welt sich selbsten vornen angestellt: Wo alle Heil'gen groß und klein nun müssen seine Brüder seyn.

16 O lieben Brüder denckt nach! was Bruderlieb ein hohe Sach, dann alhier gilt kein andrer Schein, und lebte man auch Engel-rein.

17 Seht! was dis vor ein hoher Staat, so Bruder-Liebe in sich hat: Dieweil der Kleine wird erhöht, dem Größern nichts an Ehr entgeht.

18. Hier ist der Zierat JEsu Christ, wo eins des andern Schönheit ist: O! wie thut es so schöne stehn, wo nichts als Bruder-Lieb zu sehn.

19. Sie leuchtet vor in jene Welt, als wie ein Paradieses-Feld: von Rosen Lilien mancher Art, weil Liebe sich mit Liebe paart.

20. Hier siehet man auch im Priester-Recht

das hoch und göttliche Geschlecht in ihrem Schmuck gar heilig stehn zum Dienst des HErrn sehr wunderschön.

21. Und bringen ihre Opfer dar auf Gottes göldenen Altar: hier wird versöhnt im Priester-Recht das gantze menschliche Geschlecht.

22. Hier sieht man auch die heilige Wahl, zwölff mal zwölff tausend Jungfrauen-Zahl; die allzusammen eine Braut, so eins des Priesters Seit erbaut.

23. Der hohe Staat, so da zu sehn, wird manchem als erstaunend stehn; Daß Völcker werden Schaaren-weiß dem Höchsten geben Ehr und Preiß.

24. Da wird gekrönt die Brüderschafft, so hier mit JEsu Leidens-krafft gekleidet ein, auf dieser Welt, und so gethan, was ihm gefällt.

25. Diß heißt recht Philadelphia, wo Bruder-liebe machet ja: Was GOtt so lang verheissen hat der Bruder-lieb, nach seinem Rath.

26. Ich freue mich der Brüderschafft, weil sie ist meiner Seelen Krafft. Die Bruder-lieb ist Lebens-Brod, und kan erretten von dem Tod.

27. Dann diß ist gar ein hoher Grad, wann Bruder-liebe Einfalt hat: Weil sie der Liebe Wärterin, und pfleget stets dem Kinder-Sinn.

28. Hier findt man auch die Weisen Stein, der nach das Hertze Engel-rein. Die Bruder-liebe ist der Schild, so selbsten darstellt dieses bild.

29. Diese bringt uns die Bruder-Wahl mit ein zur keuschen Jungfrauen-Zahl: Die seligen dem erhöhten Lamm, das von Gott aus dem Himmel kam.

30. O wunderbar! ein dürres Reiß schloß wieder auf das Paradeiß: die schönste Frucht desselben blüht, wo man nur Brüder-liebe sieht.

31. Ihr lieben Brüder allzumal! seht doch, wie unsre hohe Wahl sich breitet aus in Christi Reich, weil wir der reinen Kirche Zweig.

32. O Bruder-liebe! sey getröst, du wirst von aller Noth erlöst: bald bricht herein die göldne Zeit, wo dir viel Kronen sind bereit.

33. Vor deine Schmach auf dieser Welt wirst du vor Gottes Thron gestellt: Als wie ein Göttliches Geschlecht, so hat es Stadt- u. bürger-recht.

34. Nebst dem, so wohnet in der Höh, regie-
ten mit als Könige: bis wiederum herzu geführt,
was von dein Schöpfer abgetrtt.

35. Dann wird man mit viel Wunder sehn
das priesterlich Geschlecht da stehn: die allzumal
mithalten an, daß aufgehoben aller Bann.

36. Durchs Teufels Grim u. bösen Neid ist das
Geschöpff von GOtt gezweyt: die Liebe hohlt es wieder ein, daß alles wie zuvor wird seyn.

37. Dann was der Zorn hat todt gemacht, wird
durch die Liebe wiederbracht: die Liebe todt er Sünd
und Todt, und was sich hat gezweyt von GOtt.

38. O Bruderliebe! bist du da, so sind wir
selbst dein Schöpffer nah: die Bruder-lieb ist hoch
geacht, weil durch sie alles wiederbracht.

39. Und weil sie nun ist unser Theil, erwirbt sie uns das gröste Heil: sie ist ein Trost in
aller Pein, und führt in GOttes Ruhe ein.

40. Sie triumphirt in allem Leid, versüßt des
Lebens Bitterkeit: ist etmals unsre Kraft dahin,
herrscht sie in dem verliebten Sinn.

41. Sie hat uns auch mit GOtt vermählt, u.
wann wir oft als wie entseelt, so löst sie auf, was
schwarz und trüb, das nennen wir dann Bruder-lieb.

42. Gehts oft in Angst durchs rothe Meer, so
geht sie selber vor uns her: und macht: bahn dem
blöden Sinn, der etmal fast als wie dahin.

43. Wann ich gedenck, wie manche Nacht wir
schon beysamen zugebracht: da sie unswar ein Feuer-Seul, so ruf ich aus: O GOtt! mein Heil.

44. Was Wunder-Wege hast du schon geführ-
ret uns auf dieser bahn: gingen wir trost-loß hin
und her, so hälffst du uns vom Himmel her.

45. Wann es dahin war aller Muth, muße
Manna fallen uns zu gut: so hast du uns hindurch
gebracht bey vielem Elend Tag und Nacht.

46. O lieben Bruder! dencket dran, daß keiner
weich mehr von der bahn, Die Frücht von unserm
vielen Leid grünt aus in jener Ewigkeit.

47. Ich hab oft Wunder-Ding geschaut, die
man der Welt nicht anvertraut: daß wann der
Feinde-Wuth erhizt, die Bruder-liebe blut geschwizt.

48. Auch wann ich oft ins Stecken kam, so
trat sie zu mir in den Schlam: u. schloß des Ker-

kers Thüre auf, daß ich fortsezte meinen lauf.

49. Wohl tausend mal hab ichs versucht, mich
zu besiegen ihrer Sache: doch wann ich ihr sah
ins Gesicht, so war der Hader bald geschlicht.

50. Dann schöner ist sie als Rubin, vor ihr
fällt alle Schönheit hin: sie übertrifft den Hya-
cint, und was man sonst noch schönes findt.

51. Verbottnes Naschen liebt sie nicht, drum
kömt man öfters ins Gericht: wann Herzen nicht
sind Engel-rein, entziehet sie sich mit ihrem Schein.

52. Dann ihr Pantz heißt Jungfrauschafft,
auch führt sie niemand in Beyhafft: sie lindert
Schmertz und Todes-Pein, genßt in die Wunden Oele ein.

53. Als ich die Jungfrauschäfft erwehlt,
ward ich durch ihren Geist beseelt: sie ward mir
Mutter, Schwester, Braut, mein Paradies von
GOtt erdaut.

54. Und ob man schon viel von ihr spricht,
kömmt sie doch selten an das Licht: damit ihr
Perlen-reines Kleid nicht schände Cains Gifft
und Neid.

55. Drum sind wir oft so todt u. kalt, so mager, finster, ungestalt: dann wann der Nordwind
bläset drein, so zieht sie ihre Segel ein.

56. Doch wann sie prächtig tritt herbor, so
leuchtets wie ein Engel-Chor: dann scheinet prächtig ihr Gezelt, als ein erhabnes Blummen-Feld.

57. Wer seiner selbst ist kommen loß, der ruht
der Weisheit in dem Schooß: da wird gelehret, wie
man spricht: die Bruder-lieb verwelcket nicht.

58. Wolt mich sonst etwas laden ein, daß ich
ihm solt zuwillen seyn: so frag ich nach der Lieb-
berey, und obs auch Bruder-liebe sey.

59. Die Bruder-liebe hat kein Ziel, wann sie
dem Guten thut zuviel: so legt sie sich ins Kran-
kenbett, allwo der Weisheit Lager-stätt.

60. Gar bald ist dieser Fehl versühnt, man lernet, was dem Bruder dient: und liebe nur so, wie
es thut wohl, war man auch noch so Liebens-voll.

61. Die wahre Liebe komt aus GOtt, drum
übersteigt sie alle Noth: ob auch sonst alles fiel dahin, bleibt doch ihr hoher Liebes-Sinn.

62. Die wahre Lieb steht keine Sünd, sie lebt
in

U u 3

in allem wie ein Kind: wird ihr etwas zu leid gethan, nimmt sie sich dessen gar nicht an.

63. Aus diesem tiefen Liebes-Meer fließet die Bruder-liebe her: drum trägt sie auch die Sieges-Kron in allem Streit und Krieg davon.

64. Sie ist als wie ein Krieges-Held, und schlägt die Feinde aus dem Feld: wañ JEsus gehet selbst voran, greiffen sie es noch besser an.

65. Apostel und Propheten Zahl haben getroffen diese Wahl: den heilgen Vätern in der Wüst hat Bruder-lieb den Todt versüßt.

66. Auch die Martyrer groß und klein sind so zum Himel gangen ein: die Bruder-lieb hat sie erfreut, daß sie die Marter nicht gescheut.

67. Viel Jungfraun haben diese bahn getreten freudig auch mit an: da ward geschenet keine Pein, ein jedes wolt das Erste seyn.

68. Drum ist die Bruder-Liebe währt, weil man durch sie von dieser Erd wird auserkaufft u. ganz verneut, allwo nichts mehr wird seyn gezweyt.

69. Dann wer nicht in der Liebe steht, mit seinem Thun vergeht: doch bleibet ihm viel schwere Pein, er muß von GOtt geschieden seyn.

70. O Bruder-liebe hochgeacht! wer deinen Adel recht betracht: der hat bestiegen Welt und Zeit, lebt in dem Nun der Ewigkeit.

71. Die Liebe ist von solcher Art, sie machet uns mit GOtt gepaart: will anders was darzwischen ein, das muß nur recht jungfräulich seyn.

72. Weil dort das Schönst, so wird gesehn, sind Jungfern, die dem Lam nachgehn: drum muß man auch in diesem Looß die Schwster-Liebe achten groß.

73. Die Liebe, so vom Himel schneyt, ist jungfräulich, macht ganz verneut: gibt alles hin, was sie nur hat, weil diß des weisen Schöpffers Rath.

74. Er sandte seinen eingen Sohn zu uns vom hohen Himels-thron: der auch gethan nach dessen Sinn, da er sein Leben gab dahin.

75. Diß ist ein Vorbild nach zu thun, die Lieb kan nicht in Wercken ruhn: sie gibt sich in die gröste Noth, wann Bruder-liebe kranck und todt.

76. O kom! du hohe Liebes-tracht, die JEsus uns vom Himel bracht: und schenck uns allen sol-

chen Sinn, daß man kan alles geben hin.

77. Weil alle Mein- und Eigenheit uns von dem Schöpffer hat gezweyt: dann hier auf dieser edlen bahn sieht man erst, was die Liebe kan.

78. In dieser angenehmen Sach folgt man der ersten Kirche nach, da keiner sagte: das ist mein; O könt auch wohl was schöners seyn!

79. Der Jungfrau-Schaar ist dieses Looß gegeben auch in ihren Schooß: zu geben hin, bis alles gleich; so geht man ein in GOttes Reich.

80. Ist das nicht eine schöne Sach, wo man so geht der Liebe nach: und treibt das Vorspiel in der Zeit, was dort wird seyn in Ewigkeit.

81. Daß Bruder-lieb gar schön aussieht, weil sie hier grünet, wächßt u. blüht: dort aber wird sie anders seyn, sehr hoch erhöht, ganz Engel-rein.

82. Dann alles hier im Wechsel steht, was hier ist klein, wird dort erhöht: das Glück wird dort erst offenbar, weil hier ist alles wandelbar.

83. Und treten wir getrost die bahn, so geht die Weisheit vornen an. Und weil diß ist ihr reines Spiel, daß sie es also haben will:

84. So folgen wir getreulich nach, und sehn auf die gerechte Sach. Wir gehen so der Liebe bahn, im Klein-seyn man nicht irren kan.

85. Dann Liebe und ein kleines Kind einfältig wie die Tauben sind: sie hege nicht Verdacht noch Neid, weil solches nur die Liebe zweyt.

86. Der Liebe Augen sind ganz rein, sie lassen nie was böses ein: wird sie schon oft beleidigt sehr, sie liebet nur noch brünstiger:

87. Drum ist sie so ausbündig schön, u. nicht bey jederman zu sehn: sie bleibt das allerhöchste Gut, das nimmermehr vergehen thut.

88. Ich esse mit, wanns Liebe schneyt, gehts anders her, so trag ich leid: ich kan nicht leben, wie's auch geh, wann ich nicht Bruder-liebe seh.

89. Die Bruder-lieb ist hoch geehrt, wann sie im Leiden recht bewährt: und nicht ermüdet in dem Kampff, wo man vertreibt der Sünden dampf.

90. O Bruder-liebe! fließe ein, mach alle Herzen dir gemein: damit der rechte Kinder-Sinn nehm alle Eigenheit dahin.

91. Wie wird es doch so schön aussehn, wann wir

wir.

wir als Gottes Kinder gehn: in voller Herzens Freundlichkeit, in Liebe und Gottseligkeit.

92. So bald ich Bruder-Liebe seh, so wird mir wohl, wo ich sonst weh: und wird ein bruder-herz betrübt, ist mirs, als hätt ich es verübt.

93. Ich wär mir selbst der schwerste Stein, bey Brüdern ohne Lieb zu seyn: ich könt ja nicht dem Lam nachgehn, wann ichs im Lieben solt verschmähn.

94. Die Liebe ist von solcher Art, daß sie dem sanften Lam nachart: hat Demut und dabey Gedult, u. weiß nichts von des Nächsten Schuld.

95. Die Bruder-Lieb heilt alle Pein, sie führt zuletzt in Gott hinein: drum ist sie auch von solchem Wehrt, daß ihr nichts gleichet auf der Erd.

96. Die bruder-lieb hat solche Treu, wer weiß wohl, was ihr Adel sey? ob man sie schon beschreiben wolt, es gleicht ihr nicht das beste Gold.

97. Sie ist nicht nur allein von heut, sie fließet aus der Ewigkeit: wann sie nicht wär, es wär kein Gott, wir blieben all ewig todt.

97. Bald scheint die bruder-lieb veralt; bald ist sie wie im Todt erkalt: bald steigt sie wieder aus dem Grab, seht doch des Höchsten Wunder-Gab.

98. Jetzt scheint sie als der volle Tag, bald hat sie lauter Noht u. Klag: sie ist und bleibt mit Gott verwandt; ob sie schon oft uns unbekannt.

99. Wer sie besitzt, isst Lebens-brod, und ist befreyt vom ewgen Todt; doch komt der alte Mensch nicht dran, drum flieht er auch die bruder-bahn.

100. Die bruder-lieb hat vielen Schmerz, bis alle brüder wie ein Herz. O wie ist bruder-lieb so süß! wann sie schließt auf das Paradieß.

101. Drum hab ich mir sie auch erwehlt, werd ich schon oft als wie entseelt: der bruder-liebe Süßigkeit ists alten Menschen bitterkeit.

102. Wer in dem alten Menschen liebt, die bruder-liebe nur betrübt: weil bruder-liebe ist aus Gott, ist sie des alten Menschen Todt.

103. Drum halte ich vor seelig seyn, wann bruder-lieb hat schwere Pein. Wo Eigen-lieb sucht Süßigkeit, steht bruder-lieb in schwerem Streit.

104. Und weil die bruder-lieb so schön, so laßt uns ihrem Fuß nachgehn: und folgen diesem reinen Trieb: so lehret uns die bruder-lieb

105. Und wallen dann mit grosser Freud den Weg zur stillen Ewigkeit: und wann wir da gegangen ein, wird Bruder-lieb das schönste seyn.

106. Denn was hier nur im Vorspiel war, wird dorten werden offenbar: was hier nur wie ein tunckler Schein, macht Bruder-liebe hell u. rein.

107. Wie freuet sich mein Herz und Sinn, daß ich auch mit gezählet bin in dieses Looß, O wie so schön ist Bruder-liebe anzu sehn!

108. Ich will vergessen, was ich war, ergeben mich der Liebe gar: und ob ich würd darob entseelt, die Bruder-liebe niemals fehlt.

109. Sind wir durch Kleinheit kommen hoch, zu tragen unsers Jesu Joch: So wird die sanfte Last uns leicht, wo sich nur Bruder-Liebe zeigt.

110. O Ew'ger Frühling! brich herfür mit deiner schönen Blumen-Zier: Erfreue die Gewächse dein, laß Bruder-Lieb wie blumen seyn.

111. Daß der Geruch sich breite aus, zur Freud und Lust in Gottes Hauß: Wie Lilien und Rosen weis, O Bruder-lieb! O Paradeis!

112. Wie wird es stehen doch so fein, wann alle Brüder Blumen seyn: Und lieben auch in allen Wehn; nichts lieblichers wird seyn zu sehn.

113. O Auserwähltes Lilien-Kind! daß sich mit uns in Lieb verbindt: Gib, daß wir dir nur folgen nach, biß daß anbricht der frohe Tag.

114. Ist dieses Looß uns zugedacht: von dem, der uns so klein gemacht: So lieben wir in Niedrigkeit, weil Bruder-Liebe uns erfreut.

115. So gehen wir bey Paar und Paar, wie eine weisse Tauben-Schaar: Und lieben, biß wir alle rein, zu gehen in den Himmel ein.

116. Wann ich gedenck, in wie viel Noht der gute und getreue Gott geholffen aus so vielem Leid: so danck ich ihm ohn End und Zeit.

117. O! wie oft war mein müder Geist fast hin zur andern Welt gereißt: Wann mußt in so viel trauren stehn, und von betrübnus fast vergehn.

118. Jetzt ward mein Herz dahin gekehrt zu sehn was Bruder-liebe lehrt: O bruder-liebe! nimm mich ein, mach mich ein Kind der Liebe seyn.

119. Die bruder-liebe ist viel wehrt, wann man im Leiden sehr beschwehrt: So hilfft sie aus,

wo

wo etwa Schild, und trägt die Schwachen in Gedult.

120. Diß hab ich in viel Noth erlebt, wie Bruder-Liebe trägt und hebt: Ach! wie so oft wird ich erfreut durch sie, in meinem Hertzenleid.

121. O lieben Brüder! dencket dran, was Bruder-Lieb an uns gethan: So wol bey Tag als wie bey Nacht, die wir im Elend zugebracht.

122. Wie oft gedacht der blöde Sinn, nun ist die Bruder-Lieb dahin: Man drehe sich auch, wie man will: sieht man ein kläglich Trauer-Spiel.

123. Wann der mühsam und lange Zwang so hart gedrückt in unserm Drang: Daß auch Gedult und Hoffnung hin in dem noch blöden Kinder-Sinn.

124. Doch, wann ich thu gedencken dran, was Bruder-Lieb zuletzt gethan: So weichet der so lange Schmertz, weil Bruder-Lieb erfreut mein Hertz.

125. Die wirds auch bleiben gantz allein, wann aller Welt ihr leerer Schein Dahin wird fallen und vergehn, so bleibt die Liebe ewig stehn.

126. Drum bleib nunmehr die Bruder-Lieb mein Trost, wanns finster schwartz und trüb: Sie bleibe getreu, hält vest an GOtt, und hilfft zuletzt aus aller Noth.

127. Komm Bruder-Lieb wie Gold bewähr auf Gottes reinem Feuer-Herd: Durchglüh mein Hertz mit deiner Glut so wird zuletzt noch alles gut.

128. O! Hertzens-Brüder allzumal, die wir zu dieser hohen Wahl Berufen, da man hingezehlt, wo man dem reinen Lamm vermähle.

129. Doch hier auf dieser rauhen Bahn ist Bruder-Liebe stehts voran: Und hilfft uns tragen unsre Schmach, so wol bey Nacht als wie bey Tag.

130. So geht die Lieb dann mit einher, die alle Tag wird herrlicher: Das muß die grösste Schönheit seyn, wann Brüder so vereinigt seyn.

131. So stehn wir in der Liebes-Kett, und streiten alle um die Wett: Mit ringen dringen durch die Welt, als wie ein tapfer Sieges-Held.

132. Dis heiße wol rechte Bruder-Treu, wo man einander stehet bey: In schwerstem Kampf biß in den Tod, und weichen auch in keiner Noth.

133. O Bruder-Liebe! Christi Bild, so aus der wahren Einfalt quillt: Du bist uns ja viel köstlicher als edle Stein und grosse Ehr.

134. Das ist der Bruder-Liebe Schild, wann nach des Hohenpriesters Bild Die Brüder um des Bruders Noth sich geben hin biß in den Tod.

135. O Brüder! mercket Gottes Rath, und thuts erweisen in der That: Daß es nicht sey ein leer Gedicht, wovon der blose Mund nur spricht.

136. O wie ist Bruder-Lieb so theur! wann brennt das heisse Trübsals-Feur: Wo nichts als Elend Creutz und Noth, gehn gar viel Freunde auf ein Loch.

137. Und fällt dann gar ein harter Stein, gehn noch mehr auf ein Quintelein: O lieben Brüder! dencket dran, bedenckt, was Bruder-liebe kan.

138. In was vor Elend Noth und Pein ich war gelassen gantz allein: In dem so sehr betrübten Stand, das ist allein mir GOtt bekannt.

139. Zuletzt, nach so viel bitterm Schmertz, wacht auf der Bruder-Liebe Hertz: Und heisse meine viele Wehn, sonst wär es bald um mich geschehn.

140. In dieser Noth und bittrem Leid bracht ich zu ein gar lange-Zeit: Da nichts als Elend um mich her, und mich umgeben wie ein Meer.

141. Da oft gedacht in meinem Sinn, ach GOtt! wo soll ich fliehen hin? Soll ich dann gar verstosen seyn von den so lieben Brüdern mein?

142. Doch! da ich, so änfäng zu flehn, wurden geheilet meine Wehn: Die Bruder-Liebe brach herfür, und zeigte mir die offne Thür.

143. Wo Philadelphia ausblüht, und man nur Bruder-Liebe sieht: Drum will ich allzeit dencken dran, was Bruder-lieb an mir gethan.

144. O Brüder-lieb! du edles Band, das uns vom Himmel zugesandt: Du güldner Rohr-Stab bists allein, daß mit der himmlischen Gemein.

145. Wie sind verbunden hier auf Erd, daß nur ein Hirt und eine Heerd: Durchs Lammes Blut wir Brüder seyn, des freuen sich die Engel dein.

146. Wir haben schon im Geist gesehn die Himmels-leiter Jacobs stehn: Da reine Engel uns

uns verwandt in dem so treuen Bruder-Band.

147. Da bringen wir die Opffer dar als eine reine Priester-Schaar: Des Hohen-Priesters Creutzes-Tauff macht unser Rauchwerck steigen auf.

148. O segne uns! du Jacobs-Stern, weil du gesandt bist von dem HErrn: Zu deinen Brüdern hier auf Erd, so bald die Zeit erfüllet ward.

149. Bistu als Bruder uns gebohrn, von einer Jungfrau auserkohrn: Hast unser Elend nicht gescheut, O! Wunder aller Ewigkeit.

150. Weil dann des ersten Menschen Sohn verlassen seines Vatters Thron: Und uns gelehret bruder-lieb, so dringet uns des Geistes Trieb.

151. Daß wir dem Willen Gottes gnu Genügen leisten nah und fern: Das Hohenpriesterlich Gebät unter den brüdern einher geht.

152. Der Wille Gottes dieser ist, daß eins des andern Balsam ist: Der unter Brüdern sehr im Schwang, so lernen wir des Lamms Gesang.

153. Diß nehmen wir gar wol in acht, weil alles dadurch wiederbracht: Was durch die Sünd sich hat verletzt, aus Gottes Ordnung sich gesetzt.

154. Weil Brüder mit am Reigen gehn, wo dieses liebe Lobgethön: Gehöret wird in Gottes Krafft, mein Wünschen gehe, daß mit theilhafft.

155. Mögt werden an dem Jubel-Jahr, allwo der Brüder ganze Schaar: Zum Dienst des Lammes stehn bereit, daß alle Creatur verneut.

156. O Herzens-wunsch verlangte Stund! O Brüder! die mit mir im Bund: Wir sehnen mit innigem Flehn, daß wir des HErren Tag bald sehn.

157. Wer seinen Bruder herzlich liebt, und seinen Nächsten nicht betrübt: Hat schon in dieser Sterblichkeit ein hohen Grad der Seeligkeit.

158. Ich freu mich auch in diesem Spiel, das Lieben ist mir nie zu viel: Duld ich dabey schon mancher Hohn, die Lieb trägt die Beut davon.

159. Wen Bruder-Liebe stets entzündt, ist worden als ein kleines Kind: Er weiß nichts mehr von Ich und Mein, ist ohne Falsch, ganz Engel-rein.

160. Die Bruder-Lieb hat solchen Preiß, sie grünet aus dem Paradeiß: Sie ist so hoher Tugend-Art, daß sie sich mit der Gottheit paart.

161. Sie ist so adelhafft und rein, im Himmel wird nichts schöners seyn: Die ganze neue Liebes-Welt ist voll derselben angefüllt.

162. O Bruder-Lieb! wie bist du doch so gar ein sanfft-und süßes Joch: Brennt Trübsals-Feuer schon oft heiß, die Bruder-Lieb wascht alles weiß.

163. Schaut doch diß grose Wunder an, und seht, was Bruder-Liebe kan: Wo andre oft viel Schönheit ziert, die Bruder-Lieb sich selbst verliert.

164. Obwohl Natur-Lieb noch so zart, ist Bruder-Lieb von solcher Art: Daß ob man Ihr gleich übel spricht, so scheints, als ob sie hörte nicht.

165. Sie ist so stumm, sie ist so blind, sie weiß nichts von des Nächsten Sünd: Ihr Aug ist zu und abgekehrt von allem, was die Lieb beschwert.

166. So ist der Gang sein schön geziert, wo Liebe stets die Scepter führt: Wo Demuth Huld und Freundlichkeit ist worden unser Ehren-Kleid.

167. So sind wir nun ein Tempel-Haus, wo Gottes Geist ziehet ein und aus: Und reine Liebes-Harmonie den Wandel zieret spat und früh.

168. Drum fahr nur hin, du eitle Lust, du bleibst verbannt aus meiner Brust: Ich leb in einer andern Freud, weil Bruder-Lieb mein Herz erneut.

169. Komme, ihr Gespielen, all mit an, und helfft besingen diesen Plan: Laßt eure Liebs-und Lob-Gethön erklingen mit gar Wunder-schön.

170. Denckt doch wie manche Zeit und Jahr aus wie viel Elend und Gefahr: Aus wie so manchem harten Strauß die Liebe hat geholffen aus.

171. Da oft der Feind war so erhitzt, daß auch der Leib fast Blut geschwitzt: Wann schiene das gar aus zu seyn, schenckt sie uns Trost und Hilfe ein.

172. Wann wir oft in so vieler Noth, da Bruder-Lieb fast wie zu Spott: ließ sie bald ihre Schönheit sehn, und thäte heilen unsre Wehn.

173. Die Frucht von unserm vielen Leid ist nun, was Bruder-Liebe erfreut: Weil ihr so treue Gnad und Huld hat ausgesöhnt die viele Schuld.

174. Nun sind wir worden wieder wohl, weil wir sind alles Guten voll: Sind wir dabey schon

X x   am

Salma

arm und bloß, ruhn wir doch in der Liebe Schooß.

175. So wird die Jungfrauſchafft bekränzt,
weil Bruder-Lieb ſo helle glänzt: Die Roſen Lilien ſtehen ſchön, wo man kan Bruder-Liebe ſehn.

176. O lieben Brüder! liebet nur, die Liebe
geht die Creuzes-Spur: Durchs Creuz wird
Bruder-Liebe rein, ſo daß auch kan nichts
ſchöners ſeyn.

177. Des Goldes Glanz iſt nichts geacht,
wer ihren Adel recht betracht: Der gleich ſie nicht
dem ſchönſten Stein, ſie muß die Schönheit
ſelber ſeyn.

178. Aldorten jene ſchöne Stadt, die lauter
Thor von Perlen hat: Muß ihre Schönheit legen ein, wann kommt der Bruder-Liebe Schein.

179. Weil ſie der Glanz der neuen Welt, ſo
von GOtt ſelber iſt umſtellt. Hier in der Blut-
und Creuzes-Tauff thut ſie vollenden ihren Lauf.

180. Doch ſieht man da das ſchönſte Bild,
wo ſtetig Bruder-Liebe quillt: Wo ſelbſt die Weißheit lieblich ſein, muß Bruder-Lieb noch ſchöner ſeyn.

181. Wer hier der Bruder-Lieb nachgeht, der
wird aldort von GOtt erhöht: Wer hier in eigner
Lieb aufſteigt, der wird aldorten erſt gebeugt.

182. Dann wer in eigner Liebe lebt, der Bruder-Liebe widerſtrebt: Kommt nicht ins Paradi-
ſes-Kreiß, verderbet als ein dürres Reiß.

183. Die Bruder-Lieb kan alles thun, ſie macht
ſüß nach der Arbeit ruhn: Wird man geſpeißt mit
Höllen-Noht, ſie kan erlöſen von dem Todt.

184. Die bruder-liebe iſt es gar, ſiehe man aldort die ſel'ge Schaar: Mit Harffen Cymbeln
GOtt erhöhn, die bruder-lieb kan voran gehn.

185. Der groſe GOtt vom Himmels-Thron
wird ſelbſten der Jungfrauen-Sohn: Nahm die
Geſtalt zum bruder-nam, biß er geſchlacht am
Creuzes-Stamm.

Nathanael
15

186. Da ward aus ſeiner Seit erbaut die allerreinſte Gottes-braut: Diß iſt die Mutter von
dem Geiſt, woraus die bruder-liebe fleußt.

187. Die Jungfrau wird in jener Welt Ihm
ſelbſt zur rechten Seit geſtellt: Dann wird, was
lang verloren war, in voller Schönheit offenbar.

188. Hier wird die bruder-lieb vernent, weil

nichtes mehr wird ſeyn gezweyt: Sie geht in ihren Urſprung ein, das wird ein ſchöne Jungfrau ſeyn.

189. Ihr Name heiſſet Sophia, wir lebten
nicht, wär ſie nicht da: Sie iſt das allerreinſte
Licht, wo niemals bruder-lieb gebricht.

190. Sie iſt der bruder-liebe Schild, das reinſte Licht auch Gottes bild: Wer ihrer Schönheit
nach will gehn, der laß nur bruder-liebe ſehn.

191. Sie iſt die liebe Feuer-Herd, worauf die
bruder-lieb bewährt: Sie machet auch mit GOtt
vermählt, wann man zur Jungfrau-Zahl gezählt.

192. Der Weißheit reiner lebens-ſaft reiche
dar der bruder-liebe Kraft: Iſt man nur wohl damit verſehn, kan man durch Tod und Hölle gehn.

193. Sie iſt die höchſte Mayeſtät, wer nur
ein Prieſter und Prophet: Ihr Schmuck iſt nur
von Heiligkeit, auch liebe und barmherzigkeit.

194. Die bruder-lieb löſt alles auf ſchon hie
in dieſem Creuzes-lauf: Dort wird erſt recht ſeyn
offenbar, was hier verdeckt verborgen war.

195. Diß iſt der bruder-liebe Staat, daß durch
des weiſen Schöpffers Raht: Durch bruder-lieb
und Prieſterſchafft dort werde alles wiederbracht.

196. Dann bruder-lieb hat viel Gedult; ſie
ſchencket dem bruder ſeine Schuld: Sie eifert ſel-
ten übers Ziel, dann diß verdirbt ihr reines Spiel.

197. Wann Zorn und Rache angebrannt,
hat ſie das Rauchfaß in der Hand: Und wann
uns nagt der Schlangen-biß, tritt bruder-liebe
in den Riß.

198. Der Erſte, ſo diß Spiel erdacht, hat ſich
für uns zum Fluch gemacht: Ein Gottes-Mör-
der und ein Dieb iſt, wer noch heget eigne lieb.

199. Dann wann uns bruder-lieb erfreut, ſo
ſind wir wie von GOtt erneut: Dann was nicht
riecht nach bruder-lieb, macht finſter, kalt, und
ſchwarz und trüb.

200. Wer bruder-liebe höher ſchätzt, als wo
man nur von lieben ſchwätzt: Der gräbet nach
der Weiſen Stein, der uns macht recht Jungfräulich ſeyn.

201. Wer recht mit bruder-lieb gekrönt, der
wird oft biß zum Tod verhöhnt: Weil er in liebe
tragen

tragen kan, wo ihm ein bruder leids gethan.

202. Wer einmal diese Schul studirt, der siehe nicht, ob sein Bruder irrt: Er liebet nur, und läßts so seyn; durch lieb geht man zum Himmel ein.

203. Es wird kein Fehler mehr gesehn, die Sünde selbst muß gantz vergehn: Ja, dieses hohe Wunder-Gut macht oft den Brüdern neuen Muht.

204. Das Richter-Amt ist abgethan, weil Liebe alles tragen kan: Die Sünde wird darob zu Spott, und gehet endlich ab mit Tod.

205. Die Liebe träget berg und Stein, wo sie gelassen ist allein: Doch wann der Glaube um sie her, der wirft den grösten berg ins Meer.

206. Diß ist des Glaubens Wunder-Kraft, daß er der Liebe Ruh verschaft: Sie ladet sich sonst Lasten auf, daß ihr bald gieng das Leben drauf.

207. Dann Einfalt machet sie so blind, und simpel als ein kleines Kind: drum muß der Glaub sie leiten führn, sonst thäte sie sich selbst verliern.

208. Doch, wann der Glaube Wunder würckt, so stellt die Liebe, eh mans merckt, Des Schöpffers Kraft und bilde dar, das von Anfang verloren war.

209. O bruder-liebe! brenn so fort, in dir liegt Gottes Gnaden-Wort: Du trägst ein hohes Wunder-Gut, das alle Welt versöhnen thut.

210. Diß ist der göldne Wander-Stab, des Königs Sold, die reichste Haab: Was hier auf Erden reich und schön, ist nur als Thorheit anzusehn.

211. Gegen dem grosen Wunder-Gut, wann bruder-liebe wächst der Muht: Muß alles andre in das Grab, weil bruder-lieb die reichste Haab.

212. Als ich den hohen Preiß erwäge den bruder-lieb, im Schoose trägt: Wird meine gantze Lebens-Kraft tingirt von diesem edlen Saft.

213. Drum muß der angenehm Geruch des bruder-balsams süse Frucht: Sich adelhaftig breiten aus in unsers Gottes Stadt und Hauß.

214. Die bruder-liebe bleibt erhöht, in Ewigkeit sie nicht vergeht: Sie wird zuletzt stehn erbaut als eine reine Gottes-braut.

215. Diß ist der Schluß von diesem Lied: wann bruder-liebe aus geblüht: So wird die Frucht ein güldner Schein im Paradise Gottes seyn.

Nachklang.

So muß die bruder-liebe lieblich grünen,
    Wo die Natur in der Verwesung steht;
Der bruder-balsam muß zum Segen dienen,
    Wenns hagelt, schneyt und durch einander weht.
Hat bruder-lieb die Schul studirt,
Daß sie im Elend keine Klag läßt hören,
    So ist nichts mehr, das sie berührt,
Was sonst den Sinn in etwas könt bethören.

So bald der bruder-balsam wird empfunden,
    So macht er auch der Liebe weite bahn,
Daß nichts vom Sünden-Gift wird mehr gefunden:
    Hier sieht man bald, was bruder-liebe kan.

Diß ist die Kraft von diesem Lied,
Wo bruder-liebe alles kan besteigen,
    Dann wer noch etwas böses sieht.
Der muß von bruder-liebe stille schweigen.

Freylich bringt bruder-lieb den edlen Segen,
    Der neuen Welt herführ: was dort wird seyn,
Thut klärlich zeigen sich in denen Wegen,
    Wo bruder-lieb schenckt lauter balsam ein.
Ist diß der Liebe Thätigkeit,
Daß stets der balsam thut auf andre fliesen,
    So ists die Frucht der Seligkeit,
Die man wird hier und dort ohn End genlesen.

ENDE.

X x 2

Ein angenehmer Geruch der
Rosen und Lilien,

Die im Thal der Demuth unter den Dornen hervor gewachsen/ alles aus der schwesterlichen Gesellschafft in SARON.

Der Himmel freue sich, und die Erde sey froh, dann die Heiligen des Höchsten nehmen das Königreich ein, und die Elenden und Verlassenen kommen empor. Wir hören Lobgesänge gegen dem Aufgang, dann die vom Ende der Erden kommen, und bringen ihre Gaben zu Ehren dem Allmächtigen.

A

ACH! wie wird es so schön aussehn, wann dort auf jenen Zions Höhn die Jungfern werden stehen: Bey Paar und Paar in ihrem Gang mit wunder-schönem Lobgesang nach ihren langen Wehen; und vielem Elend hier auf Erd sie nun so schön in GOtt verklärt.

2. So offt wir sehen dort hinan, so wird uns unsre Trauer-Bahn verkläret mit viel Freuden. Der bittre Kelch und schwere Drang löset sich auf in Lobgesang, in den betrübten Zeiten. Was dort die Jungfrauschafft verklärt, ist hier auf Erden ausgekehrt.

3. Drum wir so manchen Trauer-Gang, da öffters Seufftzen für Gesang in unsrem Lauff auf Erden. Wann aber unser schwacher Sinn nur kleine Blicke thut dorthin, muß alles anders werden: wir kommen aus an unserm Leid von der so grosen Geistes-Freud.

4. Dann wann wir nur gedencken dran, was uns auf unsrer Trauer-Bahn hat öffters eingemessen die Mutter vom Jungfrau-Geschlecht, so hier auf Erden auch kein Recht, so können wir vergessen, da wir offt giengen hin und her, als ob kein Trost noch Helffer wär.

5. Die Tage unsrer Wayfenschafft hielten uns nicht so lang verhafft, als wie der Mutter Zeiten; als, die in viel betrübter Pein so lange Jahr mußt Wittwe seyn, eh GOtt ihr kont bereiten ihr Braut-Bett, nach so viel Gefahr, daß sie wird Mutter größer Schaar,

6. Als die den Mann zu ihrem GOtt, also die Jungfrauschafft zum Spott, mit manchem Hohn beladen. Jetzt wachsen ihre Töchter an, und folgen ihrer Trauer-Bahn, weil sie von GOtt berathen; daß ihrer Kinder Schaar aufgeht, wie Thau die schönen Morgen-Röth.

7. Jetzt sind wir erst recht froh gemacht, weil unsre lange Creutzes-Nacht die Mutter aufgehoben; weil sie als Jungfrau in dem Stall ihr Kind gebohrn dem Mann zum Fall: wer solte GOtt nicht loben? Jetzt ist die Jungfrauschafft gekrönt, nachdem sie lang genug verhöhnt.

2. Sr. Ketura

ACH GOtt! ich sieh um deine Huld, du wolst mir deine Gnad beylegen, und nicht zurechnen meine Schuld, weil gantz dahin ist mein Vermögen: der harte Zwang und Drang macht mir die Zeit so lang, daß ich es fast nicht mehr kan tragen, drum thu ich dir, O GOtt! es klagen.

2. Und wann wir nicht in deiner Hand, ist unsre Hoffnung gar verloren; doch ist diß unser Gegen-Pfand, daß du uns von der Welt erkoren, und bracht zu dem Geschlecht, allwo dein Liebes-

Recht:

Recht wird ohnveränderlich gehalten, drum werden wir auch nicht erkalten.

3. Und solt auch unsre Thränen-Saat bis an das End des Lebens währen, so tröstet uns doch Gottes Rath, und hoffen, sie wird dort aufhören: und in dem gegentheil erfreuen uns viel Heil, daß unsre Saat wird dicke stehen, mit Frucht und Aehren wohl versehen.

4. Drum trösten wir uns mit dem Heil, das wir allorten einst zu hoffen, und weil uns worden diß zu Theil, so haben wir das Ziel getroffen: nun wird die Ewigkeit uns lohnen für das Leid, das wir in dieser Welt getragen, da niemand nach uns thäte fragen.

5. Drum muß die Treu seyn fest u. groß, wo man will leben GOTT zu Ehren, dieweil so mancher harte Stoß thut unser Herz und Seel verzehren, und machet unsern Gang so hart und schwer und lang, daß oft die Hoffnung will verschwinden, weil fast kein Hilf mehr ist zu finden.

6. Indessen bleibet Gottes Treu doch über alles hoch erhoben, weil sie uns stehe so treulich bey, und hilft uns aus so vielen Proben: wann statt der Freud das Herz beschweret Leid und Schmerz, weiß sie am besten uns zu rathen, und aller Sorg uns zu entladen.

3. S. Foebe

ACH GOTT! thu dich erbarmen der kleinen Zions-Heerd, und sieh doch auf uns Armen, eh wir gar aufgezehrt. Soll es dann ewig währen, daß sie muß seyn betrübt, die unter so viel Zähren dich doch so innig liebt.

2. Wann wird doch einst geschehen, daß Zion ihre Saat siehe in den Aehren stehen, die jetzt oft ohne Rath im Elend muß umschweben und vielem Herzens-Leid, daß sie oft müd zu leben in der betrübten Zeit.

3. Ach! laß doch bald erscheinen, wornach sich Zion sehnt, die unter so viel Weinen oft bis zum Tod verhöhnt. Es sind dir ja die Wehen am besten selbst bekannt, die über sie ergehen in ihrem Trauer-Stand.

4 Drum thu dich wieder wenden zu uns, in unserm Leid, und thu uns Trost zusenden in unsrer Traurigkeit. Wir sind ja doch die Deinen, weil wir dir zugewandt, ob wir schon oft von Weinen den Freunden unbekannt.

5. Ach! wie so gar verlassen muß hier die fromme Schaar stets wandeln ihre Strasen in mancherley Gefahr? Wie viele Herzens-Pressen, wie mancherley Gedräng, wird ihr nun eingemessen, statt schöner Lobgesäng.

6. Solls dann nicht bald geschehen? daß sie einmal erlöst von ihren vielen Wehen, und werd von dir getröst. Es hat dir ja gefallen, daß du sie dir erwehle vor vielen andern allen auf dieser ganzen Welt.

7. Doch wirds schon anders werden in jener Ewigkeit, wann, nach so viel Beschwerden, in groser Herrlichkeit, dein Zion wird genesen, statt wo sie lang verhöhnt, und in dem Staub gesessen, wird seyn von GOTT gekrönt.

4.

ACH GOTT! wann komme doch einst die Zeit; daß ich kann freudig sagen: ich dancke dir in Ewigkeit, daß du mich hast getragen, und mein in so gar mancher Noth gepfleget, als ein treuer GOtt, in Gnade und in Güte.

2. Da ich noch jung und ungeübt in meinen Kinder-Jahren, und in dich war so sehr verliebt, daß ich ließ alles fahren, was Herz und Augen wolgefällt, samt aller Lust der eitlen Welt, den Himmel zu erjagen.

3. Dacht aber nicht in meinem Sinn an so ein langes Weinen, als ich mich so ergeben hin unter die liebe Deinen. O! aber wie hat deine Gut, die nie wird des Erbarmens müd, so treulich mein gepfleget.

4. Dann da ich war vom Schooß gesetzt, und so must gehn die Strasen, da ward mit Trähnen ich benetzt; daß meynte ich wär verlassen, weil solt auf eignen Füsen gehn, und GOtt wolt mir nicht mehr beystehn in den betrübten Zeiten.

5. Gar früh gieng dieser Jammer an, daß ichs offt kaum kont tragen, weil ich in der verliebten Bahn solt seyn von GOtt geschlagen [so meynte ich] weil ich die Zeit verbracht in so viel bitterm Leid, in meinen Trauer-Tagen.

Xx 3   6.

6. Doch, da ich so verlassen stund, daß fast von Seufftzen müde, gedachte ich an meinen Bund in meiner Jugend-Blüte, da so verliebt getreten an den Weg der schmalen Himmels-Bahn mit freudigen Geberden.

7. In diesem Handel liese nach mein hefftiges Betrüben; ich dacht: vielleicht wär diß die Sach, daß GOtt mich wolte üben, ob ich auch gantz sein eigen sey, ohn leeren Trug und Heucheley alhier in meinem Wallen.

8. Und wann ich treu erfunden wär; wird mich sein Auge leiten, und allezeit seyn um mich her, daß ich nicht fall zur Seiten: auch bieten wiederum die Hand, und in dem sehr betrübten Stand gantz nehmen hin mein Weinen.

9. Jetzt läst mir GOtt vom Himmel her viel neuen Trost ansagen, wanns scheint, als ob vergessen wär, so woll er heben tragen, und schencken wieder neuen Muth, weil ich hätt um das ew'ge Gut, so vieles schon erlitten.

10. Drum freu ich mich in meinem Sinn, daß es so weit ist kommen, und GOtt es hat gebracht dahin, daß wir sind eingenommen, wo man belohnt mit lauter Gut, und wann man auch scheint matt und müd, auf Händen wird getragen.

11. Die grose Freud und Seligkeit, die dorten wird erscheinen, wird nehmen hin mein vieles Leid und auch mein langes Weinen. Dann wird man sich nicht mehr bemühn, die Trauer-Saat wird lieblich blühn, und schön zur Ernde weisen.

12. Dann wird man Garben binden auf mit süsen Himmels-Freuden, nach dem so müden Lebens-Lauf, und sehr betrübten Zeiten. Jetzt ruhe man unter JEsu Schatt, da ew'ges Leben ew'ge Gnad und Freude ohne Ende.

5.

ACH GOtt! wie muß mein Leben in dieser eitlen Welt in vielem Elend schweben, die doch zuletzt zerfällt.

2. Doch steh ich im Verlangen nach jener Ewigkeit: da kommt mein Trost gegangen in groser Sieges-Freud.

3. Wer einmal GOtt ergeben, erlangt die wahre Ruh; sein gantzes Thun und Leben laufft nach derselben zu.

4. Viel Segen thut einfliesen aus Gottes Freundlichkeit, und machet mir versüssen mein viel gehabtes Leid.

5. Ich kan von Güte sagen, weil ich bin kommen heim, als ich thät alles wagen, und drang in GOtt hinein.

6. Mein Seufftzen und mein Flehen hat GOtt einmal erhört; die Gnade thät aufgehen, eh ich gar aufgezehrt.

7. Seht Zions-Kinder kommen; der Jammer ist bald aus, da GOtt die lieben Frommen heim bringen wird nach Haus.

8. Das reine keusche Leben hat diß zuwegen bracht: weil wir uns GOtt ergeben, und alle Ding versagt.

9. Die Gnaden-Thür steht offen, man rufft: Halleluja! das Glück ist nun getroffen, der Hochzeit-Tag ist nah.

10. Jetzt ist mein Leid vergessen, jetzt kan ich stille seyn; weil ich in GOtt genesen, geh ich zur Kammer ein.

S. 6. Ketura

ACH HErr! wann wird erscheinen, daß Zions gantze Schaar erlöst von allem Weinen und mancherley Gefahr: wo sie noch muß umschweben, in ihrem Trauer-Stand, da sie oft müd zu leben, und seyn muß unbekannt.

2. Ach! hör doch Zions Flehen! die gantz verlassen steht; betrübt umher muß gehen, daß alle Lust vergeht: weil oft muß unten liegen der sonst verliebte Sinn: und keine Krafft zu siegen, daß aller Muth fällt hin.

3. Ach! seht doch Zions Schmerzen! wie bitterlich sie klagt; weil sie von gantzem Herzen es auf den HErrn gewagt: Und nun an statt der Freude und Herrlichkeit und Ehr, muß seyn ein Spott der Leute und gehn betrübt einher.

4. Wie thäte sich vor Zeiten der reine Kirchen-Zweig so wunder-schön ausbreiten in GOtt und Christi Reich! daß viel in fernen Landen bey diesem Glantz und Schein, gern wolten seyn Verwandten und zugezehlet seyn.

5. Nun aber ist er worden veracht und schnöd gemacht, daß er fast aller Orten verschoben und veracht, weil seine beste Freunde auch von Ihm weggewandt, und worden wie die Feinde gantz fremd und unbekannt.

6. Drum ist es nun geschehen, daß auch das lieb Geschlecht muß fast im Leid vergehen, weil viel ihr Bürger-Recht so gar in Wind geschlagen bey dieser trüben Nacht, und durch kleinglaubigs Zagen ihr Looß gering geacht.

7. Und thäten sich hinwenden zur eitlen Lust und Ehr, und liesen gantz aus Händen die so heilsame Lehr: die aus so hoher Gnade von GOtt uns zugedacht. O! welch ein groser Schade, wo die ist aus der Acht.

8. Wie kan man sich doch laben an diesem wilden Baum, da anders nichts zu haben als Wind und leerer Schaum. O wol! wer um thut wenden, weil es noch heiset heut: wie bald ist aus den Händen die edle Gnaden-Zeit.

9. Wie plötzlich wirds geschehen, daß sich das Blatt gewendt, wann treffen viele Wehen, wer sich von Zion trenne. Und wem zu schwer zu tragen, das Joch von JEsu Lehr, wird dorten gar verzagen, für seiner Macht und Ehr.

10. Wann alle die Verächter der kleinen Zions-Heerd mit ihren Erbgeschlechter vertilget von der Erd: und die ein Liedlein machten von Zions Traurigkeit die müssen nun verschmachten von grosem Hertzenleid.

11. Dagegen wird viel Freude und süser Liebes-Wein (vor ihr gehabtes Leide) Zion geschencket ein. O! wie so schön wirds klingen, wann man wird Zion sehn gar schön am Reigen singen, bey Paar und Paaren gehn.

12. Und weil sie nicht thät welchen in der betrübten Zeit, sind ihr zum Sieges-Zeichen viel Kronen zubereit: darinn sie nun wird prangen in grosem Sieges-Pracht, vor die gehabte Drangen, da sie gering geacht.

13. Viel süse Freud und Wonne wird über Ihr aufgehen, und wird vors Lammes Throne in hohen Ehren stehn, hoch rühmen seine Gnade, so sie erhalten hat hier, auf dem Lebens-Pfade durch Güte und Genad.

14. Viel schöne Lobgesänge werden alsdann gehört, da alles in die Länge und ohne Ende währt. Drum wird nach den Beschwerden im schmalen Himmels-Steig, dir schön dein Theil hoch werden aldort, in Gottes Reich.

7.

ACH! wie betrübt muß umher gehn in meinem Leid und Trauer-Tagen: weil stets bedeckt mit so viel Wehn, daß kaum mit Worten auszusagen. Der Waisen Stand bleibt mir verwandt auf meinem Weg zum Vaterland.

2. So geh ich hin in manchem Leid, wobey ein kümmerliches Leben; Trostloß in der Empfindlichkeit, weil gäntz verlassen muß umschweben. Mein bestes, das ich angewandt, bracht mich in solchen Trauer-Stand.

3. O treue Liebe! dencke dran, wie ich mir allem mich ergeben, auf der so sehr verliebten Bahn, um gantz zu Ehren dir zu leben. Weil schön in meiner Jugend-Blüt gezogen an, durch deine Güt.

4. Daß in so sehr verliebten Sinn die Freude dieser Erd ließ fahren, und mich in allem so gab hin, mich dir in Liebe zu verpaaren. Damit ich ohne alle Scheu dir bleiben möge ewig treu.

5. Jetzt muß ich gehen gantz allein, und in viel Elend umher schweben; da meynt dein Eigenthum zu seyn, kan ich von Trauren offt kaum leben. Doch hoff, du wirst noch dencken dran, wie treu ich meinen Eyd gethan.

6. Nun geht mir auf ein Hoffnungs-Klang, nach langem Leid u. Trauer-tagen, da mir offt Zeit und Weile lang, auch öffters kaum war zu ertragen. Doch bin ich voller Freud und Trost, weil mir als wär vom Tode erlößt.

7. Dann meines Holden Freundlichkeit, die mich so früh an sich gezogen, nimmt hin mein viel gehabtes Leid; daß werd aufs neu zur Lieb bewogen, läßt er mich spüren seine Gnad, so folg ich seinem weisen Rath.

8. Und will auf meiner Trauer-Bahn mich lassen seine Güte leiten, und allzeit fleissig dencken dran, wie Er bewahrt mich vor dem Gleiten. Drum sag ich noch einmal mit Eyd, getreu zu seyn in Ewigkeit.

Ach

8.

ACH ach! der vielen Schmerzen! das uner-
meßne Leid, und Kräncken in dem Hertzen verzehrt mir alle Zeit: soll es dann ewig währen,
der lange Jammer-Stand? soll es dann gar verzehren mein dürr und drocknes Land?

2. Wo ist mein Helffer blieben, der sich vor dieser Zeit so theuer mir verschrieben in meiner Niedrigkeit? Nun bin ich wie entseelet, und gantz zu
nicht gemacht, weil mirs an Kräften fehlet in der
so schwartzen Nacht.

3. Daß nun kan meiner lachen das unglaubig-
Geschlecht, thun ihren Hohn draus machen, weil
ich bin geschwächt, mit vieler Schmach umgeben von allen Orten her, daß ich stetig muß umschweben im tiefen Jammer-Meer.

4. Doch wird mirs noch gelingen auf der mühsamen Reiß, daß ich von Wunder-Dingen kan
sagen, GOtt zum Preiß; der mich so wohl geleitet, und hat hindurch gebracht, auch offt die Eng
erweitet in trüb und dunckler Nacht.

5. Da ich ging mit viel Brasten mein rauhe
Pilger-Straß, dabey mit vielen Lasten beschweret
ohne Maaß: hat doch die grose Güte mich wunderbar umstellt, daß nicht bin worden müde zum
Wunder aller Welt.

6. So ist es dann getroffen, wann alles wie
zernicht, und auch dahin das Hoffen, das Beste
hingericht: dann kommt das Heil von oben, und
schencket Güte ein, nach so viel Glaubens-Proben
so bitterer Liebes-Pein.

7. Drum will ich alles tragen, was meinem
GOtt gefällt, weil nach den Trübsals-Tagen erscheint ein andre Welt: nach den so vielen Proben, und manchem harten Streit werd ich GOtt
stetig loben in alle Ewigkeit.

S. Hanna

9.

BJn ich arm und kleine, daß verdecke mein
Scheine: hälte mich doch die Glaubens-Pflicht,
daß ich stehe aufgericht.

2. Nichts wird mich mehr scheiden, wärs auch
Schmerz und Leiden: ich bleib denen zugesellt,
die sich JEsus auserwehlt.

3. Meines Geistes Sehnen machet mich gewöhnen, daß die reine Liebes-Lust stets erfüllet
meine Brust.

4. Wann mich in der Blüte labet seine Güte:
ruh ich sanft in süser Still, und geniese seiner Füll.

5. Was ist wohl zu nennen, das uns möge
trennen? wenn mein Freund mir thut so wohl,
daß ich alles Guten voll.

6. Wer sich hat ergeben deme nach zu leben,
was die reine Liebe lehrt, bleibt GOtt ewig zugekehrt.

7. Ist mein Geist erhoben, daß ich Ihn kan
loben: bring ich meine Opfer dar auf dem reinen
Danck-Altar.

8. So muß Krafft und Wesen machen mich
genesen: und mich nehmen so dahin, daß ich gantz
sein eigen bin.

9. Sie hat mich gezogen, daß mein Herz bewogen: alles ihr zu geben hin, was ich hab und
was ich bin.

10. Ich halt an mit Flehen, daß bald mög geschehen: daß ich aller Fülle satt, wo mich nach
verlanget hat.

11. Auserwehlte Bräute! sehet die süse Beute:
die uns JEsus theilet aus, wann wie kommen
heim nach Haus.

12. Die Gedult muß krönen, wann wir uns
gewöhnen: in dem Leiden stille seyn, gehen wir
zum Himmel ein.

10. *S. Ketura*

BJn ich schon der Welt verborgen, und den
Menschen unbekannt, wird doch dort an jenem Morgen in des neuen Menschen Stand,
meine Ehr und Kron erscheinen, wann zu End
das lange Weinen, da der viele Schmerz gestillt,
und des Leidens Maaß erfüllt.

2. Drum will ich hier gerne dulten, folgen
nach dem wahren Lamm, das versöhnet meine
Schulden an dem bittern Creutzes-Stamm: hilf
mir aus so vielen Wehen, daß ich kan im Kampf
bestehen; fället auch schon oft saur und schwer,
geht Es selber doch vorher.

3. Und hat mich auch zugezehlet der Gemeinschafft in dem Bund, die sich selbst mit GOtt
vermählet, und mit Geist und Herz und Mund,

hier

hier in diesem gantzen Leben, Ihm zu eigen sind
ergeben, nur zu stehn bey seinem Recht, als ein
jungfräulich Geschlecht.

4. Das da ohne End wird grünen hier und
dort in jener Welt, und im innern Tempel dienen,
wie es selbsten GOtt gefällt: da die Priester-
Schaar mit Flehen allezeit vor GOtt thut stehen:
opfern rein, ohn allen Fehl, als ein geistlich Israel.

5. Darum wallen wir mit Freuden hin, zur
stillen Ewigkeit, achten weder Schmertz noch Leiden, weil uns Gottes Gut erfreut. Wo wir oft
betrübt gesessen, und der Zions-Freud vergessen,
hat Er uns sehr reich getröst, und aus Noth und
Tod erlöst.

6. Dort wird sich erst völlig zeigen, was jetzt
noch verborgen ligt, wann der Jammer gantz wird
schweigen, wo so oft das Hertz besiegt. O! wie
wohl wirds uns noch werden, wann wir von der
Last der Erden sind entbunden gantz und gar, und
der mancherley Gefahr.

7. Drum wohl denen, die durch Leiden, Creutz,
Verachtung Spott und Schmach gehen ein zu
Zions Freuden, wo vergessen alle Klag. Wer
auf diesen rauhen Wegen eingesammlet, Gottes
Segen, wird ohn Zeit und End erfreut in der
frohen Ewigkeit.

8. Dann wird unser Schmuck erscheinen in
viel Ehr und Herrlichkeit, der hier unter so viel
Weinen, und viel Leiden zubereit: und weil uns,
der reinste Orden in dem Blut des Lammes worden, bleiben wir Ihm zugesellt hier und dort in
jener Welt.

11. S. Eugenia

Bin ich hier schon gering und klein, und trage viel Beschwerden, da oft der bitter Myrrhen-Wein mir eingeschencket thut werden mit reichem Maaß und Ueberfluß: wobey sich auch der
Thränen-Guß sehr häuffig thut ergiesen, und
macht das Hertz zerfliesen.

2. So wird doch nimmermehr vergehn, was
einmal angefangen, die Lieb wird heilen meine
Wehn, und stillen mein Verlangen, und nehmen
allen Kummer hin; der ehmals plagte meinen Sinn.
Drum will ich auch ohn Zagen sehr willig Alles
tragen.

3. Und ob schon manche Stunden seyn bey
mir vorüber gangen, daß mit sehr heisser Liebes-
Pein und brünstigem Verlangen mich hab gesehnet Tag und Nacht, daß den, der mich verliebt
gemacht, ich wieder möchte finden, und mich mit
Ihm verbinden.

4. Ich wurde aber nicht getröst, blieb Einsam
und Verlassen, mein Heiland, der vom Tod erlöst, wolt mich nicht da umfassen: dieweil ich noch
im fremden Land, allwo sein Name unbekannt,
drum ließ Er sich nicht sehen, ich must alleine gehen.

5. Da thät ich mit gebeugtem Sinn fort wallen meine Straasen: und gab mich gantz mit Allem hin, daß Er mich solt fassen; weil seine heisse
Liebes-Pein mein Hertze so genommen ein, daß ich
mich auch ergeben ohn Ihn nicht mehr zu leben.

6. Doch blieb in allem noch betrübt, weil ich
nicht kont erweichen sein Hertz, das mich doch erst
geliebt, und nun wolt von mir weichen: doch gab
ich mich zu frieden hin, hielt mich an den verliebten Sinn, solts auch noch länger währen, die Lieb
wird nicht aufhören.

7. In diesem Sinn ging ich dann fort in vielem Leid und Wehen, jetzt kam ich zu der engen
Pforte, must aber draußen stehen: weil da durft
Niemand kommen ein, als wer von allen Dingen
rein, und ich war nicht geschieden vom selbst erwehlten Frieden.

8. Dis war mir über Alles schwer und konte
mich kaum fassen, weil schon in so viel Noth vorher, und nun solt Alles lassen: der Glaube war
noch jung und klein, ich solte gantz geschieden seyn
von Allem, was mein Leben; doch must ich es
hingeben.

9. Gedachte aber auch dabey: was wills zuletzt noch werden, wann ich nicht werd des Kummers frey und von so viel Beschwerden. Doch
da ich meint: nun ist es aus, ward ich in meiner
Mutter Haus von meinem Freund empfangen,
wornach ich trug Verlangen.

10. Da wurd ich von so vieler Freud in mir
gantz aufgezogen, so daß vergessen alles Leid, weil
mir mein Freund gewogen: allein ich hab Ihn
kaum gesehn, wolt er schon wieder von mir gehn,

doch

doch ließ durch Liebes Blicke Er mir sein Hertz zurücke.

11. Drum bin ich nun sehr wohl getröst, und leb in stetem Frieden; ich bin von Höll und Tod erlöst, von Freund und Feind geschieden. Und ob ich schon in meinem Gang noch offt muß träuren für Gesang; werd ich doch ohn Erbleichen mein rechtes Ziel erreichen.

12. Und währts auch bis ins Grab hinein, daß ich muß seyn betrübet, so soll doch diß mein Liebstes seyn, daß ich in Ihn verliebet. Und weil ich Ihn einmal ersehn, so leid ich willig alle Wehn, bis Er mir wird erscheinen, und nehmen weg mein Weinen.

S. Kethura.

12.

DAs kleinste Ich und Mein, das sich an mir erweiset: bringet solche Vielheit ein, die mich von GOtt abreisset.

2. O ewiger Verlust! wer damit ist umgeben: dem bleibet unbewußt der Friede und das Leben.

3. Drum ist das Ein so viel, das heisset nichtes haben: da kan man ohne Ziel an Gottes Güt sich laben.

4. O seliger Gewinn! wer diese Armuth funden: der bleibet immerhin mit Gottes Lieb verbunden.

5. Diß arm-seyn machet reich, es bringet Ruh und Frieden: und machet auch so gleich von aller Welt geschieden.

6. Es führet auch hinein in die geheime Kammer: und heißt uns ruhig seyn, nach viel gehabtem Jammer.

7. Daselbst genieset man von den geheimen Schätzen: die uns kein Reichthum kan noch alle Welt ersetzen.

8. Diß ist das Himmels-Brod, die diß erlanget haben, die können in der Noth am Nichtes-Seyn sich laben.

9. Diß machet alles Leid und Bitterkeit versüsen: u. läßt die Ewigkeit uns in der Zeit genlesen.

10. Doch ist nur diese Höh im Demuts-Thal zu finden: dann wann ich abwärts geh, so kan ich sie ergründen.

11. Wer da gekommen hin, kan leben ohne Sorgen: dieweil sein reiner Sinn in Gottes Lieb verborgen.

12. O angenehme Still! wer die einmal gefunden: dem geh es, wie es will, er bleibt mit GOtt verbunden.

13.

DIe Lieb ist eine schöne Kron von Ewigkeit gewesen, und durch des keuschen Gottes-Sohn uns wieder macht genesen, da er sich ließ sehr hoch erhöhn am Creutz, zu heilen unsre Wehn.

2. Die Lieb ist gar ein edle Blumm, mit Farben schön-gezieret, und auch der Weißheit hoher Ruhm, die uns zu GOtt hinführet; sie treuimphirt in allem Drang, zu preisen GOtt mit Lobgesang.

3. Die Liebe ist ein schönes Kleid, das uns wird angeleget, wann wir von allem sind befreyt, was sich offt in uns reget, wann wir sind worden faul und träg, zu wandeln auf dem Lebens-Weg.

4. Die Liebe ist ein süser Brunn, der aus dem Felsen fliesset, und aus der Seiten JEsu, renn, da er für uns geblieset: da die Verächter seiner Ehr durchstachen Ihn mit einem Speer.

5. Die Liebe ist ein schöner Baum, gar lieblich im Gesichte; so bald sie findt im Hertzen Raum, so zeigen sich die Früchte, und reichen dar den reinen Safft, daß wir zum Nutzen neue Krafft.

6. Die Liebe ist ein schöner Krantz, so uns wird aufgebunden, wann wir gehn an den Freuden-Tantz, wo alles überwunden, und statt Verachtung Spott und Hohn, erlanget die edle Ritter-Kron.

7. Die Liebe ist ein schönes Licht, das allezeit thut scheinen, wenn es an Rath und Hülff gebricht, machet sie ein End dem Weinen: und löset auf den schweren Drang, wo uns offt Zeit und Weile lang.

8. Die Liebe ist ein Perlen-Stein, der sich nicht läßt verwunden, wer nur gräbt tief ins Hertz hinein, da wird der Schatz gefunden, der vor so manche Zeit und Jahr, versteckt, verdeckt, verborgen war.

9. Die Liebe ist ein kühler Thau, so mich gar offt erquicket, wann meine dürre Hertzens-Au viel Trübsals-Hitze drücket; sie hilfft offt aus viel Hertzenleid, und machet ein End dem schweren Streit.

10.

10. Die wahre Lieb weiß keinen Feind, sie achtet kein Betrüben, wird auch ein Freund gleich einem Feind, sie hört nicht auf zu lieben; sie bleibt und ist das höchste Gut, gibt offt den schwachen Kämpfern Muht.

11. Die Liebe ist von Ewigkeit aus Gottes Herz geflossen, hilfft aus so vielem schwerem Streit, die ihre Reichs-Genossen: sie bracht sich selber in den Tod, daß wir erlößt von aller Noht.

12. Wer diese Liebe in sich hat, ist sein und wohl gelassen, sein Unterricht ist hoher Raht, drum ist sein Ziel getroffen. O Lieb! ich bleibe stets an dir, sey du mein Leben für und für.

S. Prisca. 14.
Der reine Geist aus GOtt hat mich berühret, gezogen aus der Welt, und hingeführet zur reinen Glieder-Zahl, die GOtt erkohren, und sie durch seinen Geist hat neugebohren.

2. Das ist die höchste Lust, die uns kan rühren, wann uns der reine Geist thut selbsten führen ins innre Heiligthum, wo ein Ermüden die Andacht steiget auf in stetem Frieden.

3. Ich bleib verbunden stehn in allen Wehen, weil mich die treue Lieb dazu ersehn: daß ich vereiniget mit denen Seelen, die allhier Tag und Nacht sein Lob erzehlen.

4. Das ist des Geistes Lust und Herz-Vergnügen; muß schon der blöde Sinn ein unten liegen: Gedult erwirbet Trost in allem Zagen, wann Hoffnung thut den Kampf zum Tod hinwagen.

5. Dann mein verliebter Sinn läßt mich nicht wancken, des reinen Geistes Zucht hält mich in Schrancken, zu eilen treulich nach jenem Leben, das uns die Freuden-Ernte zulegt wird geben.

15.
Du wahre Entsprissung aus Göttlicher Lieb! wie süß sind doch deine geheiligte Trieb: Denn wer sie geniesset, muß werden versüsset, was sünster und bitter sind schwartze und trüb.

2. O JEsu! mein Leben und einige Zier! ach laß dir gefallen zu wohnen bey mir: Kan ich dich nicht haben, sind andere Gaben verlohren, und wärs auch die schönste Zier.

3. Vertreibe, O JEsu! im innersten Grund die Seuche, so öffters mich tödlich verwundt: Kan ich eindringen, und laß mich erringen durch deine Gnade den ewigen Bund:

4. Ach! laß mich stets wohnen in deinem Gezelt, weil ich mir dasselbe vors beste erwählt: Viel heiliges Küssen man da thut geniessen, weil Geiste und Herze mit JEsu vermählt:

5. O JEsu Jehova! du liebliche Wonn, komm, leuchte doch in mir du göttliche Sonn: Und thu mich bemahlen mit deinen Licht-Strahlen, so trag ich das Liebste, und Beste davon:

6. Mein Holder, mein Liebster und einige Lust, laß mir doch nichts anders mehr werden bewußt: Als dich nur alleine zu lieben gantz reine: Ach! laß mich stets trincken an deiner Lieb-Brust.

7. Dich loben und lieben ist herrlich und schön, und also nur deinen Fuß-Tritten nachgehn: läst nimmermehr wancken in heiligen Schrancken, wann Himmel und Erden auch solten vergehn.

8. Wie herrlich und lieblich wird schallen der Klang, wann Jungfern dort singen den neuen Gesang: Von Menschen erkaufet, im Blute getauffet, treu bleiben auf Erden im bittersten Drang.

9. Dann werden sie Chöre um Chöre dastehn, und also mit Freuden dem Lamme nachgehn: Mit schönsten Weisen, unendlich zu preisen den, so hat geheilet die Schmerzen und Wehn.

10. Kommt alle ihr Frommen! frolocket zugleich, daß keines mehr werde noch matte noch weich: Im Dancken und Loben, in Leiden und Proben, dieweil wir erblicket das Göttliche Reich.

16.
Es geht mir tief zu Hertzen, wann nur daran gedenck, wie viele bittre Schmertzen mir täglich eingeschenckt: Ach! mögt ich doch bald sehen das Heil von oben her, sonst muß von Leid vergehen in diesem Jammer-Meer.

2. Wie viel und manche Wehen und bitters Hertzenleid oft über mich ergehen in der betrübten Zeit. Ach! wie hält sich verborgen das lang erblickte Heil, daß so viel schwere Sorgen worden zu meinem Theil.

Yy2

356

3. Ach! wem sol ich es klagen? wer weiß von dieser Noht?, doch wil den Jammer tragen, solts währn biß in den Tod. Vielleicht hat GOtt ersehen nach seinem weisen Raht, wie mir hier sol geschehen auf seinem Lebens-Pfad.

4. Drum mich so hart getroffen die kümmerliche Zeit, daß fast dahin das Hoffen von Gottes Gütigkeit. Ach! wie sol ich erheben den matt- und blöden Sinn, mein kümmerliches Leben nimmt alle Krafft dahin.

5. Ist, dann umsonst geloffen so manche Zeit und Jahr?, sol dann mein langes Hoffen selbst seyn verlohren gar? Doch wil, weil ich sehr müde, warten im Demuths-Sinn, biß das mir Gottes Güte nimmt meinen Kummer hin.

6. Ich kan es doch nicht sagen, wie seine grose Treu in meinem vielen Zagen mir hat gestanden bey: Wär dieses nicht geschehen in der betrübten Zeit, hätt müssen ich vergehen von vielem Weh und Leid.

7. O! wie ist Gottes Güte so süse in der Eng, wenn man von Seuffzen müde bey so viel Noht-Gedräng: Weil oft die schwere Lasten drucken den blöden Sinn in seinen vielem Brasten, daß aller Muhe fällt hin.

8. Wer hätte sollen meynen in seiner Jugend-Zeit, daß so ein langes Weinen und vieles Herzenleid noch wäre durch zu gehen in dem so treuen Sinn, biß alle bittre Wehen nehmen das Alte hin.

9. Doch ist es nun getroffen, nach vielem Herzenleid erwirbt das lange Hoffen die wahre Seligkeit. Bald werd ich Garben binden auf meinem Thränen-Feld, dann wird mein Glück sich finden in jener neuen Welt.

10. Drum wil den Jammer tragen, der mir ist aufgelegt, bald werd von Güte sagen, und wie uns GOtt oft trägt! Nach den betrübten Zeiten geht man zur Ruhe ein, alwo die viele Leiden ewig vergessen seyn.

17.

GAnz still, von allem abgeschieden, da find ich meiner Seelen Ruh; es wird erworben sol-

cher Frieden, wo nichts Geschaffnes was trägt zu. Da fließt mir ein die Segens-Fülle, wann ich vor allen Bildern loß, und kan in unverrückter Stille der Weisheit ruhen in dem Schooß.

2. So kan ich alzeit richtig wandeln, wann ich der Weisheit Brüste trinck; sie thut gar wunderbar behandlen, wer einmal folget ihrem Winck. Sie theilt sich mit in reicher Maase; dann nimmt sie wieder alles hin; versucht, ob man auf ihrer Straase getreten, im reinen Liebes-Sinn.

3. Zwar, wollen viel das Kleinod haben, doch wann es an das Prüfen geht, thun sie sich an den Brüsten laben, wo die Weisheit von ferne steht, und läßt uns gehen eigne Wege, so meinen wir, es sey Gewinn, und weichen ab vom schmalen Stege, dann giebet sie uns gar dahin.

4. Wie manche Zeiten, Tag und Stunden hab ich im Elend zu gebracht? wann meint, es wär der Schatz gefunden, war es ein finstre schwarze Nacht. In diesem trüben dunckeln Zeiten, da offt gemeint, ich wär dahin, thät mich die Güte umher leiten, bracht alles ein mit viel Gewinn.

5. Daß gehen konte meine Strasen nach Zion hin, mit groser Freud, um wieder neuen Muth zu fassen, vergessen mein vergangnes Leid. So wird man nach und nach geübet zu seinem Glück in jener Welt, darum auch GOtt uns so geliebet, und selber dazu auserwählt.

6. Die Liebe die mich hat bewegen, daß die so schöne Zions-Stadt dem Glück der Welt weit vorgezogen, samt was sie sonst auch lieblichs hat; die thät mir alles Leid verrissen, so offt ich mich hinzu gekehrt, ließ sie mich ihre Gunst genüsen, und mache mich rein wie Gold bewährt.

7. Drum kann vergessen aller Wehen, und wo es auch ging saur und schwer, dann wann dort werd am Reihen gehen mit dem reinen Jungfrauen-Heer: so werd ich andre Sachen sehen, als hier in dieser Sterblichkeit, die Freude wird nicht mehr vergehen, wird währen ohne Ziel und Zeit.

8. So offte ich pfleg zu gedencken an jenem schönen Freuden-Tag, wo man sich nicht wird weiter kräncken, weil gantz vergessen alle Klag: so werd ich ausser mir gezogen, weil die so grose

Hat

Herrlichkeit hat alles Leiden überwogen und währen wird in Ewigkeit.

18.

GElobet sey der grose GOtt, der seyn Liecht ließ aufgehen, und mir in meiner grosen Noth geheilet meine Wehen; da ich nicht wust aus noch ein, daß meine ich müst verstossen seyn, weil ich so gantz verlassen muste gehn meine Strasen.

2. Soll es dann seyn um mich geschehn? dacht ich in meinem Zagen, daß nun muß traurig umher gehn in Schmertzen und Weh-Tagen. O! Weh, ach weh! wo soll ich hin? sprach ich in dem betrübten Sinn; was hilfft mir seyn geboren, wann nun muß gehn verlohren.

3. Dieweil der Feind mit seinem Heer sehr hart auf mich gedrungen, als ob GOtt nicht mein Helffer wär, daß fast als wie bezwungen. Und war in meinem Trauerstand den besten Freunden unbekannt; und muste alleine tragen, weil ichs durffte niemand klagen.

4. Da sprach in gantz zerschlagnen Muth, ach GOtt! wie wird mirs gehen? wann du in solchem Grimm und Wuth die Sünde wilt ansehen? must ich als wie zerschmoltzen seyn, dann welcher Berg und Felsen Stein, wird mich dann wohl bedecken vor solchem grosen Schrecken.

5. Letzt dachte ich in meinem Sinn an meiner Jugend-Blüte, da ich gegeben so dahin, Hertz, Seele und Gemüthe, um gantz sein Eigenthum zu seyn, im reinen Sinn gantz Engelrein, ohn einigs Wiederstreben Ihm nur zu Ehren leben.

6. Und flehe Ihn inständig an: ach GOtt thu mir beystehen, du bist ja doch der helffen kan, sonst muß von Leid vergehen. Ich hab ja meinen Eyd und Bund zu dir gethan mit Hertz und Mund, und so mein gantzes Leben auf ewig dir ergeben.

7. Drum kan auch weder Höll noch Tod denselben Bund mehr brechen, weil du selbst als ein treuer GOtt mir thust mit Eyd versprechen vor mich zu Sorgen Tag und Nacht, damit ich würd zurecht gebracht; vor mancherley Gefahren gar treulich mich bewahren.

8. Gar bald wurde mein Hertz getröst in meinen harten Pressen, und wird, als wie vom Tod

erlöst und wie in GOtt genesen. Drum danck ich ihm zu jederzeit vor seine grose Gütigkeit, die er mich lassen sehen in meinen vielen Wehen.

9. Und weil auch all mein lebenlang von seinen Wundern sagen, und wie er mein in meinem Drang gepfleget, und mich getragen. Und sieh ach GOtt! sieh ferner bey in dieses Lebens Wüsten, daß ich kan frölich sterben die Seligkeit ererben.

10. Da ich dann zu der Frommen Schaar, nach so viel Leidens-Proben, gesammlet, die GOtt immerdar ohn Zeit und Ende loben. Da wird dann aller Druck und Pein auf ewig hin vergessen seyn; und wird mit Freud gesungen, GOtt Lob! es ist gelungen.

S. Euphrosina. 19.

HÄtte mein vertiebter Sinn nicht gelernt sein Creutz zu tragen, als ich alles gab dahin, ich hätt es nicht dürffen wagen: weil die starcke Allmachts-Hand öffters mich so hart gedrungen; doch, weil ich mit GOtt verwand, ist es mir zuletzt gelungen.

2. Drum will lauffen fort die Bahn, biß ich werd im Sieg erjagen das erwünschte Canaan nach der langen Trauer-Tagen; dann wird Gottes Gütigkeit ewig machen seyn vergessen, den so lang geführten Streit, da man offt betrübt gesessen.

3. Auch will nimmer stille stehn, weil aldorte wird eingeschencket Freuden-Wein nach so viel Wehen, daß man des nicht mehr gedencket. Unser Elend säet die Saat hier, in so viel Niedrigkeiten: unsre Erndt bringt Gottes Gnad ein mit so viel tausend Freuden.

4. Drum will eilen treulich fort, biß ich werd mit Freud eingehen zu der stillen Friedens-Pfort, wo geheilet alle Wehen. Bin ich schon gering und klein, offt mit vieler Schmach umgeben, so viel schöner werd ich seyn dort, in jenem Freuden-Leben.

5. Drum will ich zu jeder Zeit Gottes Gnad und Güt erheben, die mein Hertz so offt erfreut hier, in meinem Trauer-Leben. In dem müden Lebens-Lauff Er in Güte mich thät tragen, und

weil fleißig mercke drauf, kann ich alles auf Ihn wagen.

6. O! Erwünschte Seligkeit! die einkommt nach so viel weinen: O! was Frieden nach dem Streit, der aldorten wird erscheinen. Wo jetzt trauren für Gesang, wird man Gottes Wunder preisen; nach dem rauhen Creutzes-Gang lebt man Ihn mit schönen Weisen.

7. Auch jetzund wil schweigen nicht, sagen, was an mir geschehen, und wie mir sein himmlisch Licht hat gezeigt den Weg zum gehen: der von Höll und Tode befreyt, nach so vielen unckeln Zeiten, da man wird in Ewigkeit loben Ihn mit tausend Freuden.

8. Halleluja sey dem Lamm, das so hoch von GOtt erhoben, und geschlacht am Creutzes-Stamm, auch gesiegt nach so viel Proben. Macht uns helle licht und weiß, daß wir gehn schon hier bey Paaren? und Ihn dort zum hohen Preis loben, mit den reinen Schaaren.

20.

Höchst vergnügend ist ein Leben, wo das Hertz in GOtt erfreut, läßt sich auch von nichts bewegen, was nicht Frucht der Seligkeit. Ist die Weißheit selbst im Rath, ists getroffen mit der That.

2. Dann ich bin gar offt gesessen unter Babels Dinstbarkeit, da mir wurde eingemessen Schmertzen, Jammer, bittres Leid. Aber nun ist mir gesagt, ich wär wie zurecht gebracht.

3. Weil GOtt thut so treulich sorgen, wann auch schein wie ausgekehrt; gibt er Rath auf jeden Morgen, machet uns in Ihm bewährt. In der harten Kelter-Preß kommt das eitle in Vergeß.

4. Wann GOtt thut ins Dunckle treten, und so unser Schwachheit pflegt, seynd wir in den grösten Nöthen! ob er uns gleich hebt und trägt. Doch, wer aushält in der Noth, dem ist er ein treuer GOtt.

5. Hätt ich nicht mein Creuz getragen in der kümmerlichen Zeit, hätt ich nimmer lernen sagen von der grosen Gütigkeit, die uns schenckt so reichlich ein, wann man scheine verlassen seyn.

6. Jetzt siehe man weit offen stehen, die so enge Lebens-Thür, wo mit groser Freud eingehen die sich selbst verleugnet hier. Bey der Weißheit scharffen Zucht bricht herfür die edle Frucht.

7. Dann wer sich kann dahin wagen, wo man nichts vor sich behält, den thut Gottes Güte tragen, hat besieget Zeit und Welt, dabey Friede nach dem Streit, weil sein Hertz in GOtt erfreut.

8. Dann wer hier in diesem Leben nicht kann alles geben hin, muß in vielem Elend schweben, kommet nicht zu dem Gewinn, der erwünschten Leidens-Frucht, oder innern Geistes-Zucht.

9. Dann der Weißheit Licht kann geben beym Gedräng den Unterricht, daß man lernet himmlisch leben, womit man sich hat verpflicht. Wers aufs Eusserste hinwagt, hat das Himmelreich erjagt.

10. Kann sich selbst und Welt besiegen, achtet nichts der Feinde Spott; scheints, er müste unten liegen, GOtt hilfft wieder aus der Noth; löset auf die viele Wehn, daß wir können weiter gehn.

11. Auf der sehr mühsamen Reise, biß man kommt an seinen Ort, wo erlangt, was GOtt verheisen und geht ein zur Himmels-Pfort. Da ist aller Jammer aus, weil man kommen ist nach Haus.

12. O! Wie wol hat der geloffen, der also ist heim gebracht, wo das rechte Ziel getroffen, weil man alle Ding versagt, um das ewig bleibend Gut; obs gekostet gleich viel Blut.

13. O! Wie werden wir uns freuen, wann der harte Streit zu End, und die lieben und Getreuen all ihr Jammer umgewendt. Wann diß grose Heil erscheint, wird man haben aus geweint.

14. Jetzund siehet man die Schaaren mit sehr grosen Hauffen gehn, weil sie in so viel Gefahren bleiben treu in allen Wehn. Nunmehr siehet man sie erhöht in viel Ehr und Majestät.

15. Nun wil ich mich tief ersencken in das Meer der Ewigkeit, und auch nimmermehr gedencken der so sehr betrübten Zeit. In der Gottheit Ungrund See ist vergessen alles Weh.

16. Ich wil ferner GOtt befehlen meinen gantzen Glaubens-Lauf, und mich Ihm am Creuz vermählen, Er wird mich schon nehmen auf. Nach dem lang geführten Streit wird erlangt die Seligkeit.

J

J

21.

ICH bin dahin, weil ich ein solche bin, die im Verliebten Sinn sich GOtt vermählet: in hoher Wahl, und starcken Ruf und Schall, zur Braut- und Jungfrau-Zahl hinzugezählet.

2. Drum bin erfreut, weil Gottes Gütigkeit, in dieser Gnaden-Zeit mich angeblicket: daß ich gab hin den treu verliebten Sinn, durch den ich Gottes bin, auch hoch beglücket.

3. Drum will jetzund mit Hertze und dem Mund die Wunder machen kund, die mir erwiesen, die Gottes-Lieb, die mich so hat geübt, weil ich so sehr verliebt, muß seyn gepriesen.

4. Dann sie mich hat versorget früh und spat, daß ihren weisen Rath nicht wird entnommen; in so viel Noth, da Trähnen offt mein Brod, hat sich der treue GOtt mein angenommen.

5. Daß mir mein Kleid in der betrübten Zeit ist worden zubereit, daß ich werd tragen in jener Welt, wann vor der Throhn gestellt, die sich GOtt auserwählt, in Trübsals-Tagen.

6. O kommet all! die diesen Ruf und Schall, und hohe Liebes-Wahl haben vernommen, macht euch bereit, es ist nun bald die Zeit, daß Gottes Herrlichkeit plötzlich wird kommen.

7. Und seine Braut, die Er sich hat vertraut, aus seiner Seit erbaut in vielen Schmertzen, wird gehen ein, und die gewaschen seyn im Blut des Lammes rein. O keusche Hertzen?

8. Die diß erwählt, offt worden wie entseelt, veracht vor aller Welt, die werden wohnen, in dem Gezelt, wo JEsus Hochzeit hält; nun werden sie vermählt, und tragen Kronen.

9. O! Großes Heil, daß nun bald kommt in Eil, laß mir doch auch mein Theil mit denen werden, die du erwählt, und die zur Seit gestellt, erkauffet aus der Welt und von der Erden.

10. Daß ich mit kann gehn der Verliebten Bahn, wo jedes wie es kann, sein Lied wird singen. Ich bin erfreut, weil mich die Gnaden-Zeit alhier hat zubereit den Preiß zu bringen.

11. GOtt und dem Lamm daß von dem Himmel kam, und nahm sich unser an, daß wir befreyet vom Sünden-Spott, und von dem ew'gen Tod, und allerletzten Noth, und gantz verneuet.

12. Diß ist die Freud und große Seligkeit, so in der letzten Zeit einst wird erscheinen. Jetzt ist zu End Creutz Jammer und Elend, weil GOtt hat umgewendet das lange Weinen.

S. Paulina 22.

ICH bin ein Täubgen ohn Eh-Gatt, gantz einsam und verlassen, find offtmals weder Zweig noch Schatt, wo sich könt niederlassen mein matter Geist und müder Sinn, der sich allein gerichtet dahin, das lieb verliebte Hertz zu finden, um sich in Lieb ihm zu verbinden.

2. So denck ich hin und denck her, in vieler Müh und Sorgen, vergieße fast ein Thränen-Meer, weil sich so hält verborgen mein liebster Freund, die reine Taub, an den ich nur alleine glaub; doch hoff ich, er wird sich noch paaren, und meinen Braut-Schatz mir bewahren.

3. Er ists doch selbst, der mir mein Hertz mit seiner Lieb einführet, und durch das Ziehen überwärts den reinen Sinn geführet: drum werd ich wohl nicht lassen nach, ich zehle Stunden Nacht und Tag, bis er mich wird in Lieb umarmen, und in der offnen Seit erwarmen.

4. In dieser Höl da sind ich Schatt, worin kan sicher rasten mein Geist; der sich so abgematt in Hitz und Tages-Lasten, wenn in der keuschen Liebes-Pein er meinte fast verschmacht zu seyn; drum will ich mich in Hoffnung fassen, zur Ruh auf nichts mich niederlassen.

5. Als auf den blut'gen Creutzes-Stamm, woran die Lieb gehangen, und hat alda gehäfftet an mein sehnliches Verlangen: diß ist der Ort, allwo ich nun will gantz gelassentlich auf ruhn, und lasse nicht mehr ab zu zittern, bis er mich wird in sich einführen.

23. S. Rahel

ICH bin froh in meinem Hertzen, weil mich JEsus-Liebe träncket: und mir heilet meinen Schmertzen, den er selbst mir eingeschencket.

2. Ich war schier im Leid zergangen, weil mich seine Huld und Treu that nicht mehr in Lieb

amfangen, und in Noth mir stehen bey.

3. Dann ich kont ihn nicht mehr spähren, sei-ne treue Liebes-Gunst thät sich gantz ir.mir verlie-ren: alles Klagen war umsonst.

4. Meine Liebe machte Leiden, meine Leiden machten Pein: weil in den betrübten Zeiten mußt von ihm verlassen seyn.

5. Meine Thränen, die vergossen hier in mei-nem Trauer-Stand, waren meine Bunds-Ge-nossen, wie es meinem GOtt bekannt.

6. Doch will ferner seiner warten, wie mir sei-ne Huld zutheilt, seiner treuen Lieb nacharten, die mir meinen Schmerzen heilt.

7. So kan ich mit Freud hin wallen nach der stillen Ewigkeit, wo, nach Gottes Wohlgefallen, wird vergessen alles Leid.

24. S. Paulina

ICH bin getrost, und hoch erfreut, und kan in Hoffnung wallen, weil mir aus Gottes Gü-tigkeit mein Theil ist zugefallen. Ob mich schon oft noch Kummer drückt und Bitterkeit mich träncket, so acht ich mich doch hoch beglückt, weil so viel Heil geschencket.

2. Mein Kummer, den ich trage hier, thut mich zu GOtt hinleiten, und macht mich selig dort und hier, mit viel erwünschten Freuden. Und weil mein Hertz in GOtt erfreut: so ist mir aller Kummer ein süser Traum, und Himmels-Beut, und nur ein sanfter Schlummer.

3. Dann Gottes Huld und Freundlichkeit hat mich so wohl berathen, und in so manchem bitterm Leid mich aller Sorg entladen: drum soll mich auch mein Lebenlang nichts mehr von ihme trennen, und will in allem Zwang und Drang ihn meinen Liebsten nennen.

4. Und hätt ich nicht zu jeder Zeit sein Liebes-Hertz verspüret in meinem viel gehabten Leid, ich wäre abgeirret von meiner rauhen Himmels-Bahn, wo ich bin eingetreten: drum bleibt er nur mein Helffers-Mann in allen meinen Nöthen.

5. Und will sein grose Wunder-Macht unend-lich hoch erheben, weil er mich hat so wohl bedacht in meinem gantzen Leben: und scheinets auch schon oftermal, er habe mich verlassen, will dennoch ich in solcher Wahl, und in Gedult mich fassen.

6. Und nehmen an von seiner Hand, was die mir zu will fügen, allhier in meinem Leidens-Standt: und lassen mich begnügen, wie seine Huld mir schencket ein durch seine Güt und Gna-de, und trinck beherzt den Myrrhen-Wein auf meinem Creutzes-Pfade.

7. Ich bin im Geist sehr hoch erfreut, doch da-bey tief gebenget, wenn ich gedenck der Gütigkeit, die mir mein GOtt erzeiget: er führet mich gar väterlich auf den geheimen Wegen, drum will ich auch hinwieder mich ihm zu den Füsen legen.

8. Und halte an bey seiner Treu, daß er mich nimmer lasse, in aller Noth mir stehe bey, bis ich im Tod erblasse: und schliese meine Augen zu im Jammer-Thal hienieden, daß ich entschlaf in süser Ruh und Gottes sanftem Frieden.

25. S. Ketura

ICH gehe nun in Hoffnung hin, und trage meine Schulden, im Leiden blühet mein Ge-winn: drum will ich alles dulten.

2. Find ich mich schon oft gäntz allein auf mei-nen Pilger-Wegen: schenckt mir doch GOtt da-neben ein so manchen Trost und Segen.

3. Drum freu ich mich auf jene Welt, da alles neu wird werden, dahin hab ich mein Ziel gestellt, drum acht ich kein Beschwerden.

4. Der reine Sinn nach GOtt hinan mache alles Dunckle weichen: drum werde ich auf mei-ner Bahn mein rechtes Ziel erreichen.

5. Diß ist nun hier mein Wanderstab, drauf ich mich thu verlassen: hab auch sonst keine andre Haab, noch einig Ding zu fassen.

6. So ist mein Glück in Gottes Hand, dem hab ich mich ergeben: und weil Er mich ihm zu erkannt schon hier in diesem Leben.

7. So bin ich auch sehr wohl versehn mit Gottes Huld und Gnaden: weil sie geheilet mei-ne Wehn und aller Sorg entladen.

8. Der Trost, der mir oft beygelegt, wann ich ben trüb gesessen: der ists, der mich zu GOtt hin-trägt, und machet mich genesen.

9. Drum werd ich nach vollbrachtem Streit und ausgeführten Proben alldort in alle Ewigkeit ihn ohne Ende loben.

26.

ICH gehe zwar so hin, und trage meinen Jammer, weil mir mein rechtes Looß wird werden dort zu Theil: wann ich werd gehen ein in meine Ruhe-Kammer, so folget endlich dann das lang gehoffte Heil auf meine Noth und Hertzenleid, das ich getragen hier in dieser Sterblichkeit.

2. Ach wär ich einmal nur zu meinem Ziel gekommen, wornach sich lang gesehnt mein sehr verliebter Sinn: so wär ich von mir ab, und meiner gantz entnommen, dann müßte aller Schmertz und Kummer fallen hin. Nun aber, da ich noch beschwert mit mir, so wird das Hertz durch manchen Schmertz verzehrt.

3. Wie wird mein müder Geist allda so sanffte rasten, wohin die Hoffnung jetzt sich sehnt und eilet fort: nach viel gehabter Müh und schweren Tages-Lasten, wann ich werd gehen ein zur frohen Himmels-Pfort. Dann wirds auf ewig seyn dahin, wo ich in vielem Druck betrübt gesessen bin.

4. Bin ich schon sehr gering und klein auf dieser Erden, und mit so mancher Noth und bittrem Schmertz umstellt: so wird mir endlich doch, was ich gehoffet, werden, wann Glaub und Lieb im Streit zuletzt den Sieg erhält. Doch schencket mir oft die Hoffnung ein zum Trost, in meinem Leid, viel süßen Freuden-Wein.

5. Doch wird es anders seyn an jenem frohen Morgen, wann er wird schencken mir, was ich so lang gesucht: dann geht zu End mein Leid und viele Noth und Sorgen, da bring ich dann mit Freud die süße Leidens-Frucht mit vollen Garben heim nach Haus, die ich allhier gesäet mit vielen Thränen aus.

6. Und weil das keusche Lamm mich hat darzu erlesen zu helffen tragen nach sein Creutz in dieser Zeit: so freuet sich mein Hertz, und ist in GOtt genesen. Dann dort werd ich gekrönt mit Preiß und Herrlichkeit, wenn aller Todes-Schmertz zu End, und meine Glaubens-Fahrt im Haven angeländt.

7. Drum ruh ich auch so sanft in seines Willens Schrancken: wie es sein weiser Rath beschickt und machen will, das sey mein Looß und Theil.

ich werde nimmer wancken, und in gelassenheit ihm innig halten still, dann ich bin gantz sein Eigenthum, diß ists, was mich erfreut, und meines Geistes Ruhm.

ICH geh oft traurig hin und her, mit vielem Leid umgeben; so daß es mir fällt saur und schwer, und müde bin zu leben. Ich sehne mich dorthin, wo es wird besser werden, nach dem so müden Gang und Leiden hier auf Erden.

2. Da wird mein lang-und vieles Leid auf ewig seyn vergessen, und wo, in der benübten Zeit, oft einsam bin gesessen: gantz Rath-und Hülffe-loß, im Jammerthal hienieden, und mußte schon mich von Gottes Gunst geschieden.

3. Fürwahr ist diß der gröste Schmertz auf dieser Welt zu nennen, wann auch das treue Liebes-Hertz uns gantz nicht mehr will kennen. Ach was vor bitter Pein? wo man so gantz verlassen, in lauter Elend muß gehn die betrübte Straßen.

4. Doch findet der verliebte Sinn, wenn lang genug gelitten, daß aller Schmertzen fället hin, und alle Feind bestritten, dabey erlangt die Kron, die in Gedult erloffen, so daß nach langem Schmertz endlich das Ziel getroffen.

5. Und weil ich dann bin heim gebracht, nach viel gehabtem Jammer, kan ich GOtt dienen Tag und Nacht in meiner stillen Kammer. Dann seine treue Gunst, die mich vor ihm macht stehen, hat meine Niedrigkeit in Gnaden angesehen.

6. Und mir, mein Hertz genommen, daß ich mich that verschreiben im allerreinsten Jungfrau-Sinn, ihm ewig treu zu bleiben. Diß hab ich mir erwählt zu meinem Theil auf Erden, ob ich schon wandern muß durch vielerley Beschwerden.

7. Alldort, in jener Herrlichkeit, da blühet meine Krone, wo selbst des Lammes Freundlichkeit wird seyn der Keuschheit Lohne. Drum seynd wir ihm gerrn allhier, in Niedrigkeiten, weil es alldorten lohnt mit vielen tausend Freuden.

S. Paulina 28.

ICH habe mir erwählt zu meinem Theil auf Erden, was mir alldorten einst in jener Welt

wird

wird werden: muß ich schon oftermal mich gantz verlassen sehen; will ich doch in Gedult der treuen Lieb nachgehen.

2. Dann ihre Freundlichkeit hat mich an sich gezogen, und durch der Liebe Macht mein Hertze überwogen, daß ich gegeben hin ihr meinen gantzen Willen, um den verliebten Sinn mit Liebe zu erfüllen.

3. Darum ich auch allhier der eitlen Lust entsaget, und hab mit JESU mich ans Creutze hin gewaget: er ist doch gantz allein mein Liebstes hier im Leben, drum ich auf ewig mich zu eigen ihm ergeben.

4. Dann seine treue Lieb so sehr um mich geworben, daß er auch endlich gar am Creutz für mich gestorben: drum will ich auch allhier in Lieb ihn stets umfassen, weil er aus Lieb für mich den Himmel hat verlassen.

5. Und sich gegeben hin für einen Sünden-Bürgen, da er am Creutze sich ließ schlachten und erwürgen, und hat so wiederbracht, was sonsten war verloren, und uns zu seinem Lob und Eigenthum erkoren.

6. Drum will ich auch nichts mehr auf dieser Welt verlangen, als daß ich bleibe stets an seiner Liebe hangen: dann die hat mich besucht schon in der zarten Blüthe, und mich zu sich gebracht durch seine grose Güte.

7. Und muß ich schon noch oft im Elend umher gehen, und in der Leidens-Noth verliebte Thränen säen: will ich doch bleiben treu in dem, was ich geschworen, weil sie durch ihre Huld mich ihr hat auserkoren.

8. Und mich vereinet hier mit den verliebten Schaaren, die ihren Jungfraun-Schmuck auf dieser Welt bewahren: und eintzig nur allein dem reinen Lamm nachgehen, bis es sie wird mit sich in sein Gezelt erhöhen.

9. Und machen gehen ein in die geheime Kammer, allwo vergessen gantz der viele Schmertz und Jammer: wir bleiben ihm getreu, bis es uns so erhöhet, so haben wir ein Gut, das nimmermehr vergehet.

29.

JCH lebe so hin, mein bester Gewinn ist, Lieben Jm Schmertz, dieweil mir dieselbe verwundet mein Hertz.

2. Daß eitele Freud versaget zur Zeit, drum thu ich auch flehn: O JESu! thu selber der Schwachheit beystehn.

3. Weil ich mir erwählt, daß werde gezählt zur Jungfrauen-Schaar, die folgen dem Lamme bey Paaren und Paar.

4. Dem will ich aufs neu zusagen die Treu, ob Elend und Noth auch öffters solt heissen mein tägliches Brod.

5. So weiß ich, es wird der treueste Hirt mein pflegen im Gang, wann öffters auch Zeiten und Weile wird lang.

6. Dann er mir allein der Liebste soll seyn, den ich mir vertraut, da ich Ihn verwundet am Creutze geschaut.

7. Drum bin ich erfreut; in dunckeler Zeit ist dieses das Best, daß er mich vom Tode und Hölle erlöst.

8. Und geht es so hin, daß solche ich bin, mit Schmertzen umstellt: so ist es deswegen versaget der Welt.

9. In Leiden und Schmach zu folgen Ihm nach, wer Ihm so wird gleich, ererbet alsdorten das Göttliche Reich.

10. Wer alhier verhöhnt, wird dorten gekrönt: jungfräuliche Tracht gibt allein auf Erden auf ewig gut Nacht.

11. Nun hab ich mein Recht mit diesem Geschlecht, als welches vermählt dem Lamme, und mit mir zur Brautzahl gezählt. *Anastasia*

§. 30.
JCH weiche nicht in meiner Noth, solt ich Mauch schon darin vergehen: das Leiden bringt uns hin zu GOtt, der hilft aus allen Wehen.

2. Mein Loos allhier auf dieser Welt ist, alls um Gottes willen leiden: weil es uns macht auserwählt, und lohnt zuletzt mit Freuden.

3. So bald mein Geist in GOtt erhöht, ist alle Lust der Welt verschwunden: und hab ein Gut, das nicht vergeht, in meinem GOtt gefunden.

4. Drum will ich auch mit allem Fleiß sein Lob

Lob allzeit in mir vermehren: und singen auf die
schönste Weiß mit deinen Himmels-Chören.

5. So wird der Geist in GOtt erneut, und
müssen weichen die Beschwerden: womit des Lebens Nichtigkeit beladen hier auf Erden.

6. Und weil mein Lauff zu GOtt hin geht,
bin ich von aller Welt geschieden: und hab ein
Gut, das nicht vergeht, und dabey steten Frieden.

7. Das Lamm, so dort erhöhet ist, und uns
erkauffet von der Erden: muß ewig und zu jeder
Frist von uns verherrlicht werden.

31. S. Basilla

ICH weiß gewiß, es wird noch werden, was
Ich mit so viel Müh gesucht: nach so viel
Trübsal und Beschwerden wird zeigen sich die
edle Frucht.

2. Drum sey getrost in allen Wehen, O liebe
Seel! und dulte dich: du wirst noch deine Wunder sehen, wie GOTT theilt aus so mildiglich

3. An allen, der der Glück verschwunden, so hier
in dieser Welt erscheinet: drum wird fürwahr was
bessers funden, wenn man hat lang genug geweint.

4. Drum reiß ich fort mit meinen Lästen auf
meinem Weg zum Vatterland: so wie es gehe
den fremden Gästen, die hier der Welt sind
unbekannt.

5. Dort sehe ich mit vielen Freuden die reine
Schaar am Reihen gehn: die selbst das sanfte
Lamm thut leiten, nach viel gehabtem Leid und
Wehn.

6. So sie getragen hier auf Erden, in dem gehabten Trauer-Stand: und in so mancherley Beschwerden, die aller Welt sind unbekannt.

7. Ich freue mich in meinem Hertzen, und
preise den so guten GOtt: weil er in so viel Leid
und Schmertzen mir hat geholfen aus der Noth.

S. Flavia. 32.

ICH weiß gewiß mein Theil wird mir in jener
Welt noch werden; ob gleich in meinem Leben
hier in mancherley Beschwerden muß wandern
meine Pilger-Straaß: weil ich ein Frembdling
worden, und sehe nur allein auf des, was mir
wird seyn alldorten.

2. Da alles Leid und Traurigkeit wird ewig
seyn vergessen, und wo ich so viel schwerem Streit
und Thränen oft gesessen: da ich oft dacht, ach!
mögt mein Hertz im Leiden gar zergehen, so würd
der bittere Liebes-Schmertz mir heilen meine Wehen.

3. Dann der mich so reitzet gemacht, und
selbst hat überwogen: daß ich die eitle Welt veracht't, und ihme nachgezogen: wird nehmen hin
mein vieles Leid, und machen mich genesen, daß
ich in süßer Geistes-Freud kan alles leid vergessen.

4. Er führet mich gar wunderbar auf den geheimen Wegen, dann wo oft gantz kein Helffer
war, that er mir selbst bey'egen die Gnade in dem
tieffsten Grund: wo ich war in verlassen, macht
er mir sein Erbarmen kund, that mich mit lieb
umfassen.

5. Und weil die stille Ewigkeit zieht meinen
Geist von hinnen: so muß aufhören alles leid,
wo ich gesessen innen. Des keuschen Kampfes
edle Kron muß mir doch endlich werden, weil sie
wird seyn mein Gnaden-Lohn nach meinem
lauf auf Erden.

33. S. Eugenia

JEsu, meines Hertzens Freude, JEsu meine
Lust allein, du bist meiner Seelen Weide, und
mein Trost in Creutzes-Pein: drum will ich mein
gantzes leben ewig dir zu eigen geben.

2. Dann nichts ist, das mich ergetzen, noch
mir kan erfreulich seyn, als wann du mich lässest
sitzen, JEsu, zu den Füßen dein: wo durch deine
süße lehren sich mein Hertz kan zu dir kehren.

3. O du angenehme Wonne! O du süße See-
lenlust! gehe auf, du Gnaden-Sonne! und erfülle unsre Brust: wann wir mit Gebät und Flehen, HErr, vor deinem Throne stehen.

4. Dann thun deine Gnaden-Flüssen, und
dein frischer Himmels-Thau sich so kräftiglich ergiesen auf die dürre Seelen-Au: daß in deinem
Gottes-Wesen ich kan wiederumm genesen.

5. Und so deines Geistes Früchten, durch den
neuen Lebens-Saft, können sich in uns aufrichten,
und erweisen ihre Kraft: daß wir mit viel Wunder-Weisen dir lob Ehr und-Ruhm erweisen.

6. O du reines Seelen-leben! O du wahres
Himmels-Brod! du thust selbsten dich uns geben,

um zu retten von dem Tod: der sonst mächtig zu verschlingen, und in ew'ge Quaal zu bringen.

7. Ja, wann ich diß thu betrachten, und erwäg in meiner Seel, ist es theuer mir zu achten, daß mein Freund, der ohne Fehl, mußt sein theures Blut vergiesen, und vor meine Sünden büßen.

8. Wer hat solche Liebes-Zeichen wohl von einem Freund gesehn? der sein Herz so tief kont beugen, und die Liebste lassen gehn in die offne Wunden-Höhle, zu vergnügen ihre Seele.

9. Diese Kron hat mir erworben das erhöhte Gottes-Lamm: es allein ist mir gestorben, und hing an des Creutzes Stamm. Ja sein sanft-und niedrigs Wesen ist vor allen auserlesen.

10. Und wann ich solt weiter sagen von der grosen Liebes-Treu, die mein Freund in diesen Tagen mir daneben leget bey durch den reinen Geistes-Mund in dem innern Seelen-Grund:

11. Find ich mich all zu geringe, solches nach der Würdigkeit hier in Worten vor zu bringen, weil wir noch in einer Zeit, da wir nicht vollkommen rein, und von uns geschieden seyn.

12. Drum will lieber hier mit Schweigen, und in Leidens-Niedrigkeit, mein Herz in den Staube beugen hier, in dieser Lebens-Zeit: damit auf geheime Weiße seine Liebe leidend preiße.

34.

JEsu, schönstes Leben, dir bin ich ergeben, weil du mich geliebet, und so hast geübet: da die besten Thaten wolten nicht gerathen, weil das Liebst im Leben noch nicht übergeben:

2. In des Geistes Schrancken, wo dahin das Wancken da kein Widerstreben, in dem reinen Leben, an uns wird gefunden, weil wir sind verbunden, niemand zu betrüben auch in unserm lieben.

3. Dann wer dahin kommen, der ist auf genommen, zu den reinen Schaaren die dem Lamm sich paaren; springen auf von Freuden, wann sie viel zu leiden, weil ihr ganzes Leben ist dazu ergeben.

4. Diß sind Wunder-Sachen, wer es so läßt machen, dabey sich thut üben in dem Creutz zu lieben: kommen dunckle Zeiten, es sind Süßigkeiten. Wer den Schatz gefunden, heißt mit GOtt verbunden.

5. Jetzund will ich lieben, auch in dem Betrüben, weil ich diß gefunden in den Creutzes-Stunden. Was ein gut Gewissen, wer darauf beflissen, daß er lerne schweigen, wann ihn andre beugen.

6. Diß sind Helden-Thaten, so aus dessen Gnaden, der zuvor sein Leben für uns hingegeben: können wirs so wagen, wieder helffen tragen, wann wir uns nur beugen, und sein stille schweigen.

7. Wann nicht mehr zu rathen mit den eignen Thaten, müssen seine kräfften zeigen die Geschäfften, die uns GOtt vereinen, nehmen hin das Weinen. Jetzt kan er selbst machen alle unsre Sachen.

8. Daß es sich muß schicken, auch dabey noch glücken, was wir auch sonst machen, sind es seine Sachen. Unser ganzes Wallen ist sein Wohlgefallen, weil wir uns ergeben Ihm zu Ehren leben.

9. Jetzund wil ich weinen, flehn, daß er den Seinen allen wolte rathen, wann ihr eigne Thaten ihnen aus den Händen, daß ihr Drehn und Wenden sich dir könne schmiegen, und zun Füßen liegen.

10. Alhier ist die Stille und Genaden-Fülle, was sich sonst wolt regen, muß sich niederlegen in Gottes Erbarmen, ruhn in seinen Armen. Jetzt ist auch gefunden, der sich ließ verwunden.

11. Und sein eigen Leben für uns hingegeben, daß wir mit ihm sterben, und alldorten erben mit der Schaar der Frommen, die aus Trübsal kommen, loben GOtt mit Freuden in die Ewigkeiten.

35.

JEsu treuster Hirte, meines Geistes Zierde, Bischoff meiner Seelen; labest mich im Herzen, heilest meinen Schmerzen; deiner Wunden Hölen:

2. Machen mich zerfliesen, wann sie mir versüssen bitteres Ermatten ängstliches Bemühen, daß ich kan hin fliehen unter deinen Schatten.

3. Thu mich stets umarmen, faß mich mit Erbarmen; sey mein Trost im Zagen; wann ich schwach im lieben, durch so viel Betrüben, laß mich nicht verzagen.

4. Dann du biß der Deinen zuflucht, wann sie

sie weinen, Retter ihrer Sachen; Helffer in den Nöthen, wann sie zu dir bätten, und nichts können machen.

5. O! Was tiefes Beugen, wann mit heilgem Schweigen in vollkommner Wonne, und reinen Geberden, als wie Engel-Heerden, vor dem Gnaden-Throne.

6. Die sich dir ergeben, gantz zu Ehren leben, nach deinem Gefallen! wann sie gehn und weinen, daß sie seyn die Deinen hier, in ihrem Wallen.

7. So bin ich verschrieben, weil ich mich dem Lieben thät mit Eyd vermählen. Dis ist nun mein Wesen, daß ich Ihn erlesen zum Schatz meiner Seelen.

8. Weil er mich gezogen, und durch Lieb bewogen, hab ich mich ergeben ewig sein zu bleiben, und mein Werck so treiben hier in meinem Leben.

9. Dorten wird sichs zeigen, was mein tiefes Beugen hier auf dieser Erden; wann mit allen Frommen, dort werd eingenommen und verherrlicht werden.

10. Alles wird vergessen, wo man offt gesessen in viel Schmertz und Leiden: Alles wird versüsset, weil man GOtt genüset in viel tausend Freuden.

36.
Jetzt kommt die Frühlings-Zeit der Blumen Zierd und Farben, sich wunder-schön ausbreit. Doch ist noch wol Gefahr, wann man sein nicht nimt wahr; denn bald, eh mans bedacht, kommt eine kalte Nacht.

2. Und nimmt den Schmuck dahin, der schönen Frühlings-Blicken; der kleine Kinder-sinn erschrickt vor der Gefahr, obs gleich noch nicht so war; der Sinnen Lieblichkeit vertreibt die rauhe Zeit.

3. Jetzt will ich fangen an, ohn mich zu lassen schrecken, und wallen fort die Bahn: dann wer es wird versehn, durch Straucheln Stille-stehn, der kommt um seine Beut, weil er versaumt die Zeit.

4. Indessen geh so hin in Leiden Dulden Hoffen, und achte vor Gewinn, wann gehe hin und her, als ob kein Helffer wär; dadurch wird man recht klein, und geht zum Himmel ein.

5. Wann ich verlassen steh, und mir nichts

weiß zu rathen, tröst mich des Creutzes Weh, weil diß mein Wander-stab, und reiche Glaubens-Haab, mein Schmuck und Jungfraun-Zier in meinem Leben hier.

6. Jetzt geb ich Preis und Ruhm dem grosen GOtt von Ehren, weil er mich um und um in Gnad und Gut bedacht, und hin zur Schaar gebracht, die Er als Kinder führt, und selbst ihr Thun regiert.

7. Muß ich verlassen stehn, wenn seine Gut verborgen, und traurig umher gehn, wann scheine abgezirrt, ist er mein treuer Hirt, und führt mich auf die Weid, wo meine Seel erfreut.

8. So wachse ich dann auf in diesen fetten Auen, und kommt mein Glaubens-Lauf so nach und nach heran, also zum End die Bahn, und meine Trauer-Zeit belohnt mit lauter Freud.

9. Drum will so gehen hin, und achten kein Betrüben, dann der verliebte Sinn, hat es gar wohl bedacht, daß dort die Creutzes-Nacht in jener Ewigkeit einbringt viel tausend Freud.

37.
Jetzund kan wohl schlafen, wer nichts hat zu schaffen bey dem schönen hellen Licht, stehet nicht in seiner Pflicht.

2. Ich will lieber eilen, und mich nicht verweilen, weil bald eine Zeit bricht ein, die uns wird erfreulich seyn.

3. Wer dann wohl geschmücket, wird dann seyn beglücket, aber wer es hat versehn, der wird müssen draussen stehn.

4. Jetzund laßt uns wachen, weil wir können machen, daß wir kommen zu dem Heil, so den Frommen wird zu Theil.

5. Sind wir gleich verborgen, wann in vielen Sorgen, wir die Zeit offt bringen zu, und daneben wenig Ruh.

6. Wird es doch noch kommen, daß wir mit den Frommen, unsre Garben bringen ein, dann wirds so viel schöner seyn.

7. Ob wir schon mit Schmerzen und verwundtem Hertzen, bringen zu die Lebens-Zeit; es bringt endlich lauter Freud.

8. Dann die Leidens-Tage müssen Früchte tra-

tragen, und wenn dieses nicht geschicht, brechen sie die Mutter nicht.

9. Nun ist es geschehen, GOtt hats angesehen; daß wir einsam und allein, darum schenckt er Güte ein.

10. Und thut uns versüssen, wo wir haben müssen gehn so einen rauhen gang, unter so viel Druck und Drang.

11. Darum laßt uns preisen GOtt mit schönen Weisen, weil er uns so wohl bedacht, und dem Leid ein End gemacht.

38.

JEtzt will ich frölich singen von Gottes Güt und Gnad, weil Er es läst gelingen nach seinem weisen Rath. Nach den betrübten Zeiten, und sehr verlaßnen Stand, lohnt GOtt mit so viel Freuden, macht seine Güt bekannt.

2. Wann über mich ergangen viel Trübsal wie ein Meer, thät mich in Güt umpfangen der Trost vom Himmel her, des muß zum Seegen dienen mein sehr verlaßner Stand, und Wunder-schön ausgrünen, weil ich mit GOtt verwand.

3. Doch ist es hart zu tragen, wann man muß umher gehn, und seyn als wie geschlagen, von GOtt verlassen stehn. Wann auch der liebsten Freunde verschlossen ist ihr Herz, daß scheint ob wärens Feinde: O was ein bitter Schmerz.

4. Wann alle Winde wehen, daß finster um mich her, so läßt mein Freund sich sehen, zeige, daß er Helffer wär. Wann ich verlassen scheine, von Herzen sey betrübt, daß von viel Trauren weine, wär ich von Ihm geliebt.

5. Und thäte vor mich sorgen, doch, als ob ers nichts wär, damit es bleib verborgen vor denen um mich her. Jetzt kan von Güte sagen, weil seine Freundlichkeit thut selber heben, tragen in so viel bittrem Leid.

6. Drum sind es leichte Bürden dem lieb-verliebten Geist, ob er auch müde würde, eh er ganz heim gereist. Es bringet lauter Segen nach Gottes weisen Rath, weil er ist auf den Wegen, nach jener Zions-Stadt.

7. O Wunder! über masen, jetzt freu ich mich ganz sehr, man sieht sich niederlassen ein Jung-

fräuliches Heer. Ein Lämmlein thut sie weiden auf grüner Au gar schön, sie hüpffen auf von Freuden, hold-freundlich anzusehn.

8. Wer hätte sollen dencken in der betrübten Zeit, daß GOtt zuletzt solt schencken so viel Vergnügsamkeit; dann man kans nicht aussagen, wie manches Herzenleid sie stets umher getragen, in der betrübten Zeit.

9. Ob er gleich abgemessen, wie weit es gehen soll; scheints doch, man wär vergessen von allem Gottes Wohl. Doch wird man so gefeget, und auserwählt gemacht zu dem, wo man dort träget die schönste Kleider-Tracht.

10. Daß man auch kann mit gehen zum Freuden-Saal hinein, wo man nach so viel Wehen schencket den reinsten Wein. Jetzt muß das Beste werden der edlen Jungfraun-Zahl, vor ihre Schmach auf Erden, nach hoher Gottes-Wahl.

11. Kaum wird man können sagen, was bey dem frohen Fest vor kosten aufgetragen; wie sichs ansehen läst, so ist die Braut verneuet, in Gold sehr schön gekleidt; die Jungfraun sind erfreuet in alle Ewigkeit.

39.

KOmm doch bald mein liebster Freund, weil von viel Verlangen mich schon fast zu todt geweint, biß du kommst gegangen, und mir deiner armen Magd Trost einschenckest, an den Brüsten tränckest.

2. Das würd mir erquicklich seyn, und ganz hinweg nehmen, die verliebte Liebes-Pein, und des Geistes Grämen: das so manches Jahr und Tag umgetragen, daß nicht aus zusagen.

3. Um die wahre Seligkeit einsten zuerlangen, wo der Geist in GOtt erneut, und gar schön wird prangen: in dem allerschönsten Schmuck, als die Bräute angekleidt in Seide.

4. Wo vergessen alles Leid samt den Trauer-Stunden, da der hart und schwere Streit brachte so manche Wunden. O! was Grämen in dem Geist, und im Herzen, nebst viel tausend Schmerzen.

5. Drum sey mir nicht so verstellt, du, mein Heil und Leben, weil ich alles auf der Welt hab um dich hingeben. Laß mich doch dein reines Licht gantz durchdringen, so wird mirs gelingen.

6. Dann, wie sol mein Hertze sich also können fassen, wann ich muß so jämmerlich gehen meine Strafen: und mit Trähnen ohne Ziel so fort setzen, und den Weg benetzen.

7. Und was mir das schwerste ist, darff ich kaum aussagen: doch, weil du mein Liebster bist, wil ich es doch wagen. Dann so bald du wirst dein Ohr zu mir neigen, wil ich dirs anzeigen.

8. Es ist zwar mein Jammer-Stand dir nicht gantz verborgen; weil du dich von mir gewand in so schweren Sorgen. So muß meine Noht allein umher tragen, bey so vielem Zagen.

9. Weil dabey nicht wissen kan, obs also beschlossen, daß auf meiner Trauer-Bahir ewig sey verstossen. Gantz ohn Hoffnung und Glauben, und Vertrauen, dich nicht mehr zu schauen.

10. Ah! der grosen Noht und Pein, wo ich in muß schweben; was wird wol das Ende seyn des betrübten Lebens? Sol ich denn wol da mein Ziel erst erreichen, wann werd Tods erbleichen.

11. Da mögt wol mein müder Geist in der Stille rasten, wann er solche Ruh geneußt, die befreyt von Lasten. Doch sorg ich, daß dis mein Zeitlichs Hinsterben, mich nicht macht zum Erben.

12. Kommt mir aber dis mit ein, daß der Glaubens-Funcken hält in bitter Todes-Pein, bin ich wie ertruncken, daß mein Schmertzen wie dahin und vergessen.

L. Und bin genesen.

40.
Lieben, Leiden, Dulden Hoffen hat sein Ziel in Gott getroffen, kommt das Klein-seyn noch dazu, bleibt man ewig in der Ruh.

2. Darum will ich alles tragen, auch kein Wörtlein dazu sagen: scheints, ich wäre gar dahin, ich bin doch das, was ich bin.

3. Ich habs dörffen kecklich wagen, Welt und allem abzusagen: dann der ausgeleerte Stand machet seyn mit Gott verwand.

4. Wer was wolt in Händen halten, eh ers meynte, würd erkalten, dann der Creaturen Dunst löschet aus die reine Brunst.

5. Drum hab ich gantz wollen machen, es leidt keine halbe Sachen: wer will Gottes eigen seyn, muß Ihn lieben gantz allein.

6. Hätt ich es nicht können wagen, allem freudig abzusagen: es wär mir nicht kommen ein, daß ich kan so selig seyn.

7. Dieser Weg ist voller Freuden, wann man mir nicht tritt zur Seiten, das Gewissen machet Beut, in der grösten Traurigkeit.

8. Jetzund will ich weiter wagen, daß ich auch lern Bürden tragen, wo es gantz betrübt hergeht, will mit Wachen und Gebät.

9. Mich im Glauben übergeben, ohne Trost, vergnüget leben, dabey preisen Gottes Gnad, die er mir erwiesen hat.

10. In so manchen trüben Zeiten, da ich offt in vielem Leiden bin gegangen hin und her, als ob gantz kein Helffer wär.

11. Nunmehr hab ich Ruh gefunden, weil ich mich mit dem verbunden, der mich hat am Creutz geliebt, und mich auch darinn geübt.

12. Dem sey auch mein gantzes Leben, so entblöset übergeben, dann der treue Kinder-Sinn hat mein Hertz genommen hin.

13. Daß ich alles so hingeben um das Glück in jenem Leben, das erlange nach so viel Leid, in der selgen Ewigkeit.

S. *Iphigenia*
41.
MEin Freund hat mich bewogen, durch seinen reinen Sinn, mein Hertz an sich gezogen, daß ich es gab dahin: die angenehme Blicke, die mich verliebt gemacht, waren die sanfte Stricke, daß ich an ihn gebracht.

2. Es ging dann an ein Hertzen, meint zwar, daß nimmer nicht mich treffen würd ein Schmertzen: das Huldreich Angesicht würd mir nicht mehr erbleichen, bis ich die volle Beut alldorten würd erreichen in jener Ewigkeit.

3. Alleine, was ein Wunder? eh ich mich um
thät

thät sehn, ging meine Sonne unter, und ich muße
traurig stehn: da ging es an ein Zagen, weil ich
noch jung und klein, und konte kaum ertragen so
gar verlassen seyn.

4. Wie hart war da zu leben dem jungen Kinder-Stand, weil ich hat hingegeben mein liebstes
aus der Hand: doch hielt ich an mit Flehen in
tief-gebeugtem Sinn, bis daß mir meine Wehen
wurden genommen hin.

5. O treuster meiner Seelen! ich laß dich
nimmermehr, was soll das sorglich Quälen? ich
sehe ja vorher: wie du zu allen Zeiten mich hast
so wohl versehn mit Trost und Süßigkeiten in
meinen Leidens-Wehn.

6. Ich war ja nie vergessen, wann schon mein
Trauer-Sinn, wo ich betrübt gesessen, gemeint
ich wär dahin: ließ er sich doch bald sehen, und
both mir seine Hand, ließ mich nicht länger gehen
in meinem Trauer-Stand.

7. So thät sich oftmals kehren zu mir mein
liebster Freund, und thät den Unfall wehren, wo
ich es nicht vermeint: wann ich in trüben Zeiten
bey nah zu Fall gebracht, so stund er mir zur
Seiten, hielt selber vor mich Wacht.

8. Ob es schon scheint ein Schmerzen, von
ihm verlassen seyn, so ist es doch im Herzen nur
eine Liebes-Pein: weil seine Treu vor allen schon
hat zuvor ersehn, nach seinem Wohlgefallen zu
heilen unsre Wehn.

9. Drum will in allen Tödten ich leiden in
Gedult, und in den größten Nöthen erwarten seiner Huld. Trag ich schon viel Beschwerden
hier in der Sterblichkeit, dort wirds schon besser
werden in jener Ewigkeit.

42. *S. Thecla*

MEin Geist ist hoch erfreut, und brennet vor
Verlangen, daß ich zum Ziel gebracht, wo
JEsus vorgegangen: und meinem Glaubens-
Lauf geöffnet so die Bahn, wo der verliebte Sinn
auch nimmer irren kan.

2. So walle ich dann hin im Glauben, Lieb
und Hoffen, bis ich mit voller Krafft mein rechtes
Ziel getroffen: und fällt mir in dem Lauf gar oft
was Tödlichs für; werd ich doch gehen ein zur
engen Himmels-Thür.

3. Dann mein verliebter Geist bleibt unverrückt in Schrancken, wo er sonst öftermal durch
hin und wieder Wancken geirret von der Bahn
und liebes-Sinn; nun aber hab ich mich
auf ewig geben hin.

4. Zu bleiben recht getreu wie GOtt mich selbst
will leiten, durch Leben oder Tod und viel Ge-
fährlichkeiten: werd ich nur zubereit zum Looß der
wahren Frommen, vereinet mit der Schaar, die
aus viel Trübsal kommen.

5. Der Eid ist doch gemacht um nimmermehr
zu weichen, bis daß das rechte Ziel ich werd in
GOtt erreichen: mein Kampf-Platz heißt Gedult, der Sieg Gelassenheit, so endet sich zuletzt
der viele harte Streit.

6. Und weil mein Leben hin an meinen GOtt
ergeben, veracht ich Welt und Zeit, und alles
Widerstreben: Die Lieb wird halten aus, verdoppeln das Verlangen, bis daß ich ganz und gar
im Meer der Lieb zergangen.

7. So bin ich heim gebracht nach vielerley Beschwerden, die Kron ist beygelegt, die mir alldort
wird werden: der reine Jungfrau-Schmuck,
das helle weiße Kleid, wird mich verklären dort
in jener Ewigkeit.

43.

MEin Geist ist überwogen von starcker Liebes-
Macht, die mich an sich gezogen, und in Ihr
Netz gebracht: befreyt von allen Lästen, die offt
sehr harte preßten, wann man wie nichts geacht.

2. Nun darf ich nicht mehr klagen, wie vor
der Zeit geschehn, weil alle meine Plagen, samt
viele bittere Wehn, sind ganz hinweg genommen,
dieweil die Wahl der Frommen mir thut zur
Seiten stehn.

3. Was soll ich weiter sagen, weil mich die
hohe Gür in Liebe schon getragen in meiner Jugend Blühe. Er kauffet von der Erden, damit
ich könne werden an Leibe ein Mitglied.

4. Nun will ich nur so lallen, weils doch nicht
sagen kann, wie sie in meinem Wallen geführet
mich die Bahn. Wills nur so auf sie wagen,
sie wird es mir schon sagen, wann gleite in
dem Wahn.

5.

5. Diß ist schon meine Freude alhier im Trauer-Thal, die angenehme Weyde, so bey der heiligen Wahl; die sich im reinen Lieben, dem keuschen Lamm verschrieben, gebracht zur Jungfrau-Zahl.

6. Soll ich mich dann nicht freuen, in dem verliebten Sinn, weil ich an den Getreuen also verlobet bin: der allen meinen Schmertzen, und Wunden in dem Hertzen, genommen gar dahin.

7. Wann ich nur thu gedencken, was seine Gütigkeit für Gutes that einschencken in der betrübten Zeit, da noch nichts wust zu sagen, was Lästen sind zu tragen, entfernet noch sehr weit.

8. Drum wird mich nichts mehr scheiden von dem vereinten Band, ich achte Creutz und Leiden zu seyn mit GOtt verwandt. Der Vorzug der Erwählten besiegt wol tausend Welten in dem so niedern Stand.

9. Muß ich jetzt gleich hoch wandeln im engen Creutzes-Zahl und mich lassen behandeln, als ob ich nicht zur Zahl gehört, und sey gezählt, die sich dem Lamm vermählt; so bleibt mir doch die Wahl.

10. Es wird doch endlich kommen, wann bricht die Zeit hervor, da gantz hinweg genommen der schwartze Trauer-Flor. Dann wird gantz seyn vergessen, wo man betrübt gesessen. Jetzt steige man hoch empor.

11. Dann wird man Wunder sehen, die nie gewesen seyn, wann GOtt so wird erhöhen und anders schencken ein, die niemand hier gekennet, nur Dumm und Thor genennet, das müßt ihr Bestes seyn.

12. Nun ist GOtt hoch erhoben als Herrscher aller Welt, man wird Ihn ewig loben im hohen Himmels-Zelt. Dis wird den Heiligen werden, weil sie alhier auf Erden gethan, was Ihm gefällt.

44.

Mein Geist ist wie im Lauf ermatt, von brünstigem Verlangen: findt in der Hitze wenig Schatt, daß schier von Leid vergangen.

2. Mein Leben ist als wie dahin, weil meine Kräfft verschwunden, denn was zuvor war mein Gewinn, macht jetzt so viele Wunden.

3. Solls dann umsonst gewesen seyn, daß ich so viel geliebet, weil offt als must verstossen seyn, wann ich so hart gesiebet:

4. Auf meinem Weg der Seligkeit, den ich hab angetreten; Dacht nicht an so viel bitters Leid, das mich so offt betreten.

5. Doch hab zu meinem Theil erwählt in meinem gantzen Leben, zu suchen nur, was GOtt gefällt ohn einigs Widerstreben.

6. Ah! aber ach wie viele Wehi, und manche bittre Wehen, daß öffters sprach: O treuer GOtt! thu mir in Gnad beystehen.

7. Doch bleibts, in dem verliebten Sinn ja nimmermehr zu weichen: und weil ich Gottes eigen bin, werd ich mein Ziel erreichen.

8. So wall ich hin nach jener Welt, thu mich an nichtes kehren, weil ich von GOtt bin ausserwählt, thut er mich selber lehren.

9. Dann seine Treu, die mich berührt in meiner Jugend-Blüte, die ists, die mich bisher geführt durch seine grosse Güte.

10. O JEsu! du mein einzigs Theil, dir hab ich mich ergeben: denn du bist meiner Seelen Heil, und mir das Liebst im Leben.

11. Drum leget sich mein Hertz aufs neu zu deinen Füssen nieder, weil du die erste Liebes-Treu in mir erwecket wieder.

12. Und siehe deine Gnad und Gunst, die mir ins Hertz geschrieben, und mich geliebet gantz umsonst; obs gleich offt macht Betrüben.

13. Und ob ich schon zum öfftermal mich finde sehr verlassen, in manchen Nöthen und Trübsal muß gehen meine Strassen;

14. So hab ich doch kein andre Freud alhier, auf dieser Erden: als daß so werde zubereit, dort verherrliche zu werden.

15. Und nehm es an, von deiner Hand, dann die wird mir beylegen: wie es mir nuß in meinem Stand, und allzeit meiner pflegen.

16. Drum bin ich still und heim gebracht, nach so viel Leid und Jammer; fällt ein ein dunckle Trauer-Nacht, ich ruh in meiner Kammer.

S. Persida. **45.**

Mein inniglstes Sehnen nach Göttlichem Sinn ist gänzlich gerichtet alleine dahin: von allen vergänglichen Dingen auf Erden von innen und ausen befreyet zu werden.

A a a   2.

2. Sonst bleibet mein Lichten ein nichtiger Wahn, wann mir sich nicht öffnet die Göttliche Bahn: doch will ich in Dulten und Hoffen und Schweigen treu bleiben, und stehen mit tiefesten Beugen.

3. O JEsu! mein Leben und innigste Lust, wie lechzet mein Herze, wie brennet die Brust: daß ich dich doch möchte in Liebe umfassen, und also in Ewigkeit nimmermehr lassen.

4. Doch will ich erwarten in vieler Gedult, bis er mich umgiebet in Gnade und Huld: und solt mir zuweilen das Herze zerfliesen, so wird er doch endlich mein Leiden versüsen.

5. Er weiß doch am besten, was nützlich und gut; und wann auch schon sincket zuweilen der Muth: so werd ich doch nimmer im Hoffen erliegen, bis daß ich gefunden das wahre Vergnügen.

46.

MEin so sehr verliebtes Herz hat sich Gottes Huld ergeben, wann ich sincke niederwärts, schenckt er mir das Liebst im Leben. O! was Segen und Gewinn, wer sich so ergeben hin.

2 Dann da wird man wie erneut, weil man sichet lauter Sachen; die der Welt und Eitelkeit vor der Zeit ein Ende machen. Geht man offt und ist betrübt, wird man nur noch mehr verliebt.

3. Fort zu setzen seine Reiß frölich, mit sehr starcken Schritten; nach viel bitterm Todes-Schweiß folgt der unverwelckte Frieden, da man GOtt in groser Freud loben kan ohn End und Zeit.

4. O Was grose Wollust wird mein so müder Geist genüsen, wann der treue Seelen-Hirt selbst mein Leiden wird versüsen, da ich ging, und war betrübt, weil in Ihn so sehr verliebt.

5. O Mein Hirt und wahl mein Lamm! sey mein Leit-Stern in dem Gehen; hastu an dem Creutzes-Stamm mich zu deiner Braut ersehen. Blir' ich Dein' und du bleibst mein, wird die Liebe ewig seyn.

47.

MEin so sehr verliebter Sinn hat mein Herze überwogen, daß ich gabe alles hin, gantz vom Eitlen abgezogen: Drum hat GOtt durch seine Wahl mich gebracht zur Jungfrau-Zahl.

2. Die die eitle Welt versagt, und sich aller Ding begeben; es aufs euserst hin gewagt, und das reine Jungfraun-Leben: weilen sie dazu ersehn, nur dem Lamme nach zu gehn.

3. O du reiner Liebes-Sinn! dir hab ich mit Eyd versprochen, mich zu eigen geben hin, treu zu bleiben unverbrochen; Tag und Nacht ohn Ziel und Zeit, dir zu Dienste stehn bereit.

4. Wer die rechte Armut hat hier gefunden in dem Leben; heiset selig in der that, weil er drum hat hingegeben, auch das Liebste auf der Welt; um zu thun, was GOtt gefält.

5. Bin ich gleich gering und klein, muß offt traurig umher schweben; so geht man zum Himmel ein, und fängt Göttlich an zu leben. Diß ist, wo ich nach gejagt, als ich alle Ding versagt.

6. Treuer GOtt! ich steh um Gnad, pflege mein in viel Erbarmen; du gibst alzeit weisen Rath, trägst und führest mit den Armen. Ich leg mich in Demuth hin, in dem kleinen Kinder-Sinn.

7. Du bist ja der Kleinen Trost, und auch Zuversicht im Weinen; wann du aus der Noth erlöst, heisen wir die Liebe Deinen. Drum nimm dich mein treulich an, hier auf meiner Trauer-Bahn.

8. Treue Liebe, pflege mein, steh mir bey in meinem Wallen, ich mögt gern dein eigen seyn, laß mich nimmer gleiten fallen; dann du hast mich doch erwählt, daß zur Braut-Zahl werd gezählt.

9. Wann in meinem Weysen-Stand, den ich trage hier auf Erden, ich nicht wär mit GOtt verwandt, der hilfft tragen die Beschwerden; könt ich offt kaum weiter gehn wegen viel geheimer Wehn.

10. Drum, O JEsu! steh mir bey, thu wie man die kleinen pfleget; schenck zu bleiben ewig treu; wann mich deine Langmuth träger, werde ich die Sieges-Kron tragen, die der Keusch-heit Lohn.

11. O! Wie wär so froh gemacht, wann ich sehen, daß wir alle hin, zum rechten Ziel, gebracht wo man GOtt mit frohem Schalle lobet mit viel Sieges-Freud, in die Läng der Ewigkeit.

48.

48.

MUß ich seyn als wie dahin, bleibt doch mein verliebter Sinn allezeit dahin gericht, wo mir scheint das Gnadenlicht.

2. Damit ich ja nichts versäum, biß im Segen kommen heim: wolt was stören meine Ruh, schließ sich Herz und Augen zu.

3. Daß ich bleib von dem gekehrt, was den reinen Sinn bethört. Dann ich habe mir erwählt, daß ich werde mit gezählt:

4. Zu der reinen Jungfraum-Schaar, die dort gehn bey Paar und Paar. Ach mein GOtt! schenck Güte ein, ewig drinn getreu zu seyn.

5. Dann mein sehr verliebter Sinn gibt sich dir zu eigen hin, daß der Jungfraum-Schmuck bewahrt, biß ich werde dort gepaart.

6. Kostet es gleich manche Wehn, daß muß traurig umher gehn, soll es bleiben doch dabey, daß ich dein Ergebne sey.

7. Wann auch meine Lebens-Zeit wäre nichts als Traurigkeit: man wird nur noch mehr verliebt, wann man gehe und ist betrübt.

8. Wo das Hoffen hat Gednlt, wird erworben Gottes Huld, die versüßet unser Leid in der selgen Ewigkeit.

9. Darum setz aufs neue an, auf der Leid-und Trauer-Bahn, meine Reiß zu wallen fort, biß geh ein zur Himmels-Pfort.

10. Da werd schöne Sachen sehn, wo sonst weinend hin must gehn, und mein viel gehabtes Leid wird belohnt mit tausend Freud.

11. O wie froh bin ich gemacht! weil mich GOtt dahin gebracht, zu der reinen Lämmer-Heerd, die erkauffet von der Erd.

12. Und nach viel gehabten Wehn, auf dem Berge Zion stehn, nur dem Lamme folgen nach, vor die lang und viele Schmach.

13. Diese heissen JEsus Braut, die er sich am Creutz vertraut, drum wird auch die grosse Freud währen in die Ewigkeit.

N

49.

NUn gehe ich im Segen fort, thu mich an sonst nichts kehren, dieweil mich das Verheisungs-Wort thut selbst das Beste lehren.

2. Die Reiß, so ich getreten an, von viel und manchen Jahren, ist zwar ein hart und rauhe Bahn, welches ich wohl erfahren.

3. Drum kan ich nicht lang stille stehn, noch sonsten mich verweilen; weil still-stehn heist zurücke gehn, darum will ich fort eilen.

4. Zumal, weil auch die Thür so klein, und dazu wol bewahret; drum wird es wohl das Beste seyn, wo kein Fleiß wird gesparet.

5. Doch wird's im Lauffen nicht erjagt, noch durch viel Fleiß erworben; es heist; hastu dich selbst versagt? und bistu auch gestorben.

6. Ich hab es zwar gar wohl bedacht; als ich mich so gewaget, und auf die mühsam Reiß gemacht; dem allem abgesaget.

7. Drum wall ich mit getrostem Muth, thu mich in Hoffnung freuen, es geht zuletzt noch alles gut, drum wird michs nicht gereuen.

8. Dann meine lange Wanderschafft hat mich so rein bewähret, daß offt des Leidens hohe Krafft gar manchen Trost bescheret.

9. Wann offt gemeynt, es wär dahin mein Glauben, Dulden, Hoffen: bald kam mir ein mit viel Gewinn, daß mir mein Ziel getroffen.

10. Drum will ich fleisig dencken dran, wie GOtt hilfft aus den Proben: wann ich zu End auf meiner Bahn, werd ich ihn ewig loben.

S. Flavia 50.

NUn walle ich getrost auf meinem Glaubens-Wege weil sich geöffnet mir die Thür zum Himmels-Stege: ich gehe dann nun ein zur stillen Ruhe-Kammer, da ich werd seyn befreyt von allem Leid und Jammer.

2. Dann da nach langem Schmerz ich mich ersencket nieder, hat sich mein Bräutigam in mir gefunden wieder: der doch in meiner Noth, und vielen Herzens-Pressen sich von mir abgewandt, ob hätt er mein vergessen.

3. Ich hab zwar seine Lieb im innern Grund verspühret, als sein verliebter Blick mein Herze hat berühret, und er die Zusag hat gegeben meiner

Zaa 2 ner.

ner Seelen, mich als sein Eigenthum mit ihme
zu vermählen.

4. Doch wurde ich gar bald von ihme gantz
verlassen auf meiner Glaubens-Bahn. Ich
mußte oft erblassen: wenn ich vom Feinde ward
auf manche Weiß gedrungen, so daß es schien,
ich wär von ihme gantz bezwungen.

5. Ich aber bliebe doch mit innigem Verlangen an JEsu reiner Lieb und seiner Zusag hangen: bis daß sein Liebes-Hertz sich thäte zu mir
kehren, zu nehmen hin mein Leid und viele heisse
Zähren.

6. Nun aber ist mein Hertz in Liebe gantz zerflossen, weil ich in ihme hab das wahre Gut genossen: das alles übersteigt, und machet mich vergessen, wo ich in so viel Leid oft traurig bin gesessen.

7. Es ist ja nichtes hier auf dieser Welt zu
nennen, das ein verliebtes Hertz von ihme könte
trennen: das einmal ist geträncket aus seinem reinen Wesen, und sich der Weisheit Schatz vor
Allem hat erlesen.

8. O was vor ein Genuß und Freude wird
empfunden! wo die versammlet sind, die JEsus
sich verbunden. Ich freue mich ohn End, weil
ich nun bin gezehlet zur keuschen Jungfraun-
Schaar, die JESU sind vermählet.

9. Zu folgen seinem Gang ohn eintziges Ermüden, weil wir gegangen ein, wo blühet ew'ger
Frieden: drum achten wir kein Ding noch eintzige Beschwerden, weil wir nach vielem Leid von
ihm verherrlicht werden.

10. Hier bleibet zwar der Trost gar oft im
Creutz verborgen, weil wir noch tragen um viel
bittres Leid und Sorgen: die Erndte wird sich
doch nach vielen Leiden finden, und der gehabte
Drang auf Ewig hin verschwinden.

51.

Nun will ich mit Freuden wallen nach dem
Ziel der Ewigkeit, und nach Gottes Wohlgefallen treten in den harten Streit: wo der Kampf
die Sieges-Kron tragen wird zuletzt davon, und
die viele harte Pressen werden ewig seyn vergessen.

2. Ob mein Leben schon verborgen, und mein
Wandel gantz verdeckt, so weiß GOtt doch meine

Sorgen, und was oft mein Hertze drückt: da mir
oft gebricht an Rath, weil nicht weiß, ob seine
Gnad mich hat völlig eingenommen in das Looß
der wahren Frommen.

3. Dieses trag ich in dem Hertzen, dieses ist
mein Sorgen-Stein, daß ich doch in allen Schmertzen möchte Gottes eigen seyn: so wird mir einst
zugerheilt, was mir meinen Schmertzen heilt, und
ich kom durch langes Sehnen hin zu GOtt nach
vielen Thränen.

4. Doch wohl mir, es wird noch werden, was
so manche Zeit und Tag ich gesucht mit viel Beschwerden, und mit vieler Noth und Klag. Ich
bin schon in GOtt erfreut, weil in so viel Schmertz
und Leid er bisher mein Trost gewesen. Wohl
dann nun, ich bin genesen.

V. Friedsam   D. S. Euphrosina
Nov.   52.

Ob ich gleich gering und klein, so viel gröser
ist mein Hoffen, dort wirds erst recht anders
seyn, wann einmal mein Ziel getroffen. Jetzund
gehe ich so hin, bey so manchen Trauer-Stunden,
weiß offt nicht mehr was ich bin, wegen viel geheimer Wunden.

2. O! wie manche Trübsals-Nacht hatte ich
in meinem Wallen, als ich alle Ding versagt,
daß ich möchte GOtt gefallen. Doch war diß
mein gantzer Sinn nun, und nimmermehr zu
welchen auf den Weg zum Himmel hin, biß ich
werd mein Ziel erreichen.

3. Kost's gleich manchen sauren Tritt, daß offt
gibt sehr bittre Trähnen, auch noch wird von
Seufftzen müd: endlich lernt man es gewöhnen.
Dann wann Gottes Freundlichkeit thut erwünschte Blicke geben, wird man plötzlich wie erneut,
wär man auch schon müd zu leben.

4. Nunmehr gehets sachte hin, nach dem Ziel
der Ewigkeiten, alda blühet mein Gewinn vor
mein viel gehabtes Leiden. Geh ich gleich offt
hin und her, wie von aller Welt verlassen, in dem
stillen Friedens-Meer, thut mich Gottes Güt
umfassen.

5. Die erfreuet mein Gemüth in so manchen
Trau-

Trauerstunden; wann auch wie von Seufftzen müd, plötzlich ist mein Schmertz verschwunden. Dieses macht offt neuen Muth, wann mir nicht mehr weiß zu rathen, weil GOtt als das höchste Gut selber thut dem Elend rathen.

6. Ob ich gleich sehr klein gemacht auf den schmalen Trübsals-Wegen, wann mein Glück mich heim gebracht, werde ich mich nieder legen in gar-sanfft und stiller Ruh, meines Leids nicht mehr gedencken, trotz, was mir auch schaden thut, oder was mi v sonst wolt kräncken.

7. Darum bin ich froh gemacht hier, in meinen Trauer-Tagen, nach der langen Creutzes-Nacht finde sich, was man nicht kann sagen: in der frohen Erndte Zeit, wird die Thränen-Saat einbringen, daß ich werd in Ewigkeit mit den Heilgen GOtt lobsingen.

53. S. Rahel

OB ich schon jetzt annoch muß offtmals traurig geh'n; und mein so edle Saat in vielen Schmertzen säen: so wird mir doch dafür ein hoher Freuden-Schein, und das erwünschte Glück mit Segen kommen ein.

2. Dann Zions Hoffnung krönt den lang geführten Streit, die bittre Thränen-Saat erwartet ihre Beut.. O angenehme Ruh nach dem so müden Gang! allwo von Traurigkeit offt Zeit und Weile lang.

3. Dann wann ich ein Gedenck, mit was vor großer Güt mich GOTT an sich gebracht in meiner Jugend Blüh: so muß zerfließen gantz, weil offt, eh ichs bedacht, mit Jammer wird umstelle von Traurigkeit der Nacht:

4. Die meinen Geist bedeckt, da es schien aus zu seyn, dieweil mein liebster Freund mich gehen ließ allein: und sich vor mir verstellt, als ob er weg gewandt, und mich verlassen hät in meinem Trauer-Stand.

5. So ists doch nun geschehn, daß, eh ichs wird gewahr, ich thu erkannt, und daß er mir ein Andrer war: weil ich ihn nur gesucht, wo es gantz lieblich ist, drum mußt erfahren erst, wie er das Leid versützt.

6. Wann wir verlassen gantz, mit Dunckel-

heit umstellt, so werden wir erst recht von ihme auserwählt: das ist sein Ruhe-Bett, so er sich zu gedacht, wann wir bedecket sind mit einer schwartzen Nacht.

7. Die Liebes-Blicke, die er mir hat zugesandt, da ich verlassen schien in meinem Trauer-Stand: die brachten mich so weit in Liebes-Trunckenheit, daß ich vergessen kent mein vieles Hertzen-Leid.

8. Und weil nun Lieb und Leid sind meine Reiß-Gefährt, so kan vergessen ich auch alle Freud der Erd: dieweil mein liebster Freund die größte Bitterkeit in mir verändern thut in lauter Geistes-Freud.

9. Es ist ein kurtze Zeit die Schmach allhier auf Erd, wer solt nicht leiden gern, daß er erhöhet werd mit denen? die erkämpfft die edle Ritter-Kron unter so vieler Schmach, Verachtung, Spott und Hohn.

10. Die reine Jungfrauschafft, die sich GOtt zugedacht, wird hier auf dieser Welt von Freund und Feind veracht: weil der verliebte Sinn allein sich hingethan zu JEsu, der da ist der treuste Ehemann.

11. Drum kans nicht anders seyn, es ist dahin das Recht allhier auf dieser Welt dem Jungfrauen-Geschlecht. Doch ist kein andre Bahn, sie bleiben bey der Wahl dem, der sie hat gezehlt zur keuschen Jungfrau-Zahl.

54.

O Gnaden-Brunn! O Weisheits-Quell! Du stieß ein in meine Seele ein Wasser, so da rein und hell, löst auf die Trauer-Höhle; diß wäre einzig meine Lust zu trincken deine Liebes-Brust, auf mein Schmertzen, den ich muß tragen in dem Hertzen.

2. O Mach mich doch dir recht getreu! damit entbunden werde von allem, was auch solches sey, und aller Last der Erde. So wird mein sehr empfindlich Leid, und mancher saurer bitter Streit, den ich mit mir muß selber führen, wenn unvermerckt schein abzuirren.

3. Gelößt, daß aller Trug besiegt, auch keine Pest einschleiche, die mich hinfort so sehr bekrigt, daß wie davon erbleiche. Sonst sind wir alle stets-

fleisig dran, zu wallen fort die Lebens-Bahn, alwo das Glück im Ziel getroffen, wann man getreu
und wol ge'offen.

4. Indessen ist das Liebes-Spiel noch nicht bey
uns vergangen, die meisten sind vergnügt und
still, auch offt in bittren Drangen. Und wer
ermüdet in dem Lauff, gar bald wacht Ihm der
Helffer auf, dann thun wir Ihn zusammen loben,
weil er thut helffen aus den Proben.

5. Und ob die Dunckelheit der Welt uns
rund um wol umstellen, weil JEsus an das
Creutz gepfält, kan uns kein Unglück fällen.
Wir suchen seiner Wunden Höhl, so wird erquickt die krancke Seel, und können unser Spiel
fort setzen, uns an der Liebes-Brust ergötzen.

6. Jetzt heißt es getreu seyn biß in Tod, in lieben
und im Leiden, wird man gespeißt mit Tränen-
Brod, GOtt lohnt mit tausend Freuden. Drum
freu ich mich der Trauer-Saat, weil Gottes reiche Gut und Gnad dort wird so reichen Trost einschencken, daß man wird der nicht mehr gedencken.

7. Dort wird mein langer Trauer-Stand mit
Freud belohnet werden, weil ich alhier mit GOtt
verwandt, versagt die Freud der Erden. Dann
werden wir zusammen all mit grosser Freud und
Jubel-schall nach unsern Trauer-Tagen GOtt
und dem Lamm Lobsagen.

55.
O GOtt! ich fleh um Gnade, hilf meiner
armen Sach: und selbst dem Elend rathe,
daß stetig umher trag. Thu mich in Gut umarmen, und zeig mir dein Erbarmen; ich muß
ja fast vergehen, weil du nicht hörst mein Flehen.

2. Drum bitt von gantzem Hertzen, hilf mir
zu meinem Theil, daß ja nicht mögt verschertzen
mein so gar grosses Heil. Worzu mit Eyd verschrieben, daß ohne Maaß zu lieben, in allem
Schmertz und Pein ewig getreu zu seyn.

3. Wann ich die Zeit erwägen, die gangen
schon dahin, so macht michs seyn verlegen, wo
auch wol mein Gewinn. Diß macht mir so viel
Wehen, weil nicht weiß, obs thut gehen, oder im
Sünden-Bett sanfft ruht und stille steht.

4. Ach! wie lang sols noch währen, daß ich
muß seyn betrübt, und so viel Zeit verzehren, biß
heist: ich wär geliebt. Doch thut ein Trost aufgehen, weil GOtt mich hat ersehen, gebracht zur
Lämmer-Heerd, erkauffet von der Erd.

5. Drum will ich dich umfassen, O theure
Gottes-Lieb? wann Trähnen mich benassen, daß
finster, schwartz und trüb. Und will es kühnlich
wagen, dir meine Noth zu klagen; Ach? nimm
dich meiner an, weil selbst nicht weiter kan.

6. Sonst muß ich gehn, und weinen, als ob
kein Helfer wär: obs gleich nur so thut scheinen,
so ists doch sauer und schwer mit Trauren gehn
die Strasen, und seyn von GOtt verlassen, da
man es so gewagt, und alle Ding versagt.

7. Drum will noch einmal flehen: ach GOtt!
steh mir doch bey, laß mich nicht so umgehen, als
ob verstossen sey. Ich hab mich ja zum lieben
aufs ewig hin verschrieben, damit in aller Noth
treu bleibe biß in Tod.

8. Und wann du mein thust pflegen in meiner
Niedrigkeit, biß mich werd niederlegen, wo mir
die Ruh bereit; so bin ich wol geloffen, und hab
mein Ziel getroffen, und auch ein seligs End,
wann ich den Lauf vollend.

56. S. Basilla
O HErr voller Gut und Gnade! mein
Geist schreyt in dich hinein, thu doch allen
Seelen rathen, die dir so ergeben seyn.

2. O! wie brennen die Begierde nach dir
JEsu früh und spat; daß uns deiner Schönheit
Zierde leuchte für auf unserm Pfad.

3. Daß wir dringen in dein Wesen, wo uns
ewig Heil verschafft, und also in dir genesen durch
dein hohe Wunder-Krafft.

4. Gib uns himmlische Geberden, daß wir
seyn, wie dirs gefällt; und also dein Lustspiel werden dort, in jener neuen Welt.

5. O du reinste Liebes-Flamme! zünd mein
Hertze inniglich an, daß ich folge nach dem Lamme
auf der sehr verliebten Bahn.

6. Dieses könte mich vergnügen wenn mein
allerliebster Freund, mir dis Trost-Wort thät bey-
fügen; du hast lang genug geweint.

7. Komm, und hole ein den Segen, der dir
längs

längsten beygelegt, ich wil dein in Güte pflegen, wie man sonst die Schwachen trägt.

8. Diß ist mein unendlichs Brennen, treuer JEsu, stets nach dir, daß mich mögt die Deine nennen, und auch nimmermehr abirr.

9. So hätt ich die ew'ge Stille, wenn einmal so heim gebracht, und aus seiner Gnaden-Fülle Ihm könt dienen Tag und Nacht.

10. O du lang erwünschter Friede! wo dis hohe Gut erlangt, da man auch nicht mehr wird müde, und im ewgen Frieden prangt.

11. Diß ist's, warum bin geloffen, in so mancher Trauer-Zeit, und weil dieses Ziel getroffen, danck ich GOtt in Ewigkeit.

S. 57. Petronella

O JEsu! meines Hertzens Freud, dir hab ich auch ergeben, in meiner gantzen Lebens-Zeit zu Ehren dir zu leben. Ich sind sonst nichts, das mich vergnügt, noch deine Liebe überwigt; drum will ich seyn dein Eigenthum, und du solt seyn mein Preiß und Ruhm.

2. Gar früh in meiner Jugend-Blüt muste ich schon hin geben, was mir erfreute das Gemüth und Liebstes war in Leben. Ich wuste nicht, wie mir geschah, ob gleich mein Gutes mir so nah, so must ich doch im Elend gehn, wo offt kein Trost noch Hülff zu sehn.

3. Daß kaum könt dencken, daß ein Glück mir noch zuletzt könt werden, dann wann ich sehen thu zurück, gedenck der viel Beschwerden; so danck ich GOtt vor seine Treu, daß er mir hat gestanden bey, und wil um seines Namens Ehr auch von Ihm lassen nimmermehr.

4. Wil mich indessen freuen sehr, daß ich auch mit gezählet zu dem so schönen Jungfraun-Heer, das GOtt sich auserwählet zu seinem hohen Preiß und Ruhm, und auch sehr wehrten Eigenthum; trifft uns schon jetzt viel Spott und Schmach, so folge doch Freud und Ehr hernach.

5. Gleich wie nach langer Winters-Zeit, der Frühling thut erscheinen, und alle Creatur erfreut, so wird auch unser Weinen vergessen, wann der frohe Tag ein End wird machen aller Plag: Diß ist mein Trost, wann traurig geh, und einsam und verlassen steh.

6. Den Eyd so ich gethan mit GOtt aus Lieb zum ewgen Leben, soll brechen weder Noth noch Tod, ich bleibe Ihm ergeben; solt auch viel Jammer seyn mein Brod, so wil ichs klagen meinem GOtt, gedencken, was vor grose Krafft verborgen in der Jungfrauschafft.

7. Und wann in meinem Glaubens-Lauf offt in viel Elend zage, so heb ich meine Augen auf, und schau nach jenem Tage, da Jungfrauschafft sehr hoch erhöht, und vor dem Trohn des Lammes steht, mit Krafft und hohen Ehren nebst denen Himmels-Chören.

8. Ob schon ein schwartzer Trauer-flor uns jetzt annoch bedecket, so daß der schöne Jungfraun-Chor geacht, als wie beflecket, so weiß ich dieses doch gewiß, daß solches keine Hinderniß; es wird, nach so viel Noth und Pein, die Freude so viel gröser seyn.

S. 58. Zenobia

O JEsu! thu mir doch die Schmertzen versüssen, und laß mich die Früchte der Liebe geniessen: ich warte desselben mit grosem Verlangen, weil dir schon so lange in Liebe nachgegangen.

2. Und mag mich verbunden, dich nimmer zu lassen, und solt ich auch drüber im Tode erblassen: die Treue, die du mir ins Hertze geschrieben, die lässet mich nimmer aufhören zu lieben.

3. Und weil du mein Leben und Lust meiner Seelen, so will ich mich mit dir am Creutze vermählen: das soll mir das Liebste seyn allhier auf Erden, so werd ich dort mit dir verherrlichet werden.

59.

O Was ein sehr betrübte Zeit! worein wir sind gekommen, der Himmel selbsten träget Leid, und alle wahre Frommen gehen betrübt den gantzen Tag: Ach GOtt! helff unser armen Sach, und thu in Gnad beystehen.

2. Dann viel sind fast als wie dahin bey den betrübten Tagen, die vormals wagten Muth und Sinn dem Himmel nach zu jagen, die thun nun wieder stille stehn, daß man sie nicht sieht weiter gehn, des woll sich GOtt erbarmen.

3. Gar viele tragen drüber Leid, und thuns GOtt heimlich klagen, weil viele auch im besten

Streit

Streit darnieder sind geschlagen. Viel andre gehen hin und her, als ob GOtt nicht mehr Helffer wär, und hätte sie vergessen.

4. Solls dann umsonst gewesen seyn, was Er selbst angefangen, da dein lieblicher Freuden-Schein ist über uns aufgangen. Wir sind dir ja so nah verwandt, drum thu in unserm Trauerstand uns nicht so gantz verlassen.

5. Wir flehen dich inständig an, Ach GOtt! thu dich erbarmen, und hülf uns wieder auf die Bahn, weil du das Heil der Armen. Wir sind doch deine Weyselein; die alles Trosts entnommen seyn um deiner willen worden.

6. Du wirst ja noch gedencken dran, was dein Mund hat versprochen, da wir dir unsern Eyd gethan, der ist ja nicht gebrochen. Drum sey selbst Pfleger unser Sach, und helff uns tragen unsre Schmach, biß wir den Lauff vollendet.

60.
O Was grose Noth und Schmertzen sind ich mir noch zugesellt! O was Quälen in dem Hertzen! wenn die Liebe sich verstellt: könt ich och für Leid und Wehen oft im Elend gantz vergehen.

2. Da muß aller Schein verschwinden, wo kein Leben wird gespürt: wann kein Trost-Wort mehr zu finden, und sich alles gantz verliert, wo zuvor mein liebstes Leben, muß ich jetzt im Elend schweben.

3. Schmuck und Kronen sind verschwunden, alle Herrlichkeit ist hin. Ich kann nichts als Jammer finden, wo ich mich auch wende hin: wo ich sonst noch schwebt in Freuden, treffen mich betrübte Zeiten.

4. Doch wird GOtt den Staub erheben, wo jetzt alles gantz dahin; aus dem Sterben komme das Leben, aus dem Leben der Gewinn: ich kann schon den Frücht geniesen, die mir thut mein Leid versüsen.

5. Darum will ich mir genügen lassen, wie mir beygelegt, muß ich schon im Staube liegen: dann so kommet man zurecht, weil die viele Noth und Schmertzen heilen die verwundten Hertzen.

6. Ich weiß besser nichts zu finden, als mich so zu geben hin: dann, wo alles thut verschwinden, ist der gröseste Gewinn. Ist mein Leben gantz bezwungen, so ist mirs im Sieg gelungen.

7. Ja es ist nicht wohl zu sagen, was vor Segen und Genuß den', die Lieb im Hertzen tragen, letz daraus erwachsen muß. Dann die sich hier selbst verlieren, wird GOtt in sein Reich einführen.

61.
O! was wird aldort erscheinen, wann wird werden offenbar, was so unter langem Weinen hier im Creutz verborgen war. Die so viel erlitten, dabey durch gestritten: und belohnt mit Sieges-Freud vor ihr viel gehabtes Leid.

2. O! was haben die gewonnen, die einmal dorthin gereist, wo man trincket aus dem Brunnen, der von Gottes Stul ausfleust. GOtt selbst wird bereiten ihren Schmuck von Seiden, daß sie stehen schön gekleidt in Licht und Gerechtigkeit.

3. O! wie werden wir uns freuen wann die gantze Creutzes-Schaar schön und lieblich an dem Reihen werden gehn bey Paar und Paar: Da das Lamm sie weiden, führen wird und leiten, als die reine Lämmer-Heerd, die erkauffet von der Erd.

4. Niemand wird es je aussagen, was es dort bringt vor Gewinn, wer es thut aufs eusserst wagen in dem schönsten Jungfrau-Sinn. Tragen hier auf Erden mancherley Beschwerden; in des Lammes Niedrigkeit stets auf seinen Winck bereit.

5. Diese werden dann regieren mit der Vorerwählten Schaar, dabey Kron und Scepter führen, herrschen ewig, immerdar. Sie sind hoch erhoben, nach so vielen Proben. Ihre Richter-Stühle seyn gläntzend wie des Goldes Schein.

6. Freuet euch, ihr Lammes-Bräute, die ihr treu geblieben seyd; dann der Vorschmack zeigt die Beute schon, in dieser Sterblizkeit. Daß muß von uns weichen, und wie todt erbleichen, was uns noch welt halten auf, oder schwächen in dem Lauf.

7. Edle Jungfrau! reine Taube, bleib uns nah in unserm Stand, daß uns nichts die Krone raube, wo wir sind mit dir verwand. Bleibstu auch in Wehen uns zur Seiten stehen. O! so gehn wir auch mit ein, wo des Lammes Bräute seyn.

§.

8. Da die aller reinſte Taube und vermählte JEſus-Braut, die ſich allhier in dem Glauben ſelb-ſten hat mit GOtt vertraut. O wie ſchön wirds ſtehen! wann man wird anſehen, wie der Jung-fern Glantz und Schein wird der andern Schön-heit ſeyn.

9. Wer die Allerſchönſt wird heiſen und der freundlichſt anzuſehn, wird wie Gold geſtücket gleiſen, zu der rechten Seiten ſtehn. Alles wird ſich neigen, tief vor ihr ſich beugen: und die Jungfern groß und klein werden ihr zu Dienſte ſeyn.

10. Jetzund muß die Welt veralten, bey dem hohen Kleider-Pracht, weil die ſchöne Angeſtalten biß zur Hochzeit es gebracht. Kommt ihr Jung-frauen alle, freuet euch mit Schalle; dann wir kom-men auch mit ein, wo man wird ſo ſchöne ſeyn.

11. Weil wir es mit thaten wagen, dabey alle Ding verſagt, um ſein Creutz Ihm nachzutragen, in des Lammes Niedertracht. Drum wirds ſeyn getroffen, unſer langes Hoffen bringet ein die Sieges-Kron, die da iſt der Keuſchheit lohn.

62.

Weißheit! du Gebieterin, thu dich doch wie-der zu uns wenden; und ſtärcke uns Hertz, Muth und Sinn, damit wir ſo den Lauf vollen-den. Laß deine Gunſt und treue Mutter-Pflicht uns ſtetig ſchencken neuen Unterricht.

2. Damit wir kommen weiter fort, auch drin-gen durch das Vorgehäge, und, durch die Krafft vom Lebens-Wort, in Ewigkeit nicht werden trä-ge. Weil unſer Gang mit ſo viel Noth belegt, auch ſpüren, wie offt deine Huld uns trägt.

3. Und führt uns durch ſo viel Gedräng, wo wir von Schmertzen offt erliegen; hält uns da-bey in ſteter Eng, damit wir alle Feind beſiegen. Und ſo durch deine groſe Gütigkeit dort gehen ein zu der erwünſchten Freud.

4. Dann wir uns ſehnen Tag und Nacht, daß unſre Schifffart ſich anlände, wo wir zum rechten Ziel gebracht, und kommen ſo zum ſelgen Ende. Damit wir einſt werde offenbar, was vor ſo lange Zeit verborgen war.

5. Bey dir iſt alzeit weiſer Rath, wann unſre Klugheit hat ein Ende, ſo zeigeſtu mit Werck und

Thät, daß niemand deine Tiefe finde. Drum ſol-gen wir nur deinen Tritten nach, und achten nicht des Fleiſches Noth und Klag.

6. Da, wo du biſt, da fehlt es nicht, weil du gibſt mehr als wir begehren; iſt unſer Aug auf dich gericht, kanſtu bald allem Unfall wehren. Ein kleiner Blick, den deine Gunſt zucheilt, gar bald den allergröſten Schmertzen heilt.

7. Drum warten wir auch deiner Huld, weil du uns einmal angeblicket, dann wo du biſt, iſt viel Unſchuld, daß wir von deiner Gunſt erquicket. Drum freuen wir uns auch in unſerm Gehn, weil du uns läſſeſt ſo viel Wunder ſehn.

8. Wir werden gantz in dich verklärt, weil du der Winck in unſerm Gehen, daß ſtündlich unſre Brunſt vermehrt: hilfſt uns offt aus gar vielen Wehen. Was wirds erſt ſeyn, wann deine Krafft durchbricht, daß wir verklärt in deinem Wunder-Licht.

9. Jetzt ſind wir froh in unſerm Gang, und laſſen Gottes Güte ſorgen, die auch wird löſen allen Drang aldort, an dem erwünſchten Morgen. Und weil der Schmertzen, der uns zeitlich quält, uns wird verklären dort in jener Welt:

10. Drum heiſen wir auch hoch geborn, weil wir ſind Gottes Luſt-Spiel worden, da er uns Ihme auserkorn, weil wir erwählt den Creutzes-Orden. Das Beſte das man auch noch wün-ſchen mag iſt unſer Freudenreicher Hochzeit Tag.

11. Da wird man ſehen hoch erhöht, die ſonſt allhier ſo ſehr verſchoben; mit Ehre Krafft und Majeſtät ſeyn angethan, nach ſo viel Proben. Jetzt krönet uns die Hoffnung in dem Gang, dort ſingen wir mit Freud des Lamms Geſang.

63.

O! Wie betrübt ſind unſre Tage, weil ſo ver-deckt das groſe Heil; der Himmel ſelbſt muß drüber klagen, O! daß doch keines ſich verweil; wir ſind ja doch dazu erkoren, berufen zu dem Hoch-zeit-Feſt; O! laßt den Ruf nicht gehn verloren; und ſchmücket euch aufs allerbeſt.

2. Ach! wo iſt unſre Jungfrauen-Würde, da wir gewaget alles dran um jene Herrlichkeit und Zierde, zu lauffen auf der Tugend Bahn; nie-mand

B b b

man kont unsern Muth erschrecken, noch schwächen den verliebten Sinn, die Feinde musten sich
verstecken, weil wir gegeben alles hin.

3. Ob gleich das Creutz den Schmuck zernichtet, den uns die Liebe angelegt, so sind wir alle
doch verpflichtet, daß jedes seine Sorge trägt, um
die betrübte Zions-Risse, weil wir gantz Rath-und
Hülffs-loß, daß GOtt uns unser Leid versüsse,
und setzt uns wieder auf den Schoos.

4. O! treuer Hirte unsrer Seelen, wir halten
gar inständig an, und thun aufs neu uns dir befehlen, zu leiten auf der rechten Bahn, dein Geist
woll selber in uns walten, und führt als deine
Lämmer-Heerd, und lassen ja nichts mehr erkalten,
biß jedes gantz verneuet werd.

5. So wird, nach so viel Leid und Wehen,
uns wieder werden offenbar, was so verdeckt in
unserm Gehen, und unterm Creutz verborgen war.
Nun können wir in vielen Freuden hoch rühmen,
weil der Weißheit Rath uns führt durch so viel
Niedrigkeiten, auf dem geheimen Lebens-Pfad.

6. Zuletzte zeigt sie ihre Schätze, die treu in dem
verliebten Sinn, daß jedes sich daran ergötze, so
alles um sie geben hin: und löset auf die Trauer-
Stunden, daß wir erfahren, was sie sey, und daß
wir uns in Lieb verbunden um ihr zu bleiben
ewig treu.

7. Sie geht uns vor in allen Sachen, hält
Schrancken-mäsig unsern Sinn; drum lassen
wir sie auch so machen, wo sie mit uns will gehen
hin. Das Ende wird den Anfang zieren, wer
mir bleibt ihrem Winck bereit, den wird sie in die
Ruh einführen, wo ewg'es Leben, ewge Freud.

64.

O! Wie einsam und verlassen muß ich gehen
meine Strasen, auf dem Weg nach Zion
hin, zu dem sehr verliebten Sinn.

2. Ach! wie muß ich mich nicht kräncken,
wann nur thu daran gedencken, wie ich bin so
gar dahin, ohn daß weiß, wo mein Gewinn.

3. Ich trag täglich mit viel Schmertzen, manche Wunde in dem Hertzen, weil mein zarter Klau-
ser-Sinn alles gab um GOtt dahin.

4. Weil das Kleinod wolt erjagen, thät ich alle

Ding versagen, drum geh offt betrübt einher, als
ob gantz kein Helffer wär.

5. Dann das Jungfräuliche Leben, muß in
vielem Elend schweben; O! wie groß wird seyn
die Freud dort, in jener Ewigkeit.

6. Dann in den viel Trauer-stunden wird die
Seel mit GOtt verbunden, weil man dadurch klein-
gemacht, und zum rechten Ziel gebracht.

7. Darum weiß sonst nichts zu machen, ich
will meine arme Sachen GOtt befehlen in der
Zeit meiner Klein- und Niedrigkeit.

8. Dann mein einziges Belangen ist, nur
Ihme anzuhangen, ob es gleich ohn vielen Wahn-
heißt, um rauhe Creutzes-Bahn.

9. Kann man doch Preiß Ehre geben Ihme
schon in diesem Leben, wann uns seine Güt und
Treu huldet, daß man seine sey.

10. Dann in so viel Zeit und Jahren bey so
mancherley Gefahren, wann benützt biß in den
Tod, war er meiner Seelen Brod.

11. Dann er weiß in allen Sachen ein erwünschtes End zu machen, hält ich aus in aller.
Noth, bleibt er mein getreuer GOtt.

12. Ich seh meine Ende weissen; ob gleich
mud von langem Reisen, dort kommt ein, was ich
erwählt in der schönen neuen Welt.

S. Genofeva 65.

Wie werd ich dich noch loben! GOtt, du
meine höchste Freud, wann ich werde, nach
viel Proben, seyn von meinem Leid befreyt. O
ich freu mich deiner Güt in dem Hertzen und Gemüth.

2. Deine Treu hat mich bewogen, dir zu folgen in dem Gang, und mit Liebe angezogen: daß
ich mich mein Lebenlang dir verschrieben, treu zu
seyn, auch in allem Schmertz und Pein.

3. Doch muß ich mich offt noch sehen von dir
so geschieden seyn. Ach das macht mir viele Wehen, viele Schmertzen, Angst und Pein: daß ich
offt in meiner Noth ruffe: ach mein treuer GOtt!

4. Hilff mir doch in meinen Nöthen, und er-
löße mich von mir: führe mich durch alle Töden,
bis ich werd vernent von dir, daß ich noch auf dieser Erden kan mit dir vereinigt werden.

5. Dann das ist ja mein Verlangen, O du
meine

meine höchste Lust! daß ich möge dir anhangen, und mir nichts mehr sey bewußt, als zu lieben dich allein ohne allen Trug und Schein.

6. O HErr JEsu! du mein Leben, ach verzeuch doch länger nicht! dir hab ich mich ganz ergeben: laß doch seyn auf mich gericht deine Segens-volle Kraft, die mir neues Wesen schafft.

W

66.

VErborgen seyn führt mich zur Ruhe ein, da ich mit GOtt gemein und einsam lebe; und willen-los mich also arm und bloß in seiner Liebe Schooß ganz übergebe.

2. Da find ich Rast, weil ohne Sorg und Brast, auch ohne alle Last, als wie ersuncken; im Liebes-Meer, da GOtt selbst um mich her, damit kein Feind mich stöhr, wann bin wie truncken.

3. Da wird die Seel von GOtt Immanuel, aus seiner Liebes-Quell, gar offt erquicket; den müden Geist ein süsses Manna speist, biß er dorthin gereißt, wo er beglücket.

4. Drum geh die Bahn so freudig, als ich kan, biß daß ich Canaan hab im Gesichte; und daß vollbracht die lange Trauer-Nacht, und mir der Tag erwacht mit seinem Lichte.

5. Auch will ich hier mit reiner Liebs-Begier, des Allerhöchsten Zier gar schön anpreisen, weil Er mein Hirt, und mich nur dahin führt, wo man ihn leben und mit Wunder-Weisen.

6. Da auch zu sehn die, so dem Lamm nachgehn, wie so gar Wunder-schön sie seynd gezieret, die reine Seid, das Gold-gestickte Kleid hat ihnen der bereit, der sie einführet:

7. Zum frohen Fest, da er das allerbest vor seine Hochzeit-Gäst hat zugerichtet. Bey diesem Mahl hat er aus freyer Wahl zum Dinst der ganzen Zahl sich selbst verpflichtet.

8. Dieweil die Braut, so Ihme wird vertraut, aus seiner Seit erbaut, nach seinem Wesen. Drum wird der Staat nach ihres Bräutgams Rath,' der sie erbauet hat, ganz auserlesen.

9. Gar schön wirds stehn, wann sie mit Paaren gehn, und vielem Lobgethön die Braut ein-

kleiden zum frohen Fest, alwo die Hochzeit-Gäst bewillkomme auf das Best mit grosen Freuden.

67.

VIel Schmerzen und viel Wehen muß ich hier stehen aus, ach GOtt! wann wird geschehen, daß ich komm heim nach Haus. Da alles, was erlitten, wird seyn wie ganz dahin, da um die Kron gestritten im reinen Jungfrauen-Sinn.

2. Die Engel thun sich freuen gar hoch vons Himmels Zelt über die lieben Treuen, so hier versagt der Welt. Kommt, liebe Mitgespielen! wir wollen eilen fort, weil GOtt uns vor so Vielen beruffen durch sein Wort.

3. Wie viele sind geloffen auf dem verliebten Weg, und doch das Ziel nicht troffen, weil sie sind worden träg. So offt ich des gedencke, so werd ich tief gebeugt, und mich mit Ernst hinlencke, wo wird das Ziel erreicht.

4. Drum komm, O JEsu! komme, ich hab mich lang gesehnt, erlöse deine Frommen, wir sind genug verhöhnt; weil uns die dunckle Zeiten getroffen auf der Welt; drum thu uns selber leiten, zu thun, was dir gefälle.

5. Jetzt seh ich deine Liebe, O allerreinste Braut! daß ich mich dir so übe, weil ich mich dir vertrau. O! heiligs GOtt-Ergeben, im jungfräulichen Sinn; sey du mein Leben, Weben, und nimm mich gar dahin.

6. Die angenehme Stunden, womit ich bin beschencket, haben mich GOtt verbunden, und ganz in Ihn versencket: daß seine Huld und Güte es lencke wie es soll; wann etwa würde müde, daß ich des Guten voll.

7. So mich zur Ruh wird bringen, wann meine Zeit ist aus, und ich werd freudig singen in meines Gottes Haus; dem sey auch nun mein Leben auf ewig geben hin, dort werd ich GOtt erheben, weil hier sein eigen bin.

8. Hier trag ich meinen Jammer in der betrübten Zeit, dort ist die Ruhe-Kammer in jener Ewigkeit. Da wird man nichts mehr wissen vor Schmerzen Creuz und Noth; sondern nur stets geniesen die reiche Füll aus GOtt.

68.

Viel und manche Trauer-Tage hab ich schon dahin gebracht; auch noch stündlich umher trage mein Betrüben Tag und Nacht, um das ewig bleibend Gut, wann auch fallen wolt der Muth, so gedenck ich Gottes Güte, die in meiner Jugend-Blüte:

2. Mich so freundlich angezogen, daß ich alle Ding versagt; auch durch starcke Lieb bewogen, daß aufs euserst hingewagt; weil ich also nur allein, gern wolt GOtt gefällig seyn, ließ ich fahren die Freud der Erden, daß mir solt der Himmel werden.

3. O! Wie wohl war ich geloffen, in der schönen Frühlings-Zeit, da ich meynt, es wär getroffen, weil mein Herz in GOtt erfreut; alles war mir Zucker-süß, weil mirs GOtt gelingen ließ; dann, was auch nur thäte machen, scheineten lauter Himmels-Sachen.

4. Darum thät ich mich beyden, ewig GOtt getreu zu seyn, bald drauf kamen andre Zeiten, und die Sonn verlohr den Schein; Jetzund ist die Himmel-Freund umgewendt in Geistes-Leid, geh offt hin, und bin betrübet, als ob ich zu viel geliebet.

5. Konte mich offt schwerlich fassen in der sehr betrübten Zeit, ginge traurig meine Strasen, in so manchem bittern Leid. Doch, wann offt als wie ermüdt, dacht ich meiner Jugend Blüt, wie so freudig ichs getraget, als ich alle Ding versaget.

6. Also hab ich durchgedrungen, in so manchem bittern Leid, biß es mir im Sieg gelungen, daß ich wiederum erfreut. Bey der langen Trauer-Saat, gibt GOtt endlich weisen Rath, daß man kommt zum Ueberwinden, und kan freudig Garben binden.

7. O! Du seliges Gedeyen, das uns die betrübte Zeit einbringt, und läßt nicht gereuen das gehabte bittere Leid. Hat der Jammer nur Gedult, endlich zeigt sich die Unschuld, wann man mit so vielem Flehen, Rath-und Hilfstoß muß umgehen.

8. Es ist nimmer auszusagen, was es bringt vor Segen ein, wer thut seinen Jammer tragen, biß GOtt anders schencket ein. Komm ich schon offt in die Eng, ich will achten kein Gedräng, und in allen meinen Sachen GOtt so mit mir lassen machen.

9. So werd schon zum Ziel gelangen, nach so viel und manchem Leid, es war doch drum angefangen, daß erlangt die Seligkeit. Drum will sparen keine Müh, GOtt zu dienen spat und früh; wer niemal krigt müde Hände, kommt zu einem guten Ende.

W

69.

Wann ich geh einsam hin und her, und bin vor aller Welt verborgen, so macht GOtt leicht, was saur und schwer, und thut vor mich gar treulich sorgen.

2. Weil er mich hat verliebt gemacht, und mich gar sanfft an sich gezogen durch seine grosse Wunder-macht, und so mein Herze überwogen:

3. Daß ich verachte den Trost der Welt, und bin dem Creutz so nach geloffen, dacht aber nit, wie schwer es fälle; biß einmal ist das Ziel getroffen.

4. Da gab es manche Trauer-Stund, weil nur dem Liebsten mögt gefallen, weil Er also mein Herz verwundt, um sein zu seyn vor andern allen.

5. Jetzt sehn ich mich den ganzen Tag, daß nur mein Herz nach Ihm mögt lencken, und er mich lehre algemach, zu folgen seines Geistes Wincken.

6. Diß lag mir an, diß war mein Schmerz, der mich thäte so hart beklemmen, daß haben möcht ein reines Herz: diß war so mein unendlichs Gränng.

7. Zuletzt kam dieses noch mit an, daß er sich hat vor mir verborgen, da must ich traurig gehn die Bahn, vom Abend hin biß an den Morgen.

8. Doch ließ den Muth nicht fallen hin, ob ich gleich schiene gantz verlassen, so bald erlangt den Kinder-Sinn, thäte er mich in Güt umfassen.

9. Jetzt freu ich mich der Gottes-Güt, und will dieselbe stündlich preisen, im Geiste Herze und Gemüth Ihm allzeit Lob und Ehr erweisen.

10. Weil er durch seine hohe Gnad, und allerreinste.

reinste Liebes-Tritten, mich selbst geführt, geleitet
hat, wann ich auch wär beynah geglitten.

11. Und dabey auch gezählet hin, zu denen
GOtt vermählten Schaaren, die in dem sehr verliebten Sinn thäten die Jungfrauschafft bewahren.

12. Die allhier allem abgesagt, daß sie dem reinem Lamm vermählet, und es aufs eusserst hin
gewagt, dieweil sie auch darzu erwählet.

13. Als Auserkauffte von der Erd, und von
den Menschen Kindern allen, daß jedes gantz sein
eigen werd, nach seinem Winck und Wolgefallen.

14. Drum gehen wir auch so dahin, in sanfften Lammes-Schritt und Tritten, und folgen seinem hohen Sinn, damit wir lernen seine Sitten.

15. Dort wird man sehen, was wir seyn,
wann wir gar schön erhöhet werden, da lauter
Guts geniessen ein, vor unser Schmach allhier
auf Erden.

16. Es gehet auf, man kann es sehn, die Freud
wird ohne Ende währen, daß wir zusammen GOtt
erhöhn, ohn Ziel und Zeit, und ohn Aufhören.

17. Jetzt singen wir in Hoffnung schon die allerschönsten Liebes-Lieder, weil wir dort, vor des
Lammes Thron werffen die Kronen vor ihm nieder.

18. Da wird man viele Schaaren sehn, die
allzeit Gottes Lob vermehren, die grosse Freud wird
nicht vergehn, weil sie wird ohne Ende währen.

70.

WAnn meine Zeit zu End wird seyn, geh ich in
meine Kammer ein, und schlafe biß an Morgen; da mir aufgeht ein ew'ger Tag, worinn
man frölich jauchzen mag, befreyt von allen Sorgen. Jetzt will mit Trauren gehen hin, mich trösten, daß ich Gottes bin.

2. Und weilen ich mein Ziel erreicht, worinn
mein vieler Schmertz geschweigt, der mich vor denen Jahren gedrungen offt durch Marck und Bein,
und was auch nur könnt schmertzlich seyn, hab müssen wohl erfahren. Den hat mir GOtt genommen hin, so daß ich wie sein eigen bin.

3. Drum sehnt sich auch mein Hertz so sehr,
daß bald das gantze Zions-Heer auch möchte seyn
genesen. Wo sie noch muß verlassen stehn, und
ihre Höhner um sich sehn, ihr manches Leid ein-

messen. Drum trägt sie offt den gantzen Tag so
manchen Drang, so manche Schmach.

4. Und weil sie dann so sehr veracht, als ob
ihr wär nicht mehr gedacht, und so muß seyn verschoben; wird es ihr so viel schöner stehn, wann
GOtt sie wird so hoch erhöhn, und jedes sie wird
loben, in aller Völcker, Sprach und Land, damit
ihr Name werd bekannt.

5. Nun sehen wir auch offen stehn die Pforten, wo herein wird gehn, die Füll und Macht der
Heyden. Und bringen viel Geschencke dar, zur
Freud der werthen Zions-Schaar, weil sie vor denen Zeiten, es biß aufs eusserst hingewagt, und alle Lust der Welt versagt.

6. Dann werden auch noch kommen die, so
sich auch wohl gemachet Müh, und konnens doch
nicht wagen, wo jene alle Ding versagt, weil aber
sie Ihm nachgesagt, dörffen sie nicht verzagen;
dann weil sie Zion wünschen Heil, kommen sie
auch zu ihrem Theil.

7. Jetzt hört man auch der Wächter Ruhm,
welche des Tempels Heiligthum verwahren und
auszieren, woselbst nur werden gehen ein, die hur
gelebt jungfräulich rein, und liessen sich so führen,
damit sie würden hingebracht, alwo sie decket
keine Nacht.

8. Nun wird der Priester-Stand erhöht, der
nimmer aus dem Tempel geht mit seinen Opfer-
Gaben, und dienet darinn Tag und Nacht, damit auch mit hinein gebracht die, so ihr Theil dran
haben. Dann diß Geschlecht, so man hier sieht,
sind all ein Königlich Geblüth.

9. Und weilen wir dann diß erblickt, was
Wunder, daß wir wie entzückt, und voll von Himmels-Freuden. Sind wir gleich noch im Trauer-Thal, zeigt uns doch jener Freuden Saal das
Ende aller Leiden, weil da erscheinet hell und klar,
was schon so lang verheissen war.

71. S. Euphrosina

WAnn wird die Zeit doch einsten kommen?
daß ich erlang den vollen Sieg, mit allen
Heil'gen wahren Frommen, die auf so viel und
schwere Krieg erlanget haben ihre Kron, und den
verheissnen Gnaden-Lohn.

2.

2. Doch wird mein JEsus vor mich streiten, weil er der allertreuste Hirt, und selbst mich, als sein Schäflein leiten; ob ich oft scheine gantz verirrt: dann bey ihm kan ich sicher seyn als ein getreues Schäfelein.

3. Diß ist mein innigstes Verlangen, zu folgen ihm in reiner Treu, damit ich bleib an ihm behangen, und also gantz sein eigen sey: dann sein geheimer Liebes-Sinn macht, daß ich so verliebet bin.

4. O treue Liebe! laß mich hören dein Ja-Wort selbst im tiessten Grund: so kan ich auch dein Lob vermehren, und bleibe treu in deinem Bund. Bin ich schon hier gering und klein, wirds dort um so viel besser seyn.

72.

WAnn wird doch einst das Glück erreicht, daß ich in GOtt genesen, und alle Angst und Kummer schweigt, wo schon so lang gesessen, in vielen Schmertzen und Weh-Tagen, daß fast mit Worten nicht zu sagen.

2. Ach! daß doch balde käm die Zeit, daß ich könt freudig sagen: GOtt hat gewendet all mein Leid, daß bis daher getragen, das meinem Liebsten oft verborgen, und doch verneuet wird alle Morgen.

3. Drum sieh mich, O HErr! gnädig an, und thu mir Trost einschencken, daß ich nicht weiche von der Bahn, durch Kräncken und durch Dencken: so werd in allen Hertzens-Pressen doch deiner nimmermehr vergessen.

4. Dann du bist selber Rath und That, drum will in meinen Sachen hoch preisen deine Güt und Gnad, die es aufs Best thut machen: und will dir auch so seyn ergeben allhier, in meinem gantzen Leben.

5. Nun will auf meiner Trauer-Bahn fort gehen meine Straasen, der, wo das Beste geben kan, wird mich nicht mehr verlassen. Dann wann ich werd in GOtt genesen, ist all mein vieles Leid vergessen.

73.

WAnn Zions Herrlichkeit erwacht, wird Babels Stoltz zum Hohn gemacht, und ich werd freudig sagen: gelobet sey der grosse HErr, ein Starcker und Allmächtiger, der ihr mit vielen Plagen einschenckt den Becher voller Grimm durch seiner starcken Wächter Stimm.

2. Die allzeit stunden auf der Hut, und hielten Wacht mit grosem Muth, ohn einiges Ermüden: Ihr Leben biß zum Tod gewagt, damit daß Babels hoher Pracht, mit ihrem falschen Frieden, nicht brechen möcht in Zions Stadt, wann sie ist müd und abgematt.

3. Sie hat zwar wohl, in manchem Strauß, allzeit treulich gehalten aus, und thäten nicht erbleichen, so lange als ihr Sieges-Fürst, mit seiner grosen Krafft zu erst, sich thät dem Feinde zeigen; da hatten sie in jedem Streit durch seine Hand gewiß die Beut.

4. Weil aber Ihm zugleich die Hand gefüllet war zum Priester-Stand, da wolte er eingehen in seines Heiligthumes Stätt, alda mit Wachen und Gebätt allein vor GOtt zu stehen; damit sie auch durch wahre Krafft erlangeten die Ritterschafft.

5. Als Zion dieses ward gewahr, daß nun ihr Held in ihrer Schaar nicht sichbarlich zu sehen, da war ihr groser Muth geschwächt, die Kriegs-Waffen hingelegt, und blieben alle stehen. Endlich fiel auch der Schlaf aufs Volck, daß sie nicht sahn die Gnaden-Wolck.

6. Als nun der Feind diß hat erblickt, machte er sich auch bald geschickt, ließ seine Schwerter blincken; vermeynte, daß er nun gewiß, werd ohn alle Hindernüß auf seines Fürsten Wincken, Zion durch seinen Grimm und Wuth verzehren in der Feuers-Glut.

7. Da war dann weder Hülf noch Rath, biß daß GOtt selbst ins Mittel trat, der Wächter Stimm bewogen, zu rufen aus bey Tag und Nacht, auf! auf! und von dem Schlaf erwacht, eh daß ihr werd betrogen; dann Babel ist mit starcker Wehr um eure Waffen-Rüstung her.

8. Da ist die kleine Zions-Macht gantz plötzlich wieder aufgewacht, thät die Posaune blasen: und in der Gassen überall hört man auch die Trompeten Schall, die Botten auf den Strasen wurden gerüst und ausgesandt, da ward der Wächter Rath bekannt.

9. Als Zion nun bereitet war, bald giengen sie
bey

bey Paar und Paar, die Feinde zu besiegen; und weil ihr Held er ging voran, so giengen sie fein muthig dran, der Feind must bald erliegen; sie waren fast in einer Stund geschlagen und zum Todt verwund.

10. Nunmehr ist Babels hoher Pracht gefallen, und zu nicht gemacht, und Zion ist erhoben; drum wird sie nun zu jeder Zeit bald ihren Schöpffer weit und breit an allen Orten loben. Dann seine hohe Wunder-Krafft, hat ihr nun Heil und Sieg verschafft.

74. *S. Naemi*

Was ist das Leben dieser Zeit? ich sehn mich nach der Ewigkeit: dann hier auf dieser rauhen Bahn ist nichts, das mich vergnügen kan.

2. Drum hab ich alle Lust versagt, und es auf JEsum hin gewagt: daß ich mit seiner Lämmer-Heerd vereinigt und verbunden werd.

3. Da finde ich die rechte Füll, worinn mein Hertze sanft und still kan an der süßen Weide gehn, allwo vergessen alle Wehn.

4. Die ehmals quälten meinen Sinn, eh ich mich gantz ergeben hin. Nun wird mir so genessen ein, daß ich kan sanft und stille seyn.

5. Ich habe zwar von Jugend an mit Fleiß gesuchet diese Bahn: doch wegen jungen Kinder-Sinn thät ich gar öfters fallen hin.

6. Weil noch nicht klärlich kont einsehn, daß man in Gottes Reich muß gehn durch Trübsal, Schmertzen, Creutz und Noth von Jugend an bis in den Tod.

7. Wohl dann! so sey der Schluß gemacht, weil ich zu diesem Ziel gebracht: daß mich kein Schmertze scheide mehr, fälls auch schon öfters satt und schwer.

8. Weil er so treulich mich geführt, wo ich auch öfters war verirrt: und mich gebracht zur reinen Schaar, die gantz und gar sein eigen war.

S. Ketura 75.

Was ist wohl Bessers auf der Welt zu finden, als GOtt allein nur bleiben zugekehrt: wie man sich sonsten auch wolt dreh'n und winden; so gibt er doch, was unser Hertz begehrt.

2. So sind wir dir dann gäntzlich übergeben, du wirst wohl wissen mit uns um zugehn: wir haben ja kein Recht vor unser Leben, dann niemand ohngericht vor dir kon stehn.

3. Wir müssen zwar noch hier auf Erden wallen, und ist uns unser Loos oft unbekannt: doch tröstet uns, daß es dir so gefallen, und nehmen alles an von deiner Hand.

4. Wir bleiben dir dann bestens anbefohlen in Leid und Freud zu seyn mit dir vereint: dein Lob vermehre sich bey uns, obwohlen es öfters scheu allhier noch anders scheint.

5. Zwar könten wir noch wohl was grosses sagen; doch ist es besser hier zu bleiben klein: es endet sich das Weh der Trauer-Tagen, dann werden wir erst sehen, was wir seyn.

6. Hier leben wir zwar noch in vielen Schmertzen, weil wir noch auf der langen Reise sind: doch lassen wir, und dancken GOtt von Hertzen, dieweil es nimmt zuletzt ein gutes End.

S. Phöbe 76.

Was Schmertzen haben mich umgeben auf meiner Leid- und Trauer-Bahn, dieweil mein gantzes Thun und Leben fast aller Orten stößet an. Ich hab ja so viel Fleiß gegeben um Gottes Huld und wahre Treu: gleichwohl scheint mir mein Bests im Leben, als obs ein Widerstreben sey.

2. Nun weiß nichts anders mehr zu machen, als mich zum Füßen legen hin, und GOTT befehlen meine Sachen in einem kleinen Kinder-Sinn: und will mein Thun ohn End beweinen, bis ich erlange seine Huld, und er die Gnaden-Sonn läßt scheinen, um weg zu nehmen meine Schuld.

3. Er kan schon aus der Noth erretten, wärs auch ein Schmertzen bis in Tod: so bald er uns thut selbst vertretten, so fällt dahin der Sünden-Spott. Und weil in allen schweren Proben gespühret seine Vatters-Treu, so will ich ihn auch stetig loben, wie groß auch sonst mein Schmertze sey.

4. Ich weiche nicht aus seinen Schrancken, weil er mein Theil in jener Welt, werd ich stets suchen ohne Wancken zu leben, wie es ihm gefällt. Der Weisheit Rath und reiner Handel gibt mir den besten Unterricht zu führen einen rechten Wan-

Wandel durch ihre Krafft und Wunder-Licht.

5. Und weil ihr Rath kan richtig führen auf dem so engen Creutzes-Gang: so will ich ihrer Spur nachspühren, bis ich den vollen Sieg erlang. Da wird mir endlich noch einkommen, was mir von meinem GOtt bereit, da ich im Looß der wahren Frommen ihn loben werd ohn End und Zeit.

6. Dann werd von Gottes Güte sagen, wie seine treue Wunder-Hand gesucht, errettet und getragen, und alles Leid hinweg gewandt. Drum stehet meine Hoffnung feste, ob meine Krafft schon gantz dahin: er bleibet mir der Allerbeste, weil ich nun gantz sein eigen bin.

7. Mein Freund hat mich nun aufgenommen, und mir den Krantz der Jungfrauschafft geleget bey im Looß der Frommen, drum leb ich rein und tugendhafft. Sein Erbe segnet meine Seele: mein Wandel segnet jederman. Seht! in des Freundes Wunden-Höle stifft man dergleichen Balsam an.

77.

WAs soll ich thun, was-ist dein-Wille? lenck mich nach deinem Winck O HErr! daß ich mich willig zu dir kehr: und also deinem Rath erfülle, damit du mich kanst selbst regieren nach deiner Liebe Eigenschafft, und mich nach deinem Bild formiren, durch deine hohe Gottheits-Krafft.

2. Ich mercke wohl, daß meine Seele, noch schwebt in mancherley Gefahr, weil mir dein helles Licht nicht klar: dann ich noch in der Trauer-Höle offt meine Kräffte thu verzehren, da auch die schwartze Todtes-Nacht offt meine Schmertzen thut vermehren, so durch den Fall auf uns gebracht.

3. Und weil ich recht empfindlich spüre, daß auch von diesem Gifft verwund im allertieffsten Seelen-Grund: und daß es mich von dein abführe, der wieder geben kan Gedeyen in dein so sehr betrübten Stand, daß ich mich kann in Ihm erfreuen, wann ich Ihm werde zugewandt.

4. Dann ich kann aus Erfahrung sagen, wie Er mit seiner Lieb und Treu mir allzeit hat gestanden bey; dabey gegängelt und getragen, und thät mein auf dem Schoose pflegen nach Mutter-Art, als einem Kind. Diß brachte mich endlich auf

den Wegen dahin, wo man die Perle finde.

5. Und weil ohn alle Maß verspüret, daß diß der Weißheit reine Zucht so treulich hat an mir versucht, um ihr so werden zugeführet. So bin gebeugt in vielem Stönen, daß doch das Kleinod werd erjagt, wo sich mein Hertze nach thät sehnen, als ich die Lust der Welt versage.

6. O! Was war vor ein hitziges Brennen nach meinem liebsten Bräutigam, dem auserwählten Gottes-Lamm, daß er mich möcht die Seine nennen; und so sein Eigenthum verbleiben, daß mich auch weder Schmertz noch Leid forthin mehr könn von ihm abtreiben, auch in die Läng der Ewigkeit.

7. Ach! aber ach, wie viele Schmertzen folgeten mir auf diesem Gang, und! O! wie mancher bitterer Drang, den ich mußt tragen in dem Hertzen. Da ich gemeynt, ich wär vermählet des allerhöchsten Gottes Sohn, wurde ich erst als wie entseelet, von Leid und vielem bitterm Hohn.

8. Wer hätt mir dieses sollen sagen, daß ein so rauhe Wanderschafft, da offt kein Tröpfflein Lebens-Safft; als ich thät alle Ding versagen. Ach? wie betrübt und sehr verlassen must ich offt seyn auf meiner Bahn. O! was ein rauhe Pilger-Strassen auf meinem Weg nach Canaan.

9. Und was so hart mich thät beschweren, wann so beklemmt auf meiner Bahn, ist daß ichs niemand sagen kan. So thut mich offt mein Leid aufziehren, wann ich muß seyn so gantz alleine, so daß ich gehe hin und her, und offt von viel Betrübnus weine, als ob GOtt nicht mein Helffer wär.

10. Doch läßt das Hoffen nicht verzagen, wann ich gedenck der Jugend Blüh, worinn ich mich so sehr bemüh, daß ich auch thäte alles wagen. Wie freudig bin ich da geloffen, den Himmel so zu nehmen ein, biß mich zuletzt das Unglück troffen, samt so viel bitterer Liebes-Pein.

11. Drum wird mein Jammer sich schon enden, wann GOtt wird seine Zeit ersehn, und sehen an mein vieles Flehn: auch sich wird wieder zu mir wenden, und pflegen mein in lauter Güte, nach meiner langen Creutzes-Nacht, gedencken meiner Jugend-Blüte; jetzt bin ich wie zurecht gebracht.

78.

WEnn himmlische Lieb, durch mächtige Trieb, die Herzen erweicht, so werden sie tiefer und tiefer gebeugt.

2. Biß daß sie so klein und niederig seyn, daß ihnen kein Stoß mehr schadet, und wär er noch einmal so groß.

3. Wem also sein Herz, durch Leiden und Schmerz, so reine gefegt, da wird im geringsten kein Arges gehegt.

4. Jetzt wird nicht durch Streit erworben die Beut, man lebet so hin, ergibt sich alleine dem Göttlichen Sinn.

5. Dieweilen die Saat der Trähnen schon hat die Seele erquickt, so daß sie gar vielen Beschwerden entrückt.

6. Drum förchtet sie nicht das schwerste Gericht: es bringet Gewinn, wer also bewähret im leidenden Sinn.

7. Und käme der Tod, so hat es nicht noth, es stirbet nur ab, was zeitlich verweset, und bleibet im Grab.

8. Und wann er aufsteht, so wird er erhöht im klaresten Licht, da es nicht an Freude und Wollust gebricht.

9. Dann lobet er GOtt, der ihn so durch Noth und Trübsal geführt, allwo ihn kein Schmerzen noch Leiden mehr rühret.

10. Das, was er geliebt, ihn nunmehr umgibt, mit ewigem Jah: drum singet er von Freuden das Halleluja.

79.

WEr in trüb-und dunckeln Zeiten, wann Er keinen Helffer hat, sich läßt keinen Trost bereiten, der ihm raubet Gottes Gnad. Der wird schon zur Zeit erfahren, wie des Höchsten Wunder-Hand seine Hülffe thut versparen in dem Leid- u. Trauerstand, biß daß aller Trost verzehrt, und man seiner Hülffe währt.

2. Wann mein Schmerz und Geistes-Nagen, das ich schon so manche Jahr kümmerlich umher getragen, bey so mancherley Gefahr, wär in mir einmal zu Ende, könt ich preisen Gottes Güt, sanffte ruhn die müde Hände, samt dem Herzen

und Gemüt. O! Wie wohl wär mir geschehn, nach so viel und langen Wehn.

3. Aber so muß ich mich träncken, leiden manchen schweren Drang, wann ich nur thu dran gedencken, hab ich Trauren für Gesang. O! wie manche Weh und Schmerzen, O! wie viel untröstlich Leid muß ich tragen in dem Herzen offt, in der betrübten Zeit, wann in so viel bittren Wehn weinend muste umher gehn.

4. Wann mein Schmerzen aufgehoben, daß ich wäre heim gebracht, wolt ich GOtt ohn Ende loben, und Ihm dienen Tag und Nacht; aber so muß ich mich leiden, in dem Leid- u. Trauer-stand, und vergesse aller Freude, diß ist meinem GOtt bekannt. Doch wird unter so viel Wehn in der Hoffnung eingesehn.

5. Was in jener Welt wird werden, in der frohen Ewigkeit, wann der Jammer hier auf Erden hin, samt vielem bittrem Leid. So wird man nicht mehr gedencken der betrübten Trauer-Saat, weil GOtt dafür wird einschencken ew'ges Leben, ew'ge Gnad. Jetzt ist meine Traurigkeit hin, mit so viel Sieges-Freud.

80.

WJe bin ich doch so froh, daß kommen zum Genesen, weil schon so manchen Tag und Jahr betrübt gesessen; die kümmerliche Zeit und schwerer Sorgen-Stein, ist wie versenckt ins Grab, GOtt schenckt nun Güte ein.

2. In meiner Wanderschafft in mancherley Beschwerden; da offt mein blöder Sinn gedacht: was wills noch werden? In dieser grosen Noth und sehr betrübten Stand, gab er mir wieder Trost und bot mir seine Hand.

3. Daß konte setzen fort die rauhe Himmels-Reise, wo lauter Traurigkeit ist meiner Seelen Speise. So süsser wird es seyn, wann meine Reiß zu End, da GOtt mein langes Leid in lauter Freude wende.

4. O! Wie so süß und sanfft werd ich in Ruhe rasten, wann also kommen heim, nach so viel Tages-Lasten; da ist mein Bett bereit, und geh zur Kammer ein, allwo mein langes Leid wird ganz vergessen seyn.

5. Jetzt wird mir Gottes Güt lassen viel Heil ansagen, und wie er mein gepflegt in meinen Trübsals-Tagen; drum auch gethan den Eyd, daß ich die Seine sey, und will auch noch dabey Ihm bleiben ewig treu.

6. Jetzt will ich mich noch mehr befleißen ihn zu lieben; weil es doch so bestellt, daß ich ihm bin verschrieben. Weil er doch schon zuvor mich Ihme auserwählt, daß ich zur reinen Schaar der Jungfraunschafft gezählt.

7. Des bin ich Freuden-voll, weil mir das Looß ist worden, daß auch mit eingebracht in diesen hohen Orden. Drum preiß ich seinen Ruhm und weisen Gottes-Rath, den er in so viel Güt an mir erwiesen hat.

8. Ich werd wohl können kaum in Wörter es ausbreiten, wie seine Gütigkeit mich thäte führn und leiten; doch, was nicht wird erreicht in dieser Gnaden-Zeit, das wird gespart biß dort in jene Ewigkeit.

9. Drum pfleg ich offt mit Fleiß an seine Güt zu dencken, was er in so viel Leid mir thät für Guts einschencken: da er im Elends-Feur mich auserwählt gemacht, daß ich Ihm schon alhier kan dienen Tag und Nacht.

10. Und weil ich kommen heim, wo man in GOtt genesen, so ist vergessen gantz, wo sonst betrübt gesessen. Und weil gekommen ein viel Friede nach den Streit, so ist auch nun erlangt die wahre Seligkeit.

81.

Je bin ich doch so klein, weil alle Ding versaget, dabey wie nichts geacht, als nach der niemand fraget; mit Trauren geh ich hin, in der betrübten Zeit, weil ich getreten an den Weg zur Seligkeit.

2. O! Ein verliebter Sinn in meinen Kinder-Tagen, da ich so freudig meynt den Himmel zu erjagen; wie mußte nicht die Freud der Erd von ferne stehn, als ich den Himmels-Weg thät so verliebt angehn.

3. Der Morgen-röthe Schein, als es fieng an zu tagen, machte mich so behertzt aufs eusserst es zu wagen, doch, da ich meynt zu seyn vom Son-

nen-Klang erfreut, wird ihr gezogen an ein schwartzes Trauer-Kleid.

4. In so viel Ungestümm und trüben Wetter-Tagen, da sonst so freudig war den Himmel zu erjagen, mußte ich gehen hin, biß fast zu Tod geweint, weil mir genommen hin die allerliebste Freund.

5. In diesem Weysen-Stand erlag in manchen Drangen, biß mir ein neuer Trost vom Himmel auf gegangen, von meiner Mutterschafft aldort, in jener Welt, die erst wird offenbar, wann alles alte fällt.

6. Jetzt gehe ich so hin, bin selig in dem Hoffen, weil nur aldort wird seyn mein rechtes Ziel getroffen: die neue Mutterschaffte pflegt mein nun in dem Schooß, so werd ich hoch erfreut und aller Sorgen loß.

7. Das Zweiglein brach hervor in jenen Wetter-Tagen, daß es jetzt und gar bald wird schöne Früchte tragen. Die Hoffnung blühet schon zu der beglückten Freud, die mir wird werden dort in jener Ewigkeit.

8. Jetzt bin ich voller Trost, mein Klein-seyn ist erhoben, von Gottes Güt und Gnad, nach so viel Leidens-Proben. Ob ich jetzt gleich noch offt muß manchmal traurig gehn, so thut die Hoffnung doch mir selbst zur Seiten stehn.

9. Die Abend-röthe leucht, jetzt blüht der frohe Morgen, ob gleich die finstre Nacht noch aufrufft, manche Sorgen: so zeigt die Bottschafft doch das Ende von dem Streit, da wir von GOtt getröst nach so viel Hertzen-Leid.

10. Die Wächter werden schon mit ihrem lauten schreyen ausruffen: es ist Tag, kommt lieben und Getreuen! die Trauer-Zeit ist aus, man geht zur Freude ein; dann wird mein langes Leid ewig vergessen seyn.

11. Drum will so gehen hin, wie ichs zu erst thät wagen, wann es mir übel geht, will ichs der Mutter klagen; wann meine Weysenschafft auf Erd zu End wird seyn, so gehe ich zu Ihr in ihre Kammer ein.

82.

Wie

Je freuet sich mein Geist und Herz in dem
verliebten Liebes-Schmerz: der durch der
Weisheit Strahl berührt die mich zu sich ins
Eine führt.

2. Das Looß ist mir gefallen hin, worinn ich
so verliebet bin: mein Liebstes hier auf dieser Welt
ist, daß ich zu der Schaar gezehlt.

3. Die hier dem reinen Lamm nachgehn, wie
es sich wenden thut und drehn. Gehts schon
durch enge rauhe Weg, so werden sie doch niemals träg.

4. Führt es sie bis ans Creutz hinan, sie folgen mit auf dieser Bahn: gehts auch durchs finstre Todes-Thal, sie folgen ihm nach überall.

5. Führt es sie an der Höllen Ort, und zu des
finstern Todes Pfort: so bleibt die Liebe ihr Gewicht, daß sie nicht gehen hinter sich.

6. Wie sicher kan ich gehen hin in dem so Lieb-
verliebten Sinn. Wann mirs an Rath und
Hülf gebricht, die Weisheit ist mein Unterricht.

7. Der hat das beste Theil erwehlt, der sich der
reinen Lieb vermählt: und wo die Lieb selbst rathen kan, so ist man auf der rechten Bahn.

8. Drum such ich auch kein ander Gut, als
was die Lieb beylegen thut. Wer ihr nachgeht in saur und süß, der gehet ein ins Paradies.

9. Drum bleibt der Schluß mir feste stehn,
daß ich will ihrem Winck nachgehn: weil sie mich
hat so wohl bedacht, und zur Jungfrauen-Zahl
gebracht.

10. Die nimmer aus dem Tempel gehn, und
stets das werthe Lamm erhöhn: das sie erkauffet
aus der Welt, zu gehen ein ins Himmels-Zelt.

11. Da dann der reinste Jungfraun-Sohn
wird selber seyn ihr Theil und Lohn: so sind sie
dann zu Ehren bracht, weil sie die eitle Welt veracht.

83.

Je gerne wär ich doch einmal in GOtt genesen, weil schon so manchen Tag und Jahr
ben übt gesessen: Doch trägt die Hoffnung mich
in meinen Trauer-Tagen, weil der verliebte Sinn
es thät aufs eusserst wagen.

2. Ach wie betrübt muß ich offt gehen meine
Strasen! wann ich vom Engel-Trost, auch GOtt

und Mensch verlassen. Wann finster um mich
her bey mancherley Betrüben, in meinem Trauer-
Stand mein armes Herz zu sieben.

3. So geh ich dann so hin, weiß anders nichts
zu machen: GOtt wird Berather seyn in meiner
armen Sachen; Er weiß die rechte Zeit, wann er
soll freundlich reden, in der Verlassenschafft und
sehr geheimen Nöthen.

4. So bald ein Trost aufgeht in meiner stillen
Kammer, so wird mein Herz erquickt, vergesse
allen Jammer; und lasse mich so dann in Gnad
und Güte leiten, die mir mein vieles Leid belohnt
mit süssen Freuden.

5. Was mich beweget hat zu solchem Trauer-
Leben ist, was in jener Welt uns GOtt davor
wird geben. Drum freu ich mich so sehr auf das,
was dort wird werden dem, so alhier versagt die
Freude dieser Erden.

6. O Vatter aller Güt! pfleg mein, daß bleib
erhalten, und laß in Ewigkeit mich nimmermehr
erkalten. Was angefangen ist in meiner Jugend Blüthe, wollstu im Alter seyn durch deine
grose Güte.

7. Daß ich den Jungfraun-Schmuck biß an
mein End bewahre, der dorten Kronen trägt ohn
Ende Zeit und Jahre. O seliger Gewinn! in
so viel Leid erworben, weil JEsus selber auch, so
ist am Creutz gestorben.

8. Drum hab ich geben hin mein Liebstes auf
der Erden, daß ich auch dort mit Ihm so möge
verherrlicht werden. Mein langer Trauerstand
die Jungfrauschafft wird zieren, daß er mich kan
mit sich in Hochzeit-Saal einführen.

S. 84. Anastasia

Je ist doch der HErr so gütig und getreu in
unserm Leid? sehr gedultig und sanfftmüthig, eh er unser Herz erfreut: und hilfft aus der
grösten Noth, zeigt sich als ein treuer GOtt; darum will ich in von Herzen loben in den grösten Schmerzen.

2. Wer sich ihm zum Opfer giebet, der ist selig und erfreut, wann er offt schon hart gesiebet in
der trüb-und dunckeln Zeit:* weil GOtt ist sein
Trost allein, drum er auch ohn letzen Schein all

sein

sein Liebstes in dem Leben ihm zum Opfer übergeben.

3. Ob wir schon oft sehr verlassen, daß es scheinet aus zu seyn: wann wir seine Güt umfassen, muß die allergröste Pein werden lauter Süßigkeit, wenn er unser Herz erfreut, thun wir in der Lieb zerfließen, die er uns gibt zu genießen.

4. Lob und Preiß sey GOtt von oben, der uns beysteht früh und spath: dafür will ich ihn auch loben, was er mir erwiesen hat meine gantze Lebens-Zeit in so vielem Druck und Leid, und will sein' nicht mehr vergessen, weil ich nun in ihm genesen.

5. Dann ich kan nicht gnug erheben seines grosen Namens Ehr: was ich habe, will ich geben, damit ich sein Lob vermehr. O wie selig ist der Sinn! der mit Allem sich gibt hin: wer wird können wohl errathen? was diß sind vor Helden-Thaten.

6. GOtt du groser Himmels-König! rufe doch noch viel herbey, daß der Deinigen nicht wenig, die dir alle recht getreu: daß noch mehr hinzu gezählt, die dem reinen Lamm vermählt, und erkaufset von der Erden, daß sie gantz sein eigen werden.

7. Dann so bald die Zahl vollendet, die das Lamm sich hat ersehn, so wird alles umgewendet, und die alte Welt vergehn. O du herrlich-schöner Pracht in des Lammes Niederracht! der all-dorten wird erscheinen nach so viel gehabtem Weinen.

8. Ich will meine Tritte zehlen allhier in dem Creutzes-Thal, und sonst anders nichts erwehlen, als zu bleiben in der Zahl, die zwölf mal zwölf tausend heißt, hin zur andern Welt gereißt, und all-dort, nach so viel Proben, GOtt ohn Zeit und Ende loben.

85. S. Iphigenia

WIe lange solls noch währen, daß ich muß traurig gehn, und meine Zeit verzehren in so viel Leid und Wehn? Ist es dann so beschlossen zu meinem Hertzen-Leid, daß ich muß seyn verlassen die gantze Lebens-Zeit.

2. So seye dann mein Wille in JEsu Lieb versenckt, um ihm zu halten stille, wie er es fügt und lenckt. Er wird mich wohl berathen nach meiner Traurigkeit, mich aller Sorg entladen in jener Ewigkeit.

3. Es ist zwar schwer zu tragen die harte Leidens-Noth, wenn man von GOtt geschlagen, getreten gar in Koth: daneben sehr beladen mit vieler Hertzens-Pein, da anders nichts kan rathen als heiligs Stille-seyn.

4. Doch soll die Noth nicht brechen den lang geschehnen Eid; ob mich schon oft thät schwächen die grose Blödigkeit: so bleibet doch mein Hertze dem innigst anvertraut, den ich im Todes-Schmertze alldort am Creutz geschaut.

5. Und weil zur Recht' und Lincken mir Tausend Noth kommt ein, so fall im Nieder-sinken noch immer tiefer drein: statt da ich meint zu rasten, nach so viel bittrem Leid, kommen noch gröszere Lasten in der betrübten Zeit.

6. Doch bin in seinen Händen, so wie sein weiser Rath wird alles drehn und wenden durch seine hohe Gnad. Dann solten meine Thaten mich bringen zu dem Ziel, es wär schon längst gerathen, und hätte alle Füll.

7. So daß ich gantz behende könt wallen dort-hinan, allwo zum vollen Ende die rauhe Creutzes-Bahn, die ich allhier gegangen im jungfräulichen Sinn, der nach so vielen Drangen den Schmertz wird nehmen hin.

8. So aber muß umschweben in vielem bittern Leid, daß oft fast müd zu leben von groser Traurigkeit. Doch wird das lange Hoffen noch laufen frölich ein: das heißt, es ist getroffen: ich geh zur Ruhe ein.

86. S. Ketura

WIe manches Leid und Wehen, wie viel betrübte Zeit, muß man allhier durchgehen, eh man in GOtt erneut. Viel kümmerliche Tage, die nicht zu zählen seyn, hab ich mit bitter Klage gewandelt gantz allein.

2. Und gieng so meine Strasen, in sehr betrübtem Sinn, gantz einsam und verlassen, daß offt nicht wußte wohin. Wer wird wol können rathen, mit was vor bittren wehn ich manchmal war beladen, so umher mußt gehn.

3. Dann, wann ich thu gedencken, wie manchen Tag und Stund, mein Hertze sich mußt kräncken, weil es so sehr verwundt; so könt von Leid,

ver-

vergehen, und groser Traurigkeit, weil meine viele Wehen gewähret gar lange Zeit.

4. Ach GOtt! was harte Wehen, wie lang
muß gehn betrübt? ists dann etwa geschehen, daß
ich zu viel geliebt. Dann gantz ohn alle maasen
ein sehr beschwertes Hertz, daß mich offt kaum kont
fassen wegen dem vielen Schmertz.

5. So über mich ergangen in meinem Trauer-gang, samt viel und manchen Drangen statt
schönem Lobgesang. So sind dann diß die Sachen, mein Jammer weiß kein Ziel, daß anders
was köne machen in diesem Trauer-spiel.

6. O GOtt! sieh auf mich Armen, sey Helffer in der Noth, thu mich mit Güt umarmen,
weil du ein treuer GOtt: und thu dich zu mir
wenden mit deiner Freundlichkeit, laß mich mit
Heil anländen am Rand der Ewigkeit.

7. Da will ohn Ende leben in jenem Freuden-
Saal, vor so viel hohe Proben allhier im Trauer-
thal. Dann wirds wohl anders klingen, als hier
in Mesechs Zeit, weil werd Lobtlieder singen in jener neuen Welt.

87.

WJe manches Leid wie manche Wehen hat
nicht, auf seiner Pilger-Fahrt, mein armes
Hertze durchzugehen, weil ich mit JEsu mich gepaart: ein Hertz, das sich GOtt hat ergeben, um
ihm zu dienen gantz allein, dem wird das rechte
Sterbens-Leben mit reichem Maaß gemessen ein.

2. Drum kan ich weiter nicht viel sagen, dieweil es nur ist GOtt bekannt, was solche müssen
hier ertragen, die sich sind kommen aus der Hand:
doch kommt man erst zum rechten Wesen, wann
alles ist in uns zernicht't: was eignes Wollen sich
erlesen, und gantz verzehret im Gericht.

3. Dann kan das neue Leben grünen, das hier
durchs Leiden wird bewährt, und man kan sich
mit GOtt versühnen, weil ist zernicht't die böse
Art: mit allem, was sie in sich heget, das uns
verhindert auf dem Weg, und manches Leid in uns
erreget, wodurch der Geist wird kalt und träg.

4. O was ein Glück wird da gefunden! wo
einst erlödtet die Natur, da ist der Jammer überwunden, da findet sich die rechte Spur: wo man

C c c 3.

kan stetig Opffer bringen dem grosen GOtt, der
uns erwehlt, und täglich neue Lieder singen, weil
wir zu seinem Volck gezehlt.

88.

WJe manchen Schmertz und bitteres Leid wird
hier offt eingemessen, auf unserm Weg der
Seligkeit, biß man in GOtt genesen.

2. Weil noch die Dunckelheit der Nacht uns
wie ein Kleid umgeben, und offt, eh man es hat
bedacht, in viel Elend schweben.

3. Daß auch fälle aller Muth dahin, um weiter fort zu gehen; allein, der kleine Kinder-Sinn
thut sich an nichtes kehren.

4. Was Ihn auch schwächen wolt den Muht,
auf seiner Pilger-Reise, die Liebe zu dem ew'gen
Gut erquickt, mit Himmels Speise.

5. Die ist es auch, die mich hat bewegt, mich
also zu üben, und noch dabey ins Hertz geprägt; GOtt ohne End zu lieben.

6. Drum gehe ich getrost dahin in viel Gedult
und Hoffen, erwarte, was dort mein Gewinn,
wann einst das Ziel getroffen.

7. Wer nichts besitzet auf der Welt, dem wird
es schön gelingen, und dabey lebt, wies GOtt gefällt, wird dort am Reihen singen.

8. Das Schönste, so als dann erscheint, sind
die erwählte Schaaren, so sich offt fast zu Tod geweint, den Braut-schmuck zu bewaren.

9. Diß ists, warum so früh versagt die Freude dieser Erde, und so dem Himmel nachgejagt,
daß dort verherrlich werde.

10. Mit der vermählten Jungfrau-Schaar,
die schön dem Lamm nachgehen, GOtt loben ohne Zeit und Jahr, nach viel und langen Wehen.

11. Drum will in meiner Niedrigkeit in viel
Gedult mich sehnen dorthin, wo GOtt in so viel
Freud abwischen wird die Trähren.

12. Die uns alhier im Creutzes-Thal offt machten nasse Wangen: O wol! wer so ins Himmels-
Saal zur ew'gen Ruh eingangen.

89.

WJe sehnet sich mein Geist und Sinn nach
dem, was Göttlich heißt: ich weiß doch sonst
kein ander Gut, als wo man alles gantz in GOtt verlieren thut.   2.

2. Mein tief verliebter Sinn hat mich gebracht zuletzt dahin: wo ich vergessen alles Leid, so nichts mit bringet heim in seine Ewigkeit.

3. Drum hab ich auch mein Ziel, nach dem vereinten Liebes-Spiel, der reinen Schaar und Lämmer-Heerd, daß ich auf ewig hin mit ihm vereinigt werd.

4. Und so dem reinen Lamm, das von GOtt aus dem Himmel kam, zu folgen nach auf dieser Welt, bis wir zusammen dort vor Gottes Thron gestellt.

5. Da wir dann mit eingehn, wo die vereinte Chöre stehn: allwo das ganze Sieges-Heer, GOtt und dem Lamm gibt Ruhm und ewig Preiß und Ehr.

6. Drum bin ich auch nun still, bey der so reichen Gnaden-Füll, die da unendlich fließet aus, wo man ist heimgebracht in seiner Mutter-Haus.

7. Wo aller Kummer hin, der ehmals plagte meinen Sinn, in dem so jungen Kinder-Stand, da mir die hoh- und tiefe Weg noch unbekannt.

8. O sanfter Liebes-Schooß! wo man ist aller Sorgen loß: da sonsten nichts gemessen ein, als was das Herz macht ruhig, sanft und stille seyn.

9. Drum ist mir auch nun wohl, weil ich bin alles Guten voll, von Gottes reicher Huld und Gnad, die mich in sich verkleint, durch seinen weisen Rath.

10. Und mich gebracht dahin, wo mein verliebter Liebes-Sinn, sich hat gesehnet spat und früh: das ist nun frey geschenckt, vergessen alle Müh.

11. Drum bin ich in Verwahr mit der verlobten Jungfraun-Schaar, wo selbst das Lamm, der treue Hirt, sie hält in seiner Hut; das keines mehr abirrt.

90.

WIe schicket sich, mein Herz zu seyn genesen, weil Gottes treue Lieb mich ihm erlesen: damit ich bald erlang nach langem Sehnen, was ich so oft gesucht mit vielen Trähnen.

2. Ach aber! wär ich mir nur einst einnommen, so würde ich auch wohl bald darzu kommen: nun aber ich noch bin mit mir beschweret, wird meine Zeit und Kraft im Leid verzehret.

3. Doch hat die treue Lieb mein Herz gebunden, daß ich in Hoffnung schon den Schatz gefunden: drum werd ich bleiben treu, und nimmer wancken, weil seine Liebe mich so hält in Schrancken.

4. Und den verliebten Sinn sehr oft berühret, so daß ich ihre Brunst in mir verspüret: drum will ich ihm dafür viel Ehr erweisen, und ohne End und Ziel ihn stetig preißen.

5. Es kan nicht anders seyn, es muß noch werden, was man so lang gesucht mit viel Beschwerden. Die süße Leidens-Frucht wird sich schon finden, und alle Traurigkeit machen verschwinden.

6. Die Nacht ist bald dahin, es kommt gegangen, mit Segen und Gewinn, was wir verlangen: die volle Gottes-Huld thut sich nun zeigen, drum geben wir ihr Ehr mit tiefstem Beugen.

7. Danck sey dem werthen Lamm, das uns erkohren zur keuschen Jungfraun-Zahl und neu geboren: wir wollen seinen Ruhm hier stündlich ehren, und dort in Ewigkeit sein Lob vermehren.

91.

WIe verlassen find die Strasen des erhöhten Königs Stadt, daß muß klagen und Leid tragen, wer es recht erwogen hat.

2. Das macht Schmerzen in dem Herzen dem in GOtt verliebten Geist, der mit Trähnen, und viel Sehnen diesen Weg zum Himmel reist.

3. Doch, durch Schmiegen wird bestiegen offt der allerschwerste Stein, und durch Sencken muß sich lencken, was offt will beschwerlich seyn.

4. Wers nur waget unverzaget, findet schon sein Looß und Theil; lernt sich schicken, und offt bücken, kommt also zu seinem Heil.

5. Kan genesen in dem Wesen der erhöhten Lammes-Braut, die ganz reine Ihm alleine sich in Lieb am Creuz vertraut.

6. O! du schöner Nazarener, dein verliebtes Angesicht hat ertheilet, was uns heilet, und gebracht zu solchem Licht.

7. Daß wir sehen, wie wir gehen, wann schon offt verdunckelt seyn unsre Wege und die Stege, wann geht auf ein neuer Schein.

8. Was vor Wonne bracht die Sonne, wodurch alle Welt erfreut. Was wirds werden,

den, wann die Erden einst wird werden gar erneut.

9. Jetzt will schweigen, und mich beugen vor der hohen Majestät, biß wird kommen, daß die Frommen alzusammen hoch erhöht.

10. Die vergessen, wo gesessen sie allhier in so viel Leid; schön mit Stimmen lieblich singen, loben GOtt in Ewigkeit.

92.

WJe viel und manche Wehen, und Leiden ohne Ziel, mußte ich allhier durchgehen, daß gab der Schmerzen viel.

2. Ach GOtt! was soll ich machen in meiner vielen Noth? Hilff meiner armen Sachen, weil esse Trähnen-Brod.

3. Es geht mir sehr zu Herzen, dieweil mein ganzes Thun besteht in lauter Schmerzen, wann meynte sanfft zu ruhn.

4. O Vatter aller Güte! seh du doch selber drein, laß mich nicht werden müde, wann hingehe und wein.

5. Wie wär ich doch so gerne dir einmal recht gepaart, weil muste stehn von ferne, da schon so lang geharrt.

6. O! wäre doch mein Leben vereint dem werthen Lamm, das sich vor mich hin geben am bittren Creuzes-Stamm.

7. So wären meine Sachen in seiner Liebes-Hand, wie er es würde machen, wär ich mit GOtt verwandt.

8. So könt ich sanffte schlafen in meiner Mutter Schooß, und hätt nichts mehr zu schaffen, wär aller Sorgen loß. —

93.

WO ist doch mein Schönster anjezo zu finden? den ich mir vor allen sonst andern erwählt: weil er sich so freundlich mit mir thät verbinden, da er mich hat unter die Seinen gezehlt: wie willig und freudig könt ich dahin geben mein Liebstes, um also nur ihme zu leben.

2. Doch wurd ich gar balde von ihme verlassen, das bracht mir viel tödliche Schmerzen und Pein, so daß ich hierinnen mich schwerlich könt fassen, dieweil ich in allem mich fande allein: mein Leiden und Jammer war schwerlich zu tragen,

weil ich ihn nicht konte in Worten erfragen.

3. Ich thäte umwandeln viel Wiesen und Höhen, und suchte den Liebsten bey Tage und Nacht, diß brachte mir vielerley Schmerzen und Wehen, dieweil er mein Herze so an sich gebracht: so daß ich auch meine ihn nimmer zu lassen; und solt ich auch drüber im Tode erblassen.

4. Doch da ich gedachte, ich müßte vergehen, wurd ich darauf balde ein anders gewahr, und sahe den Liebsten zur Seiten mir stehen: O Wunder! erst wußt ich nicht, ob er's war; doch machte er weichen mein ängstliches Grämen, und thäte mir die vielerley Schmerzen wegnehmen.

5. Und weil ich in meinem Geliebten geniesen, so mußte verschwinden die Kälte und Frost, und wo ich vorhero in Schmerzen gesessen, werd ich nun gespeiset mit Göttlichem Trost. Im stillen Ersencken nach vielem Ermüden wird endlich gefunden der innere Frieden.

6. Die tödliche Schmerzen, die bittere Leiden, die kommen von unserm verdorbenen Stand; und wer sich von allem auf Erden kan scheiden, dem werden die Wunder des Höchsten bekannt. Drum will ich mich schmiegen im heiligen Schweigen, im Still-seyn thut stetig mein Liebster sich zeigen.

7. O wohl dann! wie ist mirs so trefflich gelungen, weil meinem Geliebten so nahe verwandt, und zu ihm ins innre Gemache gedrungen, allwo er mich ihme zu eigen erkannt. Drum werd ich wohl bleiben ihm stetig ergeben, weil er mir geschencket ein Göttliches Leben.

94.

WO soll ich hin? wo soll ich bleiben? daß doch einmal werd in mir still; soll mich dann immerhin umtreiben die Unruh? die ich doch nicht will: ach soll der Schmerz dann ewig währen? der immerhin verneuret wird, soll mir dann Leib und Seel verzehren? daß ich muß bleiben gar verirrt.

2. Ich weiß ja keine Ruh zu finden, kein Trost in meiner grosen Noth. Soll dann die Hoffnung gar verschwinden? so muß erblassen ich im Tod: dann was mir vormals machte Freude, das bringt mir jetzt viel Schmerz und Pein, und wo sonst meine Seelen-Weide, muß ich jetzt in viel Elend seyn.

3. Ach GOtt! wo hab ichs doch versehen? (muß ich gedencken oftermal,) daß ich in so viel Noth und Wehen in mancher bitterer Hertzens-Quaal muß bringen zu all meine Zeiten, und seyn von allem Trost entblößt: wann wird ein End doch meinem Leiden? wann werd ich von mir selbst erlößt?

4. Ich weiß mir öfters nicht zu rathen, ich gehe hin, ich gehe her, und werd ich Eines schon entladen, so komme ein anders noch so schwer; doch, obschon bleibt mein steter Schmertzen auch in dem, was genesen heißt: ist doch ein Trost-Wort in dem Hertzen, das mich zur andern Welt hinweißt.

Z

95.

Zions Herrlichkeit thut blühen: der zwölf Stämmen Jungfrau-Zahl thun sich alle-samt bemühen, zu verneuen ihre Wahl. Wer allhier gering und klein, wird alsdann das Schönste seyn.

2. Die das Lamm sich hat erwehlet, sind erkauffet aus der Welt, und mit ihm am Creutz vermählet, daß sie dort mit dargestellt vor GOtt und des Lammes Thron, prangend in der Sieges-Kron.

3. Dann die hier auf dieser Erden sich erwehlen Creutz und Schmach, werden dort verherrlich werden, wann da kommt der schöne Tag: da ihr viele Traurigkeit wird verkehrt in Himmels-Freud.

4. Freue dich du kleine Heerde, Zions Töchter, seyd bereit: obschon hier auf dieser Erde alles ligt in schwerem Streit, heißt es doch: ihr Jungfrau wacht in der Stund der Mitternacht.

5. Und thut eure Lampen schmücken fertig und seyn wohl bereit, weil man siehet näher rücken die so lang gewünschte Zeit: dann wer da will gehen ein, muß rein und jungfräulich seyn.

6. Den Schmuck thut er selbsten schencken: wo wir nur im reinen Sinn, stetig uns nach ihme lencken, wird er uns schon bringen hin, wo die Zahl, die er erwehlt, und mit ihme sich vermähle.

7. Dann wird Zion frölich stehen, wann die gantze Creutzes-Schaar wird erlößt von ihren Wehen, nach so vielerley Gefahr: da wird JEsus, Gottes Sohn, selbsten seyn ihr Theil und Lohn.

8. Dann wirds heissen: komm Geliebte, du solt werden hoch erfreut: du warst lange die Betrübte, dein Schmuck ist nun weisser Seid, die dir von GOTT zugedacht nach der schwartzen Trauer-Nacht.

9. Du wirst dich unendlich freuen, preißen Gottes Freundlichkeit, weil er dich nun thut verneuen vor dein viel gehabtes Leid. O der angenehmen Ruh! so da blühet immerzu.

10. Dann wird alles lieblich stehen: Zion die geliebte Braut, wird aus ihrem Kercker gehen, und mit Wunder angeschaut, die mit Ehr und Majestät ist von ihrem GOtt erhöht.

96.

ZU der Zeit, wanns kracht und bricht, bin ich froh, laß mich durchgeisten: ich werd nur mehr aufgericht, wann man schläget drein mit Fäusten.

2. Thut mich also-Adams Brut gantz vernichten und ausfegen: macht mir solches neuen Muth, und bringet ein viel tausend Segen.

3. Dann wann ich ohn Unterlaß, schrey zu GOtt in meinem Zagen: geh ich freudig meine Straaß, seh die Feind in Koth geschlagen.

4. Dieses ist der Untergang und das End von Adams Sachen: drum lob ich GOtt mit Gesang, und verspotte, was sie machen.

5. Dann ich habe offt gespührt, daß mich Gottes Lieb getragen; wann das Creutz mein Hertz berührt, und darnieder ich geschlagen.

6. O wie hab ich mich gesehnt offt nach Trost in Tag und Stunden! bis mein Hertz zum Creutz gewöhnt, endlich hab ich Ruh gefunden.

97.

ZUm Ende eile die Zeit, zum Ende eile das Leiden, wer treu thut halten aus, wird dort gekrönt mit Freuden. Die lange Wanderschaffte in meiner Jugend Blüt, mit Freud ich trate an, um nie zu werden müd.

2. Und meynte in der Eil den Braut-schmuck zu erjagen, den dort auf Zions Höh des Lammes Bräute tragen: und wußte nicht, daß man erst muß gekleidet gehn in heßlicher Gestalt, veracht, verlassen stehn.

3. Eh uns der reine Schmuck darff anvertrau-
et werden der Jungfrauen, die dort gar schön verherrlich werden. O! fasset neuen Muth, die ihr
noch in der Wahl übrig geblieben seyd zur Braut-
und Jungfraun-Zahl.

4. Dann es ist ja die Zeit uns nun viel näher
kommen, als, da wir erst den Schall und Zuruffs-
Stimm vernommen: damit wir in der Eil uns
reinlich kleiden an, wie es den Jungfern ziemt auf
der verliebten Bahn.

5. Sind wir schon nicht die Braut, vielleicht
doch die Gespielen; dann die sind auch erwählt
allhier unter gar vielen, damit der Hochzeit-Staat
durch sie wird schön geziert im Gang, wo man
die Braut in Hochzeit-Saal einführt.

6. Jetzt stehts uns allen an uns reinlich anzu-
kleiden, villeicht kommt uns das Looß der Braut
zu stehn zur Seiten. Jetzt ist zumal erwacht die
grose Herrlichkeit; das frohe Hochzeit-Fest hat
weder Ziel noch Zeit.

98.

Zur letze schenckt man frölich ein, auf Trauren,
süssen Freuden-Wein, man wirds kaum können sagen, was man alsdann vor Kost aufträgt,
wann alles Trauren hingelegt, nach so viel Trübsals-Tagen. Jetzt werden die schönesten Lieder
gesungen; da es dann wird heissen: nun ist es
gelungen.

2. Der Aufgang von der frohen Zeit hat nun
mein Hertz in GOtt erfreut, O was vor schöne
Sachen! wo man so lang muste traurig gehn, die
Saat mit so viel Schmerzen säen, kan man jetzt
freudig lachen. O! lange erwünschte selige
Stunden! die sich nun gantz ohne vermuthen
einfunden.

3. Ach GOtt! was lange harte Zeit, da nichts
als Drang und Traurigkeit, und kümmerliches
Stöhnen: die Hoffnung zu dem ew'gen Gut war
aus, dahin der Helden-Muth, nebst vielen bittern
Trähnen. Wer solte nicht zagen in so vielen
Wehen, wo man so gantz ohne Trost muß umm-
her gehen.

4. Drum wars auch eine Wunder-Sach, daß
kommen ein auf einen Tag das Heil, gantz ohn

vermuthen, und nahm den langen Schmerz dahin, und brachte ein mit viel Gewinn den Trost
wieder zum Guten. Drum ist auch erwachet das
traurige Sehnen, das lange entschlaffen von so
vielen Trähnen.

5. Jetzt hat man wieder Freudigkeit im HErrn,
weil kommen ein die Zeit, wo Gottes Ehre blincket in groser Zier und hohem Pracht, nach der
so langen Trübsals-Nacht, und sehr viel Heil einschencket. O! seliges Warten in so vielem
Zagen, da man auch von GOtt und von Menschen geschlagen.

6. Die Freudigkeit, so kommen ein, ist kein
verblendter leerer Schein, man kan es klärlich
mercken, wie Gottes hohe Wunder-Krafft, den
schweren Drang hinweg geschafft, und thut in
Schwachheit stärcken. O seliges Vergnügen
nach so vielen Wehen; da man wieder freudig
die Wege kan gehen:

7. Nach Zion hin, in so viel Freud, alwo die
grose Seligkeit, wo man darnach geloffen, mit
Schmerzen und mit vieler Müh, darnach gejaget spat und früh, biß man sein Ziel getroffen.
Jetzt wird man nun ferner erwarten der Zeiten,
biß alle gekrönet mit himmlischen Freuden.

99.

Zur letze setz ich mein Verlangen zum Ziel der
seligen Ewigkeit, damit auch möge dahin gelangen, wo JEsus seine Schafe weidt; dann bey den
reinen Lämmer-Heerden, alwo die Auen lieblich
grün, kann meine Seel getröstet werden, wann
ich da eingegangen bin.

2. Weil seine Stimme ich gehöret; drum hat
sie mich dahin gebracht, wo seine Heerde sich vermehret, um GOtt zu dienen Tag und Nacht: da
ist mein looß unter den Fromen, die Er sich hat
darzu ersehn, die auch aus vielen Trübsal kommen
mit Freudigkeit vor GOtt zu stehn.

3. Da werd ich mich vereinigt sehen mit denen,
so die Welt besiegt durchs Creutz, und so dem
Lamm nach gehen, wo Tod und Höll zu boden
ligt. Drum sie so hoch von Ihm geliebet, weil
sie ins Heilge gangen ein, wo ihr Gebät nichts
mehr betrübet, und lauter Gut genießen ein.

4. Nun kriegt der reine Jungfraun-Orden sein schönes Loß mit bey geleget, alwo die Weißheit Mutter worden, und jedes seine Krone trägt. Dieweil der alte Feind besieget mit seiner allerletzten Macht, und gantz und gar zu boden lieget, daß sein auch nimmermehr gedacht.

5. Und weils der Weißheit Rath gelungen, so theile sie nun das Erbe aus, und auch der Cherub ist bezwungen, geht man nun in der Mutter Haus. Die Freud hat trauren überwunden, weil unsre Weysenschafft zu End; und weil der Braut-Schatz ist gefunden, hat sich nun alles umgewendt.

6. Es ist mir tief ins Hertz geschrieben, getreu zu bleiben biß in Tod, auch will nicht hören auf zu lieben, und kostets auch schon Schmertz und Noth. Dann mein Gebät und sehnlich Flehen hat sie, mit Huld und Freundlichkeit, in Gut gar gnädig angesehen, daß ich werd ewiglich erfreut.

7. Drum will ich ohn Ende loben, und rühmen Gottes hohe Gnad, die Er, in so viel harten Proben, mir hat erwiesen früh und spath. Drum ist mein Leid hinweg genommen, dieweil mich Gottes Güte speißt, und bin, mit allen wahren Frommen, schon hin zur andern Welt gereißt.

Das Schwester-Lied,

Oder,

EIn Ausfluß und Strom, der aus dem Brunnen der Liebe Gottes herab geflossen ins Thal, wo JEsus seine reine Lämmer-Heerde weidet. Alles aus der Schwesterlichen Gesellschafft in Saron, als welche den Tittul tragen des Geschlechts der Jungfrauen, die allhier dem Lamm nachfolgen, wo es hingeht.

DEr Frühling blüht, die Sonne steigt, seht, was ein schöner Glantz sich zeigt! Die Lieblichkeit vom Himmel her zeigt uns das Jungfräuliche Heer.

2. Nun hört man in dem Tauben-Klang der Jungfrauen des Lamms Gesang: Das neue Lied wird noch gespart, biß daß die Braut dem Lamm gepaart.

3. Anjetzo wird nach langer Nacht von Zions Reich ein Wort gesagt: Man singet aus demselben Trieb, was Jungfern-und was Schwester-Lieb.

4. Weil selbe ist vom Himmel her, drum wird ihr nichts seyn ähnlicher: Als der sie von daher gebracht, und als ein Lamm am Creutz geschlacht.

5. Da hat sich diese Frucht gesäet, die nun bey uns in Aehren steht: Sie heisset Jungfrau Schwester-Lieb, O reiner Glantz! O Gottes-Trieb!

6. Drum ist die Schwester-Lieb so treu, daß sie im Tod nicht bricht entzwey: Sie ist von solchem hohen Staat, woran GOtt sein Gefallen hat.

7. Die Schwester-Liebe ist so rein, im Himmel wird nichts schöners seyn: Ihr Schmuck ist aus dem reinsten Licht, drum ihr an Schönheit nichts gebricht.

8. Wo Jungfrauschafft der Weißheit Raht, ist Schwester-Lieb aus freyer Gnad: Und was den beyden heisst nah, ist Namens Jungfrau Sophia.

9. JEsus hat dieses selbst gelehrt, die Schwester-Liebe hoch geehrt: Maria war das Schöne Bild, woraus die Schwester-Liebe quillt.

10. Wo sonsten lieb der Weisen Stein, ist Schwester-Liebe Engel-rein: Wo Demut ist des Glaubens Schild, ist Schwester-Liebe Gottes Bild.

11. Die Schwester-Liebe hat den Preiß, sie führet uns ins Paradeis: Sie ist der Braut-Schmuck jener Welt, die Zierde so GOtt selbst gefällt.

12. Sie ist der edle Lilien-Zweig, so grünet aus in Gottes Reich: Ja auch das schöne Rosen-Feld, das hier erscheint im Jammer-Zelt.

13. Ob gleich der Dornstich noch dabey, die Lieb,

Lieb, so einmal recht getreu: Wird nur noch mehr dadurch entzündt. O süse Lieb! O Gottes-Kind.

14. Wo komt die Schwester-Liebe her? sie fließt aus Gottes reinem Meer: Drum lieb ich sie so Engel-rein, weil ich gern möcht ihr eigen seyn.

15. Ich hab sie mir selbst auserwählt, daß ich ihr werde zugezählt. O was ein Gut und Liebes-Looß thut sie uns geben in den Schooß!

16. Die Schwester-Lieb ist allzeit wohl; obschon oft Leid-und Jammer-voll: Sie wächst in allem Leiden aus, und bringt die schönste Frucht nach Haus.

17. Ich bin voll süser Geistes-Freud, weil Schwester-Liebe mich erneut: O wohl! wer komen in die wahl, den stürzt nicht mehr der grösteFall.

18. Wer in der wahren Liebe bleibt, der ist mit GOtt selbst einverleibt: Drum suchet nur die reine Lieb; obs schon oft sinster, schwarz und trüb.

19. Die wahre Liebe hält Gewicht; ob wirs schon oftmals mercken nicht: Sie löset auf viel schwere Bürd, wo man oft tödlich sich verirrt.

20. Drum ist mein Herze Freuden-voll, weil GOtt berathen mich so wohl: Und mich nun hat dahin gebracht, wo man ihm dienet Tag und Nacht.

21. Die Liebe weiß von keiner Müh, ob sie schon wircket spat und früh: Sie ist das reine Himmels-Bild, womit die neue Welt erfülle.

22. Die Schwester-Liebe steht sehr hoch, weil sie das allersüsseste Joch: Wird man getränckt mit Myrrhen-Wein, schenckt sie dagegen Süses ein.

23. Wann GOtt die Seinen wird erhöhn, wie Lilien und Rosen stehn: So bleibt die Liebe Königin, und krönet den verliebten Sinn.

24. Sie muntert immer freudig auf, und fördert unsern Creutzes-Lauf: Will oft verlöschen unser Schein, so geust sie heiligs Oele ein.

25. So wird das Herze aufgericht, erhoben unser Glaubens-Licht: Wir werden wie ein grüner Zweig in Gottes und in Christi Reich.

26. O Schwester-Lieb beleucht uns all! daß keins verscherze seine Wahl: Du bist das Leben in dem Tod, wer dich genießt, ist Himmels-Brod.

27. Wie ists so schön, wo Liebe quillt, dann da grünt aus das Jungfraun-Bild: Wolt an-

ders was in uns hinein, so müßts das Schönste selber seyn.

28. O Schwestern! bleibet all getreu, weil reine Liebe allzeit neu: Lieb ist ein Schatz, der nicht vergeht, weil er in jener Welt besteh.

29. Wann die Natur hat schwere Pein, schenckt Liebe lauter Süses ein: Wer will errathen den Genuß? doch bringts der Eigen-Lieb Verdruß.

30. Seht, was ein Wunder. man da siehet, alwo die Schwester-Liebe blüht: Sie macht aus Wermuth Zucker-Wein, was könte auch wohl bessers seyn?

31. Sie ist das Schloß der Ewigkeit, ein Trösterin in Traurigkeit: Suchst du der wahren Tugend Bahn, seh nur die Schwester-liebe an.

32. Leucht Jungfrauschaft in jene Welt, ist Schwester-lieb ein Blummen-Feld von Rosen, Lilien mancher Art, wo man dem reinen Lamm nachart.

33. Diß ist die Frucht vom Himmel her, sind gleich die Bürden oftmals schwer: Daß man dabey viel bittre Pein, die Schwester-lieb schenckt süses ein.

34. O wie so wohl ist uns geschehn! daß wir an diesem Reihen gehn in Engelischer Harmonie, um GOtt zu dienen spat und früh.

35. Ich freue mich in diesem Gang; obschon oft Zeit und Weile lang: Im Dunckeln briche herfür ein schein, das heißt: in Lieb vereinigt seyn.

36. Nun grüner aus der edle Zweig der Kirchen schön in Gottes Reich: Der das Gedeyen dazu gibt, hat uns bis in den Tod geliebt.

37. Nun grünt die Schwester-liebe schön, weil sie durch so viel Noht und Wehn gegangen in gar lange Zeit in viel Gedräng und bittrem Leid.

38. Drum steht die Lieb der Schwestern hoch, weil sie das sanffte JEsus-Joch hier tragen im verliebten sinn, um den sie alles geben hin.

39. Ja auch ihr liebstes in der Welt, um nur zu thun, was GOtt gefällt: Und meiden allen solchen schein, der nicht mit geht zum Himmel ein.

40. Was mich so sehr verliebt gemacht, war meines liebsten Niedertracht: Ist sonst noch was, das mich bracht dran so ist, was man nicht sagen kan.

41. Das liebste, das mir wünsch zu seyn ist, daß recht werd geliebet ein in JEsu Kirch: diß hab erwählt, sonst wohne ich in Mesechs-Zelt.

42. Doch voller Trost in meinem Leid, weil diß mir oft vertreibt die Zeit: Wann ich gedenck, wie Ich erwählt, zur heiligen Jungfraum-Zahl gezählt.

43. Drum kommt ihr lieben Schwestern mein, die bisher treu geblieben seyn: Wir wollen lieben bis in Tod, so kan uns scheiden keine Noht.

44. Die reine Liebe baut ihr Haus in Seelen, die gekehret aus der Welt: und bleib ich so gesinnt, so kan ich seyn ein Gottes-Kind.

45. Die reine Liebe wird nicht müd, obs schon oft schwarz und trüb aussiehe: Wird sie schon oft gering gemacht, sie weiß nichts aus von Niedertracht.

46. Sie macht sich öfters blind und taub, daß mit ihr nichts die Liebe raub: Wann Eigen-Liebe kommt in Noht, isst Schwester-Liebe Himmels-Brod.

47. O Unverfälschte Schwester-Lieb! die ewig nichts kan machen trüb: Bisher hat sie geholffen aus so viel und manchem harten Strauß.

48. Sie liebt nicht nur, was ihr gefällt, auch was sich ihr entgegen stelle: Sie liebt nicht nur in Schmach u. Spott, sie läßt sich treten gar in Roht.

49. Obgleich verdunckelt wird ihr Schein; sie spricht: wann wir nur Kinder seyn. Wolt man uns nehmen gar dahin, so bleibet doch derselbe Sinn.

50. Sie ist mir gar ausbündig schön, drum will ich ihrem Fuß nachgehn: Ich eß mich an ihr nimmer satt, an ihr gebricht es nie an Raht.

51. O wohl! wer funden diese Spur, wo man nichts kan als lieben nur in Leiden gleich wie in der Freud, und vieler Herzens-Engigkeit.

52. Drum soll diß einzig seyn mein Ziel, dem ich nun stets nachjagen will: Zu lieben in der größten Pein, diß wird wohl Schwester-Liebe seyn.

53. O hochgeschätzte Gottes-Lieb! die nichts kan machen schwarz noch trüb: Ihr Glanz und Schein wird bleiben stehn, wann alles andre wird vergehn.

54. Es kan und mag nicht anders seyn, als GOtt zu lieben ganz allein: blüht Schwester-Liebe aus dem Drang, preisen wir ihn mit Lob-Gesang.

55. Setz ich das Meine dann mit hin, so kommt mir ein mir viel Gewinn: Daß Schwester-Liebe mich erfreut, in aller Noht und Traurigkeit.

56. Drum kan und mag nichts schöners seyn, als sich in Gottes Lieb erfreun: In Leiden und in Traurigkeit hat man die wahre seeligkeit.

57. Die Schwester-Liebe geht veran, sie führt mich auf der Tugend Bahn: durch lieben sind wir kommen hoch, sie hilfft uns tragen Christi joch.

58. Sie hat durchs Creuz uns neugebohrn, zur Kindschafft Gottes auserkorn: Diß Erbtheil ist uns beygelegt durch Lieb, die alles hebt und trägt.

59. Die Weisheit rufft: kommt her zu mir, die Schwestern kommen mit Begier: Zu folgen ihrer reinen Lehr, und geben ihrem Winck Gehör.

60. Sie kan doch sonsten nirgend ruhn, sie hat nur stets mit uns zu thun: Und weil sie lieber ohne Ziel, so ists, wies jedes haben will.

61. Dieselbe hab ich mir erwählt, sie mich zur Jungfraum-Zahl gezählt: ihr Lustspiel ist mein größte Freud, die ich genieß in dieser Zeit.

62. Ihr treuer Raht hat mich belehrt, daß ich ihr ganz werd zugekehrt: Es ist mein höchste Lust und Freud zu stehen ihrem Dienst bereit.

63. Wie edel ist der liebe Zier, sie leuchtet aller Tugend für: Hier trägt sie oft der Jugend Hohn, dort prangt sie in der Ehren-Kron.

64. Hier wird die Tugend oft gebeugt, daß sie ganz stumm und stille schweigt: Thut ihr nun jemand leiden an, sie nimmt sich dessen ganz nicht an.

65. Bald dringt sie in das Innre ein, allwo versüßet alle Pein: Sie dringt durch alle Finsternuß, biß ihr das Beste zum Genuß.

66. Ach! wie ein grose seligkeit wird uns alldorten zubereit: wann Schwesterlieb wird seyn gekrönt, die hier oft bis zum Tod verhönt.

67. Die Weisheit ist ein Wunder-spiel, sie hilfft, wann Trost ermanglen will: wann Liebe liebet ohne Lohn, so ist die Weisheit ihre Kron.

68. Kommt Schwester-Liebe dann mit an, so siehe man, was dieselbe kan: Sie liebet in der höchsten Noht, giebt sich für Andre in den Tod.

69. O liebe Schwestern all zusam! seht, wie das theure

theure Gottes-lamm am Creutz für uns in liebe
glüht, und uns durch liebe nach sich zieht.

70. So uns fällt schwer der liebe Bahn, seht
doch denselben Schmertzen an: Durch lieben kam
er hoch herab, ließ sich versencken in das Grab.

71. Diß ist, was sich so hoch anpreiset, und
uns das Paradieß aufschleußt: Durch Liebe sind
wir neugeborn, zur ewgen Jungfrauschafft erkorn.

72. O Liebe! die so hoch erhöht, daß sie in
Ewigkeit besteht: Drum heist sie hier Verborgenheit, weil sie umhüllet mit der Zeit.

73. Diß ist der Weisheit Wunder-Spiel, man
forsch und grabe, wie man will: So bleibt es ein
verdeckte Sach, weil wenig gehn der Liebe nach.

74. Sie ist ein Zweig der neuen Welt, sie
macht uns thun, was GOtt gefällt: Und legt
den rechten Braut-Schatz bey, daß jedes Gottes
eigen sey.

75. Wann uns die Lieb vom Himmel schneyt,
so macht sie uns in GOtt erneu: Will anders
was darzwischen ein, das muß nur Schwester-
liebe seyn.

76. O Allerliebste liebes-Zier! du bist das
Schönste mir und dir: Und gibst dich selbst und
Alles hin, ach schencke mir auch solchen Sinn.

77. Die Jungfrauschafft, so liebe hegt, stelle
dar ein Göttliches Geschlecht: Um die gab ich
mein liebstes hin, mit allem was ich hab und bin.

78. O was ein Segen! den man sicht, allwo
die reine liebe blüht: Es kan und mag nichts schöners seyn, wen nur erfreut derselbe Schein.

79. Der Schmertzen, der mich oft umstellt,
macht leben, wie es GOtt gefällt: Der lehret,
daß man lieben kan, und auch nicht irret auf der
Bahn.

80. Will sincken oft der schwache Muth, die
Schwester-Lieb macht alles gut: Wann tunckel
wird der lampen Schein, geußt schwester-liebe
Oele ein.

81. O wär ich gantz mit dir gepaart, und deiner reinen Tauben-Art: So würd derselben lieblichkeit hinnehmen meine Alberheit.

82. O lieb! wann du bist um mich her, so bist
du mir ein Brust-Gewehr: Beleuchte mich, du

schönstes licht, weil Aug und Hertz nach dir gericht.

83. Dann diß die rechte lebens-bahn, worinnen niemand irren kan: Drum kommt ihr lieben,
laßt uns gehn, wo man kan lauter schönes sehn.

84. Und ob wir schon oft Traurens-voll in
diesem liebes-spiel, ja wohl! Da kommt kein andre Freude ein, als was in GOtt macht selig seyn.

85. Käm man auch schon in grose Noht, die
liebe lieber bis in Tod: Und scheints auch oft, ich
wär dahin, ich bleib im lieben, wie ich bin.

86. Doch werd ich oft in meinem leid ohn liebe hin und her zerstreut: So bald ich aber liebe
spühr, so bricht ein neues licht herfür.

87. So löß dann auf O liebste lieb! was mich
hat oft gemacht so trüb: Schenck ewig dir getreu
zu seyn, bis man mich legt ins Grab hinein.

88. Ists, daß ich mich hierinnen üb, so wirds
bald klar durch schwester-lieb: O liebe schwestern!
geht allzeit dem Kleinsten vor mit Thätigkeit.

89. Hat oft der Kinder-sinn viel Wahn, so
laßt nur schwester-liebe sehn: Bricht die herfür
mit ihrem schein, wird Wehmuth lauter Zucker-
Wein.

90. Wer sich der liebe einverleibt, auf ewig ihr
getreu verbleibt: Und weiche nicht in Creutz und
Noht, der wird vermähle dem keuschen GOtt.

91. Brennt Eigen-lieb oft schwartz und heiß,
die schwester-lieb macht alles weiß: Bin ich verirrt, Raht-Hilffe-loß, zeigt schwester-liebe ihren
schooß.

92. GOtt hat mich gnädig angesehn, drum
werd ich können wohl bestehn: Er ist mein Trost
und Unterricht, wann nur hält liebe das Gewicht.

93. Er ist der rechte Morgenstern, der uns erschienen von dem HErrn: Und uns in lieb zusammen bracht, um GOtt zu dienen Tag und
Nacht.

94. Drum bin ich auch so innig wohl, lieb
macht mich alles Guten voll: Sie schenckt oft solche Fülle ein, so daß auch kan nichts bessers seyn.

95. Sind andre Dinge noch so schön, so müssen sie doch schnell vergehn: Die liebe aber hat
kein Ziel, drum ist sie mir auch nie zu viel.

96. Ich werde ohne End erfreut, weil schwe-
sters-

ſter-lieb mein allezeit gepfleget, in ſo mancher Noht,
wann ich verlaſſen ſchien von GOtt.

97. So bin ich dann durch lieb vermählt, daß
ich als Jungfrau werd gezählt zur reinen Kirch,
die GOtt anſchaut als ſeine allerreinſte Braut.

98. So iſt dann Schweſter-Lieb mein Looß,
weil ich kan ruhn in ihrem Schooß: Oft ſchläf
ich faſt darüber ein, O was tönt angenehmers ſeyn!

99. Drum iſt mein Herz ſo ſehr erfreut, daß
ich vergeſſe alles Leid: Und was mich ehmals hat
gekränckt, iſt wie ins tiefe Meer verſenckt.

100. Dann Liebe iſt das ſchönſte Bild, weil
ſie aus Gottes Herzen quillt: O wie wird alles
Leid verſüßt! wo dieſe Quell unendlich fließt.

101. Wer ſich einmal dahin gekehrt, zu ſehn,
was dieſe Liebe lehrt: Der wird ein Kind von ſolcher Art, das ſich mit Tauben-Einfalt paart.

102. Ich habe mir diß Theil erwählt, daß ich
ſo werd dem Lamm vermählt: Und was mir ſonſt
hat lieb zu ſeyn, das ſind die liebe Schweſtern mein.

103. Drum komme mir auch ein mit Gewinn
viel Troſt in dem verliebten Sinn: Liebt ich noch
ein'gen eitlen Dunſt, verliert ich des Geliebten
Gunſt.

104. Der mich ſo ſehr verliebt gemacht, daß
ich die eitle Welt veracht: Und mich durch eine
hohe Wahl gebracht zur keuſchen Jungfrau-Zahl.

105. Drum bin ich auch ſo heim gebracht in
die vereinte Liebes-Tracht: Wo Schweſter-Liebe
ohne Lohn dienet dem keuſchen Jungfrau-Sohn.

106. Drum wall ich hin, und leb vergnügt,
weil ich hab Haß und Neid beſiegt: Ich folge
nun der Tugend Bahn, ſo Schweſter-Liebe
lehren kan.

107. Drum iſt mein Herz ſehr wohl gemacht,
weil ich in dieſes Spiel gebracht: Wo Schweſter-
Liebe ſtets erfreut in allem Leid und Traurigkeit.

108. Eh mich vergnügt das Liebes-Band,
wurd ich gar oft in meinem Stand durch manche Trübſal hart geſicht, daß oft verdeckt das Gnaden-Licht.

109. Nun aber ich mich hingekehrt, zu ſuchen
nur, was liebe lehrt: Kommt mir nun ein viel
Troſt und Freud, nach viel-gehabtem Herzenleid.

110. Drum rühm ich Gottes Wunder-Macht,
die mich in dieſes looß gebracht: Zu folgen nach
dem reinen Lamm, das von GOtt aus dem Himmel kam.

111. Es tritt zu uns in unſrer Noht, und geht
vorher durch Höll und Tod: Wann Troſt und
Hoffnung ganz dahin; es richtet auf den blöden
Sinn.

112. Die Krafft der liebe mich verbindt, daß
ſich ganz keine Klage findt: Ich bin vergnügt,
und liebe ſo, daß Schweſter-lieb mich mache froh.

113. Weil ſie mir alle zugeſellt, zu wallen hin
zur andren Welt: drum iſt der Schluß bey mir
gemacht, daß alles andre ich veracht.

114. Ob manche harte rauhe Zeit mir hin will
nehmen alle Freud: Daß Schweſter-liebe hart geſicht, ſo hält ſie doch in mir Gewicht.

115. Des freut ſich mein verliebter Sinn, weil
ich ſo einverleibet bin In Gottes Kirch allhier auf
Erd, daß ich ein Kind derſelben werd.

116. Wann auch viel ſchmerzen mich umſtellt,
ſo werd ich doch nicht mehr gefällt: Wann oft in
gröſeſter Gefahr, ſtellt ſie gar bald ein anders dar.

117. Drum werde ich gar oft erfreut, weil
wir als reine Lammes-bräut: Durch ſchweſter-
liebe ſchön gemächt, die uns ſo hat zuſammen bracht.

118. O ſchweſtern! ſeht das edle Bild, woraus die reine liebe quillt: Sind eure Herzen kalt
und leer, gebt nur der ſchweſter-lieb Gehör.

119. Sie iſt das allerhöchſte Gut, und hilfft
uns kämpffen bis aufs Blut: Sie heiſſet Gottes
Freundlichkeit, ein Tröſterin in Traurigkeit.

120. Ich will ihr nun noch mehr getreu zu
ſeyn befleiſen mich aufs neu: Weil ſie des Höchſten Wunder-Krafft, die alles leiden von uns rafft.

121. Und wann uns ſolches eingeſchenckt,
daß wir mit Bitterkeit getränckt: So mißt ſie lauter ſüſes ein, das muß dann ſchweſter-liebe ſeyn.

122. Drum bin ich froh, daß ich erſehn, in
dieſem looß einher zu gehn: dann diß nimme hin
die Traurigkeit, wann ſchweſter-liebe mich erfreut.

123. So hat die lieb mich auch erſehn, in ihrem ſinn einher zu gehn: Und mir dabey noch
zugeſellt viel leiden hier auf dieſer Welt.

124. Damit ich also rein bewährt, bis alles
Ich und Mein verzehrt: Dann wird die Liebe
schencken ein auf bitter süßen Freuden-Wein.

125. Wann man durch Leiden wird betrübt,
so wird die Schwester-Lieb geübt: Ist man darinnen recht getreu, so wird sie alle Tage neu.

126. Ist anderswo was schön und fein, muß
Schwester-Lieb noch schöner seyn: Sie macht dem
Schönsten selber Raum, weil sie ein Zweig am
Lebens-Baum.

127. Die Schwester-Liebe mich erfreut, weil
in so vieler Traurigkeit, so manchen Tag so
manche Jahr wir zugebracht in viel Gefahr.

128. Die Schwester-Liebe hat viel Noht, bald
scheint sie wie der kalte Tod: Bald scheint sie, ob
sie wär erstickt, bald sie der Schwestern Herz erquickt.

129. O Schwester-Lieb! du höchstes Gut, du
gibst dem Hertzen neuen Muht: Und wer da müd
und abgematt, findt bey dir seine Ruhe-Statt.

130. Drum ist mein Aug auf dich gericht, O
Schwester-Lieb! dich laß ich nicht: Dann wann
ich gantz in dich versetzt, so kan nichts seyn, das
mich versetzt.

131. Du bist mein Aufenthalt allein, mein
Trost, wann es scheint aus zu seyn: Ich flieh zu
dir in meiner Noht, weil du es retten kanst vom Tod.

132. Drum geb ich dir mein Leben hin, dann
in dir Sterben ist Gewinn: Und wer sich gantz
in dir verliert, wird nicht vom andern Tod berührt.

133. Drum sind die Schwestern wehrt geacht,
die in der Liebe Schul gebracht: da man sich in
der Keuschheit übt, und um die Wett einander liebt.

134. O reine Liebe! nimm mich ein, ich möchte
dir gern ähnlich seyn: Dann diß ist meine gröste
Freud, wann ich durch reine Lieb erneut.

135. Dann diß ein unverwelcklich looß, das
uns gegeben in den Schooß: Es währet ohne
End und Ziel, wär auch des Leidens noch so viel.

136. Sie ist der reinen Gottheit Licht, durch
sie wird falsche Lieb zernicht: Ihr Glantz vertreibt
die finstre Macht, die uns oft in viel Leid gebracht.

137. Sie leuchtet uns auf unsrer Bahn, daß
wir uns nirgends stosen an: Ist sie nicht da, so
fallen wir, und irren dabey für und für.

138. Die Schwester-Liebe ist ein Gut, gar oft
schenckt sie gantz unvermuht viel Süßes ein in
unserm Leid, vertreibt des Hertzens Bangigkeit.

139. Gar früh von meiner Jugend an hab ich
gesuchet diese Bahn: Wo man im Lieben sich verliert, dabey mit Tugend ausgeziert.

140. Deswegen in demselben Sinn mich ihr
zu eigen geben hin: Damit in allem so möcht seyn
gantz Jungfräulich und Tauben-rein.

141. Drum wohl, weil ich diß looß erwählt,
wo man nur thut, was GOtt gefällt: Und weichet nimmer aus der Eng, wär auch noch ein so
groß Gedräng.

142. Ob gleich viel Elend und viel Noht oftmal gewesen war mein Brod: Schenckt mir doch
nun die Liebe ein, daß kan in allem anders seyn.

143. Wer nicht kan lieben in der Noht, der
muß verlassen seyn von GOtt: Drum will im
Leiden liebend seyn, wie mir auch wird geschencket ein.

144. Drum bin ich in mir hoch erfreut, weil
Liebe mich hat allezeit getragen und geholffen aus,
wann oft nicht wußte, wo hinaus.

145. Und wann der Schmertz war übergroß,
ruht ich in des Geliebten Schooß: Nichts anders
darf in mich hinein, es muß nur reine Liebe seyn.

146. Die Lieb ist so ausbündig schön, wer stets
thut ihrem Fuß nachgehn: Der weiß von keinem
Druck noch Drang, weil ihm noch Zeit noch
Weile lang.

147. Dabey ist Schwester-Lieb so rein, sie macht
uns recht Jungfräulich seyn: Und auch holdselig
tugendhafft, das ist der Schwester-Liebe Kräffte.

148. Wer damit stetig angefüllt, wo reine Lieb
unendlich quillt: Der wird von GOtt stets angeschaut als seine allerreinste Braut.

149. O reine Lieb! erfüll uns all, die wir zu
solcher heilgen Wahl vor vielen andern auser-
sehn, daß wir der Liebe Fuß nachgehn.

150. Sie ist das edle Gottes-Bild, weil sie von
dessen Herz ausquillt: Der sich am Creutz zu tode
geliebt, diß ist der Trost, wann wir betrübt.

151. Die wahre Liebe ewig steht, wann alles
andre schnell vergeht: Sie weichet nicht in unsrer
Noht, bis wir verneuet sind in GOtt.

152.

152. O liebe! du haſt mich beſiegt, darzu mein Hertz in GOtt vergnügt: Ich weiß von keiner andern Pein, als ewig dir getreu zu ſeyn.

153. O Schweſter-Lieb! halt feſt an GOtt, weil liebe ſtärcker als der Tod: Ein Flamme, die ein ewigs Feur. O wie iſt Schweſter-Lieb ſo theur!

154. Viel Waſſr mögen ſie nicht ab, noch daß ſie brächten ſie ins Grab: Fließt gleich ein Strom über ſie her, ſie brennet nur noch hefftiger.

155. Ob Noht und Tod ſie ſchon umſtelle, nichts iſt, wo ſie wird dran gefällt: Sie iſt ein Fähnlein, das ſtets ſiegt, wo alles ſonſt darnieder liegt.

156. Wird unſer Schifflein oft bedeckt mit Meeres-Wellen, ſie nichts ſchreckt: Sie iſt in allem oben an, drum ſie auch nichts beſiegen kan.

157. Sie iſt das allerhöchſte Gut, wann ſincken wolt der ſchwache Muht: So ſchenckt ſie Krafft und Leben ein, ſo daß auch nichts kan beſſers ſeyn.

158. Diß iſt die Spur, wo Schweſter-Lieb macht licht, was tunckel ſchwartz und trüb: Wer diß nicht hat, iſt Gottes Feind, hätt er ſich auch zu todt geweint.

159. Doch, wer die reine Liebe kennt, acht nicht, wie heiß das Feuer brennt: So nur die Schlacken nimmt dahin, und reinigt den verliebten Sinn.

160. Und weil die reue Liebes-Hand mich hat gebracht in dieſes Band: So lieb ich, wies erträglich iſt, wie man mir auch ſonſt oft einmiſt.

161 Die Schweſter-Lieb iſt freylich ſchön, wer nur recht drin einher thut gehn: Der kan auch in der gröſten Pein dennoch von Hertzen ſelig ſeyn.

162. Wer Liebe pflegt auf ſeiner Bahn, wann ihm was wird zu Leid gethan: Dem muß es glücken über Nacht, daß er zum rechten Ziel gebracht.

163. O liebe Schweſtern! was ein Gut, wann uns im Leiden wächſt der Muht: Es gibt uns täglich neue Krafft, auf unſer rauhen Wanderſchafft.

164. Daß wir einander bleiben treu, und Keins des andern Schmertzen ſcheu: Vielmehr in einem reinen Sinn, ſich eins vors andre gebe hin.

165. Es iſt bey mir ſo ausgemacht, daß ich hier alle Freud verſagt: Und was mein Troſt dafür zu ſeyn, das ſind die liebe Schweſtern mein.

166. O was ein Glück und groſes Heil iſt worden mir dadurch zu Theil: Daß ich in Chriſti Kirch gebracht, wo man ihm dienet Tag und Nacht.

167. Drum habe auch gegeben hin das Lebst in dem verliebten Sinn: Daß ich recht einverleibet werd, und allen Schweſtern lieb und werth.

168. Wie GOtt-erfreulich iſt der Gang, bey viel und manchem harten Drang: Und wann der Dorn-Stich bringe viel Wehn, thut Schweſter-Lieb zur Seiten ſtehn.

169. O liebe Schweſtern! wie ſo froh bin ich, daß wir ſind worden ſo: Daß nichts kan heilen unſre Pein, es muß nur ſchweſter-liebe ſeyn.

170. Dann ſchweſter-liebe ſo beſtellt, daß ſie im Leiden nicht zerfällt: Iſts trüb und dunckel um ſie her, ſo weicht ſie noch viel weniger.

171. Dann ſie liebt allezeit nur ſo, daß ſie kan ſeyn im Leiden froh: Wenn ſich der Glantz der ſchönheit zeigt, ſo wird ſie klein und ſehr gebeugt.

172. Dann oft der ſchwartze Trauer-Flor gezogen an dem Jungfraun-Chor: Hier iſt Gedult der Wanderſtab, und auch des Höchſten Wundergab.

173. Wann wir in der betrübten Zeit durch Engel-Chöre wie verneut: So ſiehet man mit Wunder an, was Liebe in dem Leiden kan.

174. Das iſt ihr ſchmuck und Jungfraun-Zier, wann ſie im Leiden bricht herfür: Wer lieben wolte ohne Pein, kan nicht zum Himmel gehen ein.

175. O wahre Liebe! brich herfür, und zeige uns die offne Thür: Zu gehen freudig aus und ein, daß nichts verdunckle unſern ſchein.

176. Da, wo man will vom Leben ſagt, und doch das Leben nicht hinwagt: So iſt es nur ein leer Gedicht; ob man gleich noch ſo ſchöne ſpriche.

177. Wer in der wahren liebe lebt, und nie dem Guten widerſtrebt: Den kan ſie machen rein und klein, wär auch ſein Hertz ein Felſen-ſtein.

178. Wo wahre liebe das Gewicht, da iſt ein
ſol-

solches scharff Gericht: Sie läutert auch den reinsten sinn, der sich GOtt wol ergeben hin.

179. Damit er von Unlauterkeit von Eigen-
Liebe gantz befreyt: Dann was noch nicht ist Engelrein, kan nicht ins Heil'ge gehen ein.

180. Diß ist der lautern Liebe spur, wo man
der Göttlichen Natur theilhafftig wird ohn eilen Ruhm, und geht ins innre Heiligthum.

181. Allwo man erst recht liebe pflegt, als wie
ein Priesterlich Geschlecht: Wer dieses Amt einmal vertritt, der ist von Göttlichem Gebäu.

182. Und wär die liebe nicht so schön, was
solte uns so machen gehn die rauhe Bahn in dieser Zeit, in so viel Müh und Hertzenleid.

183. Wo liebe stets den scepter führt, ist alle
Thorheit wie verirrt: Sie ist der klugen lampen
licht, wo es niemal an Oel gebricht.

184. Die schwester-liebe ist gar schön, sie macht
uns Gottes Fuß nachgehn: Führt sie schon oft
in Creutz und Noht, sie kan erlösen von dem Tod.

185. Die schwester-lieb kan leiden viel, sie hat
kein ander End noch Ziel: Scheint oftmal alles
Grade krumm, sie ist als wär sie taub und stumm.

186. Es ist gar lieblich an zu sehn, allein der
reinen lieb nachgehn: Sie bringet uns zuletzt dahin, daß nichts beshöret unsern sinn.

187. Die liebe, so her schwestern blüht, steht
höher, als was man sonst sieht: weil sie hat Un-
verweßlichkeit, löst auf das Bild der sterblichkeit.

188. Im lieben wird sonst nichts gesehn, als
was kan rein vor GOtt bestehn: Sie löset allen
Fluch und Bann, seht doch, was wahre liebe kan.

189. Die reine liebe fliesset ein daselbst, wo Hertz
und sinnen rein: Ihr Wesen selbst in GOtt besteht, dieweil sie nimmermehr vergeht.

190. Wie kan ein Hertz so stille seyn, das gantz
mit lieb genommen ein: Nichts wird gehört,
nichts wird gesehn als nur was kan vor GOtt
bestehn.

191. Drum hab ich auch diß Eins erwählt,
für allem, was auf dieser Welt: Die liebe herrscht
durch alles hin, was scheint Verlust, ist ihr Gewinn.

192. Wo liebe selbsten bricht die Bahn, beym
Fehlen man nicht irren kan: Und wärs ein Fall,

wo alles bricht, durch lieben wird man aufgericht.

193. Darum, ihr lieben schwestern mein, wir
wollen stets liebfertig seyn: Dann liebe isset Lebens-
Brod, und hilfft zuletzt aus aller Noht.

194. Kein leiden ist, das sie beschwert, weil
solches nur die liebe nähret: Und kommt auf sie
ein harter stoß, sie ruht der Weißheit in dem
schooß.

195. Die reine liebe nicht einfliesst, wo Ichheit
oder Zweyheit ist: Wer seiner selbst nicht kommen
ab, der ist der liebe Toden Grab.

196. Die Jungfrauschafft so GOtt erwählt,
glänzt da, wo man sich selbst entfällt: Drum will
ich sagen ab, was mein, so kan ich recht Jungfräulich seyn.

197. Die reine liebe steht so hoch, sie zieht nicht
mit am fremden Joch: Wer gern wolt ruhn in
ihrem schooß, der muß sein selbst erst werden loß.

198. Kein gröser Glück, kein gröser Heil könt
werden mir allhier zu Theil: Als in dem treuen
schwester-band einander seyn so nah verwandt.

199. Ist dann auch wohl ein besser Gut, als
wo die lieb stets brennen thut der schwestern, die
im reinen sinn sich Jungfräulich ergeben hin.

200. Zu leben in der liebe so, daß sie sonst
nichts kan machen froh: Als nur dieselbe Liebes-
Frucht, die man in reinen Hertzen sucht.

201. Sie schencket oft in vielem leid, wann
schwester-lieb im harten streit: Viel bittre süsigkeiten ein, so werden wir recht kindlich klein.

202. Drum ist uns auch so wohl geschehn,
weil wir die wege können gehn: wo man erwürbe
zum Ehgemahl den, so erwürgt am Creutzes-pfal.

203. Die Jungfrauschafft war mit gemeynt,
um welche wir so lang geweint: Doch bleib bey
so viel schmach und Hohn die schwester-liebe
unsre Kron.

204. Nun hat der schöne Perlen-Krantz gezeiget sich im Lichtes-Glantz: Womit die Jungfrauschafft gekrönt, wann sie ist lang genug
verhöhnt.

205. Und kommen zu der Aehnlichkeit, daß
wir erbaut in JEsu seit: Und heissen die geliebte
Wahl der Tauben-und Jungfrauen-Zahl.

206. Drum wird uns auch der Gang oft leicht, wann sich nur Schwester-Liebe zeigt: weil sie die Frucht vom Himmel her, und auch der Jung-fraun-Schmuck und Ehr.

207. So sind wir in das Looß gebracht, daß jedes nur darauf bedacht: Wie es dem Andern sey zur Freud und Trost in der betrübten Zeit.

208. Und könt auch wol was bessers seyn, als wann in so viel bitter Pein Der Liebe Bal-sam stetig fließt, der alle Bitterkeit versüßt.

209. O Schwestern! was ein hoher Preiß, wo Schwester-Liebe brennt so heiß: Daß ihre Brunst uns macht so rein, daß jedes kan jung-fräulich seyn.

210. Und leget bey den schönen Krantz, der Weisheit Schmuck im Lichtes-Glantz: O Wun-der! weil wir hier so klein, und sollen dort so schö-ne seyn.

211. Es ist ein unverweßlich Gut, das uns erhält die Liebes-Glut: Und scheinen wir oft dumm und thor, gar bald bricht Schwester-lieb hervor.

212. Bekräntzet unsre Simpelheit; vergessen wir die Traurigkeit: Da sehen wir, wie Wun-der-schön die Schwester-Liebe uns macht gehn.

213. Mit groser Freude unsern Gang, ver-gessen unsern Trauer-Klang; So wird bereitet in viel Leid der Jungfraun-Schmuck zur Hoch-zeit-Freud.

214. Wolt sich schon sonst was preisen an, uns zu ermüden auf der Bahn; Es kan nicht seyn, weil unser Wohl ist, was uns dorten wer-den soll.

215. Drum freuen wir uns in dem Gang; ob gleich oft Trauren für Gesang; Und heise Thränen fliessen hin, es ist der gröseste Gewinn.

216. Daß man nicht weicht, wann auch wird trüb der Himmel und die Schwester-Lieb; Dann in der Prob fälle nur dahin, was nicht nach lau-term Gottes-Sinn.

217. Wer nicht kan leiden, gehe vorbey, was Schwester-Lieb ihr Adel sey; Dann sie im dunck-len oft erscheint, wann wir uns fast zu todt geweint.

218. Sie bringet neue Schönheit an, so sieht man, was die Liebe kan; Sie macht das Alte wie der neu, so siehe man, was ihr Adel sey.

219. Dann sie ist allzeit solcher Art, daß sie sich mit der Keuschheit paart; Bis sie in dem ver-liebten Sinn gibt endlich Alles gar dahin.

220. Nichts ist, das sie sich vorbehält, wärs auch das liebst auf dieser Welt; Dann sie hat alle ding versagt, wärs auch der höchsten Tugend Pracht.

221. Dann alles was die Augen sehn, ist nich-tig, kan gar bald vergehn; Der Tod nimmt alle Schönheit hin, so oft bethört den albern Sinn.

222. Wer aber keusche Liebe sucht, und sich errettet durch die Flucht; Der findet die erhabne Bahn, wo auch kein Thor drauf irren kan.

223. Und wandelt dann sehr freudig fort, hört und versteht kein eintzigs Wort; Das ihm sonst wolte reden drein, er achters nicht, läßts nur so seyn.

224. Bis daß nach viel gehalter Müh sein Tagwerck ist vollender hie; Und nach des Lebens Nichtigkeit versetzt zur stillen Ewigkeit.

225. Da wird mit Himmels-Lust gespeißt der keusch und reine Liebes-Geist; Das viel Gedräng ist ab und loß, man ruht der Weisheit in dem Schooß.

226. Diß ist das End von dieser Bahn, seht Schwestern! was die Liebe kan; Wer hier nur ihrem Fuß nachgeht, der wird alldort von GOtt erhöht.

227. Die Treu erwirbt Standhafftigkeit, wo-durch bestiegen Welt und Zeit; Wer darin feig und nicht beherzt, hat bald der Weisheit Kron verscherzt.

228. Dann in derselben Lager-Stätt ist alles sauber rein und nett; Drum wird nichts da ge-nommen ein, es muß nur gantz Jungfräulich seyn.

229. O Liebe! wie bist du so schön, wer solte dir nicht gern nachgehn? Dein Lohn ist selbsten, was du bist, nichts ist, es wird durch dich versüßt.

230. Drum heißts; lieb nur ohn Maaß und Ziel, die Schwestern liebt man nie zu viel; Weil sie sich alle diß erwählt, zu seyn der keuschen Lieb vermählt.

231. Drum kan es ihnen fehlen nicht, kommt schon

schon ihr Thun est ins Gericht; Daß sie auch so
gering gemacht, wie staub auf Erden nichts geacht.

232. So machet solches doch nicht bang; ob
Zeit und Weile öfters lang: So wird man doch
nicht abgeneigt, noch daß man sich der Lieb entzeucht.

233. Er macht die Schwester-Lieb nur neu,
von aller Ich-und Meinheit frey: So wird man
recht wie Gold bewährt, wann alle Schlacken
sind verzehrt.

234. Doch ist die währte Schwesterschafft
nebst lieb und leid mit Gott verhafft: Der wird
nach vieler Traurigkeit sie kleiden in Schnee-
weisser Seid.

235. Dann wird man ihre Schönheit sehn,
wann Erd und Himmel schnell vergehn: Wann
alles durch einander schneyt, so macht sie uns in
Gott erneut.

236. Sie selbsten bleibet unbewegt: ob sie schon
alles hebt und trägt: Aldort in jener Ewigkeit sieht
man erst ihre Lauterkeit.

237. Wann sie in königlichem Pracht erscheint
in ihrer Wunder-Macht: Der Sonnen Glanz
ist Tunckelheit vor ihrer grosen Herrlichkeit.

238. Dann werden in Erstaunen stehn, das
grose Wunder anzusehn: Die, so ihr Thun alhier
veracht, und ihr Geschlecht verhöhnt, verlacht.

239. Dann wird sie königlich regieren, nach
allem Wunsch den scepter führen: So wie es
Gott beschlossen hat von Ewigkeit in seinem Rath.

240. Weil Liebe ist sein eigen Bild, der hohen
Gottheit Kron und Schild; so viel sich ihre Frucht
vermehrt, wird Gottes Namen hochgeehrt.

241. Auch ist sonst nichts, das mich erfreut,
als Liebe, so das Herz erneut; Dieselbe bleibt mein
Eigenthum, und will ihr geben steten Ruhm.

242. Und auch dem auserwählten Lamm,
das bloß aus Lieb vom Himmel kam; Und hat
uns an die Lieb gebracht, da es für uns am Creutz
geschlacht.

243. Dieselbe Liebe ist die Flamm, die uns
geschmolzen so zusamm; Daß der verliebte sinn
uns speißt, und jedes Nam Jungfräulich heißt.

244. Diß ist die Kraft von diesem Lied, dieweil
ein jedes sich bemüht; In diesem spiel so schön zu
seyn wie ein einfältigs Täubelein.

245. So kan die höchste Wunder-Kraft bethauen uns mit ihrem safft; So sind wir königlich geziert, daß eins des andern Herze rührt.

246. Weil sie der Lampen Oel und schein,
drum muß ihr Glanz ohn End erfreun; Gehts
anders her, so lieben wir, so bleibt sie unsre Kron
und Zier.

247. O schöner schmuck! O edler Zweig! so
grünet aus dem Liebereich; Die Liebe wird uns
all erhöhn, um rein vor Gottes Thron zu stehn.

248. O schwestern! laßt uns dencken dran, daß
wir getreu auf dieser Bahn; Sind wir gleich wol
gering und klein, aldort wird alles anders seyn.

249. Der Liebe Brunnen, wie man sieht, hat
ausgeboren dieses Lied; Der Wunsch vom schluß
nur dieser sey, daß alle bleiben ewig treu.

250. Der Schwester-liebe hat die Art, daß sie
die Jungfrauschaft bewahrt; Sie waschet alles
rein und weiß zu gehen ein ins Paradeis.

Schluß-Lied.

Wann die vereinte Harmonie die Geister hält in eins
zusammen, so wird die viel gehabte Müh verzehrt
wie Stoppeln in den Flammen. Weg Eigenheit,
wir sind nun Eins in Gottes Liebe worden, du wirst
verbannt, und kanst nicht stehn in dem so hohen Orden.

2. Die Einigkeit hat Gott zum Grund, und bringet ein, was war verlohren: diß ist die Frucht vom
neuen Bund, weil sie aus Gott's Geist gebohren. Wer
die nicht hat, wird abgekehrt von denen reinen Chören,
die Rott zerbricht, waß Eigenheit nur läßt die süße hören.

3. Ist etwas noch, das an sich hält, u. läßt sein Eures
nicht mit einfliesen, verschertz sein Glück in jener Welt,
und muß gar ängstlich dafür büsen. Wer sich verliert,
heißt wohlgebohren, und ist schnell angeländert, wo aller
Jammer gantz dahin, und auf einmal verschwindet.

4. Drum wollen wir in diesem Band der Lieb seyn fest
zusamen halten, wo dieses Feuer angebrannt, muß eigne Lieb
als wie in Kalten. Laßt Gefahr, wo mans versieht, u. fällt
aus denen Schrancken: wer gehet aus der Harmonie, muß
hin und wieder wancken.

5. Wir wollen dan den hohen Preiß vereinter Liebe fest
bewahren, weil diß ist die allerschönste Weiß der Lieder in den
Jungfrau-Schaaren: was nicht so klingt, ist abgethan
bey denen reinen Chören, die Eintracht läßt zu jeder Zeit
die schönsten Weisen hören.

6. Drum lernen wir auch vielerley der Stim, u. Thonen
daß sie klingen, so können wir, wie sonst auch sey, die aller
schönsten Lieder singen. O Salomo! hohl aus der reinsten
Schaar die reine Taube, daß unsre Jungfrauschaft und
Kron ja ewig niemand raube.

Legte

Letzte Abtheilung,
Enthaltend die Lieder, die GOtt zu Ehren, und
zur gemeinschafftlichen Erbauung, verfertiget von der Christlichen Gemeinde, die zu Ephratä gehöret.
Ich will dich preisen in der grosen Gemeine. Psalm 22 26.

1.

ACH GOtt! schreib mir ins Hertz hinein, die Wunder an zu preisen, die mir stets vor den Augen seyn, und mich dich loben heissen: Ich bin geführt an einen Ort, wo ich im Frieden wohne, und Gottes Kinder fort und fort dir dienen ohne Lohne.

2. Drum will ich dancken früh und spath, weil du mirs läßt gelingen, daß ich aus unverdienter Gnad auch darf im Chor mit singen: wo man die schönsten Weisen hört von denen reinen Schaaren, und ohne End dein Lob vermehrt, wann sie beysammen waren.

3. Zur Mitternacht, wann alle Welt in tiefen Schlaf ersuncken, so gehn sie ein in Gottes Zelt, oft wie vor Liebe truncken: und stimmen ihre Lieder an mit schönen Himmels-Lehren, und lassen jedes, wie es kan, die schönsten Weisen hören.

4. Drum werden sie auch nimmer müd, die Liebe blüht in Flammen, weil sie aus Göttlichem Geblüt, der sie gebracht zusammen: das Lamm, so ihr Ehr und Pracht, bleibt ohne End erhoben, drum thun sie auch zur Mitternacht Ihn allzusammen loben.

5. Halleluja! ich bin erwacht, ich will auch mit eintreten, wo man GOtt dienet Tag und Nacht mit Singen und mit Bäten: und will mein bestes wagen dran, daß ich kan mit erlangen der Keuschheit Kron auf dieser Bahn, worin man dort wird prangen.

2.

ACH Hertzens-Brüder! stehet auf, und förbert euren Glaubens-Lauf: erweckt den Geist, und geht herfür, der Bräutigam ist vor der Thür: richt eure Lampen klüglich zu, und eilt zu der verheissnen Ruh.

2. Dann unsre Zeit heißt Mitternacht, und Zions Heiland ist erwacht, drum rufft der Wächter auf der Wart: es eilt zu End die Creutzes-Fahrt. Wer wolte dann so thöricht seyn, und Sorglos wieder schlafen ein.

3. Ihr, unsers Königs Sieges-Beut, die ihr mit mir beruffen seyd: erweckt den Ernst, versäumet nicht den Glaubens-Wandel in dem Licht, weil ihr, nach der Genaden-Wahl, ersehen seyd zum Abendmahl.

4. Hier wird das Braut-Fest zubereit in mancher Creutzes Niedrigkeit: wer diese Zeiten achtet nicht, muß endlich hören im Gericht, wann wird verschlossen seyn die Thür, ich kenne euch nicht, weichet von mir.

5. Drum, O ihr Klugen! mercket doch, wie Pharao euch Last und Joch verdoppelt sucht zu legen auf, um euch zu hemmen in dem Lauf: dann was den alten Menschen ziert, die Seel vom höchsten Gut abführt.

6. Dann haben wir nur das gemeint, was allhier sichtbarlich erscheint: so ist das Hertz schon umgewandt nach Sodom und Egyptenland, und kan es jeder an uns sehn, daß uns beliebt zurück zugehn.

7. Ach wie verstrickt ist unsre Zeit in der erlaubten Eitelkeit! das kommt daher, weil in der Buß nicht fest gegründet ist der Fuß. Die Hüfft im Kampff nicht wird verrenckt, noch auch des Todes Pfort zersprengt.

8. Dann aus dem Elementen-Haus fast niemand mehr sich wage heraus: man würcket nur Gerech-

Gerechtigkeit, darin der alte Mensch sich freut, und bauet so das alte land, die neue Welt bleibt unbekannt.

9. Man buhlet nur mit einer Braut, die aus des Adams Seit erbaut, und diß ist die Gelegenheit, da unsre liebe wird gezweyt, wann der vergiffte Zucker-Mund uns macht vergessen unsern Bund.

10. Dann wer das Sünden-Bett berührt, des Geistes Kräfte bald verliert: da kommet der Philister Schaar, und schneidet ihm ab seine Haar, so folgt darauf das Trauer-Spiel, daß er muß mahlen in der Mühl.

11. Drum die ihr Gottes Erb-Geschlecht, und habt das Naziräer-Recht gebüßet ein in ihrem Schooß: die locken sind bald wieder groß, beweiset ferner eure Krafft, wann sie euch zwinget in Verhafft.

12. Zwar wen getroffen dieses Spiel, kan anderst kommen nicht zum Ziel, als daß er büß daß leben ein; doch kan im diß nicht schädlich seyn, weil er ja sonsten nichts verliert, als nur das Bild, das ihn verführt:

13. Ihr reinen Geister, Gottes Zier, merckt auf, es ist nun vor der Thür die Zeit, da Simson zwar erliegt; doch in dem Tod die Feind besiegt. Und was der Augen lust versüßt, wird blindlings nun im Tod gebüßt.

3.

ACH machet euch bereit, die ihr seyd Christi Brüder; der HErr ist euer Haupt, und ihr seyd seine Glieder: wer in der liebe steht, kan ja nicht sehen zu, daß einer trag allein, und er bleib in der Ruh.

2. Die liebe dringet ihn, daß er das Creuz will tragen, weil JESus gehet voran, will er es mit ihm wagen, und solt er werden müd, so weiß er diß dabey, wer JEsu gehet nach, dem ist er auch getreu.

3. Bewahrt die edle Zeit, die ihr noch habt zu leben, der HErr ist ja nicht weit, er kan euch Kräfte geben, er selber geht voran, und macht den Weg bereit, daß ihr könt folgen nach bis in die Ewigkeit.

4. O was für grose Freud wird seyn bey allen
E e e 3.

denen, die in der Ewigkeit sich nach euch herzlich sehnen! wenn ihr euch machet loß von dieser eitlen Welt, so nehmen sie euch auf zu sich ins Himmels-Zelt.

5. So groß wird seyn die Freud, daß niemand es kan sagen, in jener Ewigkeit, bey allen, die getragen, in Schooße Abrahams, zu jener Freuden-Zahl, und werden halten mit das grose Abendmahl.

4.

ACH möcht ich endlich brechen durch durchs Fleisch-Gehäg und seine Burg, und durch die alte Sünden-Welt, darin uns viele Netz gestellt: so könte ich im Heiligthum verkündigen des Höchsten Ruhm.

2. Drum eilt mein Geist zu seinem Looß, um bald zu werden frey und bloß von dem, was ihr allhier beschwert, und ihm oft alle Kraft verzehrt: so daß ich seufzend gehe hin, weil ich so sehr gedränget bin.

3. Dann oft macht mir die alte Schlang durch ihren Stachel angst und bang: wann wieder nach Egyptenland der Seelen Aug wird umgewandt, das in des Fleisches Vorgehäg der Sünden Abgrund machet reg.

4. So wird mir dann die Quell verwehrt, und ich werd trocken ausgezehrt, daß mir entgeht der Lebens-Saft, und zu dem Gehen alle Krafft: drum bleibt das Leben dieser Zeit mein Gegenpart in diesem Streit.

5. Und dieses häuffet mir meine Schmach, weil ich muß fühlen alle Tag, daß auf mir ligt der Feinde Spott, weil ich geniese Gunst bey GOtt, und doch mit meiner Wanderschaffte in ihrem Land bin in Verhafft.

6. Doch machet mir dieses mehr Beschwerd, wann ich daneben innen werd, daß, die mir soiten Balsam seyn, mir oft viel Bitters schencken ein: wiewohlen nach der Liebe-Pflicht mein Thun und Wandel eingericht.

7. So lieb ich dann den Creuzes-Pfal und meines Meisters Nägel-Maal: ich schelte mit nichten, wann auch mir wird nachgeredt zur Ungebühr: ich segne deme der mir flucht: seht! dieses ist des Creuzes Frucht.

8.

8. Ich bin verstummet wie das Lamm, das dorten an dem Creutzes-Stamm nicht hören liese seine Stimm; ob gleich die Schärer über ihm. Dann Stillseyn in der Leidens-Nacht hat uns das Heil zu wegen bracht.

9. Und wann mir Ungemach schleicht nach, so hüt ich mich vor aller Klag: dann dieses ist die rechte Cur, so büßt das Leben der Natur, und man wird endlich gar befreyt von des Gerichts Strengigkeit.

10. Wohlan! ich fasse mich aufs neu auf ewig dem zu bleiben treu, der mir so reichlich schencket ein den Kelch mit bitterm Myrrhen-Wein: und trage meinen Leidens-Stand, der mir von oben zuerkannt.

11. Und solte ich auch Lebens-lang nur müssen singen den Gesang von Jammer und von Hertzenleid: so wolt ich doch nicht seyn befreyt von dieser angenehmen Bürd, dadurch man endlich selig wird.

12. Drum wann ich bey mir überleg den eng-beschränckten Creutzes-Weg: so wunderts mich, daß man so blind, so irr und fleischlich ist gesinnt, und suchet Ruh ins Feindes-Land, da uns das Creutz ist zu erkannt.

13. Das Creutz erwirbt der Seelen Kost, und preßt heraus den süßen Most; es beuget mich und machet klein, und lehrt mich schlecht und niedrig seyn; auch giebt mirs steten Unterricht in der verlobten Liebes-Pflicht.

14. Es ist mein Leit-Stern und Compaß, und leitet mich ohn Unterlaß den rauhen Weg nach Golgata: O selig! wer demselben nah, daß er das Ziel stimme an, so ist zu End die Creutzes-Bahn.

15. O was erwirbt die Leidens-Zeit vor eine grose Seeligkeit! Hertz und Gewissen werden rein ins Lichtes Glanz gekleidet ein: so gehet ein ins Himmelreich, wer liebt und leidet hier zugleich.

16. So müsse mir dann in dem Streit Gedult stets bleiben an der Seit. So manchen Sieg, so manche Kron ein solcher Streiter träge davon: diß ist kein leeres Mund-Gedicht, Erfahrung hat es uns bericht.

5.

Als ich gesessen in der Noth, und sprach zu mir: O treuer GOtt! wie wird mirs noch ergehen, bis mir wird Hilf geschehen.

2. Da kam ich plötzlich an die Lehr, die JEsus brachte vom Himmel her; und ließ uns alle sagen, das Creutz ihm nach zu tragen.

3. Diß zog so kräftig mein Gemüth, ich that, was uns der Meister rieth: das bracht mir ein den Frieden, der von der Welt geschieden.

4. So kam ich endlich in die Ruh, ich schloß vergnügte die Augen zu, und dacht: nun ists geschehen, dem Lamm will ich nachgehen.

5. Nun bin ich flehend früh und spath: gib, JEsu, gib mir deine Gnad: gib mir der Vorsprach Segen, zu gehn auf deinen Wegen.

6. Dir sey, O GOtt! anheim gestellt mein Thun, lehr mich, was dir gefällt: dein Geist muß mich durchdringen, wann mir es soll gelingen.

7. Zwar fehlt mirs nicht, ich traue GOtt, er kleidet meine Feind mit Spott, ich will mich ihm empfehlen, er kan mich wohl befehlen.

8. Ach aber Ach! wie wirds noch gehn? ich muß noch immer in mir sehn das sehr zerstreute Wesen: wie komm ich zum Genesen.

9. O! wünsch ich öfters, hilff mir doch, HErr JEsu! von dem Sünden-Joch: du kanst den Argen binden, und in mir überwinden.

10. Zeuch mich dir immer kräftig nach, und kleid mich in die Creutzes-Schmach: lehr mich dir recht vertrauen, so werd ich sicher bauen.

6.

Alle Sorgen, Angst und Plagen, die man allhier stets muß tragen, weil man sich zu GOtt gewendet, laufen mit der Zeit zu End.

2. Band und Striemen, Schläg- und Wunden haben stetig ja empfunden, die sich von der Welt gekehrt, und des HErren Wort geehrt.

3. Christen sind allhier nur Gäste, glauben gantz gewiß und feste, daß ihn'n GOtt ein Stadt erbaut, die im Glauben hier geschaut.

4. Die Bekenner und Martyrer, ja zuerst der Glaubens-Führer, hat den Weg durchs Creutz gebahnt, und uns dazu angemahnt.

5. Es ist nun also beschlossen, die allhier stets unver-

unverdroſſen gehen dieſen Creutzes-Pfad, erben
Gottes Huld und Gnad.

6. Fahre fort, O meine Seele! ſtets den eng-
ſten Weg erwähle, ſo wirſt du mit zugezählt zu
der Zahl, die GOtt vermählt.

7. Glauben, Dulten, Lieben, Hoffen hat noch
ſtets das Ziel getroffen: groſe Kräfte, eigne That
es noch nie errathen hat.

8. Hohe Sinnen, hohe Augen können allhier
wenig taugen: Unſchuld, Einfalt ſind die Thaten, womit man bey GOtt in Gnaden.

9. JEſus, Gottes Sohn von oben, über allen
Trohn erhoben, kam in armer Knechts-geſtalt,
nahm der Hölle die Gewalt.

10. Kaiſer, König, Potentaten, mit den groſen Heldenthaten, müſſen ihre Häupter neigen,
unter ſeine Macht ſich beugen.

11. Lehrer, Redner und Propheten, mit Vernunfft und hohen Reden, rathen dieſes Räthel
nicht, was im niedern Sinn geſchicht.

12. Herren, Meiſter, Majeſtäten mögen noch
ſo vieles reden: keiner dieſes recht ergründt, was
man in dem Creutze findt.

13. Niedrige hat GOtt erwehlet, und mit
Armen ſich vermählet: die das Creutz ohn Ende
tragen, können viel von Wundern ſagen.

14. O Geheimnuß-volles Lieben! wer am
Creutz getreu geblieben, wird ein Bruder, Schweſter, Braut, und mit Sophia vertraut.

15. Preiß, Ehr, Ruhm und Herrlichkeit iſt
den Kämpffern zubereit, die die Creutzes-fahn hier
führen, werden dorten mit regieren.

16. Quaal und Pein ſind gantz vergeſſen,
worin ſie hier offt geſeſſen: ewge Freud und Herrlichkeit ihnen ſtets verkürtzt die Zeit.

17. Reinheit, Einheit, wahre Treue, O mein
Hertze! ſtets verneue: ſo wirſt du auch mit gezählt zu der Zahl, die GOtt vermählt.

18. Selig ſind die geiſtlich armen, ihrer will
ſich GOtt erbarmen: ſelig ſind, die tragen Leid,
vieler Troſt ſie dort erfreut.

19. Traurig müſſen die offt gehen, die mit vielen Tränen ſäen, die die Freude wollen ſchauen
dort auf jenen Zions-Auen.

20. Unverzagt, O liebe Seele! gantz getroſt
das Creutz erwähle, dann die frohe Ewigkeit macht
vergeſſen alles Leid.

21. Währt der Schmertz auch noch ſo lange,
daß dir offt wird angſt und bange: glaub gewiß,
es ſtehet dir offen ſchon die Gnaden-thür.

22. Zuletzt wird das Ziel getroffen, durch Gedult und langes Hoffen öffnet ſich die Gnaden-
thür; JEſus rufft: komm her zu mir.

7.

Bin ich nur mit GOtt verſöhnt, mag es ge-
hen, wie es will; ob mich ſchon die Welt ver-
höhnt, leb ich doch im Glauben ſtill. Dann die
Hoffnung, die ich hab, träget mich fort bis ins
Grab, und der lieb-verliebte Sinn geht in jenes
Leben hin.

2. Solt ich ſagen, was es iſt, das mir hier in
dieſer Welt ſtets mein bittres Leid verſüßt, JEſus
ſelbſt, der Glaubens-held, hat mit Lieb entzündt
mein Hertz. Lieb verſüſet allen Schmertz. Liebe
bleibt auch ewig ſtehn, wann ſonſt alles muß vergehn.

3. Seit mein Hertze iſt entzündet mit der wahren Bruders-lieb, ſtets ein neues Leben grünt, durch
des reinen Geiſtes trieb, der da iſt von ſolcher Art,
daß er ſich mit Liebe paart: ja ſein Schmuck und
ſchönſte Zier heiſſet reine liebs-begier.

4. O du ſtarcker liebs-magnet! der mein Hertze
hat berühret; leben das da nie vergeht, das im
Glauben ich verſpühret: Jungfrau, Schweſter
liebe Braut, mit dir wär ich gern getraut, Taube
rein und keuſch von Art, mit dir wär ich gern gepaart.

5. Solte noch was anders ſeyn, das in falſcher Liebe brenn, liebſter JEſu doch zertrenn, was
mich auſſer dir noch hält, theuer haſt du mich erkaufft, auf dein
Blut bin ich getaufft.

6. Darum bleibt es nun dabey, unſer Bund
bleibt ewig ſtehn, nichts kann brechen unſre Treu,
ſolt auch Alles ſonſt vergehn; auf der Welt die
beſte Haab geht kaum mit bis in das Grab: aber
unſr'e liebes-treu wird ſtets durch Verweſung neu.

7. Wenn das Kleid der Sterblichkeit durch-
den

den Tod wird abgelegt, folget erst die Herrlichkeit, die man hier in Hoffnung trägt; lang gehofft ist nicht verschertzt, ob es schon offt bitter schmertzt, nach der langen Creutzes-Nacht, heißt es ja: es ist vollbracht.

8. Dann geht erst das Leben an, das kein Todt nicht mehr berührt, weilen auf der Creutzes-Bahn, alles gäntzlich ist verzehrt; als das Lamm am Creutz geschlacht, ward geschwächt des Todtes Macht. Nun des Lebens Krafft ausgrünt, und wir sind mit GOtt versühnt.

9. Was vor Freude dort erscheint in dem frohen Salems-Zelt, wenn man lang genug geweint, wodurch man zur Zahl gezehlt, die in weissen Kleidern gehn, und vorm Thron des Lammes stehn. Jedes so viel.als es kann, stimmt das grosse Lob mit an

D
8.

DAs himmlische Lust-spiel, der Lilien-geruch hat wieder erwecket des Geistes Gesuch, die niedrige Rosen zu Saron im Grund behimmeln die Geister, zu suchen den Bund: der schattigte Apffelbaum neige sich dahin, und suchet im Lilien-Feld seinen Gewinn.

2. Der Lilien Farb hat mich, und ihre Gestalt, erwecket zum Lieben, das Hertze mir wallt: die Rosen zu Saron, die Blumen im Thal, sind mit mir befreundet nach heiliger Wahl. Weich Salomons Krone, weiche Schätze der Welt, den prächtigen Lilien im grünenden Feld.

3. Nun hat mich der Himmel so reichlich beglückt, daß ich hab die Schönheit der Lilien erblickt: sie wächset grad auf in der Wüsten wie Rauch, und theilt sich mir mit nach der Liebe Gebrauch. Ich bleib ihr verbunden, weil sie mich entzündt, so lang ich das Schnauben der Nasen empfind.

4. Dein liebliches Riechen, dein himmlisches Bild hat meinem Gemüthe den Mangel gestillt: es ächzet das Hertze, es ruffet die Stimm, zu sehen den Reyhen in Mahanaim. O dörffte ich bückend verehren die Schaar! und brechen die Rosen ohn alle Gefahr.

5. Mein Leben verschreib ich dir ewig zur treu mit Hertze und Munde, es bleibe dabey: dann du bist die Lilie, die mir nur allein in Blösse und Armuth die Fülle kan seyn. Drum wähl ich nichts anders, ich heisse ein Fürst, dieweil ich nach andern Geschäfften nicht dürst.

6. Dann mich hat erquicket der glängende Schein der Lilien, ich taumle als truncken vom Wein: der Apffelbaum wirfft nun den Schatten dahin, wo Lilien aufwachsen nach Göttlichen Sinn. Die Teppiche Salomo künstlich bereit, sind Schatten von dieser glückseeligen Zeit.

7. Hier ist auch Melchisedechs güldner Altar, der Meister und Pfleger der reinesten Schaar: so offt er im Heiligthum ihrer gedenckt, wird ihnen das Paradies-Manna geschenckt: dann brechen in diesem jungfräulichen Chor verborgene Kräfte der Lilien hervor.

8. Drum, schönster! komm, nimm mich zum Siegel-ring dir, komm, setz mich aufs Hertze, und gib mir dafur der Lilien zähren erquickenden Safft, den Balsam der Liebe, die himmlische Krafft. Baal-Hamon, mein Weinberg, bringe treflichen Most dieweil ich dich, schönster, das Leben gekost.

9. Drum bleibe die Jungfrau vor allen erhöht, dieweilen noch Scepter noch Krone bestehtr! ob sie gleich die Kleinen, und heissen veracht, sind sie doch durch schande zu Ehren gebracht! die Kleinen so weyden bey Rosen im Thal, die sind die vermählten, des Lammes Braut-Zahl.

10. Die Blumen zu Saron sind auch mit gezählt, weil sie sich dem Lamme am Creutze vermählt! und folgen nur dessen unschuldigen Gang in Schmach und Verachtung und mancherley Drang sind gleichwohl sie Jungfern mit JEsu vermählt, der sie vor viel andern zur Braut-Zahl gezehlt.

9.

DAs innere Leben mit Christo verborgen verlässet die Schmertzen, vertreibet die Sorgen; es folget auf Wincken, durch stetigs Ersincken, erhebet die Hertze und Sinnen empor, wo himmlische Freude zeiget im Flor.

2. Wann Schmertzen und Leiden offt nieder thun drücken, daß Geiste und Hertze sich drunter
muß

muß bücken; in Jammer und Nöthen, kann doch nichts ertödten das Leben, so stetig durch Sincken auffsteigt, und also die Tiefe und Höhe erreicht.

3. O Wunder! was ist es? man kann es nicht sagen, was Glaube und Hoffnung und Liebe beytragen, in inniger Stille, allwo uns die Fülle von oben so reichlich mit Gnade begiest, daß Herze und Geiste in Liebe zerfliest.

4. Ein Leben, das nimmer durch lauffen erworben, wird leichtlich erlanget, wo man ist erstorben dem sinnlichen Dencken, durch inniges Ersencken, O glücklichs Ersterben, O seeligs Verwesen! wodurch man erlanget das wahren Genesen.

5. O Seelen! die ihr wolt zum Wesen gelangen, kommt eilend zur inneren Stille gegangen, verlasset das Kräncken, in Forschen und Dencken: es kann ja doch nimmer die Ruhe verschaffen, die Seelen geniesen in stillem Entschlafen.

6. Was hat das Natürliche Leben erworben? als Adam am Göttlichen Leben erstorben, und tiefe entschlafen, da wurde erschaffen das Leben, das diesem den Mangel ersezt, und alles Natürliche Leben ergezt.

7. Soll Göttliches Leben nun Platz wieder kriegen, muß alles Natürliche Leben erliegen; ja gänzlich verderben, durch stetigs Ersterben; wo alle Natürliche Kräffte entschlafen, wird wieder das Himmlische Leben erschaffen.

8. Diß hat uns der andere Adam erworben, da er an dem Stamme des Creutzes erstorben dem sinnlichen Leben, davor er gegeben, ein Leben, das immer und ewig bestehet, wann Himmel und Erden ja alles vergeht.

10.

Der Brunn des Heils thut fliessen aus in unsers Gottes Liebsten Haus, wo Eintracht wird verspühret, und Eins des Andern Schönheit schaut; da ist die Hütte schön erbaut, worin die Braut geführet.

2. Wo Bruder-Lieb das Scepter führt, und kleiner Sinn die Heerd regiert, und grosser Muth begleitet: da sieht es offt gar seltsam aus, es bleibt da nichtes in dem Haus, was sich nicht rein abscheidet.

3. Von allem falschen Trug und Schein, und soll es auch schon Tugend seyn, die aus sich selbst herrühret: drum ist der Gang sehr wunderbahr, den uns die Weisheit immerdar, vorgeht und selbst uns führet.

4. Da ist das wahre Priesterthum, so in dem innern Heiligthum, die Sünde ganz vernichtet; wer aber sich an dem verschulde, findt fürter weder Gnad noch Huld, hier wird kein Sünd gerichtet.

5. Des neuen Bundes Priesters Tracht ist weder Schmuck noch äuser Pracht, viel Schweiß und blutge Wunden, viel Schmerzen und viel inners Leid; von ausen ist Spott, Schmach sein Kleid, worin er wird gefunden.

6. Drum weh dem! der sich hier verschulde, er träget alles mit Gedult, und keine Rach ausübet; hier schreyt das wahre Bundes-gut, das besser redt als Abels Blut: Herr schenck, was sie verübet.

7. In diesem schönen Priester-Orden sind lauter solche Mit-Consorten, da eins das andre träget; in Liebe vor einander stehn, kein Arges an einander sehn, ja eins des andern pfleget.

8. Wie schöne sieht diß Wesen aus, ist diß nicht Gottes liebstes Haus, da Eins des andern Zierde, die Blümlein sind gar mancher Art; doch eins sich mit dem andern paart in gleichem Grad und Würde.

9. Wie freuet sich mein Herz und Sinn, daß ich auch bin gebracht dahin, durch Gottes Gnad und Lieben, zu diesem schönen Liebes-Spiel, da jedes kann, so viel es will, in süsser Freud sich üben.

11.

Der keusch-verliebte Sinn kan allhier vieles tragen: er lebt auf JEsum hin, thut alles auf ihn wagen. Denn er ihn nie verläßt, hält ihn im Glauben fest, wie es auch sonsten geht, er ihme stets beysteht.

2. Die einmal heisset Braut, kan leben ohne Sorgen auf den, dem sie vertraut, vor aller Welt verborgen: nichts muß stehn neben ihr, kein fremder Schmuck noch Zier, sie muß alleine seyn dem Bräutigam ins geheim.

3. Die reine Braut-lieb kan ja sonsten niemand

mand kennen, sieht sie nur andre an, pflegt sich
die Lieb zu trennen, dann sie ist Engel-rein, drum
muß die Braut so seyn, von fremder Buhlschafft
loß nur ruhn in ihrem Schooß.

4. Ihr Will muß gantz allein dem Bräutgam
seyn ergeben, gantz heilig, keusch und rein muß sie
nur in ihm leben, von allen Andern frey, so bleibt
er ihr auch treu, ja treu in aller Noth, solt es
auch seyn der Todt.

5. Wer wolte denn sonst was auf dieser Welt
noch lieben, als sich ohn Unterlaß ins Bräutgams Lieb zu üben: O wohl! wer diesem Schatz
statt Andern giebet Platz; ob er schon offt verhöhnt, wird er doch letzt-gekrönt.

12.

DIe Ewigkeit mit ihrem Tag vertreibet alle
Noht und Klag, und alles, was hier macht
verlegen die Pilger, welche ihren Füß gesetzt zu
wandeln ohn Verdruß auf Christi schmalen Creutzes-Wegen.

2. Christus, der helle Morgen-Stern, den
Abraham schon sah von Fern, der Stiffter von
dem Creutzes-Orden: der leuchter aus der Ewigkeit, versüßt des Creutzes Bitterkeit, ist seiner
Creutz-Schaar Sonne worden.

3. Er ist der erste Creutzes-Mann, und hat die
sel'ge Creutzes-Bahn mit blut'gem Schweiß zu
erst gebrochen: Er trat die Kelter gantz allein,
des Todtes Grimm, der Höllen Pein hat sich an
Ihm vor uns gerochen.

4. Er hat das Leben dieser Zeit gerichtet, und
die Ewigkeit mit ihren Leben aufgeschlossen: die
Welt, mit ihrem Reich und Pracht, hat er am
Creutz zu nichte gemacht, und ihren Fürsten
ausgestossen.

5. Als er vollendt den Creutzes-Lauff, stund er
vom Todte wieder auf, nach seines Vaters Rath
und Willen: was er am Creutz erworben hat, ist
ew'ges Leben ew'ge Gnad, und Schätz der Ewigkeit die Fülle.

6. Der dort am Creutz hitig so verschmäht,
bleibt ewiglich nun hoch erhöht, gecrönt mit Ehr
und Herrlichkeiten: Er rufft nun: wem gefällt
mein Reich, der werd zu erst am Creutz mir gleich,
so willichs ihm also bescheiden.

7. Nach ihm hat die gezwölffte Zahl, durch
seine hohe Creutzes-Wahl, die Creutzes-Bahn zu
erst betreten: die all, auf ihres Meisters Stimm,
bis an ihr Ende folgten ihm durch viel und manche Creutzes-Nöthen.

8. Auf Erden war ihr Theil und Lohn die hochgeschätzte Marter-Cron, die ihnen wurde aufge-
setzet: durch Sterben sind sie gangen ein dorthin,
wo auf des Creutzes Pein ewige Ruh und Freud
ergötzet.

9. Doch war durch sie der Creutzes-Krantz
noch lange nicht erfüllet gantz: denn Christus hat
durch sie geboren viel Tausend Tausend ohne Zahl,
die all durch freye Liebes-Wahl sein Creutz sich
haben auserkohren.

10. Da sah man auf der gantzen Welt der
Kirche Christi Marter-Feld erfüllt mit Blut und
Marter-Cronen. O wie viel Streiter haben nicht
in diesem Kampff das ew'ge Licht durch Christi
Creutz und Todt gewonnen.

11. Was sahe doch das Märtrer-Heer? daß
sie zu dieser Creutzes-Ehr so hitzig haben sich gedrungen: die sahen in der Ewigk.t den Hertzog
unsrer Seligkeit, dem es durchs Creutz so hoch
gelungen.

12. Sein Licht das hat sie so entzückt, daß sie
vor Liebe gantz verrückt von aller Welt geachtet
worden: weil sie vor Welt-Lust, Ehr und Freud
des Creutzes Schmach und Bitterkeit erwehlet in
dem Creutzes-Orden.

13. Dem folgte nach ein ander Heer, das auch
des Creutzes Schmach und Ehr zu seinem Theil
sich auserwehlet: die in der Wüsten ohne Zahl
sich selbsten an des Creutzes Pfal freywillig haben
angepfählet.

14. Sie haben dieses Lebens Lust in Dinst und
Hunger wohl gebüßt in Peltzen und in Ziegen-
Fellen: mit Mangel, Trübsal, Ungemach dem
Creutzes-Lamm gefolget nach in Hölen, Hütten
und in Cellen.

15. Aus diesen grüne auch hervor der auserwehlte Jungfrau'n-Chor, die durch das Creutz sich
gar verschnitten: die sich erwehlt den Jungfrau'n-
Sohn zum Bräutgam und der Keuschheit
Cron,

Cron, durch seine **Krafft am Creutz** erstritten.

16. Die Linie aus dem Creutzes-Wort wächst bis ans End der Zeiten fort, und grünet auch in unsern Tagen: wir sehen ihr Gewächs noch heut, der Creutzes-Chor der letzten Zeit wird auch noch seine Früchte tragen.

17. Der Creutz-Baum steht noch da fürwahr, und Christi wahre Glieder-Schaar ist wesentlich daran gehefftet: wer diß Geheimnuß faßt und liebt, der wird dadurch also geübt, daß Fleisch und Blut dran wird enträfftet.

18. Sie gehen all den einen Weg; ob schon des Creutzes Marter-Schläg auf mehr als eine Weiß geschehen: das Leben muß verleugnet seyn, es läßt sich nicht ohn Tode und Pein zu GOtt und in sein Reich eingehen.

19. Die Weisheit Gottes weiß und sieht, wie jeder Zeit und jedem Glied das rechte Creutz sie soll formiren. Die Mutter, die uns neu gebiert, und in die neue Stadt einführt, kan alles Wunder-wol regieren.

20. Sie schnitzt das Creutz nach ihrem Sinn, so daß sich unser Willen drin zum rechten Sterben hin kan geben: dann was nach unserm Willen geht, das ist das Creutz nicht, das uns tödt, und gibt auch nicht das rechte Leben.

21. Drum bringt ein jede neue Zeit ein neues Creutz und neuen Streit, wodurch uns GOtt recht überführen; dann was wir wissen, greiffen, sehn, dabey kan Witz und Willen stehn, und brauche sich nicht ganz zu verlieren.

22. Die Lieb: zu dem höchsten Gut, die schaffe das Creutz, und gibt uns Muth; ob sie schon oft wird sehr betrübet: sie wird im Creutz wie Gold bewährt, wer liebt, und nicht ihr Creutz erfährt, der hat noch nicht recht treu geliebet.

23. O Creutzes-Brunn ins Lammes Blut! wie bist du unser Seel so gut, machst helle Kleider, reine Seelen: wie machst du so geschlacht und klein? wo könt doch was bessers seyn? als sich ganz deiner Cur befehlen.

24. Wir flögen hoch wie Lucifer, und raubten GOtt gar seine Ehr, wenn er uns nicht durchs Creutz könt beugen. Drum Creutzes-Brüder,

faßt doch Muth, es geht gewiß noch alles gut, das Ende wird das Wunder zeigen.

25. Wir kommen immer näher dran, bis daß der letzte Kampff geht an, da man das Eli Lama schreyet: da wird der Glaubens-Lauf vollbracht, und endet sich des Creutzes Nachte, wo ewigs Leben uns erfreuet.

26. Da werden wir das Wunder sehn an den viel tausend Heiligen, die alle sind am Creutz gestorben: wie jeder Zeit-lauf Standt und Grad hier sein besondre Creutz-Schul hat, da jedem seine Cron erworben.

27. Da kriegen wir auch unsre Cron, die wir dann vor des Lammes Thron mit allen Heiligen treffen nieder, und loben das erwürgte Lamm, das durch den Tod am Creutzes-Stamm das rechte Leben bracht herwieder.

13.

DIe Flüß aus reinem Gottes-Meer die fliessen in die Hergen, so tief in GOtt verliebet sehr, weil JEsus sie mit Schmerzen gebohren durch die Creutzes-Noth, und so mit ihm zu gleichem Tod gepflanzet, daß sie bringen Frucht, in reiner keuscher Liebes-Zucht.

2. Damit auch herrlich ihre Quell in Liebes-Ströme fliessen, aus ihrem Herzen rein und hell ganz fruchtbarlich ergiessen, und so zusammen fliessen sie in Gottes Meer, da hell, und rein die Bächlein fliessen ein und aus, in unser ganzes Herzens-Haus.

3. Drum werden auch zu jederzeit in reichen Fruchtbarkeiten, die, so gepflanzet an der Weid, sich mehr und mehr ausbreiten; zu wachsen fort im schönsten Flor, und bringen mehr und mehr hervor der edlen Frucht nach Gottes Wahl, als seine reine Glieder-Zahl.

4. Der HErr ist GOtt, ein mächtiger, er thut sein Reich vermehren in seinem Volck, schon hier auf Erd, zum Preiß und seinen Ehren: damit die Hürde seiner Heerd bald völlig zuberietet werd, und mich auch mit verleibe ein in seine auserwählte Gmein.

5. Er hält, durch seine Gottes-Treu, uns fest in ihm beysammen, und pflanzet fort die Brüder-

Treu, zu lobe seinem Namen; damit sein Rath
und Geistes-Kraft in uns, durch seiner Reben
Safft, ausgrüne schön in voller Frucht, in wahrer Rein-und Einheits-Zucht.

6. So wird die reine Wahrheits-Krafft, noch
in den letzten Tagen, unter dem Drang und Tages-Last, der Weinstock Früchte tragen zur wahren reichen Himmels-Erndt, auch noch vor die,
wo in der Fern, damit sie werden mit theilhafft
des Weinstocks Frucht und Reben-Safft.

7. So wird das Licht gantz hell und schön sich
überall ausbreiten: der Tempelbau wird vor sich
gehn, zum Trotz der tollen Heiden: und weil der
reine Lebens-Lauf viel Tugend bringen wird zu
Hauff, so werden auch die Pforten schön bereitet,
dadurch ein zu gehn.

8. Und das zum Trotz der Feinden Macht,
die deine Ehre schänden, und gehn in grossem
Frevel-Pracht in falschen losen Gründen, und
treiben falsche Lob-Gesäng, verachten deine Creu-
tzes-Gäng, gehen einher in Wort und Schein,
mißbrauchen nur den Namen dein.

9. Du aber hast in deiner Heerd ein Feuer
angezündet, damit durch sie vertilget werd die
Rott, so dich nur schändet: damit der Schlangen böse Bruth, durch deiner treuen Knechte Blut,
im Kampfe werd gedämpfet aus, und gantz ver-
brannt aus Gottes Haus.

10. So werden sie mit grosser Freud, als deine treue Knechte, gekrönet und schön zubereit, zu
stehn bey deinem Rechte, mit Kraft und Geist
durch JEsum Christ, der aller Welt ein Zeuge
ist, und werden weder matt noch weich, bis sie
eingehn ins Königreich.

14.

Die frohe Zeit ist nunmehr nah, daß man im
Lande Judea ein solch neu Lied wird singen:
wir haben eine feste Stadt, die GOtt selbst neu
erbauet hat, und die kein Feind kan zwingen, ihr
Schirm und Schutz, ihr Maur und Wehr seyn
Heil und Fried von oben her.

2. Thut auf die Thore rund umher, verschlies-
set solche nimmermehr, wie vor der Zeit geschehen; daß das gerechte Volck des HErrn von allen

Enden nah und fern mit Freuden herein gehen,
welch's lang auf solche Zeit geharrt, den Glauben treu und rein bewahrt.

3. Du hältest Frieden immerdar der treu ge-
bliebnen Gottes-Schaar, wie du ihr zugesaget;
dein Zusag ist gewiß und fest, drauf sie im Glauben sich verläßt getrost und unverzaget; verlaßt
euch ewig ohn Aufhör'n auf einen solchen treuen
HErrn.

4. Denn GOtt der HErr sein's Israels ist
ewiglich ein starcker Fels, der alle Macht wird
brechen, er beuget die durch Schmertz und Weh,
so wohnen noch in Babels Höh, und wird sein
Zion rächen, und niedrigen die hohe Stadt, die
Zion oft gedränget hat.

5. Er stösset sie durch sein Gewalt, daß sie im
Grund zur Erden fallt, wie hoch und fest sie stehet; sie wird zertreten gantz und gar mit Füssen
einer armen Schaar, die sie zuvor verschmähet,
mit Fersen gantz geringer Leut wird sie zerstossen
ohngescheut.

6. Der Weg, auf welchem der Gerecht und
Fromme geht, ist recht und schlecht, ob ihn schon
viel verlachen: der Steg, worauf der g'rechte
Hauf fortsetzt im Glauben seinen Lauff, thust du
selbst richtig machen, wir warten, HErr, auf dich
allein im Weg der heil'gen Rechten dein.

7. Meins Hertzens Lust und gantzer Sinn steht
nur allein gericht dahin, dein Namen hoch zu ehren, und daß ich dein eindächtig sey des Abends,
wenn der Tag vorbey, des Nachts dein zu begehren, darzu mit meinem Geist in mir wach ich
frühzeitig auf zu dir.

8. Wo dein Recht geht im Land einher, dient
es dem Volck zur Zucht und Lehr, das auf der
Erd thut wohnen, zu üben Recht und G'rechtigkeit, doch wenn gleich deine Gütigkeit will der
Gottlosen schonen, und ihnen sich dein Gnad anbeut, lernen sie doch kein G'rechtigkeit.

9. Sie üben noch im richt'gen Land viel Ubel-
thaten, Sünd und Schand, dein Recht sie höh-
nend schmähen, weil sie dein Licht und Herrlichkeit, wozu sich dein Volck macht bereit, nicht
sten können sehen, denn sie sind blind, und sehen
nicht,

nicht, welch hohe Ding dein Hand verricht.

10. Wenn sie es aber noch einmal erſehen,
werden ſie gantz kahl beſtehn in groſſer Schande,
wenn du im Eiffer dich machſt auf, und den ver-
boſten Heiden-Hauf wirſt ſtecken in den Brande,
du wirſt ſie durch: dein Feur verſehr'n, und dadurch deine Feind verzehr'n.

11. Uns aber, deinem Volck, wirſt du ver-
ſchaffen in dir Fried und Ruh, und ewigs Freuden-Leben: was hier durch uns wird ausgericht
im Glauben und aus Liebes-Pflicht, hat uns
dein Geiſt gegeben; du GOtt biſt unſer HErr
allein, ob gleich noch andre Herren ſeyn.

12. Die über uns auf Erd regiern; doch wenn
ſie Gewiſſens-Herrſchafft führ'n, thun wir die Ehr
dir geben, und dencken an den Namen dein, denn
all, die tode in Sünden ſeyn, nicht bleiben vor
dir leben; die, ſo verſtorben, nicht aufſtehn, wenn
deine Heil'gen herfür gehn.

13. Wenn du ſie heimſuchſt, wird ihr Pracht
vertilget und zu nicht gemacht, da wird alsdann
verſchwinden all ihr Gedächtniß, weil du, HErr,
fort fähreſt, aller Heiden Heer zu plagen, die dich
ſchänden. Du fähreſt fort, bis dein Gericht der
Heiden Macht und Werck zernicht.

14. Du wilſt dein Macht und Herrlichkeit be-
weiſen in Gerechtigkeit, bis alle Feind bezwungen
in dieſer und in jener Welt, weil aller Zeit ein
End beſtellt, wenn Sünd und Todt verſchlungen.
HErr, in der Trübſahl ſucht man dich, dein Zucht
macht ruffen ängſtiglich.

15. Gleich wie ein Weib in Schwangerſchafft,
die zur Geburt hat wenig Kraft vor Angſt und vielen Wehen, in groſen Schmertzen ſchreyer ſehr, ſo
gehts auch uns noch oft, O HErr! wie du kanſt
hör'n und ſehen; der ſchwange Leib macht viel
Beſchwern, bis du uns voll wirſt ausgebär'n.

16. Diß macht uns oft die Zeit noch lang,
und will dem Geiſte machen bang, daß wir kaum
Odem holen, noch dennoch können wir dem Land
nicht helffen, bis wir in den Stand, wie uns
dein Geiſt befohlen, Babels Einwohner fallen
nicht, bis Zion in uns aufgericht.

17. HErr, deine Todten, die der Sünd in

dir hier abgeſtorben ſind, die werden zu dem Leben
mit ihrem Leichnam auferſteh'n, wenn Zions
Herrſchafft wird angeh'n, und dir die Ehre geben:
wacht auf, und rühmt mit Freud und Muth, die
ihr bisher im Grab geruht.

18. Dein Thau wird in der neuen Welt ſeyn
als ein Thau im grünen Feld, da alles lieblich
grüner; aber der andern Todten Land, die hier
dich haben nie erkannt, nur ſtets der Welt gedienet, wirſt du ſtürtzen in Feuer-Pfuhl, wenn du
ſitzt auf dem Richter-Stuhl.

19. Geh hin, mein Volck, ein kleine Zeit, da
ich dir hab ein Stätt bereit zu deiner Ruhe-Kammer, hab noch daſelbſt ein wenig Ruh, und ſchleuß
die Thüre nach dir zu, verbirg dich vor dem Jammer der Welt ein kleinen Augenblick, bis daß
mein Zorn vorüber rück.

20. Dann ich, der HErr, werd ziehen aus
im Eiffer-Geiſt von Haus zu Haus, die Boßheit
der Gottloſen heim zu ſuchen in Babels Land,
alsdann wird offenbar bekannt das Blut, das ſie
vergoſſen: und wird verheelen nimmermehr, die
ſie erwürgt um meine Lehr.

15.

Die Lieb iſt mein Gefährte in meiner Einſamkeit, mein Bruſtwehr, wann ich werde verſucht durch manchen Streit: die Freude, wann
ich leide viel Trübſahl Angſt und Noth; die Hoffnung, wann ich ſcheide, und kommt der bitter Tode.

2. In Schwachheit werd ich mächtig, zu überwinden weit; obſchon die Feinde prächtig ſich
über mich erfreut. Ich werd nicht unten liegen
im Koth, und ſeyn ihr Spott; die Hoffnung hilfft
mir ſiegen, trotz meine Feinde Rott.

3. Wann offt bin wie verlaſſen, und dencke:
nun iſts aus; nun muß ich meine Straaße wandeln in hartem Strauß: läßt mir die Hoffnung
ſagen: ſteh feſt, ſey wohlgemuth, will dich der
Kummer plagen, das End wird werden gut.

4. Ich muß die Saat hier ſäen mit Schmach
ins Thränen-Feld, daß oft ſchein zu vergehen allhier in Meſechs Zeit. Doch werd noch hören
ſagen: komm, ernd mit Freuden ein; nach vielen
Trübſahls-Tagen, den ſüſen Liebes-Wein.

5. Bald werd ich Garben binden; die Erndte
blühet schon, dann wird mein Glück sich finden
nach manchem Spott und Hohn. So hat das
lange Hoffen erwartet noch die Zeit, daß heißt:
nun ists getroffen, nach manchem harten Streit.

6. Zuletzt wirds noch gelingen, wann aller
Kampf und Streit zu End, daß ich kan singen:
Preiß, Lob in Ewigkeit sey dem, der mich erkohren zu seinem Erb und Theil, weil er mich neu
gebohren, und bracht zu solchem Theil.

7. Dort wird es besser werden, wann so bin
heim gebracht, daß alle Lust der Erden in mir zu
nicht gemacht: dann werd die Frucht geniesen auf
meinem Trauer-Feld, das wird mein Leid versüßen in jener neuen Welt.

8. Drum will ich meine Lasten jetzt tragen in
Gedult; dort werd ich sicher rasten in meines
Gottes Huld: wo lauter Wunder-Sachen, darüber man sich freut; der Trauer-Mund wird lachen dort, in der Ewigkeit.

16.

Die stille Ruh und Herz-Vergnügen macht
Oft die Feind von hinnen fliegen, weil man
gesammlet in der Still, und sich ergeben Gottes
Will.

2. Drum bin ich auch dazu bewogen, und
mit dem Geist dahin gezogen zum wahren Wesen,
da allein man innigst kan vergnüget seyn.

3. Die stille Ruh und Liebes-Quellen, die
fliessen nur in heilge Seelen, daß es im Herzen
schön ausgrünt, und all's zu lauter Segen dient.

4. Drum beug ich mich vor Gottes Throne,
dann er ist meine Freud und Wonne, und meiner
Seelen Ruhe-Statt, da alles Leid ein Ende hat.

5. Er ist der schönste meiner Seelen, den ich
zu eigen thu erwählen, weil er mich hat dahin gebracht, daß ich nunmehr die Welt veracht.

6. Und tret ins Thal der reinen Liebe, wo
man entfernt von fremdem Triebe, wo Rein und
Einheit herrlich blüht, und alles schön und lieblich sieht.

7. Da quellen schön die Liebes-Brunnen, die
rein aus Gottes Meer entspringen, und giessen
sich sehr köstlich aus in unser ganzes Herzens-
Haus.

8. Die Turtel-Taub hört man da singen, und
ihrer Stimmen schönes Klingen, erfreuet Herz
und Seel und Geist, daß man sich ganz der Welt
entreißt.

9. Drum werd ich mir auch ganz entnommen,
weil ich durch Lieb so eingenommen, die fliesset in
mein Herz hinein, daß ich in ihm kan freudig seyn.

10. Dann in den innern Geistes-Wegen, da
find't man lauter Krafft und Segen, drum bleib
ich vest verbunden drinn, nach dem geheimen Rath
und Sinn.

11. Dann in der tief verborgnen Liebe, da grünen aus durch Geistes-Triebe die Pflanzen so zur
Setten stehn des Stroms, daß man die Frucht
kan sehn.

12. Drum hab ich in ihm steten Frieden, dieweil ich mich so abgeschieden von allem, was auf
dieser Welt; zu leben nur wies ihm gefällt.

13. Und sage nach dem einen eines, da alles
rein und nichts gemeines, wo man auch ganz und
gar vergißt all's das, was Gott nicht selber ist.

14. Da darf man sich nicht mehr bemühen,
man sicht die Ruh und Frieden blühen, so giebt
man Gott den besten Preiß auf eine ganz geheime Weiß.

17.

Die Zeit die gehet an, der Frühling blühet
schon vom Glanz der Sonnen, die Abend-
röthe leucht, den schönen Tag anzeigt, der bald
wird kommen.

2. Es eilet schon herzu die edle Sabbaths-Ruh
thu ich vermerken, ich spüre in der Krafft den
reinen Lebens-Safft, der mich thut stärken.

3. Das helle Wahrheits-Licht schon durch das
Dunckle bricht, die Nacht muß fliehen, drum seh
ich an mit Freud, wie durch die Frühlings-Zeit,
die Rosen blühen.

4. Der reinen Kirchen Zweig, der sich nun
wieder zeigt, thut sich ausbreiten, ich mercke seine
Krafft ich spür den Lebens-Safft, zum Fruchtbarkeiten.

5. Wann schon der Feind noch tobt, die Mit-
ternachtes-Prob nicht ist vorüber, erschrecke ich
doch nicht vors Feindes Angesicht, biß geht vorüber.

6.

6. Die harte rauhe Zeit, ich mich gefaßt im Leid, wohl anzuführen, durch JEsum unsern Held, der mich auch auserwählt, das Creutz zu zieren.

7. Es kan nicht anders seyn, es müssen Feinde seyn, wenn man soll siegen, die edle wehrte Kron wird nicht erlangt im Wahn, noch im erliegen.

8. Es muß gewaget seyn, auf JEsum nur allein, nach seinem Bilde, wie auch vorm Feind gethan der Helde Gideon, geführt das Schilde.

9. Drum machet euch mit auf, ihr Glieder in dem Lauf der bittern Myrrhen, ich trete auch mit an die enge Creutzes-Bahn, den Lauff zu zieren.

10. Der Aussatz voller Grimm, des Feindes glatte Stimm, läst sich nun mercken, seyd nüchtern, geht die Bahn, veracht den falschen Wahn, das wird euch stärcken.

11. Es thut sich zeigen recht das falsch und böß Geschlecht in diesen Tagen, drum mercke ich wol auf, wo kommt der Schlangen-Hauch, und hält die Wage.

12. Und ziehe kräfftig aus, damit ich komm nach Haus, es muß gelingen, daß ich den Lobgesang, vons Feindes Untergang, kan helffen singen.

13. Drum kommen billig dar die Kinder einer Schaar, und thun betreten den engen schmalen Steg, den Blut und Creutzes-Weg, um ein zu treten.

14. Zur reinen Himmels-Pfort, wo JEsus ist der Hort, der all's bestritten, und schliessen schon den Kreiß, hier auf die schönste Weiß, in Einheits-tritten.

15. Und gehen so im Gang, mit schönem Lobgesang, in tieffer Stille, im Kampf auch halten aus den Blut-und Todtes-Strauß, nach Gottes Wille.

16. Auch treulich durch die Pfort, der bösen Geister Ort, mit Macht durchdringen, beschliessen sein die Kett, und streiten um die Wett, mit vollem Ringen.

17. Und halten bis aufs Blut, ermannet steht im Muth, zum Trotz der Feinde, denn JEsus geht voraus, und führet alles aus, vor seine Freunde.

18. Er ist bekleidt mit Schmach, ich folge treulich nach, biß ausgeführet, der Sieg mit voller Beut, und weder Schmertz noch Leid mich mehr berühret.

19. Da dann der Liebes-Wein wird voll geschencket ein, mit Himmels-Freude, und man der Thränen Saat auch gantz vergessen hat, O edle Beute.

20. Auch werden klingen schön Gesäng und Lobgethön, wann geht am Reigen die gantze wehrte Schaar, die ewig, immerdar, singt ohne schweigen.

18.

JE Zeit rückt nun mit Macht herbey, da Ephrata wird werden frey vom Dienst der Eitelkeiten: Das Friedens-Haus ist schon erbaut, wo GOtt sich selbst mit Mensch vertraut in diesen letzten Zeiten. Da singet man das neue Lied, und preiset Gottes Wunder-Güt.

2. Da gehet Gottes Volck hinein, empfängt den Kelch mit süßem Wein, und Brod aus JEsu Händen: Da stehn die Jünger all bereit, um vorssen mit dem weissen Kleid, begürt an ihren Länden. Sie heben Hertz und Händ empor, und öffnen Gottes Hertz und Ohr.

3. Kommt doch herzu in aller Eil, und gebet acht aufs rothe Seil, wo kein Blut wird vergossen: Die Feinde müssen da hinauß, dann GOtt behütet dieses Hauß, und wacher unverdrossen. Hier ist die Liebe das Panier, da man Ihm dienet für und für.

4. Der schmale Weg nach Canaan, da auch kein Kind mehr irren kan, wird nun aufs neu betreten: Will die Gesalbten vorher gehn, und vor das Volck mit vielem Flehn und Seufsen zu GOtt bäten. So fließt das reine Salbungs-Oel von ihnen her auf Leib und Seel.

5. Ein neues Wunder nun erschallt, das gehet durch den gantzen Wald, daß auch die Thier zahm werden: Wo weder Hütt noch Hauß zu sehen, da sieht man Gottes Diener stehn in heiligen Gebärden. Nun kommt das endlich an das Licht, wovon der Geist so vieles spricht.

6. Halleluja ich stimm mit zu, wo diese sind in stolzer Ruh, will ich mein Pfund beylegen: bey dieser heiligen Gemein soll auch mein Hütt und

Woh-

415

Wohnung ſeyn, ſo erb ich mit den Segen. So werd ich jünger alle Jahr, und bin beſchürmet vor Gefahr.

7. Hier findt man Ruh ins HErren Saal, wo die Jungfrauen allzumal ſich ſchmücken und bereiten. Hier mangelt weder Oel noch Wein, die Liebe ſchencket reichlich ein ſo viele Koſtbarkeiten. O lang gewünſchte frohe Zeit! des Lammes Hochzeit wird bereit.

8. Ihr Brüd'r und Schweſtern groß und klein, die ihr im Hertzen keuſch und rein, laſt euer Lob-Lied hören: Bin ich ſchon ſchwach, und kan nicht gehn, ſo darf ich doch die Freude ſehn, und helf das Lob vermehren. Die Engel freuen ſich ſchon lang auf euren ſchönen Lobgeſang.

9. Ich kan vergeſſen alles Leyd, mein Hertze wallt vor lauter Freud von Dancken und von Loben: Dann die Verheiſſung iſt geſchehn, die Frommen werden bald eingehn, nach viel gehabten Proben. Ich will mein Leben geben hin vor GOtt, das bleibet mein Gewinn.

10. Ich heb mein Haupt mit Freuden auf, weil ich erlange die Geiſtes-Tauff, und werd auch neu geboren: ich trag das Creutz ſchon lange Zeit, und bin zum Gottes-dienſt bereit, ich werd nicht gehn verlohren. Triumph, Triumph Victoria und ewiges Hallelujah.

19.

ES iſt eine Taube nun zu uns geflogen, die hat mich aufs neue zum Lieben bewogen: ich freu mich der Brüder und Schweſteren Zahl, die da ſind berufen zum herrlichen Mahl. In liebender Flamme ſie folgen dem Lamme, und ſingen Lob-Pſalmen nach heiliger Wahl.

2. Mein Schönſter und Liebſter vor Anderen allen, mein Bräutigam, der mir im Hertzen gefallen: ich habe nun mit ihm erneuet den Bund, weil durch ihn geneſen und worden geſund. Die Turtel-taub, ſchaue, belebt nun die Aue, und machet den herrlichen Frühling uns kund.

3. Dann da er für uns iſt am Creutze geſtorben, hat er uns das ewige Leben erworben. Sein

Nahm iſt der ſchönſte, ein heller Rubin, der uns hat erleuchtet nach Göttlichem Sinn. Ihm ſind wir getauffet, und von ihm erkauffet. Bald kommt die Erquickung, der Jammer iſt hin.

4. Drum laßt uns den freundlichen Meiſter nur loben, der uns hat erhalten in mancherley Proben. Die ehmals verdorrete Ruthe er macht nun wieder ausgrünen in dunckeler Nacht: die Sarons-Geſpielen ich meine vor vielen, die alles auf Erden um ihne verſagt.

5. O darum! HErr, eile, bald zu uns zu kommen, hilf, tröſte und rette und ſchütze die Frommen, die zu dir ja ſchreyen bey Tag und bey Nacht: gib daß ſie dein freundliches Antlitz anlacht. Die ja ſind ergeben, im Tode und Leben, das für ſie am Creutze geſchlacht.

20.

ES war der Menſch zu Gottes Ehre nach ſeinem Bilde zubereit, daß in die lange Ewigkeit er ohne Zwang Geſetz und Lehre ihm diene, und auch noch dabey ein Herr der Creaturen ſey.

2. Da ſolte er ſich auch vermehren durch Engel-reine Himmels-Lieb, und ohne Luſt und Sünden-Trieb die Kinder von ſich ausgebähren: damit mit ſolchem Gottes-Bild das Paradieſe würd erfüllt.

3. Ach aber leider! was geſchahe? er hat verfehlet dieſe Spuhr, weil er erforſchte die Natur, und jedem Ding ins Hertze ſahe: entſtund in ihm die lüſternheit durch die Magia dieſer Zeit.

4. Da ließ die, ſo ihm auserkohren zu ſeiner Braut, ihn nun allein, ſo kont es dann nicht anders ſeyn: ſein ſchöner Braut-Schmuck gieng verlohren, und er ward nach der Thiere Art mit ſeines gleichen nun gepaart.

5. So fiel der Menſch dann im Erſincken in einen harten Todes-Schlaf, und hat, als ein verirrtes Schaf, gewendt ſich von des Geiſtes Wincken: da ward der Baum geſtellet dar, auf daß der Fall würd offenbar.

6. Dann weils die alte Schlang verſpielet, und Adam erbt, was ſie verſchertzt, hat ſie der Handel ſo geſchmertzt, daß ſie an ihm den Muth gekühlet: drum mußte er aus dem Paradeis
ſein

fein Brod erwerben in dem Schweiß.

7. So find nun alle Adams-Kinder den Elementen unterthan, und bäten diefe Götter an, die fie ernähren, und nicht minder nach derer Krafft und Wefenheit gebildet feynd und zubereit.

8. Doch ift der Menfch noch mehr verfuncken, er giebet auch GOtt kein gehör, fein Geift, kan ihm nicht ftraffen mehr, weil er im Eitlen ift ertruncken: drum hat der Mangel alfobald erfordert Priefter und Gewalt.

9. Da hat GOtt Abraham erwehlet zu feinem Volck und Erb-Gefchlecht, er zeigt auch Ifaac feine Recht, und hats auch Jacob nicht verhelet: aus ihnen kam der grofe Hirt, der alles fammlet, was verirrt.

10. GOtt hats mit ihnen fo regieret, daß Ifrael in fremden Land erkennen folte feine Hand: die in Egypten fie geführet, und dann auf die beftimme Zeit fie von der Dienftbarkeit befreyt.

11. Durch einen Mann, den er beladen mit feinem Rath und Gottes-Macht: der von den Seinen hochgeacht, weil er durch Krafft und Wunder-Thaten das Land beweget und gerührt, und fein Volck fiegreich ausgeführt.

12. Da kont man Wunder-Dinge fehen wie es ging diefe vierzig Jahr, da fich Figuren ftellten dar von deme, wie es folte gehen: wann endlich wird der Gnaden-Bund des Geifts Gefchäffte machen kund.

13. Das Volck pflegt immer abzuweichen, fie hingen gar den Götzen an, weil noch nicht offenbahr der Mann, der heilen folte alle Seuchen: durch den mit GOtt verföhnet wird, was jemals von ihm abgeirrt.

14. Hernacher kamen auch Propheten, die fandte vor fich her der Held: fie brachten von der neuen Welt hervor Gefichter, Träum und Reden, und wie fich in der güldnen Zeit folt enden aller Streit und Leid.

15. Bis endlich der ift felbften kommen, der das verlorne wiederbracht: wiewohl von Jederman veracht: weil er den Creutz auf fich genommen, und durch den bittern Creutzes-Tod uns wieder hat verföhnt mit GOtt.

G g g

16. Wer ihm gedencket nach zu ringen, muß auf fich nehmen gleiche Schmach, fo wird zuletzt der frohe Tag ihm die erwünfchte Erndte bringen: dann wo der alte Menfch erliegt, der Neue überwindt und fiegt.

17. Die nun von Chrifti Geift erwecket, und ihm gefolget in der Zeit; auch von der grofen Herrlichkeit die Vorkoft fchon allhier gefchmäcket, fo daß fie fich dem Lamm vertraut auf ewig hin als feine Braut:

18. Die werden, wann GOtt wird erfcheinen, und das Gerichte fangen an, wie es die Schrifft hat kund gethan, gezehlet werden zu den Seinen, und als des HErren Eigenthum verkündigen des Lammes Ruhm.

19. Dann wird die Hoffnung Zions grünen, wann ift zu End des Thiers Gewalt, und, wer jetzt vor ihm niederfallt, wird dem erwürgten Lamme dienen; wann feine Braut mit ihm regiert, das Priefter-Amt und Scepter führt.

20. Dann wird die Creatur befreyet vom Dienft der fchnöden Eitelkeit, wann fich die Erde weit und breit vom Fluch entladet und erneuet, und GOtt ausgieset feinen Geift auf alles Fleifch, wie er verheißt.

21. Die nun das Luft-Spiel diefer Zeiten mehr lieben als die Gnaden-Wahl, verfcherzen auch das Abendmahl: und werden in dem Reich der Freuden die taufend Jahre herrfchen nicht, noch helfen halten das Gericht.

22. Drum die nicht Freunde fich erwerben durch Wohlthun in der neuen Welt, zur Lincken werden hingeftellt, ihr Hoffnung wird im Tod erfterben, weil fie nur haben in der Zeit geliebt den Schein der Heiligkeit.

23. Der zweyte Tod hält fie gefangen bis auf das grofe Jubel-Jahr, da alles, was gebunden war, zu feiner Freyheit wird gelangen: wer fo durchs Feuer worden rein, alsdann zur Ruhe gehet ein.

24. Drum muß fo manche Jahr verwalten der Mittler fein Verföhnungs-Amt, bis alles, was von Adam ftammt, im Feuer hat die Prob erhalten: fo wird dann endlich offenbar das grofe Hall-und Jubel-Jahr.

25.

§25. So macht der grose Fürst der Priester dem Vater alles unterthan, er löset allen Fluch und Bann, weil er gebunden den Verwüster: der Demuth Lust-Spiel, das zuvor verwüst gelegen, kommt empor.

26. Zuletzt wird er aus freyem Willen das Reich dem Vater räumen ein, dann wird der Vater alles seyn, und alle Höh und Tiefen füllen. O Gloria! O Herrlichkeit! dann ist zu End der lange Streit.

F

21.

FReu dich Zion, du Geliebte, die du bisher, als Betrübte, wandern müssen deine Strassen, einsam elend und verlassen; da offt deine liebste Freunde, sich entfernet, und gedacht, du seyst gar nicht mehr geacht.

2. Weil du in dem Witwenstande ihnen worden unbekante, mustu solche Wege gehen; die sie konten nicht verstehen, weilen sie nicht weiter gingen, als wo sie viel Hilff empfingen, wo man aber gantz verlassen, dieses konten sie nicht fassen.

3. Boden-lose Wege gehen, ohne Rath und Hilffe stehen, bringet offt in solche Enge, und in so viel Noth-gedränge, daß da bleiben wenig stehen, weniger noch weiter gehen: Viele gehen gar zurück, suchen bey der Welt ihr Glück.

4. Aber die mit Ernst beflissen, niemal sich abschrecken liessen, gingen fort in solchen Wegen; drin sie öfters sehr verlegen, schienen auch gantz toll und thöricht, musten seyn der Welt Auskehricht, auch denselben unbekannt, die sich blieben in der Hand.

5. Ich habs auch mit Ernst gewaget, und bin noch gar nicht verzagt: ob schon früh muß Wege gehen, da es seltsam aus that sehen; da mein eigner Muth verginge, zwischen Todt und Leben hinge, und in manchem schweren Strauß dachte, es wär gänzlich aus.

6. Hoffen, Dulten und Beharren, schilt man uns, auch Thor und Narren, muß man sich auch selbsten hassen, bringe zuletzt auf Friedens-Strassen; machet alles Leid vergessen, wo man öfters in gesessen; bringet Fried und Ruhe ein, was könnt doch wohl schöners seyn.

7. Als geniesen nach viel Leiden; so viel tausenderley Freuden, die kein Auge je gesehen, kann kein irdisch Hertz verstehen, drum geht hin, die ihr als Thoren, uns geacht, wir sind erkohren zu viel Tausend Herrlichkeit, euch trifft nun viel Noth und Leid.

8. Lasset euch bey Zeich rathen, die ihr seyd mit eignen Thaten kommen an ein End und Ziele, da abfallen gar sehr viele; thut es einen Schritt noch wagen, euch mit gantzem Ernst entsagen: alsdann wächst der Helden-muth, ders kan wagen bis aufs Blut.

9. Hät ichs nicht so angefangen, hät ich nicht können gelangen zu dem Ziel, drin ich nun ruhe; doch vielmehr als vormals thue, obs von denen nicht gesehen, die nicht wolten weiter gehen: ich leb der Welt unbekannt, und dem Himmel näh verwandt.

10. Gute Nacht, ihr meine Freunde, ich auch bey euch mit euch weine, wann nicht wüste, was that blühen denen, die der Welt entfliehen: die, ob sie auch offt gezaget; doch ihr Leben hinzewaget, Alls um Alles geben hin, O du seliger Gewinn.

11. Kommet es nun einst zum Sterben, so ist nichts mehr zu verderben: was verweset, bringet viel Früchte, was verdunckelt, kommet zum Lichte, was verlohren, ist gefunden, was gelitten, gantz verschwunden: Allem gab ich gute Nacht, diß hat mich zum Ziel gebracht.

12. Freu dich nun, du sehr betrübte Zion, du bist die Geliebte, auch vor aller Welt geehret; deiner Kinder Zahl sich mehret, auch von allen fernen Landen kommen deine Anverwandten, und weil du so hoch erhöht, Babel gantz zu Grunde geht:

G

22.

GEbenedeytes Gottes-Lamm! wie heilig und wie wundersam bist du, wer kans ergründen? von Anfang, da die Welt gemacht, warst du schon in dem Geist geschlacht, und trugst die Last der Sünden. Aus dir fliesst alle Gottes-Huld durch:

durch deine Langmuth und Gedult.

2. Diß ist der neue Gnaden-Bund, der durch des Hohen-Priesters Mund auf Erden kundbahr worden: dann dieses Lamm trug unsre Noth, als wesentlicher Mensch und GOtt, und öffnete die Pforten, durch seinen Kampf und Todes-Schweiß, zu gehen ein ins Paradeis.

3. Er ist der Artzt, durch seine Hand schafft GOtt, daß endlich alles Land muß wieder zu ihm kehren: durch ihn sind alle Ding gemacht, und werden durch ihn wiederbracht, zu Gottes Lob und Ehren. Er hat der Liebe Quell entdeckt, und uns vom Todes-Schlaf erweckt.

4. Fürwahr er ist das A und O, sein Gnaden-Blick macht alles froh, was ihm kommt in die Hände: diß bleibt ein ewig fester Bund, daß der, so aller Dinge Grund, wird schaffen, daß das Ende wird alles wieder stellen dar, wie es vor denen Zeiten war.

5. Zwar hat der Jammer keine Zahl, darin wir lagen allzumal: wer könt diß Meer ergründen? kein Engel, keine Majestät, kein Heiliger und kein Prophet war starck genug zu finden, daß er könt heben diesen Stein, es mußt ein Gottes-Träger seyn.

6. O herrlich-hohe Wunder-Cur! wann über alle Creatur das Lamm wird triumphiren: wohl dem! dem diese Cur beliebt, und sich dem Creutzes-Tod ergibt, der wird den Himmel zieren, der kommt zu der erwehlten Zahl, und zu dem grosen Abendmahl.

7. Wer aber hier den Bund verschmäht, und seines Hertzens Rath nachgeht, wird doch zulezt noch finden, daß ihm der Becher eingeschenckt, daraus ein jeder wird getränckt, der noch gedient der Sünden. Die Schmach, die er hier hat gescheut, wird dorten seyn sein Ehren-Kleid.

8. Doch wird diß schreckliche Gericht der Sünden Quelle dämpffen nicht: dann der am Creutz gestorben, der macht durch seine Artzeney von Sünden Tod und Hölle frey, und hat das Heil erworben. In seinem Purpur-rothen Blut erstirbt zulezt der Höllen-Glut.

9. Dann werden sie auch ihre Knie nach langem Leid und vieler Müh vor diesem Joseph beugen, und in der grosen Hunzers-Noth sich ihm verkauffen um das Brod, so wird alsdann erweichen ihr harter Sinn nach langer Zeit, von seiner strengen Herbigkeit.

10. Das Lamm sey hoch gebenedeyt, sein Reich und seine Herrlichkeit wird alles übersteigen: Sünd, Teuffel, Tod und alle Feind, die ihm noch jezt zuwieder seynd, die werden sich noch beugen vor ihm und seiner werthen Braut, die hier mit ihm am Creutz vertraut.

11. Und endlich wird der werthe Sohn mit seiner Herrschaft, Reich und Kron dem Vater willig dienen: dann wird des Vaters Majestät, die über alle Thronen geht, durch seinen Sohn ausgrünen. Der Geist, der sonst verborgen war, macht alsdann alles offenbahr.

23.

GRoß ist unsers Gottes Güt, die er an uns hat erzeiget: deßen freut sich mein Gemüth, und sehr tief vor ihm sich beuget.

2. Dann man solte billig ja in der Demuth ihn verehren; weil er uns so innig nah, und so theure Himmels-Lehren:

3. Uns gegeben durch den Sohn, der auf diese Erd gekommen: von des Vaters Schooß und Thron, und den Fluch hinweg genommen.

4. Bald bricht an das Abend-mahl, und die frohe Hochzeit-freuden: worzu die erwehlte Zahl durch viel Creutz sich ließ bereiten.

5. Dann wird Zion ohn Gefahr sich in reiner Lust ergezen eine Zeit von tausend Jahr, weil niemand mehr wird verlezen.

6. Endlich dann, wann alles wird gantz erneut auf dieser Erden: wird auch alles, was verirrt, selig und erneuet werden.

7. Alle, die in Schmach und Leid, und viel Trübsahl sind gewesen: werden dorten hoch erfreut, wann es heißt: wir sind genesen.

8. Wann sie werden weiß gekleidt, und mit Himmels-Brod gespeiset. O der lang gehofften Zeit! wohl dem! der sich hier befleisset.

9. Nur zu thun, was GOtt gefällt; und veracht das eitle Wesen samt dem Groß-seyn

dieser

420 dieſer Welt, hat das beſte Theil erle en.

10. Dann ſie iſt ja voll Betrug, und ein Lock-
aaß zum verführen: wer hier hat an GOtt genug, hat an ihr nichts zu verliehren.

11. Laßt uns kämpffen unverzagt wieder alles,
was uns hemmet: Leib und Blut daran gewagt;
wird man ſchon offt hart beklemmet.

12. Dann die rauhe Creutzes-Bahn, wann
wir nur nicht ſtille ſtehen: führt uns ein in Canaan, wo vergeſſen alle Wehen.

24.

GRünt die Lieb hier in dem Leiden, bringt ſie
dort ein viele Freuden, nur getroſt darin be-
harrt: laß der Liebe Feuer brennen, kurtz iſt ja die
Zeit zu nennen. O wie herrlich iſt die Fahrt.

2. O wer wolte ſich noch ſchonen! dorten tragen lauter Kronen, die im Feur der Lieb bewährt:
alles muß ſeyn hingegeben, was hier und in jenem Leben noch des Feuers Glut verzehrt.

3. Wohl dem, der diß wohl erwäger, ehe er ſich
niederleget, eh die letzte Stimm erſchallt: da die
auserwählte Frommen Hauffen-weiß zuſammen
kommen, da die Liebe ewig walle.

4. Wir ſind noch im Creutzes-Thale, doch aus
hoher Gnaden-Wahle, zu der werthen Zahl gezählt: die alldorten gehn am Reihen, und ſich unausſprechlich freuen, weil ſie worden auserwählt.

5. Kommt Geſpielen und Jungfrauen, thut
mit groſſem Wunder ſchauen, wie der König ſich
vermählt ſeiner Braut am Lebens-Bronnen: ſeyd
mit allem Fleiß beſonnen, daß ihr auch mit zugezehlt.

6. Die hier Dornen Kronen tragen, und mit
Schmertzen ſind geſchlagen, an das Creutz Immanuel: werden auch mit ihme erben, weilen ſie,
durch täglich ſterben, worden rein und ohne Fehl.

7. Jetzund thun wir noch hin wallen Wege,
die uns offt mißfallen, die mit Dornen ſehr beſteckt: unſern Saamen weinend tragen, weil wir
offt ſehr hart geſchlagen, ſcheinen unrein und
beſteckt.

8. Aber unſre Hoffnungs-Zierde iſt von ſolcher
hohen Würde, die das Elend hier beſteigt: dann
die Wächter Zions ſagen von ſo ſchönen Freu-
den-Tagen, die kein irrdiſch Hertz erreicht.

9. Darum eilen wir von hinnen, und thun
ſchon allhier beginnen, was wir dorten werden
thun: nehmlich GOtt ohn Ende loben, für ſo
viele Wunder-Proben, und in ſtoltzem Friede ruhn.

10. Amen, JEſu, thu vollenden, und bald
Hilff aus Zion ſenden deiner ſehr betrübten Schaar:
die jetzt weinend gehn am Reihen, und zuletzt noch
einmahl ſchreyen, mach dein Reich bald offenbahr.

J.

25.

JCH bin froh, weil weil mirs gelungen, daß ich,
mit der frommen Schaar, bin zum Leben durch
gedrungen: endlich wird noch offenbar das verdeckte Leben, dem ſie ſich ergeben ihre gantze Lebens-
Zeit, und verſagt die eitle Freud.

2. Nun leb ich in ſtillem Frieden, bin der Liebe unterthan, und, von allem Schein geſchieden,
wandle auf der Glaubens-Bahn: da man nicht
mehr ſchläget, noch den Haß nachträget, wo ein
falſcher Heuchel-ſchein oftermal muß Göttlich ſeyn.

3. Dann mir ſind die Liebes-Pforten offen zu
der Friedens-Lehr, allwo Melchiſedechs Orden,
und das Jungfräuliche Heer, die der Opfer pflegen, und die Glut erregen auf dem Güldenen Altar, und ſo räuchern immerdar.

4. Weil ich nun diß auch erwehlet vor mein
Theil in dieſer Welt, darum bin ich zugezehlet denen, die ins Himmels-Zelt einſt zuſammen kommen, allen wahren Frommen, die ihr Creutz und
Ungemach willig ihm getragen nach.

5. Ihr geliebte Bunds-Conſorten, die ihr ein
gegangen ſeyd durch die enge Demuths-Pforten,
und in manchem harten Streit euch bisher geübet
durch den, der euch liebet, daß euch nichts mehr
ſcheiden kan von der keuſchen Liebes-Bahn.

6. Halt das Band der Liebe feſte, damit wir
umgeben ſeynd: jedes kämpf aufs allerbeſte, daß
geſchlagen werd der Feind, der uns oft anſchnau-
bet, und das Kleinod raubet denen, die mit bloſem
Schein allhier nur bewaffnet ſeyn.

26.

JCH bleib daheim mit Jacob in der Hütten,
laß Eſau ſein eilen mit ſtarcken Schritten: dir:

Muſ.

Mutter Gunst erwirbt umsonst, des Vaters großen Segen, woran so viel gelegen.

2. Ich muß mit Schmertz mein Vaterland
verlassen, der Mutter Hertz hat mich selbst ausge-
lassen: drum hats kein Noth, ich flieh den Tod,
wo, nach so vielem Weinen, thut meine Freud
erscheinen.

3. Es scheint zwar oft, als wärs um mich geschehen; doch unverhofft sieht man den Isaac
stehen, zurs Vaters Freud: das Sünden-Kleid
ists nur, das ist gemeinet, wann GOtt so hart
erscheinet.

27.

ICH bringe meine Tage in manchem Kummer
Ihm, den stetig umher trage in dem betrübten
Sinn; damit nicht werde träg im schmalen Him-
mels-Stäg: leit mich, O treuer Hirt! wenn ich
etwa abirre.

2. Ich hab es ja gewaget fast bis aufs äuserst
hin, und alle Ding versaget, was zeitlich bringt
Gewinn, zu gehen gantz gerad nach jener Zions-
Stadt, weil in dem Geist geschaut, wie herrlich
sie erbaut.

3. Sie hat sehr hohe Mauren, gleich Jaspis
und Rubin, drum wird sie ewig dauren, ihr
Glantz fällt nimmer hin. Das Lamm ist ihre
Sonn, Krafft, Herrlichkeit und Wonn: ihr
Pracht bricht hoch hervor, von Perlen sind die Thor.

4. Die Gründ von Edelsteinen, von Gold die
Gassen sind, kein Tempel thut erscheinen, weil alles umgewendt. Altar und Bundeslad ist nun
nach Gottes Raht des Lammes Herrlichkeit, fei-
nes Volck alldort erfreut.

5. Was soll man weiter sagen von ihrem
Freudenschein; die Könige werden tragen auch
ihren Pracht hinein. Die Thor zwar offen stehn;
doch wird sonst nichts eingehn, als nur, was gemein, kindlich, jungfräulich rein.

6. Ist nun die Stadt so schöne, was Bürger
müssens seyn, die stets mit Lob-Getöne da gehen
aus und ein? Es ist ja manche Schaar, sie gehen Paar und Paar, zur Hochzeit schön bereit,
in göldnem Stück gekleidt.

7. Man sieht auf Zions Höhen das schöne

Jungfraun-Heer mit Gottes Harffen gehen, das
Lämmlein geht vorher; ein neues Lied man hört,
das sonst niemand gelehrt, als die jungfräulich
rein ohn Falsch erfunden seyn.

8. Diß ist die Taub, die Eine, die Schönst
und Auserwählt; ist es dann sonsten Keine, die
ihr ist zugesellt? was sieht man dann dort stehn
und schön am Reihen gehn an jenem gläsern Meer,
was ist das vor ein Heer.

9. Sind es nicht die Gespielen, die Ihr gefolget nach, und vor so andern vielen mit ihr getragen Schmach? da sie im Witwenstand unfruchtbar, unbekannt, von allen in Verdacht, und sehr
gering geacht.

10. Wie wird sie nun geehret, O Wunder!
was ist das? ein Lied, so nie gehöret, sie singt ohn
Unterlaß. Das auserwählte Heer auch dort am
gläsern Meer Mosis Lied schön absingt, des Lammes mit drein klingt.

11. Jetzt ist noch diß zu sagen, was jenes vor
ein Schaar, die Sieges-Palmen tragen, und gehen Paar und Paar?: Sie sind ja das Geschlecht,
so weisse Kleider trägt; im Blut des Lämmleins
rein und hell gewaschen seyn.

12. Wo sind sie hergekommen, daß sie so hoch
erfreut, da zu des Lebens Bronnen das Lämmlein
selbst sie leit? und dienen Tag und Nacht GOtt
mit viel Sieges-Pracht? Sie leiden keine Pein
von Hitz und Sonnen-schein.

13. Kein Hunger thut sie plagen, kein Durst
sie mehr beschwehrt, kein Todt kan sie mehr nagen,
weil alles aufgezehrt in langer Trübsals-Nacht,
bis sie darin erwacht: es hat zu solchem Grad sie
bracht die Trähnen-Saat.

14. Sie sind aus Trübsal kommen, aus Jammer und viel Leid, drum sie mit allen Frommen
nun sind so hoch erfreut. Der Engel gantzes
Heer, so um den Stul stehn her, auch auf die
schönste Weiß singen mit Heil und Preiß.

15. Die Alten allzusammen, die um den Trohn
her stehn, auch sagen ja und amen, und thun das
Lamm erhöhn. Das gantze Himmels-Heer rufft
aus: Lob Preiß und Ehr sey in der Ewigkeit
GOtt und dem Lamm bereit.

16. Es ist nicht aus zu sagen, kein kluger Sinn versteht, was nach den Trübsals-Tagen vor Herrlichkeit aufgeht: wann sich ein Blick nur zeigt, wird man sehr tief gebeugt, trägt gern und willig nach hier Christo seine Schmach.

17. Und wäret im Ersincken auf jene frohe Zeit, auch thut getrost mit trincken den Kelch der Traurigkeit. Es ist der Müh wohl währt, weil man so schön verklärt mit so viel tausend Freud, in alle Ewigkeit.

28.

ICH dancke GOtt, wann ich betrachte, daß er mich hat so väterlich der Welt, die mir viel Jammer machte entführet und gebracht zu sich, und gab mir sein Gesetz, wodurch ich aus dem Netz, darin ich ehmals war verstricket, gezogen und heraus gerücket.

2. Und wann ich dencke an die Mühe, die er an mich hat angewandt, da er mir seine Gnad verliehen, und macht mir seinen Rath bekannt, (woraus in dieser Zeit entstund so mancher Streit) so pfleg ich auf den Himmels-Wegen mich desto schneller zu bewegen.

3. Wie manchen Berg muße ich besteigen, wie manche Büsche und Gehäg, eh sich die Himmels-Thür kont zeigen und der bedrängte Creutzes-Weg: dann weil Gerechtigkeit noch war mein Ehren-Kleid, muße ich erst ihren Schmuck verlieren, eh ich kont seine Gnade spühren.

4. Dann da ich dachte nun zu gehen zur schmalen Himmels-Thüre ein, ließ sich der Pharisäer sehen, der mich verblendt mit seinem Schein: da ward mir in dem Grund erst recht das Uebel kund, und weil ich sahe nichts als Sünden, so blieb die Gnade weit dahinden.

5. Das Elend war fast nicht zu tragen, weil ich so vieles angewandt, und sole daneben doch verzagen an Gottes Gnad in meinem Stand: doch ging mir wieder auf in meinem Glaubens-Lauf die Sonn, und macht mein Leid verschwinden, da kont ich bald die Gnade finden.

6. Drum soll mein Geist GOtt ewig loben vor seine Güte, Gnad und Treu, weil er in so viel schweren Proben bisher mir hat gestanden bey.

auch hat er den Altar, nicht ohne viel Gefahr, am End und Abend dieser Tagen bey uns, den Seinen, aufgeschlagen.

7. Daselbst verehret sein Geschlechte, das aus-erkauffet aus der Welt, mit reinem Hertzen seine Rechte, und lebet so, wies ihm gefället: drum rühm ich seine Gnad, die mich behütet hat in so viel Jammer, Noth und Weinen, und mich gesammlet zu den Seinen.

8. Und weil nun diese Gnade grünet, und unter uns das Ruder führt: so wird der Sünd nicht mehr gedienet, der alte Mensch sein Recht verliert. Da lebt man in der Ruh, und lobt GOtt immerzu, der nach viel Arbeit und Bemühen hat seinem Erbe Heil verliehen.

29.

ICH dringe ein in JEsu Liebe, weil er allein mir helffen kan, wenn ich mich in dem Leiden übe, daß ich sonst keinen Trost verlang, und halte still nach seinem Will, den er in seinem weisen Rath selbst über mich beschlossen hat.

2. Solt ich auch keinen Trost empfinden, so lang ich leb auf dieser Erd, wird sich die Leidens-Frucht doch finden, wenn JEsus meinen Leib verklährt: in jener Freud wird all mein Leid vergessen und nicht mehr gesehn, wann ich vor GOtt werd freudig stehn.

3. Thu ich mich schon in Schmerzen finden, so leb ich doch in sanfter Ruh, weil sie mich nur mit dem verbinden, der mir das Leiden füget zu: die Feuer-Tauff muß ihren Lauff durch alle Glieder führen aus, bis sie die Seele bringe nach Haus.

4. Das Trübsals-Feuer muß mich brennen, daß es die Schlacken schmelze ab, will ich mich einen Christen nennen, muß ich mit JEsu in das Grab: nur im vergnügt so wies GOtt fügt, werd ich nur recht geleibet ein in seine heilige Gemein.

5. Da find ich viel getreue Brüder, die auch mit mir vereinigt sind, und helffe singen ihre Lieder, die durch das Creutz geflossen sind: den'n nicht gefälle die Lust der Welt, drum sie auch mit der heilgen Wahl dort werden halten Abendmahl.

30.

Ich

ICH freue mich aus reinem Trieb der Brüder-
Jund der Schwester-lieb: und stimme auch mit
ihnen an, nichts unsre Liebe trennen kan.

2. Wie freuet sich mein Hertz und Sinn, daß
ich auch mit gebracht dahin: zu schauen dieses
Liebes-spiel, da man kan lieben nie zu viel.

3. In mancher trüber dunckler Nacht hat diese Lieb mir Licht gebracht: wann alles schiene aus
zu seyn, kam offt ein neuer Gnaden-schein.

4. So spielt die Lieb von oben her, wann offt
die Hertzen scheinen leer, kan seyn ein angenehmer
Blick der Schwestern und der Brüder Glück.

5. Wie manche Jahr ging ich gedrückt, da
mich die Liebe nicht beglückt: doch spart ich keine Müh, noch Fleiß um ihre Gunst und hohen
Preiß.

6. Nun ist mein Hertz gantz entzünd, es ist
nichts, das mich fester bindt, als Bruder-und die
Schwester-lieb, aus ungefärbtem reinen Trieb.

7. Die Lieb ist von dem Himmel bracht, und
als ein Lamm am Creutz geschlacht: was Wunder kön wohl gröser seyn als Liebe, die in Tod
geht ein.

8. Sie ist zum Bau der erste Stein, zu Gottes Kirch und Liebs-gemein: man findet an ihr
keinen Fehl, sie macht ein Hertz und eine Seel.

9. Was könt doch wohl schöners seyn, es
gleichet ja kein Edelstein der Schwester-und der
Bruder-lieb, wann Harmonirt der Geister Trieb.

10. Sie machet leicht die schwerste Last, vertreibet allen Hertzens-prast: versüßt die bittre Liebes-pein, macht alle Hertzen Engel-rein.

11. Ich will aufs neue fangen an zu gehen
diese Friedens-Bahn: und folgen meinem Bruder nach, solls gehen auch durch Spott und
Schmach.

12. Der erste, so nach dieser Art das Haupt
des Brüder-Ordens ward: sein Leben gab vor
Brüder hin, diß ist der rechte Liebes-sinn.

13. Wer so nicht liebt, kan nicht bestehn, wann
rauhe Trübsals-winde wehn; wann alles widerwärtig geht, verstellte Liebe nicht besteht.

14. Sie ist ein ziehender Magnet, wer fleißig
ihrem Zug nachgeht, den bringet sie ins Cabinet,
der reinen Braut-lieb Ehebett.

15. O Wunder! das allda vorfällt, viel Kinder jener neuen Welt werden allda gebohren aus:
diß Wunder redet niemand aus.

16. Die Weisheit selbst ist Mutter da, und
bleibt stets ihren Kindern nah: wenn es gebricht
an Hilf und Raht, erweißt sie sich mit Raht
und That.

17. Sie ist der Kirchen Wolcken-seul bey Tag
des Nachts ihr großes Heil: wo eine reine Kirch
sich findt, da wird ihr Feuer angezündt.

18. Sie war stets meine Pflegerin, und in der
Noth Rahtgeberin: wann ich geirret von dem
Weg, wo Liebe ist das Lieb-gehäg.

19. Wie leichte wird da abgeirrt, weil uns
nur hier die Liebe führt: kömmt anders was ins
Hertze ein, verbirgt sie sich mit ihrem Schein.

20. Ein kleiner Blick von falscher Lieb macht
offt das Hertz so kalt und trüb, daß man nicht
weiß, wo aus nach ein: die Lieb ist keusch und
Engel-rein.

21. Man klaget offt den Bruder an, und
weiß nicht, daß mans selbst gethan: wenn man
so dunckel, kält und trüb, fehlts öfters nur an
wahrer Lieb.

22. Gesetzes Furcht und dessen Last war öfters
meines Hertzens Prast, und hielte mich im Lieben
auf, das macht mir schwer den Glaubens-lauf.

23. Doch selig, wer darin hält Prob, denn
das dient auch zu Gottes Lob: es muß ja erst gepresset seyn, es kommt ein süser lautrer Wein.

24. Wie bin ich nun so hertzlich froh, weil ich
erkannt das A und O: in Hoffnung blüht mir
meine Kron; ich warte auf nichts als Gnaden-lohn.

Psalm 122.

31.

ICH freue mich in meinem Geist des, daß mir
Ist von dem versprochen, der seine Zusag treulich leist, und was er redt, nicht wird gebrochen,
daß wir bald alle werden ins gemein ins HErren
Haus mit Freuden gehen ein.

2. Dann wird man unsre Füße sehn, die
bisher stunden in dem Hessen in Jerusalems
Thoren stehn, die ohn verschlossen stehen essen,
vor uns und alle, die der HErr erwählet
aus

3. Jerusalem ist schön gebaut, als eine Stadt der wahren Frommen, die sich der HErr hat ausgeschaut, daß sie darin zu Hauffe kommen; hinauf zur neuen Stadt Jerusalem, dahin sich sammlen die zwölff Jacobs-Stämm.

4. Fürnemlich die gezwölffte Zahl des HErren Stämm, die seinen Nahmen gepredigt haben überall Israels Volck, dem heiligen Saamen, die werden all in höchster Freud und Wonn stets singen Danck dem HErrn in süssem Thon.

5. Da werden auch zwölff Stüle stehn vor Gottes klarem Angesichte, und man wird darauf sitzen sehn die, wann der König hält Gerichte, das Urtheil werden helffen führen aus auf Stülen in des König Davids Haus.

6. Jerusalem wünsche Glück und Heil, die ihr seyd seine treue Freunde, ihr solt dafür ein besser Theil ererben, als die ihre Feinde, es müsse denen allen wohl ergehn, die gegen dir in treuer Liebe stehn.

7. Es müsse Ruh und Friede seyn, die ewig ohne End soll dauren, weil kein Feind mehr wird kommen ein inwendig zwischen deine Mauren, die Feinde müssen weichen all zurück, weil deine Pallast sind voll Sieg und Glück.

8. Um meiner lieben Brüderschafft, und aller treuen Freunde willen, woll GOtt durch seines Geistes Kraft mir meines Herzens Wunsch erfüllen, ich wünsche dir viel Segen Fried und Heyl, so hab ich auch an deinem Frieden Theil.

9. Ich will hinfort zu aller Zeit, von unsers Gottes Hause wegen, dir Treu zu leisten, stehn bereit in Kraft, die mir GOtt wird zulegen, und will dein bestes suchen für und für, so g'nieß ich auch das Gute einst in dir.

10. Lob sey dem König von Zion, der ewig herrschet und regieret auf seinem hocherhabnen Thron, da er seins Reiches Scepter führet; wer nur ist seines Reiches Unterthan, der stimm sein Lob und Halleluja an.

11. Ihr Bürger von Jerusalem! thut Schaarenweiß den König loben, das wird Ihm seyn recht angenehm, wenn sein Nahme so hoch erhoben; ja alles, was zu seinem Dienst bereit, vermehre seinen Ruhm in Ewigkeit.

32.

ICH gehe nun zur Kammer ein, und laß mein Herz getröstet seyn: ich ruh an des geliebten Brust, da labt mich süse Himmels-Lust, und schließ die Thüre nach mir zu, so kan nichts stöhren meine Ruh.

2. Es ist genug, daß ich verbracht so manche Stund in finstrer Nacht, so manche Tage, Jahr und Zeit in gut-gemeinter Eitelkeit: jezt aber geb ich alles hin, was mich beschwert in meinem Sinn.

3. Dann wann mein Freund durchs Fenster gucke, wird mein verliebter Geist entzuckt: mein Herze wird in schneller Eil durchbohrt von seinem Liebes-Pfeil, drum bleib ich allem abgekehrt, was meine Liebe nicht-vermehrt.

4. Nun ist verloschen und zu End, was man sonst falsche Liebe nennt: der viele Kummer spat und früh, samt mancher Arbeit Sorg und Müh, und was mir ein Vergnügen war, ist nun erkannt und offenbahr.

5. Ich mercke nun je mehr und mehr, daß dieses kommt von oben her, wann wir von allem Welt-Gebraus geleeret werden reinlich aus: dann werden wir nicht innig still, so lernen wir nicht Gottes Will.

6. Drum wer nicht diese kleine Welt betäubet und in Ordnung hält, und seine Sinnen so regiert, daß Unschuld seine Gänge ziert: der kan nicht sitzen zu Gericht, wann Christus einst das Urtheil spricht.

7. Dann diß erfahr ich alle Tag, daß wo man leidt, ist keine Klag, die Klag erheischet das Gericht, und wo man richt, da liebt man nicht, ja wer da richt, verleumdet auch. Das ist ja recht des Teuffels-Branch.

8. Diß ist der Stand der Niedrigkeit, den Christus seiner Kirch bereit: im Leiden lernet man Gedult, sanfftmüthig leben ohne Schuld, und trifft die Demuth noch mit ein, so wird man kindlich rein und klein.

9. Wer hier in dieser Schul bewährt, der wird von allem ausgeleert, was sonsten Herz und Geist beschwehrt: so wird man recht zu GOtt gekehrt, da fällt hinweg der schwere Stein,

Stein, der sonst gemacht so manche Pein.

10. Da man oft gangen ist einher in mancher Unruh und Beschwer, und blieb dahinden auf dem Weg, weil man zum Guten war so träg: das macht des Herzens Acker-Feld mit Dorn und Disteln war umstellt.

11. O wie ist dieses Joch so leicht! das uns hat JEsus angezeigt: O wie ist diese Bürd so süß! sie schließt uns auf das Paradies, da blüht uns unsre Seligkeit, die uns in Ewigkeit erfreut

12. O JEsu! wahrer Priester-Fürst, wie sehr hat dich nach uns gedürst, daß du verließt deins Vaters Schooß, du kamest zu uns arm und bloß: und hast vorsagt die Herrlichkeit, die bey dem Vater dir bereit.

13. Drum leg ich dir zur Schädel-Stätt, da ist der Platz, wo uns das Bett ist zubereit vor die Natur: wer nicht verlässet diese Spur, wird endlich rein an Herz und Sinn, und find im Sterben den Gewinn.

14. Wohlan, mein JEsu, der du mich aufs neue lockest kräfftiglich durch deine Tauben-Augen rein: verblende mich mit deinem Schein, damit ich nimmer von dir wend mein Aug und Herz bis an mein End.

33.

ICH hab der Lieb vorlängst geschworen, getreu zu seyn bis in den Todt, und in ihr immer seyn verlohren, dieweil ich ewig eß ihr Brod: dann ich vor viel und langen Jahren hab ihre Krafft und Gunst erfahren. Sie hat mich ja gerührt, und zu ihr hin geführt, da ich verirrt.

2. O! wann ich öfters überlege, wie wunderlich doch war das Spiel, da wir auf einem fremden Wege die Nacht zubrachten oft und viel: wie einstens als ein Donnerschlage, früh Morgens als anbrach der Tage, ich also ward erschreckt, mit Aengsten zugedeckt, und aufgeweckt.

3. Hier schreckte mich die Angst der Höllen, hier wachte mein Gewissen auf, das thäte mir das Urtheil fällen, wir seyen ein verdammter Hauf: ich seye nun zur Höll verdammet, mein Herz im Leib vor Angst mir flammet. Das Weinen setzt mir nach, ich kam in viele Schmach durch diesen Schlag.

4. Allhier wir wurden all geschlagen, wir gingen heim ganz Kummer-voll: ein jeder thät sein Herze fragen, was es doch jetzund machen woll: Wiewohl wir auch zusammen gingen, wir fingen an ein Lied zu singen: wir dienten nimmer GOtt, allein die böse Rott kräche uns in Spott.

5. Nun trug sichs zu, wir kriegten Brüder und Schwestern eine grose Meng; wir wurden reich an Himmels-Güter, wiewohl wir lebten in der Eng: der Himmels-Balsam thät sich zeigen, es kont fast niemand davon schweigen. Die Gnade war sehr groß, die uns da ward zum Trost aus Gottes Schooß.

6. Hallelujah wir sungen alle, wir meinten: jetzt gehts Himmel-wärts, wir seyen jetzt durchs Elends-Thale, und allbereits schon ausgemerzt: Ach aber bald die Proben kamen, daß sie uns Küh und Pferde nahmen. Das Urtheil ward gefällt, wir mußten geben Geld, so wars bestellt.

7. Einfältig waren wir wie Schafe, wir litten alles in Geduld; wir folgten aber nicht dem Pfaffe, er setzte uns aus seiner Huld. Er schrie beständig Pietisten, Quäcker-gezeug und Antichristen. Wir gaben kein Gehör der Kanzel-Götzen Lehr auch nimmermehr.

8. Nach diesem kam der Fürst getreten, er hielt mit uns Examen fein, er sprach: thut ihr auch singen, bäten, da sprach dann mancher fälschlich nein, biß daß nur achtzehn stehen blieben, die sagten ja von GOtt getrieben. Hier ging die Musterung an, man griff den Ja-Worts-Mann, und strafft ihn dann.

9. Rüstig brach nun hervor im Bunde die Brüder-liebe in der that: es fragt nach unser Lehr und Grunde ein sehr ehrbarer Kirchenrath. Mit Weinen ich zur Antwort gabe, was ich doch nicht verstanden habe: zur stund ward offenbar, was sonst verdeckt mir war, und Sonnen-klar.

10. Jetzt seynd viel Jahre schon verflossen: O! was hab ich erfahren seit, wie viele wurden auch verdrossen, wie viele gingen aus der Zeit: wie viele sind zuruck gefallen, und müde worden in dem Wallen, und haben sich erwehlt die Freyheit dieser Welt, ja Gut und Geld.

11. Chriſtus, der Erſtling aller Brüder, hat mich geleitet noch bißher, und zur Gemeinſchafft vieler Glieder gebracht durch die geſunde Lehr: wo ich mich freu und leb vergnüget, weils Gottes Weisheit ſo gefüget, daß ich ſo bleib verdeckt, mein Räßel gantz verſteckt, und doch erweckt.

12. Läßt mich nun GOtt noch länger leben allhier in dieſer Zeitlichkeit, ſo will ich allzeit ihn erheben, und bleiben ſeinem Winck bereit. Mit Freud ich jeßund ſtetig lerne, zu dienen GOtt und Menſchen gerne: die Kinder Gottes all, ihr ſchöne groſe Zahl iſt meine Wahl.

13. O wie iſt mir das Spiel gerathen! auſs lieblichſte fiel mir die Schnur; ich hielt nicht hoch von meinen Thaten, und merckt auf Gottes Finger nur. Mein Herz iſt wohl, ich leb vergnüget, ſeit dem ich mich hieher verfüget zur treuen Brüderſchafft, wo leben Licht und Krafft ſo habehafft.

14. Hätt ich nun Gld und Gut die Fülle, ich theilte aus wohl ſiebenfach, das wär mein Freud, mein Wunſch und Wille; dann dieſes wird an jenem Tag wohl offenbar mein Räßel machen, und was ich heimlich treib vor Sachen. Dann dort wird offenbar, was hier verdecket war vor der Gefahr.

15. Mein leben ſey in GOtt verborgen, und und aller Welt hier unbekannt; ich lebe nun, wie ohne Sorgen, dann niemand kennet meinen Stand. Obgleich kein Phariſäer eben, kein Donner kind, Deiſt darneben: diß alles iſt nur Tand, und mir ſchon lang bekannt, als Babels Stand.

16. Allein ſey nur mit GOtt mein Handel, das, was von auſen, iſt nur Dunſt: ein äuserlich geſchmückter Wandel iſt eine alte Kaufmanns Kunſt, die ich an Schuhen längſt verloſſen, ein Narr meint oft, es ſey getroffen, wann man den Kopf nur henckt, vom Nächſten Arges denckt, und ſo einſchenckt.

17. Nun ſchlieſe ich, geb GOtt die Ehre, Heil, Preiß, Stärck Macht und Mayeſtät: GOtt ſeiner Kinder Zahl vermehre, wir ſtehen, ihn mit viel Gebät, zu bleiben treu mit ſeinen

Frommen, biß wir zu Zions Heerden kommen, dann iſt das Zeit Elend zum groſen Glück gewendt, das ſey das End.

34.

ICH hab mit JESu mich verlobet, um treu zu bleiben bis in Tod, ob Teuffel, Welt darwider tobet, ſo halt ich mich an meinen GOtt; dann JEſu Blut komme mir zu gut, daß ich kan halten dieſen Bund, den er in mir thät machen kund.

2. Da er mir in das Herz geſchrieben, daß ich ſein Eigenthum ſol ſeyn; drum will ich bleiben abgeſchieden von aller Liebe, die nicht rein: die falſche Luſt bleibt unbewuſt mir nun in dem verlobten Sinn, den ich ihm geb zu eigen hin.

3. Bin ich ſchon oft zur Seit gefallen, und hab durch Schwachheit es verſehn, ſo hört er doch mein glaubigs fallen, und thut mir ſelbſt zur Seite ſtehn, reiche mir ſein Hand im ſchwachen Stand, daß ich durch ihn kan feſt beſtehn, wann die Verſuchungs Winde wehn.

4. Drum acht ich keiner Angſt und Schmerzen, wenn ſie doch gantz umgeben mich, weil er mich ſtärcker in dem Herzen, und hat ſein Aug auf mich gericht; wenn ich verirrt, thut er, mein Hirt, mich leiten, und mir ſelbſt leuchten, daß ich kan täglich weiter gehn.

5. Zur ſtillen Ruh und Herz Vergnügen, wo die vereinten Geiſter gehn, und durch die reine Liebes Zügen verbunden vor dem Throne ſtehn wie eine Braut, die ſich vertraut dem Lamm allhier auf dieſer Welt, zu leben nur wies ihm gefälle.

6. Es iſt doch nichts auf dieſer Erden, das uns von JEſu ſcheiden kan, wir wollen noch getreuer werden ihm unſerm Haupt und Ehe Mann, und dringen ein in ſeine Gmein, und ſtehen feſt auf unſrer Wacht: daß wir ihm dienen Tag und Nacht.

7. Die eitle Welt iſt nichts zu ſchäzen, weil wir mit ihm verbunden ſeyn, es kan uns auch kein Sturm verlezen, dringe ſchon der Schmerz ins Herz hinein: wir werden ſchon noch unſern Lohn empfangen dort nach dieſer Zeit, wenn wir gehn in die Ewigkeit.

8. Durchs Creuz ſind wir mit ihm verbunden, zu leben ſo, wies GOtt gefälle, durchs Creuz wird alles.

alles überwunden die Sünd, der Teuffel und die Welt, es beugt den Sinn zum Füssen hin, macht uns in unsern Augen klein, und das Hertz von dem Hoffart rein.

9. Drum fahr nur fort mit Liebes-Schlägen, mein GOtt, mit mir in dieser Zeit; durch Liebe laß ich mich bewegen, zu stehen deinem Winck bereit, und geb mich hin, nach deinem Sinn, zu halten aus durch deine Gnad, wie es dein Rath beschlossen hat.

10. Muß ich das Creutz noch länger tragen, so sey dein Wille meine Ruh, damit ich in den Leidens-Tagen vollkommen werd bereiter zu: daß ich die Freud und Seligkeit ererben kan durch Gottes Gnad, die JEsus mir erworben hat.

35.

ICH kan nun in stillem Frieden meine Zeit hier bringen zu: weil von allem bin geschieden, was kan stören meine Ruh.

2. Dann der HErr hat mich geführet in die stille Einsamkeit, wo nichts mehr den Sinn berühret, was in dieser Welt erfreut.

3. Darum will ich freudig wallen nach dem Ziel der Ewigkeit: und nach Gottes Wohlgefallen leben hier in dieser Zeit.

4. Dann ich seh die Ernde weissen dort in jener neuen Welt: drum will ich zu GOtt hin reisen, weil er mich Ihm auserwählt.

5. Und will mich von Allem scheiden, achten weder Spott noch Hohn, bis ich werd alldort mit Freuden tragen meine Beut davon.

6. Allhier bleibe ich ergeben der so treuen Gottes-Huld, die in meinem gantzen Leben mich getragen in Gedult.

7. Und geleitet zu den Schaaren, die in reiner Liebe stehn, und den Jungfraun-Schmuck bewahren, nur dem Lamme nach zu gehn.

36.

ICH spühre ein Leben, das ewig bestehet, wenn alles sonst andre zu Grunde vergehet: die Wurtzel ist Leiden, die Früchte sind Freuden, da sieht man das Leben am Creutze erhöhet.

2. O Wunder! das Haupt ist mit Dornen gekrönet, sein Leben verachtet, verspottet, verhöh-

H h h 2

net: die blutige Wunden, die er hat empfunden, die haben uns wieder mit GOtt versöhnet.

3. Was soll uns nun scheiden von Himmlischer Liebe? wir finden im Leiden die mächtigste Triebe: es reinigt die Hertzen, versüsset die Schmertzen, vereinigt die Geister zusammen in Liebe.

4. Was Freude auf Erden soll können uns trennen, wir wollen kein andere Freude mehr kennen, als die wir durch Sterben am Creutze erwerben: wo JEsus uns selbsten auch Brüder thut nennen.

5. Und solten auch himmlische Freuden erscheinen, die da nicht herrühren von Schmertzen und Weinen: so fühlt man im Hertzen doch innere Schmertzen, dieweil sie die Eintracht im Grunde verneinen.

6. Drum sag ich, es soll mich von JEsu nichts scheiden, und soltens auch Thronen und Krohnen begleiten: wärs Schmertzen zu nennen, so thu ich bekennen den, der da gesieget im bittersten Leiden.

7. O Brüder! wir wollen zusammen uns freuen, dieweil wir am Creutze gefunden den Treuen, der uns hat erkauffet: wir sind ja getauffet zum Tode, was soll uns das Leben noch reuen?

8. Das immer nicht währet, ja balde vergehet, wir wissen ein anders, das ewig bestehet: drum laßt uns nicht klagen in Schmertzen und Plagen, wir sehn ja das Leben am Creutze erhöhet.

9. Was innere Freude wird öfters verspühret, wann JEsus die Hertzen im Grunde berühret: es seye in Freuden, es seye in Leiden, sein Scepter beständig im Frieden regieret.

10. O Schwestern! die wir sind durchs Creutze vereinet, da nunmehr kein andere Liebe erscheinet: als die uns erkohren, mit Schmertzen gebohren, wo alle Getheiltheit auf ewig verneinet.

11. Was innere Freude wird öfters gefunden, wann Geister zusammen von oben verbunden: wann himmlische Liebe bringt heilige Triebe, u. was uns noch grämet, ist ewig verschwunden.

12.

12. Was soll dann noch unsre Vereinigung stöhren? wer will uns den Einfluß der Geister verwehren? O heiliges Leben! das in die gegeben, die zu der Gesellschafft des Lams gehören.

♥ 13 Drum laßt uns zusammen in Liebe zerfliesen, weil wir so viel innere Freude geniesen, nach dunckelen Zeiten, da Schmerzen und Leiden sich über uns thäten so häuffig ergiesen.

14. Wir bleiben zwar stetig mit Leiden beleget, dann Leiden ists, was uns auf Erden verpfleget: das hin und her Wancken, das auser den Schrancken, wird alles durch Leiden zu Boden geleget.

15. Wir wollen nun alle den König dort oben in Freuden und Leiden erheben und loben: wann alles gerochen, wie er hat gesprochen, so werden wir alle zu Ehren erhoben.

37.
ICH will dem HErrn lobsingen in seinem Heiligthum, dann er läßt mirs gelingen, zu seines Nahmens Ruhm: weil er, der starcke GOtt, in Nöthen ein Erretter, in Aengsten ein Vertreter, Erlöser in dem Tod.

2. Mein Geist und mein Gemüthe thut inniglst freuen sich, weil seine grose Güte mich hat so väterlich in Angst und Noth geführt: auch mich darinn erhalten, daß ich nicht kone erkalten im Geiste und Gemüth.

3. Drum lege ich mich nieder in tief gebeugtem Sinn, und opfre ihme wieder mich gantz zu eigen hin: weil seine Liebes-Treu, die er mir hat geschencket, da ich in Schmerz gekräncket, mit öfters worden neu.

4. Obwohl der Feind mit Machte an mich gesetzet fast, bey Tag und auch bey Nachte geraubet Ruh und Rast: so daß oft mir mein Hertz vor Aengsten schier vergangen, weil ich so war, umfangen mit grosem Seelen-Schmertz.

5. Doch ist es mir gelungen, weil selbst der HErr hat für mich, in dem Kampff gerungen, und hat so kräfftig mir in Noth gestanden bey; daß ich auch im Erliegen oft sah die Feinde fliehen, zerstäuber wie die Spreu.

6. Drum thu ich feste halten beym reinen Krafft-Altar, da man nicht kan erkalten: weil brennet immerdar die reine Gottes-Lieb, die kräfftig hindurch dringet, den Liebes-Geist bezwinget mit Krafft aus seinem Trieb.

7. Er ist der HErr sehr prächtig, ein starcker Zebaoth: wie heilig und andächtig gehts zu an solchem Ort! wo selbst der Geist regiert: da seine Stimmen klingen, und man thut Opfer bringen zu seinem Ruhm und Zierd.

8. Drum stehen oft gebeuget, O HErr! vor deinem Thron die Deinen, die gezeiget durchs Creutz in Spott und Hohn: und folgen treulich nach dem Lamm, das uns erkaufet, mit Feur u. Geist getauffet, zu tragen seine Schmach

38.
ICH will von Gottes Güte sagen, weil ich gefunden den Altar, der mich bishero hat getragen; ob ich schon abgeirret war: dabey hat seine Hand, die mich in meinem Stand zu schützen pflegt aus lauter Gnaden, mich auch mit vielem Creutz beladen.

2. Drum trag ich willig die Beschwerden, dieweils gereicht zu seiner Ehr: und solt ich auch kleinmüthig werden, es dient nur, daß ich mehr u. mehr zurecht werde gebracht durch seine Liebesmacht, u. durch die Würckung seiner Wunden, die ich in mancher Noth befunden.

3. Es wird doch noch das Ziel getroffen; wann es schon ofters uns gebricht: dann wo die Liebe nährt das Hoffen, da kans amEnde fehlen nicht. Wer öfters keinen Rath in diesem Leben hat, der findt die Thür bald wieder offen, und seines Hertzens Wunsch getroffen.

4. Wer sich allhier zum Creutz bequemer, obihm auch schon beschwerlich scheint, der wird gefesselt und bezähmet, darüber oft wird lang geweinet: dann da ists Leben hin nach Gottes Rath und Sinn, und muß sich im Gericht verzehren; doch kans die Hoffnung nicht zerstöhren.

5. Wann einst der HErr wird Zion retten, dann wird mir auch mein Theil und Looß, dann wird er alle Band und Ketten der Tochter Zions machen loß. Da wird vergessen seyn die bittere Todes-Pein, und wird alsdann erst fruchtbar

bar.

bar werden, was ausgedorrt auf dieser Erden.

6. Mein Hertz wird öfters aufgezogen, und dennoch darf ich wagen nicht, weil mich nicht wenig hat betrogen der falsche Schein vom eignen Licht, u. mich vom Weg geführt, daß ich oft wie verirrt muß meine Lebens-Zeit zubringen; doch will ich nun in GOtt eindringen.

7. Diß soll dann nun mein Eintzigs bleiben, daß ich abweiche nimmermehr, und will aufs neue mich verschreiben, daß ich vor meines Gottes Ehr will leiden bis in Todt: und wann auch Schmertz und Noth mein Leben wolte gantz verzehren; es wird dennoch nicht ewig währen.

39.

JEsus ist mein liebstes Leben; drum hab ich mich auch ergeben, ihn zu lieben gantz allein: er kan stillen mein Verlangen, daß in allen meinen Drangen ich dennoch kan seelig seyn.

2. Dann ich weiß sonst nichts zu machen, als in allen meinen Sachen nur in seinem Willen ruhn: weil er selber angefangen, was wird stillen mein Verlangen, u. mir ewig wohl wird thun.

3. Hier in meinen Leidens-Tagen will ich ihm mein Creutz nachtragen: obschon oft, in meinem Lauf, ich mich drehen muß u. schmiegen, daß ich fast muß unten liegen, wann ich gern wolt steigen auf.

4. In das allerreinste Wesen, wo mein Hertz in GOtt genesen, in der bittern Liebes-Pein: doch ich ruh in seinem Willen, er wird meinen Schmertzen stillen, und mir anders schencken ein.

5. Daß ich freudig könne sagen: nun sind alle Feind geschlagen, die mir so viel Müh gemacht: da ich GOtt werd ewig loben, weil er mich, nach so viel Proben, hat zu seinem Reich gebracht.

40.

IHR, die ihr euch laßt Christen nennen, gedenck des HErren alle Tag, daß jeder ihn lern recht erkennen, und nicht umsonst den Namen trag. Wer Christum liebt, und sich ergiebt der reinen Zucht, der wird fürwahr mit ihme herrschen tausend Jahr.

2. Wer sich befleißt dem zu entfliehen, was nichtig ist, und irrdisch heißt, und läßt sein Hertze immer ziehen von oben her, durch seinen Geist: der wird alsdann mit stimmen an das neue Lied vor Gottes Thron, zu Ehren ihm u. seinem Sohn.

3. Bald wird die Sabbaths-Ruh erscheinen, wann ist vollendt die sechste Zeit: dann wird dem Satan und den Seinen der Kercker werden zubereit. Der alten Schlang wird werden bang, weil man ihr legt die Fessel an, daß sie nicht mehr verführen kan.

4. In diesen tausend Jubel-Jahren wird sich des Feindes Neid und Gifft nicht mehr auf Erden offenbahren, dann so bezeuget uns die Schrift, daß Wolff und Lamm, was wild und zahm, wird in derselben Jubel-Zeit beysammen gehn.

5. Die Völcker werden nicht mehr kriegen, und sich einander hassen nicht, sie werden kommen, und sich schmiegen, und fallen auf ihr Angesicht: und allzugleich, in Christi Reich, das Lamm verehren, und die Braut, womit es alsdann wird getraut.

6. Da werden sie die Schwerdter nehmen, samt allein, was zum Krieg gehört, und sie zum Ackerbau bequemen, weil niemand mehr den Frieden stört. Gerechtigkeit, Heil, Fried u. Freud wird überschatten jederman, es wird verschwinden Fluch und Bann.

7. Kein Bruder wird den andern lehren, weil sie die Salbung alle lehrt, noch sagen: erkennet den HErren; dann jeder Gottes Stimme hört. Es werden dann GOtt bäten an die Kön'g und Fürsten groß und klein, und geben ihm die Ehr allein.

8. O seelig sind! die nicht erweichen im vorgelegten Glaubens-Streit, bis sie das Ziel und End erreichen, und gehen ein zu dieser Freud: da dann das Lamm aus Davids Stamm, das sie erkaufft mit seinem Blut, zerbrechen wird des Treibers Ruth.

9. Dann wird er Israels Geschlechte, in seinem langen Wittwenstand, verleihen wieder seine Rechte, und sie geleiten in ihr Land: so werden die, so nun allhie sind aller Völcker Gräul u. Spott, bekehren sich zu ihrem GOtt.

R

41.

Kommt alle, ihr Kinder von Abrahams Saamen, die ihr noch herstammet von Jacobs
Geschlecht, und rühmet des HErren geheiligten Nahmen, weil auf euch ist kommen das kind-
liche Recht.

2. Und seyd auch Mit-Erben der himlischen
Güter, weil JEsus durchs Creutze den Eingang
gemacht: umgürtet die Lenden an euren Ge-
müthern, um treulich zu folgen bey Tage u. Nacht

3. Und weil ihr aus himmlischem Saamen
gebohren: zum Göttlichen Leben im heiligen
Schmuck, daneben aus allerley Völcker erkohren, drum sehe doch nimmermehr keiner zurück.

4. Zu folgen dem Lamme aus heiligem Triebe,
keusch, züchtig, jungfräulich, ohn allen Verdruß,
den Nahmen des Vaters an Stirnen geschrieben
als Zeichen der Liebe zu eurem Genuß.

5. Und weil ihr durchs Blute des Lammes
erkauffet, jungfräulich zu leben, damit ihr zugleich gantz rein ohne Flecken ihm stetig nachlauffet, daß ihr mit ererbet das Göttliche Reich.

6. O heiliges Leben! O herrlicher Handel!
wenn ihr so ergeben der oberen Zucht, daß eu-
ere Wege mit Göttlichem Wandel gezieret, und
keines verbleibe ohn Frucht.

7. So bleib ich mit allen in Liebe verbunden,
und trette im Glauben gantz freudig mit an, auch
treu zu verbleiben, wann kommen die Stunden
der Leiden, ich lauffe die Göttliche Bahn.

42.

Kommt alle mit Freuden, ihr Schwestern u.
Brüder, und helffet betretten den schmalesten
Steg: wir sind ja nicht besser als unsere Glieder,
die vor uns gewandelt in Marter und Schläg.

2. Weil JEsus Fürsprecher geworden für allen, die mit ihm aufrichten im Creutze den Bund:
drum laßt uns nur sehen, daß wir ihm gefallen,
zu küssen den Liebsten mit heiligem Mund.

3. So können wir öfters verkünden mit Freuden den Todte des HErren, und tragen am Leib
das Zeichen des Creutzes voll Schmertzen und

leiden, daß nichts an uns finde das hurische Weib
4. Laßt brennen in Flammen der Liebe die
Hertzen, u. liebet den König mit innigster Brunst:
umfasset und küsse ihn mit heiligem Schertzen,
weil er uns begabet mit himmlischer Gunst.

5. Dein Leben, O JEsu! werd täglich vermehret in allen den Deinen, die tragen den Bund,
damit sie kein Reitzung noch Lockung bethöret,
dir leben zu Ehren all Tage und Stund.

43.

Kommt Brüder-Hertzen saget mir, wer ist
der Mann, so bringet hier sein himmlisch
Erbe wieder ein, wie muß sein Hertz bestellet seyn?

2. Wer ohne Falsch den Wandel führt, in
dessen Mund wird nicht gespühret ein Wort, das
Lügen in sich hat, um zu verdrehen Gottes Rath.

3. Wer stets aufrichtig gehet einher, den keine
Wind bewegen mehr, und der nicht ändert seinen Sinn, wann die Versuchung stoße auf ihn.

4. Der nicht verläßt den schmalen Weg,
wann ihn das Fleisch will machen träg: und die
Vernunfft nicht ziehe zu Rath, wann ihm ent-
gehet Gottes Gnad.

5. Der sich erwehlet solche Bahn, die Fleisch
und Blut nicht stehet an: der fliehet, was ihn
hier beglückt, und liebet, was ihn unterdrückt.

6. Der eitler Ehr nicht gehet nach, und hält
sich stets an Christi Schmach, der wandelt grad,
und hasset krum, dem schadet nichts, er komme
nicht um.

7. Und wann er auch schon leidet sich, so stirbt
doch nur, was hinderlich an seiner Reiß nach Canaan, die er einmal getretten an:

M

44.

Mach dich im Geist recht munter auf, mach
dich auf, du bedrängter Hauf, Zion zeuch
Macht und Stärcke an, die alle Macht besiegen
kan, und schmück dich herrlich schön, du heilge
Stadt Jerusalem, die GOtt zum König hat.

2. Dann es wird nun und nimmermehr hinfort ein Unbeschnittener, der noch nicht ist von
Hertzen rein, in dir Regent u. König seyn; mach
dich

dich derhalben aus dem Staube auf, Jerusalem, du gfangner Hauff.

3. Mach deinen Hals nun wieder frey, reiß alle Babels-Band entzwey, worin du Tochter Zions lang gefangen warst in Zwang und Drang; so spricht der HErr: ihr seyd verkaufft umsonst, und werdt ohn Geld gelößt, aus freyer Gunst.

4. Mein Volck, (so spricht des HErren Mund) welchs trat am ersten in den Bund, zog bald dem Land Egypten zu um Welt-Genuß u. Fleisches-Ruh, und ward daselbst vor mir ein fremder Gast, von Assurs Macht u. Gwalt auch sehr belast.

5. Wie thut man mir dann nun jetzund, (so spricht u. fragt des HErren Mund) mein Volck, welchs noch im Mund mich führt, wird ir und ganz umsonst verführt, weil seine Herrscher, bloß aus Heucheley, viel Heulens machen und ein leer Geschrey.

6. Mein Nahme, spricht der große HErr, von solchen wird verlästert sehr: derhalben soll mein Volck, das ich mir auserwehlet, kennen mich, welchs nun zur Zeit mein'n Nahmen heilig preißt, durch welche ich selbst rede aus dem Geist.

7. Wie lieblich sind die Füß und Tritt der Botten, die da Heil und Fried verkündigen mit Freud und Muth, und pred'gen uns vom höchsten Gut: die da zu Zion sagen freudiglich: dein GOTT ist König in dir ewiglich.

8. Der Wächter Stimm i. lob-Gethön schallt laut und hell ganz wunder-schön, und rühmen mit vereinter Krafft den HErrn, der Zion Heil verschafft; dieweil nun bald mit Augen jederman das neu-bekehrte Zion sehen kan.

9. Laßt mit einander frölich seyn, und rühmen was zuvor unrein, und wüst war zu Jerusalem, das wird dem HErrn seyn angenehm, der nun sein Volck so reichlich hat getröst, und sein Jerusalem mit Macht erlöst.

10. Der HErr hat offenbar gemacht sein'n heilgen Arm und starcke Macht, daß aller Heiden Augen sehn, wie GOtt sein Zion wird erhöhn; ja gar bis an der Welt End siehet man das Heil, so GOtt an seinem Volck gethan.

11. Weicht, weicht, u. ziehet aus von dann, rührt kein Unreins von Babel an: geht aus von ihr, spricht euer GOtt, und wascht euch rein von ihrem Koth, die ihr in euch des HErrn Geräthe tragt, so trifft euch nichts, wann GOtt sie richt und plagt.

12. Ihr solt mit Eilen nicht ausziehen, noch furchtsamlich vor Babel fliehen, weil selbst mit einer starcken Wehr der HErr vor euch wird ziehen: der GOtt Israel, der euch ihm erwehlt, der wird euch sammlen aus der ganzen Welt.

44.

Mein Freund, ich kan von dir nicht schweigen, weil deine Gäng so triefend seyn, ob sich schon oft die Myrrhen zeigen; so schenckst du doch daneben ein den süßen Safft der reinen Krafft, doch bleibet dieses nicht mein Ziel, weil ich dich selbst genießen will.

2. Mein Geist kan sonsten nichts mehr finden, das ihn vergnügt, und bringt in Ruh; er will mit dir sich ganz verbinden, weil du mir selbst gerüffen zu; nach weiser Wahl, zur Glieder-Zahl gebracht durch deine treue Gunst, und mich geliebet ganz umsonst.

3. Die Liebes-Ströme, die geflossen vom Heiligthum aus deinem Stuhl, die hast du auch in mich gegossen, daß ich in deiner Liebes-Schul geübet werd, bey deiner Heerd, und so gepflanzet an der Seit des Stroms zur vollen Fruchtbarkeit.

4. Drum thu ich täglich in mir spühren, daß deine reine Liebes-Zucht mich thut die Creuzes-Wege führen zur wahren stillen Geistes-Frucht, daß ich aussproß wie eine Ros, im Thal der Demuts-Niedrigkeit auch unter Dornen sich ausbreit.

5. Drum thut es mir so wohl gefallen, dir meinem Freund zu folgen nach, weil du dein Volck aus andern allen erkaufft, zu tragen deine Schmach: drum schweig ich nicht, bis ich lob dich, u. preiße deine Gütigkeit, u. dancke dir zu jederzeit.

6. Muß ich schon oft mit Thränen säen, und meine Saat in Schmerzen steht; vergeß ich doch der Leid- und Wehen, wann mir mein Freund entgegen geht, und zieht mich an, daß ich die Bahn des Creuzes wandle treulich fort, bis ich geh ein zur Himmels-pfort.

7. Ich thu ja deine Tritte spühren im Thaue deines Liebes-Gangs, den Ruch der reinen Liebes-Myrrhen, den Hall vom Creutz-Lobgesang: dabey vernimm der Tauben Stimm, so rufet aus die Frühlings-Zeit, der vollen Blüthe Fruchtbarkeit.

8. Drum schallen deine Liebes-Lieder, mein Freund, in meinem Herzen schön, wenn ich in Berg und Thälern nieder an reinen frischen Wassern thön: und hör den Schall vom Wiederhall der süßen Lock- und Liebes-Stimm, daß ich es tief zu Herzen nimm.

9. Dann zeigst du mir in deinem Garten die Pflanzen deiner Liebes-Zier, von viel und manchen Wunder-Arten, wie mein Geist zu Lobe dir viel Lieder singt, und Opffer bringt, die dein geheimer Liebes-Rath selbst in mich eingepflanzet hat.

10. Ich dringe ein in deinen Willen, beug mich, wie du es haben wilt, nach deinem Sinn ihn zu erfüllen, zu schaffen mich nach deinem Bild: damit ich werd gantz von der Erd entbunden, daß ich frey und bloß, von allen Creaturen loß.

11. So werd ich gäntzlich einverleibet zu einem Glied an deinem Leib, und ist auch nichts, das mich abscheidet, wenn ich ihr so ergeben bleib: nach deinem Sinn nimm mich gantz hin, und führ mich stets nach deinem Rath, den deine Lieb beschlossen hat.

46.

Manche Jahr ging ich gedrückt, und mit schwerer Sorg beladen, eh mein Hertz hin gerückt, wo man sagt von Gottes-Gnaden: da der Trost vom Himmel her machet leicht, was saur und schwer.

2. Das Verliebet seyn in GOtt, und die Lust zum ewgen Leben, bracht mich in so manche Noth, weilen alles hingegeben: und doch schien es wäre nicht damit etwas auszuricht.

3. Ach die viele Noth und Drang! um das ewig bleibend Wesen, machte mir Zeit und Weile lang, weilen nicht kont recht genesen: Gottes Güte Gnad, und Huld ab zu tragen in Gedult.

4. Wäre mir noch unbekannt Creutz und

leiden auf den Wegen seiner treuen Liebes-hand, würds mich machen sehr verlegen: aber seine Freundlichkeit ist mir oft das schwerste Leid.

5. Gottes hohe Wunder-Hand sey ewig nun gepriesen, die mich hat gebracht in Stand, wo ich anders unterwiesen: da sein Rath und Unterricht mich gesetzt in höhre Pflicht.

6. Meine Liebe, meine Treu, hat erwecket Gottes Güte; drum ich mich in ihm erfreu, weil auch weder matt noch müde: in ihm leben, weben, ruhn, ist das beste Werck und Thun.

7. Doch bleib ich verlassen stehn unter dessen Winck und Willen, wie es sonsten auch thut gehn, lern denselben ich erfüllen: so wird Gottes Wunder-Hand alle Tage mehr bekannt.

8. Als ein kleiner Kirchen-Zweig sich erzeigt in unsern Tagen, hörte man von Gottes Reich schön und Wunder-Dinge sagen: wodurch manches Hertz entzückt, und in seinem Thun verrückt.

9. Da ward auch mein Hertz entzündt, u. verließ mein eigne Wege, folgte diesem Geistes-Wind, der in diesen Tagen rege: ließ mich ein in Gottes Bund, der mir worden klar u. kund.

10. Keusche Liebe reine Kraft war es, die mich hat bewogen, daß ich alles abgeschäfft, wodurch oftmals sehr betrogen: was auch offt schien mein Gewinn, gab ich so aus Liebe hin.

11. Dieses Geistes reine Wehn ging durch alle Straaß u. Gassen, da that man gar viele sehn, die da alles gantz verlassen: wodurch eine Kirch erbaut, die mit Lust ward angeschaut.

12. Wunder waren da zu sehn, wie so vieler Jugend Blühen freudig thäten einher gehn, um zu stehn in Gottes Hütten: Tag und Nacht von Lobgesang hörte man viel Wunder-Klang.

13. Wann der reine Geistes-Wind thät die Hertzen sanfft durchwehen, jedes, als ein Gottes-Kind, thät mit Freuden einher gehen: wartend ihrer seiner Pflicht, worauf war sein Hertz gericht.

14. Weilen aber unbekannt, wie der Geist der Ewigkeiten, durch sein hohe Wunder-Hand, thut die Hertzen zubereiten: lehrt sie aus von allem Schein, damit sie recht keusch und rein.

15. Ihrem Bräutigam zu Lieb lebten ohne

Vor-

Vorbehalten, wo der reine Geiftes-Trieb laffen
nimmermehr erkalten; und ohn allen Lug und
Trug folgen nur des Geiftes Zug.

16. Liefen viele wieder fahrn ihren Ruf u.
Ehren-Kronen, die doch schon so manche Jahr
thäten Gottes Kirch beywohnen: Sungen auf
die schönfte Weiß GOtt zu Ehren Lob u. Preiß

17. Diefes machte nun aufs neu denen Seelen viel Betrüben, die da blieben GOtt getreu,
liefen sich aufs äuferst sieben: dann die Geiftes
Einigkeit war getrennet und gezweyt.

18. Und an statt der Geiftes-Wehn wehlten
viele eitle Winde, daß es oft war schwer zu stehn
vor ein treues Gottes-Kinde: Wolte man hier
sicher stehn, mußt man in die Kammer gehn.

19. Da fand sich in süfer Still diefes reinen
Geiftes Saufen, und der Segen in die Füll theilt
sich da mit ohne Braufen: Gottes Segen u.
Genuß giebet reichen Ueberfluß.

20. Wann die Geifter so aufs'nen sich zusammen fest verbinden, bleiben sich und GOtt getreu,
diefes Geiftes Einheit finden, da die hohe GOttheits-Krafft höher Licht und Pflichten schafft.

21. Ich dring ein in diefes Band, wo man
fefter wird verbunden; näher in dem Geift verwandt, weilen aller Schein ist verschwunden. Wefenheit und Gottes Krafft bringt dem Herzen
Lebens-Safft.

22. Die Verlegenheit ist groß um das ewig-
bleibend Wefen, viel berufen sind zum Loos, a-
ber wenig auserlefen. Währt und theuer ist die
Wahl zu dem grofen Abendmahl.

23. Diefes Abendmahl ist groß, und der Gäfte sind nicht wenig, die in ihrem Ruf und Loos
treu geblieben ihrem König: schmücken ihre Lamp
mit Oehl, damit sie ganz ohne Fehl.

24. Könten freudig einher gehn ihrem Bräutigam entgegen, ihre Häupter hoch erhöhn: da
hingegen sehr verlegen, thun die Thörichten da
stehn, weil ihr Schein wird untergehn.

25. Ob sie schon mit vielem Flehn von den
Klugen Oehl verlangen, ihre Lampen zu versehn,
daß sie auch mit könten prangen: müssen sie doch
draufen stehn, und zu ihren Krämern gehn.

26. Hier steht mein Geift tief gebeugt, weil
len sich in unfern Tagen ein so hohes Licht gezeigt; doch so viele ausgeschlagen, da nicht nur
der Gäfte Zahl, sondern auch der Jungfraun Wahl.

27. Selbe werden sehr vermehrt, und gebracht
zu hohem Adel; von GOtt selbst so hoch geehrt,
daß sie rein und ohne Tadel solten stehen vor dem
Thron, in der gölden Ehren-Kron.

28. Diefes sind die Erftlinge, die in schönen
Angestalten herrschen dort als Könige, und das
Priefter-Amt verwalten: worzu keiner wird ge-
bracht, der hier seinen Ruf veracht.

29. Mein Geift ist als wie entzückt in die lange Ewigkeiten, wo so manche hingerückt durch so
viele Jahr und Zeiten. Unfre Tage gehn dahin,
kaum faßt diß ein kluger Sinn.

30. O du ewig-tiefe Lieb! wer kan diefes doch
ergründen? wann ich Tag und Nacht mich üb,
muß doch aller Witz verschwinden. Alles ist durch
dich gemacht, muß auch werden wiederbracht.

31. Ja der Tod, ders Leben bringt, endet sich
nach vielen Wehen, was der andre Tod erzwingt,
bleibt in Knechtschafft eweg stehen. Selig, den
die hohe Wahl hat gebracht zur Erftlings-Zahl.

47.

MEin Freund, ich kan von dir nicht schweigen,
weil deine Gäng so triefend seyn; ob sich
schon oft die Myrrhen zeigen, so schenckst du doch
daneben ein den süfen Safft der reinen Krafft;
doch bleibet nicht mein Ziel, weil ich dich
selbft geniefen will.

2. Mein Geift kan sonften nichts mehr finden, das ihn vergnügt und bringe in Ruh; er will
mit dir sich ganz verbinden, weil du mir selbft
gerufen zu, nach weifer Wahl, zur Glieder-zahl
gebracht durch deine treue Gunft, und mich geliebet ganz umfonft.

3. Die Liebes-Ströhme, die geflossen vom Heiligthum aus deinem Stuhl, die hast du auch in
mich gegossen, daß ich in deiner Liebes-Schul
geübet werd, bey deiner Heerd, und so gepflanzt
an der Seit des Stroms zur vollen Fruchtbarkeit.

4. Drum thu ich täglich in mir spühren, daß
deine reine Liebes-Zucht mich thut die Creuzes-

Wege

Wege führe zur wahren / stillen Geistes-Frucht,
daß ich außsproß wie eine Rooß, im Thal der
Demuths-Niedrigkeit, auch unter Dornen sich
ausbreit.

5. Drum thut es mir so wohl gefallen, dir,
meinem Freund, zu folgen nach, weil du dein
Volck aus andern allen erkaufft, zu tragen deine
Schmach: drum schweig ich nicht, ich lobe dich,
und preise deine Gütigkeit, und dancke dir zu
jederzeit.

6. Muß ich schon offt mit Thränen säen, u.
meine Saat in Schmerzen steht, vergeß ich doch
der Leids-und Wehen, wenn mir mein Freund
entgegen geht: und zieht mich an, daß ich die
Bahn des Creutzes wandle treulich fort, bis
ich geh ein zur engen Pfort.

7. Ich thu zu deine Tritte spühren im Thaue
deines Liebes-Gangs, den Ruch der reinen Liebes-Myrrhen, den Hall vom Creutzes-Lobgesang:
dabey vernimm der Tauben Stimm, so ruffet
aus die Frühlings-Zeit zur vollen Blüthe
Fruchtbarkeit.

8. Drum schallen deine Liebes-Lieder, mein
Freund, in meinem Hertzen schön, wenn ich in
Berg und Thälern nieder an reinen frischen
Wassern thön: und hör den Schall vom Wie-
derhall der süßen Lock- und Liebes-Stimm, daß
ich es tief zu Hertzen nimm.

9. Dann zeigst du mir in deinem Garten die
Pflantzen deiner Liebes-Zier, von viel und manchen Wunder-Arten, so daß mein Geist zu Lobe
dir viel Lieder singt, und Opfer bringt, die dein
geheimer Liebes-rath selbst in mich eingepflantzet hat.

10. Ich dringe ein in deinen Willen, beug
mich, wie du es haben wilt, nach deinem Sinn
ihn zu erfüllen, zu schaffen mich nach deinem
Bild: damit ich werd gantz von der Erd entbunden, daß ich frey u. bloß, von allen Creaturen loß.

11. So werd ich gäntzlich einverleibet zu einem
Glied an deinem Leib, und ist auch nichts, das
mich abscheidet, wenn ich dir so ergeben bleib.
nach deinem Sinn nimm mich gantz hin, und
führe mich stets nach deinem Rath, den deine
Lieb beschlossen hat.

48.

MEin Geist der fließet ein in dich, O meine
Liebe! O JEsu Lebens-Brunn floß in zmich
heil'ge Triebe: durchdring mich kräftiglich, daß
mein gantz Hertzens-Haus mit reiner Geistes-frucht
werd schön geschmücket aus.

2. Daß alle meine Tritt nach deinem Rath
und Willen, aus reinem Geistes-Trieb, denselben
zu erfüllen: gib mir nach deinem Sinn, daß ich
der Reinheit Spur getreulich folge nach zur
neuen Creatur.

3. Aufdaß dein Liebes-Rath in mir könn völlig grünen, als reiner Geistes-Saat zur reiffen
Erndte dienen: daß völlig aus mir brech das Säm-
lein deiner Lieb, das du in mich gelegt zum
wahren Heimats-Trieb.

4. Daß bald der schöne Tag in mir mög offenbahren die edle Frühlings-Zeit, damit von
Jünglings-Jahren zur vollen Mannheit ich werd
völlig zubereit, und also wachse fort zur vollen
Seligkeit.

5. Drum folg ich willig nur dir, meinem treu-
en Hirten, auf deiner Creutzes-Spur, die selbsten
du beterreten aus Lieb zu deiner Braut, und hast
gemacht die Bahn, daß sie könn tragen nach
den Bluts und Creutzes-Fahn.

6. Eh sie wird heim geholt zu dem, der sie bezwungen mit reiner Himmels-Lieb, dem alles ist
gelungen, weil er der Jungfraun-Sohn, und
hat die Creutzes-Cur verordenet vor die, so ihme
folgen nur.

7. Wie wird der Sieges-Fahn so herrlich
schön floriren, wann ihn der Bräutigam am
Reigen selbst wird führen, vor seiner werthen
Schaar und seiner liebsten Braut, die solche
Freuden-Zeit im Geist schon hier geschaut.

8. Da wird die reiche Erndt vollkommlich erst
sich zeigen, wann Gottes Braut wird schön u.
lieblich gehn am Reigen: da wird die werthe
Schaar, und unumschränckte Zahl, der einen
Geister Heer, ihn loben allzumal.

9. Ach laß doch alle die, die vor in einem Geiste verbunden sind, mit dir, als unserm Herrn
und Meister, in reiner Liebes-Zucht verbindlich
halten

halten aus, bis du uns voll bereit, und bringen wirst nach Haus.

10. Der Liebes-volle Geist, der sich in uns be-samet zur vollen Fruchtbarkeit, in Liebe uns an-flammet: der bleibe unser Licht und steter Glantz u. Schein, damit wir also fort ihm gantz ergeben seyn.

Pf. 129. 49.

MEin Geist ist oft von Jugend auf in manchem Druck gesessen, wann mich gedrängt der Heuchel-Hauff, und mir oft eingemessen viel bitteres Leid in meine Seel, davon kan ich mit Israel in Treu und Warheit sagen.

2. Sie haben mich sehr oft und viel auf manche Art gedrungen, von Jugend auf ohn Maaß und Ziehl; doch ist es mir gelungen: so oft ich überwunden schien, gab ich mich in das Leiden hin, so wurden sie bezwungen.

3. Die Pflüger, Bau- und Ackers-Leuth, die sich zwar selbst zutrauen, daß sie von GOtt dar-zu bereit, sein Ackerwerck zu bauen, die haben ein gar lange Zeit gepflüget mit Ungestümmigkeit auf meinem schwachen Rücken.

4. Der HErr, der Richter aller Welt, der bleibt ihr Herr und Meister, der ist gerecht und sehr ernstellt gegen die stoltzen Geister: er hat der GOtts-vergeßnen Band und Seile von mir ab-gewandt, und gäntzlich abgehauen.

5. Diß ist mein Wunsch, daß sie zumal mit Schand und Spott vergehen, und zurück kehren, daß man d.. Fall solch Babels bald möcht sehen, das deinem Nahmen gram und feind, und wollen doch noch heissen Freund, und deine Bunds-genossen.

6. Ach daß sie müßten seyn wie Graß! das hoch auf Dächern stehet, und weder Krafft hat; sondern das wohl vor der Zeit vergehet: wanns gleich dem Weitzen ähnlich schien, so wachst doch keine Frucht darin, wird dürr, eh mans ausraufet.

7. Davon der Schnitter seine Hand nach Wunsch nicht kan voll kriegen: so ist auch frucht-loß all ihr Land, damit sie nur betrügen Der Garben-Binder, merckt gar wohl, der kan noch Hand noch Arme voll auf ihrem Acker sammlen.

8. Und welche ihnen gehn vorbey, durchaus nicht mögen sprechen: des HErren-Segen auf euch sey, daß euch nichts mög gebrechen. Wir segnen euch im Nam'n des HErrn, der wird von solchem Babel fern; auf Zion aber bleiben.

Zusatz.

9. Drum, Zion auf! lob deinen GOtt, und preise deinen König; und kehr dich nicht an Babels Spott, der sey dir viel zu wehnig, Babel wird bald zu Grunde gehn, und Zion wird der HErr erhöhn, mit Segen ewig krönen.

10. Ob du schon jetzt noch Creutz und Leid, auch Schand und Schmach must tragen, so wart doch auf dich Ruh und Freud, auf deine Plager Plagen. Der Wechsel ist gantz wunder-lich, wer in der Zeit erhöhet sich, wird nach der Zeit gebeuget.

11. Wer aber hier in dieser Zeit ausstehet viele Proben, und beugt sich unter Creutz und Leid, wird dort von GOtt erhoben. Der steh mit Geist und Kraft uns bey, daß wir im Leiden recht ge-treu bis an das End verharren.

12. Preiß, Lob, Ehr, Ruhm u. Herrlichkeit mit Freuden werd gesungen GOtt und dem Lamm in Ewigkeit von aller Völcker Zungen: der Zion ihm hat auserwehlet, auch uns hat mit zur Zahl gezehlt, die GOtt wird ewig loben.

50.

MEin Geliebter, dein Betrübter fällt zu deinen Füssen hin: bitt um Gnade früh u. spathe; stärcke mir Hertz, Muth und Sinn.

2. Mich behüte, daß nicht müde werd in mei-nem Glaubens-Lauf: meine Thränen, und viel Sehnen steigen zu dem Himmel auf.

3. Leid und Schmertzen dringt zu Hertzen, diß ist dir ja wohl bekannt; wie viel Plagen ich muß tragen auf dem Weg zum Vatterland.

4. Kanst du sehen mich so gehen ohne Trost, ohn Hülf und Rath: der betrübter; doch geliebter, stehet nun um deine Gnad.

5. Sieh, mein Leben ist ergeben ohne einen Vorbehalt: drum demüthig; doch freymüthig, ich dir auch dein Wort fürhalt.

6. Wer da isset, und geniesset mein Fleisch,

Leben

leben haben soll: nimmer sterben, noch verderben, diß Wort ist Verheissungs-voll.

7. Den ich träncke, und einschencke, den wird dürsten nimmermehr: herrlich schöne Liebes-ströhme werden von ihm fliesen her.

8. Diese Gaben ich will haben, ja diß ists, warum ich bitt. Gnaden-Regen, Geistes-Segen über das dürr Erdreich schütt.

9. Dein Gemeine, die da deine, laß versamlen sich aufs neu: die in Proben dich noch loben, in Versuchung blieben treu.

10. Laß nichts trennen, die dich kennen, die aus Geist gebohren sind: die verwesen, laß genesen in des Geistes sanfftem Wind.

11. Sey nicht ferne, Morgensterne, leuchte uns in jene Welt: dann das Kindlein in den Windlen nunmehro sich nicht aufhält.

12. Nacht-Geschäffte, matte Kräfte, vertreiben der Sonnen Glantz: reine Liebe, duncke Triebe laß verschwinden, doch einst gantz.

13. Komm, O Sonne! komm, O Wonne! und erfreu uns, dein Erbtheil: laß bemahlen und bestrahlen uns durch dich, O groses Heil!

14. Weil-gebohren, die erkohren, eine Priesterliche Zahl: darum werden deine Heerden wolgeweidet überall.

15. Held im Siegen, der bestiegen aller Feinde Heeres-Krafft: Tief und Höhen laß uns sehen was dein Geist nun Neues schafft.

16. Deiner Armen dich erbarme, die als Witwen angesehn: die verstosen und verschlossen, lasse viele Kinder sehn.

17. Die so lange, in viel Drange, hat gantz einsam müssen seyn; und gesessen als vergessen, brech hervor mit ihrem Schein.

18. Bräutigam, komme, deine Fromme ruset nunmehr überlaut: sey nicht ferne, sie wär gerne einst mit dir in Lieb getraut.

19. Deine Knechte deine Rechte laß aufs neue rufen aus: und aus Gnaden viele laden in dein himmlisch Hochzeit-Haus.

20. Wann die Bräute ihr Geschmeide, ihr so schönes Hochzeit-Kleid, angezogen, wird bezogen alles zu viel tausend Freud.

21. Dann der König auch nicht wehnig Gäst darzu geladen hat: gantze Heere, Jungfern-Chöre, tretten her im grosen Staat.

22. O was Wonne bringt die Sonne! die die schöne Stadt erleucht: die da funckelt, nie verdunckelt, alle Fünsterniß hier weicht.

23. Sie durchdringet, wiederbringet alles in das ewge Licht: Todt und Hölle, ihre Stelle auch zuletzt ihr Glantz durchbricht.

51.

MEin Hertz ermuntere sich, und stärckt sich innerlich in JEsu Leben: weil er mein Schild und Schutz wider der Feinde Trutz mir Sieg zu geben.

2. Er ist der Held im Streit, und thut zur Tapferkeit sein Volck bereiten: wann sie ausziehn in Krieg, so gibt er ihnen Sieg, und sie thut leiten.

3. Drum muß sein groser Ruhm an seinem Eigenthum sich stets vermehren: so daß man es kan sehn, wie er einher thut gehn in hohen Ehren.

4. Und so auch seine Knecht, die seine Krieges-Recht von ihm empfangen: und seine Liberey hier tragen ohne Scheu, die werden prangen.

5. Mit grosem Sieges-Pracht, wann sich sein Wunder-macht empor wird schwingen: wann schön an ihrer Stell sein gantzes Israel im Reigen singe.

6. Ja seine gantze Heerd, die ihm ist lieb und werth, die wird ihn preisen: auch Benjamins Geschlecht rühme seine Wunder-Recht mit Liebes-Weisen.

7. Drum eile meine Seel, daß ich mit Israel werd gantz entbunden: weit tritt sehr nah herzu die edle Sabbaths-ruh, die letzte Stunde.

8. Dann meine Seele hat sich seinem Liebes-Rath gantz hingegeben: um seiner treuen Gunst, die mich geliebt umsonst, zu Ehrn zu leben.

9. Und hab erfahren auch, wie seiner Liebe Brauch, zu allen Zeiten, den Seinen ihm beystehn, wann sie durchs Duncke gehn, thut er sie leiter.

10. Bis wiederum aufgeht die schöne Morgenröth mit hellem Prangen: dann müssen weichen bald die Thiere in dem Wald, was aufgegangen.

11. Der Glantz mit vollem Pracht, der ihre falsche Macht gantz weggenommen: drum müssen

fk.

sie mit Schand bestehen, wie bekannt, und gantz umkommen.

12. Im Geiste sieht man klar, wie GOtt sein werthe Schaar alhier thut leiten: weil er vor Trauren Schmuck, und grose Freud vor Druck ihn thut bereiten.

13. Drum können sie oft schön ihm singen Lob-Gethön in Leidens-Tagen: weil sie im Geiste sehn ihrn Herrn voraufen gehn, das Creutz zu tragē.

14. Dann weil sie seinen Sinn, und reine Liebes-stimm, im Hertzen kennen: drum folgen sie ihm auch, wie es der Liebe Brauch, thun ihn bekennen.

15. Verschweigen thun sie nicht, mit Freud ihr Angesicht zu ihm aufheben: und geben seiner Lehr Krafft, Ruhm u. grose Ehr, samt seinem Leb.

16. Und wandeln auch gantz frey, daß sie, ohn Heucheley, von ihme lernen die sanffte Lammes-schritt, und reine Liebes-tritt, u. sich entfernen

17. Von allem, das nicht ist nach seinem Sinn gericht: daß wir vermehren sein Lob alhier auf Erd, als sein erwehlte Heerd, zu seinen Ehren

18. Weil er mit groser Macht ist kommen von der Schlacht, mit grosem Prangen, und hat sein Volck erlöst, und seine Feind entblößt, zum Todt gefangen.

52.
MEin Leben ist verborgen in dieser Welt alhier; von abend bis an morgen sind keinen Trost in mir: bis in mir ist erstorben, was Adams Leben heißt, dann wird erst seyn erworben, was labt den müden Geist.

2. Mein Trachten und mein Sehnen geht immer dahinein; die viele Müh und Thränen, und heisse Liebes-Pein, die stetig umher trage um das, was dort erfreut, da weder Schmertz noch Plage wird seyn in Ewigkeit.

3. Wer hier nicht ringend kämpffet, wird dort nicht herrlich seyn: die Sünd wird nicht gedämpffet, er kan nicht gehen ein dort in das Reich der Freuden, wo das jungfräulich Heer, und die Erlößten weiden am reinen Lebens-Meer.

4. Drum will mein gar nicht schonen, so lang mein Geist in mir; GOtt wird die Müh wohl

lohnen, wann keine Zeit mehr hier: dann werd ich das dort finden, was hier gehoffet heißt, wann alles ist dahinden, was mich vom Ziel abreißt.

5. Wornach jetzt eil und lauffe, damit mög seyn bereit, wann bey der Blutes-Tauffe briche ein die dunckle Zeit: die uns wird überschatten, daß niemand würcken kan; weh denen! die nicht hatten alsdann ihr Werck gethan.

6. Wann alles land umgeben mit Hunger, Angst und Noth: wer wird alsdann wohl leben in solchem harten Todt? dann wird das Blat gewendet gantz anders, als es war: man wird nicht mehr geschänder von der ruchlosen Schaar.

7. Des freu ich mich von Hertzen, weil ich das End der Zeit, da all mein Creutz u. Schmertzen verwandelt in viel Freud: drum will ich gern bezahle die Schulden, die ich alhier gemacht.

8. Gedult, sey nur zufrieden, und trage alles Leid; GOtt redet mit den Müden, weiß seine rechte Zeit: wann Trost und Rath vonnöthen, und wir sind Hilfe-loß dann hilfft er gern den Blöden, und setzt sie auf den Schooß.

53.
MUß ich schon öfters auch wandern alleine meine geliebete Straase dahin; freudig doch bleibet der Geist in geheime, innigst verborgen im Göttlichen Sinn: stetiges Beugen bleibt meine Gefährte, innige Stille mein einzt ge Wärthe.

2. Fremdling und Waysen die werden eingehen, freue dich innigst, du liebender Geist, Schmerzen und Leiden und Aengsten und Wehen gehen nicht weiter, als GOtt es beschleußt: Freude und Wonne komme wieder entgegen, bringet uns Freude und himmlischen Segen.

3. Alles, was schmertzet und schrecklich uns scheinet, findet sich anders im inneren Grund; Freude der Seelen diß alles verneinet, stärcket den Geiste und heilet die Wund. Wachsen u. Grünen im Geiste der Seelen lässet uns nimmer im innern Grund-fehlen.

4. Innigstes Beugen macht stetigs ausschallen Loben und Dancken im inneren Grund, freudiges Loben muß GOtt doch gefallen, wann

Schmer-

Schmerzen und Leiden das Hertze verwundt: heisseste Thränen erwecken die Fülle, Gnade und Friede zur ewigen Stille.

5. Alles, was gleisset, muß endlich verschwinden; alles, was schmertzlich ist, gehet dahin: alles, was sichtbar ist, bleibet dahinden; endlich alleine der himmlische Sinn gehet gekleidet in himmlischer Zierde, heilig, jungfräulich entbunden der Bürde.

6. Seeligste Seelen, die einwärts gezogen, mannliche Kräfte die bringens nicht weit; alles was brauset, heißt endlich betrogen: freue dich Jüngling der güldenen Zeit; halte das Weibe der Jugend in Ehren, in ihr alleine wirst du dich vermehr

7. Gehet man nur freudig die leidende Strassen, Helden der Liebste die kommen dahin, liebende Geister inbrünstiger maaßen kommen, und bringen den vollen Gewinn: Geister, die einmal hineinwärts gegangen, werden mit diesem Band ewig umfangen.

8. Alles, was schnaubet und raubet auf Erden, findet die seligste Stätte gantz nicht; eintzig Geliebte und eintzige Währte heisset die Liebste im Göttlichen Liche: König und Fürsten jungfräulicher Zierde lieben die hohe und Göttliche Würde.

9. Freuet euch innigst, ihr liebende Geister, die ihr gezogen gantz völlig hinein: Freude und Wonne, der holdeste Meister bringet die liebende Geister bald heim. Alles vergessen heißt seligst verwesen, machet alleine in ihr nur genesen.

10. Freudige Zuversicht haben alleine Kinder der Liebe, die alles verlache, irrdische Bürgerschaft haben sie keine, himmlische Zierde ist eintzig ihr Pracht: freudig sie gehen, in Leiden und Wehen, müssen sie öfters schon bitten und flehen.

11. Dieses versöhnet ihr König und Meister, welcher auch selbsten getretten die Bahn, mußte durchwandern die vielerley Geister, selbsten auch tragen die blutigen Zahn. Freuet euch herrlich, ihr liebende Seelen, ihr werd des HErrn Lob noch herrlich erzehlen.

12. Singer und spieler mit Harffen u. Psalmen, dancket ihm und lobet ihn alle zumal; traget in Händen die liebliche Palmen reinester Zierde jungfräulicher Wahl: bringet dem Höchsten die Ehre alleine, Glory u. Herrlichkeit ewig erscheine

N

54.

NAch viel und manchen Trauer-Stunden wird endlich doch der Schatz gefunden, der in Gott Genesen heißt: da wird, bey verliebten Sachen, fröhlich lachen der in GOtt verliebte Geist.

2. In dieser Welt ist nichts zu finden, was unsern Jamer macht verschwinden, und das Hertz tönt machen satt: dann es kan niemand genesen in dem Wesen, das nur Schein und Lügen hat.

3. Wer wolt dann da sein Gutes hoffen, wo Adam hat der Todt getroffen, welches GOtt so sehr geschmertze: daß er auch durch Todt u. Sterben mußt erwerben, was in Adam war verschertzt.

4. Das höchste Gut und wahre Wesen, das selig macht, und gibt Genesen, wohnt in Gottes Hertz allein: und quille aus durch JEsu Wunden, wer das funden, der kan froh und frölich seyn.

5. Wem dieser Brunnen ist geschencket, der wird nach langem Durst geträncket, und geniesset Lebens-Brod, das der Seelen Hunger nähret, u. verzehret endlich Schmertzen, Angst und Noht.

6. Da wohnet das vollkomne Gute, da grünt die dürre Aarons-Ruthe, als des Priesters Looß und Theil: und das Salb-Oehl der Genaden macht den Schaden unsers Geistes wieder heil.

7. In dieses zweyen Adams Seithe findet man das Kleinod aller Freude, welches Weh und Jammer stille: und in Adams Schlaf entwichen, da verblichen sein verklärtes Gottes-Bild.

8. Doch, wer diß Kleinod recht will fassen, muß alles andre fahren lassen, was durch falsche Lust berhört: wer erwehle die eine Reine, muß alleine ihr seyn innigst zug kehrt.

9. Dann sie allein kan uns ergötzen, und unsern Geist zufrieden setzen; obschon in der Sterblichkeit Seuch und Elend uns noch drücket, sie erquicket, und versüßet alles Leid.

10. Doch läßt sichs nicht nach eignem Willen mit dieser Speiß den Hunger stillen, wer noch Selbheit in sich hegt, muß der Sünden
Lust

Luſt erſt büſen, als genieſen, was der Baum des Lebens trägt.

11. Von innen lebt der Geiſt im Frieden, wañ er von allem iſt geſchieden, was zur Zeit und Welt gehört: wann der ſonſt zertheilte Will eins und ſtille ſich zu ſeinem Urſprung kehrt.

12. Wenn unſre Selbheit iſt geſtorben, dann iſt die wahre Ruh erworben, die uns JEſus ſchencket ein: wann ſein Joch wir ohne Klagen ihm nachtragen, weicht von uns der Sorgen-ſtein.

13. Komt alle, die ihr ſeyd beladen, rufft JEſus, ich will euch berathen, lernt ſanfftmüthig ſeyn von mir: dann von Hertzen Demuth üben, bringet Lieben, Ruh und Freude für und für.

14. So kommt zum Ziel das lange Hoffen, die Liebe macht den Himmel offen, die nichts weiß von Ich und Mein: wen ſie kan zum Kindlein machen, deſſen Sachen lauffen endlich richtig ein.

15. Dann ſie treiber durch ihre Flammen die reine Geiſter ſtets zuſamen in des Himmels Harmonie: allwo Gottes Luſtſpiel klinget, und verſchlinget allen Jammer, Angſt und Müh.

16. Was Lob und Danck wird da von allen dem groſen GOtt zu Ehr erſchallen, dem der ewig iſt und war, wird man alle Krohnen bringen, da wird klingen: Er iſt alles, er iſts gar.

Eſaj. 53. 55.

Nun freue dich und rühme ſehr, die du unfruchtbar biſt bisher, und jauchze, die nie ſchwanger worden; denn die einſam gelaſſen war, hat eine gröſre Kinder Schaar, als die den Mann hat zum Conſorten.

2. Mach weit den Raum der Hütten dein, und breite aus die Teppig fein, thu ihrer hinfort nicht verſchonen: ſpann deine Liebes-Seile aus zum Schmuck und Zierd in Gottes Haus, denn du wirſt ewig drinnen wohnen.

3. Du wirſt nunbald in kurtzer Zeit zur rechten u. zur lincken Seit ausbrechen, daß in allen Landen den Saam beerb das Heidenthum, u. wird bewohnen rings herum die Städte derer, die zu ſchanden.

4. Drum förchte dich hinfort nicht mehr, du wirſt zu ſchanden nimmermehr, ſey keck, denn du wirſt nicht zu Spotte: ſchände man dir deine Jungfrauſchafft, veracht man deine Wittwenſchafft, und fragt, ob wüſt'ſt du nichts von GOtte.

5. Wird er doch, der dich hat gemacht, von Ewigkeit ihm zugedacht, Jehovah groß iſt er erkennet, ſeyn dein Heiland, HErr Zebaoth, der heilgen Iſraels Gott von aller Welt her ſo genennt.

6. Und ob du im Geſchrey muſt ſeyn, daß du betrübt im Hertzen dein, als wie ein Weib vom Mann verlaſſen: das ſehr verſtoſen ſich befindt, faſt gar als ein gejagte Hind, ſpricht GOtt: ich will dich doch umfaſſen.

7. Ich hab dich einen Augenblick verlaſſen, daß ich dich erquick mit ewger Gnade und Erbarmen, wenn ich meine Barmhertzigkeit ausſchütte nahe, weit und breit, zu ſamlen dich in meine Armen.

8. Denn ſolches ſoll mir alſo ſeyn, als wie das Waſſer, da du ein getreten, einen Bund zu machen: der bleiber ſtehen innerhin, daß ich, nachdem verlobten Sinn in Liebe ſchlichte alle Sachen.

9. Und obſchon Berge gehn zu Grund, und Hügel fallen, ſoll mein Bund des Friedens von dir nimer weichen: du wirſt in der betrübten Zeit ſehn meine Hände ausgebreit, und was dein Aug erſah, erreichen.

10. Dann GOtt iſt ſelbſt dein Schmuck und Zierd, der deine Steine legen wird zum Grund des Baues mit Saphiren; die Fenſter von Cryſtallen rein, die Thore von Rubinen fein, mit Edelſtein die Gräntze zieren.

11. Und deiner Kinder groſe Zahl, gelehrt vom HErren allzumal, beſitzen Ruh und groſen Frieden: der ihnen ewig bleiben wird, weil ſie der Friedens-Fürſt regiert, u. ſie von allem abgeſchiede

12. Denn du wirſt durch Gerechtigkeit zum Opfer gäntzlich zubereit, daß keine Furcht dich mehr wird ſchrecken: denn GOtt, dein König, wohnt in dir, der wird dich ewig für u. für mit ſeinen Gnaden-Flügeln decken.

13. Denn wer nur leider dich ſich rott, wird ſelbſt ſich ſchämen und zu Spott, weil es wird ohne mich geſchehen: wer will denn überfallen dich? wer kan dir ſchaden? dieweil ich dir ſelbſter will

will zur Seiten stehen.

14. Und ob sie dir schon machen bang, daß du oft schreyest für Gesang, weil grose Trübsal noch vorhanden: hab ich es doch gerichtet aus, und sie gestosen gänz hinaus, so daß sie alle sind zuschande

15. Dann aller Zeug, der wider dich wird zubereitet emsiglich von denen, die gerott zusammen, daß sie mit ihrer Läster-Zung dir machen nur Verhinderung, den wirst du im Gerichte verdammen.

16. Das ist das Erb von mir bereit, das ist derer Gerechtigkeit, spricht GOtt der HErr, die meine Knechte: drum singen sie schon in der Zeit, in Freuden und in Traurigkeit, von ihres grosen Königs Rechte.

17. Der Winter ist nun bald davon, die Turtel-Taub verkündigt schon den Frühling, der ist im Beginnen: ob man schon hört ihr Trauer-Thon, wirds doch der Tochter von Zion noch grose Ruh und Freude bringen.

18. Des freue sich, und rühmet sehr die noch Verschlossene bisher, im Vorschmack des, was sie erblicket: und rüstet sich, zu stehn bereit, wenn ich eröffne solche Zeit, worin sie wird von Gott beglücket

56.

O Brüder und Schwestern! thut ja nicht einschlafen, ergreiffet vielmehr die Göttlichen Waffen, den Harnisch am Leibe, das Schwerdte zur Seit, und ziehet ganz freudig in Kampfe u. Streit: damit wir es wider die Feinde so wagen, zu stehen als Helden, bis daß sie geschlagen, und endlich im Trjumph die Kron davon tragen.

2. Dann ich hör im Geiste von oben erschallen, daß Babel die Stolze nun balde wird fallen, der Wächter ruft: wachet! mit Göttlicher Stim sehr hoch von der Zinnen, damit man vernimm, daß Zion nun balde zur Ruhe soll kommen, und GOtt wird erlösen die Heiligen Fromen; an Babel sich rächen, damit sie umkommen.

3. Drum freu ich mich innigst der Göttlichen Gnade, wie er mir erwiesen, daß ich auf dem Pfade der Tugenden lauffe, ganz ohne verweil, dieweil mir ist worden durch JEsum zu Theil, daß ich

kan sehr freudig im Kampffe bestehen, zum Trotz meiner Feinde, wann sie es ansehen; daß ich mit den Siegern dort werde eingehen.

4. Drum gürt ich aufs neue mein Schwerdt an die Lenden, und will noch mehr Ernste und Eiffer anwenden, dieweil es thut gelten ein ewige Kron, die Faulen die werden zum Spotte und Hohn, vom Feinde geschlagen, verwundet, gefangen; hergegen die Kämpfer im Trjumph dort prangen, dieweil sie die Krone des Sieges empfange

5. Drum auf ihr Mit-Brüder und Schwestern, zusammen! entbrennet in Göttlichem Eifer als Flammen, und werdet aufs neue ermuntert zu gehn die heiligen Wege, um freudig zu stehn als Helden, die alles um alles mit wagen, den Feinden nachjagen, bis daß sie geschlagen, so könt ihr im Siege die Beut davon tragen.

57.

O Creutzes-Stand! O edles Band! wodurch wir fest verbunden. O Bruder-Lieb! O reiner Trieb! so alles überwunden, was noch unrein, und was gemein, wird fernerhin verlieben, wann wir nur immer lieben.

2. Wir sehen zwar noch immerdar das Feuer in uns glühn; doch will nicht ganz der Lichtes-Glanz die Herzen übersiehen: dann mancher Rauch verblendt die Aug, daß man nicht frey kan sehen, wie es pflegt her zu gehen.

3. Wann Brüder rein voll Liebe seyn, einander nicht betrüben, kein Arges sehn, sich nicht aufblehn, in Demuth sich stets üben: von Falscheit frey, ohn Heuchelen, in Liebe immer brennen, und nimmermehr sich trennen.

4. Drum der du bist, O JEsu Christ! am Creutzes-Stamm gestorben, und Gottes Gunst durch deine Brunst hast wiederum erworben: viel Heil und Gnad, nach deinem Rath, wollst du uns nun mitcheilen, und unsern Schaden heilen.

5. Oft rufen wir, O HErr! zu dir, laß doch die Lieb durchdringen ein jedes Herz; obs gleich viel Schmerz dem Herzen solte bringen: mach weich und zahrt, was noch so hart, daß unsers Herzens erde voll Liebes-Früchte werde.

6. Voll Blümmelein, da jedes Schein das andre

andre herrlich mache. O Liebes-Sonn! O Gnaden-Wonn! doch bald zur Freud aufwache, damit die Blüth, die man noch sieht vor Kälte hart verschlossen, doch möge recht aussprossen.

7. Dein heller Schein hat insgemein die Glieder schwarz gebrennet, weil jedes nicht das hohe Licht an sich und andern kennet: drum brich hervor, O Licht im Flor, wie vormals oft geschahe, du bist uns ja sehr nahe.

58.

O GOtt! wie wehnig Krafft zum Durchbruch ist zu finden, daß sich zum Lebens-strohm mein Hertze könte wenden: der von des Lammes Thron ergießet sich auf die, so allhier keusch und fromm, und sich beflecket nie.

2. Und lassen sich auch schon bald einge Kräfte spühren, bald muß ich sehn, daß sie sich wiederum verlieren: da geht alsdann der Streit aufs neue wieder an, und der Affecten Dienst kommt wieder auf die Bahn.

3. O daß GOtt dermaleins den Himmel möcht zerreissen, und von den Gnaden-Thron mir neue Hülff erweisen: ich wär nicht so verzagt und muthloß in dem Streit, weil er der starcke Held mir stünde zu der Seith.

4. Immanuel, mein Freund, laß es doch nicht geschehen, mich also unterdrückt von meinem Feind zu sehen: der nun so manche Jahr bestreitet meine Seel, daß ich muß ferne seyn von dir, Immanuel.

5. O HErr! du starcker GOtt, und Schöpfer aller Dinge, ich bin die Ohnmacht selbst, und vor dir sehr geringe: ein nichts, ein Staub und Erd, ein Schatten, der vergeht; ein Graß, das bald verwelckt, wann es ist abgemäht.

6. Nur still, O liebe Seel! du must ja nicht verzagen, dann ich bin dein Patron, der dir hilfft alles tragen: du bist durchs Creuz versöhnt in meinem lieben Sohn, u. hast durch ihn das Recht zu meinem Gnaden-Thron.

7. Erwürgtes Gottes-Lamm! laß deine Gnad erscheinen in mir, und andern mehr, und bring uns zu den Deinen, auf deinen Berg Zion, zu deiner werthen Schaar, wo man dein Lob erzehlt, und dient dir ohn Gefahr.

8 Dein Gnaden-Werck, das du in mir hast angefangen, laß bald zu seinem Zweck, zu deiner Ehr, gelangen: damit deines Nahmens Ruhm, und grose Herrlichkeit, in Christo, deinem Sohn, sich ohne End ausbreit.

9. Damit Geist, Seel und Leib dir mög ein Opfer werden, zu deines Nahmens Ehr, dieweil ich noch auf Erden: das da gefällig dir, und auch geschieden sey von allem Schein und Trug, und aller Heucheley.

10. Du höchste Majestät, Anbetungs-würdigs Wesen, laß unsern schwachen Geist durch deine Krafft genesen: damit ein jeder hier das Böse überwind, das noch in Fleisch und Blut so viele Nahrung findt.

11. Dann wirst du, HErr, dein Volck in Ruh und Fried regieren, und als ein Salomo den Friedens-Scepter führen: der seiner werthen Braut, zu einem Gnaden-Lohn, wird setzen auf das Haupt die Freud-und Sieges-Krohn.

12. O wie wird alles Leid alsdann seyn gantz vergessen, das ihr im Wittwenstand so reichlich eingemessen: statt da sie war verhöhnt, wird ihr versüset seyn in jener neuen Welt der bittre Myrrhen-Wein.

13. Dann wird der Priester-Fürst das Nazaräer Leben dem Priesterlichen Stamm zum Erb auf ewig geben: die hier ihr Leben nicht geliebet bis in Tod, und blieben ihrem GOtt getreu in aller Noth.

59.

O HErr nun will ich heut dir wieder dancken, weil du mich hast geführt ohn alles Wancken, so wohl regiert, wann ich verirrt, so kam ich allzeit wieder in die Schrancken.

2. Die ich gefunden in dem ersten Zuge, da deine Lieb mir mein Gewissen schluge: in Dunckelheit fand ich die Freud, daß ich so gleich die Eitelkeit verfluchte.

3. Drum will ich jetzt es auch so frey bekennen, man mag mich drüber einen Kätzer nennen: so weiß ich doch, daß du wirst noch es richten so, daß alles hell wird brennen.

4. Dann du hast dir ja einmal vorgenommen,

zu schaffen, daß dir alles heim muß kommen: drum freu ich mich nun über dich, weil all dein Thun muß bey den Menschen frommen.

5. Und laß mich also gänzlich von dir führen, so kan ich weder hier noch dorten irren: ich lobe dich beständiglich, weil du mich pflegst in allem zu regieren.

6. Was weiter ich zu sagen, wirst du wissen: gehorsam dir zu seyn, bin ich beflissen, mein Lebenlang mit Lobgesang: diß alles deine Kinder wissen müssen.

7. Drum will ich dir vor jederman, mit diesem Singen, die Opfer-Gaben meines Mundes bringen: was kommt aus Licht, das wird gericht, nachdem es in mir ist in allen Dingen.

8. Auch will ich dir, mein GOtt, mich anbefehlen, dann du bist der Berather meiner Seelen: regiere mich, daß stetiglich dein Lob an allen Orten mög erzehlen.

9. Du gibst mir so viel Guts hier zu geniesen, daß ich muß danckend vor dir gar zerfliesen: wo ich zitterr, O treuer Hirt! so leg ich mich davor zu deinen Füßen.

10. Ich habs in deinem Rath und Bund erfahren, daß nicht hilfft Alter, oder seyn bey Jahren: es heißt der Lehr geben Gehör, so wird dein Geist sich innigst mit uns paaren.

11. Dein Gnaden-Bund pflegt immer da zu wachen, wo man die Liebe stets mit sich läst machen: ich habe auch oft diesen Brauch erfahrn in manchen schwer-und trüben Sachen.

12. Doch hats nur immer diesen Theil getroffen, der ewig hat kein Theil an GOtt zu hoffen: was Er erhebt, doch ewig lebt, und bleibt in allen rauhen Wegen offen.

14. Doch was vor harte Pressen öfters kamen, die trug ich all getrost in Gottes Nahmen gantz williglich, des freu ich mich, und spreche jetzund lobend fröhlich: Amen.

60.

O Jerusalem! du Wonne, du Stadt und Sitz, wo Gottes Throne, du Sammelplatz der neuen Welt. GOtt ists, der dich ihm erwehlt, und deine Schönheit sich vermählet, du bist zum Wunder dargestellt. Zu dir geht nicht mehr ein was unrein und gemein, noch beflecket, und nicht gekleid mit reiner Seyd im Glauben durch Gerechtigkeit.

2. Deine Thor sind von Rubinen, zum Grund die Saphir dir nun dienen, die Gassen sind von Gold gemacht: deine Mauren sind erbauet, zwölff Edelstein daran man schauet, von Crystall ist der Fenster Pracht. Du darffst der Sonne nicht, dein GOtt ist selbst das Licht, das dir scheinet. O Herrlichkeit! die dir bereit alldorten in der Güldnen Zeit.

3. Herrlich schön gantz ohne Mackel dein Heil entbrennt wie eine Fackel; Gerechtigkeit geht auf in dir. Du wirst dann GOtt lernen kennen, und er wird dich mit Nahmen nennen, und kleiden dich in Schmuck und Zier: du wirst seyn seine Kron, und dein Gnaden-Lohn, drum freue dich, die du betrübt, und oft geübt, weil du von Hertzen ihn geliebt.

4. Schöne Kleider wirstu tragen statt Trauren und statt deiner Klagen: für Asche und betrübten Geist wird GOtt salben dich mit Oehle, des wird sich freuen deine Seele, die nun noch die Betrübte heißt. Die du gesessen lang in Schmach und vielem Drang, wirst dann sagen: ich freue mich, dieweil GOtt sich mich hat erwehlet ewiglich.

5. Auch die Heiden werdens sehen, wann du in deinem Schmuck wirst stehen, und dich wirst paaren im Geschmeid: Könige werden zu dir kommen, weil ihnen du das Hertz genommen. Ja auch die Menge vieler Leuth. Weil deine Herrlichkeit, die dir GOtt hat bereit, sie beglücket. Sie werden dir in schönster Zier Geschencke bringen für und für.

6. Du Geliebte wirst dann sehen, daß Wächter werden um dich stehen, auf deinen Mauren hin und her, die den gantzen Tag nicht schweigen, den Menschen Gottes Rath anzeigen und ruffen aus die süse Lehr. Dann das ist Gottes Will, daß sie nicht schweigen still, bis gesammlet und zubereit viel Volck und Leuth zu Gottes Lob in Ewigkeit.

7. Dann der HErr hat selbst geschworen, daß

du ihm ſeyn ſoll auserkohren, und daß bey dir
ſoll ſeyn ſein Bund: nimmer wird er von dir
weichen: GOtt wird dir Heil u. Glück erzeigen,
und wohnen in dir alle Stund. Du wirſt ſein
eigen ſeyn, vor ihm gehn aus und ein in ſtolzer
Ruh, weil GOtt dich leit, und hat befreyt vons
Treibers Grimm in Ewigkeit.

8. Du wirſt jauchzen und frolocken, dein blö-
der Geiſt ſey unerſchrocken: mach Raum und
Plaß um dein Geräth: GOtt dein Heil, hat dich
erkohren, die Kinder werden dir gebohren, wie der
Thau aus der Morgenröth. Mach weit dein
Hütt und Hauß, breit deine Teppich aus, halt
dich fertig, es kommt in Eil dem groſes Heil,
Immanuel dein liebſtes Theil.

61.

JEſu! der du biſt der rechte Prieſter worden,
niemand komme ohne dich zu dieſem reinen
Orden: der Vater hat mich auch erſehn zu dieſem
Spiel, drum bleib dein Vergang mir mein
Vorbild meine Zier.

2. Nur daß ich nicht gewuſt, und mußt es
erſt erfahren, daß Adam fiel, als er ſich thät mit
Eva paaren: erſt ſtund er unter GOtt, und war
dazu gemacht, daß durch ihn würd ans Licht der
Weisheit Spiel gebracht.

3. Der Teufel mußte ſich hierüber hefftig
ſchämen, weil ihm der erſte Menſch den Thron-
ſiß thät einnehmen: allein er war gar bald auf
Hinterliſt bedacht, und hat ihn ohne Müh um
ſeine Krafft gebracht.

4. Daß er mit Eva fiel, und hat alſo verlohren den reinen Prieſter-ſtand, wozu er war erkohren: doch mußte Gottes Raht und Vorſaß
feſte ſtehn, daß das, was er gemacht, nicht ſoll zu
grunde gehn.

5. Drum fuhr GOtt weiter fort, und ließ es
ſo geſchehen, daß aus des Weibes Saam zulezt
hervor thät gehen ein Prieſterlich Geſchlecht, nach
ſeinem Sinn bereit, das wär von allem Fall in
Ewigkeit befreyt.

6. Dann GOtt war aus ſich ſelbſten nunmehr
ausgegangen, da ihn Maria hat durch ſeinen
Geiſt empfangen: und hat zu einem mal, da er

starb als ein Lamm, die Hölle, ſamt dem Tod,
beſiegt am Creuzes-ſtamm.

7. Die JEſum nun allhier, als ihren HErrn
erkennen, die können ſich mit Recht auch Unter-
Prieſter nennen: dann wer ihm ſo nachgeht, ein
Prieſter mit ihm iſt, und opfert ſo ſich auf ohn
alle Hinterliſt.

8. Und wer es alſo dann durch deſſen Geiſt
iſt worden, der kan ſich zehlen auch zu dieſem reinen Orden: ſteht im Verſöhnungs-amt mit ihm
vor ſeine Leut, und bleibt ein ſolcher auch dort in
der Ewigkeit.

9. Amen, mach du es wahr an mir und allen
denen, die dich davor erſehn, damit wir uns gewöhnen, daß wir vor GOtt ſo ſtehn, vergeben jederman, und bitten, daß ſie GOtt in Gnaden
nehme an.

Nachklang.

DER mir hat dieſes laſſen flieſen ins Herz, der
wolle auch eingieſen den Geiſt in mich, eh
ich werd alt, und mich nicht laſſen werden kalt.

2. Damit ich hier auf dieſer Erden mög völlig
zubereitet werden: bis endlich ich dahin gelang,
allwo man lobet mit Geſang.

3. Den Hohen-Prieſter, der erworben das
Heyl, als er für uns geſtorben, und uns durch
ſeines Geiſtes Krafft zum Guten machet tugendhafft.

4. O wie ſo herrlich wird es ſtehen! wann ich,
nach vielem Creuz und Wehen, werd gehen durch
das Creuzes-Thor zu dem verlobten Prieſter-Chor.

5. Amen, amen, in deinem Namen, O JE-
ſu! bring uns allzuſamen, dein vorerwehltes Eigenthum, zu deines Namens Preiß und Ruhm.

62.

JEſu! der du mich erkohren zu deinem
Schaß und Eigenthum, durch deinen Geiſt
auch neu gebohren: drum geh ich dir Preiß,
Danck, und Ruhm, O heilge Wahl! daß ich zur
Zahl gezählet, da ſein Wunder-Macht ſehr herr-
lich wird aus Licht gebracht.

2. Drum auf! und laße uns weiter gehen,
ſehe! wie der HErr ſelbſt geht voran, durch ihn
wir auch im Kampff beſtehen, daß uns der Feind
nicht ſchaden kan: dann ſeine Krafft macht uns

ſieg-

sieghafft, drum ziehen wir getrost ins Feld wider
den Teuffel und die Welt:

3. Wird uns schon offtmals angst und bange,
daß unser Geist bekümmert sehr, wenn auf uns
schießt die alte Schlange, mit ihrem gantzen Höllen-Heer durch ihren Grimm, gantz ungestümm,
so siegen wir durchs Lammes Blut, und fassen
wieder neuen Muth.

4. Kan dann der Feind so nichts gewinnen,
durch seinen Gifft und Grimmen-Wuth, so thut
er andre List ersinnen, und schleicht in unser
Fleisch und Blut, durch falsche Lust, die unbewußt den Kämpffern, die nicht werden weich, biß
sie gehn ein in Gottes Reich.

5. Da sie dann nach viel Glaubens-Proben-
ererben, was ist beygelegt, und gehen ein den
HErrn zu loben, wo jedes seine Krone trägt, die
sie erbeut't, hier in dem Streit. Drum freu ich
mich in meinem Sinn, daß ich auch mit gezählet bin.

6. Und laß nicht ab im Kampff zu ringen,
und währt es schon die gantze Nacht, dieweil ich
werde helffen singen mit denen, die zusammen
brächt, von Abrahams Saam, die sich das Lamm
erkauffet hat mit seinem Blut, drum fasse ich oft
neuen Muth.

63.

O Kinder der Liebe mit reiner Begier! kommt
schließet den Bunde in Göttlicher Zier, gebt
schöne Exempel, und schmücket den Tempel mit
Mayen der Liebe in himmlischer Zier.

2. Die Erstling der Garben zu bringen ihm
dar, mit freudigem Hertzen zum reinen Altar, mit
heiligem Singen, und lieblichem Klingen, mit
brennenden Lichtern hell leuchtend und klar.

3. Drum stehen wir billig den gleissenden
Schein, so glänzt wie Golde; doch aber nicht
rein, im innern Grunde: O! trüglicher Munde,
der öfters zerstöret die Liebes-Gemein.

4. Es schwächet den Glauben und bringet
Verdruß, und raubet die Kräffte zum Liebes-Genuß, die sich uns darreichen, und lassen nicht
weichen zu gehen die Wege gäng ohne Verdruß:

5. Drum schmücken die Kinder der Liebe sehr
schön den Tempel mit Liebes-und Lobes-Gethön,

den König von oben mit Freuden zu loben, damit es erklinge gantz herrlich und schön.

6. Sie jauchzen und spielen inwendig vor ihm,
daß niemand vernehme den heimlichen Sinn der
göttlichen Seelen, was sie ihm erzählen; drum
bringets nur Segen und lauter Gewinn.

7. So daß sie fort wachsen in völligem Safft,
weil in sie einfließet viel göttliche Krafft von Strömen der Liebe, durch himmlische Triebe, die in sie
der König des Himmels verschafft.

8. Drum treten sie immer in Liebe voran,
und lauffen mit Freuden die Göttliche Bahn:
und wandeln vorsichtig, von Hertzen aufrichtig,
zu folgen ihr'm König, dem trefflichen Mann.

9. Und werden nicht müde zu folgen ihm nach,
und wanns auch schon gehet durch Schande und
Schmach: dieweil er zu gute vergessen sein Blute,
vor alle, die treulich gefolget ihm nach.

10. Die gehen nicht irre, so treten die Bahn,
weil selbsten der König thut gehen voran: und
schencket auch Kräffte zu seinem Geschäffte, gantz
freudig zu gehen die Göttliche Bahn.

11. Und werd ich auch öffters gelassen gantz
leer, daß Säffte und Kräffte versiegen in mir:
wann trocken die Quelle im Hertzen und Seele,
und in mir verschlossen das göttliche Meer.

12. So daß ich empfinde viel Leiden und
Schmertz, wenn dringen die Wehen durch Geiste
und Hertz: daß traurig ich sitze, und fühle kein
Stütze, weil JEsus mein liebster verbirget
sein Hertz.

13. So spür ich doch wieder den lieblichen
Winck, wenn ich mich inwendig in Staube ersinck, dann thut er wegnehmen mein trauriges
Grämen, so daß ich auch nimmer die Schmertzen gedenck.

14. Auch werd ich im Geiste sehr offte erfreut,
wenn ziehen die Geister sehr muthig in Streit,
umkleidet mit Segen, dem Feinde entgegen; erwerben im Siege die köstliche Beut.

15. Und werde im Glauben gantz kräfftig gemachet, wann trefflich ausziehen die Kämpffer zur
Schlacht: und schlagen mit Freuden die Feinde
zur Seiten, und jauchzen im Siege mit herrlichem
Pracht.   16.

16. Und rühren mit Freuden die Saiten der Lieb, dem König zu Ehren aus heiligem Trieb: der's lässet gelingen; drum können sie singen, mit jauchzen und rühmen vom Göttlichen Sieg.

17. Drum kommet mit Freuden, ihr Seelen im Bund, eröffnet die Herzen mit lobendem Mund: und schönesten Weisen, den König thut preisen: verehret und rühm't ihn all' Tage und Stund.

64.
O Leben! das da ewig währet, das nichts von seinem Abgang weiß, das mir die Liebe hat bescheret: was geb ich dir vor einen Preiß? wer kan doch wohl den Werth aussagen, den dem die Lieb pflegt beyzutragen, den nach viel ausgestundner Buß erfreut ihr seligster Genuß.

2. Wie lange bin ich schon geloffen um dich, du edles Kleinod du, in wie viel Schmerzen, Dulten, Hoffen gesehnet nach deiner Ruh, da oft ermüdet vor Verlangen, und bald vor Leid wär gar vergangen, in dem der bittre Liebes-Schmerz sehr hart gedrückt mein mattes Herz.

3. Wie hast du mich so überschwemmet, ich leb und weiß oft selbst nicht wie, was ist's? das diese Quelle hemmet, die mir stets fließet ohn Müh: jemehr sie sich in mich ergießet, jemehr wird alles Leid versüßet, jemehr gepresset und gedrückt, jemehr von oben her beglückt.

4. Mein Leben kommt nun aus dem Sterben, jemehr Verlust, jemehr Gewinn, wo alles scheinet zu verderben, da wächst der tapfre Glaubens-Sinn, der bloß im Nichts-seyn ist gegründet, und in demselben alles findet, wo alles ganz zu Boden liegt, wird Teufel, Welt und Sünd besiegt.

5. Drum soll mein Herz nun stetig loben den, der mir schien so hart zu seyn, und in den bittern Leidens-Proben mich oft gelassen ganz allein: damit die falsche Lieb verzehret, Glaub, Hoffnung und Gedult bewähret, dabey das Herz in GOtt gegründt. O Liebe! die nichts überwindt.

6. Sie ist auch an dem Creuz erstorben, und ward ins Grab hinein gesenckt, wodurch sie endlich uns erworben ein Leben, das nicht wird gekräncket von Jammer, Leiden, Schmerz und Bangen,

den, dann es ist von dem Tod erstanden, und in das Heil'ge gangen ein, da wird des Streites Ende seyn.

65.
O machet euch bereit! die ihr, nach Gottes Wahl, auch mit berufen seyd zu der geheimen Zahl: laßt eure Willens-macht sich durch das Eine binden, so weicht der Seelen Nacht, das Stückwerck muß verschwinden.

2. Erweckt Gelassenheit, laßt durch diß sanfte Oel den Geist der Ewigkeit beleben eure Seel: so findet ihr das Ziel und Centrum in dem Leben, der sieben Geister Spiel, die vor GOtt immer schweben:

3. Ja mehr, das Angesicht der Gottheit wird erblickt in unverfälschtem Licht, worzu niemand geschickt: als nur die reine Braut, die aus dem Staub erhoben, und ihrem Mann vertraut, nach abgelegten Proben.

4. Sie zieret der Engel Heer sie ist ihr Perlen-schein, wodurch der Engel Chör ins Licht gekleidet seyn: ja selbst, was diese Welt noch Gutes in sich heget, und was sie noch erhält, hat sie darein geleget.

5. Und dieser Ungrund ist sehr tief in uns versenckt, den auch des Feindes List niemalen hat gekräncket: doch wann der reine Geist sich in dir offenbaret, so sorge allermeist, daß Demuth dich bewahret:

6. Drum O du Wasserquall du neuer Gnadenbund! beschwemme überall den herben Feuergrund: komm Sophia, tingir die magre Herzenserde, daß sich die Kält verlier, und alles fruchtbar werde.

7. Dann wird erst offenbar des reinen Geistes Bild, das lang verborgen war, im Abfall eingehüllt: und weil der Wille rein, und in sich ist ersuncken, so ist des Feuers Pein im Wasser-quall ertruncken.

66.
O! Sanffte Ruh, O! Herzens-Freud, die man genießt schon in der Zeit, wann unser Geist wird hingerückt zu GOtt, daß er vor Lieb entzückt, und so im Schauen siehet schon hinein,

wo

wo Gottes Volck in Freud wird herrlich seyn.

2. Jerusalem, du Gottes Stadt, dein Schönheit mich bewogen hat, dieweil ich dich im Geist geschaut, wie du so herrlich schön erbaut: drum ich von Hertzen sehr verlangend bin, daß ich bald völlig werd genommen hin.

3. O! theures werthes Gottes-Lamm, der reinen Seelen Bräutigam, weil du der keuschen Jungfrau'n Sohn, drum beug ich mich vor deinem Thron und gebe dir von Hertzen willig hin den tief gebeugten und verlobten Sinn.

4. Ich werde schon im Geist gewahr, daß bald angeht das Jubel-Jahr, da die verlobte Jungfrau'n-Zahl mit JEsu hält das Abend-Mahl, was Freuden-Wonne mich schon jetzt erquickt, dieweil ich solches hab im Geist erblickt.

5. Drum eil ich, daß ich komm zu End, und so mit Freud den Lauff vollend, damit ich auch gesammlet werd zu denen, die allhier auf Erd erwürget, und nun schon im Warten stehn, daß sie empfangen uns, wenn wir eingehn:

6. Ins obere Jerusalem, da sich gesammlet die zwölf Stämm Israels, die gefolget mit dem Lamme hier auf jeden Tritt: drum spielen sie schön an dem gläsern Meer mit Gottes Harffen ihm dem Lamm zu Ehr.

7. Halleluja! gelobt sey der, ein mächtig und wahrhafftiger, der uns durch Lieb gezogen hat, daß wir erfahren seinen Rath: drum singen wir aus vollem Hertzens-Grund, und dancken ihm dafür zu jeder Stund.

67.

O Segens-voller Ueberfluß! so quille aus Gottes Hertzen gleich einem starcken Wasser-Guß, und treibe weg allen Schmertzen: mache leicht die sonst so schwere Last, und nimm hinweg den Hertzens-Prast.

2. Ergieß doch auch in meine Seel den angenehmen Regen, du sanft und süßes Liebes-Oel, ertheil mir deinen Segen: verschaff, daß meine Lampe brenn, und ich mich selber recht erkenn.

3. Die Dunckelheit der trüben Nacht wird ja durch dich vertrieben, das Harte wird geschlacht gemacht durch dein so zartes Lieben: wie offt ers

quicket Hertz und Muth die angenehme Gnaden-Fluth.

4. Es mangelt hier auf keiner Seit, sein Licht uns stets erleuchtet, sein Wasser auch zu rechter Zeit das dürre Hertz befeuchtet, und was verschmachtet ist, erfrischt, sein Feuer bey uns nie verlischt.

5. Ist diß nicht Gottes Brünnelein? daraus ehmals getruncken die Patriarchen ins gemein: ist diß nicht auch der Funcken, der oft ihr Hertz entzündt so gar, daß keiner wußte, wer er war.

6. Ein jeder war in den verliebt, der noch nicht war erschienen: was ists dann? das uns noch betrübt, jetzt können wir ihm dienen, dann der ist nun ans Licht gebracht, wornach die Väter lang getracht.

7. Ach! aber ach! O grosses Leid! jetzt will den niemand kennen, der unsert halben allezeit in heisser Lieb thät brennen: auf den sie hofften insgemein, muß jetzt ein Gast und Fremdling seyn.

8. Er wird ja von der gantzen Schaar zum Creutzes-Tod verwiesen, und die ihn liebten immerdar, auch damals ihn verliesen: O unerhörte Liebes-Pein! bis in den Tod getreu zu seyn.

9. Das Warten war der Väter Noth auf den, der jetzt gekommen: wir klagen an den bittern Tod, und daß er uns entnommen. O Schmertzen-volles Liebes-Spiel! du hast hier weder Maaß noch Ziel.

10. Zuletzt wird doch das Gottes-Lamm, so hier auf dieser Erden geschlachtet ward am Creutzes-Stamm, noch hoch erhoben werden: dann dem erwürgten Lämmlein gebühret Lob und Ehr allein.

11. Drum auf, O werthe Zions-Heerd! gedenck an dessen Treue, der uns erkauffet von der Erd, auf daß er uns erfreue mit seinem Trost in jener Welt, wann diese Hütt darnieder fällt.

68.

O Unbegreifflichs Gnaden-Licht! das mir zur Zeit der Mitternacht erschienen, und hat mich reichlich unterricht, wie ich soll GOtt im Geist und Wahrheit dienen: nun nahet sich die frohe Zeit, da Frieden Ruh und Sicherheit wird mei-

nes

nes Hertzens Sehnen stillen, und GOtt wird meine Bitt erfüllen.

2. So offt die reine Gnaden-Fluth den müden Geist auf seiner Reiß erquicket, so offt verspielet Fleisch und Blut, und wird in seinem Leben unterdrücket: dann niemand gehen kont zuvor durch dieses fest verschlossne Thor, bis JEsus selbst den Todt gerochen, und hat die Schiedwand abgebrochen.

3. Zwar sprach dort David im Gesicht: man soll des Lebens Thore weit aufmachen: doch kont er gleichwohl selbsten nicht vernichtigen des Todtes Gifft und Rachen: es bliebe stehen das Gericht, bis JEsus selbst den Streit geschlicht, da ging er ein mit denen Chören, die GOtt in reinem Geist verehren.

4. Mein treuer JEsu! hilff mir doch, und lasse mirs in meinem Streit gelingen, damit ich mög das Sünden-Joch in meinem Leben nach allhier bezwingen, das in sich keine Nahrung hat, und meinen Geist machet satt: dann wo das Fleisch nicht wird gekräncket, da wird kein Trost uns eingeschencket.

5. Drum ist es schwer und mühesam zu dringen durch, weil uns die Zeit verschlungen: der Eindruck-fehlet, wie das Lamm ist durch den Todt zum Leben eingedrungen, und hat die Welt mit GOtt versöhnt, da es mit Dornen ward gekrönt, und auch zugleich die Feind gebunden, und Todt und Hölle überwunden.

6. Dann als uns alle hat behört die Schlang durch das vergiffte Persen-Stechen, da ward des Geistes Krafft verzehrt, daß wir nicht konten ihr den Kopff zerbrechen: drum hat im Blut-gefärbten Kleid, das Adam, da er in die Zeit verwiesen wurde, mußte tragen, das Lamm den alten Feind geschlagen.

7. Diß ist die schwere Last und Bürd; so lang wir solche an uns müssen tragen, die Sünd nicht gar erödtet wird, und pflegt das Creutz am Hertzen uns zu nagen: bis wieder ist in Todt gebracht, was war in Adams Fall erwacht, und das, so hier in Schmach und Schanden war eingewickelt, auferstanden.

8. So hab ich nun in mir zernicht, was mich beschwert und quält in den Gedancken, weil es dem Glauben wiederspricht, und läßt mich bleiben nicht in denen Schrancken, worauf mein Aug allein gericht, und weil mir stets Licht gebricht in Gottes Wegen, die verborgen, wird er am besten vor mich sorgen.

9. Wir hoffen darauf allzumal, daß das verdrißlich Bild, so nicht ersehen von GOtt in der Genadenwahl, entseelet einst wird zur Verwesung gehen. Es hat ja anderst keinen Grund, als daß es stets den Geist verwund, und legt im Stricke, Netz und Banden, dann es ist auser GOtt entstanden.

10. Ich hab nun fest bey mir bedacht, nach Gottes Rath den schmalen Weg zu wallen, und will nicht höher seyn geacht, als die, so vor mir haben GOtt gefallen: die danckten ihm in Leid und Freud, und haben sich auch nicht gescheut, sich hier als Fremdlinge zu tragen; dort wird ihr Zweig zur Frucht ausschlagen.

11. Und ob das Fleisch schon öfters träg, so will ich mich doch unermüdet üben, zu überwinden sein Gehäg, und will dabey beflissen seyn zu lieben: wanns auch schon offt dem Geist gebricht; daß er im Blut besudelt ligt, so wird doch GOtt in meinen Sachen zuletzt ein gutes Ende machen.

12. Dann Simsons Geist ist aufgewacht, und hat die Strick und Band der Fünsternüssen, als er besiegt der Höllen Macht, wie eine schwache Schnur entzwey gerissen. O was vor eine grose Schaar! die ehmals hart gebunden war, und nicht zur Freyheit kont gelangen, ist da zum Kercker ausgegangen.

13. So hat sich dann das Gnaden-Wort uns eingeleibt und Gottes Huld erworben: nun ist zersprenget der Höllen-Pfort, und auferweckt, was lag im Todt erstorben. Der Held hat durch des Creutzes Krafft besiegt die hohe Ritterschafft, die Adam hat zum Fall bewogen, und hat sie nackend ausgezogen.

14. Er wird auch noch die stolze Stadt zuletzt mit seinen Füsen gar zertreten, die sich so hoch gesetzt

448 seget hat, daß ihre Macht muß jederman anbäten: als dann wird er geringe Leut, vor denen jeder sich geschent, und die veracht in diesem Leben, mit Ehr und Herrlichkeit erheben.

15. Da werden in den Staub gebückt anbätend endlich alle kommen müssen, die sie zuvoren hart gedrückt, und legen sich daselbst zu ihren Füssen, und sagen: GOtt hat euch geliebt, weil ihr zur Zeit, da ihr betrübt, und von den Feinden hart geschlagen, nach seinem Namen thätet fragen.

69.

O was manche schöne Zeiten werden hier so zugebracht, da nicht wird an GOtt gedacht, bis daß seine Freundlichkeiten wachen auf im innern Grund, und uns Gottes Rath wird kund. O leidende Liebe, die ewiglich währet, wann wir in Gedult sind am Creutze bewähret.

2. Darum will ich immer trachten, daß in mir schon hier auf Erd GOtt und Mensch vereinigt werd, und besiegt die finstre Machten, daß ich vor so lange Zeit mußte seyn von GOtt gezweyt. Weg Zweyheit, komm Einheit, darinnen gefunden, daß wir oft geniesen so selige Stunden.

3. Wer sich hat durchs Creutz verbunden in den Tod mit JEsu Christ, dessen Saat gesäet ist: das sind hochbeglückte Stunden, dann da bringe das Gnaden-Licht alles Gute ins Gericht. Das Schnauben der Feinde wird da nicht gehöret, wo Gutes und Böses im Feuer verzehret.

4. O ihr Brüder auserlesen! die ihr haltet Gottes Bund, und im Geist noch seynd gesund: freut euch, die ihr oft gewesen traurig in der Thränen-Saat, bald erquickt euch seine Gnad. Wir haben die Tiefe des Abfalls gemessen, und dörfen bald Früchte des Paradieß essen.

5. Wann die Knaben sich ermüden, und die Jüngling fallen hin, bleibt der ausgeleerte Sinn unverrückt in seinen Schrancken: dann so lernt man in der Still das zu thun, was Gottes Will. O heilige Wege! was soll ich noch sagen? wie eng ist die Thüre? man muß es nur wagen.

6. O du grose Gottes-Fülle! O du allerreinste Zier! wer dir zahlet für und für die Gelübde in der Stille, dem wird mehr, als er gedenckt,

Heil und Segen eingeschencket. O heilige Eintracht! wann Zweyheit verschwunden, so haben wir ewiges Leben gefunden.

7. Und weil wir uns hingegeben um das ewig bleibend Gut! fiel zwar öfters uns der Muth, weil der Tod herrscht in dem Leben; aber wann uns unsre Braut wieder freundlich angeschaut: so machten wir öfters viel Lobes-Getöne, und preißten Jerusalem herrlich und schöne.

8. Bis wird endlich alles werden wieder bracht nach Gottes Rath, was sich selbst gezweyet hat, und die Bäum der neuen Erden werden voller Blüthe stehn, mit Verwunderung zu sehn: daß selbsten die Blätter, gewachsen im Leiden, gereichen zum Wohlseyn und Segen den Heiden.

9. Ob zwar Leiden uns noch drücken, rückt doch Gottes Reich heran, und der Trost ist auf der Bahn, die Elenden zu erquicken, wann die auserwehlte Schaar dienet GOtt und dem Altar. Dann werden die eigne Altäre und Höhen, die nicht in der Tiefe gegründet, vergehen.

10. Dann wird die, so jetzt in Schande, alle Höhen, Berg und Hayn, die so voll Altäre seyn, gantz vertilgen aus dem Lande, daß nicht mehr zu sehen sey Priester, Altar und Gebäu. O selig! wer in die Verpflantzung gekommen, und leber auf Erden sich selber entnommen.

11. Obschon manche Kirchen-Zäune nunmehr werden auferbaut, wo man Kirchen-Häuser schaut: ist doch Gottes Berg alleine über alle Berg erhöht, weil er in der Tiefe steht. Was noch nicht zu Staube und Asche ist worden, besieget mit nichten die feindliche Pforten.

12. GOttes Kirch ist in der Stille, wer noch wancket hin und her Schrancken-loß, betrügt sich sehr: dann im Hertzen wohnt die Fülle; in sich selbsten eingekehrt heißt: von GOtt selbst seyn belehret. Und solte GOtt seine Geliebte verlassen, die also im Glauben ihn ernstlich umfassen.

13. Endlich dann, wann alle Heyden fragen nach des HErren Nahm, wird der Hirt aus Juda Stamm sie, als seine Heerde weiden: und wann so das Abend-Licht hat erleuchtet ihr Gesicht, dann werden die Winde des Geistes dreix

wehen,

wehen, und machen die Todten zum Leben erstehen.

14. O wie hab ich angehalten Tag und Nacht mit vielem Flehn! erust den frohen Tag zu sehn, da die mancherley Gestalten, die in Babel aufgewacht, wieder all in Eins geb acht. So kommen dann endlich die selige Stunden, da das, was verlohren, ist wieder gefunden.

70.

O! Was ein betrübtes Leben hat ein Christ, O! was Zwist, den man nicht kann heben, weil das eigen Sünden-Leben noch nicht tod, O was Noth! wer sich GOtt ergeben.

2. Weil ganz muß zernichtet werden unser Wohl, daß so voll von dem Trost der Erden. Dieses macht offt bittre Klagen, wann man schon, so viel Hohn, und von GOtt geschlagen.

3. Weil man sich noch offt hin neiget, wo die Pflicht im Gericht machet tief gebeuget. Dieses bringet so viel Wehen, weil der Schein, der nicht rein, ganz muß unter gehen.

4. Dann das alte Sünden-Leben, das nun ligt im Gericht, muß im Elend schweben, und sein schwer Gerichte tragen. Doch ist drin viel Gewinn, wann man bleibt ohn Klagen.

5. Es ist doch kein andre Gnade, als daß GOtt mit viel Noth unser Herz belade. Weil uns so das Heil erworben JEsus Christ, der da ist an dem Creuz gestorben.

6. Es ist unser Trost im Leiden, weil zugleich er sein Reich uns so weit bescheiden. O wie muß nun alles frommen! weil mich hat diese Gnad wieder aufgenommen.

7. Bey den Lieben und Bewährten, die getaufft, auserkaufft von der Last der Erden. Die im Leiden treu geblieben, und ganz rein ohne Schein sind ins Buch geschrieben.

8. Drum befleiß ich mich aufs Beste, daß mein Kleid weisser Seid sey beym Hochzeit-Feste. Und wann ich also geschmücket, hab ich Theil an dem Heil derer, die beglücket.

9. Und die hier ganz ohne Tadel, tragen schon ihre Kron in sehr hohem Adel. JEsus, der so vergegangen, vor GOtt steht, hoch erhöht, durch viel Creuzes-Drangen.

10. Ihm gebührt allein die Ehre, weil er Hirt, und hin führt, wo die grose Heere, die Ihm hier sind nachgelauffen, durch viel Noth, biß zum Tod, O! was schöne Hauffen.

11. Als die vorerwählten Schaaren, in viel Leid, hartem Streit, ihren Schmuck bewahren; Wo die Jungfrauschaff erringen durch viel Fleiß, Todes-Schweiß, haben durchgedrungen.

12. Lob und Preiß sey dem gegeben, der da kam als ein Lamm, und hingab sein Leben: und uns wieder neu gebohren, Engel-rein, durch viel Pein, da wir warn verlohren.

13. O du Ungrund ew'ger Gnade! wo, wie dir folgen hier auf dem Lebens-Pfade: da wird das Verlorne funden, wo das Herz in viel Schmerz wird mit GOtt verbunden.

14. Jetzund ist das lange Sehnen wie dahin, mit Gewinn, und die viele Trähnen haben nun ihr Ziel gefunden, wo man sich ewiglich findt mit GOtt verbunden.

71.

O Was ein vergnügtes Leben hat ein Seel in der Still! die sich GOtt ergeben! die sonst keine Sorgen heget, als nur die, daß sie die Christi Creuze träget.

2. Bringet es gleich viele Schmerzen, dieser Welt, Ehr, und Geld, sagen ab von Herzen: aller Freundschafft ganz entsagen, und allein, ohne Schein, Christi Schmach hier tragen.

3. O so ist's doch nicht zu sagen! was Genuß wahre Buß endlich thut beytragen deme, der da im Glauben beharret, lebt ohn Schuld, in Gedult, keinen Eifer sparet.

4. Dann GOtt selbst, mit seinen Schätzen, ist sein Lohn, seine Kron, nichts kan ihn verletzen: Schmach, Verachtung, Spott und Schande, sind Zehr-Geld, in der Welt, zu dem Vatterlande.

5. Was kan solcher Seele schaden, die das Leid, und die Freud, hält in gleichen Graden: nichts kan solche mehr betrüben, dann was kommt, sie nur frommt, weil sie GOtt thut lieben.

72.

O Was Frieden wird man finden in dem Reich Immanuel: alles mag im Tode verschwinden,

den, wann nur bleibt des Glaubens Oel: Einer wird den andern lieben, und sich immer darin üben seine güldne Ehren-Kron darzu-
legen vor den Sohn.

2. O ihr Kinder allzusammen! lobet mit den
Wunder-GOtt die ihr seyd des Geistes Saamen,
und der Welt ihr Lied und Spott. Zeiget rechte Glaubens-Thaten, geht einher in Krafft und
Gnaden: und im freyem Helden-muth kämpfet
recht bis auf das Blut.

3. Er wird uns die Müh wohl lohnen, wann
die Zeit der Erndte bricht an: laßt uns selber uns
nicht schonen auf der rauhen Creutzes-Bahn.
Biß wir endlich dahin kommen, wo das Creutz
wird abgenommen, und der Streit zu End wird
seyn, dann geht man zum Frieden ein.

4. Ewig wird die Freude währen in des Königs Himmels-Zelt, da die viele Himmels-Chören, und die Krantz der Engel-Welt. Da hört
man mit schönsten Weisen all das kümmleit
GOttes preisen. Hallelujah Danck sey dir, unserm König für und für.

5. Was ein herrlichs Jubiliren hört man nicht
dort in dem Land, da die Helden triumphiren an
des gläsern Meeres Strand. Da wird man die
Harffen hören, und die Braut den König ehren
mit vergnügtem Lob-gesang, und gar wunder-
schönem Klang.

6. Die Gespielen ihn nun preisen in des Königs Hochzeit-Saal, mit viel schönen Wunder-
Weisen bey dem grosen Abendmahl. Da die
Braut schön ausstaffiret, mit sehr feinem Gold
gezieret; auf dem Haupt trägt ein Kron, als
verlobt des Königs Sohn.

7. O Ihr Fürsten-Töchter! sehet, seht den
König euren Held, wie er euch entgegen gehet in
dem weissen Lilien-feld: er will euer nicht ver-
missen, eure Unschuld will er küssen. Gebt ihm
Geist, Hertz, Seel und Mund, und bewahrt den
Liebes-Bund.

8. O ihr schöne Sarons-Blummen! und ihr
weisse Lilien all: ich bin kleiner selbst entnommen,
weil ich bin im Röschthal meines Liebsten, der
mich liebet, und sich uns zu lieben giebet auf die

angenehmste Weiß: Hallelujah, Lob und Preiß.

73.
Wie thut mein Hertz sich sehnen nach der
stillen Ewigkeit! ein zu gehen bald mit denen,
wo vergessen alles Leid.

2. Die sich GOtt durch Creutz und Schmertzen und viel Elend auserwehlt: daß sie werden
rein im Hertzen, leben, wie es GOtt gefällt.

3. Drum wohl denen! die nicht weichen hier
von dieser rauhen Bahn: bis sie mit dem Sieges-Zeichen werden dorten angethan.

4. Dann das Creutz, das sie hier tragen, ist
des Königes Gefährt: der sie durch des Creutzes-
Zagen machet rein, wie Gold, bewährt.

5. Drum will ich ihn hertzlich loben hier schon
in der Sterblichkeit: weil er durch so hohe Proben uns gebracht zur Seligkeit.

6. O wie freuet sich mein Hertze! weil GOtt
meinen Trauer-Stand und mein langes Leid und
Schmertze hat in lauter Freud gewandt.

7. Dorten wirds erst besser werden, wann die
gantze Sieges-Schaar wird in GOtt erhöhet
werden, ihn zu loben immerdar.

74.
Was Freude wird genossen in der stillen Einsamkeit! wo man stetig unverdrossen bleibet
Gottes-Winck bereit: da in stiller Hertzens-kammer man vergessen allen Jammer, und in des Geliebten Schooß ruhet, aller Sorgen loß.

2. Alle Welt mit ihren Schätzen mag in Ewigkeit so nicht eine Seel so viel ergötzen, als hier oft
im Blick geschicht: als hier oft in sanfter Stille
wird genossen in der Fülle, wo, was uns auch
sonst gekräncki, wird als wie in Tod versenckt.

3. O du angenehmes Leben! wo die Welt
und alles schweigt, wer sich GOtt hat gantz
ergeben, Erd und Himmel übersteigt: nichts kan
dem die Liebe rauben, die gebohren durch den Glauben, zu dem Leben, das da bleibet ohne Abgang,
End und Zeit.

4. Was durchs Creutz ist ausgebohren, und
in siebenfacher Prob einmal, als das Gold, erkohren, stehet da in Gottes-Lob: den kans Feuer
nicht verzehren, noch des Wassers Fluth ver-
heeren.

heeren, wärs auch selbst des Todes Pein, kan
ihm doch nicht schädlich seyn.

5. Dieses Leben kan eingehen durch die enge Gnadenthür, die ihm zwar wird offen stehen, wenn es hier für und für hat gestritten und gerungen, und durch Christi Macht bezwungen, Teufel, Tod, Sünd, Höll und Welt, die ihm oft viel Netz gestellt.

6. Ich bin nunmehr ohne Sorgen, um den Himmel, um die Welt, lebe nur mit GOtt verborgen, wo mir alle Füll zufällt: keines kan mir dieses geben, was das GOtt-verborgne Leben mir beyträger in der Still aus der reichen Gnaden-füll.

7. Wenn man sich nur selbst verlassen, und in Gottes Will ersenckt, findet man die Friedens-straßen, wo man sich auch nur hinlenckt: aller Schmerzen, Nothe und Jammer, in der Höll und Todes-kammer, rühret her vom Eigenwill, der kan nimmer werden still.

8. Wer sein Leben GOtt ergeben, ohn Gesuch in eigner Wahl, ihm wird stets zu Ehren leben, und gehört zur Engel-zahl: da ein jeder hat an Allen, und nicht an sich selbst Gefallen, mit vereinter Harmonie, und der schönsten Melodie.

9. Loben GOtt stets ohn Aufhören, mit dem gantzen Himmels-heer gehen sie in schönen Chören: was solt man wohl wünschen mehr, als mit so viel Wunder-weisen Gottes Güt und Langmut preißen. Wer solt nicht erstaunet stehn? diese Wunder an zu sehn.

10. Wann der König da wird stehen, schön gezieret in güldnem Pracht, und die Jungfrauen einher gehen all in weisser Kleider-tracht: wunderherrlich ausgezieret jedes seine Harfe rühret. O was Freude geht da an! lobe, was nur loben kan.

11. Freu dich Erde, und ihr Himmel, weil die gantze Creatur wird bald frey von dem Getümmel, auf die Kranckheit folg die Cur: es wird alles nun verneut, und vom Fluch und Bann befreyt, da nun wird auch kein Tod mehr seyn, GOtt wird alles seyn allein.

75.
O Was ist des Menschen Stand! eitel Trug und leeres Meinen, wann man alles ange-

wandt, was das Beste pflegt zu scheinen, ist es doch nur Menschen-Tand, und sehr weit vom Christen-Stand.

2. Auf der schmalen, Creutzes-Spur ist viel Rechtens sie entstanden, weil der Geist u. die Natur sind einander Protestanten: wann die in uns werden reg, sind wir immer uns im Weg.

3. Wann wir öfters lang getracht nach dem Ziel, das vorgeleget, wird es wieder bey uns Nacht, wann sich eigne Liebe reget: wer mit ihr noch ist behafft, hat zum Reißen wenig Krafft.

4. O wie manchen hat sie nicht wiederum zurück gewendet, und mit ihrem falschen Licht unter gutem Schein verblendet: weil sie auch vom Christenthum pflege zu machen grosen Ruhm.

5. Ach der falsche Antichrist hat in diesen letzten Tagen sich in Heucheley gebrüst, und weiß viel von GOtt zu sagen: wer ihn aber recht betracht, findt an ihm der Huren Pracht.

6. Weil der Weg ist sehr beträngt, der zum Baum des Lebens führet, wird das Fleisch mit recht gekränckt, und mit dem Gesetz regieret: wer die Stäupe tragen kan, gehet ein in Canaan.

7. Mein verliebter Geist sich sehnt nach dem Ursprung aller Dingen, dann ich bin mit GOtt versöhnt, darum läßt er mir's gelingen: gehts schon durch der Höllen Pfort, komm ich doch an meinen Ort.

8. O wie manche gute Zeit pflegt man hier im Ruf zu wandeln! und ist nicht von sich befreyt, kan sich nicht zu wider handeln: weil man bey sich selbst zu Haus, und nicht von sich gangen aus.

9. Viele sehen von sich ab in das Grab, wo andre liegen: O der allzu schlechten Haab! freude Sünd und Mängel rügen, ich will nach der liebe Sinn solches alles legen hin.

10. O ich lobe Gottes Gnad! der bisher in allen Sachen mir hindurch geholffen hat: endlich wird er doch noch machen, daß ich halte treulich aus in dem letzten Kampff und Strauß.

76.
O Wie bin ich erfreut! daß mich die Gnaden-Zeit hat aufgenommen: und daß ich in die Wahl der keuschverlobten Zahl allhier gekommen.

2. Nun wird aufs allerbest aufs nahe Oster-Fest der Schmuck bereitet: wann an dem Jubel-Jahr wird die erkauffte Schaar nach Haus geleitet.

3. Drum rufft uns JEsus zu, auf daß die Sabbaths-Ruh niemand verfäume: damit nicht, wann die Braut ihm einstens wird vertraut, er schlaf und träume.

4. Es freu sich Ephrata, der Hochzeit-Tag ist nah, wer wills verwehren: daß nicht die Stimme bald man wird in unserm Wald mit Freuden hören.

5. Kommt in des Königs Saal, kommt zu dem Abendmahl; es ist bezwungen des Feindes Gifft und Neid: nun wird in Ewigkeit GOtt Lob gesungen.

77.

O wie so froh bin ich gemacht! daß nun der Tag gekommen, wo von der Geist so lang gesagt, daß Brüd'r und Schwestern kommen, und breiten aus, zu JEsu Ruhm, das ewig Evangelium, das uns hat GOtt gegeben.

2. Nun werden wir versammlet seyn, wie dort geschah auf Pfingsten, zur Ehr der ersten Christen G'mein, wie wohl wir die geringsten. Und brechen auch zugleich das Brod, verkündigen des HErrn Todt, der vor uns ist geschehen.

3. Dann draußen vor der grosen Stadt hat er die Schuld gebüset, das hat den Kläger abgematt, und Gottes Zorn versüset: der Kläger kam in Spott und Schand, die Menschheit that ihm Widerstand, die JEsus angenommen.

4. Drum als erbaut ein Gottes-Hauß von so viel theuren Seelen, da ward der Geist gegossen aus, wer kan das all erzehlen. Wir leben würcklich hoch davon: Danck sey dem ew'gen Gottes-Sohn, daß wir den Bund erlanget.

5. Den GOtt, durch seine grose Gnad, in Christo uns gegeben: wer in Gehorsam diesen hat beehret, kommt zum Leben: dann dem, der wird getauffet hier von Gottes Kindern, muß die Thür des Lebens offen stehen.

6. Dann wird der ausgegossen bald, wovon Johannes lehret, und überschatten jung und alt: wer aber sich nicht kehret an diesen sanfften Wasser-Bund, bleibt Rath- und Schutzloß zu der

Stund, wann GOtt die Welt wird richten.

7. Wir werden endlich dort erfreut, die hier in diesen Banden, in einer solchen freyen Zeit, in ihrer Prob bestanden: die durch die Krafft von oben hier besiegt ihr böses Menschen-Thür, die werden sie sich freuen.

8. Die Wunder von der neuen Welt hat uns der Geist entsiegelt, der alle Wunder in sich hält, und sich in uns bespiegelt. Der Mutter Zeiten sind erwacht, ihr Mast-Vieh wird zum Fest geschlacht, wann sie wird Hochzeit halten.

9. Die Vormundschafften dieser Zeit erreichen nun ihr Ende: die Mutter kommt mit groser Beut, und füllet uns die Hände. Wer hat diß je zuvor gedacht, sie war ja niemals in der Schlacht, und ist zu Hauß geblieben.

78.

O wie wohl ists dem gelungen! der gekommen an den Ort, wo die heil'ge Schmelz der Fremmen kommt: vor nach Gottes Wort, dann da wird das Herz geschlacht, und wird ein herrer gebracht, was für GOtt zum Dienst erlesen, nach des Geistes wahren Wesen.

2. Dann wann unsre Geistes-Kräffte preisen GOtt im Heiligthum, lernen wir des HErrn Geschäffte, auszubreiten seinen Ruhm: er hat uns darzu erwehlt, und gebracht in sein Gezehlt, wo der wahre Geistes-Wille ruhet in der Segens-Fülle.

3. O wie theuer sind die Stunden! da in wir gekommen sind, wer mit Gottes Rath verbunden, und ihm als ein kleines Kind folget, der wird erst gewahr, wie ihn GOtt so manche Jahr hat getragen auf dem Arm seiner Liebe mit Erbarmen.

4. Darum, O du meine Seele! lobe GOtt aus aller Krafft, dancke seiner Segens-Quelle, die uns so viel Guts geschafft: sein Genaden-reiches Licht laß bey dir verlöschen nicht, und ermuntere dich wieder, sing ihm Lob und Liebes-Lieder.

5. Dann die neue Erde blühet, breit sich aus zur Fruchtbarkeit, wer sich recht darum bemühet, daß er werde zubereit zu der heil'gen Glieder-Zahl, die nach Gottes weiser Wahl sind zu seinem Dienst erkohren, und aus seinem Geist gebohren.

6.

6. Dem wird Gottes Güte folgen und des Paradieses Krafft, die sich theilet mit nur solchen, die sehr enge in Verhafft mit dem Geist verbunden sind, der gebiert zu Gottes Kind, daß sie in dem Gnaden-Leben können Gottes Gut erheben.

7. Darum wollen wir stets preißen unsers Gottes Lieb und Treu, und ihm Lob und Ehr erweisen, weil er wieder uns aufs neu, speiset mit der Himmels-Kost, und uns giebet neuen Trost. Dann wann wir auf ihn stets achten, lässet er uns nicht verschmachten.

8. HErr du wollest uns stets ziehen auf dem rechten schmalen Pfad, daß dem Unglück wir entfliehen durch die Liebe und Genad; die uns machet täglich neu, wann wir bleiben ihr getreu. Darum auf! ihr Klugen alle, lobet GOtt mit frohem Schalle.

79.

SEht! wie des Davids Geist schön durch die Feinde reist, thut trefflich siegen, und schwingt die Fahn, mit Pracht, weil durch sein grose Macht, der Feind, muß liegen.

2. Die Botten sind schon auf, daß sie dem frommen Hauff das Heyl verkünden, so lang verborgen war, weil kommt das frohe Jahr, das wird abwenden.

3. Die Leid- und Trauerzeit, da sie in vielem Streit hart musten ringen, und gehet nun dahin, nach Gottes Rath und Sinn: davon thun singen.

4. Die Friedens-Botten schön, die nun sehr freudig gehn die Friedens-Strasen, und tragen Christi Bild, den reinen Glaubens-Schild, und Geistes Waffen.

5. Sie haben Schwerdter ast: man hört Posaunen-Schall in ihrem Gehen: das Lamm ist in der Mitt, und thut sehr sanffte Tritt, schön anzusehen.

6. Sie ziehen in das Feld, als wie ein tapffrer Held umgürt die Lenden, mit Wahrheit angethan, und stehen als ein Mann, den Stab in Händen.

7. Der Feinde Gifft und Grimm, und gro-

ses Ungestüm, kan ihn nicht schaden: dann GOtt streit vor sein Heer, errettet seine Ehr, weil sie in Gnaden.

8. Es kommt ein Friedens-Bott, der zeiget an, daß Lot nun wieder ledig von seiner Feinde Macht, die ihn mit grosem Pracht geraubt ruhmredig.

9. Der Frieden ist gemacht, weil kommen von der Schlacht Abram mit Namen. Die Feinde sind veracht, und gänz zu nicht gemacht, der stolze Saamen.

10. Melchisedech kommt an, und bringet Abraham von GOtt den Seegen; trägt Brod und Wein ihm auf, weil er der Feinde Hauff thät niederlegen.

11. Nun ruhet alles wol, ist Fried und Freuden-voll, mit Dasick und Loben; weil GOtt durch seine Macht hat gänz zu nichte gemacht der Feinde Toben.

80.

SEhr lang und viel hab ich getracht, wie mir mein Heil möcht werden, dabey der vielen Welt versagt, und aller Freud der Erden, alleti das Beste blieb zurück, worin mich schwer kont fassen, dieweil die Welt und zeitlichs Glück mich noch nicht hat verlassen.

2. So ginge ich dann hin und her, und suchte auf allen Strasßen, ob möchte finden, wo der wär, den ich gern wolt umfassen: viel leerer Dunst blieb mich oft an, daß meine, es wär das Wesen; doch blieb verfehlt die rechte Bahn, wo man kommt zum Genesen.

3. Die Elementen dieser Welt brachten mir zu viel Sorten, von Menschen, die im Schein verstelle bey vielen schönen Worten: daß meine, es wär die rechte Sach, ich hät mein Glück gefunden; allein wann sah von hinten nach, so war es wie verschwunden.

4. Als ich so wanckte hin und her, und wust mich nicht zu fassen, bald drauf kam an ein neue Mähr von jenen Friedens-Straaßen: die Botten waren voller Freud, das Wunder an zu preisen von der so grosen Seeligkeit, die lang von GOtt verheissen.

454 5. Das ſüſe Evangelium, von JEſu angeprieſen, macht bald das Eitle ſtumm und dumm,
und thät die Luſt verſüſen, wodurch das Himmelreich erjagt, weil man ſich GOtt ergeben: wer
ſo hat allem abgeſagt, wird dort in Freuden
ſchweben.

6. Diß iſt das Heil, ſo uns anbracht, die lauter Gutes ſagen, dabey der eitlen Welt verſagt,
und GOtt im Hertzen tragen. Drauf wird der
weiſe Gottes-Rath, den er in Liebes-Drangen ge
ſtifft im Tauf- und Waſſer-Bad, mit Freuden
untergangen.

7. Da wurd gebaut ein Gottes-Haus voll
Himmels ſüſen Lehren, und wer nur da ging ein
und aus, thät Gottes Lob vermehren: das Himmelreich war offenbar, die Welt wolt faſt vergehen, was lang verdeckt verborgen war, ließ ſeine
Wunder ſehen.

8. Der allerkeuſte Kirchen-Zweig thät wiederum ausgrünen in Gottes und in Chriſti Reich,
das mußte zum Segen dienen: doch blieb die Herrlichkeit zurück, die dort erſt wird erſcheinen, das
recht erwünſchte volle Glück blieb noch verdeckt
ein Weilen.

9. Das Thier, ſo vor geweſen war, und iſt,
doch nicht auf Erden, mußt erſt noch werden offenbar, eh es gericht, kont werden: und wann es
ſteigt vom Abgrund auf, wo es ein weil verſchloſ
ſen, ſo hemmet es den Glaubens-Lauf, der ſonſt
macht unverdroſſen.

10. Diß iſt das alte Sünden-Thier, das noch
entdeckt muß werden, eh Chriſti Reich uns bricht
herfür, und wir verherrlicht werden: diß wohnt
in uns, eh wir verklärt, und Gottes eigen worden, diß iſt, ſo Chriſti Kirch verſtöhrt, und heilgen Prieſter-Orden.

11. Diß ſetzt ſich wider GOtt und Chriſt,
auch Gottes-Dienſt daneben, ſtelle ſich, als ob es
beſſer wüßt, wie man ſoll GOtt ergeben, und
gibt dem Sünden-Menſchen Preiß, wornach ihn
thut gelüſten, macht ihn daneben Dinge weiß,
wo jene nichts drum wüßten.

12. Setzt ſich wider die Majeſtät, thut die
Herrſchafft verachten, wo nur ein Prieſter und

Prophet, der muß ſich laſſen ſchlachten und würgen durch den Bruder-Haß, den Cain angeerbt:
wer einmal trinckt aus dieſem Faß, in Ewigkeit
verdirbet.

13. Diß iſt die Sünd, ſo hier noch dort noch
jemals wird vergeben, die Rache währet fort
und fort, hier und in jenem Leben, die Bande von des Todes Gewalt ſind nimmer auf zu lö
ſen, bis aller Frevel abbezahlt, ſo ausgeübt im
Böſen.

14. Die Herrlichkeit ſo dort erwacht, thut hier
im Segen blühen, wo man GOtt dienet Tag
und Nacht, und ſich nur thut bemühen, daß man
getreu in ſeinem Thun, nach Gottes Wohlgefallen, der wird ſüß nach der Arbeit ruhn vor vielen
andern allen.

15. Wie bin ich doch ſo hertzlich wohl, daß es
bisher gelungen, weil oft im Schmertzen Kummervoll im Segen durchgerungen: wann mein
verboßtes Sünden-Thier mich thäte drücken, quälen, ſo brach ein neues Licht herfür, zum Troſt der
armen Seelen.

16. Die Hoffnung thät der Ancker ſeyn in
meinen Trübſals-Tagen, GOtt ſchenckt mir unn
gantz anders ein, daß kan von Güte ſagen: die
Liebe zu dem höchſten Gut bracht mich aus den
Gefahren, wo öfters fiel der Helden-muth in meinen Kindes-Jahren.

17. Ob gleich ſehr oft das Ziel verfehlt, bey ſo
viel guten Meinen, daß mußte ſeyn als wie ent
ſeelt von viel und langem Weinen, ſo war es doch
nur lauter Gut, die mich ſo wolte üben, weil ich
in meiner Jugend Blüth mich hatte GOtt ver
ſchrieben.

18. Ach was ſeh ich mir dorten blühn! wann
alles Leid zu Ende, und nach ſo vielerley Bemühn ruhen die müde Hände. Nach viel gehabter Tages-Laſt folgt Friede nach dem Leiden, wie
GOtt es alles abgefaßt, und lohnet mit viel
Freuden.

19. Wann öffnen ſich die ew'ge Thür, wo Zion ein wird kommen, ſo wird der ſchwartze Trauer-Flor der Kirchen abgenommen. O was ein
Wunder wird man ſehn! wann ſie mit groſer
Schaa

Schaaren werden aus ihrem Kercker gehn, wo sie gefangen waren.

20. Mit Weinen werden sie ausziehn, andre mit grosen Freuden: viel Völcker werden sich bemühn, die Wunder auszubreiten; Jerusalem wird seyn erbaut, erhöher in viel Ehren, der Tempel wird dabey geschaut, erfüllt mit Wunder-Lehren.

21. Von Morgen und von Abend her wird man Geschenck darbringen, vom aussern Ende an dem Meer wird man Lob-Lieder singen zu Ehren dem Allmächtigen, der sie so schön erbauet: was nie zuvor ein Aug gesehn, wird nun im Lichte geschauet.

22. An allen Orten rund umher wird man im Seegen wohnen, der Friede wird seyn wie ein Meer, womit GOtt selbst wird lohnen. Dann wird ein jeder mit viel Freud ruhen in seiner Hütten, in stolzer Ruh und Sicherheit und unverrückten Frieden.

23. Nun höret man kein böß Geschrey auf dieser gantzen Erden, weil nichts als lauter Lieb und Treu mehr wird gehöret werden: kein reissend Thier wird seyn zu sehn auf Zions grünen Heyden, weil Wolf und Lamm zusammen gehn, und mit einander weiden.

24. Auch Küh und Bären mit zugleich in Eines sich verbinden, in diesem neuen Zions-Reich wird man nichts anders finden, als Frieden und Gerechtigkeit, die stets einander küssen: denn diese angenehme Zeit wird alles Leid versüsen.

25. Nach der so langen Trauer-Nacht allhier in Mesechs Pforten, da Zion zum Liedlein gemacht, und hart gedränget worden. Kein Schwerdt noch Spieß ist da zu sehn, noch von dergleichen Waffen, wo man einander machet Wehn, noch thut dergleichen schaffen.

26. Die Schlange selbst kan ihren Gifft nun niemand mehr einmessen, weil sie allein das Unglück trifft, daß sie muß Erden essen. Die gantze Schöpffung ist befreyt vom Fluch und Bann, daneben erlöst vom Dienst der Eitelkeit in diesem Freuden-Leben.

27. Anjetzt ist sie mit uns beschwert, die wir sind Gottes Waysen, und seuftzen, daß erfüllet

werd, was er so lang verheissen. Wir sehnen uns den gantzen Tag, Ach GOtt! laß bald erscheinen, wo auf muß hören alle Klag, vergessen alles Weinen.

28. Das ist das End von diesem Lied, die Hoffnung bleibet stehen, bis daß man aller Orten sicht, daß weg sind alle Wehen, und kein Geschrey noch Hertzenleid man mehr wird sehn noch hören: auch in die Läng der Ewigkeit wird diese Freude währen.

81.

Singet, lobsinget, ihr Kinder der Liebe, die ihr gezogen aus heiligem Triebe; rühmet die Wunder des Königs von oben, der uns hilft siegen in Leiden und Proben.

2. Dann er beschützet die Armen, Elenden, biß sich ihr Leiden in Freuden wird wenden, und thut sie richtig die Wege fort führen, wo auch die Thoren nicht können auf irren.

3. Helden, so öffters die Feinde geschlagen, und sie sehr prächtig zur Schaue getragen, sind nun verwunder vorm Feinde in Schanden liegen gefangen in Fessel und Banden.

4. Drum werden Knäblein gerüstet zum Streiten, damit sie schlagen die Feinde zur Seiten, weil selbst der König thut fornen an gehen, können sie freudig im Kampffe bestehen.

5. Jünglinge werden nun wieder gebohren, die sich dem HErren zu eigen verschworen, und achten selbsten ihr Blut nicht zu theuer, daß sie bestehen wie Golde im Feuer.

6. Priester, die täglich ins Heiligthum gehen, stetig-gebeuget vors Lamms Stuhl stehen, tragen zwölff Perlen, die künstlich bereitet, gehen sehr prächtig und herrlich gekleidet.

7. König und Fürsten die kommen gegangen, jauchtzend, frolockend mit trefflichem Prangen, spielen und singen mit heiligen Freuden, damit sie stärcken die Armen im Leiden.

8. Ewig und ewig ist nimmer kein Schweigen, wo des Lamms Jungfrauen gehen am Reigen, mit den Gespielen, die schön sie begleiten, sehr prächtig stehen an ihnen zur Seiten.

9. Joseph thut wachsen und schön sich ausbreiten,

ren, daß es auch Freude wird bringen den Heyden: und ob die Feinde schon wieder thun kriegen,
wird er doch nimmer im Kampffe erliegen.

10. Benjamin wird bald das Königreich führen, alles was männlich ist, wird er regieren, und
wird besiegen die Hohen auf Erden: so wird Jehova verherrlicher werden.

11. Drum singe ihr Kinder der Liebe zusammen, und brenni in Göttlichem Eiffer als Flammen, daß davon Himmel und Erd, erschalle, und
also unserem König gefalle.

82.

SOlte ich von Jammer sagen, müst ich klagen,
fast die ganze Lebens-Zeit: darum will ich
davon schweigen, und anzeigen Gottes Huld und
Freundlichkeit.

2. Doch, kan ich es kaum erwehren, daß nicht
Zähren fließen, wann nur dencke dran: was in
meinem Pilger-Gange mir vor Drange öffters
wurde angethan.

3. Wann nicht Gottes Gut und Gnade, früh
und spate, auch dabey gewesen wär: so hätt offt
das schwere Leiden machen scheiden, wann ge-
wüt der Feinde Heer.

4. Darum will ich stetig sagen und vortragen
Gottes Huld und Freundlichkeit: wann ich meinen Jammer wäge, und darlege, übertrifft doch
jenes weit.

5. Doch, wann ich es solte sagen, was vor
Plagen offt das Leben fast erdrückt: müst ich auch
dabey anzeigen, nicht verschweigen, daß die Gnad
mich mehr beglücke.

6. Nun geh ich so hin, verlegen, doch im Segen, trag mein Elend ohne Klag: Dann ich hör
die Wächter sagen von den Tagen, da aufhöret
alle Plag.

7. Doch muß ich noch etwas nennen, frey bekennen, daß nicht weiß wie mirs geschicht: ich
fühl wol das Gnaden-Leben, doch daneben auch
das schwere Blut-Gerichte.

8. Dann des alten Adams Rechte, und Geschlechte muß ganz aus dem Wege seyn, drum
will stetig seyn beflissen, daß zerrissen, was daselbst deckt mit Schein.

9. Ich will von des Adams Sachen nicht viel
machen, es sey Leiden oder Freud; beydes bleibet
in dahinden, muß verschwinden, wann sich ende
die Lebens-Zeit.

10. Aber, was mir offt vor Pressen eingemessen, solches kan beschreiben nicht: drum will mich
von denen Dingen aufwärts schwingen, in das
ungeschaffne Licht.

11. Da seh ich mit klarem Auge, daß nichts
tauge, was der alte Adam ticht: wären es auch
schöne Sachen; ich will machen, daß sein Ruhm
im Grund zernicht.

12. Diß thut mir noch sehr anliegen, daß
möcht siegen über alle Adams-Brut. Muß gleich
seyn dahin gegeben Leib und Leben, es trifft doch
nur Fleisch und Blut.

13. Was durchs Wort ist, neu geboren, aus
erkoren, das verdirbet ewig nicht; wo es scheinet
zu verwesen, thuts genesen in dem ungeschaff-
nen Licht.

14. O Was Freude bringt die Sonne! O
was Wonne! wann die Gnaden-Wolck aufgeht;
wann des Adams Licht verdunckelt jenes funckelt,
dessen Glanz ewig besteht.

15. Ach wär ich einst hingerücket! ganz ver-
zücket in die frohe Ewigkeit: wornach ich so sehr
verlange, daß vom Drange, ich einst würde ganz
befreyt.

16. Doch will ich noch bleiben lieber, wann
was über, das noch muß seyn abgethan. Ich will
hier mein Creutze tragen, wann geschlagen, denck ich sey schuldig dran.

17. O Jehova! schencke Kräffte zum Geschäffte, wozu ich beruffen bin: laß mir nichts
den Glauben schwächen, und nicht brechen den
in dich verliebten Sinn.

18. Ich will nun so dahin reisen, GOtt stets
preisen, Ihn anflehn um Gnad und Huld; daß
ich Ihm in meinem Leben bleib ergeben, biß gebüßt des Adams Schuld.

83.

SOphia, Jungfrau edle Braut, ich möchte
wol was sagen, wer deine Schönheit einst
geschaut, kan allein sich entschlagen: ich habe dich
auch

auch einst erblickt, wodurch ich worden gantz entzückt, daß ich vor Liebe nach dir brenne, und sonsten keinen andern kenne.

2. Ach daß ich dich so spat ersehn! und eher nicht erkennet, ach daß ich dich hab lassen stehn! und andern nach gerennet: mein Lieb, ich sag und klag es dir, und bitt, vergib, vergib es mir, denn falsche Lust hat mich betrogen, und meine Liebe überwogen.

3. Ich meint, ich hätt den edlen Schatz, die schöne Perl, gefunden: drum gab ich her den besten Platz, und gab mich überwunden; gab falscher Lieb mein Hertze ein, ließ träncken mich mit ihrem Wein; ach ach! was ich gesucht, bracht mir viel Leid und bittre Frucht.

4. Ich fande mich vom höchsten Gut so weit, so fern, geschieden: ich hab vermeint, mein Hertz und Muth solt kommen nun zum Frieden: doch weit gefehlt, mein armes Hertz ward voller Unruh, voller Schmertz, weil fremde Lieb mich überwogen und unvermerckt mein Hertz betrogen.

5. Hättst du, O Lieb! nicht angesehn mich Armen in viel Nöthen, so hätt ich müssen draussen stehn, und mich allhier verspäthen: drum danck, O Lieb! drum danck ich dir, mein Hertze brennt vor Liebs-begier. O grosse Lieb! O grosse Treu! worüber ich mich sehr erfreue.

6. Ich bleib dir nun auf ewig hin verbunden und verschrieben, es sagt mein Hertz, ja Muth und Sinn: dich einzig will ich lieben. Nichts soll mich mehr von dir abtreiben, du wollst dich auch mir einverleiben, und durch die Gnade machen fest: dich lieben ist das allerbest.

84.

Süße Liebe reiner Seelen, die sich haben GOtt verlobt, trotz ob auch die Welt schon tobt: dann die sich mit GOtt vermählen, leben, wie es ihm gefällt, und entsagen dieser Welt.

2. Nun hab ich in mir gefunden, was die Liebe in sich hat, sie ist mir an Frauen statt: als ich JEsu mich verbunden, war der Braut-Schmuck mir zu theil. O du unverhofftes Heil.

3. Süße Liebe, schönste Krone, Unschuld-volles Perlen-Kleid; selig ist, dem du bereit: dessen

Treu du wirst zu Lohne, wird verpflantzt in deine Art, und bleibt ewig dir gepaart.

4. Alle Blumen dieser Zeiten bleiben nicht, sie fallen ab, und verwesen in dem Grab; aber Liebe, die im Leiden durch so manche Prob bewährt, wird durch keine Zeit verzehrt.

5. Diese Lieb hat mich getrieben, daß ich hab mit Hertz und Mund mich ergeben in den Bund: er der Vorgang in dem Lieben tritt also voran die Bahn nach dem obern Canaan.

6. Auserwehlte Liebes-blicke, die uns GOtt hat zugesandt, ihm sey Lob durch alles Land: alle Welt steh weit zurücke, ich bekenn und sag es frey, daß mir GOtt mein alles sey.

U

85.
Es. 62.

UM Zion willen will ich nimmer schweigen, noch um Jerusalem mich halten still: ich will von ihr im Geist ermuntert zeugen, weil ihre Hoffnung bald geht in die Füll; daß man Gerechtigkeit wird sehn in ihr, wie einen Glantz, aufgehn, ihr Heil entbrennen, wie ein Fackel, in Rein- und Klarheit, ohne Mackel.

2. Daß auch die Heiden in dem Lichte sehen dein so hell scheinende Gerechtigkeit, und alle Könige bestürtzet stehen, wenn sie anschauen deine Herrlichkeit: da wirst du denn für deine Schand mit einem neuen Nam genannt, welchen des HErren Mund wird nennen, den selbst muß alle Welt bekennen.

3. Dann wirst du seyn ein Krone schön gezieret ins HErren Hand, die groses an dir thut, und deinem GOtt, der auf dem Thron regieret, in seiner Hand ein Königlicher Hut; da soll es heissen nimmermehr, daß dich verlassen hab der HErr, noch jemand dein Land wüste schelten, das nun erleuchtet alle Welten.

4. Du solt von GOtt den schönen Namen haben, er wird dich nennen: meine Lust an ihr; und dein Land, damit er dich wird begaben, seit lieber Buhle heissen für und für: dann der HErr, der dich ewig liebt, und oft hat lassen seyn betrübt,

hat Lust an dir, und Wohlgefallen, und liebt dein
Land für andern allen.

5. Wie ein verliebtes Hertz liebt ihren Buh-
len, so werden auch die lieben Kinder dein sich
täglich üben in dein Liebes-Schulen, in deiner Liebe dir getreu zu seyn: und wie eins Bräut'gams
seine Braut sich freuet, die sich ihm vertraut, so
wird dein GOtt sich deiner freuen, und sein Lieb
oft zu dir verneuen.

6. Jerusalem, ich will auf deine Mauren bestellen, durch den Geist ein starcke Wacht von treu-
en Wächtern, die da sollen lauren auf alle falsche
Geister Tag und Nacht; und hinfort nimmer stille
seyn, den HErrn im Geist bedienen rein, und stets
von seinen Wundern zeugen, auf daß bey ihnen
sey kein Schweigen.

7. Ihr, die ihr nun von GOtt darzu gewür-
digt, verschweiget nicht des Höchsten Lieb und
Treu, bis daß Jerusalem wird ausgefertigt, dann
wird GOtts Lob auf Erden werden neu: was
GOtt mit Eid hat fest gemacht bey seines rechten
Armes Macht, und was er Zion hat versprochen,
hält er ihr ewig ungebrochen.

8. Ich will [spricht GOtt] nicht mehr den
Feinden geben zur Speiß dein eingesammletes
Getrayd: du solt von deiner Frucht hinführo leben, die du erworben hast durch viel Arbeit; ich
will auch deinen Freuden-Most, der dich viel Mühe hat gekost, nicht mehr die Fremden trincken
lassen, noch von der Kelter lassen fassen.

9. Die in der Erndte eingesammlet haben, die
essen billig auch ihr eigne Speiß, und weil sie GOtt
fülle mit viel Geistes-Gaben, so singen sie dem
HErren Ruhm und Preiß: und die einbracht
den trüben Most, die trincken billig auch getrost
des Weins, der rein ist ohne Hefen, in Gottes
Heiligthums-Vorhöfen.

10. Gehet hin, mein Volck, geht hin durch alle
Thore, und zeiget den Völckern meinen Willen
an, bereit den Weg dem Volck, das ich erkohren,
und machet für sie eine ebne Bahn: raumt auf
all harte Anstoß-Stein, daß ihr den Blinden Licht
mögt seyn: thut das Panier der Lieb auffstecken,
zur Lieb die Völcker zu erwecken.

11. Der HErr läßt durch den Geist bereit sich
hören, sein Stimm erschallt bis an das End der
Welt: wer sich von seinem Geist noch lässet lehren, der wird der Tochter Zion zugezählt. Sagt
der zerstreuten Zion an; dein Heil kommt; mach
dich auf die Bahn, er wird dir in der Liebe lehnen; Babel vergelten, und nicht schonen.

12. Man wird alsdann das Volck von Zion
nennen, [wann alles Leid von ihn'n wird seyn
gewandt] das heilge Volck, das seinen. GOtt
wird kennen, des HErrn Erlöseten von Schmach
und Schand. Man wird dich heissen eine Stadt,
die GOtt in Lieb besuchet hat, und ewiglich bleibt
unverlassen, weil Gottes Arme sie umfassen.

86.

WAch auf, mein Geist und sieh das Prangen
des Lichts, so zeigt den Sabbath an, der
Morgen-Stern ist aufgegangen, und zeiget mir
die Lebens-Bahn: drum freu ich mich in seinem
Licht, und will fort eilen gantz behend, damit ich
bald den Lauf vollend.

2. Ich seh im Geiste offen stehen die Pforten
von Jerusalem, allwo zusammen bald eingehen
die zwölff erwählte Jacobs-Stämm, die hier im
Gang, mit Lobgesang, dem Lamm gefolget früh
und spat, drum gehn sie ein in Gottes Stadt.

3. Ich seh die Morgen-Röthe leuchten in meinem Geist mit grosser Freud, ihr Thau thut alles
Land befeuchten zur vollen Lieb und Fruchtbarkeit,
drum freu ich mich hertzinniglich der Treu und
grosen Lieb und Gnad, die mir mein GOtt erwiesen hat.

4. Ich wandle nun am Strohm des Lebens,
der fliesset aus dem Paradies, und trincke Wasser, das vergebens auf alle durst'ge Seelen fließt;
und eß spricht, ich sag es frey, vom Lebens-Brod,
das mir giebt Stärck, so daß ich seine Krafft
vermerck.

5. Ihr Auserwählte Bunds-Genossen, mit denen ich verbunden bin, ich will aufs neu mich unverdrossen mit euch im reinen Jungfrau'n-Sinn
machen bereit zu der Hochzeit, und folgen treulich
nach.

nach dem Lamm, als meinem schönsten Bräutigam.

6. Dann ich hör schon die Wächter singen, und spielen mit viel Lobgethön: sie thun die frölich Bottschafft bringen, daß Zion soll zur Ruh eingehn, und nun die Freud und Seeligkeit ererben, so uns JEsus hat geschenckt aus unverdienter Gnad.

7. Das neue Reich bricht nun herfüre, da alles voller Freud wird seyn, es öffnet sich die güldne Thüre, wo JEsus bald wird führen ein die heilge Zahl zum Hochzeit-Mahl, da ihm die Braut zur Rechten steht, im güldnen Schmuck schön einher geht.

8. Man sieht sie Ritter-Kräntze tragen in dieser schönen neuen Welt, dieweil sie hier das Creutz getragen, im Kampff gestanden als ein Held. Drum faß ich Muth, und wags aufs Blut, will achten weder Spott noch Hohn, daß ich auch trag die Beut davon.

87.
Wach auf, O meines Geistes Lust! und mich in dich versetze: mir sey nichtes anders mehr bewußt, als daß ich mich ergötze an deiner Schöne ewiglich, damit mein Aug nur seh auf dich, und mich kein Feind verletze.

2. Du hast mich ja von Jugend an mit deinem Trost geleitet, und mich auf meiner Creutzes-Bahn in Liebe eingekleidet: drum ist nach meinem Leidens-Stand in meinem rechten Vatterland das Erbe mir bereitet.

3. Du siehest tief ins Hertz hinein, was darin pflegt zu wohnen: find sich darin noch Heuchel-Schein, so wollst du nicht verschonen: damit in mir werde zernicht, was nicht kan stehn, wann dein Gericht die Menschen wird belohnen.

4. Laß meinen Geist ermüden nicht den schmalen Weg zu lieben, weil mich dein hohes Gnaden-Licht vorlängstens hat verschrieben zu der so lieb-und werthen Schaar, die unterm Creutze immerdar in deinem Lob sich üben.

5. Wie manchen süßen Liebes-Blick hab ich ja schon genossen, da oft durch unvermuthes Glück mit Freud ward übergossen. Drum bitt ich, O mein treuer Hort! bring mich doch durch die enge Pfort mit allen Bunds-genossen.

6. Es sind ja deine Wercke groß, wer solte dich nicht ehren, weil du bist deiner Kinder Loos: laß ihre Freud sich mehren. Hilff ihnen in dem schweren Streit besiegen allen Zorn und Neid, die ihre Ruh verstören.

7. Es hat dein Geist vom Gnaden-Lohn in tiesen duncklen Zeiten uns etwas ja entdecket schon: drum thun wir uns bereiten auf jenen frohen Freuden-Tag, wo ohne Noth und ohne Klag du sie wirst sicher leiten.

88.
Wann die Braut, in schönem Prangen, kommt in ihrem Schmuck gegangen, und die Jungfern an der Seiten, schön gekleid in weisser Seiden: Freund und Gäste Palmen tragen, Lob und Hosianna sagen; werden mit erstaunen stehen, die sie vorher angesehen: als von GOtt sehr hart geschlagen, da sie ihre Schmach getragen.

2. Alsdenn wird viel Angst und Schrecken solche mit viel Schmach bedecken: Die hier herrlich schön geschmücket, schienen gar zu wohl beglücket, ihre Stimmen werden schallen, Berg und Hügel thut doch fallen; deckt uns vor dem Angesichte dessen, der komme zum Gerichte jeden seinen Lohn wird geben, wie er hat verdient im Leben.

3. Dann wirds heissen: laßt euch sehen, thut die Häupter hoch erhöhen; die ihr in dem Koth getretten, offt gelegt in Band und Ketten: als ein Schau und Spott gehalten: Ihr sollt nun mehro verwalten, Priesterlich und Königs Stellen, die Gottlosen Urtheil fällen; werden sie von ferne stehen, sagen: wir habens verfehlt, und werden nun sehr gequälet.

4. Dann werden die wahre Frommen haufenweiß zusammen kommen; jeder seine Führung zeigen, ewig nimmer stille schweigen, O HErr! thu doch bald vollenden, deine Hülff aus Zion senden, deine Auserwehlten rette, die noch an der Creutzes-Kette schreyen, doch verkürz die Zeiten, weil so schwer die letzten Leiden: vor Versuchung wollst behüten, die in viel Gedult gelitten, führ sie durch das Jammerthal, in den frohen Freuden-Saal.

89.

WAnn man die Sache wohl betracht, und darauf giebet fleißig acht, wie jeder ist zur Welt gewandt, und macht von Gottes Wort nur Tand: so wird man drüber sehr im Geist betrübt, weil man an Gottes statt die Welt nur liebt.

2. Man redet viel von Gottes Weg und von dem schmalen Creutzes-Steg, worauf ein Thor nicht irren kan, und wer denselben tretet an, der wird allhier verspott, verhöhnt, veracht, und von der Welt zum Narren gar gemacht.

3. Der Mensch von sich selbst gar nicht weiß, was ist des neuen Menschen Speiß: er siehets nur vor Thorheit an, was Christi Geist schafft, thut und kan. Dann wann der Mensch nicht also leben kan, so sieht ers an als einen Fluch und Bann.

4. Ein Christ der Welt lebt zum Verdruß, der Engel Schau-Spiel werden muß, dieweil er ist in Christi Tod gecreutziget und lebt in GOtt. O Leben! das da Paradisisch heißt, und das nur grünet aus durch Christi Geist.

5. Es ist zwar zu beklagen hier, daß man muß sehen, wie das Thier sich übergiebet auch der Hur, für diese Wund ist keine Cur: so wird noch alles unter sie gebracht, und Christi Kirch zu einem Spott gemacht.

6. Es haben viele abgesagt der Hur mit ihrem stolzen Pracht: des Lebens Wort im Geist gehört, und seynd doch wieder umgekehrt, bis endlich sie durch ihren Schein-Betrug den Geist gedämpffet und seinen Gnaden-Zug.

7. Drum wann GOtt werden soll der Preiß, so kostets uns viel Müh und Fleiß, daß uns mit ihrer falschen Lehr die Hur zu Babel nicht bethör: die ihren Gifft und süßen Zauber-Wein statt Christi Lehr den Menschen schencket ein.

8. Ein jeder eyle fort aufs neu ohn Schein, Betrug und Heuchelen zu wallen auf der Lebens-Bahn, weil wir geschworen zu der Fahn, die unser Held hat selbsten ausgestreckt, und dadurch unsern Geist zum Streite erweckt.

9. Wann er den Herrn der Finsternuß und ihrer Macht begegnen muß, samt dem verderbten Fleisch und Blut, und der vergifften Schlangen-Brut: dann diese Feinde machen ihre Beut, wann unser Glaube sinckt und Schiffbruch leidt.

10. Nun wird die Hur gestürtzet bald, es geht zu End des Thiers Gewalt, das Paradies wird offenbar, es kommt das Freuden-reiche Jahr: der Anfang erndt das Ende wieder ein, Erquickung wird des Streites Ende seyn.

11. Der lang-gehoffte Abend-Schein der Sabbaths-Ruhe bricht herein, und was die Frommen mit Begier erwarteten, ist vor der Thür: dann sicht die Hur zum Triumph wird geführt, es wird gesammlet, was da war verirrt.

12. O Schande! wer in dieser Zeit mit Esau seine Seeligkeit verscherzet um ein Linsen-Muß, der kommt zu kurtz in seiner Buß: dann wer durchs Feuer geht, der bleibet klein, und geht schon hier zu seiner Ruhe ein.

13. Dann wer sich hier dem Lamm vertraut, und wird des Hohen-Priesters Braut, regieret nicht nur tausend Jahr, sein Regiment bleibt immerdar: es bleibt die Jungfrau in der neuen Welt dem Hohen-Priester ewig zugesellt.

90.

WAs Freude wird verspürt, wo JEsus selbst regiert die Seelen, die gantz kleine, die Hertzen, die gantz reine: was Freud wird da verspürt, wo JEsus selbst regiert.

2. Doch O ein harter Tode! zu sterben ohne Noth, wo man sich frey begeben der höchsten Lust im Leben, wo man auch ohne Noth sich selbsten gibt zum Tode.

3. Die starcke Liebes-Macht hat mich dahin gebracht mein Leben zu entsagen, und mich in Tode zu wagen, worzu mich hat gebracht die starcke Liebes-Macht.

4. Doch bleibt mir noch ein Schmertz, der drucket sehr das Hertz, weil ich nicht gantz kan werden befreyt von den Beschwerden, die drucken sehr das Hertz, O welch ein bitter Schmertz!

5. Der Erden ihre Ding sind mir zwar sehr gering; doch ist noch was daneben, das ist nicht hingegeben, das ist nicht so gering als dieses Erden Ding.

6.

6. Ich bin zwar durch viel Leid und manchen sauren Streit schon oft zu Grund gegangen, und pfleg am Creutz zu hangen, da stets der schwere Streit vermehrt das bittre Leid.

7. Doch leidet sichs noch wohl, wo nachmahls Freuden-voll das Hertze wird beglücket, daß man oft wie entzücket ist aller Freuden voll, da leidet sichs noch wohl.

8. Wo aber diese Klag erscheinet alle Tag, daß auch im Todt erstorben, was man in GOtt erworben, das ist ein schwere Klag, so sterben alle Tag.

9. Die höchste Liebes-Lust, die mir ehmals bewußt, läßt mich doch nie verderben: auch mitten in dem Sterben bleibt mir nunmehr bewußt die höchste Liebes-Lust.

10. Ich bin nun sanft und still in meines Gottes Will, weil ich zur Ruh gekommen, indem ich mir entnommen, drum ruh ich sanft und still in meines Gottes Will.

11. Sein Will ist meine Speiß auf meiner Pilger-Reiß, drum ich um nichts mehr stehe, als nur: dein Will geschehe, der ist auf meiner Reiß nunmehr die beste Speiß.

91.

WAs ist das vor ein Verliebte? die man doch nennet die Betrübte, die sie so traurig einher geht, als die da vom Mann verstosen, der statt ihr thät die Magd liebkosen, die ihm nun auch zur Seithen steht. Trostloß geht sie einher, als ob kein Helffer wär, der ihre Schmach und Traurigkeit, so lange Zeit, könt lösen auf in Himmels-Freud.

2. Sie ist völler Weh und Klagen, und kans vor Leid fast nicht aussagen, weil sie so Kinderloß muß seyn: ihre Schöne ist verzehret, mit Kummer-Brod sie nun sich nähret, und ihr Getränck ist Myrrhen-Wein. Von vielem Hertzenleid nägt sie ein schwartzes Kleid, und muß trauren um ihren Stand im fremden Land, wo ihre Sprach ist unbekannt.

3. Höre diß, die du verstosen, bald kommt die Zeit der güldnen Rosen, im Geist diß schon erschollen ist: du wirst bald den Mann erbeuten,

der sich wird nimmer von dir scheiden, sein Nahme heisset JEsus Christ. Dann wird dein gantzes Hauß mit Lust sich breiten aus aller Orten, damit da werd die neue Erd erfüllt von dieser reinen Heerd.

4. Rufe laut, sey unerschrocken mit Jauchzen und mit viel Frolocken; vergiß deine Wittwenschafft: dann der dich zuvor geschaffen, wird deinen Jammer von dir raffen, und kleiden dich mit Heil und Krafft. Du wirst umgeben dann mit Freuden deines Mann, drum sey getrost, die güldne Roß wird dir zum Looß nun fallen bald in deinen Schooß.

5. Darzu bist du ja erkohren, daß von dir werden ausgebohren viel Söhn und Töchter ohne Zahl: Hauffenweiß sie werden stehen, und mit Gesang am Reigen gehen, nach Gottes hoher Wunder-Wahl. Drum sey nicht mehr berrübt, weil du so hart gesiebt: seid ein wenig, bald kommt dein Sohn, ein schöne Kron, die dir wird geben Gottes Sohn.

6. Bald bald wird auch wieder kommen die Herrschafft aller, deiner Frommen, der König der Gerechtigkeit wird bald Zion wieder bauen: in Lichte und Recht wirstu ihn schauen, wann du vergessen alles Leid, darin du warest lang in vieler Schmach und Drang, und wirst sagen: mein viel Elend ist nun zu End, GOtt hat die Schmach nun abgewendt.

7. Dann der HErr hat selbst geschworen, und wird nichts davon gehn verlohren, daß du sollseyn sein Eigenthum: Berge sollen eher weichen, eh er dir nicht sein Heil solt zeigen, weil du bist seines Nahmens Ruhm. Du wirst noch vor ihm stehn im Schmuck gantz herrlich schön, und ihm dienen, als treue Knecht, in Lichte und Recht, das auserwehlte Erb-Geschlecht.

8. Darum sey nur unverdrossen, dein Heil kommt dir von GOtt geflossen, des Friedens Bund beschattet dich, und wird nimmer von dir weichen, bis daß du wirst dein Land erreichen, da du wirst ruhen ewiglich. Drum harr noch eine Zeit, dein Heil ist nicht mehr weit, bald kommt das End und rückt herbey,

daß.

Zugab.

Tröstet, tröstet meine Lieben, sagt, daß sie
sind ins Hertz geschrieben, machts kund der gantzen Zions-Heerd: wünschet Heil an allen Enden,
das Trauer-spiel wird sich bald wenden, daß Zion
bald erlöset werd. Dann ihre Ritterschafft hat
sich ans End geschafft, bald kommt die Zeit, daß
Zion werd, wie eine Heerd gesammlet auf der
gantzen Erd.

92.

Was kann ein Hertz nicht wagen, das in dem
lautern Sinn der Welt thut gantz absagen,
und läßt sie fahren hin: es wird gar oft geträncket
aus JEsu Liebes-Brust, die ihm dafür einschencket viel reine Himmels-Lust.

2. O selig! wer im Segen auch keinmal müde wird in diesen rauhen Wegen, bis GOtt sein
Hertz berührt: und thut das Ja-Wort schencken
mit reichem Ueberfluß, am Brunn der Gnaden
träncken zum stetigen Genuß.

3. Das sehnende Verlangen ist an sein Ziel
gebracht, der Trost kommt mir gegangen bey Tag
und auch bey Nacht: drum kann ich sanfte hingehen in dem verliebten Sinn, weil GOtt mir
meine Wehen so hat genommen hin.

4. Und folge dann den Tritten, die uns das
Lamm gemacht, da Es für uns gelitten, und an
dem Creuz geschlacht. Da ist die gantze Heerde, die Ihm so hier nachgeht, bis sie verherrlicht
werde, und dort in GOtt erhöh.

5. Da blühen unsre Kronen in jener Ewigkeit, womit uns GOtt wird lohnen nach viel gehabtem Leid. Hier wall ich mit den Treuen, die
GOtt sich hat erwählt, und dorten wird verneuen
in jener neuen Welt.

93.

Wenn JEsus Brunn ergiesset sich, und fließt
auf meine Seele, mit Geistes Kraft durchdringet mich, so fließt des Glaubens-Oele aus
Gottes reiner Liebes-Kraft, die meinem Hertzen
Leben schafft, daß seiner Liebe Ueberfluß so gleich
auch mit geniessen muß.

2. Die gantze liebe wehrte Schaar, die so gleich
mit vertrauet, daß sie ihn loben immerdar, auch
werden mit erbauet zu deiner Glieder heilger Zahl,
die du, aus gantz geheimer Wahl, sehr tieff in
dich gezogen ein, in deine reine Lieb's-Gemein.

3. Damit sie in dir rein und hell mit wahrer
Himmels-Liebe erfüllet, samt Geist, Leib und
Seel, durch reine Eintrachts-Triebe, und so, als
deine wehrte Schaar, dich nunmehr loben immer-
dar, und bringen ihre Opffer auch, nach wahrer
Pflicht und Kinder Brauch.

4. Laß deine reine Liebes-Saat in uns fein
lieblich grünen, des reinen Geistes Einheits-
Gnad schön unsre Geister zieren, so daß die reine
Warheits-Frucht, des Creutzes JEsu Liebes-
Zucht in unser Hertz gedrücket ein, und dir also
ergeben seyn.

5. Auf daß wir reinlich leben hier vor deinen
hellen Augen, in reiner keuscher Liebes-Zier, als
ein geschmückte Taube, in wahrer Einfalts-Nie-
drigkeit, in Demuth-voller Freundlichkeit, und
tragen recht das Schildlein hier des Brustwehrs
reiner Lebens-Zier.

6. Damit wir kämpffen ritterlich noch hier auf
dieser Erden; auf daß dein Reich vollständiglich
mög ausgebreitet werden: und also in gantz voller
Kraft, die uns ein wahres Wesen schafft, gezeiget werd, zum Spott und Hohn, wider die Hur
zu Babylon.

7. Damit in wahrer Einheits-Kraft die Kinder deiner Liebe mit starckem Muth, durch deine
Macht, recht ernstlich angetrieben, dieweil der
Falschheit böser Schein muß offenbar entblöset
seyn, daß das Gezisch der Schlangen-Welt werd
offenbarlich dargestellt.

8. Drum wird auch deiner Knechten Ruhm,
den sie von dir thun schallen, (weil sie dein wahres Eigenthum) noch vielen hier gefallen; daß sie
dir als dem starcken GOtt, geben Kraft, Preiß
und ewig Lob, und ehren dich mit grossem Pracht,
zum Lobe deiner Wundermacht.

9. Und noch zuletzt mit grosser Freud die edlen
Garben bringen; wann wird die schöne Som-
mers-Zeit sie machen frölich singen: dieweil der
Winter gantz dahin, und sie alhier nach deinem

Sinn

Sinn die Tränen-Saat gestreuet aus, drum bringstu freudig sie nach Haus.

94.

Wer kan sagen? was zu tragen auf dem Weg zum Vatterland: sich gantz scheiden bringt viel Leiden, setzt in manchen Trauerstand.

2. Nicht Ermüden bringt viel Frieden, macht vergessen alles Leid: und ohn Dencken sich erstrecken in die Ruh der Ewigkeit.

3. Wenn die Tage mit viel Plage sind beladen ohne Ziel: daß der Schmertze dringt zu Hertze, macht uns leben ohne Will.

4. Was erfahren in den Jahren meiner kurtzen Wanderschafft: kan nicht sagen ohne Klagen, weil verzehrt die Lebens-krafft.

5. Ohne Weinen nicht erscheinen kan der Glantz der neuen-Welt: wer beglücket ohngedrücket, stehet nicht, wann die Welt hinfällt.

6. Als geschieden mich vom Frieden, den die Welt den ihren gibt: pflegt mich Leiden zu begleiten, daß ich würd im Grund geübt.

7. Da ersuncken, ja ertruncken in dem Willen losen Meer: nahm ein Ende das Elende: ewig sey GOtt Lob und Ehr.

8. Nun ich ruhe, was ich thue: ohn Ersincken in der Still bringet Plagen, machet Zagen, und des Leidens offt sehr viel.

9. In der Stille Gottes Wille bringt Vergnügen in der Zeit: und sich sehnen mit viel Thränen bringet Ruh in Ewigkeit.

95.

Wie bist du mir so innig nah, O süser Freund der Seelen! eh ich dran denck, so bist du da, wilt dich mit mir vermählen in sanffter Still, allwo der Will sich gäntzlich unterbeuget, und alles stille schweiget.

2. So offt mein Hertz sich tief ersenckt in Gottes Rath und Willen, werd ich mit reichem Trost beschenckt, der allen Schmertz kan stillen, O reiche Haab! O edle Gab! wo GOtt selbst kan begnaden, und unser Sache rathen.

3. O liebster Schatz! O wehrtster Freund! den ich mir auserkohren, mein Hertze ist mit dir vereint, dann es ist neu gebohren durch deine

Krafft, die alles schafft: drum will ich dich auch, loben hieunten und dort oben.

4. Mach mich nur recht darzu bereit, durch deinen Geist der Gnaden, der mich zur frohen Hochzeit-Freud schon längstens eingeladen: gib mir das Kleid von weisser Seid, so tragen alle Gäste bey deinem Hochzeit-feste.

96.

Es freuet sich mein Geist, und meine Seele preißt des HErren Namen, weil er, ein treuer Hirt, mich bisher hat geführt, als seinen Samen.

2. Durch mancherley Gefahr erhalten wunderbar, und durch geleitet, und hat mir öfters auch, nach seinem Liebes-Brauch ein'n Ort bereitet.

3. Da ich auf ruhen kont: der treue Liebes-Bund, in JEsu Hertzen, der thät sich öfters auf, und stärckte mich im Lauff der bittern Schmertzen.

4. Dann meine Seele war verlassen auch so gar von meinen Lieben, die mit mir auf dem Weg und schmalen Himmels-Steg zugleich verschrieben.

5. Die musten auch ihr Hertz verschliessen vor dem Schmertz, der mich umgeben: da ich gieng sehr gedrückt, gantz traurig und gebückt must immher schweben.

6. Weil oft der Feind mit Macht und grossem Frevel-Pracht auf mich geschossen, in gantz verboßtem Grimm und starckem Ungestüm, mich um zu stossen.

7. Dennoch verbarg ich mich, und senckt mich innerlich in JEsu Wunden, der mich erhält bey Recht, weil ich, ein treuer Knecht, mich ihm verbunden.

8. Drum dancke ich dem HErrn zu Lobe seinen Ehrn, und thu ihm bringen die theure Liebes-Pflicht, daß ich werd zugericht, ihm Danck zu singen.

9. Damit ein Opffer werd ich noch allhier auf Erd, zu seinen Ehren, mit denen die im Gang zugleich auch mit Gesang sein Lob vermehren.

10. Mein Hertz sich innig freu weil er mich nun aufs neu in Lieb gerühret: und seine treue Gunst, die sich darbiet umsonst, ich hab verspüret.

11. Und thu auch wieder sehn das helle Licht aufgehn in meinem Hertzen: die lang verlangte Zeit, wo ich im Kampf und Streit geharrt mit Schmertzen.

12. Drum laß ich ihn auch nicht, weil mir mein Hertze bricht von grosser Liebe: denn meine Seel nun sieht, wie alles lieblich blühe aus seinem Triebe.

13. Die schöne Frühlings-Zeit, und reiche Fruchtbarkeit thut sich nun zeigen, im Geiste siehet man, daß wachsen schön heran die Liebes-Zweige.

14. Dieweil sie in der Kraft einander ihren Safft in Lieb darreichen: drum werden sie fest stehn, wann Sturm und Winde wehn, und nicht erweichen.

15. Drum freu ich mich im Gang des Creutzes Lob-Gesang annoch zu singen, mit denen die erkohrn, und zu dem Jahn geschworn hindurch zu bringen.

16. Und trete in den Bund, noch tieffer in dem Grund zu meinen Lieben, drum werden sie fest ein, in Gottes Liebs-Gemein mich recht zu üben.

17. Damit ich bald das Glück Jerusalems erblick, die Himmels-Pforten, da man hinein wird gehn mit Preiß und Lob-Gethön, von allen Orten.

18. Da allzusammen ein sich sammlen, die allein ihm hie nachgiengen, und thäten Lammes-Tritt allhier auf jeden Schritt, die werden singen

19. Mit ihm das neue Lied, wie man im Geiste sieht die reine Seelen, die werden gehen all, daß sie mit frohem Schall sein Lob erzehlen.

97.

Wie gut hats doch, ein treue Seele, die sich mit JEsu selbst verbindt dann alle Kraft auch aus der Hölle sie weder schwächt noch überwindt; weil Gottes Lamm, ihr Bräutigam, sie hält in seinen Armen fest, und pfleget ihr aufs allerbest.

2. Es ist auch nichts auf dieser Erden, das diesem zu vergleichen sey: von allem Kummer und Beschwerden macht JEsus solche Seele frey, die keusch und rein, nur ihm allein zu Ehren lebt als seine Braut, und stetig nur auf ihne schaut.

3. Den hohen Ruff und grosen Adel man schwerlich hier aussprechen kan der Seelen, die ganz ohne Tadel und treu gebliebenn ihrem Mann; so daß sie nur des Lammes Spur in allem folget

treulich nach, und wenns auch geht durch Creutz und Schmach.

4. Ja GOtt hat sich selbst auserwählet die Seelen, die sich ganz allein mit seinem liebsten Sohn vermählet, so daß sie keusch geblieben seyn: gesaget ab auch bis ins Grab, der Welt, und aller falschen Lust, die JEsus Liebe unbewußt.

5. Die reine Liebe macht verschwinden all eitle Lust zur Creatur: so bald wir uns mit ihr verbinden, und folgen treulich ihrer Spur, so spricht sie, daß keusch und rein wir ganz in unverfälschter Treu, ohn allen Trug und Heuchelen.

6. Ja Liebe hat GOtt selbst bewogen, daß er dahin gab seinen Sohn, die hat uns auch an ihn gezogen, daß wir ihm dienen ohne Lohn; dieweil umsonst, aus freyer Gunst, er uns aus ganz geheimer Wahl gebracht zur keuschen Jungfraun-Zahl.

7. Drum sollen wir uns billig beugen vor ihm, als seine werthe Braut, ja gar zu seinen Füssen neigen, und werden so mit ihm vertraut zu einem Leib, wie Mann und Weib, vertragen Lieb und Leid zugleich: so geht man ein ins Königreich.

8. Komme, all ihr liebsten Bunds-Genossen, die ihr mit Christi Geist getaufft, weil JEsus Lieb auf euch geflossen, und durch sein theures Blut erkaufft ins seinem Ruhm, und Eigenthum, aus allen Völckern in der Welt, zu seinem Lob und Dienst erwählt.

9. Ich will mich nun noch mehr befleissen, als ich gethan mein Lebenlang, die Liebes-Wunder hoch zu preissen mit herrlich-schönem Lob-Gesang: weil ich gebohrn, und auserkohrn, da JEsus mich nach ihm genannt, durch unser treues Ehe-Band.

10. Drum werd ich auch die neuen Lieder mit stimmen, wenn die ganze Schaar, als Erstlinge, die meine Brüder, an jenem grossen Jubel-Jahr, im hohen Thon, mit Gottes Sohn, da Cherubim und Seraphim, erheben werden ihre Stimm.

11. Wohl mir! weil ich nun bin vermählet des Allerhöchsten liebsten Sohn, und hab die Schönste mir erwählet, die täglich spielt vor seinem Thron, sich dein theilt mit, die nie ermüdet in Keu-

keuschen Kampff die gantze Nacht, bis sie nach ihrem Bild erwacht.

12. Drum soll sie auch die Meine bleiben, weil ich erfahren ihre Treu: sie kan der Feinde Macht vertreiben, und macht von allem Kummer frey, sie ist die Braut, die mir vertraut, dazu mein keuscher Ehe-Mann: ach! sehet doch das Wunder an.

13. Ich bleibe ewig ihr verschworen, in wahrer unverfälschter Treu, dieweil sie mich hat auserkohren, daß ich ihr treu-Ergebne sey, und so fort an, als Weib und Mann, verbunden fest in Leid und Weh: das ist die rechte heil'ge Eh.

98.

JE hastu meiner doch so gantz und gar vergessen, dabey so manche Noth und Leiden eingemessen; so daß mein gantzes Thun mit Trauren sehe an, dieweil das Allerbest scheint als wär nichts gethan.

2. Drum muß in so viel Leid mein gantzes Thun beweinen, von groser Traurigkeit mich zählen zu den Kleinen; weil alles, was gethan, mein gantze Lebens-Zeit, wären nur Ursachen zu meinem Herzensleid.

3. Dis macht mich dann so klein in allen meinen Sachen, daß auch die Liebsten Freund nur können meiner lachen: drum muß so traurig gehn, gekrümmer und gebückt, weil aller Helden-Muht als wie zu Boden ligt.

4. Diß währet Tag vor Tag, daß geh in lauter Schmerzen, weil alle meine Sach so treu gemeynt von Herzen. So geh ich aus und ein, bey so viel Herzenleid bring ich die Zeiten hin in lauter Traurigkeit.

5. Jetzt dachte ich, wohlan, ist etwa diß mein Orden, daß die betrübte Bahn zu meinem Erbtheil worden, so will still seyn und ruhn, als wärs die reichste Haab, und solt mein Schmerzen auch währen biß in das Grab.

6. Doch, leg ichs gleich so hin zu meines JEsu Füßen, werd ich doch auf der Welt nicht mehr viel Freud genüßen: weil Zion seh verwüst, betrübt und traurig stehn, so daß sie ihre Saat muß in viel Trähnen säen.

7. Was ihr thut liegen an, ist schwerlich auszusagen, drum geht sie ihre Bahn in lauter bittren Klagen: weil ihre Liebsten meist sich von ihr abgewendt, so, daß offt Bruder Freud einander nicht mehr kennt.

8. Gar viel haben im Wahn den Eyd gelassen fahren, gehen ein andre Bahn, die doch vor denen Jahren so vieles angewandt, im sehr verliebten Sinn der Welt entsaget und alles geben hin.

9. Diß ist betrübt zu sehn auf denen Zions-Strasen, weil sie muß traurig stehn, verweset sehn die Gassen. Doch will nun schweigen still, stellen mein Klagen ein, vielleicht geht wieder auf ein neuer Freuden-Schein.

10. Dann wann zur Mitternacht die Schlafende aufwachen, die klugen Jungfrauen die Lampen fertig machen. Jetzt siehets anders aus als in betrübter Zeit man geht ins Hochzeits-Haus mit vieler tausend Freud.

99.

WJe muß ich man so betrübt, die Tage bringen hin in so viel Zagen, weil man zu viel gelebet, und thäts ums Himmelreich aufs eusert wagen. Ach GOtt! wie mancher bitter Schmertz durchschnitte das verwundte Herz, da man betrübt von so viel Zagen, und durfft es keinem Menschen klagen.

2. Dann wann nur dencke dran, wie schon so lang zuvor betrübt gesessen, so machet mir die Bahn von Schmerzen vollends aller Freud vergessen. So gehts, wer jagt nach jener Welt, und alhier sucht, was GOtt gefällt; der Jammer läßt sich nicht aussagen, den man muß stetig umher tragen.

3. Wer hätts zuvor gedacht, daß man so lange müßt im Elend schweben? Doch, weil mans so gewagt, so kan der schwache Sinn den Muth erheben. Wer sucht sein Glück in jener Welt, wird hier ohn End gedrückt gequält, so lang er lebt alhier auf Erden, dort wird es freylich anders werden.

4. Die kümmerliche Zeit träge schon in ihrem Schooß das Glück von oben; O was vor tausend Freud wird wohl erwachen dann, nach so viel Proben. Jetzt drückt der Kummer offt den

Sinn, der so gericht zum Himmel hin, doch läßt das Hoffen nicht verzagen, fällt man, so thut mans wieder wagen.

5. Ach GOtt! steh selber bey, und laß den schwachen Muth nicht gantz hinsincken; sag, daß nichts bessers sey, als sich nach deinem Rath und Willen lencken. Das Heil kommt doch aus deiner Huld, hat man nur Langmuth und Gedult; gehts sauer her, GOtt kans schon lencken, und uns am Brunn der Gnaden träncken.

6. Doch fällts offt saur und schwer, so traurig gehen hin, als wärs verloren, und ob kein Helfer wär, das Glück wär nun verscherzt, so man erkoren. Was dieses offt zu sagen hat, wann man so gantz ohn Hülff muß gehn einher in viel Betrüben, als ob zur Unzeit man thät lieben.

7. Es wird wohl bleiben so, biß unsre Trauer-Tag wird gantz vollendet; dann wird man werden froh, wann es wird auf einmahl seyn umgewendet. Dann werden wir als wie vom Wein, der Liebe Gottes truncken seyn. Wer wird darinn können wohl ermessen, was auch noch sonst wird eingemessen.

100.

Wie schöne siehts hier aus, weil nun da steht erbaut als wie das Gottes-Hauß die reine JEsus-Braut: ich bin vereinet mit in seligem Gedeyen, wenn ihre Hoffnung blüht, kan ich mich mit erfreuen.

2. Was mich so sehr erfreut, auch offt in viel Gedräng, ist lauter Lieblichkeit und schöne Lobgesang. Die Schwestern groß und klein sind stets bereit zum Beten, ein kleiner Augenschein macht sie zusammen treten.

3. So geh ich auch mit ein in offnen Andachts-Raum, trinck mit von JEsu Wein, und eß vom Lebens-Baum. Die Lichter leuchten schön, sehr lieblich anzuschen, das viele Lobgethön thut Gottes Lamm erhöhen.

4. Deß bin ich Freuden voll und rühme Gottes Macht, weil er mir thut so wohl, und mich hieher gebracht. Die viele Traurigkeit, die ich zuvor getragen, macht mich nun jederzeit von Gottes Ehr sagen.

5. O möchte ich doch auch ein wenig bringen dar, nach rechtem Kinder-Brauch bey dieser reinen Schaar: und solte es auch nur das kleinste seyn und heissen, daß könt auf dieser Spur mit Gottes Güte preisen.

6. Der HErr woll nicht verschmähn, was wir für ihn gebracht, wann wir für Ihme stehn in unsrer Niedertracht. Wenn seine Täubelein so innigst nach Ihm girren, woll Er ihr sehnlich schreyn im Heiligthum erhören.

101.

Wie wohl kan ein Gemüthe in sanffter Stille seyn, das sich durch Gottes Güte läßt führen aus und ein; befreyt von eignen Thaten, läßt sich nur GOtt berathen, es ist nicht zu ermessen, was da vor Guts besessen.

2. Sich Willenlos hingeben, ob man gedrückt, beglückt, in Gottes Gnad nur leben, so wies dieselbe schickt; ist zwar ein harter Stand, und dem unbekannt, der sich mit eignen Thaten, noch selbsten weiß zu rathen.

3. Doch unermeßner Friede! den ein solch Hertz empfindt, das bloß auf Gottes Güte sein Thun und Lassen gründt, bleibt ihme nur ergeben, in seinem gantzen Leben, kan auch in seinen Händen, sein Leben frölich enden.

102.

Wie thut das Lieben doch so wol! wie wird das Hertz so Freuden-voll! wann sie mit ihrer süssen Pein die arme Seel hole wieder ein.

2. Von so viel Dienst der Eitelkeit, wodurch ich ward von GOtt gezwent; nun wird die Seele wieder frey; ob gleich das Trauren nicht vorbey.

3. Dann ich muß tragen meine Schuld; doch will ich leiden mit Gedult, was GOtt in seinem weisen Rath selbst über mich beschlossen hat.

4. Ihr, meine Lieben in dem Bund, der mich nun wieder macht gesund: und doch in mir so manche Jahr verschoben und verschlossen war.

5. Wie bin ich nun an euch erquickt! weil ihr geblieben unverrückt, und standhaffte in dem Liebes-Bund, drum lieb ich euch von Hertzen-grund.

6. Wie hab ich wieder meine Lust an euch, und wärme m ine Brust, die gantz in mir erkaltet war, und werde eure Lieb gewahr.

7.

7. HErr JEsu! du bist es allein, der uns
mache voll von Freuden-Wein: wenn man nur
in dem lautern Sinn gibt Hertz und Geist und
Seele hin.

8. Und dringet ein in deine G'mein, die gantz
und gar dein eigen seyn: und ohne Ende Ziel und
Zeit stehen zu deinem Dienst bereit.

9. Ich ruf zu dir, HErr JEsu Christ! weil
du mein Helffer worden bist in groser Noth und
viel Gefahr, da ich als wie verloren war.

10. Du stellest mich nun wieder ein zu dieser
heiligen Gemein: schenck mir dann Krafft von
oben her, so geb ich dir Lob Preis und Ehr.

11. Alhier in meiner Nidrigkeit, weil du mich
wiederum befreyt, und mir, als ein getreuer GOtt,
geholffen aus so mancher Noth.

12. Da offt mußt traurig gehn einher, als ob
fast gantz kein Helffer wär: drum will dich loben
allezeit alhier, und dort in Ewigkeit.

103.

WOhl dir:/: die du hast GOtt geglaubt beym
Creutz und in der Glaubens-Prob: bist
du:/: gleich trostloß, arm beraubet, das raubt dir
nicht des Glaubens Lob. Du trägst das beste
Theil davon, GOtt selbst ist nun dein Schild und
Lohn: dein Haus bleibt auf dem Felsen stehen,
dein Glück wird nimmermehr vergehen.

2. O Welt:/: wie sehr wird sich umwenden,
weil du hast Gottes Rath veracht: dein kluger
Sinn thät dich verblenden, daß du nichts hast auf
GOtt gewagt, du hast aufs Sandige gebaut, weil
du aufs Sichbare getraut, des rechten Wegs hast
du verfehlet, und dir ein schlechtes Theil erwehlet.

3. Die du:/: als Narren hast verlachet, die
haben weiß und wohl gethan: weil sie die Rech-
nung drauf gemachet, daß GOtt ohnmöglich lügen kan. Der hat die rechte Straaß gereiset, der
dem nur glaubt, was GOtt verheißt, die Thorheit
hat noch nie geirret, Welts-Klugheit aber viel'
verführet.

4. O wie:/: viel schöne Wunder-Sachen! die
jetzt sehr trefflich sehen aus, wird wohl der Todt
noch heßlich machen, wenn er zerbricht
des Leibes Haus: drum freut sich Zion, die ver-

acht, und heßlich ist alhier gemacht, der Todt wird
nichts viel an ihr finden, damit er ihren Gast kan
binden.

5. Das En:/:de wird den Anfang krönen, und
alles machen offenbar: dann wird man erst den
Glauben kennen, wann kommt, was nicht gesehen
war. Dann alles findet seine Stätt, was GOtt
verheissen und geredt, und wird gewiß erfüllet werden, trotz allem Unglück auf der Erden.

6. Drum ist:/: glückselig der zu schätzen, der
Glauben hält und GOtt bleibt treu: Gedult kan
ihn zu Frieden setzen, bis das Geheffte komme
herbey. Der kurtzen duncklen Glaubens-Zeit folgt
nach die frohe Ewigkeit, die das Gottselige Vertrauen einführen wird ins sel'ge Schauen.

7. Der Glau:/:be ist das Werck der Christen,
und bringet Brod vom Himmel her: er träncket
aus der Liebe-Brüsten, die machet leicht, was sonst
ist schwer. Doch ist der Glaube Gottes Gab,
und eine ungemeine Haab: die Erde kan nicht
Glauben geben, sie tödtet nur des Glaubens Leben.

8. Der Glaube isset Gottes Wesen, und machet
in ihm vergnügt und satt: macht selig und in
GOtt genesen, so daß man keinen Hunger hat
nach Welt und nach der Creatur, man folget nur
der Liebe Spur, und wird verborgentlich genäh-
ret, davon ein Welt-Kind nichts erfähret.

104.

WOhl mir! weil ich nun hab gefunden den
allerschönsten liebsten Freund, und hab mich
fest mit ihm verbunden, weil ers so hertzlich gut
gemeynt, da ich verirrt, hat er mein Hertz geruffen
mich durch seine Stimm; drum will ich treulich
folgen ihm.

2. Weil er in Liebe mich gezogen, und hingenommen meinen Sinn, drum werd ich auch durch
Lieb bewogen, mich ihme gantz zu geben hin, in
wahrer Treu, ohn Heuchelen, so daß ich auch zu
jederzeit verbleibe seinem Winck bereit.

3. Und weil es mir so wohl gelungen, daß ich
dich meinen Freund erblickt, und ich durch Liebe
gantz bezwungen, daß offt davon mein Geist entzückt, drum bleibe bereit zu jederzeit mein Hertz, zu
folgen deinem Gang, bis ich den vollen Sieg erlang.

4.

4. Weil du in Langmuth mich getragen, und weg genommen meine Sünd, drum kan ich alles auf dich wagen, weil ich mich starck durch dich befind: und weiche-nicht, bis mir geschicht, daß ich mit Freud vollend den Lauf, und von dir werd genommen auf.

5. Drum will ich mich aufs neu befleissen, um mich zu halten keusch und rein, und auch im Wandel es erweisen, daß du mir alles bist allein: mich scheiden ab, bis in das Grab, von allem, was auf dieser Welt, bis ich geh ein ins Himmels-Zelt.

6. Da ich werd in verklärtem Leibe auch stimmen an das neue Lied, mit dem geschmückten keuschen Weibe gezeugt aus Göttlichem Geblüt: die JEsus hat, durch seine Gnad, erworben ihm zum Eigenthum, zu seines Vaters Ehr u. Ruhm.

7. O all ihr auserwehlte Brüder! die ihr noch fest im Bunde steh,d, ermannet euch aufs neue wieder, dieweil der Hochzeit-Tag nicht weit. Es stehen schon viel vor dem Thron, die uns zuruffen allzumal zu Gottes grosem Abendmahl.

105.
Wohlauf du Jungfrau Gottes Braut! der Held wird von dir kommen, von Morgen wird der Stern geschaut zur grosen Freud der Frommen.

2. Drum heissest du gebenedeyt, weil du bey GOtt in Gnaden: die ganze Schöpfung wird erfreut, und alles Fluchs entladen.

3. Die Schaaren, die von Alters her so sehr betrübet stunden: sungen dem grosen GOtt zu Ehr, weil ihr Glück wieder funden.

4. Lob, Ehr sey GOtt hoch in der Höh, auch Menschen ein Gefallen: die grose Held nimmt weg das Weh, so thut die Stimm erschallen.

5. Drum machet weit die ewge Thor, und scheut nicht das Bemühen: damit im allerschönsten Flor der König kön einziehen.

6. Die Jungfrau hat schon Kindes-Noth, nun wird der Held erscheinen: der machen wird die Feind zu Spott, u. nehmen hin das Weinen.

7. Drum sagt der Tochter Zion an, ihr Heil sey näher kommen: der Held ist nunmehr auf der

Bahn, daß glücken muß das Frommen.

8. Heut tryumphirt der Engel-Chor die Seraphinen singen: wir heben Herz und Haupt empor, dem Höchsten Danck zu bringen.

9. Heut steht der Cherub nicht mehr da, wo Adam ihn gelassen: das Paradies ist wieder nah, tröstet seine Straaßen.

10. Heut ist der Kayser aller Welt gekrönet in der Wiegen: ligt da in einer armen Zelt, die Teufel zu besiegen.

11. O JEsu Christ Immanuel! du bist mein Bruder worden:] hast mich erlöset von der Höll, durch deinen Creuzes-Orden.

12. Drum danck ich dir mit Herz u. Mund für alle deine Güte: und preiße dich zu aller Stund mit Herz, Seel und Gemüthe.

13. Nichts wird uns können scheiden mehr, weil du so niedrig kommen: dem alten Feind sein Brüst-Gewehr auf ewig weg genommen.

106.
Wunderbahre Zeit, voller Herrlichkeit, die sich zeige in unsern Tagen, mehr als unser Mund kan sagen: es ist nicht mehr weit die Erquickungs-Zeit.

2. Gottes Wunder-Spiel eilt zu seinem Ziel: die Geburt dringt durch die Enge, und nach mancherley Gedränge findet man das Ziel, und der Weisheit Spiel.

3. Dann sein Werck im Geist seine Krafft beweist jetzt in viel Gebährungs-Nöthen; doch er wird den Todt bald tödten: dann die Noth verheißt uns den Sieg im Geist.

4. Wann die Angst ist da, ist die Freude nah: wenn das Kind zur Welt gebohren, öffnen sich die Freuden-Thoren. Das Halleluja folgt auf Golgatha.

5. Wem es nicht gebricht an des Glaubens Licht, der wird weißlich können deuten unser Zeiten Dunckelheiten, da das Abend-Liche schon durchs Dunckle bricht.

6. Und wer darauf merckt, wird in GOtt gestärckt: dann man sieht bey tausend Wehen doch sehr wohl von statten gehen das Erlösungs-Werck in der Schwachheit Stärck.

7. Wenn sein Tag anbricht, der uns Ruh

ver-

verspriche, macht sein Rath, der war verborgen, aus der Finsternuß den Morgen. Was er will, geschicht, wann sein Tag anbricht.

8. Durch den Abend-Schein dringet jetzt herein die Vollendung aller Zeiten, da sich Tag u. Nacht wird scheiden, und nicht mehr wird seyn Streit, Geschrey und Pein.

9. Auch des Treibers Neid, Ungestüm und Streit wird nicht mehr gefunden werden auf der gantzen weiten Erden: dann die güldne Zeit bringt zu End den Streit.

10. Zions Thränen-Saat wird, nach Gottes Rath, nun bald ihre Erndte bringen, und das Leid und Weh verschlingen: dann wird werden satt, die gehungert hat.

11. Wann diß bricht herein, wird es anders seyn: wann die Satten dieser Erden sich ums Brod verkauffen werden, schencket man Freuden-Wein den Betrübten ein.

12. Die, so unfruchtbar und verlassen war, wird mit Freuden, Ruhm und Ehren sieben Kinder ausgebähren: dann wird offenbar die verlobte Schaar.

13. Aber die auf Erd war geehrt u. währt, weil sie viele hat gebohren, geht samt ihrer Früchte verlohren: dann die reine Heerd fülle die neue Erd.

14. Groß ist GOtt der HErr, niemand trotze mehr, dann er hat der Starcken Wagen, Bogen, Spieß und Schild zerschlagen, daß man niemand mehr forthin kriegen lehr.

15. Er wird geben Krafft seiner Ritterschafft, und mit Stärck und Macht umgürten seinen König, seinen Hirten: der durch seine Krafft Sieg und Heil verschafft.

16. Die verachte Schaar, die verworffen war, wird er aus dem Staub erheben, und ihr Reich und Scepter geben: er wird stellen dar, was verheissen war.

17. Eilends wirds geschehn, was GOtt hat ersehn: unvermuth wird er aufwachen, und die Feind zu schanden machen: und die Niedrigen aus dem Staub erhöhn.

18. Selig ist, wer wacht, und gibt fleissig

Acht, daß in diesen Gnaden-Zeiten er mög seine Lamp bereiten: der hats wohl bedacht; selig ist, wer wacht.

Z

107.
Zage nicht :/: Zion zage nicht, ob die Heerd schon klein; ist sie dennoch rein: zage nicht, darum zage nicht.

2. Sieh wie währt :/: ist die kleine Heer, und weil sie so klein, kan sie Jungfrau seyn: dann so währt ist die kleine Heerd.

3. Obs schon scheint :/: mercke, obsschon scheint als wolt sie vergehn; wird man doch bald sehn, wie sie scheint, wie so schön sie scheint.

4. Dann ihr Kleid :/: dann ihr Trauer-Kleid, das sie jetzt hat an, wird bald abgethan: ja ihr Kleid, ja ihr Trauer-Kleid.

5. Dann wird man :/: ja alsdann wird man sehen, wie so schön sie einher wird gehn: jederman wird es sehn alsdann.

6. Die veracht :/: die sie so veracht, hättens nicht gemeint, daß so schön sie scheinet: die veracht, die sie so veracht.

7. Dann ein Kron :/: ja ein schöne Kron jeder trägt zur Beut, die ihn stets erfreut nach dem Hohn. O ein schöne Kron!

108.
Zion, über dir geht auf, was GOtt hat verheissen; sey getrost, in deinem Lauf GOtt allzeit zu preissen: es wird GOtt Zebaoth für dein viele Thränen, dich mit Gnaden kröhnen.

2. Gottes Herrlichkeit und Zier wird dich bald beglücken: sein Glantz geht auf über dir, u. wird dich schön schmücken mit dem Kleid, das bereit, und dir hat erworben, der für dich gestorben.

3. Du wirst seyn nicht mehr betrübt, wie du lang gesessen: GOtt, dein Heil, (der dich geliebt, machet dich vergessen seinen Schmertz, der dein Hertz in dem gantzen Leben mit viel Müh umgeben.

4. Heb nur deine Augen auf, so wirst du bald sehen, nach vollendtem Glaubens-Lauf, die zur Seithen stehen deine Söhn wunder-schön, die dir sind gebohren, und zum Heil erkohren.

5.

5. Deiner Töchter grose Zahl kan niemand aussagen, die, nach hoher Wunder-Wahl, in denselben Tagen, stehen da fern und nah, schön geschmückt am Reigen, tief im Geist sich beugen.

6. Du wirst deine Lust noch sehn, wann versammlet werden, und durch deine Thor eingehn, alle Kedars Heerden: Midian wird alsdañ Gold und Weyrauch bringen, unserm GOtt lobsingen.

7. Und die Böcke Nebajoth werden, ohn Beschwerden, unserm grosen Wunder-GOtt dann geopfert werden: ja die Macht, und der Pracht, vieler grosen Helden wirst du dir erbeuten.

8. Deine Mauren sind erbaut von der Fremden Händen, und die Könige, wie man schaue, nun zu dir sich wenden: dienen dir für und für, und zu Gottes Ehren deinen Ruhm vermehren.

9. Deine Mauren sollen Heil, und die Thor Lob heissen, die du bist sein Erb und Theil: alles wird dich preissen: die zuvor sich empor über dich erhaben, bringen dir nun Gaben.

10. Und du wirst der Könige Brüst mit viel Freuden saugen, weil du die Geliebte bist, die in Gottes Augen hoch geacht, und gebracht ist zu solchen Ehren, sein Lob zu vermehren.

11. Deine Pfleger, die das Recht gar getreulich halten, werden, als getreue Knecht, Gottes Sach verwalten: geben acht Tag und Nacht, was nur Gottes Willen, um ihn zu erfüllen.

12. Sey getrost und wohlgemuth, O du sehr Betrübte! endlich wird noch alles gut, wann dich der Geliebte, dir zum Heil, wird in Eil auf das höchst beglücken, und aufs schönste schmücken.

109.

Zion, was betrübst du dich, weil du scheinest gantz verlassen, siehe, wie sanftmühtiglich will der König dich umfassen: reitet nur ein Eselin drum faß Muth in deinem Sinn.

2. Dann dein gantz verlaßner Stand, drin du scheinest zu vergehen, ist ihm ja so wohl bekant: aber er will gerne sehen, ob du ihm aus Lieb u. Treu dienen wilt ohn Heuchelen.

3. Sieh, wann er im Tempel-Haus strenge Peitschen oft gebrauchet, treibt er nur die Krämer aus, und die Art, so da nichts tauchet: und

wann weg der Wechsler Kraam, geht hinein, was Blind und lahm.

4. Diese macht er dann gesund, und schenckt ihnen ihre Sünden, darauf lassen sich zur Stund junge Kinder mit einfinden: singende mit schönem Thon Hosianna Gottes Sohn.

5. Wird dann schon die Krämerey, und was nicht rein, gantz verjaget, daß es scheint, als obs aus sey: Zion, sey nur unverzaget, dann wann dieses ist geschehn, pflegt der König ein zu gehn.

6. Dann siehe man der Jünger Schaar freudig da vor ihme stehen, und die Töchter Paar u. Paar mit Gesang am Reihen gehen: auch die Mägde hinten nach geben ihre Freud an Tag.

Nachklang.

Ach ich hör das köstlich Schreyen! das mir rufe so freundlich zu; kan mich doch nicht drüber freuen, noch im Hertzen finden Ruh. Niemand sorgt vor Zion mehr, ihre Straaßen stehen leer.

2. Ja die Thore stehen öde, Niemand will mehr gehen ein, und die schöne Morgen-Röthe scheinet gantz erblaßt zu seyn; auch die Bürger dieser Stadt scheinen selbsten müd und matt.

3. Und die Wächter, die da liefen auf den Gassen hin und her, und mit Freud und Wonn ausriefen die so schöne Himels-Lehr: werden öft gering geacht, und von vielen gar verlacht.

4. Auch die wahre Bruder-Liebe, die so herrlich schön geblüht, da die reinen Geistes-Triebe brachten Segen, Heil und Fried, scheint veracht gering u. matt, und das nicht schmerzlich seyn.

5. Wann ich dencke, wie vor Jahren alt und junge, groß und klein öft in Freud beysamen waren, brachen Brod und Liebes-Wein: truncken mit viel Freud und Wonn, sobten JEsum Gottes Sohn.

6. So möcht ich vor Leid vergehen, dañ auch selbst der Kinder Schaar thäte man mit Freuden sehen bringen Opffer zum Altar: hüpfften oft vor Freuden auf bey der unvexatischen Tauff.

7. Alte, Jüngling und Jungfrauen, wolten sich aus reinem Trieb, mit Jungfrau Sophia trauen in geheim und keuscher Lieb: jedes wolt jungfräulich seyn, voller Tugend, keusch, und rein.

8

8. Nunmehr sieht man viele Alten sich verkriechen hin und her, dann die Liebe will erkalten, und der Jugend ganzes Heer gibt der Welt Herz Muth u. Sinn gantz getrost und freudig hin.

9. Drum thut Zion billig, klagen über diesen Jamerstand, u. mit Leid und Wehmuth sagen: ach wie hat sichs umgewandt! ach wie hat die grose Freud sich verkehrt in Schmerz und Leid.

10. O ihr Wächter Zions währet! werdet doch, nicht auch ermüdt, rufet zu der gantzen Heerde, bietet an viel Heil und Fried; bringe mit Klag-Gebät vor GOtt Zions Jamer Schmerz u. Noth.

110.

ALle letzt schencket man frölich ein, auf Tranren, süssen Freuden-Wein, man wirds kaum können sagen, was man alsdann vor Kost aufträgt, wann alles Trauren hingelegt, nach so viel Trübsahls-Tagen, Jetzt werden die schönesten Lieder gesungen, da es dann wird heissen: nun ist es gelungen.

2. Der Anfang von der frohen Zeit hat nun mein Herz in GOtt erfreut, O was vor schöne Sachen! wo man so lang muste traurig gehn, die Saat mit so viel Schmertzen säen, kan man jetzt freudig lachen, O seligs erwünschte selige Stunden! die sich nun gantz ohne Vermuthen gefunde.

3. Ach GOtt! was lange harte Zeit, da nichts als Drang und Traurigkeit, u. kümerliches stöhnen: die Hoffnung zu dem ewgen Gut war aus, dahin der Helden-Muth, nebst vielen bittern Thränen. Wer solte nicht zagen in so vielen Wehen, wo man so gantz ohne Trost umher muß gehen.

4. Drum wars auch eine Wunder-Sach, daß kommen ein auf einen Tag das Heil gantz ohnvermuthen, u. nahm den langen Schmerz dahin, u. brachte, ein mit viel Gewinn den Trost wieder zum Guten, Drum ist auch erwachet das traurige sehnen, das lange entschlaffen von so vielen Thränen.

5. Jetzt hat man wieder Freudigkeit im HErrn, weil kommen ein die Zeit, wo Gottes Ehre blincket, in grosser Zier und hohem Pracht, nach der so langen Trübsahls-Nacht, und sehr viel Heil einschencket. O seliges Warten in so vielem Zagen! da man auch von GOtt u. von Menschen geschlagen.

6. Die Freundligkeit, so kommen ein, ist leicht verblendter leerer Schein, man kan es klärlich mercken, wie Gottes hohe Wunder-Kraft den schweren Drang hinweg geschafft, u. thut in Schwachheit stärcken. O seligs Vergnügen nach so vielen Wehen! da man wieder freudig die Wege kan gehe.

7. Nach Zion hin, in so viel Freud, alwo die grose Seligkeit, wo man darnach geloffen, mit Schmertzen u. mit vieler Müh, darnach gejaget spath u. früh, bis man sein Ziel getroffen. Jetzt wird man nun ferner erwarten die Zeiten, bis alle gekrönet, mit himmlischen Freuden.

111.

ZU Mitternacht ward ein Geschrey; wacht auf! wacht auf! es komt herbey der Bräutigam, behende: steht auf, die ihr geladen seyd, es ist nun nicht mehr Schlafens Zeit, die Nacht eilt starck zum Ende.

2. Auf! nehmet wahr der Gnaden-Zeit, und fliehet Träg- und Sicherheit: steht auf vom Schlaf der Sünden, eh ihr verschlaffet das grose Glück, das allbereits ist im Geschick, und bleiben müst dahinden.

3. Vergeßt die edle Perle nicht, die euch in dem Gnaden-Lichte vor zeiten ist erschienen: da ihr euch auf die Flucht gemacht, und in dem langen der Mitternacht nicht länger wolte dienen.

4. Und stehet nicht still in Sodomsland, dann Gottes Zorn ist angebrannt, und seine Tenne feget: es warnet zwar der fromme Loth, u. wird darum mit Schmach und Spott von Freund und Feind beleget.

5. Dann er ist fremd und unbekannt auch denen, die ihm anverwandte, und darf es doch nicht sagen: weil man so gerne siehe zurück, und suchet in der Welt sein Glück mit Vortheil zu erjagen.

6. O treu geliebte Gottes-Schaar! merck auf, es kommt das frohe Jahr, daß dein Gebät erhöret: dann Moses schließt die Hütte zu, u. Josua brings Volck zur Ruh, der die Verschliessung lehret.

7. Dann Jericho, die alte Stadt, die Mauren bis an Himmel hat, wird nicht durchs Schwerde geschlagen: es fordert hier die Bundes-

des Lad, die pfleget man nach Gottes Rath, um sie herum zu tragen.

8. Mein Herz und Geist ist hoch erfreut, dann meine Lampe ist bereit, GOtt wird das Oel wohl schencken: wann anderst ich nicht lasse nach, ihm nach zu folgen in der Schmach, und

die Natur zu träncken.

Ich weiß auch anders nichts zu thun, als nur in seinem Willen tuhn von gut= und bö= sen Wercken: es fordert weder diß noch das, als nur des alten Lebens Haß, er woll uns da= rin stärcken.

Nachklang und Beschluß.

FReue dich, Zion, deines Gottes, dann siehe, dein Heil blühet dir, du wirst erbauet und zubereitet werden in Gerechtigkeit, und deine Herrlichkeit wird über dir aufgehen, und leuchten in Gnade und Barmhertzigkeit; deine Mau= ren sollen Heil, und deine Thore Lob heissen. Dein Licht und Recht wird auskommen unter den Heiden, und dein Ruhm unter den Völckern. Für deine Schande und Schmach wirst du mit Herrlichkeit angethan werden, u. für deine Traurigkeit wirst du Freude die Fülle haben; dann dein GOtt ist unter dir groß worden, und seine Ehre ist erhaben bey dir. Dann er ist, der dir Lehrer zur Gerechtigkeit giebet, und Friede schaffet in deinen Gräntzen. Er wird um dich her Raum machen, daß deine Wurtzel triefend werde, und deine Aeste und Zweige sich ausbreiten. Er wird schöne Cedern=Bäume weg räumen, damit man deine schöne Gestalt sehe, und der Schatten des Waldes wird dir dienen wider die Stiche der heissen Sonnen. Deine Veste wird er= haben seyn über alle Berge, und deine Schönheit wird blühen und grünen im Thal, und auf der Ebne wirst du deine Lust haben an deinem GOtt. ZEUCH hin, mein Volck, zeuch hin, und gehe zu seinen Thoren ein, da= selbst solt du geleitet werden in grossem Frieden, und seine Herrlichkeit und Eh= re wird unter dir aufgehen. HALLELUIAH singet nun das auserwälte Heer, preiset und rühmet seinen GOtt, der es ausrichtet, der es vergolten ih= ren Feinden; der sie erhöhet und ihr geholffen aus der Schmach; der die Schmertzen geheilet, die Wunden verbunden, das verwahrlosete zurecht ge= bracht, und das verlohrne gesuchet. Darum sey getröstet, Israel du heiliges Volck, dann dir ist geholffen vom HErrn, und du bist getröstet von deinem GOtt. Darum sey zufrieden, und lasse seinen Ruhm bey dir seyn allezeit. Dein Trost und Friede vergehet nimmermehr, dann der dich geschaffen hat, ist dein GOtt, und der dich mit Heil anleget, ist dein Heiland.

E N D E.

✓ 153   1766. Paradisisches Wunder–Spiel, Welches sich in
diesen letzten Zeiten und Tagen in denen Abendländischen
Welt-Theilen, als ein Vorspiel der neuen Welt hervorgethan:
Bestehend in einer neuen Sammlung andächticher und zum
Lob des grosen Gottes eingerichteter geistlicher und ehdes-
sen zum Theil publicirter Lieder.

4to, half bound.   Ephratæ : Typis & Consensu Societatis,
A. D. MDCCLXVI

*With the engraving on the title of "Deliciae Ephratenses."
This volume contains the last collection of the Hymns of the
Ephrata Cloister. All of those down to page 297 were written
by Conrad Beissel, and this copy gives information hitherto
unknown,. It has belonged at one time to one of the Brethren
and he has inserted beside the hymns, beginning with page 297,
the names of the Brethren and Sisters who wrote them. This
fortunate circumstance gives it the greatest value. Like all
the books written exclusively for the Cloister the edition was
small and copies are extremely rare. Though this copy
apparently lacks a leaf of the Register it is more nearly complete than any other within my recollection. The Ephrata
books not intended for sale were bound seemingly to suit the
taste and convenience of the owner, and there are many irregularities both in the way of additions and omissions. This copy
is of course unique.*

The 1754 book with the same title was a book of
anthems & choruses: this a coll^n of 725 Ephrata
hymns, mostly already printed in the Franklin bks
& in the Turtel Taube & its appendices. The preface
by Prior Jaebez deals with Theosophy, the Community
features & the merits of Beissel — It has 4 pts.
(1) 441 hymns by Beissel. (2) 72 hymns, all but a
few from Tlock & Justingen, by the Solitary. (3)
100 hymns by the Sisters of Saron (4) 111 hymns

Lightning Source UK Ltd.
Milton Keynes UK
UKHW010509070119
334942UK00009B/1380/P